CW00543161

Políticas sociales
y Estado de Bienestar en España
Informe 1999

Políticas sociales y Estado de Bienestar en España
Informe 1999

Edición a cargo de Juan Antonio Garde

FUNDACIÓN HOGAR DEL EMPLEADO
EDITORIAL TROTTA

COLECCIÓN ESTRUCTURAS Y PROCESOS
Serie Ciencias Sociales

Sagasta, 33. 28004 Madrid
Teléfono: 91 593 90 40
Fax: 91 593 91 11
E-mail: trotta@infornet.es
http://www.trotta.es

Diseño
Luis Arenas

ISBN: 84-8164-321-1
Depósito Legal: VA-452/99

Impresión
Simancas Ediciones, S.A.
Pol. Ind. San Cristóbal
C/ Estaño, parcela 152
47012 Valladolid

CONTENIDO

II. POLÍTICAS SECTORIALES

III. CIUDADANÍA Y PARTICIPACIÓN

ANEXOS

PRESENTACIÓN

El Estado de Bienestar ha sido uno de los referentes más significativos del desarrollo civilizador de la segunda mitad del siglo XX, ya próximo a concluir. Resultado de un amplio consenso social interclasista, ha posibilitado el crecimiento económico y la estabilidad social en democracia durante décadas al menos en los países más desarrollados.

En España, el proceso de despoblación rural y la progresiva instauración de un régimen económico industrial propiciaron el desarrollo de la conciencia de protección social y la necesidad de construcción de las instituciones básicas de la Seguridad Social, en la década de los '60. Sin embargo, y a pesar de este impulso, el sistema ofrecía coberturas limitadas y dejaba a amplios colectivos fuera de su protección. No es de extrañar que con la recuperación de la democracia, que comienza a perfilarse en al año 1975 y toma forma en el año 1978 tras la aprobación de la Constitución, se acometa, por una parte, la ampliación de las prestaciones básicas del sistema y su extensión a todos los colectivos y, por otra, el desarrollo de todo un conjunto de políticas sociales en educación, sanidad, integración social, que sitúan a España en el camino de la convergencia real con sus socios naturales de la Europa desarrollada. En dos décadas se configura, en consecuencia, de forma acelerada y tardía respecto a nuestros socios europeos, el Estado de Bienestar español.

El que España haya estructurado un sector público clásico de economía del bienestar en un tiempo récord y en un período en el que en otros países se discutía sobre su futuro, y en ocasiones se recurría a su modificación o reducción parcial, nos sitúa como país de referencia obligada en cuanto al análisis del tamaño deseable del sector público, de sus funciones y de la efectividad de las políticas públicas aplicadas para la consecución del Estado de Bienestar.

Durante un largo período de tiempo, el modelo de Estado de Bienestar mostró su vigor a través de evidentes logros, pero la aparición de desajustes económicos, a partir de los años '70, incorporó ciertas sombras sobre su capacidad de supervivencia. Los países que, como España, han desarrollado tardíamente sus instituciones de bienestar han acumulado también los desequilibrios en un período menor de tiempo y, por lo tanto, se contempla en ocasiones con perplejidad, la sola posibilidad de renunciar a algo apenas conseguido.

A partir de ese momento la polémica acerca de la posibilidad de existencia de las instituciones básicas del Estado de Bienestar no ha dejado de estar presente en el debate de políticos, académicos, agentes sociales y ciudadanos. Es un debate que se desarrolla en diversas dimensiones —ideológica, ética, cultural, jurídica, económica, etc.— y que ofrece, por consiguiente, muchas facetas no exentas de contradicciones.

Dado su carácter polémico, parece poco apropiado analizar el tema desde una postura predeterminada, lo que en modo alguno significa que no se puedan obtener conclusiones firmes. Simplemente, no se pueden alcanzar tales conclusiones sin integrar en el análisis las visiones actualmente en liza y matizarlas con cierto rigor.

Parece indudable que, en el contexto de economías abiertas e integradas, los Estados cuentan con menores posibilidades para mantener políticas públicas no coordinadas especialmente en el terreno social. Las necesidades de crecimiento económico equilibrado y de creación de empleo imponen la consecución de un marco financiero que genere confianza externa e interna, difícilmente compatible con la existencia de fuertes déficits presupuestarios y una alta tasa de crecimiento del sector público en un contexto de Unión Económica y Monetaria y de limitado crecimiento económico internacional.

En este contexto, aparece como imprescindible la reflexión teórica rigurosa y el análisis práctico para reforzar la articulación y coordinación de las diversas instancias públicas y privadas, formales e informales, que configuran lo que algunos autores han denominado economía mixta o pluralista del bienestar, con el desarrollo del voluntariado, las ONG's y la iniciativa social sin ánimo de lucro.

La preocupación de la Fundación Hogar del Empleado por esta problemática, las políticas sociales y el Estado de Bienestar no es, ni mucho menos, reciente.

El «Hogar del Empleado» tiene una larga trayectoria de compromiso social, primero a partir de 1949, bajo la forma de Asociación, y después de 1965 constituido como Fundación Benéfico Social.

En la voluntad de los fundadores, plasmada en sus estatutos, estaba la preocupación por el desarrollo integral de la persona, del «empleado» o «trabajador» y de sus familiares, según la terminología de la época, y que explica su denominación. Es así como la Fundación Hogar del Empleado empieza a tratar problemas acuciantes para la España de los '50 y '60, como eran la vivienda digna de la que carecían tantas personas. Pero, al mismo tiempo, se trataba de abordar otras necesidades primarias, como fueron la asistencia médica y los economatos.

Desde sus inicios, la Fundación puso en marcha igualmente otro tipo de iniciativas de carácter cultural y formativo, como complemento indispensable de esa preocupación por el desarrollo integral de la persona, entre ellas una labor educativa de vanguardia a través de sus centros escolares, seis en la actualidad, y la promoción de estudios de investigación social.

A principios de los años '80, la Fundación Hogar del Empleado inicia un conjunto de trabajos innovadores en nuestro país en torno al papel del sector público, los problemas de la crisis fiscal, el Estado de Bienestar, el mercado de trabajo, la ecología y la inmigración, de los que son exponente el Simposium Estado y Sector Público en España, 1981, y la Colección Economía Crítica; así como una reflexión multidisciplinar sobre la paz, la carrera de armamentos y la prevención de conflictos, a través del CIP (Centro de Investigación para la Paz).

En la actualidad, la Fundación publica anualmente, junto con la editorial Icaria, dos informes: *La situación del mundo*, preparado por Worldwatch Institute, sobre el progreso hacia una sociedad sostenible, y el *Anuario CIP*, acerca de los conflictos y la paz en el mundo, a los que se une, a partir de 1999, el *Informe sobre las políticas sociales y El Estado de Bienestar en España*, que ahora presentamos.

Este informe nace con la vocación de estar presente, como cita anual de reflexión, en el seguimiento y análisis de las políticas sociales y de bienestar en nuestro país.

A través de un enfoque multipolar pretende combinar el conocimiento de las principales sendas sobre las que transcurre el quehacer de las políticas sociales, con enfoques más sectorializados o de carácter puntual, para aquellos aspectos que en cada período se consideren ofrecen mayor relevancia.

El Informe de 1999, al ser el primero, incorpora cierta singularidad y a la vez un carácter más integral.

Pretende, por una parte, mostrar una panorámica global de la situación de los debates y la configuración del Estado de Bienestar actual y, por otra, recoger su evolución en España a lo largo del año 1998.

Consta de tres apartados claramente diferenciados. El primero presentado como «Parte General» incorpora un conjunto de aportaciones de carácter más integral de tipo diverso: académico, institucional, económico, sociopolítico y también ideológico; dedicando una especial atención a ubicar nuestro modelo en relación con los países de nuestro entorno y fundamentalmente los de la UE.

Tras la obligada reflexión global sobre el «estado de la cuestión» y los debates actuales acerca de su sostenibilidad y futuro, a cargo del Coordinador y editor del Informe, Juan Antonio Garde Roca y de Bienvenido Pascual Encuentra, se pasa revista a la situación comparada en los países de la UE (Rosa María Urbanos y Alfonso Utrilla); el contenido de los recientes programas electorales socialdemócratas al respecto (Gustavo Sariego); la determinación de indicadores de Igualdad y Bienestar desde el punto de vista comparado (Jesús Ruiz-Huerta y Rosa Martínez); la Reforma del IRPF y la percepción social acerca del Sistema Tributario y el Estado de Bienestar en España (Juan Antonio Garde); la situación social en España durante 1998 desde el criterio cualificado del Presidente del Consejo Económico y Social (Federico Durán López); el análisis sobre la competencia, mercado y bienestar efectuado a partir de la atalaya del Tribunal de Defensa de la Competencia (Amadeo Petitbó Juan); y la reflexión sobre la dinámica de ricos y pobres, así como posibles desarrollos del Estado de Bienestar en España (Jordi Sevilla).

El segundo apartado recoge las «Políticas Sectoriales» más tradicionales del Estado de Bienestar.

En alguna de ellas se ha pretendido incorporar una doble perspectiva, una más académica, institucional o de gobierno, y otra de carácter más crítico. Es el caso del Empleo (Juan Francisco Jimeno y José Antonio Griñán); la Sanidad (José I. Echániz y José M. Freire); y las Pensiones (Julio Gómez-Pomar y Fidel Ferreras). La evaluación crítica de la Educación (Álvaro Marchesi); la situación del Medio Ambiente (Cristina Narbona); el Urbanismo y calidad de vida en las ciudades (Mariano Calle y Marta García); y la igualdad de oportunidades, con la colaboración de la Secretaria General de Servicios Sociales, Amalia Gómez, completan esta panorámica. Finalmente se ha querido incluir un apartado específico que recogiera el análisis de las situaciones de pobreza y marginación en España, preparado por Luis Ayala y Rosa Martínez.

El tercer apartado incorpora algunos referentes de «Ciudadanía y Participación» que no son habitualmente considerados en el marco de las políticas de bienestar y que, no obstante, tienen una importancia esencial para el desarrollo social y la calidad de vida. Nos referimos a la aplicación del principio de tutela judicial efectiva y la eficacia de la Administración de Justicia (Manola Carmena); la Seguridad Ciudadana y su percepción social (Pilar Lledó); la integración y las políticas de Inmigración (Álvaro Gil Robles); los Derechos Humanos y libertades (José Antonio Gimbernat); la solidaridad y cooperación en el Tercer Mundo (Francisca Sauquillo); y las estructuras de género en la Protección Social (Margarita de León). Con ello se completa una visión integral y transversal de las políticas sociales y el Estado de Bienestar y su situación actual en España.

Finalmente, el Informe cuenta con un apartado de Estadísticas básicas efectuado por Rubén Fernández de Santiago que, no dudamos, resultará de una gran utilidad como herramienta de consulta y conocimiento de la realidad.

Consideramos que, tanto por la categoría profesional y trayectoria del editor del Informe, como por el perfil técnico e intelectual de los académicos, profesionales y personalidades que han colaborado en el mismo, resultará una valiosa aportación al conocimiento y desarrollo futuro de las políticas sociales y el Estado de Bienestar en nuestro país.

De resultar así, el esfuerzo de la Fundación Hogar del Empleado y de la Editorial Trotta habrá quedado ampliamente compensado.

Para terminar quisiera transmitir públicamente al editor del Informe y a todos los colaboradores, nuestro mayor agradecimiento.

Enrique Benedicto Mamblona
Presidente del Patronato de la Fundación
Hogar del Empleado

I

PARTE GENERAL

Capítulo 1

EL DEBATE SOBRE EL ESTADO DE BIENESTAR: PUNTO Y SEGUIDO

Juan Antonio Garde Roca
Bienvenido Pascual Encuentra

I. CUESTIONES PREVIAS

El análisis del Estado de Bienestar admite diversos enfoques: fundamento filosófico; historia e implantación; sustrato económico y social; contexto actual; sostenibilidad y futuro, entre otros.

El aspecto que ha alcanzado mayor relevancia en la última década es, sin duda, el de su sostenibilidad y futuro, ya que se ha puesto en tela de juicio que los mecanismos de gestión y financiación de las instituciones del bienestar forjados tras la terminación de la Segunda Guerra Mundial sean compatibles con los imperativos de una economía de mercado *globalizada*. Algunos teóricos vinculan el bienestar y su desarrollo a una reducción notable de la actividad estatal y a la existencia de mercados desregulados. Los incentivos individuales y empresariales, supuestamente, cumplirían con más eficiencia el papel que hoy cumple la intervención gubernamental, en las áreas de educación, sanidad, pensiones y otras que hoy son de provisión pública. Según estos análisis, las instituciones estatales del bienestar no sólo dificultarían sino que constituirían un grave impedimento a la acción positiva del mercado, afectando seriamente a las posibilidades de creación de riqueza en un marco estable y sostenido. Si esta afirmación resultara cierta, la pervivencia de las instituciones del Estado de Bienestar no sólo se revelarían como perjudiciales para el desarrollo económico sino también para el propio concepto de bienestar.

Pero antes de analizar la compatibilidad del Estado de Bienestar con el mercado en una sociedad global, consideramos conveniente una breve reflexión sobre la naturaleza teórica e histórica del término.

El fundamento teórico hunde sus raíces en el revolucionario concepto de ciudadanía forjado en la Francia de finales del siglo XVIII. La ciudadanía exige la correlativa existencia de unas instituciones que le confieran contenido legal y práctico. El principio de igualdad de oportunidades vino a constituir el valor social complementario y decisivo con cuyo concurso se desarrollaron las concepciones políticas, económicas, sociales e institucionales que permitieron teorizar sobre el papel de un Estado que hasta entonces se había manifestado, casi exclusivamente, como defensor de un sistema de privilegios. La ciudadanía, que se adquiere con el hecho del nacimiento, presupone un mínimo de igualdad material.

Posteriormente, la formulación del derecho universal a la salud y a la educación se inscriben de lleno en esta concepción y, aunque su realización práctica abarca un período histórico muy amplio, los mínimos de cobertura se alcanzan con cierta rapidez. Más tarde lograron su plenitud otras instituciones como la universalización del derecho a la previsión social para subvenir a épocas de incertidumbre o de cese de la vida activa.

El sello común de todas estas iniciativas no se encuentra en la economía sino en la filosofía, la política y la religión, aunque el modelo de demanda efectiva keynesiano constituyó un espaldarazo esencial, en el terreno práctico, a estos postulados. El enfoque exclusivo y predominantemente económico es una elaboración reciente que trata de reducir el marco conceptual y analítico, para darle la apariencia de un simple problema financiero y microeconómico.

El aspecto más sobresaliente de las instituciones del bienestar forjadas en la segunda mitad de este siglo es que fueron concebidas para atender necesidades que, poco a poco, se inscribieron en un complejo normativo legal de alcance universal, al tiempo que perdían el carácter asistencial y caritativo para devenir en derechos colectivos e individuales inalienables.

La acción del presidente Roosevelt, para aliviar los efectos de la Gran Depresión en Estado Unidos, mostró que la intervención pública era viable y positiva. Ofreció además un ejemplo práctico de funcionamiento de los modelos de demanda efectiva en unas sociedades en las que la ausencia de regulación del mercado causaba estragos constantes, y en las que un sector importante de la población se hallaba destinada a la marginación, con independencia de sus esfuerzos laborales o, tal vez, precisamente porque su única fuente de ingresos era el trabajo, en una sociedad en la que los procesos de acumulación de capital dejaban poco margen para salarios dignos.

La Europa descapitalizada de posguerra por efecto de la destrucción de vidas y capital físico, y la existencia de unas capas medias empobrecidas y de unas clases trabajadoras sin perspectivas, constituyeron la base para el establecimiento de un gran pacto social entre capas medias, trabajadores, instituciones y los correspondientes portavoces políticos, tendente al establecimiento y desarrollo de una sociedad del bienestar en la que el Estado se situaba como impulsor, garante y ejecutor, apoyando su legitimidad de acción en las teorías keynesianas, en el terreno económico, y en la ya comentada concepción de ciudadanía y legitimidad democrática, en el terreno político.

A modo de resumen y sin mayores pretensiones, podemos ofrecer una lista no exhaustiva de algunas de las características más sobresalientes del Estado de Bienestar:

1) Constituirse como resultado de un pacto social, cuyos protagonistas principales resultaron ser los trabajadores y las capas medias urbanas; incluidos empresarios;

2) Atender a la satisfacción de necesidades individuales de grandes colectivos que, con su consumo de bienes como la educación y la salud, crearon un marco de economías externas capitalizables por el sector privado de la economía;

3) Cumplir un papel estabilizador de la demanda interna al adquirir el consumo de educación, salud y otros bienes de carácter estatutario;

4) Garantizar la paz social al renunciar las clases trabajadoras a la conflictividad laboral no regulada;

5) Interiorizar un cuadro político de libertades con soberanía popular, asumido sin discusión por todas las formaciones políticas;

6) Posibilitar un marco de crecimiento continuo y equilibrado al liberar excedentes crecientes que pudieron ser compartidos por grandes propietarios y trabajadores, sin graves conflictos;

7) Impulsar un sistema fiscal de redistribución que permita cerrar el marco legal de transferencias de renta entre unas clases y otras, cimentado sobre los principios de progresividad y no confiscación; y,

8) Configurar un sector público regulador, inspector y agente productor subsidiario y, a veces, primario.

La sostenibilidad del sistema presenta una doble faceta. La primera, a la que ya nos hemos referido, es la de la compatibilidad de las instituciones del bienestar, y su modo de gestión y financiación, con los imperativos de desarrollo y crecimiento en una economía de mercado que presenta un nuevo atributo[1] denominado *globalización*, caracterizado por disminuir sensiblemente los grados de libertad del sector público y, por tanto, su actuación discrecional. La segunda faceta, de carácter más técnico, se limita a analizar flujos de entrada y salida de recursos para concluir, evidentemente, que con las actuales reglas de financiación y las tendencias previstas en determinadas variables —empleo, esperanza de vida y consumo sanitario—, el sistema está afectado de insuficiencia financiera. La distinción entre ambas facetas es importante, ya que de no existir incompatibilidad entre el Estado de Bienestar y el desarrollo económico equilibrado, la segunda admitiría medidas correctoras cuyo objetivo sería la adecuación de los flujos financieros a las nuevas exigencias. Con frecuencia se mezclan una y otra faceta en un discurso caótico que, desde el punto de vista metodológico, no está justificado y añade un considerable grado de confusión, pues se refiere a conceptos y alternativas distintas. La segunda admite soluciones de carácter técnico; la primera resulta ciertamente más compleja.

A estas dos facetas, cabría añadir una tercera independiente de las anteriores pero de suma importancia para la configuración futura de las instituciones: ¿el Estado de Bienestar, en su configuración actual, satisface efectivamente las necesidades presentes y futuras de los ciudadanos —presentes y futuros— o debe ser reformado?

II. ESTADO DE BIENESTAR Y MERCADO EN LA SOCIEDAD GLOBAL

La primera de las cuestiones suscitadas, la de la compatibilidad de las instituciones del bienestar con las exigencias de la economía de mercado y la globalización es, como ya hemos dicho, la más compleja. La vigencia del pacto social[2] resulta esencial para que la detracción de recursos que un Estado ha destinado a la provisión de bienes públicos requiere que no distorsione significativamente los incentivos individuales.

1. Este atributo no es, en realidad, del todo novedoso. La Europa del Renacimiento vivió también la globalización tras el descubrimiento de América. El mundo del Imperio Romano tuvo también un elevado grado de globalización. Y se podrían añadir otros ejemplos. La nueva revolución tecnológica y de los sistemas de información y de las comunicaciones, así como los procesos de integración le dan, no obstante, unas características nuevas.

2. Para un análisis detallado de las percepciones sociales de los españoles en relación con el Estado de Bienestar véase, en este mismo informe, «Sistema fiscal y modelo social: el alcance de las últimas reformas», de Juan Antonio Garde.

Es evidente que si un sector amplio de la población asume que la disposición personal de rentas más elevadas es el mecanismo que le permite subvenir más adecuadamente a sus necesidades, se inclinará hacia opciones menos progresivas de redistribución y ejercerá presión para que determinados servicios que todavía se encuentran mayoritariamente en el ámbito de lo público y que presentan defectos de congestión y, en algunos casos, de calidad [3], se transfieran al sector privado. El razonamiento que aduce que un Estado con mayores ingresos reduce los incentivos al trabajo y al ahorro [4] no lo consideraremos una afirmación rigurosa al tratarse de una mera opinión sin respaldo empírico.

Sí consideramos importante, sin embargo, el hecho de que la prestación universal de ciertos bienes descansa sobre un sistema de financiación —Impuesto sobre las nóminas para la Seguridad Social— que eleva considerablemente la factura salarial [5] de las organizaciones pro-

3. La provisión privada no asegura la calidad, ya que ésta se manifiesta en el precio. Lo normal es que el mercado privado ofrezca una gama de productos que se diferencian por su precio. Por regla general, la enseñanza a la cual tendría acceso un importante porcentaje de la población sería de peor calidad que la recibida en el sistema público. Es cierto, sin embargo, que en determinados enclaves geográficos la enseñanza pública ha sufrido un deterioro grave. El padre que se ve obligado a acudir a una de estas instituciones deterioradas porque no hay otros colegios asequibles en la zona o por otras razones es un cliente natural de proposiciones como el cheque escolar o la privatización absoluta. No obstante, en términos de grandes números, el sistema público de enseñanza no sólo soporta sino que sale muy airoso de las comparaciones. Esto no implica, sin embargo, que no se deba proceder a una profunda revisión de las bases de la educación pública.

4. Las cifras de ahorro privado como porcentaje de la renta disponible para el largo período 1981-1997 no permiten conclusiones ni en su comparación temporal, ni entre países, ni mucho menos establecer una relación directa entre sistemas impositivos y sistemas de contratación laboral y ahorro familiar. Véase, OECD, *Economic Outlook, Tabla 216*, diciembre de 1998.

5. Debemos observar que este asunto presenta un aspecto formal importante. Las cotizaciones a la Seguridad Social son un auténtico impuesto (finalista) sobre las nóminas. La cotización del empresario se añade a la nómina bruta del trabajador para obtener los costes salariales. Estos costes forman parte integrante del precio final y no son deducibles en la venta a la exportación. Si, por el contrario, deseamos mantener un nivel fijo de ingresos público, pero queremos al mismo tiempo disminuir los costes salariales, entonces podemos rebajar las cotizaciones sociales pero incrementamos otros impuestos, generalmente los indirectos, que no forman parte del coste final en la exportación y, por tanto, los precios resultan más competitivos en el exterior. No obstante, como más adelante exponemos, la mayor parte de los intercambios son entre países que tienen un sistema similar de protección social y de financiación mediante cotizaciones patronales y de trabajadores a la Seguridad Social. Parecería razonable la cooperación para mantener este sistema. En la UE, si se rebajan los costes salariales y se incrementan correlativamente los impuestos indirectos, el efecto final sobre el precio sería nulo, ¿qué ganancias de competitividad se pueden obtener pues,

ductivas y penaliza el empleo. En un marco de competencia más global, la incorporación al coste de productos y servicios de esta factura salarial afecta al precio final y, por tanto, a la competitividad de la producción nacional, con los efectos derivados para las expectativas de inversión, balanza de pagos, y distintas variables, como el empleo.

En otros términos, si como parece deducirse de lo anterior las preferencias de los consumidores pueden estar alterándose en el sentido antes expuesto, y los costes de producción dificultan concurrir en condiciones competitivas en los mercados, parecería oportuno corregir o eliminar todo aquello que se opusiera a la opción de libertad de los consumidores y a la reducción de costes empresariales. Si esta acción correctora exigiera la reducción severa de las prestaciones del Estado de Bienestar, aparentemente no existiría otra alternativa.

No obstante, es preciso considerar que un elevado porcentaje de las transacciones de los países son de carácter doméstico y un porcentaje todavía más elevado de las transacciones internacionales se realizan en el ámbito de los países desarrollados, correspondiendo una porción marginal al comercio con otros países. El comercio con los países no desarrollados tiene unas características peculiares, ya que uno de los flujos de la transacción lo constituyen productos naturales y energéticos y el otro, productos de tecnología media y alta. El Estado de Bienestar ha logrado un elevado nivel de desarrollo en los países más ricos, que son los productores de bienes y servicios de tecnología más avanzada, los cuales realizan en torno al 95% de sus transacciones dentro de su propio ámbito[6]. ¿Es necesario, en estas circunstancias, reducir las prestaciones sociales de forma severa? No parece que ésta sea la respuesta adecuada, ni siquiera la más necesaria. Es más, parece una respuesta equivocada dado que tal comportamiento incrementaría el peligro de recesión al quebrarse la estabilidad de ciertos consumos y de determinados flujos de renta.

La globalización no impediría en absoluto la acción nacional individual aunque constituiría un grave obstáculo. En cualquier caso, la globalización puede invocarse también como argumento para la acción concertada en el sostenimiento de determinadas instituciones —y de la estabilidad del consumo en el ámbito regional.

en la UE, mediante la rebaja de cotizaciones? El efecto quedaría confinado a los países no pertenecientes a la UE. Aquí es donde la Unión podría ejercer influencia positiva para que los demás países mantengan o mejoren sus niveles de protección social y no al contrario.

6. OECD, *Economic Outlook*, 1998.

No obstante, la acción concertada se está revelando difícil. En primer lugar, por la ausencia de ese gran pacto social. En segundo lugar, porque existe una coincidencia esencial entre ciertos grupos de interés económico para evitar esta opción y, en tercer lugar, porque las perspectivas económicas de crecimiento se están agotando a ritmo creciente.

El avance en los métodos de producción se encuentra excesivamente sesgado hacia el número de unidades —creando problemas de saturación—, pero ha descuidado elementos esenciales como la calidad en los procesos y en el producto final —la calidad se confunde con el confort—, el insumo de productos energéticos menos contaminantes y la regeneración y conservación del medio ambiente.

Los sistemas estadísticos de contabilización nacionales e internacionales ignoran sistemáticamente realidades como el agotamiento de recursos naturales y la degradación ambiental, lo que hace pensar que las cifras de crecimiento que habitualmente se utilizan no responden a la realidad de un crecimiento que bien pudiera ser, en ocasiones, negativo si se contemplaran dichos efectos nocivos. Por otra parte, el rápido agotamiento de los recursos energéticos y de algunas materias primas cuyos precios se mantienen artificialmente bajos, debido a la pervivencia de un sistema proteccionista y neocolonial, no propicia que el mercado —cuyo mecanismo fundamental de asignación es el precio[7]— esté en condiciones de corregir este desequilibrio estructural.

Los incrementos de productividad, con el desarrollo de las nuevas tecnologías, han cobrado una factura elevada en pérdida de puestos de trabajo tradicionales. Los costes empresariales, aun habiendo disminuido, no lo han hecho en la misma proporción que el empleo.

El gran número de desempleados, a pesar de la protección existente, ha generado una reducción en el flujo de rentas necesarias para el consumo, lo que incrementa la lucha comercial entre países desarrollados para colocar los excedentes y obtener nuevos mercados, y una mayor demanda desreguladora para reducir los costes empresariales u obtener nuevas oportunidades de negocio.

7. En efecto, el formidable incremento de precios en el petróleo que se produjo en los años '70 obligó a racionalizar su consumo y a indagar sobre nuevas fuentes de energía. Sin embargo, el mundo desarrollado es tan dependiente de este producto energético que rápidamente recurrió a recursos legítimos e ilegítimos para conseguir reducir el precio, lo que impidió al precio seguir actuando como corrector de un despilfarro energético a todas luces evidente.

Esta conducta aparentemente racional, desde un punto de vista microeconómico[8], no lo es tanto desde una perspectiva macroeconómica.

La energía y el factor trabajo constituyen la parte más sustancial de los costes de producción. Si el precio de la energía se mantiene artificialmente bajo y el factor trabajo se abarata mediante la reducción de prestaciones sociales y la desregulación en los mercados laborales, se refuerza el sesgo hacia el número de unidades producidas y, por consiguiente, los factores de riesgo medioambientales; además, la quiebra del flujo de rentas, que podrían garantizar la absorción de la producción, también actúa constrictivamente, con lo que se establecen las bases para la aparición de recesiones más frecuentes y la inevitable secuela de inestabilidad social.

La potenciación del desarrollo con equidad en el Tercer Mundo aparece, en consecuencia, como un factor de enorme importancia para el crecimiento más permanente de la economía global y la estabilidad del modelo social de los distintos países.

Incidir en el carácter de bien público del medio ambiente resulta esencial. En nuestro caso el fenómeno de la desertización necesita ser contemplando como una de las grandes prioridades. Su conservación es tan importante que el Estado no puede hacer dejación de esta responsabilidad primaria. Es evidente que los mecanismos de mercado no sólo no corrigen las tendencias destructivas del medio ambiente sino que las agudizan. No hacen falta complicados estudios para apercibirse de que el mercado, en su configuración actual, es un enemigo natural del medio ambiente a escala global. Algunos países desarrollados mantienen su entorno limpio a base de ensuciar el de otros países y diferir su propia degradación. No parece que la racionalidad económica reine en este aspecto.

Contra lo que frecuentemente se aduce, la desregulación sin más no mejora ni perfecciona el funcionamiento del mercado[9], sino que deja un espacio vacío en el que los conflictos de intereses encuentran su campo de batalla para realizarse y en los que la mano invisible del mercado aparece guiada por la mano más visible de las grandes

8. E igualmente no tan racional, ya que la ausencia de cooperación induce a que el intento de maximización individual trabaje en contra de todos, siendo el resultado un juego de suma negativa en el que todos pierden finalmente, como han puesto en evidencia los modelos del tipo «dilema del prisionero».

9. Es cierto que ciertas regulaciones están afectadas de obsolescencia y aquellas que son inadecuadas o innecesarias producen ineficiencia, pero ello no constituye argumento para prescribir este mecanismo de modulación que debe configurarse dentro de un marco conceptual de regulación eficiente.

corporaciones, los grupos de empresas y los *holdings* financieros [10]. Los frecuentes vaivenes de los mercados financieros constituyen un ejemplo vivo de los efectos caóticos de la desregulación. Pero aunque los movimientos son caóticos las razones no, ya que unas veces se castiga con la retirada concertada de capitales a países que se resisten a adoptar medidas de desregulación o que aprueban medidas de protección medioambiental; otras, los capitales financieros se mueven en círculo para realizar operaciones de compra y venta poniendo en grave riesgo la liquidez del sistema [11]. Sin embargo, los inversores están tan convencidos de que las autoridades gubernamentales no permitirían una situación de quiebra financiera, que cuentan con este seguro virtual que limita sus pérdidas y apalanca tremendamente sus posibilidades de ganancia. En definitiva, los mercados financieros actuales presentan elementos de *riesgo moral*, pues las ganancias se privatizan y las pérdidas, sobre todo si son muy cuantiosas, se limitan mediante su socialización.

III. ADECUACIÓN DE FLUJOS FINANCIEROS E IDONEIDAD

La reflexión precedente introduce dudas sobre la pretendida incompatibilidad de las instituciones del bienestar con el crecimiento sostenido en la economía global. No sería aventurado conjeturar que situaciones «hoy indiscutidas» como la precarización del mercado de trabajo, la reducción de prestaciones sociales, la privatización indiscriminada de servicios públicos, y otras de índole similar, incrementen los riesgos de recesión e incluso pudieran profundizar sus efectos.

Si aceptásemos estos argumentos, la política económica más racional no sería la de perseverar en la reducción del sector público, sino más bien en la adecuación de flujos financieros de entrada y salida para mantener saneada la acción pública, desde un punto de vista financiero. Probablemente, bastaría con rebajar las cotizaciones a la Seguridad Social y cubrir el déficit subsiguiente mediante otros tributos; cuidando la equidad y el equilibrio del sistema; procurando renovar el consenso social

10. Resulta sumamente interesante el discurso sobre la «mano visible» de A. D. Chandler, *La mano visible*, Ministerio de Trabajo, Madrid, 1982. Se puede encontrar también un resumen del pensamiento de este autor en *The Economic Nature of the Firm. A Reader*, Cambridge University Press, 1987, 92 ss. (trad. española: *La Naturaleza económica de la Empresa*, Alianza Universidad, Madrid, 1992).

11. El libro de G. Soros, *La Crisis del Capitalismo global*, Debate, Madrid, 1999, resulta muy recomendable para hacerse una idea de los mecanismos y peligros de la libertad de movimiento de capitales en la sociedad global.

básico que el Estado de Bienestar necesita para que éste se mantuviese como valor de referencia de una sociedad civilizada.

La capacidad de ahorro público aparece, por lo tanto, como un factor crucial para el mantenimiento de políticas de solidaridad. En EE.UU., la propuesta del Presidente Clinton de mantener los impuestos en la actual situación de superávit presupuestario para financiar las pensiones, tiene como contrapunto la posición del partido republicano que propone la reducción de impuestos, que es el modelo elegido en España. En Alemania se prevé afrontar la contingencia financiera de las pensiones, situada entre los años 2015 y 2030, a través de la dotación de una provisión financiera complementaria que se establecerá durante un período limitado de tiempo.

La cuestión acerca de la idoneidad y oportunidad de las instituciones actuales del Estado de Bienestar resulta crucial. Resulta así, porque el restablecimiento del pacto social capaz de convertir su pervivencia en un *sine qua non* político para gobernar, pasa por asumir el nuevo cuadro de preferencias de los consumidores, muy estratificados por su nivel de renta, y las necesidades de competitividad de las empresas, modelando además un marco en el que se tengan en cuenta a las generaciones futuras, hacia las que las contemporáneas tienen la obligación de transmitir estabilidad social y un medio ambiente adecuado.

Hay que variar la oferta de bienes públicos característicos de décadas pasadas. La preocupación por el disfrute de la vida después de la jubilación, por el medio ambiente y por la salud y la cultura, además de los clásicos derechos al trabajo, hoy imprescindible, y a una vivienda digna, exigen un esfuerzo de remodelación y renovación en los mecanismos de gestión y prestación, enfocándolos fundamentalmente a la calidad, lo que no es sencillo, ya que, como hemos afirmado, se confunde la calidad con el confort, los servicios médicos con la hostelería, y en la educación son numerosas las ocasiones en que se priman los aspectos formales sobre los materiales.

IV. EL ESTADO DE BIENESTAR EN ESPAÑA

España se incorporó tardíamente a la democracia y a la sociedad del bienestar. En pocos años se universalizó el derecho a la seguridad social, se incrementó la red pública escolar y se mejoró y amplió el capital público. Sin embargo, continuamos en niveles muy por debajo de la media de los países comunitarios. Ello, a pesar de que en todos los países se han desarrollado políticas que condujeron a cierta contención, cuando no desaceleración, de las políticas de bienestar.

Nuestro nivel actual de renta per cápita es del 75% de la media comunitaria. Si tenemos en cuenta que los niveles de alimentación son muy similares en España y en la Europa Comunitaria, con un ligero sesgo de calidad en la dieta alimentaria mediterránea, las causas del retraso hay que buscarlas en otros consumos. De éstos, una porción importante son educación, cultura, infraestructuras, sanidad, atención a los ancianos, ocio, funcionamiento de las instituciones de justicia, apoyo financiero a los estudiantes y a los jóvenes, protección a la familia y cobertura social general. Alcanzar los niveles europeos de renta exigiría una fuerte inversión pública en estos capítulos, que actuaría con sus efectos multiplicadores. Consideramos que la rapidez con que se han impuesto ciertas restricciones de gasto, así como las políticas privatizadoras aceleradas de los últimos años[12], van a constituir un serio impedimento para que alcancemos los niveles de renta per cápita vigentes en Europa que, en gran parte, se derivan de la existencia de una importante acción pública.

Este desarrollo insuficiente de las instituciones del bienestar constituye, junto al alto nivel de desempleo, una de las debilidades más severas de nuestra economía. El mercado por sí mismo sólo podría reducir de forma significativa las elevadas cifras de desempleo, a través de drásticas medidas de desregulación del mercado de trabajo y el retorno a situaciones de precariedad y explotación incompatibles con las prioridades sociales. No resultando, por otra parte, evidente que esta política pudiera mantenerse en el tiempo.

No obstante, ésta es una situación tan generalizada en el mundo desarrollado que se puede hablar de globalización de los problemas. Las respuestas teóricas abarcan desde las más simples hasta las más complejas aunque, frecuentemente, se rehuye la respuesta frontal y se prefiere limitar el discurso a la necesidad de controlar los déficits públicos y los efectos saludables de la economía de mercado para todas las instituciones, incluidas las del Estado de Bienestar.

Debemos insistir en que el acceso universal a la educación y a la salud equipó a la mayor parte de los ciudadanos con el instrumental mínimo necesario para aprovechar las oportunidades de desarrollo personal, profesional y social característico de nuestras sociedades. ¿Pueden muchas personas y familias, en la actualidad, sufragar con sus propios medios educación y salud? La respuesta a esta interrogante es ciertamente difícil. Podemos decir que sí, en ciertos sectores,

12. Véase en este mismo informe, de Juan A. Garde, «Privatización de empresas, sector público y Estado de Bienestar».

siempre que tales gastos discurran en un intervalo asequible. Si esto no es así, en especial en lo que a salud se refiere, el desenlace resultaría fatal. El espejismo de que la gestión privada arroja mejores resultados globales puede llevar a situaciones irreversibles en las que el deterioro sea sustituido por la marginación en el acceso a las prestaciones, si no se hacen importantes desembolsos personales, incluso estando asegurado, ya que los seguros privados suelen imponer severas restricciones a la prolongación de tratamientos y estancias hospitalarias. La sanidad es un bien público, en el sentido de que es demasiado importante para dejarla en manos privadas. Se pueden experimentar vías de gestión compartida y ganar en eficacia, pero sin poner en peligro un sistema de cuya pervivencia depende nuestra supervivencia.

El Estado, entrando como oferente de servicios de salud, no mostró falta de eficacia ni ineficiencia. Más bien se comportó como un sustituto importante del sector privado que era incapaz de subvenir a las necesidades sanitarias de la población desde la universalidad. Otro tanto cabe decir con respecto a la educación. En general, la acción estatal en estas áreas ha evitado que la demanda no solvente quedara sin atender, ha ampliado el capital humano a disposición de la sociedad y ha ayudado activamente a la generación de renta y bienestar. ¿Quién puede calificar de ilegítima una actividad tan positiva y de esta envergadura?

Las tasas de crecimiento de capital neto público en España han duplicado en los últimos años a la tasa de incremento en el sector privado, alcanzando el 20% del *stock* de capital total existente —esta cifra no incluye capital humano (educación y nivel sanitario) a las que se considera gastos consuntivos—. ¿Puede cuestionarse, a la luz de estas cifras, la importancia de este sector de no mercado para garantizar el crecimiento económico de los últimos años en España. La importancia del *stock* de capital social como instrumento de desarrollo económico y social parece fuera de discusión.

La pregunta relevante no es si el Estado tiene o no capacidad intrínseca, más allá de los bienes públicos puros, para gestionar e intervenir eficientemente en los procesos de mercado, sino la forma en que debe variar sus instrumentos de regulación e intervención, así como sus formas de provisión de bienes públicos y sus modelos de gestión, para continuar prestando servicio favoreciendo la libertad del consumidor, la igualdad de oportunidades y el desarrollo.

Hay multitud de instancias que reclaman y justifican la autoridad del Estado, ya que los retos planteados son de extraordinaria importancia. El tema del medio ambiente y la desertización es muy debatido y puede resultar incluso tópico. No obstante, apenas se han comenzado a dar pasos en la dirección correcta. Cuando se piensa, por ejemplo, en que ciertas actividades productivas someten al territorio a degradación sistemática y se oculta a la población el verdadero alcance de tales actividades, resulta difícil asumir que la racionalidad económica sea algo más que una entelequia de los modelos económicos que se enseñan en los libros de texto. El Estado aparece, con todos sus defectos, como la única institución capaz de mantener ciertas distancias con los grupos de interés y asumir los intereses comunes más genéricos del conjunto de las capas sociales y de las generaciones futuras.

El Estado de Bienestar español ha servido para impulsar un proceso de reducción evidente de la desigualdad en España en la década de los '80, retrocediendo en sus efectos ligeramente, según los primeros análisis empíricos, en los años '90.

Su concepción universal y de ciudadanía y la búsqueda de igualdad de oportunidades de las principales políticas de bienestar aplicadas, incrementa los resultados positivos para el conjunto de la sociedad y de amplias capas medias y de trabajadores pero no ha repercutido de forma tan decisiva en mejorar los niveles de renta monetaria de los más pobres [13].

Una política social para combatir la pobreza necesita potenciar igualmente acciones de discriminación positiva para estos destinatarios. Estas acciones son un complemento imprescindible de las grandes políticas de bienestar. Consideramos, en consecuencia, un falso dilema, el posible antagonismo entre las concepciones ligadas a derechos universales y de ciudadanía y las políticas de lucha contra la pobreza. Es preciso compaginar derechos ciudadanos y responsabilidad individual, y ambos con políticas positivas de integración social.

V. RESPUESTAS Y DILEMAS

Los problemas actuales no tienen una respuesta cierta y unívoca en los manuales de teoría política y económica. La respuesta está en el proceso de interacción entre ciudadanos y organizaciones de los sec-

13. En relación con este tema pueden consultarse diversos trabajos de Bandrés (Ier Simposium sobre Igualdad y Distribución de Renta) y Rodríguez Cabrero (VI° Informe sobre situación social en España, Foessa). Cf. C. Ochando Claramunt, «El Estado de Bienestar español y su influencia en el grado de igualdad y redistribución de la renta»: *Hacienda Pública Española*, 143 (1997).

tores público y privado, en el que el Sector Público es el único que puede esgrimir la legitimidad que le otorga la elección democrática. Si la respuesta ciudadana pasa por la reducción de lo público, nada podrá oponerse a dicha elección. Sin embargo, no parece que sea ésta la actual disposición mayoritaria de los españoles, que valora positivamente la acción pública. Otra cuestión es la que se refiere al *qué* y al *cómo* de su actuación, así como a los mecanismos de interacción entre Estado, Mercado y Sociedad[14].

Cualquier solución que fije su estándar en el reino monocrático del mercado o del sector público, además de tener que inventar una teoría que satanice y satirice al otro sector, no alberga una solución con futuro, pues ambas opciones extremas han sido ensayadas sin éxito. Economía de mercado y Estado social es una realidad de síntesis reciente. Sus problemas actuales se deben más a falta de adecuación, de progreso institucional, de ideas y de agilización que a falta de viabilidad. Sector privado y público se complementan, dado nuestro grado de desarrollo económico, social e intelectual. No sólo resulta necesario mantener el acceso universal a la educación, la sanidad y un nivel de rentas digno, sino que es perfectamente posible y la única opción madura y económicamente equilibrada.

De forma continua, se descalifican los criterios de asignación europeos predicando que es un sistema muy generoso que alimenta rentas pasivas y subsidios. Más allá de determinadas situaciones vinculadas a la *trampa de la pobreza* o a la *cultura del subsidio*, presentes por otra parte en sectores muy diversos de la sociedad[15], no debe olvidarse que las crisis hubieran sido mucho más devastadoras en sus efectos de no haber existido unos mecanismos de compensación jurídicos, económicos y sociológicos que las han atenuado. No cabe duda de que la estabilidad que la demanda pública presta al flujo de rentas impide que la recesión alcance la profundidad de otras épocas. Éste es un hecho que los defensores radicales de la utopía liberal ignoran sistemática e intencionalmente. No nos referimos a la corriente del pensamiento liberal más consciente, como Dahrendorf, que no comparte los presupuestos más reaccionarios de esta doctrina.

14. Tres lecturas básicas para conocer la literatura económica al respecto pueden considerarse: Cullis y Jones, *Microeconomía y economía pública*, Oxford, 1987 (trad. española: Instituto de Estudios Fiscales, 1991); J. Stigliz *et. al.*, *El papel económico del Estado*, 1989 (trad. española: Instituto de Estudios Fiscales, 1992); C. Wolf, *Mercados o Gobiernos: elegir entre alternativas imperfectas*, 1988 (trad. española: Instituto de Estudios Fiscales, 1995).

15. Considérense las importantes ayudas fiscales a grandes empresas y pequeños y medianos empresarios.

Las inconsistencias del modelo de Estado de Bienestar han sido ampliamente estudiadas [16] y, si no se analizan y corrigen, pueden poner en peligro la supervivencia del sistema. Pero esta situación se da también en el sector privado en el que constantemente se acude a la remodelación para salvar ciertas empresas, lo que no impide que incluso desaparezcan sectores completos de actividad y sean sustituidos por otros emergentes. Ello está en la naturaleza de las cosas. No parece lógico, excepto desde el doctrinarismo ideológico, que se niegue al Estado la capacidad de transformación y adaptación a las nuevas circunstancias, al igual que se le concede sin discusión al sector privado empresarial. Se quiera o no, la sanidad y la educación universales son logros políticos, a los que el mercado nunca llegó. El mercado, junto a sus virtudes de cambio dinámico y *destrucción creativa* —Schumpeter—, presenta una incapacidad histórica y sistemática para dotar de solvencia económica a amplias capas de la población. Esto no es una opinión sino un hecho contrastable históricamente. Por primera vez, el Estado de Bienestar integró a las capas marginadas y, por tanto, amplió las posibilidades de producción y desplazó la frontera tecnológica. ¿Cómo se puede afirmar que la intervención pública ha sido negativa?

VI. LA NATURALEZA CONGLOMERADA DEL ESTADO DE BIENESTAR

El Estado de Bienestar se configura como una «cesta de políticas» que incorpora derechos de ciudadanía, programas de igualdad de oportunidades, de integración social, de eliminación de la marginación y de la pobreza, fundamentados en un compromiso social amplio de carácter democrático, que recoge los intereses y aspiraciones de un bloque social mayoritario en el que los sectores asalariados y las capas medias de la población son el sustrato fundamental.

16. En 1918, Shumpeter, a raíz de la situación excepcional que configuraba el esfuerzo bélico de la Primera Guerra Mundial, se preguntaba, en su artículo «La crisis del Estado Fiscal», por los fundamentos de la economía y su futuro y los problemas vinculados a la relación economía de mercado-economía de no mercado.

J. O'Connor, a principio de los años '70, en su libro *La crisis fiscal del Estado*, St. Martin's Press, 1973, indagaba desde posiciones marxianas sobre el futuro de esta construcción y sus contradicciones dentro del sistema capitalista.

La teoría de la elección pública (Buchanan y Tullock) y los postulados económicos de la «revolución conservadora» sirvieron igualmente para considerar alguno de los factores de ineficiencia derivado de los mecanismos del «no mercado». Para un análisis general sobre el Estado de Bienestar y sus límites, véase J. A. Garde Roca, «Crisis Fiscal y límites del Estado de Bienestar»: *Claves de Razón Práctica* (1996).

Este proyecto-compromiso social necesita actualización y revalidación constantes, así como fundamentos ideológicos, discursivos, sociales, políticos y mediáticos capaces de garantizar su funcionamiento y renovación.

El modelo dominante, al menos en Europa, se ha desarrollado a partir de las siguientes premisas:

— Interacción del Estado, mercado y sociedad;
— Rol relevante del Estado en todos sus niveles, para completar la asignación de recursos que realiza el mercado y garantizar un funcionamiento eficiente del mismo, mediante políticas de estabilidad y desarrollo sostenido, defensa de la competencia y regulación de mercados, e iniciativa económica pública;
— Programas de redistribución e igualdad de oportunidades;
— Políticas de protección social e integración.

En síntesis apretada, el ámbito del Estado de Bienestar se traduce en los siguientes objetivos: pensiones, sanidad, educación, rentas de desempleo, igualdad de oportunidades e integración y cohesión social.

Actualmente, en cada una de estas políticas puede apreciarse una línea divisoria entre quienes podríamos considerar defensores del Estado de Bienestar —que no del *statu quo*— y los partidarios de modelos y fórmulas menos activas de intervención del Sector Público y privatizadoras de los bienes sociales, a veces bajo el atractivo eslogan de la necesidad de lograr la Sociedad del Bienestar, concepto que pretende superar y enfrentarse al de Estado de Bienestar [17].

La actual confrontación no resulta ajena a los intereses específicos de diversos sectores financieros y empresariales que pretenden acceder a mercados potencialmente lucrativos. Se podrían manejar —secuestrar literalmente— ingentes masas de recursos financieros si los sistemas de pensiones de capitalización sustituyeran a los sistemas de reparto, o si el riesgo sanitario se cubriese privadamente. Estos grupos de interés demandan una acción del Estado favorable a sus objetivos de negocio

17. Esta posición podría sintetizarse en su forma más elaborada con el siguiente aserto: «De una u otra forma, el Estado de Bienestar español (y en general el europeo) debe contener su avance en la década de los noventa si se pretende mejorar la economía española. El gran debate nacional y europeo se centra precisamente en cómo frenar ese avance sin abandonar la idea de bienestar, en cómo compatibilizar bienestar colectivo y crecimiento económico. En nuestros términos, el debate está en cómo pasar del Estado de Bienestar a la Sociedad del bienestar.», en C. Montoro Romero y R. Montoro Romero, «Del Estado de Bienestar a la Sociedad del Bienestar», en VV.AA., *Pros y Contras del Estado de Bienestar*, Tecnos, Madrid, 1996.

y ostentan un papel relevante en el discurso sobre la presunta ineficiencia del Sector Público en todo tiempo y lugar —constantemente financian estudios económicos que siempre llegan a la misma conclusión—, pretendiendo restringir la acción de lo público al campo de la no solvencia, conviertiéndolo en un mero socializador de pérdidas y financiador estratégico de sus proyectos de expansión.

Los intereses colectivos pueden resultar contrarios a estas estrategias. No tanto por la contraposición público-privado, o por el rechazo a la gestión privada aprovisionada con recursos públicos, que puede resultar en ocasiones conveniente y eficaz, sino porque en la confrontación intereses privados-intereses públicos, estos últimos no resultan suficientemente protegidos.

El Estado de Bienestar y sus políticas necesitan de la colaboración social y de los mercados para obtener resultados eficientes. Dicha colaboración debe definirse estratégicamente como de interés mutuo —social y privado— y no ser el resultado de una utilización de los intereses sociales en un proceso de acumulación de capital social que se transfiere en ventajosas condiciones al sector privado evitando, al mismo tiempo, los controles de legalidad y financieros a que están sometidas las instituciones del Sector Público. Lo público y lo privado no pueden confundirse. Pueden y deben colaborar en el logro de objetivos de interés común a través de fórmulas que mejoren la eficacia y los incentivos. Sin embargo, el Estado no puede renunciar a modelos globales de protección social y a contar con objetivos y programas estratégicos propios. El sistema nacional de salud puede ser un ejemplo claro. Romper el sistema, dispersando los marcos de decisión a través de modelos de gestión muy descentralizados, tipo fundaciones, con confusión de los intereses privados y públicos y de difícil control, incorpora graves riesgos en el corazón del propio sistema.

Finalmente, la elección de las prioridades del grupo social y la necesidad de equilibrio entre las diversas políticas, así como el reconocimiento de los limites financieros del Estado y las restricciones o fallos del Sector público en la provisión de bienes, enmarcan otro espacio relevante de cooperación-conflicto entre diversos actores sociales en relación con el Estado de Bienestar.

No existen fórmulas de colaboración o gestión compartida rechazables *a priori*, pero sí debe existir claridad en relación con los intereses estratégicos de la sociedad y, para ello, existen algunos referentes importantes que no deben ser olvidados:

1. Existen unos derechos sociales que en los Estados modernos se configuran con carácter *universal* como *derechos ciudadanos*, los

cuales forman parte de nuestra civilización. En educación, sanidad, cobertura de desempleo, pensiones, mínimos sociales, es necesaria la garantía en la cobertura de los derechos de ciudadanía, que no deben contraponerse sino fortalecerse con la iniciativa y la responsabilidad individuales.

2. La iniciativa privada solidaria (ONG's) no puede sustituir a programas públicos de integración social o protección social orientados hacia los desposeídos. De forma relevante, la iniciativa privada debería coordinarse y articularse en un programa vertebrador de orientación social auspiciado desde el Sector Público. No podemos retornar a la beneficencia. El Estado no puede delegar la integración social y ciudadana.

3. El empleo constituye hoy un factor de integración social fundamental. Las subvenciones y las prestaciones por desempleo pueden transformarse parcialmente en estímulos activos y programas de ocupación. Las políticas activas de empleo puestas en práctica en diversos países en relación a los jóvenes y parados de larga duración tienen que constituir una de las líneas prioritarias de las políticas del bienestar.

El impulso desde los poderes públicos a políticas eficaces de empleo, de desarrollo de nuevos yacimientos en el sector servicios y en el de las nuevas tecnologías, aparece como vital para los modelos de Estado de Bienestar.

4. Las formas de interacción y colaboración con la actividad privada lucrativa y no lucrativa (mercado y ONG's) y la sociedad civil deben potenciarse, y es deseable fortalecer las fórmulas de gestión coordinada que permitan servicios más eficaces y eficientes. Pero lo fundamental en este campo, en el que sólo a través de mecanismos de prueba y error es posible avanzar, es que el Sector Público mantenga en todo momento una estrategia consciente de su papel institucional y de los bienes sociales que debe garantizar. Probablemente, estrategias de consenso en el marco político y de desarrollo de evaluación de políticas públicas, en un entorno de colaboración social, favorecerán la creación de los valores, instituciones y formas de gestión más adecuadas.

No resulta factible un análisis detallado de las posiciones de cada uno de los actores en las políticas de bienestar, ni mucho menos la delimitación de las fronteras, en algunos casos difusas, de los argumentos y propuestas de los partidarios-renovadores del Estado de Bienestar y de las posiciones que objetivamente trabajan en su desmantelamiento. No obstante, y con los peligros inherentes a todo esquematismo, es posible configurar un cuadro de conceptos que permita cierta sinopsis aun a costa de la pérdida de matices:

POSICIONES ⇒⇒⇒⇒⇒ RESPECTO A ⇓⇓	FORTALECEDORAS DEL ESTADO DE BIENESTAR	DEBILITADORAS DEL ESTADO DE BIENESTAR
Cuestiones globales	Impulso al compromiso social entre capas medias, asalariados, pensionistas, etc. Reivindicación del Estado de Bienestar como un proyecto articulador del Sector Público, el mercado y la sociedad civil. Derechos sociales contemplados desde una perspectiva de ciudadanía. El equilibrio entre cooperación social y responsabilidad individual. Una concepción de protección social orientada a políticas de integración y de reducción de las desigualdades.	Concepción del bienestar como una tarea fundamentalmente individual. Se contrapone la Sociedad del Bienestar al Estado de Bienestar. Desconfianza en el Sector Público, por considerarlo ineficaz y despilfarrador. La concepción de ciudadanía se sustituye por la de beneficiencia. Privatización de las políticas sociales solidarias. El Estado es financiador pero no debe ser gestor. Aunque el Sector Público financie un servicio, su gestión debe ser privada. Transferencia en ventajosas condiciones del capital público al sector privado.
Mercado	El mercado ocupa un espacio junto a la acción pública. Cada institución tiene su espacio. Las instituciones públicas se rigen por el mercado y por análisis coste beneficio social para elegir alternativas. Los fallos del mercado exigen la intervención pública, sin desconocer los fallos del Gobierno.	El mercado gobierna la acción privada y pública. El sector público se reduce al mínimo, que únicamente actúa para los fines tradicionales (defensa, justicia, policía, regulación económica y representación exterior) para financiar proyectos privados y socializar pérdidas.
Políticas impositivas	Incentivadoras de la actividad empresarial, desde una perspectiva a largo plazo. Progresivas y redistribuidoras. Perseguidoras del fraude, mediante esquemas de cooperación internacional y a escala europea. Papel complementario de los impuestos indirectos.	Incentivadoras de la actividad empresarial en el corto plazo. Regresivas, liberando a las clases de elevada renta de tributación. Papel preeminente de la imposición indirecta. Impedimentos a la acción internacional concertada.

POSICIONES ⇒⇒⇒⇒⇒ RESPECTO A ⇓⇓	FORTALECEDORAS DEL ESTADO DE BIENESTAR	DEBILITADORAS DEL ESTADO DE BIENESTAR
Rol de las ONG's	Fundamentalmente complementario. En el ámbito doméstico, no pueden sustituir a la acción estatal, aunque pueden cooperar activamente con las instituciones públicas en programas sociales integradores.	Sustituyen al sector público en el apoyo a los marginados y a los que se quedan sin rentas. Privatización de la solidaridad.
Pensiones	Mantenimiento de rentas con poder adquisitivo, mediante sistema de reparto complementando con impuestos el posible déficit. Admitir planes de capitalización complementarios con ventajas fiscales. Estos planes no son sustitutivos de las pensiones garantizadas por el Estado, que deben ser dignas y suficientes. Pensiones no contributivas, también dignas, cubiertas con impuestos.	Mantenimiento del sistema de reparto con carácter marginal. Promoción de los sistemas de capitalización como fuente principal, dándoles ventajas fiscales. Pensiones no contributivas de muy reducida cuantía cubiertas con impuestos. Condiciones muy restrictivas para su percepción.
Sanidad	Mantenimiento de un sistema nacional competitivo y ágil, universalizado. De esta forma se aprovechan las economías de escala y se evitan problemas de selección adversa. Concierto con entidades privadas y profesionales. Cobertura de medicamentos para jubilados y personas con rentas por debajo de un umbral mínimo.	Peso creciente de la privatización del sistema de salud pública. Métodos de gestión orientados excesivamente a la rentabilidad. Sistema público marginal, para atender a la demanda no solvente. La salud deviene un producto diferenciado en función del poder adquisitivo. Confusión de los ámbitos público y privado, dentro del sistema. Problemas de selección adversa y riesgo moral.
Educación	Mantenimiento del sistema público no confesional. Concierto con instituciones privadas. Inversiones en servicios de integración y seguimiento para alumnos con problemas.	Privatización del sistema e introducción del cheque escolar. Desinversión en el sistema público. Apoyo institucional y financiero preminente a las escuelas privadas.

POSICIONES ⇒⇒⇒⇒⇒ RESPECTO A ⇓⇓	FORTALECEDORAS DEL ESTADO DE BIENESTAR	DEBILITADORAS DEL ESTADO DE BIENESTAR
	Becas y ayudas retornables para estudiantes de la enseñanza no obligatoria, cuando accedan a un trabajo.	Severas restricciones a la concesión de becas y ayudas.
Empleo	Políticas activas de inserción para jóvenes, parados de larga duración y colectivos necesitados de acción discriminatoria positiva. Incentivos a la promoción de nuevos yacimientos de empleo en los servicios sociales, las áreas educativas, culturales, de ocio y en la sociedad de la información. Rentas de desempleo para todos aquellos que no encuentren empleo y lo busquen activamente, aunque no hayan cotizado. Rentas de desempleo con ampliación de límites temporales para quienes hayan cotizado y busquen empleo activamente. Incentivos a la responsabilidad individual y a las políticas activas de empleo.	Abandono a su suerte de los parados de larga duración. Confianza excesiva en la acción del mercado y en la eficacia de la desregulación del mercado de trabajo. No existen rentas de desempleo para quien nunca ha trabajado y busca activamente empleo. Restricciones severas por sobrepasar un límite temporal percibiendo rentas de desempleo.
Integración social	Políticas sociales de integración, no sólo a través de transferencia de rentas sino de búsqueda activa de empleo. Atención a los inmigrantes.	Políticas penalizadoras en relación con marginados e inmigrantes. Se contrapone en exceso la responsabilidad a la solidaridad.
Medio Ambiente	Regulación progresiva para restringir el deterioro. Incentivos a la utilización de energías y procesos no contaminantes. Políticas activas de regeneración medioambiental y lucha contra la desertización. Prohibición de la exportación de procesos contaminantes y residuos a terceros países.	El mercado regula el proceso. Se negocian derechos de contaminación en mercados especiales creados para este fin. Mantenimiento de una estructura que asegure la provisión barata de materias primas y energéticas. Trabas a los impuestos medioambientales.

El cuadro presenta en dos columnas, de forma esquemática, lo que se ha denominado posiciones fortalecedoras y posiciones debilitadoras del Estado de Bienestar.

En la primera columna, aparecen lo que a nuestro juicio son epígrafes esenciales de las políticas de bienestar en la actualidad, sin olvidar que existen otras como vivienda, justicia, etc., que de alguna manera pueden quedar subsumidas en las citadas.

Creemos que los conceptos vertidos son suficientemente claros aunque, por supuesto, no pretendemos exhaustividad.

Deseamos señalar que las posiciones que se aferran a la continuidad del Estado de Bienestar en su configuración actual, sin acometer las reformas necesarias, deberían considerarse también entre las posiciones debilitadoras del Estado de Bienestar.

VII. EL ESTADO DE BIENESTAR Y LA UE

Evitar los déficits públicos excesivos ha sido uno de los presupuestos del Tratado de Maastricht, encaminado a la configuración de un marco de estabilidad capaz de garantizar el crecimiento sostenido en el seno de la Unión. Por ello ha sido un requisito para la incorporación de los países a la Unión Monetaria.

¿Resulta compatible el mantenimiento del gasto social en los países menos desarrollados de la Unión con el Plan de Estabilidad y Crecimiento? El cumplimiento de este plan se exige a los Estados del euro dentro de un marco de política monetaria común y restricciones importantes en materia de política fiscal.

¿No será el mayor desempleo y la reducción de las coberturas sociales el precio que España debe pagar por su pertenencia el club europeo?

Finalmente, la Unión Económica y Monetaria, es decir, la construcción de Europa con sus esquemas actuales ¿es compatible con el desarrollo y mantenimiento el Estado de Bienestar en cada país? Éstas son algunas de las reflexiones que es preciso considerar en el actual marco de la moneda única.

El déficit público puede ser coyuntural o estructural. Si es coyuntural, refleja situaciones excepcionales de valle en el ciclo económico, en cuyo caso no produce efectos perturbadores duraderos, debido al efecto de la estabilización automática. El déficit estructural se produce como desajuste deliberado entre políticas de gasto e ingresos y se extiende en escenarios temporales amplios que resultan independientes del ciclo. Este caso es el que exige un análisis más detallado, ya que obliga a una acción correctora para incrementar los ingresos públicos, reducir los gastos o una combinación de ambas. En este caso, cabría preguntarse si los gastos que no resultan compatibles con el equilibrio fiscal son los gastos sociales u otro tipo de gastos públicos [18].

En definitiva, existe una opción o prioridad del grupo social que resulta fundamental a la hora de definir, dentro de una senda estructural de estabilidad con los beneficios para el crecimiento que la pertenencia a un entorno de tales características conlleva, el nivel de ingresos públicos posibles y su distribución; y la cuantía de los gastos, su composición y distribución, que deben ser abordados por la comunidad.

Por otra parte, no debe olvidarse la sostenibilidad de los ingresos públicos, en un horizonte temporal amplio, para garantizar la suficiencia financiera del Estado de Bienestar. El balance de la reciente reforma del IRPF, debe contemplarse también desde este ángulo.

Existen límites financieros y de eficiencia económica en relación con el crecimiento de los ingresos públicos. También existe una percepción social sobre este aspecto, así como sobre la equidad en la exacción. Pero existe igualmente una planificación financiera eficiente que contempla un horizonte que se extiende más allá del corto plazo y de la agenda pública inmediata.

Finalmente, no debe olvidarse que el conjunto del gasto público está vinculado al mercado político y a la percepción por los ciudadanos acerca de la eficiencia en su gestión.

Un escenario de estabilidad y de prohibición de déficits públicos excesivos no presupone el cuestionamiento del Estado de Bienestar. Obliga a una mejor administración, lo que puede resultar en sí mismo un incentivo para un funcionamiento más eficaz y para la búsqueda, por parte de los decisores políticos, de mayor valor social estratégico en su interacción con el sector privado y los ciudadanos.

Más importante que un escenario de equilibrio presupuestario, para el Estado de Bienestar en España, son los progresos en convergencia real que se logren, los avances en las políticas comunitarias de empleo y el grado de impulso efectivo de la cohesión social y fiscal que finalmente se imponga.

18. Cabría preguntarse qué sentido tiene decir que la Defensa Nacional es deficitaria. Desde un punto de vista estrictamente financiero, no cabe duda de que es deficitaria. Pero todos convenimos en que no es un tema que admita analizarse bajo esta perspectiva.

Resulta paradójico que, en un entorno de mercado y moneda única, la política fiscal y social comunitaria mantengan un déficit tan evidente. Es más, a lo largo de 1998 hemos asistido a un proceso que, en múltiples frentes como el empleo, la participación de los trabajadores en las empresas y la armonización fiscal, pone en evidencia las dificultades que existen y que surgirán en el futuro.

Tal como se ha señalado, una Europa que no hace nada contra el desempleo ni por el mantenimiento del Estado social, no será razonable para los ciudadanos[19].

Jacques Delors señalaba que para poner en práctica el crecimiento económico integrado no resulta suficiente el Pacto de Estabilidad. Ciertamente, éste es necesario pero debe completarse con un protocolo en el que se detallen las condiciones en las que los Estados Miembros coordinarán sus políticas económicas para alcanzar la convergencia real. Así se conseguirá el equilibrio indispensable entre la dimensión económica y social, por una parte, y la dimensión monetaria, por otra.

Si se ha perseguido el *dumping* comercial, no se puede admitir que éste sea sustituido por el *dumping* social o fiscal, en el territorio de la Unión. Hay que avanzar en la convergencia real, alcanzando niveles mínimos y dignos de protección homologables en cada país y eliminar factores discordantes en el sistema fiscal.

La actual crisis financiera está poniendo a prueba las instituciones y un modelo de relaciones económicas internacionales basado en la hipertrofia —teórica, que no real— de los postulados de mercado, que se muestra ineficaz para atajar los efectos desestabilizadores de la globalización y de la libre circulación de capitales, así como de responder a las necesidades de las economías emergentes y de las de los países más pobres del planeta.

El FMI es una institución en crisis, la cual alcanza a sus contenidos, políticas y recursos. Este organismo, encargado de garantizar estabilidad en el mundo, necesita una profunda reforma. No faltan voces que proponen la creación de un nuevo organismo bajo control político internacional. El propio Banco Mundial se decanta por la idea de que el objetivo de las políticas fiscales y monetarias es en la actualidad la de mantener la demanda, ampliar las medidas de protección social y recapitalizar los sistemas financieros.

En este entorno, el proceso de construcción europea necesita sobrepasar el objetivo de la unión monetaria, para poder influir de ma-

19. O. Lafontaine y C. Muller, *No hay que tener miedo a la globalización*, Biblioteca Nueva, 1998.

nera más global y contundente, mediante la definición de un nuevo espacio para la Unión en el que reine la coordinación de las políticas económicas y la búsqueda de una mayor cohesión social y cooperación fiscal. La reunión del ECOFIN de Viena supuso el anticipo de esta nueva era. La propuesta austríaca a favor de una política económica europea común; el proyecto francés para un gobierno económico mundial; el debate sobre la presencia de la UE en los organismos económicos y financieros internacionales; y el impulso definitivo a la directiva de armonización fiscal de los rendimientos del capital, son algunas de sus expresiones. También lo fue la propuesta española en relación con la cooperación con Latinoamérica. No obstante, este desarrollo esperanzador se ha visto neutralizado con posterioridad por el eje Londres-Madrid, obstaculizador de los avances en materia de armonización fiscal y política social y con los debates presupuestarios y financieros de la Unión.

El agravamiento del paro en Europa y la necesidad de la aplicación de políticas activas de empleo, así como de criterios más adecuados de equidad fiscal, aparecen como un factor decisivo en la configuración del nuevo espacio europeo, porque lo que no parece posible en un marco nacional aparece a menudo como ineludible en el espacio de integración que contempla la Unión. El Estado de Bienestar necesita una conformación europea más activa.

No debe olvidarse que los gobiernos socialdemócratas han retornado en Europa aparentemente por la incapacidad de las políticas conservadoras para dar respuesta a una tríada de cuestiones esenciales: desempleo, regulación del mercado y recomposición del Sector Público y del Estado de Bienestar, más que por sus méritos políticos propios. Existe un peligro cierto de que el modelo social europeo se devalúe si los países no logran coordinarse en materia fiscal y social, lo que sería una respuesta desde la globalización de políticas a la otra globalización representada por los grupos de interés.

El reto y la oportunidad son evidentes. Se pueden articular las políticas nacionales y las de la Unión en un mismo sentido: el de garantizar la estabilidad económica y la cohesión social en el marco europeo y actuar desde presupuestos enfocados a ofrecer alternativas positivas para el equilibrio y la estabilidad global del planeta. Esto implica un compromiso efectivo con un Estado de Bienestar renovado.

Los hechos, como siempre, permitirán evaluar finalmente la coherencia en los objetivos y los aciertos y desaciertos de esta nueva etapa, así como reconocer el éxito o fracaso de esta oportunidad. Los intereses nacionales deben compaginarse con la consolidación de un nuevo modelo social europeo.

El Ministro de Economía y Hacienda español, en la presentación del Plan de Estabilidad y con motivo del nacimiento del euro, se ha referido al objetivo de convergencia real y se ha propuesto alcanzar para el año 2002 el 85% de la renta por habitante de la media comunitaria. Esta pretensión no puede desvincularse de la convergencia respecto del modelo social o, si se prefiere, de la matriz de distribución de los resultados del crecimiento.

La última estadística SEEPROS, referida a 1995, ofrece para los gastos de protección social en España un diferencial de 5.8 puntos porcentuales en términos de PIB, respecto a la media europea. Tan sólo Grecia (21.2), Irlanda (19.9) y Portugal (20.7), presentan porcentajes de gasto social inferiores a los de España (22.6).

La elaboración del Programa de Acción Social 1998-2000[20] pretende avanzar en el sentido de una mayor vertebración de las políticas de prestación social en Europa y reforzar este espacio de confluencia. Se da prioridad a cuatro grandes objetivos ligados a primar el desarrollo del empleo, adaptar los sistemas de pensiones al envejecimiento de la población y a la incorporación de la mujer al mercado laboral y a reforzar la coordinación de la seguridad social de quienes circulan por el interior de la Unión. Se propugnan, igualmente, tres líneas de política social de gran interés *estratégico* para los países: desarrollo de políticas preventivas contra la exclusión; fórmulas de orientación básica o articulación de la protección social hacia la integración; y transformación de las políticas pasivas de empleo en políticas activas.

Definitivamente, la consolidación del Estado de Bienestar en España, el desarrollo eficiente de sus políticas y la convergencia real con Europa forman parte de un mismo paquete.

Para su configuración, las políticas de bienestar necesitan acompañarse de una política económica y fiscal europea capaz de promover, además del crecimiento económico, una matriz de distribución social efectiva en el interior y un modelo cultural civilizatorio y de desarrollo sostenible a presentar a terceros países. Todo ello, dentro del respeto a la diversidad nacional y a las distintas agendas políticas y ciclos electorales de los países. El esfuerzo de consolidación del Estado de Bienestar en España no puede ser, en consecuencia, sólo un resultado interno. Es también un reflejo de la política europea, cuya trascendencia en este campo, más allá de los fondos de cohesión, es innegable y fundamental.

20. Comisión Europea, *Programa de Acción Social 1998-2000*, 1998.

VIII. A MODO DE CONCLUSIÓN

Asistimos, más que a un retroceso de las instituciones básicas del Estado de Bienestar, a una crisis de crecimiento que obliga a una reestructuración del mismo. El Estado de Bienestar está bien arraigado en la cultura occidental y sus políticas constituyen un factor insustituible de desarrollo, existiendo una percepción generalizada de que su desmantelamiento supondría un grave deterioro de la realidad económica y social.

Sin embargo, la confrontación política e ideológica en este campo se muestra hoy muy intensa. Los mensajes que aseguran un futuro despejado a cambio de destruir el equilibrio actual del binomio economía de mercado/economía de no mercado, a favor de un predominio evidente del primero, apoyándose en el proceso de globalización y la exaltación de la libertad individual no son nuevos aunque puedan parecerlo.

El futuro no está escrito, el que los procesos económicos y sociales legitimadores del Estado de Bienestar se consoliden depende de la capacidad de adaptación del modelo de intervención del Sector Público y de su interacción inteligente con el *mercado* y la *sociedad civil.* En consecuencia, no existen peores enemigos del Estado de Bienestar que aquellos que dan la batalla por ganada o por perdida.

Debemos defender el Estado de Bienestar de sus detractores y de algunos de sus defensores, son los hechos los que deben dar la razón a la oportunidad de su existencia y, por tanto, es imprescindible contemplar las nuevas situaciones y retos y trabajar por la renovación de las condiciones del pacto social y político que lo hizo en su momento posible.

Capítulo 2

LAS PRESTACIONES DEL ESTADO DE BIENESTAR EN LA UNIÓN EUROPEA

Rosa María Urbanos Garrido
Alfonso Utrilla de la Hoz

I. INTRODUCCIÓN

El conjunto de economías europeas está sometido a una serie de transformaciones económicas, demográficas y sociales que han alterado sustancialmente el marco inicial en el que fueron concebidos los sistemas de protección social tras la Segunda Guerra Mundial. A pesar del nivel de desarrollo económico alcanzado por la UE y la riqueza relativa de sus Estados, el grado de dependencia de las transferencias públicas por parte de un amplio segmento de la población europea resulta muy elevado, ya sea en términos comparados con otros modelos de prestaciones o en la propia evolución temporal del marco europeo. Esta aparente contradicción.se explica fundamentalmente por una modificación de determinadas pautas de comportamiento demográfico y económico que se han producido a lo largo de las últimas décadas y que, previsiblemente, en algún caso se acentuarán en el futuro.

Entre los rasgos estructurales que han sufrido una alteración sustancial pueden señalarse los siguientes, de acuerdo con el Informe de la Comisión Europea sobre la protección social en Europa en 1997[1]:

— En primer lugar, se ha incrementado considerablemente la población mayor de 65 años en relación con el número de personas en edad de trabajar. La relación entre ambos colectivos, que era hace una

1. COM (98) 243 final, Bruselas, 23.04.98.

década de 1 a 5 en el conjunto de países europeos, es actualmente de 1 a 4 y, según las últimas proyecciones, para el 2020 habrá alrededor de 3 personas en edad laboral por cada persona mayor de 65 años. Además, se ha incrementado, hasta alcanzar el 50%, la proporción de hombres de entre 55 y 64 años que ya no son económicamente activos, aumentando el número de jubilaciones anticipadas como consecuencia de los incentivos establecidos en el pasado y del propio funcionamiento del mercado de trabajo. Por otra parte, se está produciendo, en paralelo, un aumento en la edad media del colectivo de personas mayores de 65 años. Se prevé que, en un horizonte de 20 años aproximadamente, la mitad de las personas en edad de jubilación serán mayores de 75 años, con el consecuente coste económico de las prestaciones sanitarias y de servicios sociales.

— En segundo lugar, el desempleo se ha consolidado como un componente estructural de los mercados de trabajo europeos, alcanzando unas tasas superiores de forma permanente al 8%, cifra casi tres veces superior a la alcanzada en los 30 años posteriores a la Segunda Guerra Mundial. Este comportamiento del mercado laboral ha provocado que un importante porcentaje de la población activa no haya podido contribuir a financiar las actuales pensiones de jubilación, ni tenga capacidad de generar derechos suficientes para garantizarse las suyas. Además, esta situación implica un aumento de la necesidad de transferencias públicas en forma de prestaciones por desempleo. Por otro lado, aproximadamente la mitad de los parados se ve afectada por un desempleo de larga duración. Del mencionado colectivo, el 60% se encuentra en esta situación más de 2 años. En consecuencia, una parte muy importante de los desempleados europeos precisa de una ayuda económica a medio plazo, cuando los sistemas de prestaciones por desempleo estaban inicialmente diseñados para proporcionar complementos de ingresos durante un corto período de tiempo.

— Otra característica, que refleja la transformación del contexto socioeconómico con repercusiones sobre los sistemas de protección social, ha sido la progresiva y continua incorporación de la mujer europea, con distinta intensidad, al mercado laboral. Así, actualmente el 70% de las mujeres de entre 25 y 54 años trabaja o busca activamente trabajo, mientras que hace 25 años este porcentaje se situaba en el 40%. Este hecho ha originado un aumento de la demanda de ayudas sociales para el cuidado de los hijos y familiares de edad avanzada, junto con una individualización de derechos dentro del sistema de protección social.

— La transformación de la familia tradicional hacia una estructura de los hogares con menor número de miembros, también ha atenuado los efectos protectores de la red de apoyo familiar para cubrir diversas contingencias, incrementando paralelamente las demandas de protección pública.

Además de estos cambios cualitativos, con trascendencia económica sobre la viabilidad de los sistemas de protección social europeos, se ha producido en los últimos años una moderación del ritmo de crecimiento de las economías occidentales y un importante ajuste fiscal destinado a reducir significativamente los desequilibrios presupuestarios existentes en los países comunitarios. La entrada en vigor de la tercera fase de la unión económica y monetaria y la introducción del euro intensificarán el rigor presupuestario y la necesidad, de acuerdo con el compromiso del Plan de Estabilidad, de proseguir con los esfuerzos de consolidación fiscal.

En este contexto y en línea con las recomendaciones comunitarias que apuntan hacia el objetivo de potenciar los incentivos para trabajar[2], se están produciendo modificaciones importantes en los sistemas de protección social de los países comunitarios, cuyo alcance y principales características son analizados a continuación.

II. LA DIMENSIÓN ECONÓMICA DEL ESTADO DE BIENESTAR Y LAS TENDENCIAS DE LA PROTECCIÓN SOCIAL EN LA UE

El aumento del número de personas que reciben prestaciones públicas y las mayores dificultades para financiar la protección social por el menor nivel medio de crecimiento económico en Europa, son las dos principales características de las políticas sociales en los años '90.

La magnitud del gasto social ha alcanzado niveles significativos a mediados de esta década, aunque con crecimientos más moderados que en períodos anteriores. Como puede observarse en el cuadro 1, los gastos corrientes en protección social suponen como media el 28.4% del PIB de la UE en 1995. Este porcentaje es claramente superior al 30% en Dinamarca, Alemania, Países Bajos, Austria, Finlandia y, especialmente, en Suecia. Alrededor de la media se sitúan Bélgica, Francia, Reino Unido y, en menor medida, Luxemburgo. Por el contrario, Italia, España, Grecia, Portugal e Irlanda se sitúan cla-

2. De acuerdo con los resultados de la Cumbre del Empleo celebrada en Luxemburgo en noviembre de 1997 y los objetivos contenidos en las Directrices para el Empleo de 1998 acordadas por el Consejo (DO C30, de 28 de enero de 1998).

Cuadro 1. GASTO PÚBLICO EN PROTECCIÓN SOCIAL (1995)

	GASTOS DE P. SOCIAL %/PIB	GASTOS DE P. SOCIAL PPC/H	GASTOS P. SOCIAL UE=100	GASTOS DE P. SOCIAL 1990=100
Bélgica	29.7	5 610	114	139
Dinamarca	34.3	6 391	129	148
Alemania	31.3	6 172	125	138
Grecia	21.2	2 284	46	Nd
España	22.6	3 000	61	135
Francia	30.6	5 524	112	126
Irlanda	19.9	3 165	64	158
Italia	24.6	4 490	91	122
Luxemburgo	25.3	7 719	156	150
Países Bajos	32.1	5 842	118	119
Austria	31.3	5 979	121	141
Portugal	20.7	2 312	47	166
Finlandia	32.8	5 037	102	142
Suecia	35.6	6 061	123	Nd
Reino Unido	27.7	4 536	92	133
U. Europea	28.4	4 941	100	134

Fuente: Ministerio de Trabajo y Asuntos Sociales.

ramente por debajo del nivel medio de la Unión Europea. Su aumento en proporción al PIB se ha debido más a la desaceleración del crecimiento económico que al incremento real del gasto. A lo largo de esta década el mayor crecimiento se ha producido en Portugal, Finlandia, Reino Unido y Alemania. No obstante, la variación en el último año considerado ha sido globalmente negativa, salvo en Bélgica, Alemania, Luxemburgo, Grecia y Francia.

Los gastos en protección social por habitante ofrecen una amplia dispersión entre los distintos Estados miembros. Los niveles más elevados corresponden a Luxemburgo, Dinamarca, Alemania, Suecia y Austria, que sitúan sus niveles de protección relativos en más de un 20% por encima de la media. Con un porcentaje superior a la media europea también se sitúan los Países Bajos, Bélgica, Francia y Finlandia, mientras el Reino Unido e Italia se ubican ligeramente por encima del 90% de la media europea. Finalmente, los países «cohesión» se encuentran por debajo del 65% del nivel medio europeo de gasto.

Como puede observarse, las diferencias en los gastos dedicados a la protección social por los distintos Estados de la UE corresponden en gran medida a los niveles de prosperidad alcanzados. No obstante, existen diferencias entre países con un nivel de desarrollo similar, que manifiestan la prioridad que se concede en cada país a la protección social y que vienen determinadas también por las diferencias en las características sociales, la estructura de la población o el grado en que recurren a sistemas privados de protección.

Los países que están incrementando su gasto por habitante en protección social a un ritmo muy superior al de la media comunitaria son Portugal, Irlanda, Luxemburgo, Dinamarca y Austria. También en Bélgica, Alemania y España el gasto ha evolucionado más rápidamente, mientras en el Reino Unido, Francia, Italia y los Países Bajos el crecimiento ha sido menor.

El gasto en prestaciones sociales por habitante varía considerablemente entre países, como puede observarse en el cuadro 2. Así, para una media de 3 586 ECU's, en paridades de poder de compra por habitante, Grecia apenas destinaba, en 1995, 1 488 ECU's, mientras que Luxemburgo alcanzaba los 5 542. España se sitúa en tan sólo el 63% de la media comunitaria, con un incremento en los años '90 ligeramente superior a la evolución del conjunto de la UE.

La pauta de distribución del gasto muestra una mayor atención a las pensiones de jubilación y a los gastos sanitarios en prácticamente todos los países comunitarios. A mediados de esta década, las pensiones de vejez absorbían casi el 39% del gasto en protección social, destacando el mayor porcentaje que representan en Italia (54.5%), frente a la escasa proporción que éstas suponen en Irlanda (19.9%). En España (40.9%) se sitúan por encima de la media, aunque en términos per cápita sólo representan el 66% de la media comunitaria.

Por su parte, la asistencia sanitaria representaba el 27.6% de las prestaciones sociales, variando este porcentaje por países, con un nivel más elevado en Irlanda (35.4%), frente a la escasa proporción que representa en Dinamarca (17.8%). En España supone un porcentaje comparativamente elevado (30%), lo que representa un nivel relativo del 68.3% en relación con la media global europea.

Por otro lado, los recursos públicos destinados a los desempleados en forma de transferencias directas sólo suponían en 1995 el 8.4% del total. En este caso hay que considerar que este gasto es un indicador muy limitado de los costes por desempleo, ya que parte de los gastos de invalidez y de las pensiones de vejez por jubilación anticipada, así como determinados gastos de lucha contra la exclusión social, están directamente vinculados con la situación de desempleo. La proporción que este gasto representa sobre el total resulta más elevada en Irlanda (17.3%), frente al escaso nivel de Italia (2.2%). En España la proporción es relativamente alta (14.3%), situándose en un nivel superior en un 7% a la media europea de gasto por habitante.

Cuadro 2. GASTO PÚBLICO EN EN PRESTACIONES SOCIALES (1995)

	GASTOS DE PRES.SOC.	GASTOS DE VEJEZ		GASTOS DE ENFERMEDAD		GASTOS DE DESEMPLEO		GASTOS DE P. FAMILIA		OTROS	
	PPC/H	PPC/H	%/TOTAL	PPC/H	%/TOTAL	PPC/H	%/TOTAL	PPC/H	%/TOTAL	PPC/H	%/TOTAL
Bélgica	4 031	1 274	31.6	1 040	25.8	576	14.3	331	8.2	810	20.1
Dinamarca	4 561	1 715	37.6	812	17.8	670	14.7	566	12.4	798	17.5
Alemania	4 244	1 710	40.3	1 320	31.1	386	9.1	318	7.5	509	12.0
Grecia	1 488	Nd	Nd	Nd	Nd	Nd	Nd	Nd	Nd	Nd	Nd
España	2 253	921	40.9	676	30.0	322	14.3	41	1.8	293	13.0
Francia	4 081	1 490	36.5	1 183	29.0	335	8.2	367	9.0	706	17.3
Irlanda	2 067	411	19.9	732	35.4	358	17.3	242	11.7	325	15.7
Italia	3 299	1 798	54.5	706	21.4	73	2.2	115	3.5	607	18.4
Luxemburgo	5 542	1 696	30.6	1 347	24.3	166	3.0	737	13.3	1 596	28.8
Países Bajos	3 979	1 277	32.1	1 150	28.9	402	10.1	187	4.7	963	24.2
Austria	4 629	1 745	37.7	1 185	25.6	259	5.6	523	11.3	917	19.8
Portugal	1 671	6 02	36.0	548	32.8	92	5.5	97	5.8	333	19.9
Finlandia	4 214	1 218	28.9	893	21.2	603	14.3	560	13.3	940	22.3
Suecia	4 992	1 732	34.7	1 078	21.6	554	11.1	564	11.3	1 063	21.3
Reino Unido	3 454	1 171	33.9	891	25.8	204	5.9	311	9.0	877	25.4
U. Europea	3 586	1 395	38.9	990	27.6	301	8.4	273	7.6	628	17.5

Fuente: Ministerio de Trabajo y Asuntos Sociales.

Finalmente, los gastos de protección a la familia y el resto de prestaciones tienen una distribución muy desigual por países. Como media representan el 7.6% y el 17.5%, respectivamente. En este último caso, se incluye entre otros el gasto por invalidez, que supone como media el 8.4% del total, y por supervivencia, con una incidencia media del 5.4%. En España los recursos destinados a las políticas de ayuda a la familia apenas suponen un 1.8% del gasto en prestaciones sociales, porcentaje muy inferior al 13.3% de Luxemburgo y Finlandia. También la proporción del gasto en invalidez (7.7%), en supervivencia (4.4%) y en otras prestaciones (0.8%) resulta inferior a la del conjunto de países comunitarios.

No obstante, la determinación de la magnitud de la protección social en los países europeos requiere, para un análisis riguroso, contemplar además de los gastos sociales determinados ingresos públicos. En primer lugar, porque, de forma creciente, las transferencias sociales en algunos países están sometidas a impuestos o cargas sociales específicas y, en consecuencia, parte de los gastos públicos retornan en forma de impuestos o de otros ingresos. En segundo lugar, debido a que algunas prestaciones se realizan a través de exenciones y desgravaciones que disminuyen los ingresos fiscales estatales y que no se computan como gastos públicos. En consecuencia, las diferencias en las prestaciones realizadas entre los distintos Estados miembros de la UE no son iguales a las mostradas por las cifras de gasto bruto en términos del PIB. De acuerdo con un reciente estudio de la OCDE[3] sobre un número limitado de países, los impuestos directos y las cotizaciones sociales sobre las prestaciones alcanzaron porcentajes significativos del PIB, que oscilaban entre el 2.5% y el 6% en Alemania y los Países Bajos, mientras en otros, como el Reino Unido, apenas tenían incidencia. A partir de los datos del PHOGUE[4] sobre prestaciones netas recibidas por los hogares, se pueden observar modificaciones en las posiciones relativas en las transferencias sociales canalizadas por los distintos países. Así, entre los países con mayores prestaciones netas se encontrarían Bélgica, Francia e Italia, según las estimaciones aparecidas en el Informe de la Comisión Europea sobre la protección social en Europa en 1997, para los Estados miembros antes de la última ampliación. Dinamarca, Países Bajos y España se situarían en la media comunitaria, mientras Alemania, Irlanda, Luxemburgo y el Reino

3. OECD, «Net public social expenditure»: *Labour Market and Social Policy Occasional Papers*, 19.

4. Nuevo Panel de Hogares de la Unión Europea.

Unido estarían por debajo. Las cifras más bajas corresponden a Grecia y Portugal.

En general, las fuentes de financiación de la protección social provienen, como puede observarse en el cuadro 3, en aproximadamente dos terceras partes de cotizaciones sociales a cargo de empresarios y personas protegidas, correspondiendo mayoritariamente el resto a la financiación impositiva realizada mediante transferencias públicas. No obstante, esta situación es diferente en países como Dinamarca, Irlanda, Reino Unido y Suecia, donde las aportaciones públicas son claramente superiores a las cotizaciones. También en Luxemburgo y Finlandia las transferencias públicas representan un importante porcentaje de la financiación del gasto social. En España, la financiación pública de la sanidad y la extensión de las prestaciones asistenciales ha incrementado el peso de las transferencias públicas que, no obstante, sigue siendo inferior a la media comunitaria. Dentro de las cotizaciones sociales destaca la mayor importancia de las que resultan a cargo de los empleadores (38.4%) en relación con las pagadas por el colectivo de beneficiarios (25.3%). Esta mayor proporción es especialmente significativa en España, Francia e Italia, donde alcanzan porcentajes cercanos al 50% de los ingresos corrientes. Por el contrario, en los Países Bajos el porcentaje de ingresos aportados directamente por las personas protegidas representa el 46.7%.

Cuadro 3. FINANCIACIÓN DE LA PROTECCIÓN SOCIAL (1995)

	C. SOCIALES EMPLEADORES %/ING. CTES.	C. SOCIALES PERS. PROTEG. %/ING. CTES.	APORTACIONES PÚBLICAS %/ING. CTES.	OTROS %/ING. CTES.
Bélgica	42.3	24.9	20.2	12.6
Dinamarca	9.5	13.9	71.0	5.6
Alemania	38.0	32.9	26.9	2.2
Grecia	Nd	Nd	Nd	Nd
España	50.2	17.4	29.6	2.8
Francia	49.5	27.4	21.1	2.0
Irlanda	22.2	14.1	62.8	0.9
Italia	49.0	17.8	29.8	3.4
Luxemburgo	25.3	23.5	46.1	5.1
Países Bajos	21.7	46.7	15.8	15.8
Austria	35.1	29.7	34.5	0.7
Portugal	30.0	18.9	39.4	11.7
Finlandia	35.3	13.6	44.7	6.4
Suecia	38.0	5.2	48.4	8.4
Reino Unido	25.5	13.9	49.5	11.1
U. Europea	38.4	25.3	31.2	5.1

Fuente: Ministerio de Trabajo y Asuntos Sociales.

Analizada la dimensión económica de la protección social en Europa, es preciso señalar los principales cambios introducidos en la configuración y las líneas básicas de desarrollo de los modelos existentes. Así, se pueden destacar una serie de rasgos característicos que definen las tendencias vigentes de las reformas emprendidas en los Estados de la UE:

— Se consolida la tendencia al endurecimiento de las condiciones para recibir prestaciones, a la vez que se amplían los períodos previos de cotización exigidos en algunos Estados miembros.

— Se refuerzan los incentivos para trabajar, a través de la fijación de rentas salariales siempre superiores a las prestaciones satisfechas. Esta diferencia se alcanzaría como consecuencia de la introducción de ventajas fiscales a los salarios reducidos y de prestaciones asociadas directamente al trabajo, al margen de las reducciones efectuadas en los niveles de determinadas prestaciones.

— Se produce una reorientación hacia políticas más activas, tras el convencimiento generalizado de que el problema del desempleo y la exclusión social no se soluciona únicamente con transferencias de renta.

— Se amplían los programas de creación de empleo, fomentando la contratación a través de la reducción selectiva de las cotizaciones sociales y las subvenciones directas. Además, en algunos países se han desarrollado políticas de creación de empleo en la economía social para cubrir necesidades no satisfechas por el mercado.

— Se potencia la reducción de la dependencia y la exclusión social, a través de medidas que reduzcan la supeditación de los ingresos a las prestaciones públicas, promoviendo el trabajo en los colectivos más desfavorecidos pero con capacidad para trabajar y atacando las causas reales de la pobreza.

— Se mejora la ayuda a las personas discapacitadas, incrementando los esfuerzos para mejorar sus oportunidades de empleo.

— Se trata de alterar la tendencia a la jubilación anticipada, desalentándola a través del endurecimiento de las condiciones para acceder a ella y/o reduciendo la cuantía de la misma.

— Se fomenta en algunos países la jubilación parcial vinculada a ciertas reducciones en la jornada laboral.

— Se está procediendo a la adaptación de los sistemas de protección social al envejecimiento de la población, tratando de reducir los costes asociados a esta tendencia. Así, las reformas generalizadas en los sistemas públicos de pensiones tienden a aumentar e igualar la edad de jubilación de las mujeres a la de los hombres y a establecer una mayor vinculación entre las cotizaciones realizadas a lo largo de la vida laboral de una persona y la cuantía resultante de su pensión, reforzando el componente de seguro en el sistema público. También se ha producido un crecimiento generalizado de los sistemas complementarios de carácter privado, aunque los modelos públicos europeos mantienen su carácter de sistema de reparto.

— Se procede a la contención de los costes de la asistencia sanitaria, estableciendo límites máximos a los gastos de los servicios nacionales de salud. Este objetivo se ha articulado de forma diferente, bien introduciendo o ampliando el pago directo por parte del usuario de determinados medicamentos o tratamientos médicos, bien introduciendo elementos de mercado y criterios de competencia en la gestión de los servicios sanitarios para mejorar la eficiencia del sistema público.

— Se está generalizando el debate sobre el papel público en las prestaciones de asistencia de cuidados a largo plazo y determinados servicios sociales, que mantiene niveles actuales muy diferentes de cobertura en los distintos países comunitarios.

— Se pretende realizar una orientación del gasto social hacia destinatarios específicos, para cubrir adecuadamente a los colectivos más necesitados. Este objetivo está extendiendo la utilización de mecanismos de comprobación de rentas asociados a determinadas prestaciones y el establecimiento de impuestos y cargas sociales sobre algunas políticas de protección social.

III. ANÁLISIS COMPARATIVO DE LAS PRINCIPALES PRESTACIONES SOCIALES

A continuación se presentan los cuadros resumen con las principales prestaciones sociales que ofrecen los países de la UE en 1998. En ellos se exponen las características esenciales, para el conjunto de los Estados miembros, de 4 tipos de prestaciones especialmente significativas. El primer cuadro comparativo corresponde a las prestaciones por desempleo, que han sido divididas en 2 bloques, referidos al seguro de desempleo y al régimen asistencial. En ambos casos se revisa el ámbito de aplicación de la prestación, la edad máxima de percepción, la fórmula de cálculo aplicada en cada caso y su duración. El segundo cuadro recoge la información correspondiente a las prestaciones de jubilación, agrupada en diversos apartados, en los que se detalla, básicamente, el tipo de sistema, el colectivo de beneficiarios, las condiciones exigidas para su percepción, los factores determinantes de su cálculo y las cuantías mínimas y máximas. Por su parte, el cuadro 3 muestra las características de las prestaciones sanitarias en los Estados miembros de la UE. En este cuadro se hace referen-

Cuadro comparativo 1. PRESTACIONES POR DESEMPLEO

	SEGURO DE DESEMPLEO	RÉGIMEN ASISTENCIAL
Alemania	Beneficiarios: Trabajadores asalariados inscritos como parados, que hayan trabajado al menos 360 días en los 3 últimos años. Beneficiarios: 65 años. Cálculo de la prestación: función del salario semanal medio del último año. Techo salarial: entre 3 542 y 4 250 ECU's al mes según el Länder. 60%-67% del salario neto (sin hijos y con hijos, respectivamente). La prestación se reduce si hay ingresos procedentes de una actividad secundaria. Duración: Función de la edad y la duración del empleo (entre 5 meses y algo más de 2 años).	Beneficiarios: Parados que justifiquen haber trabajado como mínimo 150 días en el último año, o que hayan agotado el seguro de desempleo y carezcan de recursos económicos. Edad máxima: 65 años. Cálculo de la prestación: función del salario semanal medio últimos 6 meses. Techo salarial: entre 3 549 y 4 175 ECU's al mes. 53%-57% del salario neto (sin hijos y con hijos, respectivamente). Duración: Ilimitada.
Austria	Beneficiarios: Asalariados inscritos como parados que hayan estado asegurados 1 año de los últimos 2 (6 meses del último año para los menores de 25 años) y tengan ingresos procedentes de una actividad no superiores a 275 ECU's al mes; participantes en medidas de promoción de empleo. Edad máxima: 65 años para los hombres, 60 para las mujeres. Cálculo de la prestación: 56% del salario neto diario (salario de referencia: remuneración media último año). Salario mínimo diario: 4 ECU's. Salario máximo: 33 ECU's. Existen suplementos familiares. Duración: Función del período de afiliación y la edad (entre 20 y 52 semanas). Hasta 4 años para participantes en programas de formación.	Beneficiarios: Austríacos o ciudadanos de un Estado del espacio económico, cuyos ingresos familiares sean inferiores a 410 ECU's al mes (820 ECU's en el caso de parados mayores de 50 años, 1 229 ECU's para mayores de 54 años (mujeres) o 55 (hombres)). Estos límites se amplían en función del número de personas a cargo. Edad máxima: 65 años para los hombres, 60 para las mujeres. Cálculo de la prestación: 92% (95% en algunos casos) de la base de asignación del seguro de desempleo. Duración: Ilimitada.
Bélgica	Beneficiarios: Jóvenes sin empleo tras su período de formación, y trabajadores afiliados a la Seguridad Social inscritos como parados, que hayan trabajado entre 312 días en los últimos 18 meses y 624 días en los últimos 36 meses, dependiendo de su edad. Edad máxima: 65 años (hombres), 61 años (mujeres). Cálculo de la prestación: Si existen cargas familiares: 60% salario medio diario. Techo salarial: 55 ECU's. Pago mínimo diario: 29 ECU's. Pago máximo diario: 33 ECU's. Porcentajes diversos para individuos sin cargas familiares, que se reducen progresivamente a lo largo del período de prestación.	No existe prestación asistencial.

(cont.)	SEGURO DE DESEMPLEO	RÉGIMEN ASISTENCIAL
Bélgica (cont.)	Pagos a jóvenes tras su período de formación: entre 7 y 29 ECU's diarios según la edad y la situación familiar. Complementos de vejez tras el primer año de desempleo para los mayores de 50 años que justifiquen al menos 20 años trabajados (entre 16 y 36 ECU's diarios según edad y categoría profesional). Duración: Ilimitada, salvo para ciertos casos de desempleo de larga duración.	
Dinamarca	Beneficiarios: Asalariados y trabajadores independientes, entre 18 y 65 años, inscritos como parados y afiliados a una aseguradora, que hayan trabajado como mínimo 1 año de los últimos 3. Período mínimo de afiliación: 1 año. También pueden asegurarse quienes hayan terminado una formación profesional de, al menos, 18 meses y se afilien en un plazo máximo de 2 semanas a partir del fin de su formación. Edad máxima: 67 años. Cálculo de la prestación: 90% de la remuneración media últimos 3 meses, deducidas las cotizaciones a los Fondos de Mercado de Trabajo. Máximo: 357 ECU's por semana. Bajo ciertas condiciones se tiene derecho al 82% del máximo independientemente del salario de referencia. Jóvenes desempleados inmediatamente después de su formación: 293 ECU's. Duración: Primer período: 2 años. Segundo período: 3 años (obligación de participar en medidas contra el desempleo en este período; para los mayores de 50 años puede alargarse hasta los 60). Menores de 25 años que no hayan acabado formación profesional: 6 meses.	No existe prestación asistencial.
España	Beneficiarios: Asalariados de la industria y los servicios inscritos como parados, que hayan perdido involuntariamente el empleo, y que hayan cotizado durante un período mínimo de 12 meses en los 6 últimos años. Edad máxima: 65 años. Cálculo de la prestación: Referencia = media de las bases de cotización en los últimos 6 meses. Pago: 70% del salario de referencia los 6 primeros meses, 60% en adelante. Límites: mínimo=75%-100% SMI (sin hijos-con hijos); máximo=170-220% SMI en función del número de hijos.	Beneficiarios: Parados que reúnan ciertos requisitos (cargas familiares, límites de edad, ausencia de otras prestaciones, etc.), hayan agotado el seguro de desempleo y obtengan ingresos no superiores al 75% del salario mínimo interprofesional (SMI). Edad máxima: 65 años. Cálculo de la prestación: Referencia= SMI. Pago: 75% SMI; parados de larga duración mayores de 45 entre 75%-125% SMI. Duración: 6 meses, prorrogables bajo ciertas condiciones.

(cont.)	SEGURO DE DESEMPLEO	RÉGIMEN ASISTENCIAL
España (cont.)	Duración: Depende del período de cotización (4-24 meses).	
Finlandia	Beneficiarios: 1) Prestaciones básicas: Asalariados entre 17 y 64 años inscritos como parados que busquen empleo a tiempo completo y hayan trabajado al menos 43 semanas durante los últimos 2 años (mínimo 18 horas por semana). Autónomos: ídem, que hayan tenido al menos 2 años de actividad profesional durante los últimos 4. 2) Prestaciones relativas al salario: Afiliados a una aseguradora, con los mismos requisitos que para las prestaciones básicas. Las condiciones de empleo anteriores deben cumplirse durante el período de afiliación a la aseguradora. Edad máxima: 65 años. Cálculo de la prestación: 1) Prestaciones básicas: 20 ECU's diarios. 2) Prestaciones relativas al salario: 42% de la diferencia entre el salario diario y la asignación básica. Si el salario mensual es superior a 1 804 ECU's, el pago es igual al 20% del exceso. Duración: 500 días.	Beneficiarios: Desempleados que no cumplan las condiciones de afiliación al seguro sin derecho a otras prestaciones, jóvenes entre 17 y 24 años durante períodos de aprendizaje, formación o readaptación. Edad máxima: 65 años. Cálculo de la prestación: 20 ECU's al día. Pago íntegro si los ingresos mensuales son inferiores a 105-842 ECU's (solos-casados). 105 ECU's adicionales por cada hijo menor de 18 años. Por encima de esos límites, los pagos se reducen en un 75% (individuos solos) o en un 50% (casados). Jóvenes que viven con sus padres y no participen de medidas de empleo: 60% pago íntegro. Duración: ilimitada.
Francia	Beneficiarios: Trabajadores asalariados, inscritos como parados, que hayan perdido involuntariamente el empleo y demuestren un período mínimo de afiliación de 4 meses en los últimos 8. Edad máxima: 60-65 años. Cálculo de la prestación: Referencia = salario sujeto a cotización en el último año. Techo salarial: 8 524 ECU's por mes. Pago = 40.4% salario de referencia + 9 ECU's por día, o bien 57.4% salario de referencia (la mayor cantidad). Mínimo=22 ECU's al día. Cada 4 meses se reduce el pago, con mínimo garantizado (16-20 ECU's al día). Para períodos de afiliación entre 4 y 6 meses reducción del 25%. Duración: Función de la edad y el período de afiliación (entre 4 meses y 5 años).	Beneficiarios: Parados sin derecho al seguro de desempleo y grupos particulares (refugiados políticos, etc), con ingresos inferiores a ciertos límites. Edad máxima: 60-65 años. Cálculo de la prestación: 8.5 ECU's al día (pagos de inserción); entre 12 y 17 ECU's para parados de larga duración. Duración: Ilimitada (salvo para grupos particulares: máximo 1 año).
Grecia	Beneficiarios: Asalariados asegurados contra la enfermedad en un organismo de la Seguridad Social e inscritos como parados, que hayan trabajado al menos 125 días durante los últimos 14 meses, o al menos 200 días durante los 2 últimos	No existe prestación asistencial.

(cont.)	SEGURO DE DESEMPLEO	RÉGIMEN ASISTENCIAL
Grecia (cont.)	años. Para quienes se benefician del derecho por primera vez: al menos 80 días de trabajo por año durante los 2 años precedentes. Jóvenes de 20 a 29 años que nunca hayan trabajado. Edad máxima: en general, 65 años. Cálculo de la prestación: Trabajadores manuales: 40% salario diario. Empleados: 50% salario mensual. Mínimo: 13 ECU's. Máximo: 70% salario de referencia correspondiente al tipo de seguro. Tras el período de indemnización: prestación suplementaria del 50% de la asignación principal. Existen complementos familiares. Duración: En general, en función de la duración del empleo: entre 5 y 12 meses (125-250 días trabajados). 3 meses adicionales con pagos reducidos. 5 meses para jóvenes entre 20 y 29 años en su primer empleo.	
Irlanda	Beneficiarios: Mayores de 15 años empleados con contrato de trabajo o aprendizaje, inscritos como parados, que hayan cotizado al menos 39 semanas durante el último año. Edad máxima: 66 años. Cálculo de la prestación: 87 ECU's semanales, más suplementos por adultos a cargo (52 ECU's por semana) e hijos (17 ECU's por semana). Duración: 390 días (salvo si el beneficiario ha cumplido 65 años; en ese caso la prestación se extiende hasta los 66 años).	Beneficiarios: Mayores de 18 años que carezcan de recursos mínimos. Edad máxima: 66 años. Cálculo de la prestación: A corto plazo: 85 ECU's semanales; a largo plazo: 87 ECU's semanales. Mismos suplementos familiares que en la prestación contributiva. Duración: Ilimitada.
Italia	Beneficiarios: Asalariados registrados como parados, que hayan estado asegurados al menos 2 años y hayan cotizado durante 52 semanas en los 2 últimos años. Edad máxima: no hay límite. Cálculo de la prestación: 30% retribución media últimos 3 meses. Límite mensual: 713 ECU's para salarios inferiores a 1 542 ECU's; 857, resto de casos. Duración: 180 días.	No existe prestación asistencial.
Luxemburgo	Beneficiarios: Asalariados que hayan trabajado al menos 6 meses en el último año, jóvenes que buscan primer empleo, trabajadores independientes desempleados que buscan trabajo asalariado (condiciones especiales para mayores de 57 años). Edad máxima: 65 años.	No existe prestación asistencial.

(cont.)	SEGURO DE DESEMPLEO	RÉGIMEN ASISTENCIAL
Luxemburgo (cont.)	Cálculo: 80% del salario de referencia (salario bruto 3 últimos meses trabajados. Tope máximo: 2 838 ECU's). Existen suplementos familiares. Duración: 1 año, más 6 meses para personas con dificultades especiales para recolocarse. Para mayores de 50 años, hasta 1 año de prórroga si alcanza 30 años de afiliación.	
Países Bajos	Beneficiarios: Trabajadores asalariados menores de 65 años, inscritos como parados, que no hayan rechazado un empleo apropiado. Para el cobro de las prestaciones principales se exigen al menos 26 semanas de empleo asalariado durante las últimas 39. Para las prestaciones ampliadas y complementarias, se exige la condición anterior más haber trabajado al menos 4 años (mínimo 52 días por año) de los últimos 5. Edad máxima: 65 años. Cálculo de la prestación: a) Prestaciones principales y complementarias: 70% salario mínimo legal; b) Prestaciones ampliadas: 70% salarios anteriores. Existen suplementos si las prestaciones son inferiores al mínimo social, también suplementos familiares. Duración: a) Prestaciones principales: 6 meses b) Prestaciones ampliadas: en función de la edad y antecedentes laborales (entre 9 meses y 5 años). c) Prestaciones complementarias: 2 años (3.5 años para parados con 57.5 años o más).	1) Asignaciones complementarias: Beneficiarios= desempleados que cobran por el régimen de seguro menos del mínimo social. Cálculo de la prestación = diferencia con el mínimo. 2) Ingresos para trabajadores de edad o parcialmente incapacitados: Beneficiarios = mayores de 50 años que hayan agotado la prestación contributiva, ciertos individuos incapacitados. Cálculo de la prestación = entre 848 y 1 091 ECU's mensuales.
Portugal	Beneficiarios: Asalariados asegurados, inscritos como parados, que no sean titulares de una pensión de invalidez o vejez y hayan cotizado al menos 540 días durante los 2 años precedentes a la situación de desempleo. Edad máxima: 65 años. Cálculo de la prestación: 65% del salario medio diario del año precedente a los 2 meses anteriores al comienzo del desempleo. Mínimo: salario mínimo garantizado, excepto si la remuneración de trabajador es inferior. Máximo: 3 veces el salario mínimo garantizado. Duración: En función de la edad: desde 10 meses para menores de 25 años hasta 30 meses para 55 años o más. Las prestaciones pueden prolongarse hasta un 50% del período correspondiente.	Beneficiarios: Beneficiarios del seguro de desempleo que hayan agotado la prestación contributiva o no cumplan los requisitos de cotización, y hayan trabajado al menos 180 días durante el año anterior al comienzo del desempleo, cuyos ingresos medios mensuales per cápita no excedan del 80% del salario mínimo garantizado para su sector de actividad. Edad máxima: 65 años. Cálculo de la prestación: Entre el 70% y el 100% del salario mínimo según el número de personas a cargo. Duración: Entre 10 y 30 meses en función de la edad (menores de 25-mayores de 44 años). Pueden pro-

(cont.)	SEGURO DE DESEMPLEO	RÉGIMEN ASISTENCIAL
Portugal (cont.)		longarse hasta un 50% del período correspondiente.
Reino Unido	Beneficiarios: Asalariados que hayan perdido su empleo de forma involuntaria (excepto mujeres casadas que hayan renunciado al seguro antes de abril de 1977). Tiempo mínimo de cotización: 1 año en los últimos 2. Edad máxima: 60 años para mujeres, 65 para hombres. Cálculo de la prestación: Cantidad fija independiente del salario. Entre 18-24 años: 58 ECU's semanales. A partir de 25 años: 74 ECU's semanales. Duración: función de la edad (límite: 6 meses durante cada período de desempleo).	Beneficiarios: En general, quienes no hayan cotizado el período suficiente para tener derecho a la prestación principal y carezcan de recursos suficientes. Cálculo de la prestación: En función de la edad del desempleado y de las personas a su cargo. Duración: Sin límite.
Suecia	Beneficiarios: 1) Asignación básica: Parados involuntarios mayores de 19 años que no dispongan de seguro contra el desempleo o no cumplan las condiciones de afiliación mínima de una aseguradora (1 año), y reúnan ciertas condiciones de formación y horas trabajadas. 2) Prestación proporcional al ingreso: Afiliados a alguna aseguradora que cumplan las condiciones de afiliación y horas de trabajo. Edad máxima: 65 años. Cálculo de la prestación: 1) Asignación básica + Prestación facultativa proporcional al ingreso. 2) Asignación básica: no existe salario de referencia (27 ECU's al día). Asignación proporcional: 80% salario de referencia. Base de cálculo = media diaria ingresos anteriores. Techo salarial=1 827 ECU's al mes o 83 ECU's al día. Pago mínimo por día: 27 ECU's; máximo: 66 ECU's. Duración: menores de 57 años=300 días; 57 o más años=450 días.	No existe prestación asistencial (ver asignación básica).

Fuente: Comisión Europea (1998a) y elaboración propia.

cia, nuevamente, al colectivo de beneficiarios, y se detallan los principales rasgos de la asistencia prestada, agrupada en atención primaria, especializada, atención farmacéutica y otras prestaciones. El cuarto esquema recoge las prestaciones familiares. El primer grupo de estas prestaciones corresponde a las asignaciones concedidas por hijos, y en él se resumen sus características básicas. En segundo lugar, se revisa un conjunto de otras prestaciones, entre las que se incluyen las ayudas para alojamiento ofrecidas por algunos países, las ayudas escolares y asignaciones de otro tipo. Finalmente, se muestra un cuadro resumen de la contribución a la financiación de los beneficiarios de las prestaciones, para cada uno de los 4 tipos examinados previamente.

Según se observa en el cuadro comparativo 1, algo más de la mitad de los Estados miembros ofrece prestaciones integradas en el régimen asistencial, mientras en el resto de países la protección por desempleo se limita al régimen de seguro. En la práctica totalidad de los casos se requiere un período de cotización mínimo para tener derecho a la prestación por desempleo, salvo cuando se garantizan prestaciones para jóvenes que busquen su primer empleo y/o hayan finalizado ciertos períodos de formación (es el caso de Bélgica, Dinamarca, Grecia y Luxemburgo). Los países que exigen un menor período de cotización son Francia, Grecia, Irlanda, Luxemburgo y Países Bajos (aproximadamente entre 4 y 6 meses). El resto de Estados miembros exigen el cumplimiento de períodos algo superiores, cercanos al año.

Salvo en Italia, la edad máxima para recibir la prestación coincide con la edad de jubilación. La prestación por desempleo se calcula, en general, como un porcentaje de la remuneración media anterior. Sin embargo, en algunos países una parte de los pagos es independiente del salario anterior, como en Finlandia y Suecia. Finalmente, Irlanda y Reino Unido establecen la totalidad de la prestación como una cuantía independiente de la remuneración. Por otro lado, algo más de la mitad de los países hacen depender los pagos de las condiciones familiares de los beneficiarios. También es de destacar el hecho de que, en ciertos casos, la prestación se reduce a medida que se prolonga la situación de desempleo; en esta situación se encuentran Bélgica, España, Francia y Grecia.

En cuanto a la duración, se observa que en general suele depender de la edad del beneficiario y del período previo de cotización, salvo en Irlanda, Italia y Finlandia. La duración mínima oscila entre los 4 meses de España y Francia y los 2 años de Dinamarca, aunque la tendencia generalizada es a situarse en 1 año o por debajo. Por su parte, la duración máxima oscila entre los 6 meses de Italia y Reino Unido y los 5 años de Dinamarca, Francia y Países Bajos. Bélgica es el único país que concede la prestación de forma ilimitada.

Finalmente, cabría destacar el tratamiento fiscal que se da a estas rentas en el ámbito de la imposición personal. En general, tienen la consideración de renta sujeta, excepto en Alemania, Austria y Reino Unido. No obstante, en ciertos países se establecen limitaciones en la imposición; es el caso de Bélgica, Francia, Irlanda y Países Bajos.

Cuadro comparativo 2. PRESTACIONES POR JUBILACIÓN

	ALEMANIA	AUSTRIA	BÉLGICA
Tipo de sistema	Contributivo	Contributivo	Contributivo
Beneficiarios	Obreros y empleados	Asalariado y asimilados, ciertos trabajadores independientes, asegurados voluntarios	Trabajadores
Edad de jubilación	65 años	Mujeres: 60 años. Hombres: 65	Hombres: 65 años (mujeres: equiparación progresiva desde los 61 años, hasta el 2009)
Posibilidad de jubilación anticipada	Sí (a los 60 ó 63 años, dependiendo del período de cotización)	Sí (a los 55 años para las mujeres, a los 60 para los hombres)	Sí (a los 60 años)
Período mínimo de cotización	5 años	15 años de cotización o 25 años de seguro, o bien 15 años de seguro durante los últimos 30	No existe
Período de cotización para pensión plena	Depende de la edad y del cumplimiento de ciertos requisitos	40 años	41 años de actividad profesional para las mujeres, 45 años para los hombres
Cálculo de la pensión	Función de 2 variables: Retribución de la actividad asegurada Índice actual de pensiones (correspondiente a la pensión mensual de un asalariado medio por un año de aseguramiento)	Función del período de cotización y de la remuneración media (revalorizada) de los 15 mejores años. Existen complementos por hijos a cargo	Función de 4 variables: Ingresos (cantidades fijas o ingresos brutos, según los casos) Nº de años de pertenencia al seguro Sexo Cargas familiares
Pensión mínima	No existe pensión mínima	575 ECU's al mes para personas solas, 820 en otro caso	Entre 8 339 y 10 421 ECU's anuales (individuos sin cargas-familias)
Pensión máxima	No existe máximo legal	2 082 ECU's al mes	Entre 14 631 y 15 415 ECU's anuales (hombres solteros-mujeres solteras)
Compatibilidad pensión-salario	Sí	Sí (cuando los ingresos superan un máximo se reduce el montante de la pensión)	Sí (con límite)

Cuadro comparativo 2. PRESTACIONES POR JUBILACIÓN *(cont.)*

	DINAMARCA	ESPAÑA	FINLANDIA
Tipo de sistema	Componentes universales y contributivos	Contributivo	Componentes universales y contributivos
Beneficiarios	1) Pensión nacional: residentes 2) Pensión complementaria: en general, empleados entre 16 y 66 años	Trabajadores	1) P. nacional: Residentes entre 16 y 65 años 2) Pensión de actividad: asalariados, trabajadores independientes y agricultores entre 23 y 65 años
Edad de jubilación	67 años	65 años	65 años
Posibilidad de jubilación anticipada	Sí (a los 50 años)	Sí (a los 60 años)	Sí (a los 60 años)
Período mínimo de cotización	1) Pensión nacional: criterio de residencia (al menos 3 años) 2) Pensión complementaria: no existe	15 años (al menos 2 dentro de los 15 años previos al mmento de la jubilación)	1) Pensión nacional: 3 años de residencia a partir de los 16 años de edad 2) Pensión de actividad: En general, 1 mes de empleo con salario superior a 193 ECU's
Período de cotización para pensión plena	1) Pensión nacional: criterio de residencia (al menos 40 años, entre los 15 y los 67) 2) Pensión complementaria: no existe	35 años	1) P. Nacional: 40 años de residencia 2) Pensión de actividad: 40 años de trabajo independiente o asalariado
Cálculo de la pensión	1) Pensión nacional: 155.45 ECU's anuales por cada año de residencia (hasta 6 210 ECU's anuales) 2) Pensión complementaria: 2 208 ECU's anuales si el asegurado está afiliado desde el 1.4.1964 y ha trabajado a tiempo completo desde entonces	Función de 2 variables: Nº de años de cotización Salario medio de los 15 años previos a la jubilación	1) P. Nacional: función de la duración de la residencia, el estado civil, el municipio de residencia y de otras pensiones recibidas 2) P. de actividad: Función del período de cotización y el nivel de remuneración (salario medio últimos 10 años)
Pensión mínima	1) Pensión nacional: 672 ECU's 2) Pensión complementaria: 153 ECU's	Entre 334 y 393 ECU's al mes (14 pagas anuales), sin cónyuge o con cónyuge a cargo	Relacionada con la pensión nacional
Pensión máxima	1) Pensión nacional: 6 218 ECU's 2) Pensión compl.: 2 208 ECU's anuales	1 733 ECU's mensuales	1) P. Nacional: 364-433 ECU's al mes 2) P. de actividad: 60% del salario más elevado que da derecho a la pensión
Comp. pensión-salario	Sí	No	Sí

Cuadro comparativo 2. PRESTACIONES POR JUBILACIÓN *(cont.)*

	FRANCIA	GRECIA	IRLANDA
Tipo de sistema	Contributivo	Contributivo	Contributivo
Beneficiarios	Empleados y asimilados	Empleados y asimilados	Empleados y trabajadores independientes entre 16 y 66 años
Edad de jubilación	60 años	Asegurados antes de 1993: hombres=65 años, mujeres=60. Asegurados en fecha posterior: 65 años	Pensión de jubilación: 65 años; pensión contributiva de vejez: 66 años
Posibilidad de jubilación anticipada	No	Sí (entre los 50 y los 62 años dependiendo del sexo, cargas familiares, años de cotización y seguro)	No
Período mínimo de cotización	200 horas de salario mínimo (1 cuarto)	4 500 días (12.3 años)	Pensión de jubilación: 39 meses, media anual de 24 semanas de cotización desde 1953 hasta el año anterior al de la edad reglamentaria P. contributiva: ídem, con media anual de 10 semanas
Período de cotización para pensión plena	160 cuartos en el 2003. A partir de los 65 años se cobra la pensión plena independientemente del período de cotización	35 años	Idem pensión mínima, pero con media anual de 48 contribuciones
Cálculo de la pensión	Función de 3 variables: Ingresos medios de los 15 mejores años de salario (aumento hasta 25 años en el 2008) Edad del asegurado. Nº de años de cotización	Función del salario (correspondiente a los ingresos brutos medios de los últimos 5 años) y el número de años de pertenencia al seguro	Función de 2 variables: Nº mínimo de contribuciones pagadas desde el comienzo de seguro Nº medio anual de contribuciones satisfechas (se requieren al menos 10 años de seguro)
Pensión mínima	5 826 ECU's al año	Asegur. antes de 1993: 336 ECU's mensuales Asegurados en fecha posterior: mínimo variable	Pensión de jubilación: 95 ECU's semanales P. contributiva de vejez: 93 ECU's semanales
Pensión máxima	12 786 ECU's al año	Asegur. antes de 1993: 1 639 ECU's mensuales Asegurados en fecha posterior: 2 035 ECU's	101 ECU's semanales
Compatibilidad pensión-salario	Sí (bajo ciertas condiciones)	Sí (con límites)	Sí (con límites)

Cuadro comparativo 2. PRESTACIONES POR JUBILACIÓN *(cont.)*

	ITALIA	LUXEMBURGO	PAÍSES BAJOS
Tipo de sistema	Contributivo	Contributivo	Universal
Beneficiarios	Trabajadores del sector privado	Quienes ejerzan una actividad profesional, asegurados, voluntarios	Residentes, cualquiera que sea su renta o nacionalidad
Edad de jubilación	Mujeres: 59 años; hombres: 64 años (aumento progresivo hasta los 60 y 65 años, respectivamente) Nuevo sistema: 57-65 años	65 años	65 años
Posibilidad de jubilación anticipada	Sí (dependiendo del número de años de cotización)	Sí (a los 57 o a los 60, siempre que se cumplan ciertas condiciones de cotización)	No
Período mínimo de cotización	18 años (aumentará progresivamente hasta 20 años en el 2001). Nuevo sistema: 5 años	10 años	No existe
Período de cotización para pensión plena	40 años	40 años	50 años de pertenencia al seguro (entre los 15 y los 65)
Cálculo de la pensión	Función de 2 variables: Nº años de cotización. Salario medio (de los últimos 10 años o de toda la vida activa, según casos). Nuevo sistema: cotizaciones × coeficiente actuarial variable según edad	Función de las cotizaciones y del período de pertenencia al seguro	Cantidades mensuales fijas, que dependen del período de pertenencia al seguro y de la situación familiar
Pensión mínima	4 670 ECU's al año. No existe pensión mínima en el nuevo sistema	974 ECU's mensuales (para quienes hayan cotizado 40 años; reducción para períodos inferiores)	Variable (la pensión se reduce un 2% por cada año de no pertenencia al seguro)
Pensión máxima	No existe máximo legal	4 511 ECU's mensuales	735 ECU's al mes
Compatibilidad pensión-salario	Sí (bajo ciertas condiciones)	Sí	Sí

Cuadro comparativo 2. PRESTACIONES POR JUBILACIÓN *(cont.)*

	PORTUGAL	REINO UNIDO	SUECIA
Tipo de sistema	Contributivo	Contributivo	Comps. contrib. y universales
Beneficiarios	Trabajadores asalariados y asimilados, autoempleados	1) Pensión básica: asalariados y autoempleados 2) Subsidio graduado: asalariados que hayan satisfecho cotizaciones entre el 6/4/1961 y el 5/4/1975 3) Pensión estatal ligada a los ingresos (SPER): asalariados	1) Pensión básica: residentes 2) Pensión complementaria: Empleados y autoempleados entre 16 y 64 años (con rentas incluidas entre ciertos límites)
Edad de jubilación	65 años (también para las mujeres a partir de 1999)	Mujeres: 60 años; hombres: 65 años	65 años
Posibilidad de jubilación anticipada	Sí (a los 60 años para desempleados, en algunos casos de trabajo peligroso o similar a los 55 años)	No	Sí (a los 61 años)
Período mínimo de cotización	15 años (en cada año, mín. 120 días de cotización)	1) Pensión básica: 10 años 2) Subsidio graduado: función del salario 3) SPER: se requiere que el perceptor tenga ingresos superiores a un límite (al menos 1 año desde abril de 1978)	1) Pensión básica: 3 años de residencia o 3 años de percepción de rentas con derecho a pensión 2) Pensión complementaria: 3 años de percepción de renta con derecho a pensión
Período de cotización para pensión plena	40 años	Mujeres: 39 años; hombres: 44 años	1) P. básica: 40 años de residencia o 30 años de actividad 2) P. complementaria: 30 años de actividad
Cálculo de la pensión	Función del período de cotización y del salario medio correspondiente a los 10 mejores años de los últimos 15	1) Pensión básica: 76 ECU's semanales (se reduce si el nº años de cotización es inferior al exigido) 2) Subsidio graduado: 1.2 ECU's por sem. por cada 11 ECU's cotiz. (hombres) o por cada 13 ECU's (mujeres) 3) SPER: proporcional al salario (con límites)	1) P. básica: entre un 78.5% y un 96% (casados-solteros) de la cantidad fijada por el gobierno (4 168 ECU's para 1998) 2) P. compl.: función de los ingresos de los 15 mejores años y de la cantidad anterior fijada por el gobierno
Pensión mínima	155 ECU's mensuales	1) Pensión básica: 23 ECU's semanales 2) Subsidio: 1.2 ECU's semanales	Relacionada con la pensión básica
Pensión máxima	80% de los ingresos de referencia	1) Pensión básica: 94 ECU's semanales 2) Pensión proporcional: 10 ECU's semanales para hombres, 8.7 para mujeres 3) P. estatal ligada a los ingresos: 180 ECU's sem	1) Pensión básica: entre 3 207 y 3 922 ECU's anuales (casados-solteros) 2) P. complementaria: 15 936 ECU's anuales
Compensación pensión-salario	Sí	Sí	Sí

Según el cuadro comparativo 2, la gran mayoría de los sistemas de jubilación vigentes son de tipo contributivo, con la excepción de Países Bajos, por un lado, y Dinamarca, Finlandia y Suecia, por otro. En el primer caso, el sistema de prestación es de carácter completamente universal, y en el resto de países citados las prestaciones incorporan componentes tanto contributivos como universales, que no dependen de las cotizaciones satisfechas a lo largo de la vida laboral. La definición del colectivo de beneficiarios está directamente vinculada con el tipo de prestación: cuando ésta es de carácter universal, el criterio aplicable es el de residencia. Por lo que se refiere a la edad de jubilación, se observa que en la mayor parte de los casos se fija en los 65 años (menos en Dinamarca y Francia, donde se establece, respectivamente, por encima y por debajo de ese límite). En los casos en que la edad de jubilación difiere para hombres y mujeres, la tendencia consiste en una equiparación progresiva para ambos grupos de población. La mayor parte de los Estados miembros permite la posibilidad de una jubilación anticipada, a excepción de Francia, Irlanda, Países Bajos y Reino Unido. Dinamarca es el país que permite un mayor adelanto en la edad de jubilación (a los 50 años). En general, se exigen ciertos requisitos adicionales en términos de los años cotizados.

Entre los países con prestaciones de tipo contributivo, el período mínimo de cotización oscila entre los 3 años para Irlanda y Suecia y los 18 de Italia, que ampliará dicho mínimo hasta llegar a los 20 años en el 2001. Bélgica, Dinamarca, Francia y Finlandia constituyen casos excepcionales. En los dos primeros países no existe período mínimo de cotización, en Francia se exigen únicamente 200 horas de trabajo al salario mínimo y, finalmente, en Finlandia se requiere tan sólo un mes de empleo con salario superior a cierto límite. Por otra parte, el período de cotización para la obtención de la pensión plena oscila entre los 30 y los 45 años, salvo en Irlanda, que mantiene los 3 años del período mínimo endureciendo las condiciones de cotización. En general, los sistemas de carácter universal exigen condiciones de empleo o de residencia, que en algún caso pueden ser superiores al período máximo del resto de países (véase el caso de Países Bajos).

Las fórmulas de cálculo de la prestación por jubilación hacen depender los pagos de los ingresos sujetos a cotización durante un período de la vida laboral variable según países. De nuevo, las excepciones corresponden a los países con sistema parcial o completamente universal. En estos casos, se establecen pagos mensuales independientes de las cotizaciones, que pueden variar en función de la situación familiar del beneficiario o del número de años de residencia o pertenencia al seguro.

La gran mayoría de los países establecen límites mínimos y máximos a las cantidades que se pueden percibir. Tan sólo Alemania e Italia carecen de límites. Por último, en relación con la compatibilidad entre la pensión y el salario, cabe destacar el hecho de que España es el único país de la UE que no permite la obtención de un salario paralelamente a la prestación de jubilación.

Finalmente, es de señalar el tratamiento fiscal que reciben este tipo de rentas. Las prestaciones por jubilación se encuentran sujetas a tributación en el ámbito de la imposición personal en todos los países de la Unión, si bien en la mayor parte de los casos la imposición se ve atenuada a través de la articulación de mínimos exentos y deducciones diversas.

De la información contenida en el cuadro comparativo 3, podemos concluir que existen ciertas diferencias entre países en cuanto a los beneficiarios del seguro público se refiere. Algunos de los Estados de la UE definen la población protegida a partir del criterio más amplio posible: el de residencia. Éste es el caso de Dinamarca, Finlandia, Italia, Portugal, Reino Unido y Suecia. El resto de países establece criterios más restrictivos, si bien en la práctica la cobertura puede, como en el caso de España, considerarse prácticamente universal. Como casos particulares cabe destacar a Países Bajos e Irlanda. En el primero de ellos los residentes sólo están protegidos por la que se denomina *Ley sobre gastos médicos excepcionales,* siendo el seguro de enfermedad de aplicación para trabajadores y pensionistas (y familiares a cargo). En el caso irlandés el criterio de residencia se restringe al de residencia habitual para garantizar la cobertura plena.

En cuanto a las prestaciones de Atención Primaria, encontramos que la libre elección del médico está prácticamente generalizada, a pesar de que en ciertos países se imponen restricciones relacionadas, en general, con criterios territoriales[5]. Grecia es el único país que no permite la elección por parte de los asegurados, ya que es la aseguradora quien asigna el médico. Por lo que respecta a las limitaciones al acceso mediante precio, podemos agrupar los distintos países en varias categorías, según la asistencia se preste de manera completamente gratuita o bien el paciente deba participar en el coste, ya sea mediante un porcentaje del coste total o mediante el pago de una cantidad fija. La asistencia es, en general, gratuita en algo más de la mitad de los Estados miembros. En particular, lo es en Alema-

5. Lógicamente, la elección también se limita en función de la naturaleza del médico: público o concertado.

Cuadro comparativo 3. PRESTACIONES SANITARIAS

	BENEFICIARIOS	ATENCIÓN PRIMARIA	ATENCIÓN ESPECIALIZADA	FARMACIA	OTRAS PRESTACIONES
Alemania	Asalariados, pensionistas, parados, estudiantes, agricultores, asegurados voluntarios (incluidos cónyuges e hijos, con algunos límites).	Libre elección del médico Asistencia gratuita (los asegurados voluntarios pueden optar por el reembolso de los costes).	Gratuita en general (excepto tratamientos no convencionales). Gastos hospitalarios: pago por día entre 7.1 y 8.6 ECU's durante, como máximo, las primeras dos semanas (posible reembolso de los costes).	Participación general en el coste (en general, entre 4.6 y 6.6 ECU's).	Posibilidad de reembolso en ciertos gastos dentales, financiación de gastos en prótesis, servicios ópticos, etcétera. Financiación de diversos cuidados y ayudas a domicilio.
Austria	Asalariados, pensionistas, parados, algunos trabajadores autónomos, asegurados voluntarios (incluidos cónyuges e hijos —con límites de edad— si no están asegurados personalmente). No existe seguro obligatorio si los ingresos son inferiores a 275 ECU's al mes.	Libre elección de médico (entre los concertados). Pago de 3.60 ECU's por cada episodio de enfermedad (excepto niños, jubilados e indigentes).	Atención hospitalaria: pago máximo de 5 ECU's por día, durante un período máximo de 28 días al año. Familiares de los asegurados: pago del 10% de los costes durante 4 semanas.	Pago de 3.10 ECU's por prescripción (medicamentos autorizados). Fármacos gratuitos para enfermedades contagiosas o personas de recursos insuficientes.	Algunos servicios dentales cubiertos (en estos casos, pago de 3.6 ECU's por episodio, salvo niños, jubilados e indigentes). Financiación parcial de servicios ópticos, prótesis, etc. Financiación de ciertos chequeos, asistencia a domicilio y gastos de transporte.
Bélgica	Asalariados y asimilados, pensionistas, parados, incapacitados, estudiantes de enseñanza superior (incluidas personas a cargo	Libre elección de médico. Pago adelantado con reembolso según tarifas. En general, participación en el coste (máx. 25%, en	Libre elección de hospital entre los establecimientos concertados. Pago de cantidad fija por hospitalización: 27 ECU's. Pago por	Fármacos para enfermedades graves: gratuitos. Participación en el coste en función de la utilidad terapéutica: entre un 25%	Reembolso gastos en servicios dentales, prótesis, servicios ópticos, etc.

Cuadro comparativo 3. PRESTACIONES SANITARIAS *(cont.)*

	BENEFICIARIOS	ATENCIÓN PRIMARIA	ATENCIÓN ESPECIALIZADA	FARMACIA	OTRAS PRESTACIONES
Bélgica (cont.)	del asegurado bajo ciertas condiciones).	ciertos cuidados se eleva hasta el 40%). Por encima de cierta cantidad anual, la asistencia es gratuita. Régimen preferencial para inválidos, pensionistas, viudas/os y huérfanos con ingresos inferiores a un máximo.	día de 11 ECU's diarios (3.7 ECU's en casos excepcionales). Reembolso integral por hospitalización en habitación común.	y un 80% (con techos máximos para ciertos casos). Participaciones reducidas para inválidos, pensionistas, viudas/os y huérfanos.	
Dinamarca	Residentes.	Categoría 1: libre elección (2 veces al año) entre los médicos del distrito. Asistencia gratuita si el servicio lo presta el médico elegido. Categoría 2: libertad de elección, con una parte de los honorarios a cargo del asegurado.	Especialista: Categoría 1: gratuita si el generalista elegido ha prescrito la consulta. Categoría 2: una parte de los costes corre a cargo del asegurado. Atención hospitalaria: libre elección entre los hospitales públicos regionales. Asistencia gratuita en hospitales públicos, privados concertados o privados no concertados si un hospital público prescribe el ingreso.	Participación en el coste entre el 0% y el 50% según el tipo de fármaco.	Financiación parcial de ciertos servicios dentales. Reembolso parcial de costes en prótesis y servicios ópticos. Financiación de diversos cuidados y ayudas a domicilio.
España	Asalariados y asimilados, pensionistas, beneficiarios de otras prestaciones, re-	Libre elección médico general y pediatra en la región.	Posibilidad de elección de otros especialistas en consultas externas por áreas.	Pago del 40% del precio (para medicamentos pertenecientes a la lista ofi-	Extracciones dentales, prótesis, asistencia a domicilio, transporte de enfermos.

Cuadro comparativo 3. PRESTACIONES SANITARIAS *(cont.)*

	BENEFICIARIOS	ATENCIÓN PRIMARIA	ATENCIÓN ESPECIALIZADA	FARMACIA	OTRAS PRESTACIONES
España (cont.)	sidentes con recursos insuficientes (incluidas personas a cargo del asegurado).	Asistencia gratuita.	Gratuita.	cial), excepto pensionistas (gratuitos) y enfermos crónicos (10%).	
Finlandia	Residentes.	Elección del médico limitada. Pago entre 8.4 y 17 ECU's según municipio, por las 3 primeras visitas en el año (excepto para menores de 15 años). Reembolso parcial de honorarios pagados a médicos privados, con límites.	Pago de 17 ECU's por visita. Pago de 21 ECU's por día de hospitalización. Para tratamientos de larga duración, la participación se fija según los ingresos (con techos máximos). Reembolso parcial de costes en clínicas privadas.	Pago de 8.50 ECU's más el 50% de la cantidad que exceda de esa suma para los medicamentos prescritos por un médico. Por encima de 541 ECU's pagados al año, reembolso total de costes. Para enfermedades graves o crónicas, reembolso de costes con condiciones.	Servicios dentales: participación en el coste según tarifas. En ciertos casos, reembolso parcial de costes. Prótesis, servicios ópticos, etc., cubiertos en ciertos casos. Reembolso parcial costes de transporte.
Francia	Asalariados y asimilados, pensionistas, parados, estudiantes (incluidos familiares a cargo del asegurado, bajo ciertas condiciones).	Libre elección del médico Pago adelantado con reembolso según tarifas. Participación en el coste, entre el 20% y el 30% según servicio.	Libre elección entre hospitales (públicos y concertados). Participación en el coste (en general, el 20% a partir del 31er día de ingreso) + 11 ECU's por día de hospitalización.	Participación en el precio (35% ó 65% según el caso) excepto para enfermos crónicos.	Financiación parcial de algunos gastos dentales, prótesis, gastos ópticos, transporte por hospitalización, etc.
Grecia	Asalariados o asimilados, pensionistas y parados (incluidos familiares a cargo del asegurado).	No existe libre elección. Médico asignado por la aseguradora. Asistencia gratuita.	Gratuita.	Participación en el coste del 25% (10% en ciertos casos) de los fármacos prescritos, salvo en caso	Servicios dentales gratuitos (excepto el 25% del coste de las prótesis). Financiación parcial de

Cuadro comparativo 3. PRESTACIONES SANITARIAS *(cont.)*

	BENEFICIARIOS	ATENCIÓN PRIMARIA	ATENCIÓN ESPECIALIZADA	FARMACIA	OTRAS PRESTACIONES
Grecia (cont.)				de enfermedades crónicas, accidentes laborales y maternidad (gratuitos).	servicios ópticos, gastos de desplazamiento, etc.
Irlanda	Residentes habituales, personas con ingresos inferiores a un mínimo (incluidos familiares a cargo del asegurado). Derechos limitados para el resto de población.	Personas con derechos plenos: libre elección de médicos dentro de la región. Asistencia gratuita. Personas con derechos limitados: libre elección y pago total de costes (salvo enfermedades de larga duración).	Servicios de especialista en hospitales: gratuitos. Asistencia hospitalaria: gratuita para individuos con derechos plenos; para personas con derechos limitados, pago de 32 ECU's por noche. Visitas a urgencias no prescritas: 26 ECU's por la primera visita.	Fármacos gratuitos para individuos con protección completa. Individuos con derechos limitados: reembolso de gastos superiores a 117 ECU's por trimestre y 41 ECU's por mes para enfermos de larga duración. Gratuitos para ciertas enfermedades.	Servicios dentales, prótesis, servicios ópticos, etc., gratuitos para personas con derechos completos, menores de 6 años y alumnos de colegios públicos hasta los 14 años. Financiación parcial en resto de casos. Ayudas a domicilio y transporte bajo ciertas condiciones.
Italia	Residentes.	Libre elección (con limitaciones) de médico general. Asistencia gratuita.	En general, 36 ECU's por cada visita al especialista (tb. por cada análisis), excepto menores de 6 años, mayores de 65, enfermos graves y perceptores de pensiones bajas. Atención hospitalaria gratuita, libre elección del centro (público y concertado).	Pago entre el 0 y el 100% del precio por tipos de medicamentos según la gravedad de la enfermedad + pago por receta (con alguna excepción en función de la edad y condiciones económicas)	Atención dental gratuita.

Cuadro comparativo 3. PRESTACIONES SANITARIAS *(cont.)*

	BENEFICIARIOS	ATENCIÓN PRIMARIA	ATENCIÓN ESPECIALIZADA	FARMACIA	OTRAS PRESTACIONES
Luxemburgo	Trabajadores, pensionistas, parados, beneficiarios de ingresos sujetos a cotización, beneficiarios de complementos al ingreso mínimo garantizado, asegurados voluntarios (incluidos familiares a cargo del asegurado).	Libre elección del médico. Pago anticipado más reembolso por la aseguradora. Participación en los costes: 20% primera visita (por períodos de 28 días), 5% visitas siguientes.	Libre elección entre hospitales (con autorización de la aseguradora). Pago de 5.4 ECU's por día de hospitalización.	Participación entre un 0% y un 100% del coste según la clasificación de los fármacos.	Servicios dentales: reembolso parcial de costes según tarifas. Financiación de prótesis, servicios ópticos, etc. Reembolso costes de transporte.
Países Bajos	Ley de seguro de enfermedad: Trabajadores y pensionistas (bajo ciertas condiciones incluye cónyuge e hijos a cargo). Ley sobre gastos médicos excepcionales: residentes y contribuyentes en Países Bajos.	Libre elección de médico (2 veces al año). Asistencia gratuita en general (salvo para ciertos cuidados).	Libre elección de hospital. Asistencia gratuita en habitaciones de clase inferior.	Para ciertos fármacos, se paga el coste que sobrepase cierta cuantía.	Servicios dentales, prótesis, servicios ópticos, etc.: gratuitos en general.
Portugal	Residentes.	Libre elección (entre públicos y concertados). *Ticket* moderador variable fijado por el gobierno (excepto para ciertos grupos de población).	Especialistas: libre elección entre públicos y concertados. Asistencia hospitalaria: libre elección entre hospitales públicos y concertados si hay lista de espera. Asistencia gratuita en habitación compartida (o in-	Según tipo de enfermedad: participación en el coste entre el 30% y el 60% (para medicamentos pertenecientes a la lista oficial). Rebaja del 15% para pensionistas con bajos recursos.	Servicios dentales: en general, gratuitos en centros públicos. Financiación parcial de servicios ópticos, prótesis, etc. Financiación del transporte de enfermos.

Cuadro comparativo 3. PRESTACIONES SANITARIAS *(cont.)*

	BENEFICIARIOS	ATENCIÓN PRIMARIA	ATENCIÓN ESPECIALIZADA	FARMACIA	OTRAS PRESTACIONES
Portugal (cont.)			dividual si así lo decide el médico).		
Reino Unido	Residentes.	Libre elección de médico Asistencia gratuita.	Gratuita (excepción: demanda de servicios no necesarios clínicamente).	Pago de 8.5 ECU's por producto prescrito (algunos grupos de población excluidos, en función de la edad o condiciones económicas). Posibilidad de comprar bonos para fármacos prescritos gratuita e ilimitadamente durante su período de validez.	Financiación parcial de servicios dentales y ópticos, prótesis gratuitas, financiación gastos de transporte.
Suecia	Residentes.	Libre elección de médico. Participación en los costes entre 6.9 y 15 ECU's por visita.	Especialistas: pago entre 7 y 30 ECU's por tratamiento (visitas a urgencias: entre 11 y 34 ECU's). Atención hospitalaria: libre elección entre hospitales públicos y privados concertados. Pago máximo de 9.20 ECU's por día.	Participación en el coste hasta 46 ECU's. Por encima de ese límite, reembolso entre el 50% y el 100% sobre dicha cantidad.	Servicios dentales gratuitos hasta los 20 años. Financiación gastos de transporte, etc.

Fuente: Comisión Europea (1998a) y elaboración propia.

nia, Dinamarca[6], España, Grecia, Países Bajos, Irlanda, Italia y Reino Unido. Un segundo grupo de países se caracteriza por establecer co-pagos en forma de cantidades fijas, abonadas por visita realizada y/o por episodio de enfermedad. No obstante, en general se establecen limitaciones al co-pago para ciertos grupos de individuos en función de criterios económicos o de edad. A este grupo pertenecen Austria, Finlandia, Portugal y Suecia. Por último, en determinados países el co-pago se materializa en un porcentaje del coste total. En este grupo se encuentran Bélgica, Francia y Luxemburgo[7]. Los porcentajes de participación en el coste oscilan, en términos generales, entre un 20% y un 30%. En algunos casos los porcentajes difieren en función de que se trate de la primera o sucesivas visitas y, en ocasiones, también se excluye del pago a determinados colectivos[8].

Si comparamos las prestaciones de asistencia especializada también observamos que, mientras algunos países ofrecen los servicios de forma gratuita, otros establecen mecanismos de participación en el coste. Los Estados que ofrecen asistencia gratuita son: Dinamarca, España, Grecia, Países Bajos, Irlanda, Reino Unido, Italia y Portugal, si bien en los dos últimos casos sólo es gratuita la asistencia hospitalaria. En ciertos países, no obstante, existe la posibilidad de obtener una mejora de la calidad hotelera mediante pago. Como vemos, a excepción de Alemania e Italia, aquellos países en los que la atención primaria se presta de manera gratuita también ofrecen a coste cero los servicios de atención especializada. El resto de países tienen en común el haber establecido pagos por día de hospitalización. Estos pagos suelen estar sujetos a limitaciones temporales, con el fin de aliviar el coste en tratamientos de larga duración.

El siguiente grupo de prestaciones analizadas hace referencia a los medicamentos. Según indica el cuadro, la participación en el coste de los fármacos está generalizada, a excepción de Irlanda que provee gratuitamente los medicamentos para los individuos con protección total. La participación en el coste se materializa nuevamente, bien en una cantidad por fármaco prescrito, bien en un porcentaje del coste total de los mismos. En el primer caso se encuentran Alemania, Austria, Reino Unido y Suecia, mientras en el segundo grupo se clasifica el resto de países, a excepción de Finlandia e Italia que combinan

6. Siempre y cuando el asegurado elija la categoría 1 especificada en el cuadro.

7. Además, en estos tres países se produce el pago anticipado por parte del paciente.

8. En Bélgica, además, se fija un techo máximo por encima del cual la asistencia es gratuita.

ambas fórmulas de co-pago. En general, los porcentajes de participación en el precio varían en función de un conjunto de variables: la utilidad terapéutica de los fármacos, la gravedad y/o cronicidad de las enfermedades, la edad o la capacidad económica de los individuos[9].

Por último, se incluye en el cuadro un grupo de «otras prestaciones», que integra servicios diversos como la atención dental, servicios ópticos, prótesis y asistencia domiciliaria, entre otros. Los países que financian en su totalidad la mayor parte de estas prestaciones son Bélgica, Países Bajos e Irlanda. El resto, o bien financia por completo alguna de las prestaciones anteriores, o bien ofrece financiación parcial.

Como se observa en el cuadro comparativo 4, la práctica totalidad de los Estados miembros establecen ayudas por hijos dentro de las prestaciones familiares, si bien sus características difieren entre ellos. El límite de edad que da derecho a prestación oscila, para el caso general, entre los 16 y los 19 años. En la mayoría de los casos se prolonga la edad de percepción para los estudiantes y/o los enfermos graves, con la única excepción de Dinamarca y Finlandia. En cuanto a los pagos realizados, se comprueba que las menores cuantías corresponden a los países «cohesión».

Aproximadamente la mitad de los Estados miembros ofrecen ayudas a familias monoparentales, establecidas como mecanismo de lucha contra la pobreza y como incentivo al empleo de dichos individuos. En particular, los países que ofrecen este tipo de prestación son Alemania, Francia, Grecia, Irlanda y los países nórdicos. Por otro lado, las ayudas adicionales para hijos incapacitados están prácticamente generalizadas, salvo en el caso de Alemania, Dinamarca y Suecia.

En el ámbito de las otras prestaciones, se comprueba que menos de la mitad de los Estados ofrece ayudas diversas destinadas a subvencionar los gastos por alojamiento y/o los gastos escolares.

En relación con el tratamiento fiscal de este tipo de prestaciones, cabe señalar que la pauta seguida por los Estados de la UE coincide en la consideración de este tipo de renta como renta no sujeta a tributación, con las únicas excepciones de España y Grecia.

Finalmente, el cuadro 5 resume la contribución de los beneficiarios a la financiación de las distintas prestaciones. En relación con la prestación por desempleo, tan sólo tres de los Estados miembros se caracterizan por el hecho de que la financiación de la prestación por

9. En algunos casos se aplica una política de precios de referencia, de manera que el paciente ha de pagar la cantidad que sobrepase a un cierto límite (este es el caso de Países Bajos).

Cuadro comparativo 4. PRESTACIONES FAMILIARES

	PRESTACIONES POR HIJOS	OTRAS PRESTACIONES
Alemania	Límite de edad: 18 años (general); 21 (parados); 27 (estudiantes); enfermos graves: sin límite. Pagos mensuales: Primer y segundo hijo = 111 ECU's c/u; tercer hijo = 152 ECU's; cuarto y sucesivos = 177. Ayudas a familias monoparentales: entre 142 y 164 ECU's según el Länder (por hijos menores de 12 años, durante 6 años máximo, si no se perciben asignaciones).	Ayudas para alojamiento: Se conceden a familias con recursos insuficientes para soportar los gastos normales de alojamiento. Ayudas escolares: 304 ECU's al mes durante los 2 primeros años de vida del hijo; se conceden a familias por debajo de ciertos ingresos.
Austria	Límite de edad: 19 años (general); 26 (estudiantes); 21 (en búsqueda de empleo); incapacitados: sin límite. Pagos mensuales: entre 94 y 133 ECU's por hijo, en función de su edad. Ayudas por hijos incapacitados: suplemento de 119 ECU's si el grado de incapacidad es, al menos, del 50%.	Ayudas para alojamiento: Según las leyes de cada Länder, en función de los recursos familiares y de los miembros de la familia. Otras ayudas: por hijos hasta 1 año (bajo condiciones de recursos); asignaciones de educación por hijos de hasta 2 años bajo ciertas condiciones; pagos por hijos hasta los 4 años si el padre ejerce una actividad a tiempo parcial; ayudas excepcionales por bajos recursos.
Bélgica	Límite de edad: 18 años (general); 25 (estudiantes); enfermos graves: 21 años (sin límite en ciertos casos). Pagos mensuales: Primer hijo=66 ECU's, segundo hijo=123 ECU's, tercero y siguientes=183 ECU's (más complementos en función de la edad). Ayudas por hijos incapacitados: entre 349 y 677 ECU's adicionales por mes para menores de 21 años con un grado de incapacidad del 66%.	Ayudas por nacimiento y adopción.
Dinamarca	Límite de edad: 18 años (general). Pagos mensuales: entre 86 y 122 ECU's, en función de la edad. Ayudas a familias monoparentales: complemento de 51 ECU's mensuales por hijo, y 39 ECU's adicionales por mes y familia.	Asignaciones por nacimiento en partos múltiples, ayudas a la adopción.
España	Límite de edad: 18 años (general); incapacitados graves: sin límite. Pagos mensuales: Menores de 18 años: 18 ECU's (36 para incapacitados); mayores de 18 años: entre 223 y 334	

Cuadro comparativo 4. PRESTACIONES FAMILIARES

cont.	PRESTACIONES POR HIJOS	OTRAS PRESTACIONES
España (cont.)	ECU's según grado de incapacidad (para ingresos familiares anuales inferiores a un límite).	
Finlandia	Límite de edad: 17 años. Pagos mensuales: Primer hijo=89 ECU's, 2° hijo=110 ECU's, 3er hijo=130 ECU's, 4° hijo=150 ECU's; 5° y siguientes=171 ECU's. Ayudas a familias monoparentales: suplemento de 33 ECU's por hijo. Ayudas por hijos incapacitados: entre 69 y 300 ECU's mensuales, hasta los 16 años.	Ayudas para alojamiento: Bajo condiciones de recursos para familias con ingresos escasos. Otras ayudas: Asignaciones por nacimiento; ayudas por cuidados a domicilio para familias con hijos menores de 3 años (bajo ciertas condiciones); asignaciones por reducción de la jornada laboral para el cuidado de menores de 3 años.
Francia	Límite de edad: 19 años (general); 20 (estudiantes y enfermos graves). Pagos mensuales: Entre 103 y 632 ECU's (de 1 a 6 hijos); por cada hijo más: 132 ECU's (bajo condiciones de recursos). Existen mejoras en función de la edad de los hijos. Ayudas a familias monoparentales: Diferencia entre 645 ECU's por hijo e ingresos del destinatario. Ayudas por hijos incapacitados: complementos para educación especial; ayudas para cuidados (entre 77 y 856 ECU's al mes según la incapacidad).	Ayudas para alojamiento: Para titulares de prestaciones familiares; se calcula en función del gasto en alojamiento (con límites), de la situación familiar y de los recursos del beneficiario. Ayudas escolares: Para niños entre 6 y 18 años, pertenecientes a familias con pocos recursos. Otras ayudas: Asignaciones por nacimiento; ayudas (condicionadas) a los padres que interrumpen su actividad laboral para cuidar de un hijo menor de 3 años; concesión de ayudas para la contratación de personas que cuiden de los hijos.
Grecia	Límite de edad: 18 años (general); 22 (estudiantes); enfermos graves: sin límite. Pagos mensuales: Entre 5.2 y 46 ECU's (de 1 a 4 hijos). Por cada hijo más: 8 ECU's adicionales. Si los ingresos familiares brutos superan los 7 691 ECU's, reducción progresiva de las cantidades anteriores. Ayudas a familias monoparentales: suplemento de 4 ECU's (para ingresos inferiores a un mínimo). Ayudas por hijos incapacitados: 4 ECU's mensuales.	Ayudas por nacimiento, asignaciones a familias numerosas.

Cuadro comparativo 4. PRESTACIONES FAMILIARES

cont.	PRESTACIONES POR HIJOS	OTRAS PRESTACIONES
Irlanda	Límite de edad: 16 años (general); 19 (estudiantes y enfermos graves). Pagos mensuales: Primer y segundo hijo=39 ECU's; tercero y siguientes: 51 ECU's. Ayudas a familias monoparentales: 87 ECU's semanales (máximo, más suplemento de 20 ECU's semanales por hijo, para ingresos inferiores a un mínimo). Ayudas por hijos incapacitados: 134 ECU's al mes, en concepto de ayudas para cuidados a domicilio, para hijos entre 2 y 16 años.	Ayudas por nacimiento, complementos a los ingresos familiares.
Italia	Límite de edad: 18 años (general); enfermos graves: sin límite. Pagos mensuales: Inversamente proporcionales a los ingresos familiares y en proporción directa al número de miembros de la familia. Ayudas por hijos incapacitados: aumento del límite máximo de los ingresos familiares en el cálculo del resto de prestaciones.	
Luxemburgo	Límite de edad: 18 años (general); 27 (estudiantes); enfermos graves: sin límite. Pagos mensuales: 107 ECU's por 1 hijo, 272 ECU's por 2 hijos, 526 ECU's por 3 hijos; cada uno de los siguientes: 254 ECU's (modulación en función de la edad). Ayudas por hijos incapacitados: 107 ECU's adicionales para menores de 18 años con incapacidad de, al menos, el 50%.	Ayudas escolares: para mayores de 6 años, en función del número de hijos en etapa escolar y de su edad. Asignaciones especiales en caso de que los ingresos no superen un mínimo. Otras ayudas: Asignaciones por nacimiento.
Países Bajos	Límite de edad: 17 años (general); 24 años (estudiantes sin beca). Pagos mensuales: entre 47 y 137 ECU's en función del número de hijos, de su edad y del año de nacimiento. Ayudas por hijos incapacitados: doble de la asignación general.	
Portugal	Límite de edad: 16 años (general); 24 años (estudiantes); enfermos graves: en ciertos casos, prórroga de 3 años. Pagos mensuales: en función de los ingresos familiares, el número de hijos y su edad.	Asignación en caso de fallecimiento del cónyuge o los hijos.

Cuadro comparativo 4. PRESTACIONES FAMILIARES

cont.	PRESTACIONES POR HIJOS	OTRAS PRESTACIONES
Portugal (cont.)	Ayudas por hijos incapacitados: en función de la edad, las necesidades de educación y de asistencia.	
Reino Unido	Límite de edad: 16 años (general); 19 (estudiantes). Pagos mensuales: Primer hijo = entre 72 y 111 ECU's (parejas-padres solos); 58 ECU's adicionales por los sucesivos. Otras cantidades: 124 ECU's por cada hijo (según recursos familiares). Ayudas por hijos incapacitados: financiación para cuidados personales.	Ayudas para alojamiento: Asignación para individuos con ingresos insuficientes; cubre como máximo los gastos «razonables» de alquiler. Otras ayudas: Crédito familiar: prestación, sujeta a condiciones de necesidad, dirigida a familias activas con hijos (incentivo a que permanezcan en el puesto de trabajo); asignaciones por nacimiento bajo condiciones de recursos.
Suecia	Límite de edad: 16 años (general); prórrogas por estudios. Pagos mensuales: 86 ECU's (mejoras para familias numerosas, entre 23 y 86 ECU's). Ayudas a familias monoparentales: 140 ECU's mensuales.	Ayudas para alojamiento: Asignaciones dependientes de las necesidades familiares, en función de los ingresos, los costes del alojamiento y de la superficie que se precisa. Otras ayudas: Adopción de niños extranjeros (2 748 ECU's).

Fuente: Comisión Europea (1998a) y elaboración propia.

desempleo procede exclusivamente (o casi exclusivamente) de los impuestos generales. Es el caso de Luxemburgo, Suecia y Finlandia (en lo que se refiere a las prestaciones básicas). El resto de países establece porcentajes de cotización variables sobre el salario, de manera que una parte de la financiación total recae directamente sobre el propio beneficiario. La única excepción corresponde a Dinamarca, que establece pagos fijos dependiendo de la cuantía del salario. Portugal y Bélgica destacan por sus elevados porcentajes de cotización, mientras en Italia, España, Grecia, Irlanda y Finlandia (en lo que se refiere a las prestaciones relativas al salario), dichos porcentajes resultan especialmente bajos.

En cuanto a la financiación de las prestaciones por jubilación, se comprueba que, en la mayoría de países con sistemas de tipo parcial o totalmente universal, una parte de la financiación corresponde a los beneficiarios. En el resto de Estados miembros, los perceptores de las prestaciones participan en la financiación a través de

Cuadro comparativo 5. CONTRIBUCIÓN DE LOS BENEFICIARIOS A LA FINANCIACIÓN DE LAS PRESTACIONES

	DESEMPLEO	JUBILACIÓN	PRESTACIONES SANITARIAS	PRESTACIONES FAMILIARES
Alemania	3.25% sobre un techo anual entre 42 503 y 51 004 ECU's (según Länder).	9.3% sobre un techo anual entre 42 503 y 51 004 ECU's (según Länder).	Porcentaje variable según el tipo de seguro. Contribución media año 98: entre 6.78% y 6.975% de la base de cotización (con un techo anual).	Ninguna, financiación íntegra por impuestos.
Austria	3% de la base de cotización (techo máximo: en general, 3 021 ECU's al mes).	10.25% de la base de cotización (techo máximo: en general, 3 021 ECU's al mes).	Contribución en forma de *ticket* moderador.	En general, financiadas por impuestos. Asignación de educación: contribuciones incluidas en las correspondientes al desempleo.
Bélgica	13.07% de la base de cotización (sin techo); 3.55% para los funcionarios.	Incluida en los porcentajes correspondientes a las prestaciones por desempleo.	Incluida en los porcentajes correspondientes a las prestaciones por desempleo.	Incluida en los porcentajes correspondientes a las prestaciones por desempleo.
Dinamarca	Cotización fija, establecida cada año sobre la base de la indemnización máxima diaria.	1) Pensión nacional: financiación por impuestos. 2) Pensión complementaria: 10 ECU's mensuales.	Contribución correspondiente al *ticket* moderador. Resto de financiación: impuestos.	Ninguna, financiación íntegra por impuestos.
España	1.6% de la base de cotización (contribución por formación profesional: 0.1%. Techo mensual: 346 ECU's.	4.7% del salario (existen límites máximos dependiendo de la categoría profesional).	Incluida en las contribuciones para prestaciones por jubilación (cotización por contingencias generales).	Incluida en las contribuciones por jubilación.
Finlandia	1) Prestaciones básicas: integramente financiadas por impuestos. 2) Prestaciones relativas al sala-	Asalariados: 4.7% del salario; agricultores y trabajadores independientes: 21.1% (sin techo).	Financiación por impuestos.	Ninguna, financiación íntegra por impuestos.

Cuadro comparativo 5. CONTRIBUCIÓN DE LOS BENEFICIARIOS A LA FINANCIACIÓN DE LAS PRESTACIONES

(cont.)	DESEMPLEO	JUBILACIÓN	PRESTACIONES SANITARIAS	PRESTACIONES FAMILIARES
Finlandia (cont.)	rio: 1.4% del salario, más cotización a la aseguradora.			
Francia	2.21% de la base de cotización hasta 2 131 ECU's y 2.71% hasta 8 524.	6.55% de la base de cotización (techo: 2 131 ECU's al mes). Reducción progresiva de cotizaciones para salarios bajos.	Financiación por Contribución Social Generalizada (7.5% del salario total) y Contribución para el Reembolso de la Deuda Social (0.5% ingresos totales).	Contribuciones satisfechas por los empleadores.
Grecia	Asegurados antes de 1993: 1.43% de la base de cotización (techo mensual: 1 680 ECU's). Asegurados en fecha posterior: 1.43% (sin techo).	Asegurados antes de 1993: 6.67% de la base de cotización (techo mensual: 1 680 ECU's). Asegurados en fecha posterior: 6.67% (sin techo).	Asegurados antes de 1993: 2.15% de la base de cotización (techo mensual: 1 680 ECU's). Asegurados en fecha posterior: 2.55% (sin techo).	Asegurados antes de 1993: 1% de la base de cotización (techo mensual: 1 680 ECU's). Asegurados en fecha posterior: 1% (sin techo).
Irlanda	Asalariados: 4.5% de la base de cotización (con un mínimo exento). Techo anual: 30 053 ECU's. Trabajadores independientes: 5% con mismo techo anual (también se aplica un mínimo exento). No hay contribución para asalariados con salario mínimo ni para personas con derechos plenos en el sistema sanitario.	Incluidas en los porcentajes correspondientes a la prestación por desempleo. No hay contribución para asalariados con salario mínimo ni para personas con derechos plenos.	1.25% de la base de cotización para asalariados y trabajadores independientes. No hay contribución para asalariados con salario mínimo ni para personas con derechos plenos.	Ninguna, financiación íntegra por impuestos.
Italia	0.30% del salario (sin límite).	8.89% del salario (sin límite).	1% del salario (techo: 20 597 ECU's al año para trabajadores manuales).	Ninguna, las contribuciones son satisfechas en su totalidad por los empleadores.

Cuadro comparativo 5. CONTRIBUCIÓN DE LOS BENEFICIARIOS A LA FINANCIACIÓN DE LAS PRESTACIONES

(cont.)	DESEMPLEO	JUBILACIÓN	PRESTACIONES SANITARIAS	PRESTACIONES FAMILIARES
Luxemburgo	Financiada por impuestos.	8% de la base de cotización (techo anual: 68 105 ECU's).	2.55% de la base de cotización.	Financiadas por los empleadores y el Estado.
Países Bajos	% medio = 6.45% de la base de cotización (techo diario: 135 ECU's).	16.5% de la base de cotización (techo anual: 21 183 ECU's).	1.2% de la base de cotización (techo anual: 27 934 ECU's). Seguro contra riesgos graves: 9.6% (techo anual: 21 183 ECU's).	Financiadas por el Estado.
Portugal	11% base de cotización (sin techo). Porcentajes reducidos en ciertos casos.	Incluida en el porcentaje señalado para prestaciones por desempleo.	Financiadas por el Estado.	Incluida en el porcentaje señalado para prestaciones por desempleo.
Reino Unido	Incluida en la contribución para prestaciones por jubilación.	Varias clases; en la más general, sin contribución hasta 93 ECU's de ingresos semanales; en adelante, diversos porcentajes (máximo: 10% de los ingresos, en función de su cuantía y su naturaleza).	Incluida en la contribución para prestaciones por jubilación. Las prestaciones en especie son financiadas prácticamente en su totalidad por impuestos generales.	Ninguna, financiación estatal íntegra.
Suecia	Trabajadores independientes: 3.3% de la base de cotización. Resto: empleadores y Estado.	1) Pensión básica: trabajadores independientes = 6.83% de la base de cotización 2) Pensión complementaria: 6.95% de la base de cotización (techo = 31 864 ECU's). Trabajadores independientes = 6.4%.	Trabajadores independientes: 8.66% de la base de cotización. Resto: empleadores y Estado.	Ninguna, financiación íntegra por impuestos.

Fuente: Comisión Europea (1998a) y elaboración propia.

porcentajes de cotización sobre el salario. España, Irlanda y Finlandia vuelven a destacar por sus reducidos porcentajes, mientras Bélgica y Países Bajos registran los más elevados.

Por lo que se refiere a la financiación de las prestaciones sanitarias en especie, resumidas en el cuadro comparativo 3, se comprueba que, al margen de los co-pagos establecidos en buena parte de los Estados miembros, una parte de su coste recae sobre los beneficiarios en forma de cotizaciones en la mayoría de países. Son pocos los casos en los que la práctica totalidad de la financiación procede de los impuestos generales del Estado. Finalmente, en cuanto a las prestaciones familiares, se observa que una parte importante de los Estados de la Unión las financian sin cargo a los beneficiarios, ya sea a través de financiación estatal, que constituye el caso general, o bien a través de contribuciones satisfechas por los empleadores. Los únicos países en los que una parte del coste de la prestación recae sobre el beneficiario son Bélgica, España, Grecia y Portugal.

IV. MODELOS DE COMPORTAMIENTO EN EL DISEÑO Y ARTICULACIÓN DE POLÍTICAS SOCIALES

Del análisis de los recursos económicos destinados por los países de la UE a la protección social, de la articulación específica de algunas de las principales prestaciones y de las respuestas reformadoras que marcan las tendencias más recientes en las políticas sociales, se pueden derivar rasgos diferenciadores que posibilitan una clasificación de países europeos.

Desde la perspectiva de la cuantía del gasto público orientado hacia la protección social y su financiación, podemos distinguir tres bloques de países. Atendiendo a la cantidad de recursos destinados a las políticas sociales en relación con el tamaño de sus economías, se puede diferenciar a los países nórdicos y centroeuropeos, que realizan un mayor esfuerzo de gasto, frente a los países «cohesión», con un menor nivel, y el resto de Estados, que se colocarían en una situación intermedia. Estas mismas diferencias entre países se producen en el gasto relativo por habitante, aunque hay que considerar que en los países nórdicos existen mayores ingresos impositivos asociados a determinadas prestaciones y menos beneficios fiscales, sobrestimando así el gasto bruto efectuado. Por lo que se refiere a la financiación general del sistema, se pueden diferenciar aquellos países cuyos recursos proceden fundamentalmente de aportaciones públicas, como los países nórdicos y anglosajones, de los que se financian mayoritariamente a través de cotizaciones sociales. Dentro de éstos, hay que diferenciar a los Países Bajos, donde las cotizaciones recaen especialmente sobre los beneficiarios.

Bajo la óptica del diseño concreto de las principales prestaciones de los sistemas de protección social se puede observar como, en la prestación por desempleo de tipo contributivo, el tiempo previo de cotización necesario es inferior a un año en Francia, Grecia, Irlanda, Luxemburgo, y Países Bajos y Bélgica en algunos casos. En el resto de países el plazo es superior. La duración máxima de la prestación es de sólo 6 meses en Italia y el Reino Unido. Por el contrario, alcanza los 5 años en Dinamarca, Francia y Países Bajos. Tan sólo en Bélgica es ilimitada. Por último, se observa que la cuantía de la prestación es fija en los países anglosajones. En general, los países nórdicos combinan cantidades fijas y variables y, junto con Luxemburgo, establecen los pagos a partir de un elevado porcentaje del salario precedente. El resto de países fijan porcentajes variables menores, especialmente reducidos en Italia.

En las pensiones de jubilación, el tipo de modelo universal se aplica en los Países Bajos. El grupo de países nórdicos incorpora componentes del modelo universal, frente al resto de Estados que emplean modelos contributivos. El período mínimo de cotización para generar el derecho es muy reducido en los países nórdicos, Bélgica y Francia, siendo superior a 10 años en el resto. En la determinación de la cuantía de la pensión el período de cotización para percibir la pensión plena es muy bajo en Irlanda, Francia y Dinamarca, frente al resto de países que se sitúan entre 30 y 45 años. No existen mínimos ni máximos en Alemania e Italia.

En las prestaciones sanitarias en especie, el criterio de residencia para la población protegida se aplica en los países nórdicos y anglosajones, Italia y Portugal. En el resto de Estados, los beneficiarios corresponden a distintos colectivos. Por otra parte, los países nórdicos (salvo Dinamarca), junto con los centroeuropeos, Portugal e Italia establecen algún pago por la asistencia primaria o especializada. En la prestación farmacéutica la participación en el coste está generalizada, salvo en el caso de Irlanda.

Finalmente, en las prestaciones familiares, dadas sus características, resulta difícil establecer agrupaciones. En general, las ayudas son de una cuantía muy reducida en los países «cohesión», frente a la mayor generosidad de Francia, Alemania, Finlandia, Luxemburgo y Bélgica.

Respecto a las tendencias generales de las reformas emprendidas para adaptar los modelos al nuevo contexto socioeconómico, cabe señalar comportamientos diferenciados en tres campos: el endurecimiento de las condiciones para recibir prestaciones, el diseño de políticas de empleo activas y el fortalecimiento de los programas de lucha contra la pobreza. En el primer caso, y en consonancia con la tendencia común, se han endurecido las condiciones o prolongado los períodos de cotización en parte de los países nórdicos, España, Italia, Austria y los Países Bajos. En Alemania, Finlandia y el Reino Unido se recortan la cuantía de las prestaciones o su duración, y en Bélgica, Grecia, Italia, Portugal y, nuevamente, en el Reino Unido, se aumenta la edad de jubilación. En las prestaciones sanitarias se han modificado los modelos de gestión, especialmente en Alemania, el Reino Unido y los Países Bajos.

En cuanto a las políticas incentivadoras para la creación de empleo, destacan la introducción de prestaciones asociadas al trabajo en los países anglosajones y los beneficios fiscales específicos para bajos salarios en Finlandia, así como la generalización de las políticas de formación y asesoramiento a los desempleados, más desarrolladas anteriormente en los países nórdicos.

Las políticas emprendidas para reducir la exclusión social resultan muy variadas, caracterizándose por el endurecimiento de algunas prestaciones o de los requisitos para percibirlas, como ocurre en los Países Bajos, Luxemburgo, Reino Unido, Alemania, Austria y Finlandia. Por otro lado, y en contraposición con lo anterior, se están ampliado las prestaciones de asistencia a largo plazo en Alemania y Austria, así como en los países anglosajones y escandinavos.

Como puede observarse, resulta difícil establecer una clasificación de países que se mantenga para todas y cada una de las variables analizadas, dada la diversidad de sus características. No obstante, la evolución de los sistemas manifiesta una tendencia más acentuada hacia la convergencia de muchas prestaciones.

La mayor integración europea ha reabierto en el seno de las instituciones comunitarias, y entre los gobiernos europeos, el debate sobre el papel de la política social y su desarrollo en los próximos años, en un contexto de reajuste de las políticas de gasto y de preocupación por el nivel de empleo. Aunque sus competencias son limitadas en esta materia, la convergencia de los sistemas y niveles de protección social, que se ha producido de forma natural entre los países comunitarios en los últimos años, ha reforzado el papel de las instituciones europeas en la coordinación de las orientaciones de la política social.

Así, el *Programa de Acción Social 1998-2000* presentado por la Comisión Europea[10] establece un marco de reformas y acciones orientadas en tres campos: el empleo, la capacitación y la movilidad de la población, la adaptación a un mundo laboral en transformación y la articulación de una sociedad no excluyente. En el primer caso, el objetivo es aprovechar las oportunidades del crecimiento y la estabilidad macroeconómica para consolidar las reformas estructurales e incrementar de forma significativa el nivel de empleo en Europa, sosteniendo así la prosperidad de la UE y la viabilidad a largo plazo de su modelo social. En el segundo caso, se trata de establecer un equilibrio adecuado entre la flexibilidad de la fuerza laboral demandada por los empresarios y la seguridad de los trabajadores. Por último, en el tercer caso, las autoridades comunitarias tratan de fomentar las reformas y modernizaciones necesarias para mantener en el futuro las características básicas del modelo social europeo.

Se considera que la política social, articulada a través de actuaciones públicas, es el principal mecanismo que garantiza la difusión del progreso económico y la integración europea, mediante la contribución al desarrollo de las capacidades de las personas durante su vida activa, promoviendo la redistribución de la renta y luchando contra la discriminación y la desigualdad. No obstante, se constata la necesidad de adaptar los sistemas de protección europeos a un nuevo contexto económico más restrictivo y a un escenario demográfico que incidirá en la demanda de gasto social en el futuro. En este sentido, las líneas de actuación propuestas por las autoridades comunitarias apuntan hacia cuatro objetivos: dirigir la protección social de forma más prioritaria hacia el empleo, adaptar los sistemas a las consecuencias económicas del envejecimiento progresivo de la población, ajustar el modelo a las nuevas circunstancias socio-familiares de la incorporación masiva de la mujer al mercado laboral y reformar el sistema de coordinación de la seguridad social para las personas que circulan en el interior de la UE.

Además de la modernización y mejora de la protección social, las autoridades comunitarias se plantean otras cuestiones igualmente importantes. En primer lugar, la necesidad de promover la inclusión social transformando, en general, las políticas pasivas en activas y desarrollando un planteamiento preventivo de la exclusión social. En segundo lugar, el impulso de la igualdad y la lucha contra la discriminación, junto con el fomento de una sociedad con mejores condiciones sanitarias. Las políticas comunitarias en este último terreno se

10. COM (98) 259, Bruselas, 29.04.98.

centran en la prevención de las enfermedades, la seguridad de los alimentos, la protección del consumidor y otras actuaciones sobre la libre circulación de productos farmacéuticos, la investigación y el desarrollo o el medio ambiente.

V. CONSIDERACIONES FINALES

Como ha podido comprobarse, los países miembros de la UE comparten, en materia de protección social, tendencias en la evolución de sus principales prestaciones y algunos problemas e incertidumbres asociados a las modificaciones económicas, demográficas y sociales, del contexto general en el que se desarrollan. No obstante, también difieren en el nivel de satisfacción de las necesidades cubiertas y en la forma de articular los sistemas de determinadas prestaciones. Estas diferencias obedecen tanto a los distintos niveles de prosperidad alcanzados, a las circunstancias específicas que explican necesidades objetivas de diferente intensidad, como también a los diversos modos de abordar las políticas sociales. Así, aparecen junto a pautas comunes, fruto de la adaptación de normas comunitarias y de una convergencia natural entre las distintas actuaciones públicas, diferencias en la extensión, intensidad y formas de enfocar algunas de las prestaciones destinadas a cubrir contingencias sociales específicas.

La transformación de determinados parámetros ha trastocado la evolución de los sistemas de protección social, introduciendo elementos de incertidumbre sobre el mantenimiento de modelos que fueron diseñados en otro contexto. Las respuestas de las autoridades nacionales a estos problemas comparten elementos de análisis, enfoques y propuestas de reforma, con el objetivo común de garantizar la sostenibilidad del modelo social que ha caracterizado a Europa y la ha diferenciado de otras experiencias. Así, la actitud predominante en la UE respecto a la protección social no cuestiona el principio del mantenimiento de un sistema universal que acoja a todas las personas que necesiten de sus actuaciones. No obstante, se discute cada vez más sobre el modo en que deberán organizarse en el futuro los sistemas de asistencia social en cuanto a su amplitud y las contingencias a cubrir. Además, se ha incorporado al debate la cuestión de hasta dónde debe llegar la responsabilidad del Estado y a partir de qué punto debe sustituirse por el criterio de responsabilidad individual. Las respuestas a estos interrogantes son las que determinan, en el contexto europeo actual, las diferencias a la hora de articular medidas concretas bajo planteamientos que manifiestan distintas sensibilidades sociales.

BIBLIOGRAFÍA

Comisión Europea (1998a): *La protection sociale dans les Etats Membres de l'Union Européenne.* http:// www.europa.eu.int/comm/dg05/soc-prot/missoc98.

Comisión Europea (1998b): *Informe de la Comisión Europea sobre la protección social en Europa en 1997*, COM (98) 243 final, Bruselas.

Comisión Europea (1998c): *Programa de Acción Social 1998-2000*, COM(98) 259, Bruselas.

Fuentes, J. M.ª y Gonzalo, B. (dirs.) (1996): *Modelos de aseguramiento en España del riesgo de pérdida de la renta derivada de la actividad laboral a causa de vejez*, Fundación BBV.

Gonzalo, B. (1996): *Apuntes sobre la situación actual y las perspectivas de evolución de las pensiones de vejez en la Unión Europea*, Fundación BBV.

López, M.ª T. (1996): *La protección social a la familia en España y en los demás Estados miembros de la Unión Europea*, Fundación BBV.

Ministerio de Trabajo y Asuntos Sociales (1998): *Anuario de estadísticas laborales.*

Urbanos, R. y Utrilla, A. (1998): «Las prestaciones del Estado de Bienestar desde una perspectiva comparada»: *Cuadernos de Información Económica*, 136-137.

VV.AA. (1996): *Pensiones y prestaciones por desempleo*, Fundación BBV.

VV.AA. (1997): *European Economy, Reports and Studies*, 4.

Capítulo 3

EL ESTADO DE BIENESTAR EN LOS PROGRAMAS ELECTORALES SOCIALDEMÓCRATAS

Gustavo Sariego

I. PRELIMINAR

Dentro de la abundante y compleja información existente sobre el Estado de Bienestar y sus distintas posibilidades de análisis existe una perspectiva diferente que consiste en examinar esta cuestión desde el punto de vista de la programación electoral comparada. Es decir, tomar este concepto como una categoría dinámica inscrita dentro de proyectos políticos sometidos a la decisión de la voluntad popular. Esta perspectiva presenta varias ventajas de interés.

En primer término, obliga a los partidos políticos y a las demás agencias programadoras a tener una visión comprehensiva y sintetizada del estado de la cuestión en el momento de formular sus propuestas; y ese conocimiento, en la medida en que el programador es diligente, debe encontrarse continuamente actualizado.

En segundo término, el programador ha debido huir de formulaciones excesivamente teóricas y de las disquisiciones puramente declarativas sobre el bienestar del género humano que lindan con la ética. Por el contrario, debe apegarse al terreno y formular propuestas no sólo viables sino también de alcance práctico. Después de todo, las contribuciones sociales (para designarlas sintéticamente) coinciden con las cargas fiscales generales en su imperatividad jurídica. Pero se diferencian fundamentalmente de ellas en el nivel de expectativas creadas que su cumplimiento entraña, no sólo para la ciudadanía sino para la población general.

En efecto, en la medida en que esas expectativas dicen relación con la satisfacción de las necesidades fundamentales de la población, el grado de seguimiento del funcionamiento de los mecanismos creados para su satisfacción es considerable en los distintos ámbitos de la vida social y, además, se trata de una observación socialmente evaluativa a través del tiempo.

En tercer término, el programador debe formular sus propuestas teniendo siempre presente la posibilidad de tener que aplicarlas lo que le obliga a una cierta prudencia a la hora de su enunciación. El conocimiento que la opinión pública tiene acerca de sus contenidos, las experiencias vividas en su aplicación y la información más o menos formal acerca del funcionamiento del sistema en su conjunto conforman un marco de control social bastante rígido dentro del cual deben inscribirse las ofertas electorales.

Finalmente, los proyectos electorales deben ser discutidos en el período que corresponde a la campaña electoral lo que les somete al control que significa la polémica con las fuerzas adversarias en presencia de la opinión pública. Reuniendo pues las características antes enunciadas, las ofertas electorales en materia de bienestar deben sujetarse a niveles de rigor más severos que las correspondientes a otros sectores de la programación social.

Estos condicionantes imprimen a los proyectos políticos una amplia perspectiva de estudios que necesariamente deben ser dinámicos debido a los cambios permanentes experimentados por las ofertas electorales que, a su vez, responden o deben responder a los cambios sociales que intentan reflejar. Esto plantea una cuestión de método referente a la programación electoral en general, algunos de cuyos alcances se han esbozado con anterioridad y que implican una reflexión sobre su sentido general, las tendencias prevalecientes y sus influencias recíprocas y los contenidos concretos en particular, que forzosamente deben aludir a las prestaciones específicas que comporta el bienestar social. Esto se recoge con detalle en el caso de los laboristas británicos, dejando para los socialdemócratas suecos la parte propiamente discursiva de la polémica con las posiciones conservadoras, que, por otra parte y de forma inevitable, aparece como un elemento recurrente en el caso de otros partidos políticos.

De este modo, la orientación del presente artículo se inclina fundamentalmente sobre el sentido general de la programación electoral en materia de bienestar social y las tendencias actuales al respecto. En relación con las posibilidades de enfoque del estudio que inicialmente son tres —los contenidos por partidos políticos, por países y, naturalmente, por beneficios concretos del bienestar social—, se opta, en principio, por un estado de la cuestión por partidos o corrientes ideológicas, aunque realizando inevitables referencias a los beneficios o derechos específicos y, por supuesto, a la situación por países.

En consecuencia, el ámbito de este artículo aparece claramente circunscrito a la tentativa de realizar una descripción y análisis de los contenidos del Estado de Bienestar visualizados desde la perspectiva específica de su concreción en documentos electorales durante el decenio de los '90.

II. LOS VERDES ALEMANES[1]

En el panorama mundial de la defensa del medio ambiente —y dejando de lado a las ONG's cuyo papel viene siendo fundamental en este cometido—, no hay duda de que en el entorno de las organizaciones partidistas son las alemanas las que han alcanzado un mayor grado de implantación y desarrollo. A esta circunstancia debe añadirse el hecho completamente inédito de que los Verdes alemanes han asumido responsabilidades de gobierno en Alemania desde el 27 de octubre de 1998, sobre la base de un pacto de coalición con el SPD que ha supuesto la aprobación de un acuerdo de gobierno de laboriosa negociación.

Es preciso resaltar que el acercamiento programático entre ambas fuerzas políticas ha sido la consecuencia no solamente de la necesidad de llegar a un acuerdo para formar gobierno en Alemania sino de una coincidencia sustantiva en el *sentido* de la oferta política y una relativa *asumibilidad recíproca* de ambos programas que se deduce con claridad de la comparación de las ofertas en 1994 y 1998. Para ser exactos hay que decir que la evolución es mucho más acusada en los Verdes, en la confluencia hacia puntos de acuerdo, que en el SPD, comparando ambas ocasiones.

Las posiciones ecologistas son asumidas por la programación electoral en general, variando naturalmente la intensidad de sus planteamientos y tienen un alcance vertical dentro de cada programa. En cambio, los programas Verdes son verticales en su conjunto, han sido todos ellos pura verticalidad, sin trazar cruces sectoriales horizontales. Los acuerdos alemanes de octubre de 1998 rompen estas tendencias y son una tentativa de aplicar una política operativa conjunta.

1. Las referencias programáticas de *Bundnis 90/Die Grünen* para 1994 son: In-Press, Bonn, Servicio Especial Electoral, Normas, Programas, Perfiles, Tema Especial SO 10-1994; y para 1998, *New Majorities Only with Us. Short Manifesto for the 1998 General Election*, Bonn/Bad Godesberg, June 7, 1998.

En 1994 los Verdes se encontraban orientados dentro de un proyecto fuertemente sesgado hacia los alcances propiamente ecológicos de la organización social: «los Verdes abogan en pro de un sistema económico, social, democrático y ecológico abocado a las necesidades vitales de los seres humanos y de las generaciones venideras, a la conservación de la naturaleza y a un empleo moderado de las riquezas naturales». Y esta definición de su proyecto se encontraba situada bajo el epígrafe Economía y Finanzas del programa electoral, para ser seguido, inmediatamente a continuación, por el capítulo correspondiente a la Protección del Medio Ambiente.

A su vez, el apartado correspondiente a la Política Social se limitaba a esbozar un objetivo fundamental y los medios para alcanzarlo. Aquél afirmaba que Alianza 90/Los Verdes «aspiran a una sociedad en la que cada uno tenga derecho a una existencia humanamente digna». Y los medios para conseguir este objetivo fundamental consistían en una seguridad laboral básica en función de la demanda; en una reducción radical del horario de trabajo como la jornada laboral de 6 horas, incluyendo las renuncias salariales proporcionales y un reparto por cuotas que se traduce en que por lo menos la mitad de todos los puestos de formación deben ser ofrecidos y ocupados preferentemente por mujeres.

Finalmente los ecologistas «abogan por una democratización y flexibilización de las relaciones laborales, por la puesta en práctica de programas de capacitación integrales y por la implantación de permisos por educación de los hijos de uno a tres años de duración para padres y madres jóvenes y para personas solas con hijos a su cargo».

Es evidente, pues, que los Verdes en 1994 se encontraban aún en una fase preparatoria para alcanzar el discurso totalizador que supone un proyecto de gobierno cualquiera; situación deficitaria que empiezan por reconocer en su programa electoral de 1998. En efecto, en la introducción del programa de 1998, los ecologistas han comenzado por afirmar, «que nuestra estrategia es ecológica y *social* pero en el pasado no tuvimos suficiente éxito al explicar con claridad estos *dos* objetivos»[2].

En 1998 los enunciados programáticos de los Verdes han cambiado, responden a la complejidad de la vida social y extienden sus propuestas hacia cada uno de los aspectos más sobresalientes de la coyuntura germana. Para empezar, el primero de los seis apartados se anuncia como «Combatir el paro – una nueva Alianza por el Em-

2. Las cursivas son nuestras y se utilizan para resaltar la importancia de las propuestas programáticas a través del texto.

pleo». Desde luego, los ecologistas parten constatando que el primer problema de la economía alemana es la elevada tasa de desempleo, que superaba el 12% de la población activa a mediados de 1998.

El segundo apartado, «La Ecología crea puestos de trabajo», no solamente insiste en la misma cuestión sino que hace interesantes cruces conceptuales entre la alarmante situación de paro y la ideología matriz del movimiento. El tercero, «Redefinición de la justicia social – la construcción del futuro a través de la educación», asume en su texto el concepto mismo de Estado de Bienestar como un logro de la sociedad alemana, deteniéndose a analizar la situación de las pensiones, el sistema sanitario, la educación y, en un sentido más genérico, la solidaridad.

Los capítulos 4, 5 y 6 no guardan relación estricta con los contenidos del Estado de Bienestar, aunque es preciso detenerse en la Campaña por la Autodeterminación de las Mujeres, que propugna compartir las oportunidades de empleo y formación entre hombres y mujeres, especialmente en lo concerniente al empleo *público*. Se hace especial hincapié en el considerable crecimiento de los hogares monoparentales femeninos que viven de los auxilios sociales, lo que demuestra que los sistemas de seguridad social no han evolucionado a la par del cambio social y de los estilos de vida.

La política hacia el empleo parte de la base de la implementación inmediata de una Alianza por el Empleo que implica a todas las partes en acuerdos salariales colectivos, y al gobierno y a las asociaciones de desempleados en una iniciativa conjunta contra el desempleo, como una de las tareas cruciales del nuevo gobierno rojiverde. La política por sí sola no es la respuesta adecuada al desempleo masivo. Los interlocutores sociales tienen un papel clave que jugar en términos de una justa distribución del empleo. Es la oportunidad para que los políticos establezcan el marco adecuado para ello.

La medida fundamental para luchar contra el desempleo es la reducción de las horas de trabajo, la distribución justa del empleo de salario pleno y del empleo doméstico, y el establecimiento de los cuidados en casa para mayores y niños. La desaparición de las horas extraordinarias, el acortamiento de la semana laboral y de los períodos para optar a la jubilación y una larga serie de medidas del mismo tipo que se repiten en los diferentes programas electorales, marcan el comienzo de la inquietud programática de los Verdes *más allá de sus inquietudes ecológicas*. Y teniendo como beneficiarios fundamentales a los parados de larga duración y a los jóvenes que buscan trabajo con bajos niveles de cualificación. En este sentido, no debe permitirse que las empresas soslayen su obligación de proveer puestos de aprendizaje en número suficiente.

El cruce intersectorial entre empleo y ecología se encuentra desarrollado en el capítulo 2 del Programa, de título bastante rotundo, por cierto: «La ecología crea empleo». El SPD y otros partidos han sido responsables de la premisa consistente en que mientras dure la crisis debe darse un *descanso* a la ecología, lo que constituye una actitud irresponsable, pues mientras se supera la depresión económica, el daño a los recursos naturales será enorme. Un cambio de orientación en este sentido no sólo protegerá nuestros actuales ecosistemas sino que fortalecerá nuestra infraestructura económica. El planteamiento correcto es, según los Verdes, *crear empleo a través de la innovación ecológica.*

Durante los últimos veinte años, distintas iniciativas demuestran que la tecnología ecológica ha creado centenares de miles de puestos de trabajo en Alemania. Pero es que, además, una reestructuración fiscal debe a la vez perseguir un medio ambiente mejor y la creación de empleo. La aplicación de una reforma fiscal ecológica implicará un estímulo a la innovación en virtualmente todas las áreas de la industria.

«Intentamos reducir las contribuciones a la seguridad social en el largo plazo y compensarlas con ingresos provenientes de las ecotasas. Esto debería reducir las contribuciones a la seguridad social a cifras menores del 40% de la renta bruta hacia el año 2002, lo que se traducirá en mayor renta neta y en un mejoramiento de la competitividad industrial. Lo que constituye una fórmula para crear empleo.»

Cada paso dado en el proceso de la reforma fiscal hacia las ecotasas se encuentra diseñado para atender a una dificultad económica. Las contribuciones más bajas a la seguridad social se traducen en mayores salarios netos, acarreando pensiones y subsidios para el desempleo más elevados. Mejores beneficios para la vivienda, becas estudiantiles y la introducción de los *beneficios básicos socialmente orientados*[3], destinados a mejorar la situación de los beneficiarios del bienestar, los estudiantes y la gente más desfavorecida.

La reforma fiscal no es un dispositivo para suplir el déficit público y tampoco se intenta crear nuevos gravámenes sin la correspondiente desgravación tributaria. Los elementos fundamentales del paquete fiscal ecológico son un impuesto nacional sobre la energía, un impuesto sobre el transporte pesado por carretera y la eliminación de las subvenciones ecológicamente dañinas.

3. Este concepto marca una auténtica novedad dentro de la programación electoral y es analizado a propósito de la redefinición de la justicia social propuesta por los Verdes. Se trata de *mejorar* la situación de los desfavorecidos y no simplemente de compensarles por sus déficits.

La justicia social y la solidaridad —axiológicamente básicas en el Estado de Bienestar— deben ser alcanzadas a través de la abolición de la injusticia en el sistema fiscal que se obtiene a través de una serie de medidas que discurren desde la modificación a la baja de los tipos del impuesto a la renta (con una disminución del tipo básico desde el 25.4% al 18.5%); aumentando los mínimos exentos, la elevación de los subsidios por niño y diversas ventajas fiscales respecto de las contribuciones a la seguridad social, en general[4].

Las áreas de ahorro compensatorio para financiar el mayor gasto social, además de los mecanismos descritos, son el presupuesto militar, los megaproyectos en transportes ecológicamente insolventes y las subvenciones irrazonables en determinadas ramas de la industria.

Los Verdes propician subsumir el bienestar social y el subsidio de desempleo en el *apoyo básico orientado hacia las necesidades*. Este concepto —arguyen— acaba con la discriminación de las personas que se encuentran en estado de necesidad, establecida por el sistema de asignar beneficios amarrados a una etiqueta o definición. El concepto de apoyo básico pone fin al sistema de traspasar obligaciones de generación en generación y debe ser suficiente para capacitar a los beneficiarios en el mantenimiento de su dignidad y la posibilidad de formar parte integral en la vida social y cultural. Los Verdes intentan financiar los costos adicionales del apoyo básico orientado hacia las necesidades a través de una reestructuración del impuesto sanitario y reformando la fiscalidad por causas hereditarias.

En definitiva, su intención consiste en hacer posible la ruptura de los límites entre el área de transferencias sociales y el mercado laboral, porque el bienestar social, en su concepción actual, *es una trampa hacia la pobreza*.

La declinación de los salarios reales y la inadecuada asimilación hacia la igualdad de los costes económicos para la manutención de una familia, han creado un escalón social que es pobre, *a pesar de contar con trabajo remunerado*. Esta gente realmente no recibe ayuda efectiva si se formulan llamadas a aumentar el diferencial de renta entre los trabajadores pagados y los titulares del bienestar social, a través de rebajar aun más el conjunto de beneficios y subsidios que implica este último.

4. Las escalas y porcentajes se establecen para cada caso con toda precisión, siguiendo la tendencia prevaleciente de la programación electoral comparada a la que se hace referencia en otra parte de este artículo, pero en ese caso debemos ceñirnos al enfoque puramente conceptual dejando las comparaciones cuantitativas a otro tipo de trabajos.

Lo que sí tiene sentido y consistencia es mejorar la situación del conjunto de los titulares de bajos ingresos, a través de salarios más altos, menores contribuciones a la seguridad social y alivio de la presión fiscal a través de la reforma del impuesto sobre la renta, todo lo cual implica la construcción *de una red social contra la pobreza.*

Los crecientes perfiles de empleo irregular y los cambios en la pirámide demográfica exigen una reforma fundamental del sistema de pensiones. Debe mejorarse el reconocimiento de los períodos de educación y formación, de las interrupciones de la vida laboral y del tiempo utilizado en la crianza de los hijos. El nuevo sistema debe facilitar el reconocimiento de bajas contribuciones al mismo, por ejemplo, las debidas al trabajo a tiempo parcial e ignorar los años «pobres» vividos bajo el subsidio de paro. Esto daría a las mujeres una mayor legitimidad para una *pensión específicamente femenina*, de tal manera que deberá ser la norma *una biografía laboral típica de la mujer.*

Como la presión de la demanda sobre el sistema de la seguridad social crece mientras el empleo permanece estancado, aquél no puede sobrevivir en el medio y largo plazo dependiendo únicamente del trabajo pagado. Los Verdes han preparado un paquete de reformas que descansa en la idea central que se traduce *en que la contribución del empresario a la seguridad social debe ser calculada sobre la base del valor agregado*. Esto proporcionará alivio a las empresas con empleo intensivo de mano de obra, mientras las empresas intensivas en capital y tecnología, serán llamadas a realizar una mayor contribución al sistema de responsabilidad social.

En un sector básico del Estado de Bienestar, los Verdes se limitan a rechazar cualquier deslizamiento hacia la privatización de la sanidad que debe centrarse fundamentalmente en el bienestar del paciente. Tampoco aceptan el co-pago de las prestaciones sanitarias. En educación los planteamientos son los propios del Estado de Bienestar, sin señas de identidad propias.

III. LOS SOCIALDEMÓCRATAS ALEMANES[5]

El Programa electoral de 1998 está dividido en doce capítulos precedidos de un panorama general introductorio que recoge sus con-

5. «*Work, Innovation and Justice*», SPD Manifesto for the 1998 General Election, Leipzig, April 17th, 1998. Las referencias al período inmediatamente anterior se remiten al SPD *1994 Government Programme*, del 22 de junio de 1994.

ceptos fundamentales. En lo concerniente al Estado de Bienestar sus apartados básicos se refieren a la política de empleo; a la política fiscal, esencialmente en relación con la anterior; a una concepción extensiva de la seguridad social y la familia, subrayando la *política específica para las mujeres y los jóvenes* (como propias del Estado de Bienestar); y, desde luego, los correspondientes a las pensiones y el medio ambiente.

El SPD pretende aprovechar las oportunidades que brindan la globalización y la unidad europea pues Alemania no puede ganar la carrera de reducción de costes contra los países donde imperan los salarios más bajos a través del mundo. Si el país quiere tener éxito en la competencia internacional, simplemente debe producir más y mejor que sus competidores, siendo la reducción del desempleo masivo el núcleo de su política. En el área de los servicios, la política socialdemócrata supone el fortalecimiento de la educación, de la formación y de la capacitación avanzada, así como de la investigación y la ciencia, contando con la reducción de los costes salariales secundarios legalmente establecidos[6] y la disminución de su fiscalidad.

El fortalecimiento de la educación, de la investigación y de la ciencia debe traducirse en que Alemania ha de llegar a ser una *fábrica de ideas*, pues la innovación, la educación y las nuevas tecnologías son la respuesta socialdemócrata a los desafíos del siglo XXI.

Durante los próximos cinco años, se duplicará la inversión en educación, investigación y ciencia del porvenir, aplicando una amplia reforma en la educación. Los objetivos de esta reforma son una mayor participación, acrecentar la igualdad de oportunidades, establecer la equivalencia entre todas las disciplinas educacionales y potenciar el principio de la *ayuda* en vez del de la *selección.* El SPD quiere intercambios libres y prácticas laborales relacionadas con el trabajo real y, además, erigir la educación avanzada como el cuarto pilar del sistema educativo. La necesidad de una formación continua exige una estrecha relación entre la vida profesional y la educación avanzada.

El SPD pretende aprovechar las oportunidades que brinda la sociedad de la información para ofrecer puestos de trabajo seguros, la conservación del medio ambiente y para mejorar el acceso al conocimiento a través del uso de las herramientas informáticas para lo cual

6. *Lohnnebenkosten*: este concepto, reiteradamente utilizado en el Programa del SPD, de costes secundarios, laterales o derivados, se refiere a los pagos a la seguridad social y añadidos y no son los salarios netos sino la diferencia entre éstos y los brutos.

asume también el lema «todas las escuelas conectadas con Internet», que es una de las prioridades programáticas.

El mantenimiento de una negociación colectiva libre y de soluciones flexibles en la política salarial y en la política laboral conducirá a la creación de nuevas oportunidades para la salvaguardia y oferta de puestos de trabajo, así como también —y muy fundamentalmente— a la reducción de la jornada laboral y la organización inteligente del trabajo. Una economía innovadora requiere una organización del trabajo diseñada coherentemente, diferenciando el horario laboral de acuerdo con el tamaño de la empresa o industria. Se pide el uso intensivo de las oportunidades que brindan los acuerdos salariales. Con un horario laboral más breve y flexible los costosos equipos y maquinarias pueden ser utilizados durante mayor tiempo sin que los trabajadores deban trabajar más tiempo.

El SPD sostiene que son necesarios más empleos a tiempo parcial para hombres y mujeres. Deben reducirse las horas extra en la mayor medida posible. Si cabe, deben ser evitadas las reducciones de plantilla a través de modelos de jornada laboral que aseguren los puestos de trabajo. Se requieren también períodos de vida laboral más flexibles que permitan realizar transferencias entre la vida laboral y las etapas de formación y, por otra parte, entre el desempleo y las jubilaciones.

El SPD pretende aprovechar las oportunidades de empleo en el sector de los servicios en el que existen grandes potencialidades de empleo. Para utilizarlas, Alemania necesita una *nueva cultura de los servicios*. Por una parte, estos nuevos potenciales se encuentran en los servicios relacionados con la industria e incluyen los de asesoría, técnicos y financieros. El intercambio de conocimientos e información se desarrollará cada vez más como un sector de servicios separado. Aquéllos basados en el desarrollo ambiental sostenible —y ecológicamente orientados— aumentarán en importancia.

Por otra parte, existen también grandes potencialidades de empleo en los servicios relacionados con la *atención a las personas y a los hogares* que incluyen, por ejemplo, atención asistencial personalizada, infantil, trabajo doméstico y servicios adicionales en el sector hotelero y de restauración y algunos más relacionados con las asesorías empresariales. El SPD quiere agrupar los servicios relacionados con el hogar ofrecidos en el sector privado y crear condiciones de trabajo socialmente seguras con salarios justos en este campo. Si fuera necesario cada hogar puede usar los servicios de esas agencias durante el tiempo requerido. Ellos serán pagados directamente por él a través de bonos de servicios disponibles para cada hogar privado. El coste de estos bonos será satisfecho por el Instituto Federal del Trabajo. Para los hogares privados esto reducirá los costes salariales de estos servicios y también asegurará que los hogares con ingresos normales puedan acceder a la ayuda doméstica, lo que tendrá efectos sobre la oferta de puestos de trabajo.

El principio del SPD es «empleo en lugar de desempleo»: el desempleo cuesta a la sociedad 180 billones de marcos al año. Asegurará que estos recursos no sean utilizados en pagar los subsidios de desempleo sino que deban financiar un fondo de formación y empleo. Esto aminorará los costes de los subsidios de desempleo y reducirán la tasa de subsidios por tal concepto, desembocando en ingresos de mayor cuantía fiscalmente controlados y en mayores contribuciones para la Seguridad Social.

En forma similar al enfoque escandinavo, el SPD pretende que los desempleados de larga duración sean recibidos por las empresas durante un período limitado en *reemplazo de los trabajadores ausentes con permisos por paternidad o de formación.* Con un programa de rotación laboral, los desempleados de larga duración pueden ser colocados en trabajos permanentes. El elevado y creciente desempleo de los trabajadores pobremente cualificados evidencia otra vez que la economía *necesita trabajos simples.* Para nuevos puestos con bajos salarios por hora se utilizarán aquellos fondos habitualmente requeridos para financiar el desempleo con el objeto de reducir las prestaciones a la Seguridad Social en estos casos.

El programa del SPD exige una reforma fiscal para crear nuevos empleos, asegurar la equidad fiscal y simplificar el Código Fiscal Alemán y, en términos generales, supone la reducción de los tipos fiscales en el impuesto sobre la renta, el incremento de la asignación por niño y la disminución de la fiscalidad de las empresas.

La reforma fiscal de 1999 para el trabajo y la equidad, se aplicará desde el comienzo del año y se traduce en el ámbito familiar en una exención fiscal de 2 500 marcos anuales en las familias con dos niños y, fundamentalmente, una reducción de tipos fiscales en un ámbito amplio suponiendo, además, un mejoramiento de la exención fiscal básica. El objetivo del SPD es reducir el tipo fiscal inicial desde el vigente 25.9% al 15%. Debido a la difícil situación financiera esto sólo puede ser aplicado gradualmente. Como un primer paso, se reducirá el tipo fiscal inicial hasta el 21.9%. Este enfoque también supone la disminución del tipo fiscal máximo desde el vigente 53% al 49%. Si fuera posible asegurar el éxito de la financiación correspondiente, estos tipos fiscales podrían experimentar reducciones aún mayores.

Otro de los puntos centrales consiste en abolir con decisión las exenciones fiscales injustificadas y ceñir el diseño de las oportunidades empresariales a valores estándares internacionales de determinación de beneficios. *Las medidas propuestas por el SPD para establecer objetivamente los niveles de beneficios se basarán en el Código de Equilibrio Fiscal de los Estados Unidos.* Con lo que en el futuro ya no seguirá siendo posible, por ejemplo, reducir completamente las pérdidas debidas a las inversiones especulativas pero a su vez sólo pagar la mitad del impuesto por ganancias devengadas posteriormente, o pedir la deducción fiscal por depreciación, aunque las razones para ella hayan dejado de existir en el tiempo intermedio.

Por otra parte, se sostiene que la gran riqueza privada debe cofinanciar la educación. En el espíritu de un justo equilibrio de los sacrificios el SPD asegura que *la gran riqueza privada vuelva a contribuir con justicia en la financiación de la educación y otros servicios públicos*[7]*. En consecuencia, se consolidará la constitución y la regulación de una fiscalidad sobre la gran riqueza. Sin embargo, los activos empresariales serán excluidos de esta regulación.*

Con elevadas exenciones, el SPD garantiza que la renta normal de los hogares no será afectada por la fiscalidad sobre la propiedad. Las propiedades únicas familiares no estarán sujetas a impuestos: la exención prevista de, por ejemplo, un millón de marcos para una familia con dos niños está claramente por encima del valor fiscal de las propiedades de una familia normal.

En lo concerniente a la reducción de las contribuciones al bienestar social y la reforma ecológica fiscal, el SPD asegura que las contribuciones al Estado de Bienestar serán disminuidas. Facilitar el acceso al empleo a través de la reducción de los costes salariales secundarios establecidos[8] *es una piedra angular de nuestra política para crear nuevos puestos de trabajo.*

Como hemos visto, el principio del SPD, compartido por otras formaciones políticas europeas y principalmente por el *Labour Party*, es: «puestos de trabajo en lugar de beneficios sociales». El SPD quiere asegurar que el trabajo y la educación formativa se ofrezcan a quienes sean capaces de trabajar y recibir los beneficios del bienestar social. El SPD quiere incrementar la cooperación con las oficinas de bienestar social y con los centros de trabajo. Los puestos de trabajo para desempleados que estén percibiendo beneficios del bienestar social de-

7. Es interesante comparar este impuesto sobre la gran riqueza privada propuesto por el SPD que tiene una destinación específica, la educación, con el impuesto francés sobre las grandes fortunas, que tiene alcances genéricos.

8. Véase nota 6.

ben ser complementados con subvenciones durante un período limitado hasta el nivel de sus salarios teóricos (renta combinada).

En lo relativo al fundamental capítulo de las pensiones, se proponen cuatro sólidos pilares defensivos del *statu quo*, que suponen la subsistencia del sistema vigente, las aportaciones de las empresas privadas con mecanismos específicos, la previsión privada como sistema complementario y la participación mejorada de los trabajadores en el capital, en los activos productivos y en los beneficios de las empresas.

En los últimos años, la confianza en la seguridad de las pensiones se ha quebrado. La reducción del nivel de las pensiones desde el 70% al 64% decidida por la CDU, la CSU y el FDP ha contribuido a esta circunstancia. Una disminución en el nivel de las pensiones forzaría a muchos pensionistas a exigir otros beneficios del bienestar social. Las pensiones femeninas situadas en torno a una media de 900 marcos mensuales lo demuestran con particular claridad. Las personas que han trabajado duramente a lo largo de toda su vida no deben ser tratadas en esta forma y, desde luego, los socialdemócratas *también asegurarán que las mujeres recibirán una pensión individual.* Por su parte, el SPD sostiene que la seguridad de las pensiones y estabilización de las contribuciones supone que los fondos de pensiones no deben contribuir a las prestaciones u objetivos que no pertenecen a los elementos básicos y comunes de la seguridad social. Estas prestaciones u objetivos se establecen en interés de todos los ciudadanos, como, por ejemplo, la exitosa reconstrucción de la Alemania del este. Sin embargo, estas tareas deben ser financiadas por la sociedad en su conjunto y no sólo por los contribuyentes de la Seguridad Social.

Las provisiones financieras son interesantes. *Con el objeto de compensar el peso demográfico sobre el sistema de pensiones que incidirá entre los años 2015 y 2030 debido al cambio de las estructuras de edad, una provisión financiera podría ser utilizada después del milenio durante un período limitado de tiempo. A través de un procedimiento de cobertura de capital, esta provisión puede complementar, en una medida importante, el sistema de aportes vigente. Esta provisión de fondos deberá considerar también la situación del mercado laboral.*

La idea del SPD acerca de una reforma sostenible de las pensiones parte del hecho de que, en el pasado, los cambios en la economía y en la sociedad hicieron necesarios ajustes en el sistema de pensiones. Los cambios evidentes acaecidos en la vida laboral y en la familia, así como los planteados por los de tipo demográfico —como lo anunció el SPD a propósito de la reforma de 1992—, exigen en el largo plazo otra reforma estructural para asegurar las pensiones en una forma sostenible. Además del empleo normal en el que se fundamenta el sistema de pensiones vigente, existe ahora un incremento del empleo a tiempo parcial, y también fases alternas de empleo y cesantía, como durante los permisos por maternidad o por formación profesional o simplemente por desempleo temporal. Los trabajos no comprendidos en el sistema de la Seguridad Social y sus contribuciones también se encuentran en aumento.

En razón de sus accidentadas biografías laborales, muchas personas no reciben seguro de empleo continuo. Las lagunas en las contribuciones dañan el principio de una pensión de por vida segura y también el funcionamiento del sistema de pensiones contributivas. En consecuencia, es deseable aplicar sistemas de pensiones compulsivas a todos los que trabajan. En el largo plazo, debe comprobarse si corresponde introducir o no este sistema para todos los ciudadanos. El objetivo consiste en asegurar a todos ellos una cotización continuada para garantizar sus pensiones. Para esta reforma se mantendrá un sistema de pensiones *relacionadas con el importe de las contribuciones*.

Además de los predicados convencionales sobre la sanidad inserta en el Estado de Bienestar, el SPD asegura que la sanidad debe ser accesible para todos los ciudadanos y que cada uno de ellos esté en condiciones de recibir cuidados médicos. La prevención de las enfermedades y la promoción de la salud deben llegar a ser prioridades absolutas, especificando el fortalecimiento del papel del médico de familia; y, además, el mejoramiento de la cooperación entre los médicos de familia, los de consulta y los hospitales; el uso conjunto de la tecnología médica más costosa; la mayor conciencia del coste de los servicios en los hospitales; y asignar prioridad a la rehabilitación antes que a la jubilación anticipada, fortaleciendo los derechos de los pacientes.

El SPD quiere una mayor oferta de vivienda accesible y que implique una mejor calidad de vida en las ciudades y municipios. Para la financiación independiente de la construcción, el SPD desea marcos financieros confiables que incluyan condiciones viables. Sin embargo, *limitará la depreciación* para evitar que la gran mayoría de los contribuyentes continúe cofinanciando edificios de lujo. A través de esta reducción en la cofinanciación referida se podrán movilizar mayores recursos para nuevas viviendas y la modernización de pisos económicos.

El gobierno del SPD aumentará la oferta de pisos municipales, incrementando su construcción. Sin embargo, las nuevas autoridades deben asegurar el uso de los pisos ya existentes para mejorar el *stock* de viviendas disponibles y reforzando las leyes sobre inquilinos. En interés de todos los propietarios e inquilinos, el Gobierno del SPD defenderá a la ley de arrendamientos y los beneficios de la vivienda, haciendo de ellos un instrumento de política social de la vivienda a la que aspiran todas las familias.

También la familia es un punto focal de esta política fiscal a través de una reforma cuyo principal objetivo sea el alivio fiscal para los trabajadores y sus familias. *El trabajo dentro de la familia debe ser reconocido y computado para las pensiones*. El SPD propone asegurar una pensión adecuada para quienes trabajan dentro de las familias cuidando de los niños, de su educación y asistencia, pues asistir a los niños es una de las tareas más importantes de la sociedad. El tiempo empleado en ello debe ser, en consecuencia, considerado adecuadamente de cara a las pensiones.

Respecto de la atención a la niñez, el SPD plantea otorgar mayores subsidios educacionales ajustados como complementos pagados a los padres dentro de límites de rentas verosímiles. «Cambiaremos los permisos laborales por paternidad de forma tal de asegurar que ambos padres tengan la oportunidad de realizar trabajos a tiempo parcial» [9]. Con esta medida, el SPD quiere extender las opciones de los padres y crear las precondiciones para el cuidado de los niños sobre bases compartidas. Adicionalmente el SPD quiere crear formas atractivas para que sean los hombres quienes hagan uso de ese permiso por maternidad. El SPD quiere un mercado laboral activo y *una política de jornada de trabajo compatible con una forma armónica de vida familiar.*

La política hacia la mujer requiere una nueva conducción. El SPD quiere proporcionar a las mujeres la oportunidad para relacionar su vida familiar y profesional y asegurar que puedan participar en la vida laboral y, con la ley de igualdad de oportunidades, garantizar que las mujeres participen a la par de los hombres en la vida profesional. En la promoción activa del empleo se respaldará la igualdad de oportunidades para las mujeres, apoyando la creación de empresas por ellas para equilibrar las desventajas en lo concerniente al capital inicial y a la obtención del mismo en fuentes exteriores, utilizando horarios flexibles y mejores condiciones para los trabajos a tiempo parcial.

El SPD subraya en materia de educación, además de los enfoques puramente sectoriales, su relación con el empleo, el medio ambiente

9. Véase, a este respecto, la posición de los demócratas norteamericanos y del *New Labour*.

y las prestaciones sociales. Como la juventud *no puede pasar directamente de la escuela al paro*, se propone firmar un «Acuerdo generacional para el futuro», que supondrá un programa de ayuda inmediata para reducir el paro juvenil, incluyendo la formación profesional inmediata de 100 000 jóvenes, y que todos los jóvenes desempleados por más de 6 meses reciban automáticamente formación para un empleo. El Gobierno del SPD asegurará que todos los jóvenes tengan una oportunidad para obtener un oficio cualificado. Una justa regulación del horario laboral como una oportunidad para acceder a la vida profesional. A través de horarios flexibles y la disminución de la jornada de trabajo es posible capacitar a los jóvenes para ingresar en la vida laboral.

Una sociedad justa exige un futuro justo y en consecuencia debe reconocerse que la niñez tiene sus propios derechos. Su dignidad humana debe ser protegida. Los niños y los jóvenes deben ser educados en el sentido de la auto-responsabilidad y de la conducta social. Los jóvenes quieren justicia social. *Esto también supone que las pensiones sean solidariamente distribuidas entre los jóvenes y los mayores.* Los jóvenes exigen que la protección del medio ambiente y de los recursos naturales sean asumidas con honestidad. El SPD quiere abandonar la energía nuclear tan pronto como sea posible.

La igualdad de oportunidades en la educación en general debe suponer también la igualdad de oportunidades para el acceso a la educación superior. La accesibilidad a la educación universitaria no debe depender del patrimonio de los padres del estudiante. El aprendizaje continuo a través de toda la vida es fundamental y la educación permanente es una necesidad de la vida. Durante la educación básica deben situarse los cimientos del proceso. A través de la educación ulterior pueden experimentarse avances docentes en la cualificación. En vista del rápido incremento del conocimiento y de los cambios con vistas a las cualificaciones exigidas, deben desarrollarse crecientes recursos educativos adicionales.

El SPD quiere que la tercera edad no tenga que depender únicamente de los beneficios del bienestar social. Se introducirá una *seguridad social básica* que si fuera necesario pueda recibir pensiones suplementarias *para evitar la pobreza y el uso de los beneficios del bienestar social en los ciudadanos mayores.* Esto también disminuirá los costes crecientes del bienestar social para los municipios y comunidades. Además, *se reducirán los costes adicionales de las medicinas para los pacientes mayores.* La calidad de la atención y de los cuidados a los mayores debe ser constantemente orientada y mejorada. Asimismo, *se mejorará la protección de los mayores contra la violencia.*

En síntesis y coincidiendo absolutamente con los Verdes —y mucho antes de formar el actual gobierno de coalición—, el SPD plantea que la modernización ecológica es la *oportunidad del siglo para el empleo y el medio ambiente*, concluyendo enfáticamente que *el empleo y el medio ambiente son inseparables* [10]. Los planteamientos de los socialdemócratas en materia de ecología son sustancialmente similares a los formulados por los Verdes en su programa electoral, incluyendo la reforma fiscal ecológica ya comentada en otros apartados de este artículo.

IV. LOS SOCIALISTAS FRANCESES

Los socialistas franceses y el Estado de Bienestar en los últimos 10 años han vivido una etapa heterogénea tanto en el diseño institucional como en la necesidad de defender sus supuestos conceptuales debido a las diferentes vicisitudes electorales. Este período se encuentra marcado en la etapa final de los 14 años comprendidos por los gobiernos de Mitterrand y las elecciones generales de 1993 cuyos resultados favorables a la derecha UDF/RPR marcaron el inicio de la cohabitación entre un Primer Ministro y un Presidente de la República de orientaciones políticas opuestas. Pero es interesante apuntar la recapitulación de los logros alcanzados durante ese período en relación con el Estado de Bienestar en Francia para reflejar la marcada evolución ocurrida en sus distintos apartados.

La quinta semana de vacaciones pagadas, la semana laboral de 39 horas, la instauración del ingreso mínimo de inserción y el establecimiento del subsidio social generalizado (CSG), no existían evidentemente antes de 1981. En el tono propio de la campaña electoral [11], se formulaba un llamado a defender estas conquistas, no sin estar conscientes de las dificultades de financiación de los sistemas de protección social y de la trascendencia de los compromisos que se avizoraban a la fecha como consecuencia de la vigencia del Acta Única y, especialmente, de la firma del Tratado de Maastricht. Pero el programa electoral de 1993 se defiende mal de las acusaciones de corrupción formuladas por la oposición y, sobre todo, no explica adecuadamente la evolución ascendente del paro, fenómeno de trascendental

10. Véase nota 1.
11. Programa del PSF para las elecciones legislativas de 1993, en *Cinq Engagements, Cinq Repères*, Bordeaux, 1993.

importancia también política para entender los resultados electorales de 1993.

En noviembre de 1994, el Congreso de Liévin, enormemente ideologizado, como suele ocurrir después de los descalabros electorales, desarrolla el concepto no de paro o desocupación, sino el mucho más sugerente de *exclusión social*, desde una perspectiva propia de una situación de oposición y más ortodoxa quizá en lo ideológico, con las necesarias matizaciones: «A finales de siglo, los socialistas deben [...] combatir la raíz de la exclusión [...] no se trata de corregir o adaptar con apuntes al margen el funcionamiento del sistema liberal. Se trata de combatir para que otros valores presidan la organización de la sociedad; para que las relaciones humanas no se reduzcan únicamente a relaciones mercantiles [...] y porque la economía se encuentre al servicio del interés colectivo» [12].

La idea de exclusión social no se reduce tan sólo al desempleo y sus consecuencias sino que demuestra su potencialidad analítica cuando se la extiende a otros sectores en que también se manifiesta, según el Congreso de Liévin, citándose específicamente la sanidad, la educación, la vivienda, la ayuda a las personas dependientes y la protección del medio ambiente. En esta línea de análisis, se desarrollan propuestas sobre la protección social de la familia, de la primera infancia, de la inserción específica de la mujer en el mercado laboral y una política de integración de la juventud, especialmente la no cualificada, incluyendo la propuesta de un subsidio para los jóvenes entre los 18 y los 22 años, que se encuentran en busca de un empleo o de una formación complementaria.

La significación de Liévin fue importante pues influyó con fuerza en la elaboración de la Plataforma del PSF para la elección presidencial de mayo de 1997 que llevó a la victoria a Lionel Jospin. Naturalmente, la Plataforma que es un programa dirigido a todos los franceses, asume un tono y unos contenidos que retoman los planteamientos del Estado de Bienestar en el punto en que habían sido dejados en 1993, pero revigorizados con nuevas energías polémicas, sintetizadas en la fórmula «un nuevo contrato por la República social» [13].

Quizá un ejemplo ilustrativo de lo dicho sea el apartado correspondiente a la vivienda, en el, que luego de asignar prioridad pre-

12. Congrès de Liévin: *Textes et Decisions*: Supplément au *Vendredi*, 239, 9 décembre 1994.

13. PSF, *Programa Electoral para las elecciones legislativas de 1997*, Secretaría de Estudios y Programas, PSOE, mayo de 1997.

supuestaria a la vivienda social y a la lucha contra la especulación inmobiliaria, se propone «un impuesto sobre las viviendas vacías, en las ciudades donde haya problemas de alojamiento, la reconversión de oficinas en viviendas, la requisición de viviendas prolongadamente vacías pertenecientes a grandes organismos públicos y privados, la asignación del 20% de los contingentes locales de viviendas populares a las personas más desprotegidas o carentes de domicilio fijo».

Pero el estado actual de la cuestión debe ceñirse al programa electoral del PSF para las elecciones de mediados de 1997 y que es el que se encuentra en aplicación, en su elegante brevedad[14].

Sostienen sintéticamente los socialistas franceses que dos concepciones de Europa se enfrentan. Una, fundada en la desregulación, el fin de los servicios públicos y el estoicismo para los pueblos y que es la que representa la derecha. La otra, que siempre han defendido, es la de una Europa independiente, volcada hacia el progreso, la mejora de las condiciones de vida y el empleo, la afirmación de un modelo social y la fidelidad a nuestra civilización. Hoy día, los verdaderos europeos son los que rehusan permitir que Europa se deslice hacia un ultraliberalismo que conduce ineluctablemente a la disolución de la UE. Construir una Europa política, al servicio de la democracia, del crecimiento y del empleo es permanecer siendo fieles a toda la historia de la construcción europea.

La mundialización que afecta a la economía es una auténtica mutación del capitalismo, afirma el PSF. Si no es controlada, ella nos proyectará en la economía del siglo XXI, pero restableciendo unas relaciones sociales dignas del siglo XIX. La República se encuentra hoy amenazada en sus valores esenciales: la libertad, la igualdad y la fraternidad. El PSF sostiene que la derecha quiere embarcar a Francia en la senda del capitalismo duro. Para justificar esta opción ella utiliza la coartada de la necesaria adaptación a las nuevas exigencias de la competencia internacional. Cuando una empresa anuncia despidos masivos, la Bolsa sube: he ahí la lógica de este capitalismo. Más paro, más desigualdades, más impuestos, mayores marginaciones, aumento de la precariedad, constituyen la «factura social» de la derecha. La derecha ha fracasado. Jamás, en tan poco tiempo, continúan los socialistas, la situación económica y social se había degradado tanto en Francia. Aún no reconociéndolo, esta misma derecha prepara una purga liberal. Reducción de los empleos públicos,

14. Las elecciones se celebraron el 25 de mayo de 1997 y, en *ballotage* o segunda vuelta, el 1º de junio de ese año.

aceleración de las privatizaciones, desmantelamiento de los servicios públicos, cuestionamiento de la protección social: continuar así es aceptar proseguir agravando una política que fracasa desde hace cuatro años.

Una alternativa clara se plantea para los ciudadanos: de un lado, una sociedad dominada por el liberalismo que conduce inevitablemente al reino descontrolado del dinero. Del otro, una sociedad moderna, fiel a sus valores fundamentales, en la cual el interés general se sitúa por encima de los intereses financieros. *Una sociedad en la que el hombre se encuentra en el centro de la economía.* El PSF recuerda que ha ejercido el poder durante 10 años y se muestra orgulloso de las reformas que ha patrocinado —abolición de la pena de muerte, quinta semana de vacaciones pagadas, jubilación a los 60 años, RMI, modernización de la economía, liberación de los medios de comunicación social (MCS), descentralización, prioridad asignada a la educación y a la cultura— y reconoce asimismo sus fracasos, afirmando que ha aprendido la lección. Su iniciativa política, renovada, permanece anclada en tres convicciones: situar al hombre en el centro de la economía, cambiar la vida cotidiana de los franceses y la modernización de la sociedad.

El PSF quiere situar al hombre en el centro de la economía, y su perspectiva es ambiciosa: ella exige romper con los conformismos, y ello supone coraje. Es necesario cambiar el porvenir haciendo emerger una nueva lógica económica que, sin aumentar el déficit público ni relanzar la inflación, permita un reparto más justo de la riqueza entre todos los franceses. Con un objetivo prioritario: el empleo. *Porque el paro no es una fatalidad.* Así, se propone crear empleo con una oferta de 700 000 puestos de trabajo para los jóvenes. En la actualidad, el Estado gasta sumas considerables para favorecer el empleo juvenil que no hace sino mantener el círculo vicioso de la precariedad: chapuzas, CDD, «cursos» de formación, etc. Simplificando drásticamente estas ayudas y sin aumentar el gasto público, el objetivo será crear 700 000 auténticos empleos para los jóvenes, *la mitad en el sector público y la mitad en el sector privado.* Estos auténticos empleos pagados con un salario genuino serán la primera etapa de la inserción en la vida profesional.

Todos los ejemplos históricos indican que *únicamente* la implicación de la iniciativa pública puede acabar con el paro masivo. Un presupuesto controlado, reorientando el gasto público hacia el empleo, será una potente herramienta de acción. La propuesta de reducir la duración de la jornada laboral semanal de 39 a 35 horas es la oferta más espectacular del programa socialista francés y sin duda desencadenará, como ya ha ocurrido en algunos casos, una corriente de imitaciones en el continente europeo, haciendo patente la vigencia del «efecto demostración» al que nos referimos en las conclusiones de este artículo[15].

En la actualidad, la tecnología permite enormes ganancias de productividad, de las que debe beneficiarse el hombre. «Proponemos reducir progresivamente la duración legal de la jornada laboral de 39 h. a 35 h., sin disminución de salario.» Esto se realizará a través de la negociación entre los interlocutores sociales, teniendo el Estado como papel la orientación y la fijación del calendario correspondiente. Una Ley marco, «que igualmente tendrá por objeto luchar contra los horarios abusivos y las horas suplementarias, impulsa esta iniciativa histórica».

En tono polémico el PSF propone devolver a los franceses el poder de compra que les ha sido confiscado: «Las empresas francesas no carecen de dinero para invertir, pues sus beneficios son elevados; de lo que son agudamente deficitarias es de demanda suficiente. Nuestra primera prioridad consiste en liberar poder de compra para los que tienen mayores necesidades, a través de una conferencia nacional sobre el empleo, los salarios y la duración del trabajo, que relanzará la negociación colectiva».

Ganar la batalla de la inteligencia y preparar el porvenir consiste en comprometerse resueltamente en la gran competencia económica y cultural del mañana. La inteligencia será a la vez el desafío y el patrimonio del siglo XXI. La producción intelectual es en lo sucesivo el objeto de la competencia internacional. Europa no debe perder la batalla de la inteligencia. Preparar el porvenir y ser moderno no consiste en pensar en la economía únicamente en términos de dinero o de fiscalidad; es pensar que la riqueza del futuro se fundará en la innovación científica y en la iniciativa tecnológica.

Construir la universidad del futuro no solamente significa retomar el esfuerzo aminorado por la derecha sino en amplificarlo. La formación en alternancia será aplicada gradualmente. Las formacio-

15. Esta emulación o mímesis de las propuestas electorales ha recibido esta denominación, prestada como tantas otras del análisis económico, de Ramesh Mishra, cuando afirma: «Aun así, los modelos generales de organización social tienen diversa utilidad. Por una parte, proporcionan un efecto demostración a través del que ponen de manifiesto que ciertas clases de acuerdos sociales son factibles y por tanto, en principio, aprovechables por todas las naciones» (*El Estado de Bienestar en la sociedad capitalista: Políticas de desmantelamiento y conservación en Europa, América del Norte y Australia*, Ministerio de Asuntos Sociales, Madrid, 1993, p. 28).

nes general y profesional se asociarán estrechamente. En una palabra, se hará eclosionar la gran universidad europea del mañana, relanzando el esfuerzo de investigación que es indispensable para el desarrollo de un país moderno. Francia debe ir hacia el objetivo del 2.5% del PIB para el presupuesto nacional de la investigación y para contener la hegemonía cultural y tecnológica de los Estados Unidos. Francia y Europa deben movilizar todos sus recursos de creación, de producción y de difusión.

El PSF afirma que Francia, fascinada por las grandes empresas, frecuentemente olvida que su riqueza reside también en sus millares de PYMES. Más creativas, ellas son también más frágiles. En el futuro, los empleos creados lo serán especialmente por las PYMES y los nuevos servicios. El crecimiento nacerá de la innovación, de la creatividad y de la flexibilidad de los empresarios. Es necesario liberar las energías, ante todo las de las PYMES. El Estado debe actuar para lograrlo.

Debe desarrollarse una fiscalidad favorable a las inversiones de capital riesgo y a un ahorro movilizado de los fondos propios de las PYMES, simplificando los procedimientos administrativos para las nuevas empresas. La inversión en la inteligencia a través de un apoyo masivo a la investigación pública y privada gracias a los refuerzos importantes a la innovación y a la formación y a una política activa de capital riesgo y a una promoción de las PYMES que desarrollen nuevas tecnologías.

En Francia, los impuestos pesan demasiado sobre las clases medias y gravan más al trabajo que al capital. Se quiere estabilizar las cotizaciones obligatorias y después disminuirlas para hacer más justos los impuestos. Existe un compromiso sobre reformas estructurales que favorezcan el trabajo en relación con el capital otorgando prioridad al poder de compra de los hogares. *Para aumentar el poder de compra y disminuir los descuentos que pesan sobre los salarios y sobre las pequeñas pensiones, una CSG (Contribución Social Generalizada) ampliada y reformada sustituirá a todas las cotizaciones salariales por enfermedad en las condiciones que beneficien a la inmensa mayoría de los jubilados.*

Para favorecer el empleo, *se disminuirán las cotizaciones sociales que pesan sobre el trabajo* y se modificarán progresivamente una parte de la cotizaciones patronales, haciéndolas reposar sobre el conjunto de la riqueza producida por las empresas y no únicamente sobre el trabajo. A la vez, se reducirá la parte del impuesto profesional que pesa sobre los salarios. *Se eliminará el IVA sobre los productos de primera necesidad y se aumentará la desgravación del impuesto sobre la vivienda social con el fin de concentrar la bajada de impues-*

tos sobre los ingresos modestos y medianos. Se establecerá una contribución más justa del capital a la solidaridad nacional elevando el tipo del impuesto de la solidaridad sobre las fortunas. Por último, se combatirá eficazmente el fraude fiscal.

Amenazar la Seguridad Social invocando la necesidad de su reforma: tal ha sido la política aplicada por la derecha. Reformar la Seguridad Social para conservarla es el proyecto de los socialistas. La Seguridad Social es un bien común. Se debe reformar entre todos y no de un modo autoritario.

Los socialistas plantean reunir los Estados Generales de la Sanidad para examinar de modo claro y concertado los objetivos y los medios de una auténtica reforma, profunda y perdurable. El control de los gastos sanitarios es indispensable. Rechazar esto, como lo ha hecho desde hace largo tiempo la derecha, *es preparar la privatización de la Seguridad Social.* El PSF quiere controlar los gastos de sanidad pero en una forma negociada y cualitativa, con el fin de reducir el despilfarro y de favorecer una mejor consideración de las atenciones actualmente mal reembolsadas, como las atenciones odontológicas y oftalmológicas.

La igualdad de acceso a las atenciones médicas será asegurada por la creación de la cobertura universal y gratuita para los hogares de bajos ingresos. La seguridad de las atenciones, la sanidad de la población, será reforzada gracias a una mejor coordinación de las mismas a través del desarrollo de redes y filiales de cobertura, la promoción del servicio público hospitalario y la regionalización progresiva del sistema sanitario. «Pero la sanidad es, ante todo, la sanidad pública.» Se le asignará el lugar que ella merece. Medicina escolar, medicina del trabajo, medicina preventiva son otras tantas prioridades. Será potenciado el rol del médico general. Será asegurada la protección de la salud de los franceses gracias a una agencia de la seguridad sanitaria que tendrá a su cargo la vigilancia sobre la alimentación, el agua, el aire, los medicamentos y los productos biológicos.

La política socialista sobre las pensiones parte del viejo aforismo que afirma que «La jubilación es el patrimonio de los que no tienen patrimonio». El plan Juppé contemplaba, sin el menor consenso, su cuestionamiento. Los Fondos de Pensiones aprobados por la derecha contribuyen a desestabilizar gravemente las jubilaciones por el sistema de reparto y acentuar las desigualdades entre los franceses. *Se consolidará el sistema de jubilación por reparto*, el sistema de todos los franceses, de acuerdo con el conjunto de los interlocutores sociales y se revalorizarán las pensiones de los franceses más modestos, uniendo la evolución de las pensiones a la de los salarios netos.

El relanzamiento de la vivienda social y la disposición de un techo es la condición de la independencia de la persona, de su inserción social y el ejercicio de su ciudadanía. El acceso a una vivienda de calidad para todos es una prioridad nacional. *La vivienda social*, preocupación fundamental de los franceses, *ha sido sacrificada en los últimos 4 años*. El PSF se compromete a la remodelación completa de los barrios construidos después de la guerra y que se encuentran hoy en plena degradación. La dignidad de nuestros conciudadanos que los habitan así lo exige. «Nos fijamos el objetivo de 300 000 rehabilitaciones y de 150 000 viviendas nuevas por año. Facilitaremos el acceso a la propiedad de la vivienda social».

Restablecer la prioridad sobre la educación es una pretensión absolutamente justificada para los socialistas franceses dadas las experiencias vividas con las gestiones conservadoras de los últimos tiempos en Francia. El anuncio de la supresión de 5 000 puestos de maestros en la educación nacional expresa mejor que nada el discurso de la política de la derecha. Francia necesita más profesores y más educadores. Se quiere hacer de la educación la primera prioridad presupuestaria. El objetivo inicial consiste en reforzar la Escuela de la República, crisol de la integración y garantía de la igualdad de oportunidades. Se quiere liberar las iniciativas de los profesores multiplicando los proyectos y los contratos de asentamiento. Se aumentará la ayuda a las bolsas de alumnos-profesores, adaptando los ritmos escolares al nivel de la comuna o de los grupos de comunas, en el marco de opciones nacionalmente definidas. Se reforzará la enseñanza profesional en el seno del servicio público de educación a través de un *partenariado* sistemático (con las empresas y las administraciones) implicando la generalización de la alternativa, bajo estatuto escolar o por el aprendizaje. Finalmente, se relanzará en la enseñanza superior, la política aplicada entre 1988 y 1993 (plan «Universidad 2000») y que la derecha ha suspendido posteriormente: rediseño de los primeros ciclos universitarios alrededor de un dispositivo de orientación flexible y de la racionalización de la formación tecnológica superior.

La política económica debe mostrarse respetuosa hacia los grandes equilibrios ecológicos. Se requiere un desarrollo económico que sea duradero. La responsabilidad colectiva se encuentra comprometida con las generaciones futuras. Se asigna prioridad a los transportes colectivos a través del desarrollo del servicio público de ferrocarril, la potenciación de los transportes comunitarios urbanos y el estímulo del transporte de mercancías por tren, reequilibrando la fiscalidad de los diferentes carburantes en función de su carácter más o menos contaminante. Se reorienta la política energética de Francia instaurando una moratoria sobre la construcción de reactores nucleares, aumentando los estímulos al ahorro energético y al desarrollo de las energías renovables, cerrando el supergenerador Superphénix y abandonando el proyecto de canal Rhin-Rhône-Saône.

Es preciso renovar los servicios públicos proporcionando servicios públicos de calidad que garanticen a todos por igual el acceso a la gestión en París o en provincia, en la ciudad o en el campo: esto es lo que los ciudadanos tienen derecho a esperar del Estado. Seguridad, educación, transporte, sanidad, correos, telecomunicaciones: estos servicios públicos deben estar garantizados a todos los franceses. El PSF considera que «el servicio público a la francesa» es un ejemplo y rechaza la privatización de los servicios públicos y su transformación en objeto de lucro. Se pretende preservar el porvenir de los servicios públicos, pero renovándolos.

V. LOS LABORISTAS BRITÁNICOS (*NEW LABOUR*)

A partir de 1994 las cuestiones relativas al Estado de Bienestar en el Reino Unido cobran una nueva vigencia debido a los cambios políticos acarreados por el traspaso del gobierno desde los conservadores después de 14 años de gestión a los laboristas, que habían realizado varias tentativas frustradas por lograrlo. La fuerte embestida del neoliberalismo en contra del Estado de Bienestar como concepción ideológica y práctica política establecida, encontró en Margaret Thatcher y Ronald Reagan (a través de su Director de Presupuesto, David Stockman) a sus principales protagonistas, aunque con significaciones simbólicas mucho más fuertes en el caso británico debido a la histórica tradición de las políticas de bienestar en ese país, bien descrita en la literatura especializada sobre la materia.

El Manifiesto electoral laborista de 1994 para las elecciones legislativas de ese año, en que los laboristas llevaban a Neil Kinnock como candidato, refleja las circunstancias antes mencionadas pues a continuación de la denuncia de la mayor recesión sufrida por el Reino Unido después de la Segunda Guerra Mundial, el Manifiesto se ocupa de la situación del Servicio Nacional de Salud (NHS), de la educación, de la construcción de viviendas y de las constantes tentativas de privatización en cada uno de estos ámbitos.

En el sector de la sanidad, los laboristas plantean el rechazo de la comercialización de los servicios sanitarios (en un sentido genérico), de la desfinanciación gradual y deliberada del NHS con el objeto de hacerlo parecer ineficiente y justificar su privatización total o parcial y un conjunto de propuestas de alcance social que en definitiva no se apartan de un enfoque rutinario y mecanicista de la tradicional visión socialdemócrata de la sanidad pública dentro del Estado de Bienestar, que culmina con el precepto consistente en que el poder debe *residir en los pacientes y no en los contables*, aludiendo con ello al control de la gestión del NHS impulsado por Thatcher a través de diversos mecanismos administrativos[16].

Siempre en el plano social —e incursionando una vez más en la tendencia prevaleciente dentro de la programación electoral actual—, se asumían medidas concretas e inmediatas con referencias cuantitativas inequívocas; la asignación familiar por niño subía en 1 690 ptas. por semana (beneficiando así a unos 7 millones de familias); las pensiones lo hacían en 850 ptas. por persona y semana, y en 1 360 en el caso de los matrimonios (lo que alcanzaba a unos 12 millones de personas).

En el sector de la educación, se aprecia una vez más la fuerte refriega ideológica entre concepciones contrapuestas. Los laboristas reprochaban a los conservadores que invirtieran en educación menos que en 1979 y que hubiera 40 alumnos por aula en las clases, con textos de estudios que no han sido revisados en los últimos 15 años.

Pero el problema más dramático es el del paro: 3 000 personas habían perdido cada día sus puestos de trabajo desde que John Major llegó a ser Primer Ministro; 900 empresas iban a la bancarrota todas las semanas y cada día 200 familias perdían sus casas, sin que el gobierno conservador tuviera una respuesta integral y coherente frente a todo ello, especialmente en lo relativo a la vivienda popular.

Pero tampoco los laboristas lograban elaborar un discurso consistente y capaz de expulsar a los conservadores del poder. En el otoño de 1995[17], el Partido Laborista celebró su conferencia anual con la perspectiva clara de ganar las siguientes elecciones generales no sólo debido al descrédito de las políticas neoliberales propugnadas por los conservadores y a sus deplorables consecuencias sociales, sino —y esencialmente— a los necesarios ajustes de las propuestas socialistas hacia posiciones menos rígidas en sus planteamientos tradicionales en diferentes áreas del devenir social. No es el caso detenerse en los contenidos del Congreso pues en definitiva quedan mucho mejor expre-

16. Dentro de esas medidas se incluye la drástica contención de los precios de los medicamentos y la inmediata suspensión de las desconexiones del gas y la electricidad por falta de pago, cuando dentro del hogar afectado hubiera niños o personas de la tercera edad.

17. En Brighton, durante la primera semana de octubre de ese año (Speech to 1995 Labour Party Conference»: *News from Labour*, 1995).

sados en el Manifiesto Electoral que los laboristas presentaron para las elecciones generales que se celebraron el 1 de mayo de 1997, las cuales llevaron al poder a Tony Blair y a un equipo de nuevos colaboradores que actualmente conforman el gobierno del Reino Unido[18].

La nueva política socialdemócrata denominada el *New Labour* representa el esfuerzo más sistemático de renovación ideológica europea en los últimos años. El Manifiesto Electoral de 1997 y el *Green Book*, que ofrece la visualización de los mismos problemas pero ya *en el gobierno* conforman un cuerpo de doctrina de notable interés, por la tentativa de renovación de pensamiento que suponen, en lo relativo al Estado de Bienestar. La misma estructura temática del Manifiesto y el orden de su exposición así lo demuestran. En efecto, comienza hablando del nuevo laborismo, es decir, una nueva manera de acercarse a la problemática cotidiana del pueblo desde una perspectiva socialdemócrata, en que lo primero que se plantea es la redefinición del *emisor* del mensaje y sus perspectivas desde los requerimientos de la sociedad en su conjunto.

Desde un punto de vista sectorial, el Manifiesto asigna la prioridad número uno a la *educación*[19], que ocupa efectivamente el primer capítulo del programa, pero no esbozando generalidades sobre el problema y sus soluciones sino trazando un completo plan de acción desde el primer escalón de la educación hasta el post-grado y la investigación, asociando los planes educativos con el potencial de las nuevas tecnologías, incluyendo acuerdos con *British Telecom* para el cableado de las escuelas, bibliotecas, institutos y hospitales con el objeto de incorporarlos gratuitamente a las autopistas de la información, incluyendo la concesión a cada niño de una dirección de *E-Mail.* Se establece una beca nacional para facilitar la incorporación de los maestros a Internet y aprovechar materiales de alta calidad educativa, capacitándoles para su uso y difusión.

En lo relativo a la desocupación[20], se preconiza la idea, reiteradamente compartida por otras formaciones socialdemócratas, como el PSF y el SPD, de *aprovechar los fondos utilizados en el pago de los subsi-*

18. *Manifiesto Electoral del Partido Laborista Británico*, Secretaría de Estudios y Programas, PSOE, abril de 1997.

19. Esta reordenación de las prioridades del Estado de Bienestar no ha sido bien comprendida en ciertos círculos de especialistas y políticos que no entienden cómo la atención a las políticas de empleo se ve aparentemente desplazada a un segundo término por el *Labour Party*.

20. En 1997 había en el Reino Unido 1 millón de empleos menos que en 1990; recordemos el *Manifiesto*: «El programa laborista de bienestar hacia el empleo atacará el desempleo y romperá la espiral de gastos en seguridad social. Los rendimientos ines-

dios por desempleo para la creación de puestos de trabajo. En este punto, el programa laborista realiza una aportación inédita dentro de la financiación de las políticas de bienestar comparadas. Para los interregnos de aplicación de la idea anterior, la cobertura financiera de los programas se realizará con cargo a los rendimientos esperados del impuesto *sobre los beneficios excesivos de las empresas de servicios privatizadas* que sigan disfrutando de carácter monopólico o semimonopólico dentro del mercado[21].

La política hacia los sindicatos consiste en mantener los elementos clave de la reforma de 1980 (elecciones, piquetes y actividades sindicales, la libertad de afiliación y desafiliación) incluyendo un salario mínimo, inédito hasta la fecha en el Reino Unido, dentro de un mercado laboral flexible. El salario mínimo debe establecerse no sobre la base de una fórmula rígida, sino de acuerdo con las circunstancias económicas del momento y con el dictamen de una comisión independiente dentro de la cual figuran los empleadores, incluyendo a las PYMES y a los trabajadores.

En relación con la sanidad, la atención del programa se centra en *salvar el NHS*, orgullo otrora de la sanidad británica y paradigma de toda una escuela de pensamiento y acción sobre la sanidad pública. Como es bien conocido, desde 1990 los conservadores impusieron en el NHS un complejo mercado de hospitales compitiendo entre sí para obtener los contratos de las autoridades sanitarias y financiar a los médicos generales (GP's: *General Practitioner's*). El resultado había sido un NHS estrangulado por los gastos decorativos, haciendo a cada prestación objeto de una transacción separada. Después de 6 años la burocracia había crecido, costando 1.5 billones de libras adicionales anualmente; surgieron 20 000 nuevos gerentes hospitalarios y hubo 50 000 enfermeras menos en las salas, con más de 1 millón de personas en las listas de espera.

Se ha puesto también en evidencia que la tentativa de los conservadores de emplear dinero privado en la construcción de hospitales ha fracasado: se superarán los problemas suscitados por la iniciativa fi-

perados de la recaudación —por una sola vez— de los beneficios excesivos derivados de la privatización de los servicios públicos, financiarán nuestro ambicioso programa».

21. «*Labour welfare-to work programme will attack unemployment and break the spiral of escalating spending on social security. A one-off windfall levy on the excess profits of the privatised utilities will fund our ambitiuous programme.*» Esta original propuesta constituye una de las posibles respuestas compensatorias ideada por los laboristas a la interna política privatizadora realizada por los conservadores británicos especialmente en cuanto ha supuesto un desmantelamiento del sector de los servicios públicos en el Reino Unido.

nanciera privada y se desarrollarán nuevas fórmulas de asociación entre lo público y lo privado que protejan siempre los intereses del NHS, y contando con un nuevo Ministerio de Sanidad Pública que tomará en consideración *los efectos que sobre la sanidad ejercen la mala vivienda, el desempleo, la pobreza y el entorno contaminado para incidir sobre ellos*. Esta noción implícita de bienestar global, cruzando sectorialmente las áreas clásicas del Estado de Bienestar representa un enfoque novedoso en la perspectiva de la programación electoral comparada y se asemeja en cierta medida a los planteamientos del PSF, que los esboza de una manera más ideologizada y flexible a través del concepto de *exclusión social*, consagrado en la terminología política oficial a partir del Congreso de Liévin, como se ha visto.

El tema laboral se une en otra perspectiva con la familia, los hijos y la situación de la mujer desde el punto de vista del bienestar social y no dejan de sorprender las asincronías de ciertos logros sociales en relación con situaciones comparadas, ya apreciables, por ejemplo, en el caso del salario mínimo. En efecto, se apoya el derecho de los trabajadores a no trabajar más de 48 horas semanales (y reconociendo ciertas excepciones); el derecho a vacaciones anuales (piénsese en el caso francés en que se la logrado la quinta semana de vacaciones anuales pagadas); y el derecho a cierto tiempo libre no remunerado para los padres, así como a la conservación del subsidio infantil universal «allí donde exista», desde el nacimiento hasta los 16 años de edad.

En lo concerniente a la vivienda es importante resaltar la sensibilidad del programa laborista hacia el sector de las hipotecas. Dos tercios de las familias que son propietarias de sus casas han visto acrecentada su inseguridad en los últimos 10 años con excepcionales subidas de las hipotecas y con niveles récord de rescates hipotecarios de parte de las entidades acreedoras, para lo cual se propone la extensión de la aplicación del Acta de Servicios Financieros en contra de la venta de paquetes hipotecarios desventajosos. Han reaparecido también los problemas de revisión al alza de los precios pactados por la compra de una vivienda para lo cual debe obligarse a quienes rompan sus compromisos a pagar a lo menos los costes legales infligidos a los demás en un derecho fundamental como es la vivienda. El programa formula un tratamiento específico para la vivienda de alquiler y la protección de los intereses de los inquilinos, sin olvidar a los colectivos sin vivienda que ascienden a más de 40 000 familias tan sólo en Inglaterra. En cuanto a la financiación de las medidas propuestas, descansa fundamentalmente en el producto de la venta de las casas municipales, sector de importancia considerable y sobre el que el gobierno central tiene poderes de gestión a este respecto.

El *Libro Verde*[22] constituye el inicio de la práctica dinámica de los proyectos laboristas sobre la reforma del Estado de Bienestar e incluye además de una presentación política firmada por Tony Blair, capítulos que discuten las bases de la reforma, las cuatro etapas del bienestar, el análisis de los beneficios en que se traduce, un horizonte previsible para el año 2020 y un apéndice histórico sobre la evolución de la seguridad social.

Por encima de todo, el sistema debe cambiar porque el mundo ha cambiado radicalmente desde la generación de Beveridge. El mundo del trabajo ha cambiado: la gente ya no espera tener un trabajo para toda la vida; las industrias tradicionales han decaído y nuevas tecnologías ocupan ahora su lugar. Se premian, en cambio, la formación y el aprendizaje continuos. El papel de la mujer ha cambiado. Las estructuras familiares son diferentes. Vivimos más tiempo, pero trabajamos menos años. Las expectativas de las personas discapacitadas también han cambiado radicalmente desde hace cincuenta años. Es necesario un sistema diseñado, no para el ayer, sino para el mañana.

Sin embargo, dice el *Libro Verde*, el sistema de bienestar no ha mantenido el ritmo del cambio. Como consecuencia, está fallando en su misión histórica de crear una sociedad más justa y próspera. En el sistema actual hay tres problemas fundamentales. En primer lugar, la desigualdad ha crecido enormemente y un gran número de personas, especialmente los pensionistas y los niños, viven en la pobreza. El número de hogares con personas activas en paro habría sido intolerable hace 20 años. Sin embargo, la factura de la Seguridad Social se ha incrementado mucho más que la de la salud o la de la educación. Un sistema en el que se gasta más pero sin satisfacer las necesidades más urgentes, es un sistema que falla. En segundo lugar, el sistema funciona a menudo en contra de los que quieren trabajar, haciendo poco atractivo el paso de la situación de recepción de subsidios al mundo del trabajo. Las personas discapacitadas, en particular, encuentran grandes barreras para el trabajo. En tercer lugar, el sistema necesita urgentemente una reforma, porque está sujeto a abusos. En tanto que muchos no reciben los subsidios a los que tienen derecho, otros se aprovechan del sistema. No es sólo fraude, aunque esté demasiado extendido en los subsidios para la vivienda, por ejemplo. No hace falta romper las normas, basta con matizarlas para que los que juegan dentro del sistema sean recompensados.

22. Oficialmente denominado *Nuevo Contrato para el Sistema de Bienestar* fue presentado al Parlamento por el Secretario de Estado para la Seguridad Social y el Ministro para la reforma del Bienestar en marzo de 1998.

Como señala el mismo Blair: «Debemos volver a los principios originales y preguntarnos cuál es el objetivo que debe lograr el Estado de Bienestar. Ésta es la pregunta cuya respuesta busca el *Libro Verde*. En esencia, describe una tercera vía que no consiste en desmantelar el Estado de Bienestar, reduciéndolo a una pobre red de seguridad para los desposeídos, ni tampoco en dejarla sin cambios y con una eficacia mínima, sino en una reforma basada en un nuevo contrato entre ciudadano y estado, donde podamos tener un Estado de Bienestar del cual nos beneficiemos todos, con términos claros y justos».

Hay una razón muy sencilla para necesitar un contrato así, hoy más que nunca. El Estado de Bienestar vigente es una institución de la que la mayoría de la población se beneficia mediante una pensión estatal, subsidio infantil o el Servicio Nacional de Salud (NHS). El Estado de Bienestar no consiste sólo en pagar subsidios a los más necesitados porque la contribución existente se realiza mediante impuestos y gravámenes y debe haber beneficios, pero pagando. Es un contrato entre los ciudadanos. Como tal, debe ser un acuerdo justo, en un sistema más claro e importante en el mundo moderno, dirigido con eficacia y de costes aceptables. Un contrato justo, no sólo para la generación actual, sino entre generaciones[23].

Las posibilidades que se avizoran sobre el porvenir del Estado de Bienestar no sólo en el Reino Unido sino también en el conjunto de las sociedades occidentales son claramente tres:

a) un futuro privatizado en el que el Estado de Bienestar se convierta en una red de seguridad secundaria para los pobres y los más marginados;

b) el *statu quo*, pero con subvenciones más generosas y costosas;

c) la tercera vía que propone el gobierno: promover las oportunidades en lugar de la dependencia, con un Estado de Bienestar para la mayoría de la población, pero creando nuevas formas adaptadas al mundo moderno.

Esta tercera nos lleva también a la tercera fase del bienestar. El sistema de bienestar favorecerá la acción. Evitará la pobreza garantizando a la población una educación, formación y apoyo adecuados.

23. Presentación e Introducción por el Primer Ministro al *Nuevo Contrato para el Bienestar*, marzo de 1998.

Ampliarán las salidas de la situación de dependencia del Estado de Bienestar, ofreciendo a los individuos una ayuda hecha a su medida.

Ocho principios básicos guían el programa de reforma del *Welfare State* en el Reino Unido:

1) El nuevo Estado de Bienestar debería ayudar y animar a las personas en edad de trabajar allí donde sean capaces de hacerlo;
2) Los sectores público y privado deberían trabajar juntos para garantizar que, siempre que sea posible, las personas estén aseguradas contra los riesgos previsibles y puedan ahorrar para su jubilación;
3) El nuevo Estado de Bienestar debería ofrecer servicios públicos de gran calidad a toda la comunidad, así como subsidios económicos;
4) Las personas discapacitadas deberían recibir el apoyo necesario para llevar una vida plena y digna;
5) El sistema debería apoyar a las familias y niños y acabar con el azote de la pobreza infantil;
6) Uno de los objetivos principales debería ser acabar con la marginación social y ayudar a las personas en situación de pobreza;
7) El sistema debería incitar a la apertura y honestidad y las vías de acceso a los subsidios deberían ser claras y exigibles;
8) El acceso al sistema de bienestar moderno debería ser flexible, eficaz y sencillo.

El programa de subsidio al trabajo y lucha contra el paro intenta romper el molde del antiguo y pasivo sistema de subsidios. Se centra en los cinco aspectos del Nuevo Pacto para:

a) jóvenes desempleados[24],
b) parados de larga duración[25],
c) familias monoparentales[26],

24. Este Nuevo Pacto para los Jóvenes se está desarrollando en 12 zonas pioneras y se amplió a nivel nacional a partir de abril de 1998, suponiendo una inversión de 2.6 billones de libras. Cuando los empresarios den facilidades determinadas para la formación de los jóvenes desempleados pueden recibir una asignación única de 750 libras esterlinas.

25. En lo concerniente a este colectivo, el Pacto se encuentra vigente desde junio de 1998, incluye a los mayores de 25 años parados durante más de dos años y mantiene un subsidio laboral de 75 libras semanales para los empresarios, durante seis meses, representando una inversión inicial de 350 millones de libras. En noviembre de 1998 se han puesto en marcha nuevos programas piloto para 70 000 personas, con ayuda formativa personalizada y con especial énfasis en los mayores de 50 años.

26. El Pacto para estas familias ha comenzado a funcionar a partir de julio de 1998 y ya ha beneficiado a más de 40 000 de ellas; desde el otoño de 1999 se realizará

d) personas con discapacidades o enfermedades de larga duración, y
e) parejas de desempleados[27].

Aunque todas estas figuras de desempleo se encuentran recogidas en la programación comparada, en ningún caso lo hacen con este grado de sistemática apuntando específicamente a los grupos más golpeados por el paro.

En lo relativo a las pensiones, la política del *Libro Verde* se orienta a las siguientes previsiones:

a) garantizar que los pensionistas de hoy y del mañana tengan unos ingresos aceptables durante su jubilación;
b) obtener ayuda para los pensionistas más pobres;
c) aportar mecanismos justos y eficaces para cubrir la asistencia prolongada;
d) promover el ahorro mediante cuentas de ahorro individuales;
e) garantizar una mayor protección para las personas que compren una vivienda;
f) garantizar que las personas no se sientan desanimadas para realizar provisiones privadas; y
g) garantizar que los servicios financieros estén debidamente regulados.

Y las ayudas a todos los pensionistas, se resumen manteniendo la promesa laborista de conservar la pensión estatal de jubilación básica y aumentarla para equipararla a los precios; iniciando acciones para lograr un aislamiento mejor y más barato y reducir aún más las facturas de combustible, bajando el IVA en los combustibles domésticos a un 5%; destinando £400 millones para ayudar a los pensionistas a pagar las facturas del combustible el invierno pasado y el próximo. Los hogares de los pensionistas tienen derecho a £20 y los hogares más pobres reciben más dinero: £50; y diseñando planes de realizar

una evaluación completa e independiente de la primera fase de la aplicación del Pacto para Familias Monoparentales y sobre la base de las conclusiones se diseñarán los pasos ulteriores.

27. Se han destinado £60 millones de la recaudación del Impuesto sobre Beneficios Imprevistos para proporcionar a las parejas una ayuda experta y personalizada para encontrar trabajo, mediante proyectos piloto en todas las regiones del Reino Unido. Miles de personas, en su mayoría mujeres, reciben ayuda gracias a esta ampliación del programa del Nuevo Pacto. Además, se está ampliando el Nuevo pacto con los jóvenes, para incluir a las parejas de los jóvenes desempleados (véanse notas anteriores).

otras experiencias piloto para encontrar formas de ayudar a los pensionistas a recibir la Ayuda sobre la Renta a la que tienen derecho.

Como bien se sabe, la educación es el sector prioritario para los laboristas británicos, así se encarga de demostrarlo el propio Manifiesto electoral; el *Libro Verde* se extiende con profusión de detalles en el desarrollo del sector cuya síntesis puede ser la siguiente: ampliar la educación preescolar; hacer campañas de alfabetización y enseñanza del cálculo durante la enseñanza primaria y proporcionar a los niños herramientas para el aprendizaje; reducir el número de niños por clases en las escuelas infantiles; introducir Zonas de Acción Educativa que ofrezcan ayuda y desarrollo en las zonas que lo necesiten; promocionar el marco de actualización del sistema global al mundo de hoy; proporcionar autonomía de gestión a todos los colegios; establecer clubes extra-escolares para ampliar las oportunidades de los niños para aprender, especialmente aquéllos con menos posibilidades de lograr los niveles exigidos. El gobierno ya ha destinado £200 millones para establecer actividades educativas extra-escolares.

Naturalmente, el aprendizaje no acaba en las puertas del colegio o la universidad. La visión del gobierno es la de una sociedad que estudia, en la que todos tienen la oportunidad de mejorar sus conocimientos y habilidades durante toda su vida. Entender esta perspectiva requerirá un cambio drástico en la cultura, una revolución sostenida de las aspiraciones y los logros y un esfuerzo continuado y colectivo de los individuos, empresarios y el gobierno. La Universidad para la Industria que se ha propuesto estará diseñada para abrir las puertas al aprendizaje para muchas personas que no hubieran podido acceder a él. Las *Cuentas Individuales de Aprendizaje* propuestas ayudarán a hacer de estas oportunidades una realidad. El primer paso que proponen es abrir un millón de cuentas de aprendizaje, con una contribución pública de £150 por cuenta.

La sanidad es, por supuesto, motivo de especial atención en *The Green Book* que recuerda que el Servicio Nacional de Salud (NHS) ha sido siempre un elemento central y apreciado del Estado de Bienestar de la posguerra. En los 50 años que han pasado desde su fundación, el NHS ha superado muchos retos pero ahora debe enfrentar otros.

En primer lugar, el NHS necesita reformas y modernización. El servicio de salud sigue centrado en el tratamiento más que en la prevención de las enfermedades y el actual mercado interno fomenta este *statu quo*. En segundo lugar, los beneficios del servicio no se comparten equitativamente. En tanto que, en general, la salud de la población mejora, la salud de los más acomodados lo hace más rápidamente que la de los menos favorecidos. Las desigualdades en la salud reflejan desigualdades en los ingresos, oportunidades laborales, niveles de vida y educación. Las políticas para combatir la marginación social, aumentar los puestos de trabajo y las cualificaciones son fundamentales para estrechar el abismo en la salud.

Se ha señalado la intención del *New Labour* de acabar con el antiguo mercado interno en el servicio de salud y sustituirlo con un marco de trabajo basado en la cooperación. Sin embargo, para impulsar la eficacia, existe también una serie de nuevos indicadores de rendimiento, cambios en las prácticas, reorganización de la atención primaria y particular atención a la excelencia y estándares clínicos y que el dinero que se ahorre con la reducción de la burocracia, junto con una inversión sustancial adicional en el NHS, sirva para mejorar los servicios de primera línea tanto en los hospitales como en la comunidad.

Para las personas más vulnerables de la sociedad, los servicios sociales resultan frecuentemente tan importantes como la atención sanitaria. En particular, realizan una enorme contribución al bienestar de los individuos, comunidades y sociedad, mediante la ayuda a los ancianos, en su casa o en residencias; la protección y atención de los niños y jóvenes vulnerables, para mejorar sus oportunidades en la vida; la ayuda a las personas con problemas de salud mental; y la ayuda a las personas con discapacidades para que sean tan independientes como sea posible.

La agenda del gobierno para la salud va más allá de un enfoque reactivo frente a la enfermedad y presenta una visión atrevida, de un servicio sanitario más centrado en la promoción de la prevención de enfermedades. Estos objetivos clave son: mejorar la salud de la población como conjunto, prolongando la esperanza de vida de las personas y el número de años que pasan libres de enfermedades, así como atenuar el abismo existente en los servicios sanitarios.

Para lograr estas metas, se ha suscrito un contrato nacional para mejorar la salud, que establece las acciones necesarias, por parte del gobierno, organizaciones locales e individuos, para obtener mejoras reales en la salud, centrado especialmente en acabar con las desigualdades en la salud. A nivel de los distritos, las autoridades sanitarias diseñarán Programas de Mejora de la Salud, con estrategias locales globales de mejora de la salud de esas comunidades.

La ayuda al alquiler a través del Subsidio de Vivienda y la ayuda a las autoridades locales y asociaciones de vivienda seguirá siendo un elemento importante de ayuda a las personas retiradas, con trabajos de bajos ingresos o temporal o permanentemente incapacitados para trabajar. Esta ayuda está pensada para que estos grupos puedan pagar una vivienda aceptable. Hay una relación entre una vivienda adecuada y decente y la buena salud, así como indicativos de que una vivienda adecuada puede tener efectos positivos en otros aspectos, como el éxito escolar. Hay concentraciones de viviendas inadecuadas y en mal estado, en zonas con grandes carencias: comunidades con altas tasas de desempleo y criminalidad, servicios pobres, vandalismo y otros problemas. Las viviendas pobres y en malas condiciones son características de las comunidades marginadas. Los desempleados y las personas vulnerables quedan atrapadas en estas zonas, en tanto que los residentes que pueden elegir se marchan. El gobierno ha destinado capital para acabar con la carga de las reparaciones de viviendas y reducir la falta de ésta, combatiendo la necesidad insatisfecha de vivienda. La Iniciativa para las Personas Sin Hogar se ha ampliado a 27 ciudades fuera de Londres. Reducir el número de personas sin hogar es uno de los objetivos centrales de la Unidad de Marginación Social, que presentará un informe este mismo año.

En cuanto a las ayudas específicas para las familias y niños, se ha propuesto como prioridad ayudar a las familias y niños y combatir la lacra de la pobreza infantil pues un principio fundamental del Estado de Bienestar debe ser ayudar a las familias y los niños. Pero el modo de hacerlo actualmente debería cambiar. La forma de la familia ha cambiado significativamente en las últimas décadas. Sin embargo, *las familias siguen siendo el pilar de la sociedad*. Reuniendo los ingresos, las familias proporcionan una mejor calidad de vida a todos sus miembros. Además, existe un grave problema de pobreza infantil, con casi 3 millones de niños creciendo actualmente en hogares sin trabajo, en muchos casos en familias monoparentales. Los objetivos son:

a) ayudar a todas las familias con niños, especialmente las familias más pobres;

b) ayudar a los padres desempleados a entrar en el mercado laboral, reduciendo las barreras al trabajo, especialmente la falta de atención infantil asequible;

c) ayudar a los padres que trabajan;

d) garantizar que el apoyo económico y emocional de los padres perdura incluso tras la separación; y

e) reducir el número de embarazos entre las niñas menores de 16 años.

Los laboristas han subrayado asimismo su compromiso con el Subsidio Infantil en el Presupuesto. El Subsidio Infantil debería seguir siendo universal, y lo será, allí donde lo es y debería seguir pagándose como hasta ahora, directamente a la madre, con un incremento en la tasa de subsidio para el primogénito de £2.50 semanales, desde abril del año próximo. Además del aumento del Subsidio Infantil, aquellas familias con subsidios dependientes de los ingresos, recibirán £2.50 adicionales por semana por cada niño menor de 11 años. Esta medida reconoce las presiones adicionales que afrontan las familias con niños pequeños y representa una inversión sustancial de recursos en los más necesitados.

Combinar el trabajo remunerado y el cuidado de los hijos es un ejercicio de malabarismo constante. Ser padre y trabajador no es fácil y los progenitores que trabajan necesitan toda la ayuda posible. Las propuestas para mejorar la calidad de la atención infantil son cruciales. El Grupo Ministerial para la Política Familiar está estudiando qué se puede hacer para mejorar la educación y ayuda de los padres. Los niños necesitan tanto el tiempo como el afecto y la ayuda económica de sus padres. Ésta es una de las razones por las que el gobierno está aplicando la *Directriz del Horario de Trabajo*, que limitará el número de horas que los empresarios pueden exigir de sus empleados. Esto permite a los padres que trabajan pasar más horas con sus hijos. Por primera vez, otorgará un derecho estatutario a las vacaciones. La *Directriz por Baja de Maternidad o Paternidad* se aplica también en el Reino Unido, incrementando así las oportunidades de los padres con niños pequeños de dejar de trabajar durante un tiempo, sin recibir sueldo.

Aunque estas políticas de promoción de prácticas laborales orientadas a la familia no han sido vistas hasta ahora como medidas del bienestar, el gobierno (laborista) las considera al menos tan importantes como los cambios en la estructura de subsidios.

Finalmente, los laboristas británicos se formulan una pregunta cuya respuesta ofrece extraordinario interés en una perspectiva comparada; en términos generales, «¿qué conclusiones es posible extraer del pasado a propósito de la seguridad social?».

a) La reforma no es un nuevo reto para la seguridad social. Es la norma. Todas las generaciones, desde comienzos de siglo, han visto cambios importantes en la orientación de las provisiones sociales. Ha habido al menos nueve respuestas diferentes exclusivamente para las pensiones.

b) Los efectos del cambio en la seguridad social son impredecibles. En 5 años, las primeras pensiones de vejez costaban el doble de lo previsto. Cuando los pensionistas obtuvieron acceso a subsidios dependientes de los medios y no estigmatizados en 1940, hubo cuatro veces más solicitantes de lo que se esperaba en el primer año. Los subsidios por discapacidad y asistencia introducidos en 1970 han aumentado mucho más de lo que se esperaba en principio.

c) El alcance del bienestar se ha ampliado continuamente, a medida que han aumentado la renta nacional y las expectativas de las personas. El gran problema de todas las etapas del desarrollo del bienestar ha sido cómo cubrir mejor los costes.

d) No hay una solución permanente. Los mismos problemas de los incentivos, equilibrio entre las provisiones estatales y privadas, de cómo ayudar a las familias, han surgido en cada una de las etapas del desarrollo de la seguridad social. El reto de la reforma del bienestar es cómo lograr mejor este equilibrio en las circunstancias especiales actuales y del futuro.

VI. LOS DEMÓCRATAS NORTEAMERICANOS[28]

La historia de la seguridad social norteamericana comienza en 1935 con la creación de un programa de seguros sociales destinado a pagar, a los trabajadores retirados de 65 años o más, una pensión de jubilación. Algunas cuestiones originalmente planteadas como la cobertura de las minusvalías y los beneficios médicos deberían esperar a fechas posteriores, hasta las enmiendas a la Seguridad Social de 1980 que fundamentalmente exigieron un control mayor de la elegibilidad continua de los beneficiarios. En 1996 hubo un cambio básico en la filosofía del programa sobre las minusvalías, pues a partir de esa fecha los nuevos postulantes a beneficios sociales por ese motivo ya no podrían ser elegibles por adicción a las drogas o el alcoholismo como factor determinante de su minusvalía.

Las ayudas a los desempleados, a la niñez y los apoyos financieros a los estados federados que proporcionan cobertura social, habrían de esperar aún más tiempo. En 1939 una enmienda añadió dos nuevas categorías de beneficios, consistentes en los pagos a la esposa y a los niños menores de un trabajador jubilado o prematuramente fallecido. Este cambio transformó la seguridad social desde un programa de pagos por jubilación a un *programa de seguridad basado*

28. Las referencias básicas del actual gobierno demócrata han sido extraídas de Gov. B. Clinton & Sen. A. Gore: *Putting the People First (How We Can Change America)*, Times Books, 1992. Para el momento actual la remisión es «The President's Economic Plan», especialmente en lo relativo al presupuesto federal para 1999, *A Balanced Budget that Puts the People First*, The White House, Dec. 4, 1998.

en la familia. En 1950 la ley consideró los efectos corrosivos de la inflación sobre las prestaciones sociales en dinero y estableció las llamadas COLA's, que corregían los deterioros en el ingreso causados por este motivo. En 1982, las COLA's se hicieron automáticas basándose en la evolución el IPC[29].

La década de los '60 trajo también cambios fundamentales en los programas de la Seguridad Social. La elegibilidad para el seguro de vejez fue rebajada a los 62 años y gracias a los cambios legales el número de receptores de los beneficios por invalidez subió de 742 000 a 1.7 millones de norteamericanos.

Pero el cambio más significativo fue el establecimiento en 1965 del Medicare, con lo cual la Agencia de la Seguridad Social (SSA) se hizo responsable de la gestión de un nuevo programa de seguros sociales que extendió la cobertura sanitaria a casi todos los americanos de 65 años de edad o mayores. Cerca de 20 millones de beneficiarios se apuntaron al Medicare en los primeros 3 años de su funcionamiento.

Con las enmiendas de 1983 los problemas financieros de corto plazo de la Seguridad Social fueron resueltos enfrentándose los desafíos de solvencia para el largo plazo. Debido a los cambios en los patrones demográficos (fundamentalmente el paso de la generación del «*baby boom*» a los años de retiro), los programas de la Seguridad Social no se encuentran situados en un equilibrio actuarial de largo plazo, lo que significa que no habrá suficientes ingresos para pagar todos los beneficios comprometidos en los próximos 75 años. Cuando la Seguridad Social fue establecida en 1935, una persona de 65 años tenía una esperanza de vida de 12.5 años; hoy, esa expectativa es de 17.5 años y sigue subiendo. Adicionalmente, 76 millones de *baby boomers* comenzará a jubilarse alrededor del año 2010 y en 30 años más habrá cerca del doble de americanos ancianos que los que actualmente viven[30]. A la vez, el número de trabajadores que cotizan a la Seguridad Social, por cada uno de los beneficiarios, caerán de 3.3 a 2. Estos cambios remecerán el sistema americano de pensiones.

29. El 16 de abril de 1998, se realizaron cambios en el sistema de cálculo del IPC con efectos sobre las prestaciones sociales pues lo sobrevaloraban, mientras los beneficiarios compraban bienes y servicios más baratos que los seleccionados en la canasta correspondiente. J. M. Berry «CPI Revision to Mean Smaller COLA Increases»: *The Washington Post*, April 17, 1998.

30. En 1965, los norteamericanos de 65 años y más eran el 9% de la población; en 1995, alcanzaban al 13% y en el año 2030 llegarán a ser el 20% de la misma, «The boomer's queasy future»: *The Economist*, Dec. 5th, 1998.

En 1994, el Congreso y millones de norteamericanos rechazaron el proyecto de ley propuesto por el Gobierno que pretendía ser la nueva la Ley de Seguridad Sanitaria. Hoy muchos de estos ciudadanos podrían sorprenderse al saber que durante los cuatro últimos años el Congreso ha ido adoptando gradualmente el plan de Clinton, basado fundamentalmente en el objetivo de un sistema de prestaciones sanitarias supervisado federalmente y en una gestión rigurosamente controlada de las redes de servicios sanitarios. En una palabra, componentes esenciales del plan original de Clinton han llegado a ser política federal que abarca sectores importantes de la economía sanitaria norteamericana[31].

El control de los costes sanitarios a través de una política presupuestaria equilibrada que consiga un saneamiento financiero hacia el año 2005 pasa por fortalecer el Fondo para el Seguro Hospitalario (HI), por proporcionar seguros sanitarios a las familias durante 6 meses después de la pérdida de un empleo, por reformar el Medicare para hacerlo más atractivo como opción y mejorar sus beneficios para determinadas enfermedades, por mantener la cobertura sanitaria en los cambios de trabajo y mejorar la disponibilidad y solvencia de la cobertura en relación con las PYMES, por aumentar la deducción en las cotizaciones a los auto-empleados hasta el 50% y, por supuesto, reducir el déficit del sistema en 271 billones de dólares en el curso de los próximos 10 años.

En lo concerniente a la reforma del mercado de los seguros sanitarios, los aseguradores serán fiscalizados severamente si deniegan cobertura a los ciudadanos con situaciones médicas preexistentes o establecen nuevas condiciones sin atender a su situación sanitaria personal. Asimismo, les será exigida la oferta de cobertura a los pequeños empresarios y sus trabajadores, sin considerar su estado de salud y controlando su capacidad de modificar las condiciones del contrato. Finalmente, los aseguradores deberán proporcionar información a los consumidores sobre sus planes sanitarios, incluyendo precisiones sobre los proveedores del uso de los servicios y el cumplimiento de ciertos niveles uniformes de calidad.

En el área de la educación y la formación los demócratas aumentarán las inversiones en 9.5 billones de dólares hasta el año 2002, mientras el aumento global del gasto en el sector será de 40 billones durante los próximos 7 años. El Plan Económico de Clinton se refiere funda-

31. C. J. Gavora: «*A Progress Report on the Clinton Health Plan*», The Heritage Foundation Backgrounder, February 25, 1998, 1158.

mentalmente al incremento de la inversión pública en cada uno de los grandes apartados del sector a través de 70 programas orientados en especial hacia becas para la educación superior juvenil, el mejor aprendizaje y docencia, así como a apartar a las escuelas y colegios del abuso de las drogas y la reducción de la violencia. Los demócratas acelerarán la aplicación de los Préstamos Federales Directos a los alumnos, que suponen 25 billones de dólares en préstamos, que beneficiarán a 6 millones de personas anualmente, con menores costes para el Gobierno, las escuelas y colegios y los estudiantes.

En todos y cada uno de estos casos, el Gobierno dirigido por los demócratas ha resaltado con detalle el contenido restrictivo de las políticas propiciadas por los republicanos en el sector y que esencialmente se han traducido en la propuesta de severos recortes de la financiación orientada al mismo.

Las alternativas a este escenario son simples y, hasta cierto punto, compartidas con la situación de otros países. En efecto, se trata de mantener a la Seguridad Social esencialmente tal como es, con restricciones fiscales y reducción de las prestaciones con la posibilidad de invertir algunos activos en los mercados privados. O bien un Plan de Cuentas Individuales con un pago adicional sobre las nóminas del 1.6% sobre los salarios para financiarlas, manteniéndose la gestión por el Gobierno. O una privatización parcial de la Seguridad Social que aprovecharía una parte de las cotizaciones sociales para ser gestionada en cuentas individuales.

En enero de 1998, con ocasión del mensaje sobre el Estado de la Unión, Clinton anunció una serie de suplementos financieros de largo plazo orientados a la financiación de la Seguridad Social bajo el lema, ya tantas veces repetido en el Programa General de 1992 y en iniciativas generales ulteriores, consistente en: «salvar la Seguridad Social primero» [32]. Fundamentalmente esos suplementos financieros han implementado una serie de propósitos consistentes en el fortalecimiento y protección de la Seguridad Social durante el siglo XXI, manteniendo su universalidad y equidad, proporcionando prestaciones que se encuentren real y permanentemente a disposición de todos los ciudadanos y sosteniendo una seguridad financiera mínima para los bajos ingresos y los beneficiarios minusválidos. Todo ello bajo la aplicación de una estricta disciplina fiscal [33].

32. «The Fiscal Year 1999 Budget»: *Press Release*, 4.12.1998.

33. El 9 de diciembre de 1998, la Casa Blanca invitó a unos 250 legisladores, analistas políticos y especialistas varios a una Conferencia sobre el futuro de la Segu-

En esas fechas, el Vicepresidente anunció por primera vez —marcando una auténtica novedad en la programación comparada— que las *víctimas de violencia doméstica se encuentran autorizadas para obtener un número nuevo e independiente de la Seguridad Social,* proporcionando una declaración escrita sobre abusos domésticos proveniente de terceros autorizados, tales como la dirección de una casa de refugio local, el médico habitual o un funcionario de la policía. Las víctimas de esa violencia doméstica serán ayudadas por los tribunales, los médicos, psicólogos y la misma policía, para reunir la documentación necesaria y asegurar la obtención de un nuevo número de la Seguridad Social.

Después de doce años de gestiones republicanas continuadas (Reagan-Reagan-Bush), los demócratas ganaron por segunda vez consecutiva las elecciones presidenciales en 1996, debiendo luchar contra algo más que un contendiente en una campaña presidencial, en este caso Robert Dole. En efecto, aquellos 12 años constituyeron —como en el Reino Unido bajo Thatcher— un ejercicio paradigmático orientado hacia la desarticulación del Estado de Bienestar sostenido con un respaldo de carácter académico nada despreciable cuyos orígenes cabe situar a partir de los años '60 en la Universidad de Chicago y que no es el caso comentar aquí. En este sentido y como es bien sabido, los años '80 representan una ofensiva en toda regla hacia las políticas públicas de bienestar que no son denostadas únicamente por su gestión sino como una *concepción general* de las obligaciones del Estado hacia la sociedad en el marco de una sociedad liberal capitalista, que es cuestionada en todas sus manifestaciones. Es en esta perspectiva que debe entenderse el significado de las elecciones presidenciales de 1996, ratificando los resultados de 1992, en su *sentido* político.

Ante las reacciones conservadoras por las políticas paliativas del neoliberalismo del primer período de Clinton, el programa de 1996 enfatiza y desarrolla operacionalmente los valores que según los demócratas deben inspirar el funcionamiento de la sociedad americana debido a su profunda raigambre histórica dentro de ella. Oportunidad, Responsabilidad y Comunidad, en la forma en que son entendidos por el pensamiento post-conservador de los '90.

ridad Social en los Estados Unidos y las distintas alternativas para la financiación del sistema. En diciembre de 1998, esta iniciativa fue interpretada por los analistas políticos como un intento de aprovechar los alentadores resultados electorales alcanzados por los demócratas el 3 de noviembre, en un entorno político de enormes dificultades para Clinton, lo que le permitiría recuperar la iniciativa ante los republicanos, «Oh lucky man»: *The Economist*, Nov. 7th, 1998.

La oportunidad para todos los que, como en los últimos 220 años, han tenido la responsabilidad de aprovecharla [34], expresada en diversas realizaciones:

Crecimiento económico, a cuyo amparo se han creado 10 millones de empleos, con tasas de inflación, desempleo y tipos de interés en las hipotecas que son las más bajas en las tres últimas décadas, incluyendo 4.4 millones de nuevos propietarios de viviendas [35].

Equilibrio presupuestario, pues tras 12 años de estadísticas maquilladas de rosa por los republicanos, se había cuadruplicado la deuda nacional. Se prometió disminuir el déficit a la mitad en 4 años y se hizo. Ahora, debe perseverarse en esa acción para restablecer completamente el equilibrio hacia el 2002 pero *sin descuidar áreas sociales fundamentales* hacia los mayores y los niños, eliminando programas extemporáneos y dispendiosos y defendiendo decididamente el Medicare y el Medicaid (ante la tentativa republicana de recortarlos drásticamente) y la Seguridad Social para todos, protegiendo la educación [36] y el medio ambiente y defendiendo a las familias de los trabajadores, todo lo cual implica preservar el valor de la *oportunidad*.

El Crédito Fiscal sobre el Impuesto de la Renta ha significado el alivio tributario para 40 millones de americanos que comprenden 15 millones de hogares y fue aprobado sin un solo voto republicano afirmativo mientras el presupuesto propuesto por Dole-Gingrich estaba diseñado para beneficiar masivamente a la parte de la población más adinerada, elevando proporcionalmente los impuestos para la generalidad de los americanos y disminuyendo los cuidados sanitarios para la tercera edad. Esta perspectiva social fue aplicada asimismo en la asignación de recursos para I+D y telecomunicaciones para crear miles de empleos adicionales, así como también la firma de acuerdos comerciales internacionales como el NAFTA y la reforma del GATT con el mismo objetivo final.

En educación, el programa se ha opuesto decididamente a los recortes presupuestarios avalados por los republicanos y plantea el fortalecimiento del Programa Objetivos 2000 para potenciar la educa-

34. Presidente Andrew Jackson: «Creemos en la igualdad de oportunidades para todos y en privilegios especiales para nadie».

35. *1996 Democratic National Platform*, adoptada en la Convención Nacional Demócrata del 27 de agosto de ese año.

36. Los republicanos pretendían quitar los almuerzos escolares a partir de los 10 años de edad, los trabajos de verano desde los 15 años y los préstamos escolares a partir de los 20 años de edad.

ción secundaria, incluyendo el novedoso concepto de *alfabetismo tecnológico e informático* que habilita a los alumnos para desenvolverse fluidamente en el uso de las nuevas tecnologías computacionales, lo que resulta esencial para el éxito en el funcionamiento de la nueva economía, tal como lo ha defendido con ahínco el Vicepresidente Gore, que insiste en el cableado de cada aula y biblioteca con las Superautopistas de la Información en el año 2000. La orientación de la formación hacia el trabajo y la potenciación de la educación universitaria y el acceso de 5.5 millones de estudiantes a ella a través de la asignación masiva de becas y el programa nacional de servicios para obtener recursos personales para financiar los estudios, se inscriben en la misma perspectiva.

Sobre la reforma del bienestar, el Partido Demócrata está consciente que no hay una mayor brecha entre los valores americanos y la forma actual de gobierno que los fallos del sistema de bienestar. Cuando Clinton llegó a la presidencia en 1992, el sistema de bienestar se encontraba socavado en sus principios —trabajo, familia y responsabilidad personal— sistema que debería promocionar y reflejar esos valores. Dicen los demócratas: «queremos apoyar a la gente que quiere ayudarse a sí misma y a sus hijos». Entre 1992 y 1996, Clinton ha transformado fundamentalmente el sistema de bienestar, desligando a 43 de los 50 Estados de la normativa federal para poder reformar sus propios regímenes de bienestar y, gracias a esa transformación, la nueva normativa de bienestar, el cuidado sanitario y la atención infantil que permiten tranquilidad a los padres.

Para el 75% de los americanos que se encuentran amparados por el régimen de bienestar las reglas han cambiado para mejor y el bienestar ha llegado a ser lo que debe ser: una segunda oportunidad *y no una forma de vida*. Las nóminas del bienestar finalmente han descendido, y cerca de 1.8 millones de personas se encuentran fuera de ellas en relación con enero de 1993, cuando Clinton asumió la primera presidencia.

«Pero el nuevo plan de bienestar —afirman los demócratas— asigna a los Estados Unidos una oportunidad histórica: romper el círculo de dependencia para millones de americanos brindándoles un futuro independiente: Necesitamos transformar un sistema quebrado que sume a la gente en un régimen laboral que le impide construir una vida mejor. Debemos asegurarnos que mucha gente aprecia como viable el paso de los subsidios del bienestar al trabajo y establecer una división coherente de responsabilidades entre el Estado Federal y los Estados Federados en cada uno de los beneficios que componen el Estado de Bienestar.»

El apoyo a la niñez ha significado un esfuerzo presupuestario adicional así como también los embarazos adolescentes y el derecho de las mujeres a optar en determinadas circunstancias por el aborto subsidiado. Siendo la familia una de las bases de la fundación de la vida americana, los demócratas han acuñado la consigna de «situar a las familias primero» [37] y apoyan los temas fundamentales de la Primera Agenda Familiar, es decir, el cheque de promoción, los cuidados sanitarios, las pensiones de jubilación y la seguridad personal. A lo que debe añadirse la creación de mayores oportunidades educativas y económicas, requiriendo mayores responsabilidades en los individuos, empresas y gobiernos. Los demócratas han desbloqueado la Ley de Permisos Médicos y Familiares que había permanecido sin aplicar durante los últimos 8 años de las gestiones republicanas, conduciendo a los afectados a una dramática elección entre sus familias y sus puestos de trabajos. El paso siguiente consiste en que los padres puedan dejar el trabajo sin pago eligiendo flexiblemente los horarios para poder atender, cuando sea necesario, a sus responsabilidades como tales, incluyendo las reuniones entre padres y profesores y, por supuesto, llevar a los hijos al médico [38].

Durante los 4 años de la primera gestión de Clinton, el porcentaje de personas que tuvieron acceso a su propia vivienda se incrementó con la mayor velocidad apreciada en los últimos 30 años. Se adoptaron inmediatas iniciativas para rechazar la no deducción fiscal de las hipotecas en lo concerniente a sus intereses. Satisfaciendo la oferta electoral de 1992, *se estableció como permanente el crédito sobre el impuesto de la vivienda para personas de bajos ingresos*, alentando a los constructores privados para edificar viviendas más accesibles. El sistema público de viviendas fue transformado radicalmente después de décadas de negligencia. En los últimos 4 años el gobierno *demolió más unidades de viviendas públicas inhabitables* que lo realizado por los republicanos en los 12 años precedentes.

Durante los mismos 12 años de gestión republicana, la protección del medio ambiente estuvo lejos de ser una prioridad para el gobierno y las iniciativas de progreso ambiental emprendidas por los demócratas se encontraron sujetas al ataque desde la extrema derecha, como por ejemplo, la tentativa de recortar los recursos para la

37. Es preciso recordar aquí que el lema de la campaña demócrata en 1992 fue «situar al pueblo primero», es decir, colocarlo como principal prioridad para las políticas públicas.

38. Nótese la coincidencia, una vez más, con los planteamientos del *New Labour* sobre la materia.

protección ambiental en un 25%, para lo que contaron incluso con los apoyos del senador Dole y el portavoz Gingrich. En una curiosa coincidencia con los Verdes alemanes, los demócratas americanos han asociado también la *protección del medio ambiente con la creación de empleo* y, desde luego, con facilidades normativas de parte de la Administración si se cumplen con unos determinados objetivos de protección ambiental. También la política de medio ambiente realiza cruces temáticos con la educación, el desarrollo de las PYMES, la política sanitaria y el desarrollo económico sostenible, tal como se ha observado en el caso de otros entornos políticos.

VII. LOS SOCIALDEMÓCRATAS SUECOS (PSDS) [39]

Pocas veces aparece dibujada de una manera tan nítida la relación entre el Estado de Bienestar y las vicisitudes políticas como en el caso sueco, debido quizá a su sólida implantación a través del tiempo y el concurso de las diversas agencias sociales, especialmente los sindicatos. A ello debe añadirse el juego de las variables internacionales que han marcado el funcionamiento de la economía mundial a partir del primer *shock* del petróleo, desencadenado en octubre de 1973. Y ello a pesar de que la política sueca es conocida en el resto del mundo como el ejemplo de ejercicio socialdemócrata del poder que más ha durado. El PSDS, fundado en 1889, estuvo en Gobierno de manera ininterrumpida desde 1932 hasta 1976 (aparte de un interregno de tres meses en 1936), después de lo cual volvieron a formar gobierno en 1982, posición que perdieron de nuevo en 1991, pero que recuperaron, hasta la fecha, en las elecciones de 1994.

Durante muchos años, Suecia tuvo una de las tasas de participación en el mercado de trabajo más elevadas del mundo. Mientras que el desempleo en otros países seguía subiendo después de las crisis del petróleo de los años '70, Suecia constituyó una notable excepción. El porcentaje de la población entre 16 y 64 años de edad con trabajo remunerado aumentó de forma señalada, de un 70% a principios de la década de los '50 al 82.6% en 1990. Un importante factor en esa tendencia fue *la continua expansión del sector público*. Desde 1950, todo el crecimiento del empleo ha tenido lugar dentro de ese sector [40].

39. La información sectorial correspondiente a 1998 proviene del Instituto Sueco.
40. *La Seguridad Social en Suecia*, Instituto Sueco, mayo de 1998.

En la presente década, y hasta ahora, la situación del mercado de trabajo ha cambiado espectacularmente. La posición puntera de Suecia ha desaparecido. Entre 1990 y 1994, la población activa disminuyó en más de medio millón de personas. Como consecuencia de ello, la participación de la población activa bajó al 77.6% y el número de empleados cayó al 71.5%. La caída del empleo remunerado dio por resultado una tasa de desempleo mucho más alta. En 1994, el desempleo registrado era del 8% en total, en comparación con el 1.7% de 1990. Sin embargo, el aumento de ese desempleo fue mucho menor que la caída del empleo, dado que mucha gente que había perdido su puesto laboral, *pasó a participar en programas del mercado de trabajo, comenzó a estudiar o a cobrar pensiones de invalidez.* La situación en el mercado laboral sueco no cambió notablemente en 1995 y 1996. A pesar de un crecimiento económico medio del 2.5% anual, el empleo no ha aumentado. El nivel de empleo y la participación de la población activa siguen siendo, por tanto, relativamente bajos. En 1996, el número de desempleados representó el 8.1% de la población activa. Si se incluyen también las personas objeto de medidas del mercado laboral, entonces la cifra de desempleo llega al 12.6%.

En comparación con otros países, Suecia se caracteriza por una distribución relativamente equilibrada de las rentas y el bienestar. Ello se debe, en parte, al papel comparativamente grande desempeñado por el sector público, cuyos organismos emplean a un tercio de la población activa. El consumo y los gastos de capital de ese sector absorben un 30% del PIB y redistribuye otro 40% en forma de transferencias.

Una proporción considerable del gasto público consta de transferencias a las economías domésticas. El Estado sueco paga las pensiones básicas, los subsidios infantiles y los subsidios de vivienda. Por medio del subsector de la Seguridad Social, desembolsa asimismo las pensiones suplementarias basadas en los ingresos habidos, así como los subsidios diseñados para mantener el nivel de ingresos en casos de enfermedad, de permiso por el seguro de los padres y de desempleo. El subsector de las administraciones locales paga la asistencia social a personas con ingresos por debajo del mínimo vital.

Rasgos característicos del sistema sueco de seguros sociales son la *universalidad, la obligatoriedad y el diseño destinado a proteger el nivel de vida.* El sistema se financia principalmente mediante impuestos y cuotas patronales sobre la masa salarial.

Las tendencias económicas de los últimos años han conducido a un fuerte descenso de las rentas del trabajo remunerado de las economías domésticas. En términos reales, la renta total de empleados y empresarios bajó un 16% entre 1990 y 1993. La amplia red sueca de la Seguridad Social ha recorrido un largo camino para mitigar los efectos de esa pérdida de ingresos. *Las transferencias del sector público en forma de subsidios de desempleo y pensiones han aumentado abruptamente.* La renta real disponible de las economías domésticas creció entre 1990 y 1993 en un total del 4.7%. Al mismo tiempo, esa tendencia contribuyó al debilitamiento sumamente rápido de la Hacienda pública.

En marzo de 1996, el Primer Ministro socialdemócrata Göran Persson afirmaba[41] que, después de haber tenido la política de empleo y salarios en una espiral de aumento constante en la década de los '80, la baja coyuntural afectó a Suecia en forma muy fuerte y poco usual. No se había podido mantener baja la inflación. Se perdieron muchos puestos de trabajo en la industria de exportación. Los ingresos provenientes de impuestos disminuyeron mientras que el número de usuarios del seguro de desempleo aumentó, y ello mermó las finanzas estatales.

Recordaba Persson que un gobierno burgués estuvo en el poder entre 1991 y 1994 y que, como en el caso de Australia, trató de implantar las ideas neoliberales que recorrían el mundo[42] lo que significó una interesante experiencia política en la sociedad que ha encarnado el paradigma del Estado de Bienestar en el estudio comparado. Las finanzas del país empeoraron con suma rapidez. El país se endeudó considerablemente y el número de desocupados alcanzó niveles nunca vistos en la sociedad sueca.

La crisis económica internacional provocada por la drástica subida de los precios del petróleo en 1973, había hecho aumentar el desempleo también en Suecia. Hasta comienzos de esa década, había subido constante y rápidamente el nivel de vida, gracias a la expansión industrial que desde los años '50 había progresado a ritmo muy acelerado. Pero, desde mediados de los '70, el avance material fue mermado, hasta cesar por completo a fines de la década de los '80.

La crisis económica fue causa de la derrota socialdemócrata en las elecciones parlamentarias de 1976 y la formación de un gobierno de coalición de centro-derecha, dirigido por el presidente del Partido del Centro, Thorbjörn Fälldin. Sin embargo, hubo luego cambios sucesi-

41. Göran Persson, ministro de Hacienda y luego Primer Ministro, en el Congreso del Partido Socialdemócrata Sueco.

42. Realmente se trataba de la etapa final de la hegemonía formal neoliberal, que en los EE.UU. acabó con la elección de Bill Clinton en 1992.

vos en la composición del gabinete, debido a divergencias en cuanto a la ampliación continuada de la generación de energía nuclear. En vísperas de las elecciones parlamentarias de 1982, el debate giró —entre otras cuestiones— en torno al empleo y al déficit presupuestario. Triunfaron los socialdemócratas y constituyeron un gobierno con Olof Palme en el cargo de primer ministro. Mediante una devaluación de la corona y una serie de medidas enérgicas, logró el nuevo gobierno mejorar la situación económica del país. Gracias a la marcada recuperación de la coyuntura internacional, desde 1983, se pudo volver a equilibrar el presupuesto estatal sueco, y el gobierno aprovechó esta circunstancia *para ampliar considerablemente el sector público*, de tanta significación en el modelo sueco de bienestar.

Lo que es posible decir en términos generales —según Persson— es que la socialdemocracia ha realizado un trabajo eficiente al superar las diferencias sociales pero, a la vez, empleando la libertad de elección se ha dado a los ciudadanos mayor influencia sobre las mismas situaciones que plantea la vida. «La mirada de la gente hacia sí misma y su sentimiento de impotencia ante lo observado explica parcialmente nuestras pérdidas electorales en 1976 y en 1991. La derecha celebró un día ceremonial para describir las debilidades de nuestro sistema de bienestar.» A pesar del hecho consistente en que las soluciones que ellos proponían no fueron creídas por el pueblo, se constató que de ninguna manera la gente estaba preparada para votarlos continuadamente.

«Así fue como —recordaba Persson— empezó a cambiar todo el sistema y, naturalmente, bastante gente reaccionó pues no era éste el tipo de cambio por ellos esperado, *ya que no se trataba de recortes al bienestar lo que el pueblo quería.* Nuestras cifras de apoyo en las encuestas de opinión han crecido verticalmente coincidiendo con los recortes previsionales de la derecha y ahora presenciamos un debate en el seno de nuestro movimiento orientado sobre esto; cuando volvamos al gobierno en 1994, restableceremos con seguridad todas las ventajas, tal como existían anteriormente. Y éste es el gran peligro que enfrentamos. Recordemos que los ciudadanos de nuestro país nos volvieron las espaldas en 1991, tal como lo habían hecho en 1976, simplemente porque percibieron que carecíamos de respuestas a los desafíos del futuro y porque tal vez no les formulamos las preguntas adecuadas» [43].

43. De la intervención de Anders Sunström, el 17 de septiembre de 1993, en el Congreso del PSDS.

Para la socialdemocracia la relación entre finanzas estatales sanas y las posibilidades de mantener y crear una sociedad de bienestar *van intrínsecamente ligadas*. Ha estado siempre muy claro para la socialdemocracia sueca que la construcción del Estado de Bienestar *no se puede financiar con préstamos sino con recursos sociales y económicos propios*. La socialdemocracia sueca ha aceptado con mucha fuerza el desafío de conseguir un presupuesto estatal equilibrado sin hacer mucho daño al Estado de Bienestar sueco. Es posible decir, sin falso orgullo, que el trabajo de reconstrucción económica ha sido un éxito. La meta para el gobierno socialdemócrata es tener las cuentas equilibradas en 1998, seguida de una etapa de crecimiento económico. Todo indica que la meta se alcanzará e incluso se logrará antes del tiempo establecido.

Para la socialdemocracia sueca, la lucha contra el desempleo ha figurado como primer punto en el orden del día, inclusive hoy. El gobierno socialdemócrata se ha puesto como meta *reducir el desempleo a la mitad, antes del año 2000*. Este desafío, aparte de incluir un plan de ampliación de infraestructuras, supone también una vasta campaña de capacitación laboral en toda su extensión. Será productivo y positivo invertir en Suecia. Podremos ofrecer la fuerza de trabajo más capacitada, flexible y preparada del mundo para hacer frente a las técnicas de producción más avanzadas y modernas[44].

Que las medidas de ahorro en la finanzas hayan supuesto un descenso del sistema del Estado de Bienestar, es natural. Pero las reducciones se han podido limitar de tal manera que se han hecho a los niveles de un sistema de recambio. El principio de Estado de Bienestar general y las estructuras más importantes del mismo en Suecia se han mantenido intactas.

Al mismo tiempo, a la sombra de los problemas económicos, se desarrolla un debate intenso en el interior de la socialdemocracia sueca, que intenta responder a distintos interrogantes: ¿cómo se formará el Estado de Bienestar en el siglo XXI? El sistema actual que *se formó en la Suecia de los 60-70*, ¿qué exige en el futuro? ¿Cómo se forma un sistema de bienestar moderno? ¿Cómo tendrá que formarse para que las injusticias y nuevas diferencias de clases no se produzcan?

La gran misión de la socialdemocracia es encontrar las formas para que el poder de decisión sobre las actividades diarias pueda descentralizarse y donde cada vez más las decisiones sobre los servicios

44. Esta invocación triunfalista es compartida también, en los mismos términos, por los demócratas norteamericanos y el SPD alemán.

financiados en forma colectiva puedan ponerse en las manos de los usuarios. Al mismo tiempo en que las decisiones se deben tomar cada vez más cerca de los favorecidos, existe la necesidad de un trabajo internacional más intensivo. La globalización de la economía y la cultura trae consigo tanto amenazas como posibilidades. Vemos nuestra integración en la ONU y en la UE[45] como un instrumento en el trabajo por la paz y el desarrollo mutuo.

Entre los desafíos que la socialdemocracia sueca ha hecho suyos, se incluye el cambio de la sociedad y la economía *hacia un rumbo ecológico largo y duradero*. La lucha por la calidad de vida tiene máxima prioridad. El gobierno socialdemócrata ha invertido grandes sumas de dinero para el incentivo de la producción y viviendas ecológicas duraderas. Se está preparando el cambio de sistemas de energía, para salir de la dependencia de los combustibles fósiles y de la energía nuclear.

Este cambio exige iniciativas económicas y aportes en común. Una inversión bien equilibrada en nuevas tecnologías y sostenibilidad ecológica en toda Europa podría sentar las bases de un nuevo desarrollo tecnológico con crecimiento económico y, *como consecuencia, nuevas fuentes de trabajo*[46].

Las mujeres llevan a cabo una gran parte del trabajo en el mundo, pero reciben como recompensa una parte mínima de los ingresos. El invertir en la *educación de las niñas* es la mejor inversión que las sociedades pueden hacer para tener un buen resultado tanto social como económico. A pesar de esto, nada sucede al respecto. La igualdad de los sexos debe ser una evidencia. Se han dado importantes ejemplos a seguir ya que las mujeres han tomado el liderazgo político[47]. Queda, sin embargo, mucho camino por recorrer para que la igualdad de los sexos pueda encontrarse en todas las esferas de la sociedad.

Inmediatamente antes del retorno de los socialdemócratas al poder, éstos preconizaban desde la oposición el énfasis renovado que era necesario poner en la relación posible entre políticas ecológicas y empleo[48].

45. Suecia ingresó en la UE el 1 de enero de 1995 en calidad de miembro, después de un plebiscito convocado en noviembre de 1994, en el que algo más del 52% de electorado se inclinó a favor de la adhesión.

46. Obsérvese la coincidencia de este planteamiento con las propuestas electorales de los Verdes alemanes y el SPD.

47. El sufragio igual y universal para las mujeres se introdujo en Suecia en 1921, con el triunfo del parlamentarismo.

48. Discurso sobre Europa de Ingvar Carlsson ante el congreso del Partido Socialdemócrata Sueco, el 17 de septiembre de 1993, para respaldar la integración de Suecia en la UE previa la celebración del referéndum sobre esta cuestión.

Afirmaba Carlsson que hay jóvenes europeos que ya no creen en la posibilidad de mantenerse a sí mismos a través de un puesto de trabajo decente. «El mensaje que reciben desde la sociedad es que: *no los necesitamos*. No pueden esperar que alguien les pague por ejecutar las tareas pendientes. Suecia se había encontrado apartada de estos problemas durante algún tiempo pero a través de los años '80, se ha visto cómo el desempleo nos ha afectado viniendo desde el continente, a través de Dinamarca, Noruega y Finlandia.

»Deberíamos —proseguía Carlsson— intentar aplicar las lecciones de Keynes y Wigforss según las cuales la economía de un país aislado en su condición de tal le puede llevar a una rápida catástrofe. Esto es justamente lo que le sucedió a la economía francesa bajo Mitterrand. Ellos han tenido que volver sobre sus pasos, adaptarse a la tendencia dominante y adoptar una política distinta a la rechazada enérgicamente por los electores. Esto es precisamente lo que me ha convencido —añadía Carlsson— de que debemos cooperar mucho más fuera de nuestras fronteras si queremos implementar una estrategia coherente para alcanzar el pleno empleo.

»Ahora el pueblo funda sus esperanzas en la Europa de los socialdemócratas. Nada hay de extraño en ello. Cuando se ha sostenido que se puede disfrutar de mejores ocasiones a través de los privilegios, hemos luchado por la democracia y la igualdad de oportunidades para todos. Cuando el mercado ha sido deificado hemos afirmado que el mercado es un buen servidor pero es también un orientador equivocado, un maestro incapaz *porque es insensible* a los valores de la dignidad humana y *del equilibrio ambiental.*

»¿Será capaz el movimiento socialdemócrata de formular objetivos comunes para el futuro? ¿Seremos capaces de diseñar un camino viable para alcanzar 20 millones de nuevos empleos únicamente en la Europa Occidental? ¿Seremos capaces de construir una nueva mayoría en Europa alrededor de nuestras ideas? En contra de nosotros se alinean no solamente las poderosas fuerzas dispuestas a aceptar los dictados del mercado sino también aquellos que piensan que la democracia puede permanecer tranquilamente en casa cuando los capitales y los empleos se desplazan libremente a través de las fronteras.

»Ha sido satisfactorio para los socialdemócratas suecos presenciar cómo un partido cuyo país no es todavía miembro de la UE —decía entonces Carlsson— es requerido para liderar el trabajo de diseñar una política de empleo para Europa. La confianza y las esperanzas depositadas en nuestro partido constituye una segura confirmación sobre cómo los demás aprecian nuestros esfuerzos. Debemos considerar el desempleo como un despilfarro de recursos que deben ser mejor utilizados en la aplicación de políticas positivas y no ser considerado como un problema social insuperable. En vez de pagar a la gente por no trabajar debemos utilizar esos recursos para la educación y desarrollar la competencia. En lugar de ser arrojada fuera de la empresa debe procurarse que la gente vuelva a ella con mayor capacitación, aceptando crecientes responsabilidades y ganando más dinero.

»Sólo a través del esfuerzo conjunto podremos superar las desventajas que tiene la democracia en relación con las fuerzas del mercado. Sólo trabajando juntos podemos invertir en nuevos trabajos sobre la tecnología de la información, del medio ambiente, del bienestar social y de la cultura sin hacer frente a un colapso monetario y de toda la economía y ser capaces de satisfacer las necesidades básicas y proporcionar un buen nivel de vida. Estos objetivos pueden parecer abstractos, pero tienen un rostro humano y estoy convencido que una Democracia Social Europea puede alcanzar este objetivo.

»Nada gustaría más a nuestros opositores que presenciar el espectáculo de unos socialdemócratas pugnando con otros. Ésta es, quizá, su única oportunidad de permanecer en el poder y se encuentran en desacuerdo hacia nuestras posiciones con profunda amargura.»

En ese mismo período, el que habría de ser el siguiente Primer Ministro socialdemócrata sueco, Ingvar Carlsson, resumía desde la oposición[49]: «Si pudiéramos retrotraernos en el tiempo, el número de personas registrados como cesantes disminuiría al 3%, el déficit presupuestario caería a 30 000 millones, y tendríamos 30 000 nuevas empresas, con 150 000 nuevos puestos de trabajo en la industria, que las cifras que hoy día tiene Suecia. Éste era el balance y la proyección de la situación cuando dejamos las riendas del gobierno y las entregamos a los partidos burgueses en el otoño de 1991. Piensen únicamente en cómo cambiaría todo si pudiéramos restablecer la situación en cómo era antes de que los Moderados comenzaran a arruinar Suecia. Desafortunadamente las cosas no son fáciles. Un nuevo gobierno socialdemócrata no recogería las cosas en el punto en que las dejamos en 1991. Deberemos hacerlo desde el punto en que las deje Carl Bildt en el otoño de 1994. En el área de la educación, los Moderados han retrasado el reloj en 40 años. Han disminuido los fondos para las escuelas municipales con el objeto de proporcionar generosas subvenciones a las escuelas privadas. Ésta no es una cuestión de

49. Discurso inaugural pronunciado por Ingvar Carlsson en el Congreso del Partido Socialdemócrata celebrado en Gotemburgo, el 15 de septiembre de 1993.

libertad de elección pues no se trata nada más que de una tentativa para reintroducir la división de clases, de viejo cuño, en la educación.

»Pero las cosas son peores que todo esto. Hoy hacemos frente al desempleo. En menos de dos años los moderados han hecho que el gobierno atrase el reloj en 60 años en lo referente a política laboral. Presenciamos hoy *la peor ola de despidos desde la Segunda Guerra Mundial.* Más y más personas se unen a la cola de los sin trabajo y sin vivienda.

»Los Moderados se disponen a aprovechar la crisis de nuestra economía con el propósito de modificar el sistema y cambiarlo para lanzar a grandes conglomerados de gentes hacia la carencia de libertad, hacia la injusticia y hacia la situación de pobreza que los gobiernos socialdemócratas han intentado durante décadas hacer desaparecer. Nosotros lo socialdemócratas hemos construido paso a paso una sociedad en que la libertad y la seguridad del individuo han aumentado. *Nuestra estructura social ha llegado a ser conocida como el modelo sueco.* Aquellos que quieren liquidar el modelo sueco de bienestar, aquellos que desean alcanzar un cambio de modelo, esa gente afirma que es posible poner un precio a todo. El modelo sueco es un valor que debe ser defendido. Las ideas en que se fundamenta se encuentran todavía vigentes y son necesarias. Debemos desarrollar el modelo y no destruirlo. Queremos un futuro en que pueda verse a Suecia en libertad, sin crecientes diferencias sociales. Y aquellos que piden establecer una clara diferencia entre la derecha y la izquierda en la política sueca, tienen su propia respuesta:

»*El medio ambiente no puede ser salvado y preservado sólo con el apoyo de las fuerzas del mercado.* Menos aún puede hacer el mercado para resolver los problemas globales del medio ambiente, para no mencionar las injusticias que conducen al hambre, la guerra y la persecución, fuerzas que arrojan a la gente fuera de sus hogares y de sus países. Queremos vivir en un país seguro y construido en solidaridad. Queremos vivir en una sociedad decente en la que el derecho al trabajo, a la educación y a una vivienda digna, así como también el derecho a una vida decente sean metas evidentes por sí mismas.»

Y entrando directamente en el terreno de las propuestas electorales, Carlsson proponía en esa especial coyuntura de la política sueca: «una futura estrategia para el pleno empleo debe considerar estas cinco cuestiones principales:

»*a*) Debemos invertir en la gente. Esta es una cuestión de educación, de mejoramiento de la formación. Asimismo, es una cuestión relacionada con la influencia sobre nuestros propios puestos de trabajo, sobre condiciones decentes para su desempeño y para asegurar un correcto ambiente laboral. Debe darse iguales oportunidades a hombres y mujeres. Debe haber un sistema de seguridad para los parados, los enfermos y los mayores.

»*b*) Debemos invertir en nuevas tecnologías. Europa se está quedando atrás. En el futuro debemos reservar el 3% de nuestro PIB para I+D. Los nuevos trabajos no provendrán de las industrias manufactureras tradicionales. Esto es algo difícil de reconocer, pero debemos aceptarlo. Las industrias contaminantes, las líneas de montaje y los trabajos pesados y monótonos no son el tipo de trabajo que esperamos para el futuro.

»*c*) Debemos invertir en el medio ambiente e infraestructuras. Debemos expandir la red ferroviaria de forma tal que podamos competir y disponer de más vías de comunicación que en la actualidad, uniendo el Este y el Oeste, el Norte y el Sur de Europa.

»*d*) *Debemos invertir en servicios sociales.* Mientras la población envejezca y más y más mujeres entren en el mercado laboral, la demanda de servicios para los niños, para la salud y las personas mayores aumentará. Ésta es un área en la que Suecia ha desarrollado *sustanciales ventajas comparativas*. Nuestro sector público ha hecho un trabajo excepcionalmente bueno que comprobamos cuando vemos que el Japón ahora compra nuestro modelo de asistencia en el hogar, los Estados Unidos compra nuestro sistema de cuidados en seguridad social y otros países están interesados en nuestros sistemas de salud, educación y servicios de emergencia.

»*e*) Debemos invertir en cultura. En el futuro, la vida cultural y su infraestructura desempeñará un papel mucho mayor en el contexto de la actividad económica de un país; cuando digo que debemos cooperar más en Europa y encontrar una estrategia común para reducir el desempleo no lo digo únicamente por razones económicas. Lo digo porque temo por el futuro de la democracia y de la paz en Europa. Si la democracia no puede proponer soluciones a los problemas cotidianos de la gente, entonces los populistas y los partidos extremistas explotarán los temores y preocupaciones creados por el desempleo y la pobreza.»

También Mats Hellström, a propósito de la discusión interna sobre la integración de Suecia en la UE, afirmaba[50]: «Ésta es una de

50. Discurso de Mats Hellström ante el Congreso del Partido Socialdemócrata, el 17 de septiembre de 1993.

las razones más importantes que explican por qué los partidos socialdemócratas de la CE y los de la EFTA que ahora postulan la integración, han creado una organización para la cooperación mucho más fuerte que la que hemos tenido hasta ahora: El Partido de los Socialistas Europeos (PES). El mercado ampliado y armonizado ya se encuentra ahí. Pero los socialdemócratas no podemos únicamente sentarnos y estar contentos con el sólo hecho de pertenecer a un mercado. Éste consiste mucho más en el punto final de un ejercicio para la derecha mientras que para nosotros es el punto de partida. El mercado llevará inevitablemente al cambio estructural, a la inseguridad y a la incertidumbre en lugar de crear crecimiento y puestos de trabajo. Los trabajadores y no sólo los intereses de capital deben alcanzar una posición segura en el mercado laboral. *Los consumidores* deben ser capaces de demandar una oferta amplia de bienes y servicios con rangos amplios de calidad y precio. No debemos permitir que los intereses del capital y del mercado prevalezcan en el debate sobre Europa.

»Estamos implicados en un proyecto difícil y estimulante, en la perspectiva apuntada hacia un nuevo partido y en nuestro trabajo para un manifiesto electoral conjunto para las Elecciones Europeas, un proyecto al que esperamos dar los toques finales en los próximos días; el Manifiesto será discutido en el Congreso del PES que se celebrará en noviembre. Este evento proporcionará una plataforma común a todos aquellos partidos que participen en el próximo año en las Elecciones Europeas. Como formamos parte de los países de la EFTA también nos encontramos implicados en este trabajo.

»Hace dos semanas —recordaba Hellström— las Federaciones Patronales Europeas se reunieron para preparar una estrategia europea y conseguir el apoyo de los políticos en diferentes países del Continente. Ésta es una estrategia concertada en la cual han concordado y que *consiste en buscar apoyo público y privado para disminuir los salarios, rebajar el nivel de la seguridad social y, finalmente, plantear mayores privatizaciones, todo lo cual ocupará y será el centro de su campaña*. Pareciera como que nosotros fuéramos a permanecer sentados aquí y decir que todo esto no es realmente muy importante y que la lucha contra esta forma de pensar es algo que puede diferirse.

»La estrategia socialdemócrata para Europa sobre los salarios, los puestos de trabajo, la seguridad social, el fortalecimiento de la posición de los asalariados en sus empresas, esa estrategia es algo que debemos llevar a los hogares con mayor energía que la que nuestros oponentes ponen desde el lado patronal en su campaña.»

Las perspectivas actuales, después de las elecciones del 20 de septiembre de 1998, en las que a pesar de haber tenido los resultados favorables más bajos en 70 años, los socialdemócratas se mantienen en el poder, con la colaboración del Partido de la Izquierda y los Verdes que ya han votado afirmativamente los Presupuestos de 1999. El Gobierno se ha propuesto que para el año 2004 el 80% de la población activa ha de tener un empleo lo que exige un crecimiento alto y estable y la creación de 70 000 puestos de trabajo al año. Para alcanzar estos objetivos se ha creado un «Superministerio del Crecimiento», cuyas competencias comprenden todas las áreas relacionadas con el mismo[51].

A tan sólo un mes de los comicios, los socialdemócratas presentaron un manifiesto electoral. En él, la propuesta que más llamó la atención fue la de que las cuotas pagadas a las guarderías infantiles, que hasta entonces habían estado en relación con los ingresos, quedarían ahora limitadas a un máximo de 700 coronas por hijo y mes. Ello condujo a amplios debates sobre la injusticia de una propuesta que costaría 3 500 millones de coronas, favoreciendo a los padres adinerados con hijos pequeños más que a otros más necesitados. Después de las elecciones, se demostró que el Gobierno no contaba con una mayoría a favor de la propuesta, hecho que no facilitó las cosas a los activistas del partido, que veían cómo se les acusaba de haber intentado atraer a los votantes con promesas electoralistas.

En definitiva, estas elecciones generales no tendrán incidencia sobre la configuración presente del Estado de Bienestar en Suecia y la votación basada en cuestiones determinadas está sustituyendo a la de los grandes principios siempre que éstos permanezcan inalterables.

VIII. Y LA TERCERA VÍA...[52]

El primer ministro británico Tony Blair ha sintetizado en su breve ensayo una *nueva política* consistente en armonizar los valores que han guiado la política progresista durante más de un siglo —democracia, libertad, justicia social e internacionalismo— con la libertad individual en una economía de mercado, entendiendo por éste a un ins-

51. B. Von Otter, *El nuevo Gobierno sueco necesita un par de muletas*, Instituto Sueco, noviembre de 1998.

52. T. Blair, *La Tercera Vía*, Fundación Alternativas y Ediciones El País, Madrid, 1998, precedido de un prólogo de José Borrell que ajusta este enfoque al devenir de la sociedad española.

trumento o técnica de asignación de recursos que debe servir a la sociedad pero que es incapaz por sí sólo de guiar a una nación.

El criterio central de la izquierda para organizar y administrar los valores socialmente relevantes es el impulso y defensa de la cohesión social que comparte ciertos objetivos y genera la voluntad necesaria para alcanzarlos. La responsabilidad histórica del thatcherismo consiste precisamente en la grave fractura social producida en el seno de la sociedad británica y, por extensión, en sus áreas de influencia ideológica.

Por ello, los socialistas españoles se plantean como primer objetivo, en un nuevo gobierno, hacer compatibles y complementarias la cohesión social, la competitividad de la economía y la sostenibilidad del desarrollo, aprovechando las ventajas y superando los riesgos de un mundo globalizado. Y el instrumento central para mantener la cohesión social es precisamente el Estado de Bienestar, como concepción global y en todas y cada una de sus manifestaciones sectoriales.

Quienes se oponen al Estado de Bienestar se desentienden absolutamente de la cohesión social y buscan precisamente insistir en mecanismos diferenciadores, abriendo mercados de servicios, generadores de enormes posibilidades de beneficios lucrativos. Ello conduce inevitablemente a la fractura social y al surgimiento de dos tipos de ciudadanos con perspectivas desiguales ante la realización vital.

La Tercera Vía supera las formas tradicionales de actuar de la vieja izquierda, aprovecha las posibilidades sociales de la economía de mercado y devuelve a la ciudadanía un auténtico sentido de responsabilidad que es ejercido sintiéndose partícipe de un proyecto común integrado.

IX. LA TENDENCIA ACTUAL EN ESPAÑA

En enero de 1999, siendo aun imprecisa la fecha de la celebración de las elecciones legislativas, el proceso de elaboración de los programas electorales se encuentra todavía en una fase preliminar. En lo que concierne al PSOE —como la formación socialdemócrata por excelencia en España—, sólo es posible recurrir a documentos de carácter general que contienen formulaciones de principios aplicados a la problemática que debe enfrentar la sociedad española al concluir el milenio. El *Manifiesto para una Nueva Época*[53] es una proclama de metas políticas fundada en la idea matriz sobre la cohesión social

53. Publicado el 3 de octubre de 1998.

que se extiende y desarrolla a través de todos los contenidos del documento. Sea en la defensa del Estado de Bienestar, en la construcción de la Europa política, en la preservación de España como unidad política o en la humanización de la convivencia y el reforzamiento de la cultura cívica, la idea de cohesión se hace presente con énfasis.

Esta idea-fuerza, como el mismo Manifiesto la designa, debe ser compatible con la competitividad de la economía y la sostenibilidad del desarrollo, aprovechando las ventajas y superando los riesgos de un mundo globalizado.

Puntualiza el Manifiesto que «vivimos un gran cambio. La mundialización ha supuesto la globalización de los mercados y la reestructuración a escala mundial de las actividades productivas. Este adaptarse está dividiendo al Tercer Mundo entre países aceleradamente emergentes enfrentados a una brutal crisis financiera y los que se hunden sin esperanza, y ha inaugurado una carrera en pos de la competitividad que dificulta el desarrollo sostenible a escala planetaria. Sin embargo, la mundialización puede y debe ser una oportunidad de crecimiento para todos. Los países que incrementarán su competitividad en el futuro son los que den a sus ciudadanos seguridad y cohesión social para afrontar los cambios». Afirman los socialistas que «el Estado de Bienestar es funcional y coherente con la orientación económica que proponen para España. No es posible entrar en el siglo XXI marcha atrás, hacia los salarios bajos y la eliminación de los gastos sociales. Para progresar en el nuevo entorno, la apuesta socialdemócrata es la producción competitiva de calidad, y ésta sólo será posible en una sociedad socialmente cohesionada e integrada».

Siempre en un tono generalista, propio de su naturaleza, el Manifiesto continúa afirmando que para la nueva época son necesarias en España políticas que, manteniendo el adecuado control del déficit público, mejoren la eficacia del sistema de protección social en la salud, la educación y los servicios sociales. La separación del sector público y privado, tanto en sanidad como en educación, no favorece ni a las clases populares ni a las clases medias ni a la cohesión social que se pretende alcanzar. Es precisa una síntesis de los mejores elementos de ambos sistemas, en un sistema universal y de financiación pública. Además el Estado de Bienestar en España tiene que desarrollar su atención a la infancia y a la tercera edad, liberando así de carga de trabajo a la mujer española, que es quien asume su cuidado privado.

Sin olvidar la perspectiva ecologista, el Manifiesto sostiene que «esa sociedad cohesionada que queremos no puede mirar hacia el futuro con honestidad sin cuestionar, en muchos de sus contenidos, nuestro modelo de vida y de bienestar, de producción y consumo. Un bienestar erigido sobre un uso descuidado o abusivo de las materias primas, del agua o de la energía, significa, a escala nacional, europea y planetaria, pagar un alto coste en términos de contaminación, de creciente desaparición de especies y de los ecosistemas».

Es necesario generar una dinámica social que se plasme en una voluntad política efectiva para integrar criterios de conservación del medio ambiente en todas las áreas de la acción pública: en la política fiscal, en la política agrícola, en el urbanismo, en la política industrial y energética.

Y continúa el Manifiesto, «en esta nueva época, el gran reto de España es avanzar hacia el pleno empleo sin convertir el trabajo en una simple mercancía, y sin permitir salarios de pobreza y precariedad que impiden la formación laboral». Rechaza el camino de las políticas neoliberales que pretenden resolver el problema del desempleo, a costa de dualizar la sociedad, políticas que tampoco aceptan la existencia de un paro estructural que, en España, dura ya 20 años.

Desde la transición a la democracia, se ha visto cómo el empleo crece en las épocas de expansión económica y se contrae en las épocas de recesión. Pero siempre, incluso en los mejores momentos de crecimiento de la economía, los desempleados se han contado por millones, se sienten inútiles a la fuerza y sometidos a la sensación de que no valen nada para nadie.

Las sociedades que hoy crecen hacia el futuro lo hacen considerando más importante su capital humano, la cualificación de sus trabajadores y de sus emprendedores, que su capital financiero. Por ello, es preciso colocar en primer plano el esfuerzo colectivo por aumentar el nivel de preparación de los españoles y el nivel tecnológico y competitivo de las empresas, mediante una apuesta radical por la educación y el progreso científico y técnico como las palancas claves del crecimiento económico español.

A nadie se le oculta la complejidad del problema del desempleo en España y el PSOE no quiere avanzar fáciles soluciones universales al mismo. Pero sí se compromete ante los ciudadanos españoles a que, en un futuro gobierno socialista, la lucha contra el desempleo será la prioridad principal.

Los jóvenes se sienten indiferentes ante el discurso político, cuando no agredidos, debido a las contradicciones que perciben entre las palabras y los hechos. Seguir ofreciendo un discurso monolítico con ideas-fuerza estáticas que no responden a la realidad cambiante que ellos perciben, hace que se sientan desconcertados e incluso irritados, si además los hechos y los comportamientos no recogen los valores de solidaridad, igualdad y justicia social generalmente compartidos por los jóvenes. La nueva política socialdemócrata debe recoger ese reto y romper el muro generacional para construir el nuevo proyecto político de la izquierda española.

Es urgente, según el PSOE, construir una Europa política, más solidaria en su inspiración, más democrática en las relaciones con los ciudadanos, más eficaz en su sistema de decisión y capaz de jugar en un mundo fragmentado el papel que ningún país puede ya jugar en solitario porque sólo en una Europa integrada podrá España desarrollar una política social avanzada.

Finalmente, el Manifiesto vuelve sobre su mensaje fundamental afirmando que la nueva política propuesta por los socialdemócratas es una garantía para el futuro; la cohesión social contra la plaga del desempleo; la cohesión social como aliada de la competitividad española; la cohesión territorial como garantía de la convivencia pacífica y plural de las regiones y nacionalidades de España; y, por último, la calidad en el ejercicio de la democracia como garantía de la cohesión política en un proyecto de país que va más allá de un programa electoral.

X. CONCLUSIONES

Es posible afirmar, a tenor de las tendencias programáticas expuestas, que el ámbito del Estado de Bienestar se ha ampliado a situaciones sociales y económicas que exceden considerablemente a los planteamientos originales de Lord Beveridge y sus formulaciones ulteriores dentro y fuera del Reino Unido a partir de 1944. Es evidente que la protección del medio ambiente, las políticas igualitarias hacia la mujer, la defensa de los derechos de los consumidores y otras subsumidas en el concepto de cohesión social, forman parte del acervo programático electoral a partir de mediados de los años '80 y se extienden con rapidez por las diversas realidades nacionales. Es paradójico pues que, después de la intensa agresión sufrida por el Estado de Bienestar en sus beneficios concretos y en su concepción propiamente dicha durante los años duros del neoliberalismo, se visualice su ensanchamiento ahora como una realidad evidente y se refuerce la estrecha relación existente entre las políticas que actualmente lo componen.

En el diseño de las nuevas políticas del Estado de Bienestar ha jugado un papel determinante el *efecto demostración* aplicado a los programas electorales, es decir, la tendencia a emular sus contenidos extrayéndolos de experiencias comparadas. Baste pensar en el caso de la reducción de la jornada laboral semanal de 39 a 35 horas, respetando los niveles salariales, o en la concepción algo más abstracta de emplear los fondos destinados a financiar los subsidios de desempleo en la creación de empleo, que se repite con frecuencia y vehemencia en los programas electorales (y en su aplicación) de los países señeros del Estado de Bienestar como Suecia, Alemania o el Reino Unido. Todo lo cual lleva a visualizar la perspectiva del bienestar social inserto en los procesos de globalización que comenzamos a vivir como mensaje final del siglo XX.

Entre las propuestas movilizadoras debe destacarse las concernientes a la política de igualdad de oportunidades dirigida a la mujer, defendida con énfasis por los Verdes alemanes, que no dudan en proponer una biografía laboral típica de la mujer y, como consecuencia de ello, unas pensiones específicamente femeninas, incluyendo el cómputo del trabajo doméstico para la determinación del importe de sus pensiones; o, la prioridad absoluta asignada por los socialdemócratas suecos a la inversión en la *educación de las niñas*; los beneficios básicos socialmente orientados que marcan una redefinición de la justicia social también propuesta por los Verdes en que se plantea *el mejoramiento de la situación de los desfavorecidos y no únicamente una compensación*; la política de empleo y sus complejas derivaciones, quizás el objetivo central de las políticas de bienestar hasta la fecha, se asienta ahora sistemáticamente en la reducción o flexibilización de las cotizaciones a la seguridad social en los diferentes programas analizados. La previsión del SPD de que el sistema de pensiones puede hacer frente a una crisis entre los años 2015 y 2030 para la cual se prevé desde ya una provisión financiera, indica hasta qué punto el calendario inmediato sobre el futuro del sistema comparado de pensiones puede establecer plazos con grados similares de exactitud, como en el caso de los EE.UU. en que esas fechas se fijan en el año 2032, en el que se agotarían los fondos previstos al proyectar el funcionamiento del sistema vigente hacia el futuro.

La lucha en contra de la exclusión social se expresa de manera casi simbólica con la inmediata suspensión de las desconexiones del gas y la electricidad por falta de pago, cuando dentro del hogar afectado hubiere niños o personas de la tercera edad, según el *New Labour*; y la minuciosa política sobre el empleo orientada hacia los 5 grupos básicos de riesgo social también propuesta por los laboristas británicos; o, en la atractiva posibilidad ofrecida a las víctimas de la violencia doméstica para obtener un número nuevo e independiente de la Seguridad Social, ofrecida por los demócratas americanos; o la generalización en diversos programas de los permisos médicos y familiares para ausentarse del trabajo sin retribución, en caso necesario, que ha terminado con la dramática opción entre la defensa del puesto de trabajo o la prioridad de las responabilidades familiares, en los EE.UU., en el Reino Unido o en otras latitudes.

El análisis de los programas electorales ha puesto de manifiesto ahora —y lo hará de forma creciente en el futuro— el protagonismo de la política fiscal como potente herramienta viabilizadora de las políticas de bienestar y las múltiples alternativas que su manejo imaginativo ofrece, como por ejemplo la remisión del SPD al Código de Equilibrio Fiscal de los EE.UU. para establecer objetivamente los niveles de beneficios aceptables en relación con las exenciones tributarias. O, también, la financiación de las políticas de empleo propiciadas por los laboristas británicos asentada en los rendimientos esperados del impuesto sobre los beneficios excesivos de las grandes empresas de servicios públicos privatizadas en el Reino Unido. O el sistema generalizado de ecotasas que vincula genéricamente a las políticas medioambientales con la política fiscal y horizontalmente con las políticas sociales a través de la liberación de recursos recaudatorios alternativos propuesto por los Verdes alemanes y el SPD. O, el uso del impuesto sobre las grandes fortunas imputándolo genéricamente a objetivos de solidaridad, como hacen los socialistas franceses. O, asimismo, el gravamen de la gran riqueza privada no empresarial a la co-financiación de las políticas en educación, como hace el SPD. Con ello la fiscalidad se erige en la puerta de acceso a las renovadas propuestas sobre el Estado de Bienestar que suministra la perspectiva comparada de la programación electoral en el momento presente.

Debe señalarse el enorme potencial movilizador de las políticas de bienestar en el terreno político pues se manifiestan cada vez en mayor medida en una relación conmutativa y de franco intercambio entre aquéllas y el funcionamiento del Estado moderno como expresión jurídica del desarrollo de las sociedades contemporáneas. Ello se expresa en la tendencia irrefrenable a la oferta de beneficios concretos, con un grado de especificidad creciente, a cambio de los apoyos electorales demandados a la ciudadanía, alejándose de las formulaciones exclusivamente valorativas que imperaron durante la segunda mitad del siglo XIX y los primeros años de la presente centuria.

En este sentido, se dibuja con nitidez el carácter compensatorio de las políticas de bienestar, determinado no sólo por el funcionamiento del sistema económico como tal sino ante las vicisitudes histórica de gran alcance como la crisis de 1929 y las guerras mundiales, especialmente la Segunda Guerra Mundial, que han acicateado el diseño e implementación de aquellas políticas. El *New Deal,* los inicios de la seguridad social norteamericana en 1934, el informe Beveridge en 1944 (y sus proyecciones hacia Australia y Canadá como ámbitos nacionales integrados en la *Commonwealth*) son expresiones evidentes de la relación causal entre aquellos grandes acontecimientos y el impulso de las políticas de bienestar.

Finalmente, es preciso destacar el ancho campo de investigación social y económica que abre este enfoque de las políticas de bienestar comparando su cristalización preliminar enunciada en los proyectos electorales y en los procesos políticos preparatorios a su formulación. Esto se ha visto, con claridad, especialmente en las sociedades con una sólida implantación del bienestar que han sido sometidas al acoso de las políticas conservadoras durante períodos más o menos prolongados a través de los años '80 y con grados disímiles de intensidad. No deben desconocerse las enseñanzas que arrojan estas experiencias y buenas demostraciones de ello son las formulaciones cada vez más rigurosas que protagonizan los socialdemócratas de ambos lados del Atlántico, en los países anglosajones, en Suecia y en Alemania, sin olvidar la experiencia australiana que aún no concluye —aunque por estrecho margen— la actual vivencia conservadora.

La existencia del Partido de los Socialistas Europeos y el funcionamiento del Ecofin/PSE llevará indudablemente a una homogeneización de las políticas socialdemócratas en Europa y, en particular, a las que suponen el desarrollo y perfeccionamiento del Estado de Bienestar en un escenario de importancia mundial como la UE, dentro del cual esas políticas tienen, sin duda, un grado importante de influencia en la actual sociedad globalizada.

Capítulo 4

DESIGUALDAD, CRECIMIENTO Y BIENESTAR. LA SITUACIÓN DE ESPAÑA EN EL CONTEXTO INTERNACIONAL

Jesús Ruiz-Huerta Carbonell
Rosa Martínez López

I. INTRODUCCIÓN

Desde la Segunda Guerra Mundial hasta mediados de los años '70, los países occidentales vivieron una etapa de fuerte crecimiento económico y reducción de la pobreza y la desigualdad que constituye, sin duda, un éxito sin precedentes históricos. La combinación de políticas macroeconómicas de corte keynesiano con la consolidación de un modelo de Estado de Bienestar que ponía el énfasis en los programas redistributivos y las prestaciones de carácter universal son factores que a menudo se señalan como relevantes en la explicación de estos buenos resultados. Las políticas públicas fueron en esta época un importante instrumento de estabilidad económica y social, contribuyendo, en concordancia con las predicciones de Kuznets, a favorecer un reparto cada vez más igualitario del crecimiento en las economías capitalistas desarrolladas.

Los años '80 han significado, sin embargo, la ruptura de esta tendencia en muchos países occidentales. Las transformaciones de la estructura productiva y el mercado de trabajo han abierto una etapa de menor crecimiento económico, mayores niveles de desempleo y creciente desigualdad salarial. Algunos cambios sociodemográficos, como el envejecimiento de la población o la extensión de formas de familia no tradicionales, han supuesto nuevas presiones para unos sistemas de protección social diseñados en épocas anteriores sobre parámetros fundamentalmente contributivos. De forma paralela, se han abordado en muchos países reformas de las políticas fiscales y de gasto público, en el marco de un complejo debate sobre los límites del Estado de Bienestar y sus posibles efectos negativos sobre los incentivos y la eficiencia económica.

Las anteriores transformaciones han tenido un claro impacto en la distribución de la renta en los países desarrollados. Los aumentos de la pobreza y la desigualdad experimentados en muchos países ponen de manifiesto, a juicio de algunos analistas, las dificultades que plantean en la actualidad las políticas redistributivas y la aparente reedición del viejo conflicto entre eficiencia y equidad. Tanto en España como en otros países, el esfuerzo para adecuar la estructura productiva al nuevo entorno competitivo parece haber relegado a un segundo plano la preocupación por el reparto de la renta, bajo la convicción generalizada de que el gran esfuerzo distributivo se realizó en las décadas precedentes y nos permitió lograr unos niveles aceptables de desigualdad.

En cualquier caso, la visión según la cual eficiencia y equidad son objetivos en conflicto supone una simplificación excesiva. La experiencia de las últimas décadas muestra claramente que son poco afortunadas, en el marco de las sociedades contemporáneas, afirmaciones como que la «desigualdad es necesaria para favorecer un crecimiento sostenido» o que «el crecimiento a largo plazo conduce a un reparto más equitativo de la renta». Un debate planteado en esos términos supondría, entre otras cosas, restar importancia a la creciente intermediación de las políticas públicas como elemento determinante de las relaciones entre ambas variables.

Este capítulo se centra en las desigualdades de renta en España y otros países de nuestro entorno, prestando especial atención a los cambios experimentados en los últimos años y a los factores generales que explican tales cambios. Junto al estudio del reparto de la renta, se analizan también los resultados en términos de crecimiento económico y se aborda la cuestión de cómo ambos procesos (crecimiento y distribución) han influido en los niveles de bienestar social en los principales países desarrollados. Con ello, se suscitan una serie de cuestiones que resultan trascendentales a la hora de evaluar los nuevos retos económicos y sociales planteados en la actualidad y se ofrecen elementos para reflexionar acerca del papel que debe jugar el sector público.

II. DESIGUALDAD Y BIENESTAR: PROBLEMAS CONCEPTUALES Y DE MEDICIÓN

Un rasgo emblemático de las sociedades contemporáneas es su defensa explícita de la igualdad como un objetivo cuyo logro deben favorecer los poderes públicos. El contenido concreto de este concepto y las vías por las cuales debe promoverse suscitan, sin embargo, un complejo debate. Las demandas de igualdad pueden adoptar, de hecho, formas muy diversas, que van desde la «igualdad de derechos y libertades» a «la igualdad de recursos económicos» o «la igualdad de utilidades y bienestar». Estas interpretaciones no sólo ponen el énfasis en aspectos distintos, sino que, a menudo, pueden mostrar objetivos en conflicto. La igualdad de derechos y oportunidades no garantiza necesariamente la igualdad en los niveles de recursos económicos o el bienestar, por ejemplo. De la misma forma, la igualdad en los resultados puede no ser posible sin una desigualdad de trato que, desde algún punto de vista, significaría una clara inequidad[1].

En este capítulo nos centramos en las desigualdades económicas y, en particular, en las diferencias en los niveles de renta de individuos y familias. La renta disponible puede no ser una aproximación perfecta al bienestar (puesto que otros factores, como la riqueza, el acceso a los servicios públicos gratuitos o la calidad del entorno sociolaboral son también dimensiones importantes del mismo), pero es, sin duda, el mejor indicador individual del que disponemos para estudiar la posición económica de las familias. El nivel de ingresos condiciona fuertemente el acceso al consumo y constituye el indicador de capacidad de pago más comúnmente empleado en los países occidentales.

Si aceptamos que la renta es un indicador adecuado del bienestar económico individual, la desigualdad en la distribución personal constituye una variable fundamental a la hora de evaluar el bienestar social. Para medir la desigualdad, existen algunos instrumentos bien conocidos, como la distribución de la renta en decilas o quintilas o la curva de Lorenz, que muestran la participación en la renta global de los diversos grupos de población. Además, se utilizan con frecuencia índices que permiten cuantificar el grado de desigualdad asociado a una distribución de la renta y establecer ordenaciones entre países, regiones o momentos del tiempo. Algunos constituyen medidas sencillas de dispersión cuyo origen está en la estadística, como el coeficiente de variación, el índice de Gini o las medidas de rango (cocientes entre los valores extremos de la distribución o, más habitualmente, los valores superiores de las decilas novena y primera). El desarrollo de un enfoque axiomático de la desigualdad, bajo el cual se proponen unas propiedades mínimas que cualquier índice de desigualdad debería cumplir, ha

1. En tal sentido puede entenderse, por ejemplo, el debate en torno a la justificación de las medidas de discriminación positiva.

llevado a construir medidas más complejas, muchas de las cuales incorporan explícitamente juicios de valor acerca de la importancia de las diferencias de renta en distintas partes de la distribución[2].

El hecho de que no exista una única medida de la desigualdad comúnmente aceptada, sino más bien un conjunto de índices que pueden conducir en ocasiones a resultados diferentes, da una idea de las dificultades que entraña responder a la cuestión de cuándo una distribución es más desigual que otra y en qué cuantía. En este capítulo presentamos resultados que se basan en medidas de desigualdad sencillas y fácilmente comprensibles, como el coeficiente de Gini o los cocientes de distancia, aunque comentemos, siempre que resulte necesario, los cambios que se derivarían de considerar otros índices diferentes.

El análisis de la desigualdad en la distribución de la renta ofrece un punto de partida imprescindible para evaluar el grado de éxito o fracaso de los diferentes modelos socioeconómicos en el logro de altos niveles de bienestar social, pero la distribución no es el único aspecto importante. Con supuestos no demasiado restrictivos acerca de la utilidad marginal de la renta, puede demostrarse que una distribución más igualitaria genera mayores niveles de bienestar social que otra de mayor desigualdad *siempre que la renta media sea la misma*. Ahora bien, ¿qué ocurre cuando comparamos situaciones en las cuales no sólo la forma de la distribución, sino también la renta media, son diferentes? ¿Podemos hacer alguna afirmación sobre un país que es simultáneamente más rico y más desigual que otro? ¿O sobre una reducción de la desigualdad que se ve acompañada por una caída en el ritmo de crecimiento?

En el ámbito de la distribución de la renta se han utilizado a menudo mecanismos que permiten extraer conclusiones en el terreno del bienestar social y, en ocasiones, dar respuesta a cuestiones como las anteriores. Un ejemplo lo constituyen las curvas de Lorenz generalizadas, que combinan la información sobre desigualdad, implícita en cualquier curva de Lorenz, con datos sobre la renta media. Una aproximación diferente es la que ofrecen los índices paramétricos de bienestar, construidos como funciones de la media y la igualdad en los cuales es posible ponderar de forma distinta el peso de ambas dimensiones en el bienestar global, a través de un parámetro de «aversión a la desigualdad».

Estos desarrollos abren, a nuestro juicio, una línea de investigación de gran importancia. Si se reconoce que el fin último del crecimiento

2. Jenkins (1991a) contiene una excelente revisión de los índices de desigualdad. En castellano, pueden consultarse Ruiz-Castillo (1987) o Martín Guzmán *et al.* (1996).

económico es el aumento del bienestar social, resulta esencial conocer cómo se distribuyen los beneficios del proceso y en qué medida la distribución refuerza o contrarresta las ganancias derivadas del incremento de la riqueza nacional. El último apartado de este capítulo ofrece algunos resultados interesantes en este sentido, a partir del análisis de los datos de crecimiento y desigualdad en España y otros países de la OCDE.

III. LA DESIGUALDAD EN ESPAÑA Y EN OTROS PAÍSES OCCIDENTALES: ¿EL FIN DE UNA ERA?

En los años '80 y '90 se han producido cambios en la distribución de la renta en el mundo occidental. Como señalábamos anteriormente, algunos de estos cambios tienen raíces comunes y están ligados a una serie de transformaciones económicas e institucionales ocurridas en el ámbito occidental. Sin embargo, existen también numerosos rasgos diferenciales que explican en buena medida las tendencias de la distribución de la renta observadas en unos y otros países.

En este apartado se describen los aspectos básicos de la distribución de la renta durante las décadas de los '80 y '90 en España y otros países occidentales. En primer lugar, estudiamos las diferencias en los *niveles* de desigualdad, comparando la situación de España con la de otras naciones de nuestro entorno. En segundo lugar, describimos las *tendencias temporales* recientes en los principales países desarrollados.

1. *La magnitud de las desigualdades de renta en España y otros países*

Comparar los niveles de desigualdad de la renta en unos y otros países no resulta sencillo. Además de los problemas conceptuales y metodológicos ligados a la medición de la desigualdad, los estudios de ámbito internacional se enfrentan a menudo al problema de la escasez de datos homogéneos sobre las rentas de los hogares. Hasta los años '80, no se disponía de información verdaderamente comparable, por lo que las medidas de desigualdad obtenidas en cada país se basaban en definiciones distintas de la renta familiar y en diferentes procedimientos de cálculo. Con ello, no podía asegurarse que los resultados reflejaran de forma fiable las diferencias en el estado de la distribución de la renta.

Desde principios de la década de los '80, el panorama ha mejorado significativamente, a partir, sobre todo, de la puesta en marcha de la base de datos del *Luxembourg Income Study* (LIS), que reúne un extenso conjunto de microdatos procedentes de encuestas de renta realizadas en distintos países. Las dificultades del proceso de obtención de datos y, en especial, su homogeneización de acuerdo con una serie de criterios comunes, imponen algunas limitaciones por el lado de la actualización temporal de las series, pero se garantiza, en cambio, una mejor comparación de los resultados. En este capítulo, empleamos la información contenida en esta base de datos para estudiar la distribución de la renta desde una perspectiva internacional. Los datos sobre España proceden de las Encuestas de Presupuestos Familiares, que han sido recientemente incorporadas a la base LIS, así como de las Encuestas Continuas de Presupuestos Familiares para el período más reciente (1990-95).

¿Cuál es la magnitud de las desigualdades de renta en España y otros países desarrollados? ¿Es la distribución de la renta en España más o menos igualitaria que en otros países de nuestro entorno? Para contestar a estas preguntas hemos seleccionado 10 países, 6 del entorno europeo (España, Francia, Alemania, Italia, Reino Unido, Irlanda y Suecia) y 3 no europeos (EE.UU., Canadá y Australia).

El cuadro 1 ofrece algunos indicadores básicos de distribución de la renta en estos países al iniciarse los años '90, última fecha para la que, por el momento, se dispone de información comparable para todo el

Cuadro 1. PRINCIPALES INDICADORES DE LA DISTRIBUCIÓN DE LA RENTA DISPONIBLE EN TORNO A 1990

PAÍS/AÑO	% DE LA RENTA TOTAL		COCIENTE D9/D1	ÍNDICE DE GINI
	1ª DECILA	10ª DECILA		
Bélgica (1992)	4.4	18.7	2.76	0.22357
Suecia (1992)	3.7	18.9	2.78	0.22935
Alemania (1989)	3.9	20.6	2.94	0.24774
Francia (1989)	3.4	22.6	3.37	0.28152
Canadá (1991)	3.0	21.6	3.87	0.28496
Italia (1991)	3.3	22.2	3.76	0.29028
Australia (1989)	2.8	22.5	4.21	0.30543
España (1990)	3.1	23.6	3.97	0.30616
EE.UU. (1991)	2.1	23.7	5.59	0.33723
R. Unido (1991)	2.8	25.3	4.67	0.34037

Nota: Decilas de individuos clasificados según la renta monetaria disponible equivalente del hogar al que pertenecen. La renta equivalente se obtiene dividiendo la renta familiar entre el tamaño del hogar elevado a 0.5. Países ordenados de menor a mayor valor del índice de Gini.

Fuente: Elaboración propia con datos de LIS.

GRÁFICO 1. *Niveles de desigualdad de la renta en algunos países*

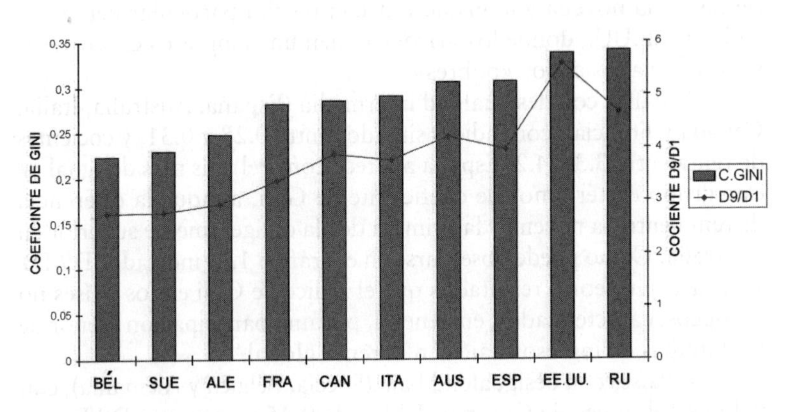

Fuente: Elaboración propia con datos de LIS.

grupo. Los resultados ponen de manifiesto la persistencia de importantes desigualdades en el reparto personal de la renta. Las dos primeras columnas muestran el porcentaje de la renta disponible total en manos de las dos decilas extremas. Como puede verse, la población de la primera decila disponía de sólo el 2.1% de la renta en EE.UU., y del 2.8% en Australia y el Reino Unido, frente a valores cercanos al 4% o ligeramente superiores en Alemania, Suecia y Bélgica. En el otro extremo de la distribución, la decila superior acumula más de la cuarta parte de la renta total en el Reino Unido, y menos del 20% en Suecia y Bélgica.

Las dos últimas columnas del cuadro y el gráfico 1 muestran índices que resumen el grado de desigualdad global de la renta. El cociente entre las rentas superiores de las decilas novena y primera (D9/D1) ofrece una medida de la «distancia económica» entre los grupos mejor y peor situados en la escala de renta[3]. Por su parte, el coeficiente de Gini mide, como es sabido, la desigualdad en términos de la curva de Lorenz, y presenta, en relación a los cocientes, la ventaja de basarse en todas las rentas que forman la distribución, y no sólo en dos puntos de la misma. Atendiendo a los valores de estos indicadores, es posible diferenciar con claridad tres grupos de naciones:

3. El hecho de tomar las rentas de los individuos situados en los extremos superiores de la primera y novena decilas, en lugar de las rentas mínima y máxima, obedece al carácter atípico que pueden tener las rentas extremas de la distribución.

a) Países con desigualdad alta (EE.UU. y el Reino Unido), con coeficientes de Gini situados en torno a 0.34. La distancia entre las rentas de la novena y la primera decila resulta particularmente elevada en EE.UU., donde los «ricos» tienen unos ingresos casi 6 veces superiores a los de los «pobres».

b) Países con desigualdad intermedia (España, Australia, Italia, Canadá y Francia), con índices situados entre 0.28 y 0.31, y cocientes de renta entre 3.3 y 4.2. España aparece como el país más desigual de este grupo en términos de coeficiente de Gini, aunque la diferencia de renta entre la novena y la primera decila es ligeramente superior en Australia. Como puede observarse en el gráfico 1, el indicador D9/D1 suele arrojar peores resultados que el índice de Gini en los países no europeos, caracterizados, en general, por una participación menor de las familias de ingresos bajos en la renta global.

c) Países con desigualdad baja (Suecia, Bélgica y Alemania), con valores del índice de Gini por debajo de 0.25 y cocientes D9/D1 inferiores a 3, lo que significa que los ingresos del individuo «rico» no llegan a triplicar a los del individuo «pobre».

El anterior resultado coincide en líneas generales con los obtenidos por otros estudios comparativos recientes, que dibujan un panorama en el cual las desigualdades económicas son menores en los países escandinavos y los del norte y el centro de Europa, exceptuando las islas británicas, y ascienden según nos trasladamos a la Europa meridional y a las zonas desarrolladas no europeas, junto con Irlanda y el Reino Unido[4]. Dentro del grupo estudiado, nuestro país es el tercero en niveles de desigualdad, lo cual representa una leve mejora respecto a la posición ocupada a principios de los años '80[5]. En cualquier caso, las diferencias de renta en España siguen siendo elevadas en el contexto del mundo desarrollado, en especial si se compara con los miembros de la UE. La utilización de otros índices de desigualdad, como los de Theil o Atkinson, no modifica de forma importante la anterior ordenación, aunque los países no europeos tienden a perder posiciones cuando se emplean medidas más sensibles a las diferencias de renta en el extremo inferior de la distribución[6].

4. Véase por ejemplo Atkinson, Rainwater y Smeeding (1995).
5. Ayala, Martínez y Ruiz-Huerta (1993). De los ocho países para los cuales se disponía de datos comparables referidos a principios de los '80, España mostraba el mayor índice de Gini, por encima de EE.UU., Canadá, Francia o el Reino Unido.
6. En Martínez, Ruiz-Huerta y Ayala (1998) se ofrece un análisis más amplio de esta cuestión.

2. *Tendencias recientes de la desigualdad*

¿Cómo han variado las desigualdades de renta en España y otros países desarrollados durante los años '80 y '90? ¿Se ha dado una convergencia hacia niveles de desigualdad similares o, por el contrario, las diferencias de renta han crecido más en aquellos países donde ya eran mayores hace quince años?

Cuadro 2. TENDENCIAS DE LA DESIGUALDAD DE LA RENTA DISPONIBLE EN ALGUNOS PAÍSES

PAÍS	PERÍODO	TENDENCIA
Italia	1986-91	(– –)
España	1980-90 1990-95	(–) (0)
Francia	1979-84 1984-89	(0) (–)
Bélgica	1985-88 1988-92	(+) (–)
Canadá	1981-87 1987-91 1991-94	(0) (0) (0)
Alemania	1978-83 1984-89 1989-94	(–) (0) (+)
Australia	1981-85 1985-89	(+) (+)
EE.UU.	1979-86 1986-91 1991-94	(++) (0) (++)
Suecia	1981-87 1987-92	(++) (+)
R. Unido	1979-86 1986-91	(++) (+++)

Nota: Tendencias de la desigualdad según la variación media anual del coeficiente de Gini: (+++)/(– – –): Superior a 2%; (++)/(– –): Entre 1% y 2%; (+)/(–): Entre 0.2% y 1%; (0): Inferior al 0.2%.

Fuente: Elaboración propia con los microdatos de LIS.

El cuadro 2 resume las principales tendencias de la desigualdad, tomando como indicador la variación media anual del índice de Gini, en los países y períodos para los que se tienen datos. En el caso de España, complementamos la información referida al período 1980-90 con la explotación de las Encuestas Continuas de Presupuestos Familiares de 1990 y 1995, no incluidas en LIS, para poder estudiar los cambios ocurridos a lo largo de un período temporal más amplio[7].

Aunque seis de los diez países contemplados experimentaron aumentos de la desigualdad en algún momento, el balance global resulta diferente en unos y otros casos, como muestra el gráfico 2, que recoge la tasa de variación media anual del índice de Gini a lo largo de toda la etapa para la que, en cada país, se dispone de información:

a) El país en el que más rápidamente crecieron las desigualdades de renta fue el Reino Unido, donde el índice de Gini se incrementó a una tasa ligeramente superior al 2% anual a lo largo de los doce años transcurridos entre 1979 y 1991.

b) Suecia, EE.UU. y Australia sufrieron también grandes aumentos de la desigualdad, con tasas medias de variación del coeficiente de Gini situadas entre el 1% y el 1.5% anual. Es interesante observar que la distribución de la renta muestra un claro comportamiento cíclico en EE.UU., con cambios mayores en los primeros '80 y '90 que en el segundo quinquenio de la pasada década. También en Suecia los índices de desigualdad aumentaron a mayor ritmo entre 1981 y 1987 que en los años posteriores, aunque la última fecha para la que se tiene información (1992) resulta algo temprana para apreciar los efectos distributivos de la profunda crisis económica experimentada por este país en los primeros años '90.

c) En Alemania, Canadá, Bélgica, Francia y España el índice de Gini permaneció relativamente estable o experimentó un moderado descenso. Conviene resaltar que en Alemania y España los primeros años '90 reflejan una ruptura de la tendencia a la reducción de la desigualdad observada a lo largo de la década anterior. En el caso de Alemania, el empeoramiento de la distribución entre 1989 y 1994, tras el proceso de reunificación, invierte el proceso de moderado descenso del índice de Gini experimentado desde 1978, de forma que los niveles de desigualdad son a mediados de los '90 similares a los existentes a finales de los años '70. Por lo que se refiere a nuestro país,

7. Aunque los datos de las EPF y las ECPF no son directamente comparables, es posible combinar ambas fuentes para analizar las tendencias de la distribución de la renta. Un problema similar se plantea en Alemania y Francia, países donde los datos LIS proceden en algunos casos de fuentes distintas.

GRÁFICO 2. *Variación anual media del índice de Gini (%)*

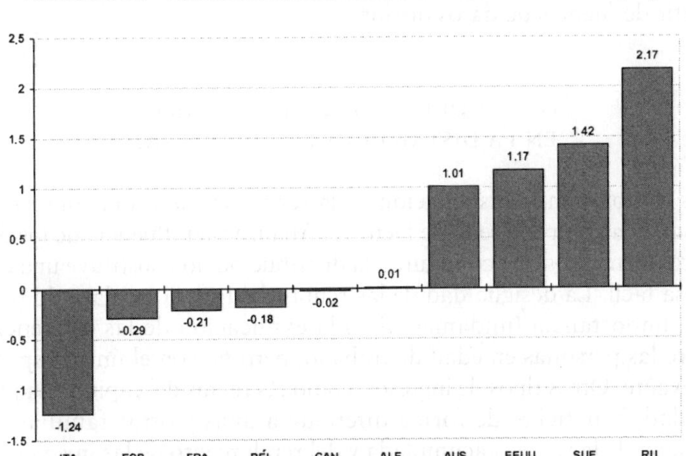

Nota: En los casos en que se da una ruptura metodológica en la serie debido al cambio de fuente (Francia, España y Alemania), la variación media anual representa la media ponderada de las obtenidas en los períodos previo y posterior.

Fuente: Elaboración propia con los microdatos de LIS.

los '90 parecen marcar el final del proceso de reducción de las desigualdades económicas que venía dándose, al menos, desde finales de los años '60, aunque será preciso esperar a tener datos de toda la década para evaluar correctamente este cambio de tendencia.

d) El único país en el cual la desigualdad parece haberse reducido de forma significativa (a un ritmo superior al 1% anual) es Italia. Sin embargo, hay que señalar que el período de cinco años sobre el que tenemos información acerca de este país resulta insuficiente para extraer conclusiones referidas a la etapa reciente.

Así pues, la desigualdad aumentó de forma clara en Australia, Suecia, EE.UU. y, sobre todo, en el Reino Unido, mientras que los países europeos continentales y Canadá experimentaron variaciones más moderadas de la distribución de la renta a lo largo de la etapa reciente, registrándose una ligera tendencia al descenso del índice de Gini en España, Francia o Bélgica y, más significativamente, en Italia. Los cambios en la desigualdad de la renta disponible descritos dibujan un panorama que se corresponde, en líneas generales, con la evidencia que se desprende de otros estudios nacionales y comparativos publicados en los últimos años, realizados en algunos casos a partir de fuentes de datos distintas[8].

IV. ¿A QUÉ SE DEBEN LOS CAMBIOS EN LA DISTRIBUCIÓN DE LA RENTA?

Los cambios en la distribución de la renta descritos son consecuencia de una compleja serie de factores. Analizar la influencia de los distintos elementos que configuran la distribución no constituye una empresa fácil. La desigualdad de las rentas del trabajo asalariado tiene una importancia fundamental en la explicación de las diferencias entre las personas en edad de trabajar, pero no son el único aspecto relevante. Otros tipos de ingresos, como las rentas del capital y la propiedad, benefician de forma diferente a unas y otras familias, en función de la riqueza acumulada y del rendimiento de las inversiones efectuadas.

La fiscalidad de la renta y las prestaciones sociales afectan también a las desigualdades en términos de renta disponible, ejerciendo un efecto redistributivo cuya importancia varía en los distintos países y a lo largo del tiempo, debido tanto a las modificaciones legislativas como a la evolución de la desigualdad antes de impuestos y transferencias. Por último, la estructura familiar influye en el grado de desigualdad global, ya que son las rentas familiares y no las individuales las que determinan la posición de los miembros del hogar en la distribución. Los cambios en el número de perceptores de ingresos dentro del hogar, la distribución familiar del desempleo o el crecimiento en el número de familias monoparentales son factores que pueden, de este modo, afectar a la evolución de la desigualdad.

La mayoría de los estudios que tratan de explicar los cambios sucedidos en el terreno de la distribución de la renta durante la etapa reciente conceden una gran importancia al aumento generalizado de las

8. Uno de los trabajos más recientes sobre tendencias de la distribución de la renta es Gottshalk y Smeeding (1997a). Según estos autores, los mayores aumentos de la desigualdad corresponden, por este orden, al Reino Unido (1979-95); Suecia (1979-94); Dinamarca (1981-90); Australia (1981-89); Holanda (1979-94); y EE.UU. (1979-93), todos ellos con tasas medias de variación anual de la desigualdad superiores al 1%. Alemania (1979-95), Francia (1979-89) y Noruega (1979-92) experimentaron aumentos moderados de la desigualdad, inferiores al 0.5% anual, mientras que la distribución se mantuvo invariable en Canadá y Finlandia. Tan sólo en Italia (1979-91) se dio una disminución de la desigualdad.

desigualdades salariales que se observa en muchos países, en respuesta a las nuevas condiciones de la demanda de trabajo en un contexto de rápido progreso tecnológico y creciente competencia internacional. Paralelamente, los rasgos institucionales del mercado de trabajo y la configuración de los programas de impuestos y transferencias públicas han jugado también un papel decisivo en algunos casos.

La tendencia al aumento de la desigualdad salarial, común en casi todos los países aunque de diferente magnitud en unos y otros, ha sido explicada desde varios puntos de vista. Por un lado, los cambios tecnológicos parecen haber tenido una clara importancia, al desplazar la demanda de trabajo desde los trabajadores menos cualificados hacia aquellos con mayores niveles de cualificación y experiencia. Por otro lado, procesos como la creciente globalización económica o el retroceso de la producción industrial en favor del sector servicios han reducido el número de empleos de baja cualificación y remuneración media en casi todos los países, contribuyendo a aumentar los diferenciales salariales. Por último, las políticas públicas de educación y empleo, el grado de centralización de los mercados de trabajo y las reformas tendentes a flexibilizar la contratación han tenido un impacto diferente en unos y otros países, contribuyendo a moderar o a reforzar los efectos sobre la estructura salarial derivados de los cambios en el mundo productivo[9].

El cuadro 3 ofrece información que permite comparar las tendencias de la renta disponible descritas en el apartado anterior con las de la desigualdad salarial en los diez países considerados. Estas últimas se refieren a las remuneraciones obtenidas por los trabajadores varones de edad intermedia (entre 25 y 54 años) que son sustentadores principales o «primeros perceptores» de renta dentro del hogar, un grupo cuyo estudio permite analizar las variaciones de carácter más estructural, dejando a un lado las que obedecen a otros factores, como la creciente participación laboral de la mujer en la población asalariada.

9. Para un análisis detallado de estos procesos, véase Ruiz-Huerta, Ayala, Martínez, Sastre y Vaquero (1999). En general, los países con mercados de trabajo más centralizados (que se caracterizan por un mayor control legal e institucional de las condiciones de contratación y remuneración, así como por una superior coordinación entre los distintos agentes) y Estados del Bienestar más desarrollados (con programas de mantenimiento de rentas más universales y generosos) han visto mitigado el impacto negativo sobre la distribución. Como contrapartida, y aunque resulta difícil generalizar, el desempleo ha aumentado más en estos países y ha mostrado mayor resistencia a la baja en las fases de recuperación económica.

Cuadro 3. TENDENCIAS RECIENTES DE LA DESIGUALDAD SALARIAL Y DE LA RENTA DISPONIBLE EN ALGUNOS PAÍSES (PRIMER AÑO = 100)

PAÍS	AÑOS	DESIGUALDAD SALARIAL	DESIGUALDAD DE LA RENTA DISPONIBLE
Italia	1986	100	100
	1991	91	94
España	1980/81	100	100
	1990/91	101	95
Francia	1979	100	100
	1984	105	99
	1989	110	95
Canadá	1981	100	100
	1987	121	99
	1991	128	100
	1994	125	100
Alemania	1984	100	100
	1989	109	99
	1994	113	102
Bélgica	1988	100	100
	1992	104	98
Australia	1981	100	100
	1985	104	104
	1989	107	108
EE.UU.	1979	100	100
	1986	117	111
	1991	114	111
	1994	125	117
Suecia	1981	100	100
	1992	125	115
R. Unido	1979	100	100
	1986	117	112
	1991	129	127

Nota: La *desigualdad salarial* está obtenida para los varones de edades comprendidas entre los 25 y los 54 años que son sustentadores principales. La *desigualdad de la renta disponible* se calcula empleando la escala de equivalencia de parámetro E = 0.5. El indicador de desigualdad utilizado en ambos casos es el índice de Gini, excepto para la desigualdad salarial en el Reino Unido, en que se toma D9/D1.

Fuente: Elaboración propia con los microdatos de LIS. OCDE (1996) para la desigualdad salarial en el RU.

Los resultados del análisis muestran que las diferencias salariales entre los trabajadores aumentaron en alguna medida en todos los países durante los años considerados, con la excepción de Italia. Este aumento de la desigualdad superó los 10 puntos porcentuales en Canadá (1981-94), EE.UU. (1979-94), Suecia (1981-92) y el Reino Unido (1979-91). En España, los datos existentes para los años '80, que son los que se contienen en el cuadro, sugieren una relativa estabilidad de la estructura salarial en este grupo de trabajadores, pero existen algunas evidencias que muestran un mayor crecimiento de las desigualdades en los primeros años '90 [10].

Sin embargo, la distribución de la renta disponible no ha evolucionado en todos los países hacia una mayor desigualdad. En cuatro de los diez países considerados (Reino Unido, EE.UU., Suecia y Australia), aumentaron tanto las diferencias salariales como las diferencias de renta entre las familias. En Canadá, por el contrario, el fuerte crecimiento de las desigualdades salariales no se ha reflejado en un aumento similar de la desigualdad de la renta familiar. De hecho, la información contenida en LIS muestra una completa estabilidad del coeficiente de Gini a lo largo de los trece años estudiados. Por su parte, la desigualdad se ha reducido moderadamente o ha experimentado pocos cambios en Francia y Alemania, aunque en ambos la dispersión salarial ha aumentado en cierta medida. En España, las desigualdades salariales permanecieron estables o con una leve tendencia al alza durante los años '80, a la vez que se reducían las diferencias de renta disponible entre los hogares.

La ausencia de una perfecta correspondencia entre cambios en la dispersión de los salarios y cambios en la desigualdad de la renta disponible se debe tanto al comportamiento de los restantes componentes de la renta familiar como al impacto redistributivo del sistema de impuestos y transferencias, que puede modificar de forma importante el reparto de la renta que se deriva de la participación en el proceso productivo. Esta capacidad redistributiva es distinta en unos y otros países, debido a las diferencias en el diseño de los principales impuestos y prestaciones sociales. El gráfico 3 muestra la reducción porcentual de la desigualdad lograda a través de tales mecanismos en los diez países, en una fecha próxima a 1990 [11]. EE.UU. es el país en el cual los impuestos y transferencias tienen menor

10. Así parecen indicarlo tanto los datos procedentes de fuentes tributarias como los de las Encuestas de Distribución Salarial realizadas por el INE. Véase Ayala, Ruiz-Huerta y Martínez (1998) para una revisión más detallada de este proceso.

11. En el caso de España, el cálculo se refiere exclusivamente al efecto de las transferencias, ya que la EPF no contiene información suficiente para conocer los impuestos directos satisfechos por el hogar.

GRÁFICO 3. *Reducción porcentual de la desigualdad debida a los impuestos y transferencias en torno al año 1990*

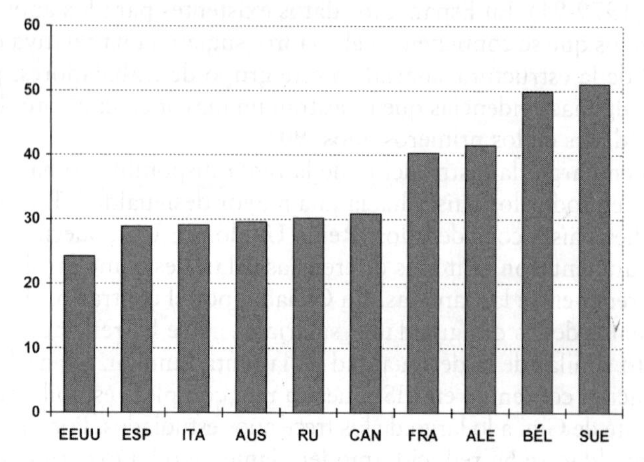

Fuente: Elaboración propia con datos de LIS.

impacto sobre la desigualdad, con una reducción del coeficiente de Gini inferior al 25%. En España, Italia, Australia, Reino Unido y Canadá, los índices de desigualdad después de la actuación del sector público son aproximadamente un 30% inferiores a los existentes antes de impuestos y transferencias. Francia, Alemania y, sobre todo, Bélgica y Suecia tienen sistemas fiscales más claramente redistributivos, que producen reducciones de la desigualdad superiores al 40%.

Este desigual impacto redistributivo de los impuestos y prestaciones sociales explica en buena medida las diferencias observadas en el reparto de la renta disponible en unos y otros países. De la misma forma, los cambios en este efecto redistributivo han jugado en algunos países un papel importante, en el sentido de moderar o reforzar las tendencias de la distribución de las rentas del trabajo y el capital. El cuadro 4 resume las variaciones experimentadas por la desigualdad de la renta antes y después de impuestos y transferencias en los países y períodos analizados, junto con la variación del impacto redistributivo.

Como puede apreciarse, en España, Francia y Canadá la redistribución lograda a través del sistema de impuestos y transferencias aumentó a lo largo de la década de los '80, contrarrestando el crecimiento de la desigualdad de las rentas de origen privado que, en

Cuadro 4. CAMBIOS EN EL EFECTO REDISTRIBUTIVO DE IMPUESTOS Y TRANSFERENCIAS EN ALGUNOS PAÍSES DE LA OCDE

PAÍS	AÑOS	GINI ANTES	GINI DESPUÉS	EFECTO REDISTRIBUTIVO
Italia	1986-91	(–)	(– –)	(+)
España	1980-90	(+)	(–)	(+++)
Francia	1979-84	(+++)	(0)	(+++)
	1984-89	(+)	(–)	(++)
Canadá	1981-87	(+)	(0)	(+++)
	1987-91	(++)	(0)	(+++)
	1991-94	(++)	(0)	(+++)
Alemania	1984-89	(–)	(0)	(0)
	1989-94	(++)	(+)	(++)
Bélgica	1988-92	(++)	(–)	(+++)
Australia	1981-85	(++)	(+)	(++)
	1985-89	(+)	(+)	(–)
EE.UU.	1979-86	(+)	(++)	(– –)
	1986-91	(+)	(0)	(+)
	1991-94	(++)	(++)	(0)
Suecia	1981-87	(+)	(++)	(–)
	1987-92	(++)	(+)	(+)
R. Unido	1979-86	(+++)	(++)	(++)
	1986-91	(0)	(+++)	(– – –)

Nota: Tendencias de la desigualdad (según la variación media anual del coeficiente de Gini) y del efecto redistributivo (según la variación media anual experimentada por la reducción porcentual de la desigualdad): (+++)/(– – –): superior a 2%; (++)/(– –): entre 1% y 2%; (+)/(–): entre 0.2% y 1%; (0): inferior al 0.2%.

Fuente: Elaboración propia con los microdatos de LIS.

mayor o menor medida, se observa en los tres países[12]. Como resultado, la distribución de la renta disponible se mantuvo relativamente estable. Algo similar parece haber ocurrido en Bélgica, si bien los datos disponibles nos permiten examinar tan sólo el cuatrienio comprendido entre 1988 y 1992. El efecto redistributivo se incrementó también ligeramente en Italia durante la segunda mitad de los '80,

12. Este aumento del efecto redistributivo puede deberse, en parte, a a la respuesta automática de unos sistema fiscales progresivos ante la creciente desigualdad de las rentas primarias.

reforzando en alguna medida la disminución de las desigualdades antes de impuestos y transferencias.

En los restantes países, los efectos redistributivos muestran comportamientos diferentes en los distintos subperíodos, pero en ningún caso han sido suficientes para compensar los aumentos de la desigualdad de las rentas de origen privado. Especialmente significativa resulta la reducción del impacto de los impuestos y transferencias británicos entre 1986 y 1991, que explica casi por completo el aumento de la desigualdad ocurrido en este país en unos años de menor ritmo de crecimiento de la desigualdad de las rentas del trabajo y el capital.

En los casos de EE.UU. y Canadá, resulta interesante notar que, pese a que ambos países experimentaron un aumento similar de la desigualdad de los salarios y de las rentas antes de impuestos y transferencias, la diferente evolución de los programas de impuestos y gastos sociales explica los resultados disímiles obtenidos en términos distributivos, como otras investigaciones se han encargado de confirmar[13].

En síntesis, los programas de impuestos y transferencias tienen distinta importancia en unos y otros países, consiguiendo reducciones porcentuales de la desigualdad que van desde el 25% en EE.UU. hasta más del 50% en Suecia. Paralelamente, estos programas han constituido en algunos países, entre los cuales se encuentra España, un freno a los aumentos de la desigualdad en la etapa reciente. Algunos analistas argumentan que la mayor redistribución puede tener, no obstante, costes en términos de eficiencia, retardando el ritmo de crecimiento económico y reduciendo, a la larga, los niveles de bienestar. El próximo apartado se ocupa directamente de estas cuestiones.

V. IMPLICACIONES PARA EL BIENESTAR

Los apartados anteriores han mostrado que existen importantes diferencias en la distribución de la renta dentro de los diez países considerados. En el Reino Unido, EE.UU. y Australia, las desigualdades económicas son elevadas y han tendido a agrandarse durante los años '80 y primeros '90. En el extremo opuesto se sitúan países como Alemania, Bélgica o Suecia, en los cuales las diferencias de renta entre los hogares son mucho menos marcadas, si bien en el caso sueco han aumentado también durante la pasada década. España se ubica-

13. Véanse, por ejemplo, Gottschalk y Smeeding (1997b), Blackburn y Bloom (1991), o Card y Freeman (1993).

ría, junto a Francia, Italia y Canadá, en el grupo de países que presentan situaciones intermedias y en los cuales la distribución de la renta no ha sufrido un claro empeoramiento (sino acaso una moderada igualación) durante los años recientes.

Las tendencias de la distribución de la renta constituyen una parte esencial de los factores que influyen en el bienestar económico de los países desarrollados, pero no son los únicos. El estudio de los mecanismos de reparto de la renta no puede hacernos perder de vista la magnitud de las diferencias en el *tamaño* de aquello que se reparte. Hay factores que inciden en el bienestar y cuya consideración queda fuera del análisis de la desigualdad realizado hasta el momento.

En particular, las diferencias de renta en términos reales entre los diversos países, o en el ritmo de crecimiento económico a lo largo del tiempo, resultan elementos clave para caracterizar los diferentes modelos y experiencias de bienestar. Como se argumenta en ocasiones, las diferencias en la renta per cápita hacen posible que los «pobres» de un país rico vivan en términos absolutos mejor que las clases medias de un país más pobre. O, desde un punto de vista dinámico, si los factores que contribuyen a mantener una menor desigualdad (salarial y de la renta disponible) han supuesto un freno al crecimiento, es posible que los ciudadanos que obtienen ingresos bajos en un país hayan perdido terreno, en términos reales, en comparación a otros países con tasas de crecimiento más dinámicas.

En este contexto, centraremos la discusión en torno a dos cuestiones. En primer lugar, ¿qué diferencias pueden apreciarse en el ritmo de crecimiento económico de los diez países considerados a lo largo de la etapa reciente y cómo se ha repartido el crecimiento por niveles de renta? ¿Se han visto igualmente favorecidos los hogares más ricos y los más pobres, o los beneficios del crecimiento han tendido a concentrarse en ciertos grupos?

En segundo lugar, ¿es posible hacer alguna afirmación sobre las diferencias en términos de «bienestar económico», combinando los datos relativos a las tasas de crecimiento o los niveles de vida medios con la información sobre desigualdad? La desigualdad es un concepto relativo que no tiene en cuenta los niveles de vida reales y, por tanto, no ofrece una visión completa del bienestar de una comunidad. Por su parte, los indicadores de crecimiento y desarrollo tradicionales, como la renta per cápita, ofrecen una aproximación al nivel de vida *medio* de los países, pero ignoran por completo la dispersión de las rentas de los hogares en torno a esa media y, por tanto, su «representatividad» real. La idea de integrar ambos aspectos en algún tipo de índice bidimensional de bienestar ha sido desarrollada durante los últimos años tanto desde el punto de vista teórico como aplicado[14]. La construcción de índices de este tipo para la muestra de países considerados permite, a nuestro juicio, enriquecer de forma notable las conclusiones que se derivan del análisis de la distribución de la renta.

1. *El crecimiento económico y su distribución*

El crecimiento económico puede analizarse desde diferentes perspectivas. La tasa de variación del PIB en términos reales ofrece una interesante información sobre el aumento de la producción global de bienes y servicios, incluidos, como es sabido, los bienes y servicios públicos valorados según su coste de producción, pero excluidos todos aquellos componentes del nivel de vida que no se intercambian en el mercado. Un indicador tradicional para medir el crecimiento es el PIB real per cápita, que pone en relación la producción con el tamaño de la población cuyas necesidades se han de cubrir.

Una posibilidad alternativa al PIB, que puede resultar más útil cuando se analiza la distribución *personal* de la renta, es la Renta Familiar Disponible (RFD), que contabiliza, también en términos reales, la parte del producto nacional de la que dispone el sector familias para consumir o ahorrar en cada período. La RFD real vendría a representar de forma aproximada, en una célebre metáfora de los estudios sobre distribución, el tamaño de la «tarta» a repartir entre los comensales. Esta magnitud, expresada en términos per cápita, constituye a nuestro juicio el indicador más adecuado para medir el crecimiento en el contexto de la distribución personal, por ser la variable que más se acerca a la «renta» cuyo reparto analizan las encuestas a las familias, además de cuantificar la parte del valor total de la producción que se traduce en ingresos monetarios para los hogares. Como es natural, la RFD resulta inferior al PIB y los ritmos de crecimiento de las dos magnitudes no tienen por qué coincidir necesariamente[15].

El cuadro 5 muestra la variación del PIB real per cápita y de la RFD real por habitante en los distintos países y subperíodos, junto a la variación media durante los quince años transcurridos entre 1980 y 1995. En general, el crecimiento del PIB por habitante tiende a si-

14. Lambert (1993), Ruiz-Castillo (1995), Jenkins (1991b), Tsakloglou (1992).

15. Un análisis detallado de las relaciones entre ambas macromagnitudes puede encontrarse en Álvarez *et al.* (1996). No hay que olvidar que el PIB y la Renta Familiar Disponible son conceptos diferentes, pues para llegar a la segunda hay que sumar al PIB las transferencias públicas y descontar de esa magnitud el consumo de capital fijo, los impuestos, las cotizaciones sociales y los beneficios no distribuidos por las empresas.

Cuadro 5. INDICADORES DE CRECIMIENTO REAL DEL PIB Y LA RFD (VARIACIÓN % MEDIA ANUAL)

PAÍS	INDICADOR	QUINQUENIO			PERÍODO 1980-95
		1980-85	1985-90	1990-95	
Italia	PIB/h RFD/h	1.2 0.4	3.4 4.2	1.0 –0.8	2.0 1.2
España	PIB/h RFD/h	1.0 0.0	4.6 4.6	1.2 1.2	2.5 2.0
Francia	PIB/h RFD/h	1.0 0.6	2.8 2.4	0.6 1.2	1.6 1.5
Canadá	PIB/h RFD/h	2.0 1.6	1.8 1.6	–0.6 –1.5	1.1 0.5
Alemania	PIB/h RFD/h	1.4 0.5	2.8 3.6	–1.4 –1.0	0.9 1.0
Bélgica	PIB/h RFD/h	0.8 –0.8	2.9 3.7	0.9 1.8	1.6 1.6
Australia	PIB/h RFD/h	1.7 1.0	1.8 1.4	1.5 0.8	1.8 1.2
EE.UU.	PIB/h RFD/h	2.1 2.3	2.0 1.7	0.9 0.9	1.2 1.2
Suecia	PIB/h RFD/h	1.7 –0.5	1.8 1.3	–0.4 0.8	1.0 0.5
R. Unido	PIB/h RFD/h	2.0 1.6	3.2 4.1	0.8 1.1	2.2 2.5

Nota: La variación anual media se obtiene por cociente entre la variación porcentual total experimentada en un período y el número de años del período.

Fuente: Elaboración propia con datos de la OCDE, *Economic Outlook*.

tuarse por encima del experimentado por la RFD per cápita, que parece mostrar un comportamiento más estable. También de forma general, el crecimiento es bajo en los primeros años '80, alto en la segunda mitad de la década y nuevamente bajo (negativo en 3 países) en el primer quinquenio de los '90. Como es bien sabido, durante la primera mitad de los años '80 y la primera de los '90 se dieron períodos de recesión más o menos intensa en todos los países, mientras que los años 1985-90 corresponden a una fase de expansión económica generalizada. Como era de esperar, el comportamiento de los indicadores, con algunas diferencias, se halla muy condicionado por el ciclo económico.

Si analizamos la variación anual media de la RFD per cápita a lo largo de todo el período, los países más dinámicos habrían sido el Reino Unido (2.5%) y España (2%), seguidos por Bélgica (1.6%) y Francia (1.5%). Italia, Australia, EE.UU. y Alemania habrían crecido a un ritmo intermedio (al 1-1.2%), mientras que Suecia y Canadá muestran el menor aumento de la RFD por habitante (un 0.5%).

En términos generales, dados los resultados obtenidos en el apartado anterior, resulta clara la ausencia de una relación directa entre cambios en la desigualdad y ritmo de crecimiento real de la renta. Entre los países con mayor crecimiento se hallan, por ejemplo, España y el Reino Unido, cuya distribución de la renta ha evolucionado, como vimos, de forma muy distinta en la etapa reciente. Por otro lado, los tres países que sufrieron mayores aumentos de la pobreza y la desigualdad han tenido tasas de crecimientos dispares (baja en el caso de Suecia, media en el de EE.UU. y elevada en el de Reino Unido). Ciertamente, ni el tamaño de la muestra de países ni la longitud temporal de los períodos para los que contamos con datos sobre distribución de la renta son suficientes para extraer conclusiones generales sobre la naturaleza de la relación entre crecimiento económico y desigualdad. Sí sirven, en cambio, para resaltar el hecho de que el mayor aumento de la desigualdad en algunos países no se ha visto necesariamente acompañado de un mayor dinamismo económico en la etapa reciente. En este sentido, la diversidad de experiencias aconseja huir de las hipótesis más simplistas y reconocer la complejidad de los factores que afectan al crecimiento y la distribución.

De la anterior constatación se desprende también que las diversas combinaciones de crecimiento y evolución de la desigualdad pueden haber tenido diferentes implicaciones para las rentas reales de los hogares menos favorecidos. La cuestión de cómo se distribuye el crecimiento por niveles de renta resulta sin duda crucial para valorar sus efectos en términos de bienestar, en la medida en que determina los cambios en nivel de vida real disfrutado por los distintos grupos sociales. La posición absoluta y relativa de los hogares pobres seguramente ha mejorado de forma sensible en los países que han experimentado a la vez un ritmo de crecimiento elevado y un descenso de las desigualdades de renta; pero el balance resulta más difícil de prever en aquellos casos que, como el británico, han combinado un fuerte crecimiento con un ensanchamiento de las desigualdades. Desde algunos puntos de vista, el aumento de la desigualdad no sería necesariamente «malo» si los hogares menos favorecidos experimentaran mejoras reales del nivel de vida, aunque las rentas altas crecieran a un ritmo más elevado. Naturalmente, la validez de este criterio depende de los juicios de valor acerca de la importancia del crecimiento y las ganancias de equidad en el bienestar.

¿Cómo se ha distribuido el crecimiento por niveles de renta en los países estudiados? Los datos de las encuestas LIS permiten calcular el crecimiento real de la renta media y de las rentas correspondientes a los hogares situados en el límite superior de las decilas primera (D1), quinta (D5) y novena (D9) entre las fechas para las que se tienen datos: una información que ofrece una imagen sintética del modo en que ha variado el nivel de vida real de los hogares que pueden caracterizarse como «pobre», «mediano» o «rico» en cada país. Con objeto de evitar que las diferencias en la calidad de los datos introduzcan sesgos en la comparación, tomamos en todos los países como referencia el crecimiento de la RFD por habitante que se desprende de los datos macroeconómicos, calculando su reparto por niveles de ingresos en función de la distribución de la renta que en cada año se deriva de los microdatos.

El cuadro 6 contiene los resultados para los distintos países y subperíodos sobre los que disponemos de información. Los resultados ponen de manifiesto llamativas diferencias en la forma en que el crecimiento económico ha beneficiado a los diferentes niveles de renta. A lo largo de la década, todos los grupos experimentaron mejoras reales en sus niveles de renta, aunque los hogares de renta baja sufrieron pérdidas absolutas en el primer subperíodo en países como Suecia y EE.UU. En los países europeos, con la excepción de Suecia y el Reino Unido, el crecimiento tuvo un cierto sesgo redistributivo, que se traduce en ganancias reales superiores al promedio para las rentas de los hogares situados en el límite superior de la primera decila, e inferiores (aunque positivas) para las rentas altas. En el caso concreto de España, los ingresos reales del hogar «pobre» crecieron a un 3.3% anual durante los años '80, mientras que los hogares «mediano» y «rico» lo hicieron a tasas del 2.3% y 2.1%, respectivamente. Las mejoras reales más importantes son las experimentadas por los hogares italianos y belgas situados en el décimo percentil. Hay que tener en cuenta, sin embargo, que los datos de ambos países se refieren sólo al período expansivo de la segunda mitad de los '80, por lo que el resultado puede ser difícilmente extrapolable a la totalidad de la década.

El reparto del crecimiento en estos países contrasta visiblemente con el que muestra la información sobre el caso británico, donde la posición real de las familias de menor renta apenas mejoró en los doce años transcurridos entre 1979 y 1991. El fuerte ritmo de crecimiento económico experimentado en este país parece haber beneficiado de forma especial a la mitad superior de la distribución, y en particular a las rentas más altas: el hogar situado en la posición D9 vio crecer

Cuadro 6. CRECIMIENTO DE LAS RENTAS REALES EN DIFERENTES PUNTOS DE LA DISTRIBUCIÓN

PAÍSES	PERÍODO	VARIACIÓN MEDIA ANUAL (%)			
		RFD PER CÁPITA	PUNTOS DE LA DISTRIBUCIÓN (1)		
			D1	D5	D9
Italia	1986-91	4.1	5.2	5.0	3.5
España	1980-90 1990-95	2.3 1.2	3.3 0.9	2.3 1.4	2.1 1.2
Francia	1979-84 1984-89	0.2 2.0	0.8 3.5	0.2 1.7	0.9 1.6
Canadá	1981-87 1987-91 1991-94	1.1 0.7 –1.4	1.9 0.6 –1.4	1.0 0.5 –1.4	1.1 0.4 –1.1
Alemania	1978-83 1984-89 1989-94	0.5 2.9 –0.3	0.5 3.4 –1.0	0.3 3.0 –0.3	–0.3 2.8 0.2
Bélgica	1985-88 1988-92	3.3 4.5	5.8 4.8	3.0 4.8	3.2 4.7
Australia	1981-85 1985-89	0.9 1.4	0.6 0.3	0.8 0.8	0.9 1.7
EE.UU.	1979-86 1986-91 1991-94	1.9 1.0 1.3	–0.3 1.8 –0.5	1.2 0.9 0.1	2.6 1.1 1.5
Suecia	1981-87 1987-92	0.4 2.2	–1.1 2.3	0.6 1.6	0.6 2.7
R. Unido	1979-86 1986-91	2.0 2.9	1.5 –1.0	1.4 2.1	2.7 3.5

Notas: (1) D1 = Renta del hogar situado en el límite superior de la primera decila. D5 = Renta del hogar mediano. D9 = Renta del hogar situado en el límite superior de la novena decila. En todos los casos se trata de la renta ajustada con la escala E = 0.5.

Fuente: Elaboración propia con los microdatos de LIS y de las ECPFs españolas para el período 1990-95. La información sobre RFD por habitante procede de la OCDE, *Economic Outlook*.

sus rentas a una tasa del 3.3% anual, claramente superior a la registrada por ese grupo en todos los demás países para los cuales se tienen datos que cubran el conjunto de la década. Suecia, Australia y EE.UU. muestran una pauta de reparto también sesgada hacia las rentas altas, de tal forma que los hogares de ingresos bajos en estos países experimentaron mejoras reales claramente inferiores al 1% anual, muy por debajo de las observadas en los demás países. Por último, los ingresos del hogar «pobre» canadiense aumentaron a una tasa del 1.4% anual, el doble que la correspondiente al hogar estadounidense situado en la misma posición, pese a que la tasa global de crecimiento del país fue sensiblemente inferior durante los años '80.

Así pues, el crecimiento no ha favorecido en la misma medida a unos y otros grupos en los distintos países, dados los cambios en la distribución de la renta, significativos en algunos casos, ocurridos a lo largo del período. Tampoco el mayor dinamismo de países como EE.UU. o el Reino Unido parece haber servido para compensar el efecto negativo de los aumentos de la desigualdad sobre las rentas reales de los hogares menos favorecidos. Las mejoras más significativas de estos grupos se observan en España, Alemania y Francia, junto con Bélgica e Italia en la segunda mitad de la década, debido a la combinación de un crecimiento medio o alto con la estabilidad o moderada reducción de la desigualdad.

Los datos sobre lo ocurrido en la primera mitad de los '90 son más restringidos y sólo nos permiten evaluar los cambios en España (1990-95), Alemania (1989-94) y EE.UU. y Canadá (1991-95). En este período, Alemania y Canadá experimentaron un crecimiento negativo de la renta, repartido de forma relativamente igualitaria en Canadá y concentrado más claramente en las rentas bajas en el caso alemán, aunque la incorporación de los habitantes de la antigua RDA en la segunda fecha hace difícil la comparación. España y EE.UU. crecieron a un ritmo similar, pero con diferente impacto en los tres puntos de la distribución analizados. En España, los ingresos reales de los hogares «mediano» y «rico» aumentaron aproximadamente al mismo ritmo que la media, mientras que la renta del hogar «pobre» creció a una tasa algo inferior. En EE.UU., el fuerte aumento de la desigualdad en estos tres años se tradujo en un descenso del nivel de vida de los hogares de menor renta y una mejora casi insignificante de los de renta mediana, que contrasta con las ganancias reales de los hogares de mayor nivel de ingresos.

El balance para todo el período 1980-95 en los cuatro países para los que se dispone de información puede observarse en el gráfico 4. España y EE.UU., cuya renta por habitante ha aumentado en promedio más que en los otros dos países, ejemplifican dos pautas opuestas en el reparto del crecimiento por niveles de ingresos, con consecuencias muy distintas para los hogares menos favorecidos. En Alemania y Canadá las diferencias en las ganancias de los distintos grupos han sido menores y superan, en el caso de los hogares de la primera decila, a las experimentadas por los hogares estadounidenses de baja renta.

GRÁFICO 4. *Crecimiento real de las rentas en diferentes puntos de la distribución (período 1980-1995)*

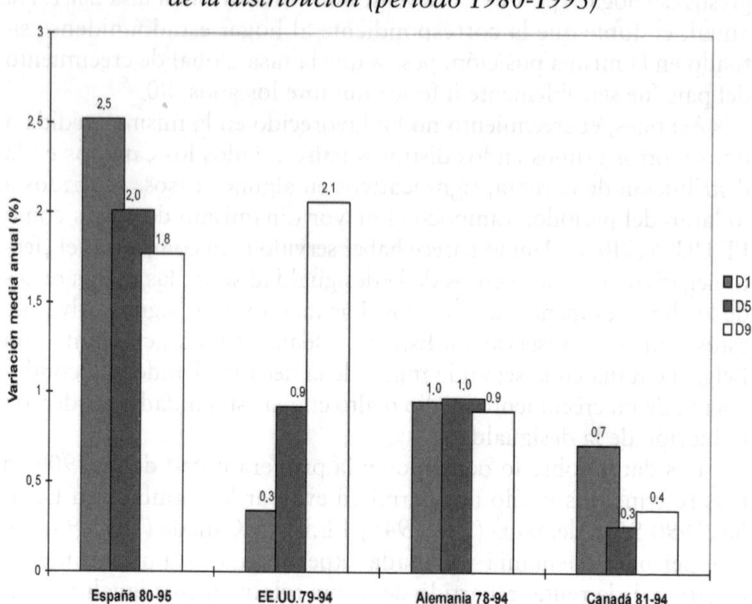

Fuente: Elaboración propia con datos de LIS y de la OCDE.

Los resultados anteriores ponen claramente de manifiesto que el crecimiento no permite por sí mismo asegurar una mejora de la situación económica de los grupos de menor renta, sino que, en cambio, resulta crucial la forma en que dicho crecimiento afecta a los distintos segmentos de la distribución. Desde otro punto de vista, las anteriores diferencias ponen también de relieve que una renta per cápita más elevada no garantiza siempre un mayor bienestar económico y social. De este aspecto nos ocupamos en el próximo subepígrafe.

2. *Nivel de vida y bienestar económico: una comparación transversal*

La renta per cápita es utilizada a menudo, implícita o explícitamente, como indicador del nivel de desarrollo de una colectividad. De la misma forma, el ritmo de crecimiento del PIB constituye la medida más habitualmente empleada para evaluar la buena o mala marcha de la economía en los países de la OCDE. La ventaja indudable que tienen estos indicadores es su facilidad de cálculo, ya que se basan en datos macroeconómicos (como el PIB o la población) obtenidos regularmente de las cuentas y censos nacionales y cuya medición se realiza con arreglo a una metodología comúnmente aceptada. Evaluar los resultados de la actividad económica a través del PIB o la renta por habitante constituye, sin duda, una primera aproximación razonable, pero podemos ir más allá y preguntarnos hasta qué punto ofrece la renta per cápita una imagen adecuada de los niveles de bienestar económico.

Obviamente, la medición de conceptos como el nivel de vida, el desarrollo, el bienestar u otros similares no resulta sencilla. Los desacuerdos e imprecisiones conceptuales sobre el significado de tales términos son una de las razones que explican tales dificultades[16]. En la práctica, los trabajos teóricos y empíricos que han tratado de aportar elementos para una mejor cuantificación del nivel de vida o el bienestar han adoptado distintos enfoques, que abarcan desde el desarrollo y perfeccionamiento de las cuentas nacionales[17] a la construcción de baterías de indicadores sociales[18] o la aplicación del marco teórico y analítico de la economía del bienestar. Es esta última perspectiva la que nos interesa en este trabajo, debido a que proporciona una vía sólida para combinar la información sobre el nivel de renta y la desigualdad en el análisis del bienestar agregado.

El presupuesto implícito en este enfoque es que el bienestar económico individual depende fundamentalmente del nivel de renta personal, de tal forma que, para conocer el bienestar de los ciudadanos, es necesario utilizar una adecuada combinación de datos sobre renta media y desigualdad.

Desde este punto de vista, la renta per cápita ofrece una aproximación claramente incompleta al bienestar porque recoge sólo una de las dos dimensiones (el valor de la renta media), pero ignora la otra (el grado de dispersión de los hogares en torno a ese promedio). Sin embargo, el valor que la media tiene como indicador del nivel de vida de un individuo tomado al azar depende del grado de desigualdad en

16. El trabajo de Pena Trapero (1977) sobre la medición del bienestar y conceptos afines plantea muchas de las dificultades teóricas que todavía hoy siguen vigentes. Véase, también, Seers (1972).

17. Aquí se enmarcaría, por ejemplo, la elaboración de cuentas satélites que incorporan aspectos como la producción doméstica o el valor del ocio, y excluyen los elementos que no contribuyen al bienestar del individuo (como los gastos destinados a paliar los efectos de la contaminación, el agotamiento de recursos naturales, etc.).

18. Estas baterías de indicadores tratan de medir distintos aspectos directamente relacionados con el bienestar, y resultan especialmente útiles en aquellos países en los cuales un gran número de actividades económicas escapan a los circuitos del mercado y las estadísticas y cuentas nacionales ofrecen una imagen poco fiel de los procesos de producción y distribución de la renta.

la distribución. En los países con pocas diferencias de renta, la renta media puede ofrecen una aproximación razonable al nivel de vida de amplias capas de la población. En aquellos otros muy desiguales o polarizados, en cambio, la renta per cápita puede resultar mucho menos interesante que las diferencias entre ricos y pobres a la hora de describir el nivel de vida de la sociedad.

De la misma forma, las diferencias relativas de renta, aunque influyen en el bienestar, no son más que una parte del mismo, ya que la magnitud de las desigualdades no revela nada sobre los niveles de vida absolutos de los miembros de la sociedad. Una duplicación instantánea de las rentas no provocaría ningún cambio en la desigualdad, al no afectar a la posición *relativa* de los distintos grupos, aunque incrementaría de forma evidente la renta media y el bienestar.

El análisis de la distribución de la renta ha propuesto diversos instrumentos para combinar ambas dimensiones en la obtención de resultados sobre bienestar social. En este apartado ofrecemos una visión conjunta de las diferencias en los niveles absolutos de renta y la distribución de la misma en los distintos países utilizando índices paramétricos de bienestar, que pueden interpretarse como funciones abreviadas de bienestar social cuyos argumentos son la renta media y la desigualdad asociada a una distribución x[19]. Utilizaremos en particular la forma genérica definida por:

$$B_\alpha(x) = \mu\ (1-d)^\alpha$$

Donde $d(x)$ es un índice de desigualdad acotado entre 0 y 1 y α representa un parámetro de aversión a la desigualdad cuya magnitud proporciona una medida de los términos de intercambio entre el nivel de renta (aproximado a través de alguna medida de tendencia central, μ como la renta per cápita o la renta mediana) y la igualdad (medida a través del complemento a 1 del índice de desigualdad). Si definimos un índice de igualdad e a través de este complemento a 1, podemos expresar más sintéticamente el índice de bienestar como:

$$B_\alpha = \mu e^\alpha$$

Donde $e(x) = 1\text{-}d(x)$. Diferenciando e igualando a 0 tenemos que α expresa la relación de intercambio entre la renta media e igualdad implícita en la función B_α. De este modo, un aumento del 1%

19. Véase Lambert (1993) para una discusión de éste y otros procedimientos para evaluar el bienestar.

de la igualdad permite una reducción de α puntos porcentuales en la renta media sin que el bienestar varíe.

Este tipo de funciones abreviadas de bienestar social tiene la ventaja de proporcionar un criterio cómodo para ordenar distribuciones de la renta según su nivel de bienestar atendiendo exclusivamente a dos criterios sencillos y fácilmente comprensibles, como son la renta media y la desigualdad. Por otra parte, la introducción de un parámetro de aversión a la desigualdad permite investigar los cambios en la ordenación ante diferentes valoraciones sociales de la equidad, aunque no da respuesta a la cuestión de cuál es el valor o rango de valores del parámetro que mejor refleja la idea de justicia o bienestar dominante en la sociedad.

En los índices aquí obtenidos nos hemos servido de la RFD por habitante (expresada en unidades monetarias homogéneas utilizando paridades de poder adquisitivo) y el coeficiente de Gini, junto con diversos valores comprendidos entre 0 y 4 para el parámetro α[20]. Hemos preferido la RFD al PIB porque es, como argumentábamos anteriormente, la macromagnitud más próxima al concepto de renta de los hogares cuya distribución se analiza.

Los diferentes valores de α pueden interpretarse como una forma de hacer explícita la posibilidad de muy distintas valoraciones éticas y políticas sobre el la importancia del «tamaño» de la renta y de su distribución en la noción de bienestar social. En el caso de $\alpha = 0$, se concede una ponderación nula a la igualdad o, en otras palabras, se asigna el mismo nivel de bienestar a dos países siempre que éstos tengan la misma renta per cápita, independientemente de cuál sea la distribución de la renta entre la población. Los restantes parámetros conceden ponderaciones positivas y crecientes a la igualdad. Según el más elevado ($\alpha = 4$), un 1% de aumento de la igualdad equivale a un 4% de aumento de la renta per cápita desde el punto de vista del bienestar social. Naturalmente, la cuestión de cuál es la relación de intercambio entre niveles de renta e igualdad en la determinación del bienestar es, en esencia, normativa. El rango de valores empleado nos permite examinar cómo la ordenación según la «renta per cápita» representada por B_0 se altera cuando se tiene en cuenta y se valora progresivamente más la distribución de la renta.

20. Este rango de valores coincide prácticamente con el utilizado por Jenkins (1991b) en su análisis de los cambios en la distribución de la renta y el bienestar en el caso británico.

Cuadro 7. ÍNDICES PARAMÉTRICOS DE BIENESTAR SOCIAL EN 1991 (MEDIA DIEZ PAÍSES = 100)

PAÍS	B_0	B_1	B_2	B_3	B_4	ORDEN SEGÚN B_4
EE.UU.	139	129	120	111	102	7
Bélgica	112	122	132	143	154	1
Canadá	109	109	109	109	108	3
Italia	108	107	106	105	103	5
Francia	104	105	105	105	105	4
Alemania	97	102	107	112	117	2
Reino Unido	92	85	78	72	66	9
Australia	87	85	82	80	77	8
Suecia	77	83	89	96	103	6
España	75	73	71	68	66	10
Media	100	100	100	100	100	-

Nota: En el caso de Alemania, se toma la RFD por habitante de 1990 (antes de la reunificación).

Fuente: Elaboración propia con datos de LIS y de la OCDE, *Economic Outlook*.

El cuadro 7 muestra los índices de bienestar correspondientes a los distintos parámetros α elegidos en los diez países estudiados, expresados en porcentaje respecto a la media con objeto de facilitar las comparaciones. El año que se toma como referencia es 1991, una fecha en la cual, o próxima a la cual, existen datos sobre distribución de la renta en todos los países.

Los países aparecen ordenados en el cuadro por B_0, es decir, teniendo en cuenta exclusivamente la RFD por habitante. Como puede apreciarse, cuando se utilizan índices que ponderan en alguna medida la igualdad, se producen algunas reordenaciones. Así por ejemplo, con el índice B_2, Bélgica tiene mayor bienestar que EE.UU. y Alemania que Italia y Francia, mientras que Reino Unido pasa a ocupar la penúltima posición (por delante sólo de España). Los hogares suecos tendrían mayor nivel de bienestar que los australianos, los británicos y los españoles, pese a ocupar la noventa posición cuando se examina sólo la renta per cápita.

Si empleamos el índice de bienestar B_4, Bélgica destaca claramente dentro del conjunto, debido a la combinación de una elevada renta media con unas desigualdades comparativamente bajas. Alemania y Canadá son otros dos países que quedan con nitidez por encima de la media. En torno a la media se situarían, por este orden, Francia, Italia, Suecia y EE.UU., mientras que Australia, Reino Unido y España se perfilan como los países con menores niveles de bienestar del conjunto, con valores claramente inferiores al promedio. En este resultado influye tanto la menor renta media como la mayor magnitud de las diferencias de renta entre los hogares.

Los cambios de posición producidos al utilizar distintos parámetros en el índice de bienestar hacen difícil obtener una ordenación completa de los niveles relativos de bienestar en el grupo de países considerados, tanto más cuanto mayor sea el rango de valores de α admitidos. Si nos restringimos a los valores del parámetro comprendidos entre 1 y 3 (es decir, si no tenemos en cuenta los índices extremos B_0 y B_4), podemos observar que, aunque existen algunos países o grupos de países cuyo orden resulta indeterminado (debido al desacuerdo de los distintos índices), es posible determinar las posiciones de los países en el *ranking* de bienestar social para cualquier α comprendido en el intervalo [1-3].

Así, podemos afirmar que Bélgica y EE.UU. tienen mayor bienestar que todos los demás países con la excepción de Alemania, que está por detrás de Bélgica pero no resulta comparable con EE.UU. (debido a la falta de coincidencia entre los índices respecto al orden de estos dos países). Canadá supera a Italia, e Italia a Francia con cualquier parámetro de aversión a la desigualdad comprendido entre $\alpha = 1$ y $\alpha = 3$, pero tampoco existe acuerdo unánime sobre la posición de estos países frente a Alemania. Los seis países mencionados presentan mayores niveles de bienestar que el grupo formado por Australia, Reino Unido y Suecia, entre los cuales no puede establecerse una ordenación clara. Por último, España se sitúa por debajo de todos los países restantes, sea cual sea el índice utilizado.

Un aspecto sin duda interesante, para completar nuestro análisis, es el modo en que los índices de bienestar se han modificado a lo largo de los años '80 en el grupo de países considerados. Hemos examinado la cuestión desde un punto de vista absoluto (comparando los índices de bienestar de 1991 con los de 1980) y relativo (a través de los cambios en la posición de cada país respecto a la media).

La variación absoluta en los índices de bienestar depende, naturalmente, de la evolución de la renta per cápita y la desigualdad. El índice de bienestar B_0 ha aumentado forzosamente en todos los países, puesto que el crecimiento de la renta media entre 1980 y 1991 ha sido positivo en todos los casos. Sin embargo, ¿se llega a la misma conclusión cuando se utilizan índices de bienestar que consideran los cambios distributivos en su formulación? ¿En qué medida —o para qué parámetros de aversión a la desigualdad— el aumento del bienestar derivado del crecimiento de la renta media logra compensar

GRÁFICO 5. *Variación % media anual del índice de bienestar en el período 1980-1991, con diferentes parámetros de aversión a la desigualdad*

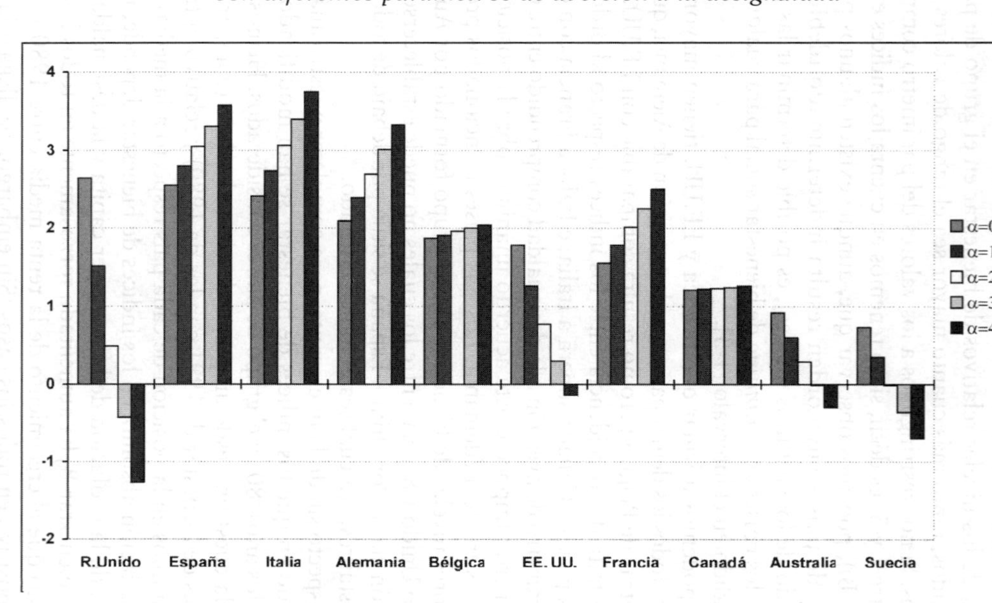

Nota: Países ordenados de mayor a menor crecimiento del índice de bienestar con $\alpha = 0$.

Fuente: Elaboración propia con datos de LIS y de la OCDE.

los efectos negativos del aumento de las diferencias de renta observado en algunos países? El gráfico 5 permite contestar fácilmente a esta cuestión. En él se recoge la tasa porcentual media de variación de B_{α} en los distintos países entre 1980 y 1991, con los cinco valores de α utilizados en el cuadro 7.

En seis de los diez países considerados, el bienestar ha aumentado a lo largo de los años '80, sea cual sea el parámetro de aversión a la desigualdad utilizado. En los casos de España, Italia, Alemania y Francia la mejora es mayor conforme se pondera más la igualdad, debido a que los cuatro países experimentan moderadas reducciones de la desigualdad a lo largo de la pasada década[21]. Destaca el hecho de que España, aunque siga en la última posición en 1991, es, junto con Italia, el país en el cual el bienestar ha aumentado a mayor ritmo en los años '80.

En los cuatro países restantes, por el contrario, la tendencia del bienestar agregado depende del parámetro α empleado. En Suecia y Australia, dos países con escaso crecimiento y aumento de las desigualdades, los niveles de bienestar a principios de los '90 son similares o inferiores a los existentes una década antes con los índices B_3 y B_4. En el caso de los EE.UU., el bienestar ha tendido a aumentar, aunque en proporciones menores cuando se incrementa la ponderación de la igualdad. De hecho, el índice B_4 disminuye ligeramente entre ambas fechas. Reino Unido representa, quizá, la situación más paradójica: ha experimentado la mayor mejora si no se tiene en cuenta la evolución de la desigualdad, y también la pérdida de bienestar más marcada cuando se utilizan los índices de parámetros superiores.

Veamos por último cuáles han sido los cambios en la posición *relativa* de cada país dentro del conjunto a lo largo de los años '80. El gráfico 6 muestra esta información, obtenida al comparar los índices de bienestar en porcentaje respecto a la media de los diez países en las dos fechas consideradas.

La imagen del gráfico permite afirmar que España, Canadá, Bélgica e Italia han mejorado su situación respecto a la media, sea cual sea la ponderación otorgada al crecimiento y a las ganancias de igualdad, aunque la mejora es superior con los parámetros α más elevados.

21. En Italia y Bélgica calculamos el índice B_{α} de 1980 suponiendo que la distribución de la renta en esa fecha era la misma que la observada a mediados de la década, período al que corresponden los primeros datos disponibles. Este supuesto tendrá el efecto de sobrestimar el aumento del bienestar si la desigualdad ha aumentado durante el primer quinquenio y subestimarlo si la desigualdad se ha reducido en ese mismo período.

GRÁFICO 6. *Variación del índice de bienestar expresado en relación a la media de los países, con diferentes parámetros de aversión a la desigualdad (período 1980-1991)*

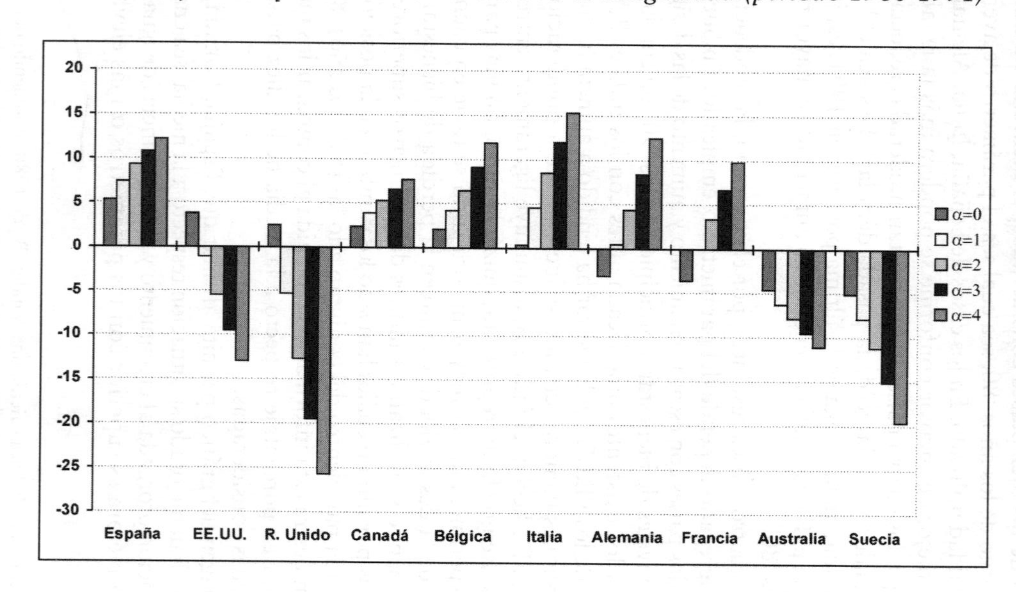

Nota: Países ordenados de mayor a menor mejora relativa del índice de bienestar con $\alpha = 0$.

Fuente: Elaboración propia con datos de LIS y de la OCDE.

Australia y Suecia, por el contrario, pierden posiciones a lo largo de la década, debido a la combinación de un nivel de crecimiento modesto, con relación al de otros países, y un fuerte aumento de las desigualdades. En los otros cuatro países, la conclusión depende de si se tiene en cuenta o no la evolución de la distribución de la renta. Así, EE.UU. y Reino Unido mejoran su situación relativa si sólo se considera el aumento de la renta per cápita (B_0), pero la empeoran, y de forma muy acusada en el Reino Unido, cuando los índices de bienestar incluyen, aunque sea con una ponderación baja, la igualdad. Exactamente lo contrario ocurre en Alemania y Francia, que ganan en relación al promedio con parámetros iguales o superiores a 2, pero pierden algunos puntos respecto al promedio bajo el supuesto de aversión nula a la desigualdad.

Lo que el análisis anterior pone con nitidez de manifiesto es que la respuesta a la cuestión de si el bienestar ha aumentado o disminuido en los países estudiados depende, en algunos casos, de los juicios de valor acerca de la importancia relativa del crecimiento económico y las ganancias en igualdad. Aunque la cuestión de cuál deba ser el peso concedido a cada una de estas dimensiones puede ser objeto de debate, los índices propuestos permiten abordar explícitamente la discusión en el terreno empírico y tienen, a nuestro juicio, claras ventajas sobre los indicadores tradicionalmente utilizados para clasificar a los países según su nivel de desarrollo económico. En este sentido, el análisis conjunto del crecimiento y la distribución debería constituir un instrumento importante para evaluar los cambios en el bienestar y estimar el impacto global de las políticas públicas.

BIBLIOGRAFÍA

Álvarez, C., Ayala, L., Iriondo, I., Martínez, R., Palacio, J. I. y Ruiz-Huerta, J. (1996): *La distribución funcional y personal de la renta en España*, CES, Madrid.

Atkinson, A. B. (1993): «What is Happening to the Distribution of Income in the UK?»: *Welfare State Program Discussion Paper*, 87.

Atkinson, A. B., Rainwater, L. y Smeeding, T. (1995): «Income Distribution in OECD Countries»: *Social Policy Studies*, 18.

Ayala, L., Martínez, R. y Ruiz-Huerta, J. (1993): «La distribución de la renta en España en los años ochenta: una perspectiva comparada», en VV.AA.: *I Simposio sobre igualdad y distribución de la renta y la riqueza*, vol. II, Fundación Argentaria, Madrid.

Ayala, L., Martínez, R. y Ruiz-Huerta, J. (1996): «La distribución de la renta en España desde una perspectiva internacional: tendencias y factores de cambio», en AA.VV.: *La distribución de los recursos*, Fundación Argentaria-Visor, Madrid.

Ayala, L., Ruiz-Huerta, J. y Martínez, R. (1998): «El mercado de trabajo y la distribución personal de la renta en España en los años noventa»: *Ekonomiaz*, 40, 104-133.
Blackburn, M. L. y Bloom, D. (1991): «The Distribution of Family Income: Measuring and Explaining Changes in the 1980s for Canada and United States»: *Working Paper,* 3659, Cambridge, Mass.: National Bureau of Economic Research.
Card, D. y Freeman, R. B. (eds.) (1993): *Small Differences That Matter: Labor Markets and Income Maintenance in Canada and the United States*, University of Chicago Press, Chicago.
Del Río, C. y Ruiz-Castillo, J. (1996): «Ordenaciones de bienestar e inferencia estadística. El caso de las EPF de 1980-81 y 1990-91», en AA.VV.: *La distribución de los recursos*, Fundación Argentaria-Visor, Madrid, 9-44.
Gottschalk, P. y Smeeding, T. (1997a): «Cross-National Comparisons of Earnings and Income Inequality»: *Journal of Economic Literature*, V. XXXV, 633-687.
Gottschalk, P. y Smeeding, T. (1997b): «Empirical Evidence on Income Inequality in Industrialized Countries»: *LIS Working Papers*, 154.
Jenkins, S. (1991a): «The Measurement of Income Inequality», en Osberg, L. (ed.): *Economic Inequality and Poverty: International Perspectives*, Armonk NY, M.E. Sharpe, 3-38.
Jenkins, S. (1991b): «Income Inequality and Living Standards: Changes in the 1970s and 1980s»: *Fiscal Studies*, 12(1), 1-28.
Jenkins, S. (1995): «Accounting for Inequality Trends: Decomposition Analysis for the UK, 1971-86»: *Economica*, 62, 29-63.
Lambert, P. (1993): *The Distribution and Redistribution of Income: A Mathematical Analysis*, 2ª ed., Manchester University Press (trad. española: *La distribución y redistribución de la renta. Un análisis matemático*, Instituto de Estudios Fiscales, Madrid, 1995).
Martínez, R., Ruiz-Huerta, J. y Ayala, L. (1998): «Desigualdad y pobreza en la OCDE: una comparación de diez países»: *Ekonomiaz*, 40, 43-67.
OCDE (1996): *Perspectivas del Empleo*, París.
Pena Trapero, J. B. (1977): *Problemas de la medición del bienestar y conceptos afines*, Instituto Nacional de Estadística, Madrid.
Ruiz-Castillo, J. (1995): «Income Distribution and Social Welfare: A Review Essay»: *Investigaciones Económicas*, XIX (1), 3-34.
Ruiz-Huerta, J., Ayala, L., Martínez, R., Sastre, M. y Vaquero, A. (1999): «Distribución de la renta y mercado de trabajo en la OCDE», en VV.AA.: *Políticas de bienestar y desempleo*, Fundación Argentaria-Visor, Madrid [en prensa].
Seers, D. (1972): «What are we trying to measure?», en Baxter, N. (ed.): *Measuring Development: The role and adequacy of development indicators*, Frank Cass, Londres.
Tsakloglou, P. (1992): «Inequality and Welfare in EEC Countries»: *Bulletin of Economic Research*, 44(1), 21-37.

Capítulo 5

SISTEMA FISCAL Y MODELO SOCIAL: EL ALCANCE DE LAS ÚLTIMAS REFORMAS

Juan Antonio Garde Roca

I. INTRODUCCIÓN: MERCADO POLÍTICO Y PRINCIPIOS IMPOSITIVOS

La Reforma del Impuesto sobre la Renta de las Personas Físicas (IRPF) ha sido uno de los acontecimientos más relevantes de 1998 para la configuración económica y social de España, junto con el cumplimiento de los criterios de convergencia y el proceso de entrada en vigor del euro.

Dicha reforma figuraba como pieza fundamental del programa electoral del partido en el gobierno y resultaba un componente clave de su estrategia para ganar una mayoría social más holgada en las elecciones generales del año 2000. Esta característica de baza electoral estratégica ha supuesto que el proceso de elaboración-debate de la reforma pueda considerarse de manera precisa como un ejemplo paradigmático de la aplicación de los presupuestos de «mercado político» en el diseño y resultado final del nuevo impuesto. Una reforma de «todos ganadores» —aunque algunos más—, presentada bajo una óptica social de beneficio a los trabajadores, pensionistas y a los sectores sociales más modestos, que no ha descuidado un rediseño estratégico de las retenciones para que los efectos comenzaran a visualizarse a lo largo de 1999.

En la década de los '60, Buchanan destacó, dentro de la teoría de la elección pública, cómo los intereses de burócratas y políticos resultaban ser un factor clave en las decisiones del sector público, subsumido en una concepción de «mercado político». Los representantes políticos tendrían incentivos para diseñar un programa-producto que les permitiera alcanzar la mayoría electoral. Esta aproximación al «consumidor-votante» impulsaría una tendencia creciente no sólo hacia las preferencias medias, produciéndose cierta disputa por el electorado de centro, sino que buscaría igualmente obtener el mayor consenso posible de los grupos de presión-opinión social.

La teoría de los fallos del gobierno o «no mercado» ha puesto, por otra parte, en evidencia la importancia de las internalidades en las decisiones del Sector Público que podríamos definir como elementos de fines privados, presentes en el producto final del Sector Público. Los buscadores de rentas y los grupos de presión estarían, en consecuencia, presentes en las decisiones públicas, incluidas las diversas reformas fiscales. De tal forma que, siguiendo a Stiglitz[1], «el potencial de redistribución inherente a los poderes coercitivos del gobierno, no sólo puede dar lugar a desigualdades, sino también a actividades de captación de rentas [...]. Las redistribuciones no son las que corresponden con los principios de equidad generalmente aceptados, más bien son el resultado de la actuación de grupos de presión que utilizan los poderes del Estado para obtener beneficios privados a expensas de los ciudadanos».

La confluencia del enfoque del «mercado político» y de las «internalidades» de las decisiones públicas como instrumentos de decisión, nos permiten comprender de manera más coherente el contenido de la Reforma del IRPF adoptada, así como el proceso global de cambio fiscal abordado durante la legislatura conservadora.

El Estado de Bienestar tiene su fundamento no sólo en las políticas del gasto. El modelo de financiación es un factor importante a la hora de considerar la capacidad redistributiva del sector público y la consistencia de los diseños de igualdad de oportunidades.

El efecto redistributivo final de las políticas públicas depende del grado de progresividad del sistema de financiación utilizado para posibilitar dichas políticas. En este marco, las distintas figuras impositivas tienen una incidencia distinta: El IRPF y los impuestos directos (Sociedades, Sucesiones, Patrimonio) sirven mejor a la política redistributiva que los impuestos sobre el consumo (IVA e Impuestos Especiales), de carácter marcadamente regresivo. Las tasas-precio dependerán del tipo de bienes públicos sobre los que descansen y su tarifa. Respecto a las cotizaciones sociales, el diseño de tarifa y bases y los destinatarios de los recursos son factores esenciales para considerar sus efectos.

1. J. E. Stiglitz. *El papel económico del Estado*, Instituto de Estudios Fiscales, Madrid, 1993.

Los modelos de impuestos establecidos, las exenciones y beneficios fiscales presentes ofrecen un referente fundamental sobre lo que se quiere o no favorecer y los valores con los que se pretende impulsar la sociedad.

El Estado de Bienestar es inseparable de los modelos fiscales y financieros que lo sustentan. Así, en sintonía con la configuración del Estado Social, se consolida una ideología de la imposición o principios básicos de la misma coherentes con sus fundamentos. La obra básica que recoge estos postulados es *Los Principios de la Imposición*[2], se debe al hacendista alemán Fritz Newmark y apareció en 1970. En dicha obra se consagran dentro de los fines de justicia impositiva los principios de generalidad, igualdad, proporcionalidad (capacidad económica) y redistribución o progresividad del sistema. Otras finalidades como la eficacia en la asignación de recursos, la estabilidad, el desarrollo o la eficiencia técnica-tributaria integran principios igualmente esenciales como el de eficiencia, suficiencia, flexibilidad, adaptabilidad o de mínima distorsión.

La presentación de esta cesta o conjunto de principios, a equilibrar entre sí, ha influido decisivamente en la configuración de los sistemas fiscales modernos y en las constituciones económicas de distintos países y, entre ellas, la Constitución Española de 1978.

El transcurso del tiempo ha supuesto una alteración de los pesos relativos de dicha cesta de principios y la afloración de conflictos más o menos abiertos entre algunos de ellos, sujetos de relaciones de intercambio-sustitución, obligando a la búsqueda de nuevos compromisos. La preocupación por la equidad vertical, más ligada a la progresividad y la redistribución, dejó paso a un enfoque más centrado en la equidad horizontal que incumbe al trato igual según capacidad económica, y ambos conceptos perdieron fuerza en relación con la preocupación creciente por los efectos distorsionadores de la imposición sobre la asignación de recursos productivos o la eficiencia.

La globalización «financiera» de la economía y la libertad de movimientos de capitales han supuesto acentuar un tratamiento de inequidad según fuentes de renta (capital o trabajo). La sombra de la «competencia fiscal» entre países y la existencia de un fraude fiscal persistente en el conjunto de los países más desarrollados (no hablamos de los menos desarrollados) ha alterado, por otra parte, profundamente

2. F. Newmark. *Los principios de la Imposición*, Obras básicas de la Hacienda Pública, Instituto de Estudios Fiscales, Madrid, [2]1994. Introducción de Enrique Fuentes Quintana, presentación de Juan Antonio Garde.

la equidad en la práctica de los sistemas fiscales y su verdadero alcance redistributivo. Finalmente, el extraordinario esfuerzo financiador del Estado de Bienestar ha elevado la presión fiscal, haciendo descansar en exceso sobre el factor trabajo su financiación, encareciendo su precio relativo en relación con el capital o con los recursos naturales (costes ecológicos), paradójicamente en unas condiciones históricas donde los niveles de desempleo resultan muy altos.

Es, en este entorno, donde se produce el cambio fiscal conservador en España. Toma como eje el IRPF pero viene precedido de ajustes fiscales importantes en los Impuestos sobre Sucesiones y Patrimonio y en la tributación de las rentas empresariales y profesionales. Al modelo tributario y sus principales características hasta 1998, a la percepción social sobre los impuestos y a sus postulados, a la reforma conservadora desde la óptica de los comportamientos sociales en relación con el Estado de Bienestar, se dirige este trabajo.

II. PROGRESIVIDAD, REDISTRIBUCIÓN Y MODELOS TRIBUTARIOS

La progresividad en los Sistemas Tributarios es un principio clásico de la Hacienda Pública que, como ya he referido, se integra hoy en buena parte de las constituciones económicas de los países democráticos.

Tradicionalmente, su fundamentación hacendística se encuentra en el principio de «igualdad de sacrificio». Dado que la utilidad de la renta disminuye cuando ésta aumenta, de ello se deduce que la igualdad de sacrificio implica la tributación progresiva [3]. Ya Berliri en su libro *El impuesto justo* [4] propone a los economistas que investiguen acerca de la posibilidad de sistemas mixtos, que concilien las características productivas (eficiencia) del impuesto proporcional con las igualadoras del impuesto progresivo. Los sistemas tributarios modernos se han construido con base en esta premisa como sistemas tributarios que manejan «cestas de impuestos» que, en su conjunto, pretenden preservar los diversos principios jurídicos y económicos de la imposición: equidad, progresividad, eficiencia, suficiencias, etc.

La exigencia de progresividad de nuestro sistema tributario tiene carácter constitucional (art. 31.1 de la Constitución) y el eje sobre el

3. A. Wagner, *Finanzwissenschaft*, 1880.
4. L. Berliri, *El Impuesto justo*, Instituto de Estudios Fiscales, Madrid, 1986 (e.o.: 1945).

que descansa este principio global se sustenta en torno a la imposición personal y directa, específicamente el IRPF.

Sin embargo, es importante no desconocer que la progresividad formal o «positiva», según el ordenamiento jurídico, tiene su contraposición con la progresividad efectiva, real o de hecho, que está condicionada por los niveles de fraude fiscal existentes en una sociedad y las fuentes de renta o sectores sociales que más se benefician de dicho fraude. Klaus Tipke[5], uno de los más importantes maestros vivos del Derecho Financiero, se pregunta: «¿Qué sería de las leyes tributarias perfectas si se aplican desigualmente?», y se contesta afirmando: «El Estado de Derecho es el que reparte justamente la carga tributaria, pero no solamente en el papel, sino en la realidad práctica».

El fraude fiscal es consustancial a la existencia de cualquier sistema tributario. Puede analizarse en las economías desarrolladas a través de modelos en los que se integran dos componentes distintos: uno estructural, que afecta con cierta generalidad al conjunto de los sistemas y países, y un componente «específico», según países, que depende de una pluralidad de factores tales como la percepción ciudadana respecto a la legitimidad de la acción pública; la eficacia del sistema tributario y de los controles de la Administración; la conciencia social y ciudadana; la percepción de equidad del sistema tributario; los niveles de equivalencia entre el impuesto y los servicios recibidos, etc.

El nivel de interiorización social e institucional de valores como la legalidad y la solidaridad, y los componentes técnicos impositivos, de control y sanción, cumplen en consecuencia un papel fundamental en estos elementos «específicos» causales del fraude fiscal en cada sociedad concreta. El componente «estructural» del fraude varía según los entornos históricos, económicos y sociales. Algunos estudios permiten situarlo en la actualidad para los países desarrollados en un abanico entre el 2.5 y 3% del PIB.

Considerar, en consecuencia, el grado de progresividad real es un elemento fundamental a la hora de abordar el análisis de los sistemas tributarios.

Pero aparte de la progresividad formal y la progresividad real, y retomando el principio jurídico constitucional, éste no define cuánto de progresivo debe resultar nuestro sistema tributario, ni el alcance de dicha progresividad en el impuesto eje: el IRPF.

5. K. Tipke, en VV.AA., *Perspectivas de la Administración Tributaria*, Escuela Financiera Alemana, 1993.

En general, un impuesto se denomina progresivo cuando sus tipos impositivos medios efectivos crecen conforme se incrementa la renta declarada.

Vinculado a este concepto se encuentra el de redistribución o capacidad redistributiva de un impuesto que podría definirse como la distancia entre el impuesto real y un impuesto proporcional. Un tipo lineal en el IRPF con un mínimo exento es un impuesto progresivo al cumplir el principio general descrito, aunque menos progresivo que si se aplica una tarifa de este carácter para las mismas condiciones.

La doctrina hacendística ha venido manteniendo que la imposición directa integra, de forma más consistente, los factores de equidad (horizontal y vertical) que se encuentran en la base del principio de progresividad. Los impuestos indirectos resultan más eficientes, pero incorporan un alto componente de regresividad al gravar el consumo y ser la propensión marginal al consumo menor a la unidad, es decir al repercutir en mayor proporción sobre aquellos sectores sociales con menos rentas, ya que éstos gastan la casi totalidad o al menos un porcentaje mayor de sus ingresos.

Los sistemas tributarios han tratado de compaginar las necesidades recaudatorias y la eficiencia con la equidad y la progresividad a través de tipos diferenciados en algunos impuestos indirectos como el IVA y, sobre todo, haciendo descansar la progresividad y la equidad del sistema en los impuestos directos (IRPF, Sociedades, Patrimonio, Sucesiones).

Existe, en consecuencia, una primera elección básica de los modelos fiscales, que según su grado de equidad y progresividad repercutiría decisivamente en el modelo social y en sus valores dominantes.

La financiación del gasto público puede realizarse con criterios de mayor o menor equidad y progresividad y esto tendrá mucho que ver con el sistema tributario realmente existente, que conformará, consecuentemente, una primera opción básica de sociedad ligada al Estado de Bienestar.

Por otra parte, el modelo tributario elegido incorporará, más allá de los factores de la progresividad, todo un conjunto de elementos que incentivarán o penalizarán determinados comportamientos sociales, generando oportunidades y promoviendo políticas sectoriales o alternativas de mercado. Este conjunto de decisiones influirán también de forma decisiva en el modelo de sociedad que se pretende y en la consolidación o disgregación del Estado de Bienestar.

La Hacienda Pública contemporánea se ha configurado en los países desarrollados en torno al papel central que desempeña el IRPF, los impuestos directos y los Impuestos Patrimoniales como garantes de equidad y progresividad. El Impuesto sobre la Renta ha venido considerándose la expresión óptima de gravamen para medir la capacidad de pago y el referente fundamental para una distribución equitativa de los costes sociales. Su capacidad redistributiva, su flexibilidad y su carácter estabilizador pronto le convirtieron en eje indiscutible de los modelos de tributación óptima.

No obstante, sus posibles efectos distorsionadores sobre la eficiencia económica, así como la realidad práctica del fraude fiscal de determinadas fuentes de renta y su repercusión en la equidad, no han dejado de preocupar y de estar presentes en los debates doctrinales.

Pero si la Hacienda Pública ha contemplado y sigue contemplando hoy el IRPF como la figura nuclear de los modernos sistemas tributarios, ha sido la construcción del Estado de Bienestar, configurado en Europa por demócrata-cristianos y socialdemócratas tras la Segunda Guerra Mundial, el determinante principal de un modelo político y social en donde el IRPF es una de las «instituciones símbolo» más consistentes de la economía social de mercado.

La irrupción y el peso creciente de la imposición sobre el consumo, de las cotizaciones sociales y de las tasas-precios no han desdibujado este carácter institucional nuclear del Impuesto personal sobre la renta, aunque sí han transformado su liderazgo fortaleciendo su carácter de cohesionador capaz de garantizar la articulación necesaria de una cesta de tributos más compleja adaptada a la realidad económica.

Por ello, los aspectos más visibles del impuesto, tales como su capacidad recaudatoria y su peso relativo en el sistema de ingresos, la progresividad formal de su tarifa, el tratamiento de las distintas fuentes de renta, la composición de sus tipos marginales, las fórmulas de aplicación de los mínimos exentos, la personalización y adaptación de las condiciones familiares (renta discrecional *versus* mínimo exento y deducciones en cuota, etc.), no deben considerarse como elementos en sí mismos aislados, sino que deben ser examinados en un marco de conjunto para poder evaluar con rigor el alcance de cualquier reforma. Es preciso, en consecuencia, procurar una visión más integral, de forma que los aspectos cuantitativos que repercuten sobre la equidad global del sistema se completen con análisis internos más micros; y el conjunto con aquellos factores cualitativos de orden social y de equidad que repercuten en las políticas públicas y los valores sociales dominantes.

III. LA POLÍTICA TRIBUTARIA PREVIA A LA REFORMA DEL IRPF

La política tributaria del gobierno del Partido Popular ha sido de un gran dinamismo desde el comienzo de la legislatura en 1996. De forma precisa desde un primer instante parecía pretender, a través de modificaciones parciales en el IRPF y en otros impuestos como Sucesiones, Patrimonio y Sociedades, un programa de transferencias de rentas a favor de distintos sectores y grupos de interés que configuran una parte relevante de su base electoral (empresarios, profesionales, rentistas de capital). Al encarar la reforma del IRPF en 1998 ha contado, por lo tanto, con una plataforma que le ha permitido operar en un terreno previamente acondicionado en el que múltiples intereses habían sido previamente considerados y aceptados.

Así, el Real Decreto Ley 7/96 establecía ente otras medidas:

a) La reducción en un 15% del rendimiento neto del régimen de módulos de los empresarios en IRPF.

b) La bonificación del 95% de la Base Imponible del Impuesto sobre Sucesiones en la transmisión de empresas familiares.

c) La posibilidad de actualización de balances de los sujetos pasivos de IRPF y Sociedades que realizan actividades empresariales o profesionales.

d) La modificación de la tributación de los incrementos de patrimonio, estableciendo un tipo único del 20%, lo que los configura en la práctica como un impuesto distinto no integrado globalmente en el IRPF, evitando, en consecuencia, la progresividad de estas ganancias y alejándose definitivamente del carácter sintético del impuesto.

La Ley de los Presupuestos Generales del Estado para 1997 y la Ley de Medidas Fiscales Administrativas y de Orden Social, contenía por otra parte los siguientes preceptos:

a) Equiparaba en las donaciones el tratamiento favorable aprobado anteriormente para las sucesiones de empresas familiares.

b) Reducía el tipo de gravamen del 91.1% de las Sociedades (aquéllos cuyo volumen de operaciones anuales es inferior a 250 millones) al establecer un tipo del 30% sobre los primeros 15 millones de pesetas de base imponible, frente al 35% vigente anteriormente.

c) Establecía la exención en el Impuesto sobre Patrimonio de los activos afectos a actividades empresariales, produciendo una reducción notable de la efectividad del mismo.

La Ley de los Presupuestos Generales para 1998 y la Ley de Medidas Fiscales Administrativas y de Orden Social:

a) Extendió la exención en el Impuesto sobre Patrimonio también a los activos afectos a actividades profesionales en los mismos términos que los empresariales.

b) Extendió la exención en el Impuesto sobre el Patrimonio a los bienes y derechos comunes a los cónyuges afectos al desarrollo de actividades empresariales o profesionales de cualquiera de los esposos.

La Ley 1/1998 de Derechos y Garantías de los Contribuyentes junto con aportaciones muy positivas en relación con los derechos de Ciudadanía aplicados al campo de la Hacienda Pública, incorporó no obstante unos costes gestores excesivos y un desgaste organizativo notable, al absorber numerosos recursos en tareas excesivamente procedimentales en detrimento del control de cumplimiento.

El abandono de la opción de la Ley General Tributaria como Código Integral de los derechos y obligaciones de los contribuyentes está desplazando la aplicación del sistema tributario hacia un nuevo equilibrio garantías-cumplimiento en el que las primeras, hipertrofiadas procedimentalmente, permiten a los mejor informados, con mayores conocimientos y recursos, dificultar mucho la eficacia de la Administración Tributaria.

Finalmente, el Real Decreto 37/98, que modificó ciertos aspectos del Reglamento del IRPF, IVA e IGIC:

a) Amplió el número de empresarios y profesionales que tributan por la antigua modalidad de coeficientes, hoy estimación directa-normal en IRPF. El nuevo régimen posibilitará la deducción como gastos de una pluralidad de bienes, vía amortización, que pueden ser fácilmente calificados como «afectos» a la actividad por parte del sujeto pasivo, a pesar de pertenecer a su patrimonio particular, y hace todavía más difícil el control del fraude de este segmento de contribuyentes.

b) En el régimen de módulos, hoy estimación objetiva, se incrementa la complejidad del sistema, dificultando los mecanismos de control de la Administración.

En conjunto, con estas medidas se configura un sistema previo a la Reforma del IRPF caracterizado por:

1) La reducción notable del Impuesto sobre el Patrimonio, facilitando su elusión legal por las grandes fortunas a través de su vinculación a formas empresariales y profesionales.

Entre la declaración de 1995 (junio '96) y 1996 (junio '97), pese al incremento de declaraciones, el número de declarantes de activos empresariales y profesionales descendió el 2.26% y la importancia relativa de estos bienes el 0.41%. En sucesivas declaraciones, el 15% de los declarantes por este impuesto, 123 592 contribuyentes, que son los que declaran bienes afectos a actividades empresariales y profesionales reducirán notablemente la Base Imponible de su declaración, y para unos pocos de miles de grandes patrimonios el impuesto se ha reducido de forma drástica.

2) La exclusión en los Impuestos de Sucesiones y Donaciones de estos mismos patrimonios, reduciendo su operatividad práctica.

3) Los rendimientos empresariales y profesionales consolidan importantes ventajas en el IRPF, tributando por cuantías muy inferiores a los rendimientos del trabajo, a igualdad de capacidad económica. En la declaración del ejercicio 1996, las rentas del trabajo han pasado a representar el 75.25% de la cuota líquida del total del IRPF[6], una cantidad muy por encima de su participación efectiva en la Renta Nacional. Este porcentaje, sin duda, se ha incrementado en la declaración del ejercicio 1997, y lo hará en la correspondiente a 1998.

4) Las plusvalías (ganancias patrimoniales) se configuran como un nuevo impuesto, desgajándose de la tarifa general del IRPF reduciendo la equidad y la progresividad del sistema.

5) Se reduce la tributación del Impuesto sobre Sociedades, alejándose sus tipos del IRPF; renunciando, en consecuencia, de forma anticipada, a una articulación más equilibrada con IRPF tras su bajada de tipos, que permitiría limitar la elusión fiscal mediante la creación de Sociedades.

6) La litigiosidad se incrementa a la vez que se deteriora el cumplimiento fiscal de los sectores de fraude más característicos.

IV. REFORMA DEL IRPF Y MODELO SOCIAL

El análisis del nuevo modelo de IRPF aprobada por el Parlamento en 1998, a propuesta del partido en el gobierno, no pretende ser de na-

6. «La Valoración de la renta en el IRPF contiene un sesgo excesivamente marcado hacia los rendimientos provenientes del trabajo por cuenta ajena, circunstancia que se constata inmediatamente al comparar las estructuras de las bases, imponible o liquidable, con la distribución funcional de la renta en España. Así dicha fuente de renta aportaba el 79% de la base imponible en 1996, mientras que los salarios y pensiones participaban con tan sólo el 61% en la formación de la renta familiar disponible, antes del pago de los impuestos directos. Además la brecha entre ambas fracciones tiende a acrecentarse con el paso del tiempo» (Dirección General de Tributos, *La estructura de la Cuota Líquida, según fuentes de renta*, octubre de 1998).

turaleza técnico-jurídica, ni evaluador de la oportunidad económica o de eficiencia de sus postulados.

Tampoco pretende considerar cuestiones vinculadas con la suficiencia financiera del Estado y el equilibrio recaudatorio, ni referirse a consideraciones acerca de su sostenibilidad en el marco del ciclo económico; estos aspectos ya han sido objeto de análisis por parte de estudiosos y políticos en los medios de comunicación.

Es el diseño global-social del Impuesto lo que se pretende considerar. Desde un punto de vista global, el IRPF surgido de la reforma es una institución que, en las condiciones de la sociedad española actual, hace prevalecer su carácter regresivo, por lo que atañe a los criterios, valores y concepciones sociales que impulsa. Más allá de cualquier análisis de carácter más técnico, es incuestionable que consolida:

a) Un sistema de ingresos tributarios con un mayor peso de la imposición indirecta; en consecuencia, menos equitativo.

Esta realidad cuya tendencia es inequívoca, se refleja todavía de un modo tenue en los Presupuestos Generales del Estado aprobados para 1999, dado lo escasamente convincente de sus cifras en relación con la recaudación del IRPF proyectada[7].

Cuadro 1. EVOLUCIÓN DE LOS IMPUESTOS DE LA ADMINISTRACIÓN DEL ESTADO

	PORCENTAJES RECAUDACIÓN 1997	PORCENTAJES RECAUDACIÓN 1998	PORCENTAJES PPRESUPUESTOS 1999
Impuestos Directos	55.77	53.69*	52.15*
Impuestos Indirectos	44.23	46.31	47.85
Total Capítulos I y II	100	100	100

* Se incluye la participación de las CC.AA. en el Impuesto sobre la Renta.

Fuente: Agencia Estatal de Administración Tributaria y elaboración propia.

Esa pérdida de equidad no parece justificada por una ganancia neta de eficacia al haberse optado por esta opción, frente a la posible alternativa de modificación de las Cotizaciones Sociales, empleando

7. Tal como se señalará con posterioridad, una de las escasas salvedades que la Comisión Europea ha planteado al Plan de Estabilidad español es la «incertidumbre sobre el coste real de la Reforma del IRPF y su repercusión en el Déficit Público».

más eficientemente el margen financiero que pudiera ofrecer como compensador la Imposición Indirecta.

Si analizamos nuestra estructura tributaria (incluyendo las Cotizaciones Sociales) en relación con la de los países de la UE en 1996, comprobamos que más allá del diferencial en presión fiscal de 8.6 puntos, en términos de PIB, que es diferencia muy notable, el *gap* con nuestros socios se produce en IRPF, Sociedades e Impuestos Indirectos por este orden. En efecto, en relación con el peso de las distintas fuentes de ingresos, y en comparación con la media de la UE, nuestro país muestra un peso relativo muy superior de las cotizaciones sociales (en términos absolutos a nivel europeo) con un sesgo alcista importante de la cuota empresarial, un peso relativo muy inferior de los impuestos directos, y una proporción relativa ligeramente inferior a la europea respecto a la imposición indirecta (mucho más baja en términos absolutos).

Podríamos, analizando de forma más precisa los cuadros 2 y 3 y la estructura de otros países representativos, encontrar hasta 6 modelos subyacentes.

1) Modelo *UE/medio*: Se basa en una distribución más equilibrada de los tres grandes grupos de ingresos, con predominio de la imposición directa que refleja el peso de los países centroeuropeos y nórdicos.

2) Modelo *OCDE/RU/USA*: Se basa en una distribución más dispersa de los tres grupos, con predominio de la imposición directa y cotizaciones sociales más bajas que el anterior. Sería igualmente el modelo irlandés, con bastante equilibrio entre los impuestos directos e indirectos.

3) Modelo *francés*: Se basa en un predominio de las cotizaciones sociales y en segundo nivel de la imposición indirecta sobre la directa.

4) Modelo *alemán/español/italiano/Países Bajos*: Predominio de las cotizaciones sociales y ligera ventaja de la imposición directa en relación con la imposición indirecta. En el caso italiano, los datos ofrecen un gran peso de la imposición directa.

5) Modelo *portugués*: Predominio claro de la imposición indirecta y cierto equilibrio entre los impuestos directo y las cotizaciones sociales.

6) Modelo *nórdico*: Este modelo aunque no figura en el cuadro preparado se caracteriza por el predominio absoluto de la imposición directa con práctica ausencia de cotizaciones sociales (Dinamarca), o predominio de la imposición directa de forma más equilibrada con las otras fuentes de ingreso (Suecia y Finlandia).

Cuadro 2. INGRESOS TRIBUTARIOS Y CUOTAS SOCIALES EN PORCENTAJE DEL PIB 1996

	RENTA PF	SOCIEDADES	PROPIEDAD	BIENES Y SERVICIOS	SEG. SOCIAL	OTROS	TOTAL
UE (15)	11.4	3.1	1.9	13.1	12.2	0.6	42.3
OCDE	10.3	3.1	1.9	12.0	9.8	0.6	37.7
España	7.8	2.0	1.9	9.8	12.1	0.1	33.7
R. Unido	9.4	3.8	3.8	12.7	6.2	0.1	36.0
Alemania	9.4	1.4	1.1	10.6	15.5	0.1	38.1
Francia	6.5	1.7	2.3	12.5	19.7	3	45.7
Italia	10.8	4.0	2.3	11.2	14.8	0.1	43.2
Portugal	6.6	3.3	0.9	14.9	9.0	0.2	34.9

Fuente: Estadísticas de Ingresos Públicos OCDE 1998 y elaboración propia.

Cuadro 3. OCDE INGRESOS TRIBUTARIOS Y COTIZACIONES SOCIALES EN PORCENTAJE DEL PIB 1996

	IMP. DIREC. *	%	IMP. INDIREC.	%	COTIZ. SOCIALES	%	OTROS	TOTAL	%
UE	16.4	38.77	13.1	30.97	12.2	28.84	0.6	42.3	100
OCDE	15.3	40.58	12	31.83	9.8	26.00	0.6	37.7	100
Francia	10.5	22.97	12.5	27.35	19.7	43.11	3	45.7	100
Alemania	11.9	31.23	10.6	27.82	15.5	40.68	0.1	38.1	100
R. Unido	17	47.22	12.7	35.28	6.2	17.22	0.1	36.0	100
Italia	17.1	39.58	11.2	25.93	14.8	34.26	0.1	43.2	100
España	11.7	34.71	9.8	29.08	12.1	35.9	0.1	33.7	100
Portugal	10.8	30.95	14.9	42.69	9.0	25.79	0.2	34.9	100

(*) Se han incorporado la totalidad de los Impuestos sobre la Propiedad. No obstante, los impuestos tipo «transmisiones patrimoniales» que se incluyen en este rótulo deberían engrosar el grupo de «Impuestos Indirectos».

Fuente: Estadísticas de Ingresos Públicos OCDE 1998 y elaboración propia.

El nuevo impuesto sobre la renta y las recientes reformas en otras figuras, desplazará el centro de gravedad del sistema español, desde el modelo actual hacia un modelo intermedio entre éste y el francés, que podría tener en el ejemplo portugués su horizonte temporal a medio plazo, si se quiere contrarrestar el exceso de gravamen sobre el factor trabajo existente. El nuevo modelo es un diseño financiero que pierde capacidad de redistribución desde la vertiente del ingreso y, a diferencia de otras estrategias, confía en la reducción de los ingresos fiscales como factor positivo de crecimiento y no tanto en la aplicación global de criterios de eficiencia.

b) Un menor peso de la imposición personal y, en consecuencia, de la progresividad del sistema tributario, en términos comparados con nuestros socios de la UE. Si antes de la reforma el peso recaudatorio del IRPF en términos del PIB (OCDE) era 3.6 puntos inferior a la media de la UE de los quince y tan sólo superior a tres países: Francia, Grecia y Portugal; tras la reforma se incrementará claramente nuestro diferencial.

Las estadísticas de la UE (cuadro 4) reflejan en 1998 un diferencial negativo para España, en términos de PIB, superior en los Impuestos sobre la Renta y el Patrimonio que en el resto de los impuestos. La evolución en el período 1996-1998 ha sido, por otra parte, ligeramente negativa para España en este mismo concepto.

Se ratifica, en consecuencia, a través de esta nueva fuente la tendencia a una mayor desviación futura de nuestro sistema tributario, según lo referido en el apartado anterior. Somos, tras Portugal (36.5), Irlanda (34.8) y Grecia (34.4) en 1998, el país de la UE con menor presión fiscal global e igualmente en relación con los Impuestos sobre la Renta y el Patrimonio. En este último caso, tan sólo Alemania, entre los países más prósperos, según las estadísticas europeas, poco consistentes en este extremo con las de la OCDE examinadas con anterioridad, tendría un nivel inferior.

Podría argumentarse que se ha iniciado una vía de reforma anticipándose al futuro y en sintonía con las tendencias internacionales, que tendrán que abrirse camino más tarde o más temprano en Europa. La aproximación de las tarifas en IRPF podría esgrimirse como ejemplo paradigmático. La realidad es que, más allá de las tarifas, nuestras tendencias al logro de mayor eficacia no tendrían por qué circular por una reducción tan importante del peso de nuestros impuestos personales.

c) Una configuración del impuesto menos redistributiva. A través esencialmente de tres mecanismos: la reducción de tipos y tramos y las deducciones en la base imponible.

La reforma ha supuesto una reducción notable de la tarifa del impuesto que ha pasado de situarse entre el 20 y el 56%, a establecerse entre el 18 y el 48%. Esta disminución ha permitido a la vez, una importante minoración de los tipos marginales más altos, beneficiando a los mayores declarantes con reducción de la progresividad; y la minoración de los tipos más bajos en dos puntos, beneficiando a los

Cuadro 4. PRESIÓN FISCAL COMPARADA EN TÉRMINOS DE PIB

	1996				1997				1998			
	IMPUESTOS SOBRE LA RENTA Y PATRIM.	IMPUESTOS SOBRE IMPOR. PRODUC.	SEGU-RIDAD SOCIAL	TOTAL	IMPUESTOS SOBRE LA RENTA Y PATRIM.	IMPUESTOS SOBRE IMPOR. PRODUC.	SEGU-RIDAD SOCIAL	TOTAL	IMPUESTOS SOBRE LA RENTA Y PATRIM.	IMPUESTOS SOBRE IMPOR. PRODUC.	SEGU-RIDAD SOCIAL	TOTAL
UE	*12.7*	*13.8*	*16.1*	*42.7*	*13.1*	*14.0*	*15.8*	*42.9*	*13.4*	*14.2*	*15.2*	*42.8*
Francia	10.0	15.6	21.6	47.2	10.6	15.7	21.0	47.3	12.6	15.6	19.1	47.3
Alemania	10.4	12.8	19.9	43.0	9.9	12.6	20.1	42.7	9.8	12.8	19.8	42.4
R. Unido	12.7	16.0	6.3	35.0	13.8	16.4	6.3	36.4	14.3	16.7	6.3	37.3
Italia	15.2	11.8	15.1	42.1	15.9	12.2	15.5	43.6	15.5	12.1	15.3	42.9
Portugal	10.0	14.4	11.6	35.9	10.5	14.4	11.9	36.7	10.4	14.2	11.9	36.5
España	*11.5*	*10.8*	*13.8*	*36.2*	*11.8*	*11.1*	*13.9*	*36.8*	*11.8*	*11.3*	*13.9*	*37.0*
USA	14.1	7.1	9.4	30.7	14.8	7.0	9.4	31.1	14.9	7.0	9.4	31.3
Japón	9.9	8.2	10.2	28.3	10.1	8.2	10.7	29.0	9.0	8.3	11.2	28.5

Fuente: Economía Europeenne (Anexo Estadístico) y Comisión Europea, 65, 1998.

contribuyentes de menores rentas declaradas. Por lo tanto y en relación con las rentas del trabajo, los más beneficiados en el nuevo impuesto son los declarantes entre los 2 y los 2.8 millones de ptas. y las rentas declaradas superiores a 5.2 millones.

Los estudios efectuados sobre la nueva tarifa parecen indicar un segmento de rentas intermedias entre 2.8 y 5.2 millones de ptas. sobre los que descansaría en términos relativos el mayor peso del impuesto.

Pero son, con toda probabilidad, las deducciones en la base imponible en lugar de en la cuota las que producen unos efectos técnicamente más desfavorables. La forma de aplicación del principio de «renta discrecional» mediante el «mínimo de exención» y la sustitución del tramo tipo cero anterior, configuran un carácter más regresivo al impuesto, sin la consistencia que incorporaría el establecimiento de un mínimo social de subsistencia o salario social de integración, que daría coherencia a sus postulados. En el trabajo de Jordi Sevilla, en este mismo informe, se aboga por la implantación en España de una renta fiscal negativa, en coherencia con este concepto.

En términos relativos, las rentas bajas pueden obtener mayor beneficio que las rentas más altas. Pero en términos absolutos sucede lo contrario. El Presidente de la Comisión de Expertos encargada de elaborar la propuesta de reforma, prof. Lagares, se ha referido a que los indicadores de progresividad mejoran en el nuevo impuesto a partir de los resultados de un estudio de Panel (MOSIR) efectuado sobre un segmento representativo de contribuyentes. Desconozco el nivel de actualización del MOSIR, así como las especificidades técnicas de la simulación efectuada, pero pienso que tendrán que realizarse al menos un par de ejercicios de declaraciones para poder analizar de forma rigurosa el comportamiento del nuevo impuesto. Mientras tanto, considero que los datos apuntan a una reducción de su capacidad interna de distribución.

d) Una mayor discriminación entre rendimientos procedentes de trabajo y otras fuentes de renta (empresariales, profesionales y de capital) al consolidarse y revalidarse las medidas anteriormente reseñadas previas a la Reforma del Impuesto. Se refuerza, en consecuencia, la tendencia a la progresividad efectiva sólo en las Rentas de Trabajo, combinada con fórmulas blandas, por reducción de bases o tipos en el resto de los rendimientos. Especial mención precisa la redacción del art. 31.3.c) de la nueva Ley que establece la no existencia de ganancia o pérdida patrimonial en las transmisiones de empresas o participantes. Con este artículo se cierra el círculo que posibilita, a través de actividades empresariales o profesionales, dejar prácticamente de tributar en sucesiones, donaciones y ahora en el IRPF por ganancias patrimoniales.

e) Una mayor fragmentación de los rendimientos de trabajo. Se ofrecen oportunidades de «ingeniería fiscal» para los ejecutivos de las empresas y sectores de asalariados privilegiados, a través del diferimiento y la reducción de la carga fiscal mediante aportaciones a mutualidades y fondos de jubilación, las retribuciones en especie y la canalización de rentas irregulares en el tiempo, aproximando este segmento a los beneficios fiscales que se ofrecen a las rentas del capital.

f) Los sectores asegurador, de previsión social y de sanidad privados resultan favorecidos por una política de incentivos que suponen cierto apoyo sectorial. Algunos medios han querido ver en estas medidas un deseo de contraponerlos al modelo público de prestación, y una opción que prima lo individual sobre lo social.

Por el contrario, la deducción por el alquiler de vivienda por parte de los sectores más modestos desaparece al integrarse, supuestamente, en el mínimo de exención. Esta decisión puede contrarrestar la bajada del tipo mínimo de la tarifa entre los jóvenes y los estratos más bajos de renta, a la vez que elimina el único incentivo fiscal existente hacia un modelo de política de vivienda que no tome como eje único el acceso a la propiedad. La referencia de la nueva Ley a la posible compensación de los perjudicados por esta medida da una idea de la preocupación por el modelo «todos ganadores» subyacente al nuevo impuesto.

g) El nuevo proceso de gestión del impuesto y de sus retenciones incorpora nuevos mecanismos que pretenden aproximar estas últimas a la liquidación definitiva. Esta política, en principio correcta y simplificadora de obligaciones fiscales, se completa con la no obligatoriedad de declaración por este impuesto de los rendimientos del trabajo inferiores a 3 500 000 ptas. anuales, rendimientos de capital inferiores a 250 000 ptas. y rentas inmobiliarias bajas. Para los contribuyentes en esta circunstancia que tengan derecho a devolución, se establece una «comunicación» declaratoria a Hacienda para que la devolución produzca sus efectos.

La pérdida de vinculación Declaración-Ciudadanía no es, sin duda, un aspecto menor. La recuperación de la democracia en nuestro país se vinculó también de forma relevante a la responsabilidad en el pago de impuestos. Más allá de otras consideraciones, es éste un aspecto institucional del primer nivel que no ha sido debatido con el interés que debiera y que sólo se ha asomado de manera muy tenue en las cartas de los lectores de algunos medios de prensa. Esta pérdida va acompañada paradójicamente de un incremento notable de los costes de gestión de las empresas obligadas al nuevo modelo de retenciones y a cierto peligro de trasladar a las relaciones laborales las controversias inherentes a las relaciones de sus empleados con Hacienda.

h) El tratamiento de la familia, surgido de la reforma, continúa sin solucionar de manera equitativa el problema del tratamiento o imputación individual de las rentas del trabajo en el seno del matrimonio o la pareja. Carlos Palao Taboada[8] ha señalado que «el tratamiento de la familia diseñado por la ley consiste en un sistema de tributación individual estricto». La tributación conjunta, en consecuencia, no tiene prácticamente operatividad.

En conjunto, el modelo social que impulsa el nuevo impuesto se vincula a una práctica menos solidaria, a pesar de la reducción del tipo mínimo al 18%; a una consolidación de la participación de las rentas del trabajo muy superior a su aportación real a la economía; al desarrollo de mayor fragmentación social entre asalariados; al impulso del desarrollo privado en áreas de la política social; a una relación Ciudadanos-Hacienda Pública menos consciente entre otros efectos y, además, nos aleja de los modelos medios europeos.

Reduce la presión fiscal por este impuesto de la mayor parte de los ciudadanos, lo que supone una minoración muy notable —las cifras nunca explicadas con suficiente transparencia nos sitúan entre los 500 000 y los 800 000 millones de ptas. menos de recaudación anual— de la capacidad de financiación del Estado para sus políticas, con un beneficio en términos absolutos superior para los declarantes de mayor nivel de renta. La inconsistencia de las cifras esgrimidas como coste de la Reforma ha llevado a la Comisión Europea a plantearse, como salvedad en relación con el Plan de Estabilidad Español, la incidencia efectiva en el déficit público de la misma.

Frente al impulso del ahorro público para posibilitar el desarrollo financiero más eficaz de determinadas políticas de solidaridad, se ha optado por acudir a una reducción notable de los ingresos, al menos momentáneamente, con el impacto desfavorable en la suficiencia financiera que puede agravarse en un ciclo económico depresivo.

La equidad del sistema se ve reducida en consecuencia, y el alcance de esta reducción es aún mayor al no cumplir los impuestos de sucesiones y patrimonio un papel relevante de control y olvidar su cometido corrector de desigualdad social, tareas que la doctrina hacendística considera con cierta unanimidad. Resulta por otra parte paradigmático cómo uno de los aspectos que la nueva ley no ha asumido de las reco-

8. *Cuadernos de Información Económica*, 140-141, Fundación Cajas de Ahorro, diciembre 1998.

mendaciones de la Comisión de Expertos, es precisamente el de fortalecer con estos impuestos el necesario cierre del sistema.

Ya se ha señalado cómo, desde el comienzo de la actual legislatura, hemos asistido a un cierto vaciamiento de estos impuestos, lo que definitivamente les aleja de su faceta de «contrato social» corrector de desigualdades excesivas y de instrumento amortiguador de las insuficiencias de equidad del conjunto del sistema tributario y del IRPF en particular en la dialéctica rendimiento de trabajo-otras rentas.

Los economistas nos preocupamos de estudiar la eficiencia «económica», la neutralidad, la suficiencia y, en ocasiones, el grado de la equidad horizontal o vertical de un determinado impuesto.

Pero la «justicia» de la imposición nos incomoda —¿cómo se mide?— y, sin embargo, la percepción social acerca de la justicia de un sistema tributario puede convertirse en un factor de eficiencia (ineficiencia) económica y social fundamental.

Han transcurrido poco más de cincuenta años desde que Berliri publicara la primera edición de su excelente ensayo *La giusta imposta.* En él advertía del «error de subvalorar» y, por tanto, olvidar la influencia imponderable de la adhesión moral del contribuyente sobre el funcionamiento del mecanismo tributario.

Las últimas medidas fiscales tienden a beneficiar, más allá de cualquier planteamiento de eficiencia a las rentas del capital, las plusvalías y los rendimientos empresariales. En consecuencia, sin desconocer los efectos secundarios puntualmente favorables que sobre las rentas del trabajo pueda tener el nuevo impuesto, la realidad fiscal aleja cada vez más los rendimientos del trabajo (sometidos a notable progresividad) del resto. Por consiguiente, el impuesto corre el peligro de ser percibido como excesivamente injusto por amplios sectores de asalariados.

Tradicionalmente, las encuestas vienen mostrado un cierto antagonismo social latente, respecto a nuestro sistema tributario —un porcentaje importante de asalariados, pensionistas y desempleados afirman que el sistema tributario es injusto por no pagar más los que más tienen, a la vez que los altos asalariados, los empresarios y profesionales lo consideran injusto por su excesiva progresividad— y la mayoría de la población (62.4%) considera que el sistema tributario es «nada» o «poco» justo. En el futuro, el juicio sobre la «equidad» puede ser mucho más desfavorable.

La influencia que esta percepción pueda tener en el comportamiento de los contribuyentes no debe infravalorarse.

Cualquier bajada o congelación de impuestos no debe ser contemplada por una opinión pública inteligente sólo con «regocijo», es necesario reflexionar con responsabilidad sobre sus efectos.

V. POLÍTICAS SOCIALES, SISTEMA TRIBUTARIO Y PERCEPCIÓN SOCIAL

Schumpeter, en su obra *La crisis fiscal del Estado*, de 1922, señalaba que «el espíritu de un pueblo, su nivel cultural, su estructura social, los hechos que pueden determinar su política [...] todo esto y más, está escrito con claridad en su historia fiscal». Richard y Peggy Musgrave, en su Manual de Hacienda Pública, consideraban que «hacer funcionar el sistema fiscal constituye, después de todo, un paso importante para hacer funcionar la democracia».

En este marco, la percepción social en relación con los impuestos y con los gastos y políticas públicas son un referente fundamental para el cumplimiento fiscal de la sociedad y, en consecuencia, para las posibilidades de desarrollo del Estado de Bienestar y el propio funcionamiento democrático.

La percepción social sobre el grado de equidad y justicia del Sistema Tributario, la interiorización como valor propio de sus objetivos, el rechazo social a las conductas defraudadoras, el juicio que merecen las prestaciones y políticas públicas y la administración del gasto, son factores extraordinariamente relevantes para la renovación del pacto social sobre el que descansa el Estado de Bienestar.

Tocqueville, en su obra *La democracia en EE.UU.*, hace referencia a las consecuencias que la democracia y el sufragio universal tendrán en el desarrollo del Estado, los impuestos y los programas públicos, expandiéndolos de forma continua mientras la mayoría de los votantes se encuentran en niveles bajos de renta. El proceso de democratización y el avance social han supuesto el desarrollo en los países económicamente avanzados de unas amplias capas medias, que están tentadas de constituir hoy una «cultura de la satisfacción» en palabras de Galbraith, que propenden a configurar de manera más individualista sus opciones y su voto, separándose de otras capas y sectores más desfavorecidos, configurando lo que, entre nosotros, Jordi Sevilla ha denominado la «rebelión de los ricos» frente a los impuestos y al Estado de Bienestar.

El desarrollo del Estado de Bienestar está vinculado a la existencia de una mayoría social dispuesta a mantenerlo e impulsarlo. Sus realizaciones han sido posibles porque un conjunto social mayoritario se ha comprometido con un modelo de sociedad mixto con la participación del mercado y del Estado que ha sido capaz de generar prosperidad e igualdad de oportunidades. El peso creciente de las capas medias en las sociedades occidentales, resultado del éxito obtenido por el mismo, obliga a la definición de un nuevo compromiso social capaz de mantener sus principales premisas, renovando y mejorando su eficiencia; pero, para que esto sea posible, es preciso recomponer este nuevo pacto capaz de recoger los intereses compartidos por las capas medias, los trabajadores, y los sectores sociales menos favorecidos en las actuales condiciones.

Depende de quién dirija el proceso, para que su resultado se desplace en una u otra dirección. Si lo hacen las políticas conservadoras se corre el peligro de que las desigualdades crezcan y el interés social se verá supeditado a distintos grupos de interés económico. El Estado de Bienestar se vería progresivamente deteriorado y las limitaciones del mercado se trasladarían a la sociedad en términos de pérdida de eficacia y bienestar. La denominada «tercera vía» es una respuesta propia de los países anglosajones para recomponer ese compromiso, desde una óptica socialdemócrata-liberal ya experimentada en otros países como España en los años anteriores.

Resulta, en consecuencia, de un gran interés conocer las opiniones y opciones de los ciudadanos españoles, en relación con los impuestos y el gasto social, para evaluar su pensamiento y puntos de vista en relación con el futuro del Estado. Para ello, vamos a referirnos a un trabajo del Instituto de Estudios Fiscales efectuado en 1997, es decir antes de la reforma del IRPF[9]. En cuánto se modificarán estas opiniones y actitudes en el futuro, es algo que hoy no es posible prever con rigor, pero no dejará de ser un factor relevante para el futuro de nuestro Estado de Bienestar.

A la pregunta de ¿en qué medida la existencia de los servicios y las prestaciones justifica el pago de los impuestos? La opinión mayoritaria se decantan en que sí lo justifican.

La mayoría de la población (un 61.7% de promedio general) cree que los servicios y prestaciones sí justifican el pago de los impuestos. Y aún más claramente piensan de este modo los informantes cualificados (el 73.9% del promedio general). Destaca esta opinión positiva general en los ambulatorios y hospitales, los colegios y las universidades, las autovías, las pensiones de invalidez o enfermedad y las de jubilación; los informantes cualificados, además de éstas, destacan también los servicios sociales generales y el seguro de desempleo.

La opinión acerca de si los servicios y las prestaciones justifican el pago de los impuestos va evolucionando de forma positiva en los

9. *Ciudadanos, Contribuyentes y Expertos: opiniones y actitudes fiscales de los Españoles en 1997*, Documento 2/1998, Instituto de Estudios Fiscales, Ministerio de Economía y Hacienda. El trabajo de campo corresponde a la empresa EDIS. El tamaño muestral ha sido de 1 500 unidades y de 131 informantes cualificados.

Cuadro 5. SERVICIOS Y PRESTACIONES QUE JUSTIFICAN EL PAGO DE LOS IMPUESTOS

SERVICIOS Y PRESTACIONES	POBLACIÓN		INFORMANTES CUALIFICADOS	
	BASTANTE O MUCHO (%)	PUNTUACIÓN MEDIA	BASTANTE O MUCHO (%)	PUNTUACIÓN MEDIA
Ambulatorios-Hospitales	74.9	2.96	82.5	3.32
Colegios-Universidades	64.0	2.83	71.0	3.08
Residencias tercera edad	56.7	2.76	60.3	2.91
Servicios Sociales	58.0	2.81	74.0	3.09
Autovías	66.5	2.82	86.3	3.08
Ferrocarriles	56.7	2.72	66.4	2.88
Pensiones enfermedad o invalidez	61.0	2.82	74.8	3.17
Pensiones de jubilación	61.8	2.81	74.8	3.17
Seguro de desempleo	55.9	2.73	75.6	3.14
Promedio	*61.7*	*2.81*	*73.9*	*3.09*

últimos tres años, tanto en las puntuaciones o promedios generales (2.34% en 1995, 2.68% en 1996 y 2.81% en 1997), como en cada uno de los segmentos específicos de población.

Las razones aducidas por aquellos que entienden que los servicios y prestaciones no justifican el pago de los impuestos, son las siguientes:

	TOTAL 1996	TOTAL 1997
Son insuficientes	30.6	23.4
Están mal gestionados	34.8	37.3
Se despilfarran recursos	24.5	22.8
Los usuarios abusan	8.6	12.4
NS/NC	1.4	4.2
Base	967	978

Consideran que están gestionados de forma deficiente (37.3%):

a) Los que tienen entre 26 y 39 años (45.3%), los hombres (42.1%), con estudios medios (48.2%) y universitarios (47.2%); los empresarios (42.5%) y los profesionales (48.6%); en poblaciones de 100 000 a 500 000 habitantes (44.1%) y en las comunidades de Cataluña (44.7%), Galicia (51%) y Valencia (49.6%).

Consideran que son insuficientes (23.4%):

b) Los que tienen entre 55 y 64 años (33.8%), los empresarios agrarios (26.1%), en poblaciones de 20 000 a 100 000 habitantes (27.1%), en las Comunidades de Madrid (31.8%); País Vasco (29.1%) y resto (29.9%).

No obstante, cuando la pregunta se efectúa en relación con el grado de adecuación entre Impuestos que se pagan y servicios-prestaciones en general, el resultado es que, aunque se reconozca la mejoría experimentada en la última década, la mayoría de la población general (58.6%) y, en mayor proporción, los informantes cualificados (72.5%), piensan que los impuestos que se pagan son poco o nada adecuados en relación con los servicios y las prestaciones que se reciben del Estado.

Cuadro 6. EVOLUCIÓN DE LA OPINIÓN SOBRE ADECUACIÓN ENTRE IMPUESTOS Y SERVICIOS-PRESTACIONES

(%)	1995	1996	1997
Nada o poco	78.7	67.7	58.6
Bastante o mucho	21.3	25.8	34.5
NS/NC	0.0	6.5	6.9

Situando a este 58.6% de ciudadanos insatisfechos ante una situación hipotética en la cual ellos mismos pudieran actuar para adecuar mejor los impuestos que se pagan a los servicios y prestaciones que se reciben, las respuestas se concentran mayoritariamente, al igual que sucedía en 1996, en la opción «administraría mejor el dinero recaudado mejorando la gestión».

Cuadro 7. ACTUACIONES PARA ADECUAR MÁS LOS IMPUESTOS A LOS SERVICIOS Y LAS PRESTACIONES

	1996	1997
Administraría mejor el dinero recaudado mejorando la gestión	75.6	73.7
Restringiría el acceso a los servicios y prestaciones a los ciudadanos que verdaderamente lo necesitaran	20.6	18.4
Dejaría de ofrecer algunos servicios y prestaciones	3.5	1.9
NS/NC	0.2	6.0

En relación con la preferencia ciudadana por las distintas opciones de financiación y gestión de los servicios públicos y las prestaciones sociales, el resultado de la encuesta fue el siguiente:

Cuadro 8. EVOLUCIÓN DE LAS PREFERENCIAS SOBRE MODELOS DE FINANCIACIÓN Y GESTIÓN DE LOS SERVICIOS Y LAS PRESTACIONES

(%)	1995	1996	1997
Deben seguir siendo públicos y financiarse mediante impuestos	62.3	61.0	56.4
Deben seguir siendo públicos y financiarse en parte con impuestos y en parte con tasas que paguen los usuarios	14.0	14.1	17.1
Deben privatizarse. todos o en parte. y pagarlos directamente los ciudadanos al usarlos	7.7	8.9	8.0
Deben seguir siendo financiados públicamente y gestionados por el sector privado	12.3	7.3	10.4

A quienes propugnaron las alternativas o modelos de «privatización y pagarlos al usarlos» y «financiación pública y gestión privada», se les interrogó sobre en qué servicios habría que aplicar estos modelos. La respuesta sitúa, en primer lugar, los ambulatorios u hospitales en ambos colectivos, residencias de la tercera edad (privatizarse), colegios o universidades (provisión pública-gestión privada), autovías y ferrocarriles (ambos colectivos).

Cuadro 9. PREFERENCIAS SOBRE MODELOS DE FINANCIACIÓN Y GESTIÓN DE SERVICIOS Y PRESTACIONES, SEGÚN SEGMENTOS ESPECÍFICOS DE POBLACIÓN E INFORMANTES

	TOTAL 1997	EMPRESARIOS	AGRICULTORES	PROFESIONALES	TRABAJADORES	INACT. Y PARADOS	INFORMANTES
Deben seguir siendo públicos y financiarse mediante impuestos	56.4	43.3	57.4	47.2	49.6	62.4	49.6
Deben seguir siendo públicos y financiarse en parte con impuestos y en parte con tasas que paguen los usuarios	17.1	20.7	13.0	24.4	20.2	14.4	28.6
Deben privatizarse, todos o en parte, y pagarlos directamente los ciudadanos al usarlos	8.0	15.6	10.4	9.6	12.6	4.7	4.6
Deben seguir siendo financiados públicamente y gestionados por el sector privado	10.4	14.4	8.9	14.0	12.6	7.9	15.3
NS/NC	8.4	5.9	10.4	4.8	5.0	10.6	2.3
Bases	1 500	270	270	270	340	350	131

A la siguiente interpelación, «los impuestos, además de financiar los servicios públicos, tienen una función redistributiva de la riqueza y favorecedora de la igualdad de oportunidades. A tal efecto, díganos su opinión sobre lo siguiente: ¿la actual redistribución de la riqueza que se propicia vía impuestos es escasa, correcta o excesiva?»; las respuestas fueron las siguientes:

Cuadro 10. EVOLUCIÓN DE LAS OPINIONES ACERCA DE LA FUNCIÓN REDISTRIBUTIVA DE LOS IMPUESTOS

	1995	1996	1997
Escasa	62.9	58.3	45.7
Correcta	17.7	19.3	33.5
Excesiva	12.1	8.2	4.8
NS/NC	7.3	14.2	16.0

Finalmente, al consultarse acerca de la adecuación de los impuestos/servicios-prestaciones, en relación con otros países europeos, las respuestas son las siguientes:

Cuadro 11. ADECUACIÓN PRESTACIONES-COMPARADA

(%)	1996	1997
Peor	47.8	45.0
Igual	24.7	28.0
Mejor	6.2	5.6
NS/NC	21.3	21.4

La sociedad española ha experimentado una profunda transformación, desde la aprobación de la Constitución de 1978. Con respecto al tema que nos ocupa, y analizados los resultados del trabajo reseñado, la percepción de la ciudadanía ha experimentado igualmente grandes modificaciones acordes con la transformación social y económica e institucional acaecida, que podríamos resumir en los siguientes apartados:

1) Existe una percepción mayoritaria de la mejora de los servicios públicos en el 54.8% de los ciudadanos, en este plano existe coincidencia de todos los sectores de la población. No obstante, son los asalariados, según la encuesta de 1997, el colectivo que sitúa su opinión ligeramente a la baja (53.1%). La sanidad, las residencias de la tercera edad, la educación, las infraestructuras viarias, los ferrocarriles y las pensiones, son los servicios públicos más valorados y utilizados por la población española.

La opinión pública se manifiesta igualmente de forma mayoritaria por la necesidad de mejorar estos servicios, prioritariamente la sanidad, la creación de empleo y la educación entre otras políticas, tanto en gestión como en cobertura.

2) No obstante, existe una gran divergencia entre el reconocimiento anterior y la escasa justificación general para el pago de impuestos que manifiestan los encuestados.

3) La disminución en el pago de los impuestos no aparece en 1997 como una demanda extraordinariamente internalizada salvo entre los empresarios, autopatronos, profesionales y altos asalariados y funcionarios.

4) Respecto al modelo del Estado de Bienestar y las políticas sociales, es posible detectar los siguientes posicionamientos en la población. La mayoría de la población (56.4%), conformada esencialmente por agricultores, pensionistas e inactivos, defienden el modelo de servicios públicos financiados mediante impuestos. Entre los trabajadores esta posición alcanza el 49.6%. Podríamos designarles como defensores del *statu quo* en relación con el modelo de Estado de Bienestar. Los modelos de corte privatizador no alcanzan el 19% de los encuestados. No obstante, resulta importante destacar que esta última posición comprende el 30% de los empresarios, el 25% de los trabajadores, y el 23.6% de los profesionales encuestados.

Las posiciones que podríamos denominar defensoras del Estado de Bienestar «reformado» que incorpora un mayor peso de las tasas y precios públicos alcanzan respecto a la población total el 17.1%, pero se muestran como valor emergente entre los profesionales, empresarios, trabajadores e informantes cualificados (entre el 20% y el 24% de estos colectivos).

La tendencia de los últimos años (1995-97) marca claramente un descenso de la adhesión al «Modelo Tradicional» del 62.3 al 56.4%, un crecimiento del que he denominado «Modelo reformado» del 14% al 17.1% y un comportamiento inconsistente del «Modelo Privatizador» que inequívocamente pierde posiciones del 20% al 18.4%.

Es posible constatar, por tanto, la existencia de un conjunto social mayoritario formado por defensores del *statu quo* actual y reformadores (73.5% del total) que integra a sectores tradicionales de asalariados, pensionistas, inactivos y clases medias urbanas y profesionales. La cuestión estriba en si resulta posible consolidar un espacio de compromiso entre ambos sectores, integrador de las capas medias en el modelo de Bienestar. No debe olvidarse que la no respuesta y el no *statu quo* representa el 43.6% de los encuestados y que es concebible mayorías sociales con acentos y centro de gravedad diferenciados y con políticas sociales diversas.

5) Todo lo anterior queda ratificado al analizar las posiciones sociales ante los impuestos, la presión fiscal y el fraude tributario.

El pago de impuestos no goza, con carácter general, de gran popularidad; la equidad, la progresividad y el servicio a la igualdad de oportunidades es visualizado más en relación con el gasto público que con el pago de impuestos. Desde esta última vertiente, el carácter redistribuidor de los ingresos es contemplado con cierto escepticismo, consolidándose una tendencia decreciente a calificar esta función de «escasa» del 62.9% en 1995 al 45.7% en 1997; y, en sentido contrario, de manera creciente de «correcta» del 17.7% en 1995 al 33.5% en 1997.

6) Respecto al cumplimiento fiscal, la presión fiscal y el fraude, existe una clara tendencia a percibir una mejora en el cumplimiento fiscal (62.7%) convergente con una percepción de aumento del fraude fiscal del 41.2%. El sentido positivo o negativo de la pregunta (cumplimiento *versus* fraude) condiciona con imágenes algunas de las respuestas, probablemente más allá de la consistencia de ambas tendencias.

Tan sólo el 25.1% de la población (36.3% entre los empresarios y 32% en los informantes cualificados) relaciona el fraude con la consideración de que existen impuestos excesivos.

Tanto la falta de honradez, educación cívica, solidaridad, como la impunidad son los motivos más aducidos para explicar la realidad del fraude.

Los fraudes fiscales más perjudiciales para la comunidad en opinión de los ciudadanos están vinculados a no declarar renta o sociedades, el no ingresar retenciones del trabajo efectuadas y mantener e invertir dinero negro. El fraude en el IVA aparece curiosamente en un segundo nivel dentro de la población, aunque se encuentra más presente entre los informantes cualificados.

7) En conjunto puede afirmarse, a modo de síntesis, que:

— La población valora positivamente la mejora de los servicios públicos, aunque considera la necesidad de mejorar la calidad de su gestión y de algunas prestaciones.

— Se pronuncia mayoritariamente a favor del Estado de Bienestar «puro» y de la política social. No obstante, las capas medias urbanas y un número creciente de trabajadores se decantan de forma más fraccionada emergiendo con cierta fuerza una posición favorable al Estado de Bienestar «reformado». Las posiciones privatizadoras continúan siendo muy minoritarias.

— La igualdad de oportunidades y la política distributiva es percibida más por la vía del gasto público que por la de los ingresos y la justicia de la imposición —la presión fiscal real— es valorada, en términos de antagonismo social, como excesiva o escasa.

Los empresarios, autopatronos, profesionales, altos asalariados e informantes cualificados acusaban en el período estudiado, en mayor porcentaje, la consideración de un exceso de impuestos.

— El cumplimiento fiscal de las obligaciones tributarias es percibido mayoritariamente, aunque también la presencia del fraude fiscal. Éste es condenado mayoritariamente, proyectando además cierto grado de antagonismo social.

VI. A MODO DE SÍNTESIS

La confluencia del enfoque del «mercado político» y de las «internalidades» de las decisiones públicas como instrumentos de decisión nos permiten comprender de manera más coherente el contenido de la Reforma del IRPF adoptada, así como el proceso global de cambio fiscal abordado durante la presente legislatura.

El Estado de Bienestar tiene su fundamento no sólo en las políticas del gasto. El modelo de financiación es un factor importante a la hora de considerar la capacidad redistributiva del sector público y la consistencia de los diseños de igualdad de oportunidades.

La financiación del gasto público puede realizarse con criterios de mayor o menor equidad y progresividad, y esto tendrá mucho que ver con el sistema tributario realmente existente, que conformará una primera opción básica de sociedad ligada al Estado de Bienestar.

Por otra parte, el modelo tributario elegido incorporará, más allá de los factores de la progresividad, todo un conjunto de elementos que incentivarán o penalizarán determinados comportamientos sociales, generando oportunidades y promoviendo políticas sectoriales o alternativas de mercado. Este conjunto de medidas influirá también de forma decisiva en el modelo de sociedad que se pretende y en la consolidación o disgregación del Estado de Bienestar.

La política tributaria del gobierno del Partido Popular ha sido de un gran dinamismo a partir del comienzo de la legislatura en 1996. De forma más precisa desde un primer instante parecía pretender, a través de modificaciones parciales en el IRPF y en otros impuestos como Sucesiones, Patrimonio y Sociedades, un programa de transferencias de rentas a favor de distintos sectores y grupos de interés que configuran una parte relevante de su base electoral. Al encarar la reforma del IRPF en 1998 ha contado, en consecuencia, con una plataforma que le ha permitido operar en un terreno previamente acondicionado en el que múltiples intereses habían sido previamente considerados y aceptados.

Desde un punto de vista global, el IRPF surgido de la reforma es una institución que, en las condiciones de la sociedad española actual, hace primar su carácter regresivo, en lo que atañe a los criterios, valores y concepciones sociales que impulsa.

La equidad del sistema se ve reducida en consecuencia, y el alcance de esta reducción es aún mayor al no cumplir los impuestos de sucesiones y patrimonio un papel relevante de control y olvidar su cometido corrector de desigualdad social.

El impuesto corre el peligro, por tanto, de ser percibido como excesivamente injusto por amplios sectores de asalariados.

Según el estudio de opinión efectuado por el Instituto de Estudios Fiscales en 1997 sobre la percepción social de los ciudadanos españoles en relación con el Estado de Bienestar, la población valora positivamente la mejora de los servicios públicos, aunque considera la necesidad de mejorar la calidad de su gestión y de algunas prestaciones. Por otra parte, se posiciona mayoritariamente a favor del Estado de Bienestar «puro» y de la política social. No obstante, capas medias urbanas y un número creciente de trabajadores se manifiesta de forma más fraccionada, emergiendo con cierta fuerza una posición en favor del Estado de Bienestar «reformado». Las posiciones privatizadoras continúan siendo muy minoritarias.

Es posible, por lo tanto, constatar la existencia de un conjunto social mayoritario formado por defensores del *statu quo* actual y reformadores (73.5% del total) que integra a sectores tradicionales de asalariados, pensionistas, inactivos y clases medias urbanas y profesionales. La cuestión estriba en si resulta posible consolidar un espacio de compromiso entre ambos sectores, integrador de las capas medias en el modelo de Bienestar. El consenso sobre el modelo tributario es, en sí mismo, un componente fundamental para ese nuevo compromiso social.

Capítulo 6

LA SITUACIÓN SOCIAL EN ESPAÑA

Federico Durán López

I. INTRODUCCIÓN

La situación social española ha sufrido profundos cambios durante los últimos años, provocados por una serie de factores entre los que se puede destacar la modernización definitiva de la economía de nuestro país tras las graves dificultades y crisis de la década de los '70 y comienzo de los '80, la homologación del sistema económico y social con los países de su entorno natural, Europa, y desde una perspectiva diferente, la democratización definitiva y la integración como Estado de pleno derecho en las Comunidades Europeas, ahora UE. En este contexto, la transformación social también ha afectado profundamente al Estado, el cual ha debido adaptarse a las nuevas exigencias sociales que han ido surgiendo de una sociedad en la que la idea de lo social constituye una de las principales preocupaciones de sus ciudadanos. Así es que el Estado español no sólo se ha adecuado a los requisitos de una economía moderna, a la apertura e integración en Europa, y más recientemente todavía, a la participación en la Unión Económica y Monetaria, sino que también se ha constituido en el principal oferente y garante de una serie de servicios esenciales en el campo de lo social sin los cuales resultaría imposible mantener los niveles actuales de cohesión y equilibrio.

En todos estos cambios ha participado, desde su nacimiento, el Consejo Económico y Social (CES), a partir de su creación por la Ley 21/1991, de 17 de junio de 1991, que cerraba uno de los últimos capítulos pendientes de desarrollo de la Constitución de 1978. Tal y como reconoce la Ley de creación del CES en su exposición de motivos: «la Constitución española recoge el mandato, dirigido a los poderes públicos, de promover y facilitar la participación de los ciudadanos, directamente o a través de organizaciones o asociaciones, en la vida económica y social, reafirmando su papel en el desarrollo del Estado Social y Democrático de Derecho. Al tiempo que cumple con esta función constitucional, el Consejo Económico y Social sirve de plataforma institucional permanente de diálogo y deliberación, en la medida en que constituye el único órgano donde están representados un amplio conjunto de organizaciones socio-profesionales». Más adelante, en la misma exposición de motivos, se sostiene que «la función consultiva que se instituye a través del Consejo Económico y Social se ejercerá en relación con la actividad normativa del Gobierno en materia socioeconómica y laboral. Esta participación se materializa, fundamentalmente, en la emisión de dictámenes con carácter preceptivo o facultativo, según los casos, o a iniciativa propia».

La relación de materias que expone la Ley circunscribiendo el ámbito competencial del CES puede ser interpretada como definición de lo que puede entenderse por económico y social. Así, se especifican las siguientes: Economía, Fiscalidad, Relaciones Laborales, Empleo y Seguridad Social, Asuntos Sociales, Agricultura y Pesca, Educación y Cultura, Salud y Consumo, Medio Ambiente, Transporte y Comunicaciones, Industria y Energía, Vivienda, Desarrollo Regional, Mercado Único Europeo y Cooperación al Desarrollo. Evidentemente, lo social forma parte fundamental de todas estas áreas sobre las que el CES desarrolla su actividad, aunque este campo puede ser acotado de diferentes modos contemplando cuestiones adicionales como la protección social, la distribución de la renta, la desigualdad o la situación de determinados colectivos.

Este listado de materias intenta aproximarse en la mayor medida posible a las principales preocupaciones de la sociedad española. Los ciudadanos consideran la educación, la sanidad, la vivienda, y la Seguridad Social —en particular, las pensiones— como elementos característicos dentro del Estado de Bienestar, y los identifican por tanto como servicios cuya provisión debe garantizar el Estado. Junto a estas preocupaciones tradicionales, han ido tomando fuerza en los últimos años otras nuevas, características de las sociedades más modernas, como son la protección del consumidor, que cada vez más conoce mejor sus derechos y participa más en sus organizaciones, y la inquietud por los problemas medioambientales. Evidentemente, aunque todas estas cuestiones forman parte de las materias sobre las que el CES centra su trabajo y su atención, no es posible revisar su situación, y menos aún su evolución reciente en un artículo como éste que debe ajustarse a una dimensión que exige brevedad y concisión.

Las cuestiones sociales están presentes en el ámbito de estudio de todas las Comisiones de Trabajo del CES. La posibilidad de que se constituyan Comisiones de Trabajo en el seno del Consejo se contempla el art. 5 de la Ley, sobre los órganos del Consejo. El Reglamento de Organización y Funcionamiento Interno del Consejo Económico y Social, aprobado por el Pleno el 25 de febrero de 1993, en el art. 20, va más lejos al disponer la existencia de Comisiones de Trabajo *permanentes* y *específicas*, consagrando como permanentes a las siguientes: Economía y Fiscalidad; Mercado Único Europeo, Desarrollo Regional y Cooperación al Desarrollo; Relaciones Laborales, Empleo y Seguridad Social, Salud, Consumo, Asuntos Sociales, Educación y Cultura; Políticas Sectoriales y Medio Ambiente; Agricultura y Pesca [1]. El punto 3 del art. 6 de la Ley de creación del CES otorga al Pleno la competencia para constituir con carácter permanente o limitado Comisiones o Grupos de Trabajo. En este sentido, y con especial incidencia en el ámbito social, existe también la Comisión de Trabajo específica de carácter no permanente creada para tratar la situación sociolaboral de la mujer.

Desde su creación y puesta en funcionamiento, el CES ha emitido Dictámenes sobre los Anteproyectos de Leyes y Proyectos de Reales Decretos Legislativos que regulan materias socioeconómicas y laborales y sobre una serie importante de Proyectos de Reales Decretos de especial trascendencia sobre los ámbitos económico y social. El CES también ha elaborado informes sobre cuestiones concretas directamente relacionadas con sus materias de trabajo y, muy especialmente, con las de carácter social. Por último, no se debe olvidar la elaboración anual de la Memoria Socioeconómica y Laboral. En el punto 1.5 del art. 7 de la Ley de creación del CES se incluye entre sus funciones la de elaborar y elevar anualmente al Gobierno, dentro de los cinco primeros meses del año, una Memoria en la que se expongan sus consideraciones sobre la situación socioeconómica y laboral de la nación. En esta Memoria, de gran valor por estar su contenido consensuado por los agentes sociales españoles, se realizan importantes valoraciones sobre la situación social de nuestro país desde diferentes perspectivas.

1. Para la elaboración de la Memoria sobre la Situación Socioeconómica y Laboral de España: según distribución competencial modificada por el Pleno del Consejo Económico y Social, en su sesión celebrada el día 21 de septiembre de 1994 (BOE, 10 de noviembre de 1994).

II. LOS CONDICIONANTES ECONÓMICOS DE LA SITUACIÓN SOCIAL

Resulta inevitable, a la hora de abordar cualquier reflexión sobre este tema, partir de las circunstancias que componen el cuadro económico y que condicionan la situación social. Si bien es verdad que esta última presenta problemas estructurales que han estado vigentes a lo largo de nuestra historia, no es menos cierto que también pone de manifiesto elementos susceptibles de observarse en el plano de la coyuntura, elementos que vienen directamente determinados por las características del momento económico.

Es un hecho incontrovertido que, a punto de finalizar el siglo XX, nos hallamos inmersos en una etapa de bonanza económica. Desde finales de 1994, en que comienzan a sentirse los primeros efectos de la recuperación posterior a la última recesión económica (1992-1993), la economía española ha crecido de manera sostenida y a tasas cada vez mayores hasta la actualidad. El año 1998 no ha sido una excepción, arrojando finalmente un incremento interanual del PIB que se espera se sitúe en torno al 3.8%, después de sucesivas revisiones al alza de las previsiones iniciales[2]. Al igual que en el último período expansivo, el crecimiento económico en España ha sido superior a la media de los países de la UE. A diferencia de etapas anteriores, sin embargo, el crecimiento experimentado en los dos últimos años se ha producido en unas condiciones excepcionales de contención de los precios, de reducción de los tipos de interés y de disminución del déficit público. El crecimiento unido a la corrección de los desequilibrios macroeconómicos es, así pues, la gran novedad de este último período.

Este hecho inédito, por una parte, ha tenido consecuencias inmediatas que han repercutido favorablemente en amplias capas de la población. Así, el control de la inflación, con una tasa de crecimiento menor de la prevista por el Gobierno y en línea con los deseos mostrados por el Banco Central Europeo en enero de 1999 con la entrada en vigor de la Unión Monetaria, por debajo del 2% (en España un 1.4% de crecimiento interanual en el mes de diciembre de 1998), ha permitido el mantenimiento y aun la ganancia en el poder adquisitivo de las pensiones, lo que se ha producido en 1998 por tercer año consecutivo. La bajada continuada de tipos de interés, por su parte, ha abaratado notablemente los créditos hipotecarios soportados por

2. CES, *Panorama Económico-Social de España*, 1988, 56.

un gran número de ciudadanos en la compra de sus viviendas. Por último, pero obviamente no menos importante, esa misma reducción progresiva de los tipos de interés ha supuesto un indudable estímulo para la expansión de la actividad económica y la consiguiente creación de empleo, aspecto este sobre el que volveremos en las páginas siguientes.

Por otra parte, el saneamiento de las variables macroeconómicas permite observar con otra perspectiva problemas de la envergadura del desempleo, la pobreza y la marginación, o la financiación de la protección social, en un contexto de previsible estabilidad y de continuidad del crecimiento económico en el área de la moneda única.

Porque, en efecto, la realidad de la llamada convergencia nominal, con ser un logro importante en sí mismo, no debe hacernos olvidar la brecha que todavía nos separa de Europa en términos de renta. La convergencia real, que supone todavía una distancia de 25 puntos porcentuales con respecto a la media europea, debe ser el verdadero objetivo a alcanzar en los próximos años. En este sentido, el Plan de Estabilidad (1999-2002) recientemente presentado por el Gobierno a la Comisión Europea, prevé un acercamiento progresivo cuya verificación dependerá, desde luego, de la continuidad del actual ritmo de crecimiento relativo de la actividad y el empleo.

Tras unos primeros compases en que la fase expansiva del ciclo económico no era percibida como tal por la mayor parte de la sociedad, la confianza se ha ido abriendo paso, mostrando así una mejora de la situación financiera actual y de las perspectivas de las familias. Ello se ha traducido en un aumento del consumo privado, como consecuencia del ritmo de creación de empleo, del crecimiento de las rentas salariales, de la caída de tipos de interés y del incremento del crédito[3], consumo que ha venido constituyéndose durante parte de 1997 y 1998 como uno de los ingredientes principales del crecimiento económico. Valorando, pues, la coyuntura, y si atendemos al clima de confianza expresado por los consumidores, cuyo índice se situó en septiembre en +6 puntos, alcanzando un nuevo máximo histórico en la serie que comenzó en 1986[4], se puede afirmar que la situación presente es percibida de manera positiva por una gran parte de la sociedad. Clima de confianza que, incluso, supera a la existente en el resto de países de nuestro entorno, como pone de manifiesto la encuesta que

3. Servicio de Estudios de La Caixa, *Informe mensual* 208 (1998), 25.

4. Ministerio de Economía y Hacienda, *Síntesis de indicadores económicos*, octubre de 1998, VI.

al respecto elabora la Comisión Europea. Un aspecto significativo de este clima es que, en las opiniones de los consumidores, se observa un avance en la pregunta relativa a la oportunidad de realizar compras de bienes duraderos en el momento actual, lo cual denota una mejora de las perspectivas en relación con el mercado de trabajo, la estabilidad del empleo y las oportunidades laborales.

La fotografía de la situación presente no debe, sin embargo, ocultarnos los interrogantes que planean sobre la misma. Por una parte, la situación de crisis y recesión en importantes economías del globo puede acabar afectando también al bloque europeo y con él a España. Ante la agudización de la crisis financiera internacional, en efecto, el FMI advierte en su último informe de una posible recesión en la economía mundial, a cuyos efectos no escaparía nuestro país. Ello supondría sin duda una ralentización del crecimiento económico y del ritmo de creación de empleo que nos perjudicaría considerablemente. Los análisis, sin embargo, no son unánimes, pues también se pone el acento en que la crisis de ciertas economías puede haber tocado fondo y por otro lado se han puesto ya en marcha mecanismos que permitirán remontar la situación, como es el caso del saneamiento de la banca japonesa. En España se estima que la pertenencia al bloque de la moneda única comportará la suficiente estabilidad como para perseverar en la senda de crecimiento trazada. Es importante, a la vista de estos interrogantes, no permanecer de brazos cruzados. Por ello, cabe felicitarse de que, ante los riesgos que amenazan al actual crecimiento económico, los bancos centrales de la zona euro decidieran, en una acción coordinada, rebajar el precio del dinero hasta el 3%, adelantándose así a la decisión que en su día debía tomar el Banco Central Europeo, y tratando con ello de mitigar los riesgos de debilitamiento de la actividad.

Por otra parte, otra de las preguntas que se suscitan acerca de nuestro inmediato futuro es la relativa a los efectos que la pertenencia a un sistema de moneda única, con las elevadas exigencias de rigor monetario y la pérdida de soberanía en este terreno, tendrán para el empleo y los salarios, variables que se prevén primordiales para el ajuste una vez desaparecidas otras herramientas de la política monetaria de los Estados como las devaluaciones competitivas de la moneda.

En este sentido, aunque la entrada en vigor de la Unión Económica y Monetaria va a afectar a la instrumentación de la política social tanto a escala nacional como comunitaria, no existe evidencia de ningún tipo que demuestre incompatibilidad alguna entre el mantenimiento de este tipo de políticas y la gestión eficiente de una unión monetaria. A pesar de ello, las consecuencias pueden ser considerables, consecuencias que se van a transmitir por medio de canales como la austeridad presupuestaria, el nuevo marco de mayores exigencias competitivas, la pérdida de instrumentos nacionales de política económica y la necesidad de recurrir a alternativas de política económica nuevas o al menos diferentes de las tradicionales para mejorar la competitividad. En cualquier caso, que la política y protección social y el euro no sean incompatibles no implica que no deban adaptarse a la nueva situación si se desean mantener y mejorar ciertos equilibrios sociales en la UE. El momento, pues, es de bonanza pero también de expectación ante interrogantes que no son fáciles de despejar hoy por hoy.

III. EL EMPLEO, LA MEJOR MEDICINA SOCIAL

Sin lugar a dudas, el hecho más relevante desde el punto de vista social es la creación de empleo neto, y la consiguiente reducción del paro, que está teniendo lugar en el último período expansivo (finales de 1995 a 1998). Atendiendo a los dos últimos años, mientras que en 1997 se produjo un crecimiento de la ocupación del 3%, con una media de 368 500 personas más trabajando que en el año anterior, en 1998 el aumento de la actividad económica ha permitido revisar las iniciales previsiones de crecimiento del empleo para este año hasta cifrarlas en el 3.5%. Se han visto cumplidas así las previsiones que hacía, entre otros, el CES según las cuales, a pesar de la dificultad de precisar la tendencia para los próximos períodos, existía una buena perspectiva para la creación de empleo siempre que, entre otros factores, se mantuviese la fortaleza del crecimiento económico[5]. La creación de empleo en los últimos nueve meses del año ha supuesto situar la cifra total de trabajadores ocupados en 13 325 000, superando los máximos registrados a mediados de los años '70[6].

La mejora de la situación del empleo la reflejan inequívocamente todos los indicadores que se utilicen, tanto la EPA como el registro del INEM o las afiliaciones a la Seguridad Social. Este último indicador ha venido reflejando un aumento continuo que, en septiembre, llegó al máximo histórico de 13 776 000 afiliados, con un incremento

5. CES, *Memoria sobre la situación socioeconómica y laboral de España*, 1997, 213 ss.
6. INE, *Encuesta de Población Activa*, 3er trimestre de 1998.

del 4.9% en esos primeros nueve meses que fue superior al 3.2% correspondiente a igual período del año anterior. Paralelamente, estas cifras denotan una mejora sustancial de la proporción entre cotizantes y jubilados, que aporta tranquilidad de cara a la remanida cuestión de la viabilidad del sistema público de pensiones basado en el reparto.

Sin pretender aquí ofrecer una explicación cerrada de todos los factores que pueden haber contribuido a esta expansión del empleo, sí parece necesario decir que, además del crecimiento económico, han intervenido otros elementos como la relativa moderación de los incrementos salariales pactados en la negociación colectiva de los últimos años. En este sentido, debe resaltarse el esfuerzo hecho por las centrales sindicales en la línea de priorizar la creación de empleo sobre las subidas salariales, con los frutos ya aludidos. Asimismo, otros factores que pueden haber ejercido una influencia favorable son las reformas estructurales y legislativas, estas últimas en el terreno laboral, acometidas en los últimos años, todo lo cual ha podido llevar a rebajar ostensiblemente el umbral de crecimiento económico necesario para la creación de empleo (elasticidad PIB/empleo). Así, en el año transcurrido, el incremento esperado del empleo se aproxima al del crecimiento de la economía, lo que tampoco ocurría en anteriores ciclos expansivos.

Como consecuencia, principalmente, del fuerte ritmo de creación de empleo, el paro ha experimentado un descenso significativo hasta situarse en el 18.55% de la población activa en el tercer trimestre de 1998 (según datos de la Encuesta de Población Activa, EPA), esto es, en 3 035 000 desempleados. Este importante descenso del desempleo ha venido motivado, también, a partir de un hecho inédito en el anterior ciclo expansivo, como es el moderado aumento de la población activa. En efecto, la tasa de actividad, que en 1997, en un contexto de recuperación de la economía, aumentó sólo en un 0.2%, ha registrado también este año crecimientos poco significativos[7].

Otro hecho sumamente destacable de la evolución del mercado de trabajo en el último año y medio es sin duda el aumento experimentado por el empleo indefinido dentro de los puestos de trabajo netos creados. Hecho que, además, pone de relieve las virtudes y la incidencia práctica del diálogo social respaldado con medidas de los poderes públicos —toda vez que el cambio de tendencia experimentado a lo largo de estos meses por la contratación laboral, donde

7. Véase Banco de España, *Boletín Económico*, septiembre de 1998, 31-35.

por primera vez en mucho tiempo la creación de empleo indefinido ha superado a la de empleo temporal, llegándose a triplicar el número de nuevos contratos indefinidos celebrados—, y que ha tenido origen en el golpe de timón dado por los interlocutores sociales con los acuerdos de abril de 1997 y, en particular, con el Acuerdo Interconfederal para la Estabilidad en el Empleo. Cierto es que el incremento de la contratación indefinida ha ido perdiendo fuerza en los últimos meses, mostrando así un agotamiento preocupante y las limitaciones de la iniciativa entonces emprendida. Por otro lado, también es verdad que la tasa de temporalidad no se ha visto sustancialmente reducida, de manera que un tercio de los trabajadores españoles siguen siendo temporales. El hecho de que un buen número de trabajadores haya visto estabilizada su relación de trabajo y de que un número también importante haya salido del paro mediante un contrato indefinido es en sí extraordinariamente importante, sobre todo por lo que tiene de posible cambio de tendencia que podría alentar un cambio de cultura en este terreno.

La situación del mercado de trabajo es de las que más luces y sombras presenta. Junto a mejoras evidentes, como las descritas hasta aquí, subsisten problemas de enorme envergadura que afectan negativamente a amplias capas de la población. Para empezar, el paro sigue situado en tasas de auténtico vértigo, sobre todo en comparación con la media de los países de la UE. El despilfarro de recursos humanos junto con la zozobra que supone para numerosas familias e individuos la carencia de una fuente de recursos suficientes y regulares, además de permanecer excluidos de la vida productiva y de los frutos del crecimiento económico por períodos más o menos largos de tiempo, constituye el principal problema social así sentido por la ciudadanía. Problema que, por su magnitud, nos acompañará todavía al menos durante la próxima década. Como recordaba el CES en su *Memoria* de 1997, «se requerirían al menos cinco años consecutivos de esta combinación (aumentos anuales de la población activa en torno al 1% y crecimientos anuales del empleo del orden del 3%) para llevar la tasa de paro al 15%, y 10 años para situarla en un 10%. Si los crecimientos anuales del empleo fuesen inferiores a 200 000 personas, la tasa de paro en cinco y en diez años seguiría muy cerca del 20%. La duración e intensidad de la actual fase expansiva del ciclo económico es por tanto condición necesaria, aunque no suficiente, para aliviar de forma sustancial el problema del paro en España» [8].

8. CES, *Memoria*..., cit., 215.

Como hemos afirmado antes, las incertidumbres que planean sobre la continuidad del actual ritmo de actividad económica a nivel mundial y europeo, con las indudables repercusiones en nuestro país de un eventual freno de dicha actividad, deben prevenirse y contrarrestarse con medidas expansivas como la recientemente adoptada por los bancos centrales europeos. Por su parte, el Gobierno parece apostar por la futura estabilidad de nuestra economía al prever en el Plan de Estabilidad un crecimiento del empleo del 2.3% y un crecimiento del PIB del 3.3% hasta el año 2002. Incluso contando con la verificación de estas previsiones, todavía tendrían que aliarse otros elementos como la continuación de moderados incrementos de la tasa de actividad, y despejarse interrogantes como el funcionamiento del mercado de trabajo bajo las condiciones impuestas por el euro.

Junto a la elevada tasa de paro general, no podemos olvidar situaciones socialmente injustas como la que representa la dificultad de acceso de los jóvenes al mercado de trabajo, la tasa de paro de las mujeres, y el paro de larga duración, dentro del cual, las personas que llevan más de dos años buscando empleo (parados de muy larga duración) representan un enorme fracaso social por lo que supone de expulsión de la vida laboral, a veces definitiva, de un sector importante de la sociedad. En el caso de las trabajadoras, además, hay que recordar otros problemas como la discriminación que padecen, particularmente la que tiene lugar en materia salarial [9]. Es importante, en este terreno, que, además de la acción de los Tribunales, la Inspección de trabajo y los propios sindicatos, se den pasos como el representado por la exención de la cotización en los contratos de interinidad que tienen como finalidad sustituir a las trabajadoras de baja por maternidad, adopción o acogimiento, en la línea de hacer efectiva la igualdad de oportunidades.

A falta de datos definitivos para completar el perfil seguido a lo largo de todo el año 1998 por estos colectivos de parados, y sin que sea nuestra intención ofrecer un rosario exhaustivo de números, las cifras del tercer trimestre de la EPA mostraban descensos significativos en variación interanual para el paro de larga duración y, en menor medida, para el paro femenino. Así, los parados de larga duración representaban en dicho período un 11.2% menos respecto a igual período del año anterior, en el caso de los parados que llevan de uno a dos años buscando empleo, y un 10.9% menos en el caso de los que buscan trabajo desde hace dos años o más. Con todo, este colectivo

9. CES, *Panorama socio-laboral de la mujer en España*, 2, octubre 1995.

representa, en términos absolutos, 528 800 parados en el primer caso, y 1 089 700 en el segundo, sobre un total de algo más de tres millones de parados. Algo parecido sucede con las mujeres paradas, cuyo número también ha descendido respecto al de hace un año, aunque menos (-4.8%), pero en términos absolutos siguen siendo 1 709 200, lo que representa un 26.6% de paro femenino frente a exactamente la mitad, 13.3%, en el caso de los hombres. Por su parte, los parados menores de veinticinco años han experimentado una disminución de 107 100 personas (-10.3%) con respecto a 1997, pese a lo cual los jóvenes parados seguían siendo, en el 3er trimestre de 1998, 925 800, lo que representa un 34.7% de paro juvenil.

Inevitablemente, estas magnitudes nos sitúan ante la necesidad de adoptar políticas activas que complementen y potencien la intensidad de creación de empleo del crecimiento económico; crecimiento que, como hemos dicho anteriormente, ha visto incrementado su potencial generador de empleo como consecuencia de otras medidas, pero que sigue siendo, con todo, insuficiente por sí solo para afrontar el problema del paro con garantías de éxito. Estas políticas activas, por lo demás, han dejado de ser, tras la entrada en vigor del nuevo Capítulo sobre Empleo del Tratado de Amsterdam y después de la Cumbre extraordinaria sobre empleo celebrada en Luxemburgo en noviembre de 1997, territorio exclusivo de los Gobiernos nacionales al pasar a ser diseñadas y supervisadas por el Consejo y la Comisión Europeos. Las directrices para el empleo elaboradas por el Consejo para 1998 se centraban precisamente en combatir el núcleo más importante del paro estructural, constituido por el paro de los jóvenes y el paro de larga duración. De esta manera, el objetivo máximo de la nueva política comunitaria de empleo radica en la reinserción laboral o formación profesional de los jóvenes desempleados y de los parados de larga duración en un plazo máximo de cinco años. Estos objetivos han sido articulados en el Plan de Empleo de España para 1998, siendo éste por tanto el primer año de puesta en práctica de las medidas destinadas a alcanzarlos. En manos del Gobierno, por tanto, está aplicar unas medidas, que aparecen muy bien cuantificadas en el Plan Nacional, y hacerlo con la debida eficacia y transparencia hacia las instituciones comunitarias encargadas de supervisar los planes y hacia las instituciones y actores sociales más directamente afectados por el problema del desempleo.

Por lo demás, la adopción de las necesarias políticas activas no debe hacer olvidar de la existencia de situaciones necesitadas de protección, particularmente las más agudas situaciones de necesidad, como son las representadas por los parados de larga duración con cargas familiares. La cobertura de la protección por desempleo, estigmatizada como parte de las «políticas pasivas», debería mantenerse en niveles tales que no resulten desatendidas estas situaciones, especialmente cuando las cuentas del INEM se escriben por primera vez en mucho tiempo con números negros. Es necesario, por tanto, afinar el equilibrio entre las imprescindibles políticas activas y la protección de situaciones de necesidad.

En el terreno sociolaboral no podemos dejar de mencionar otras sombras, situaciones igualmente preocupantes que merecen toda la máxima atención y esfuerzo por parte de los poderes públicos y de las organizaciones sociales más directamente concernidas. Es necesario, así, intensificar las acciones tendentes a acabar con la todavía alta siniestralidad laboral. Disponemos, para tal fin, de unas bases jurídicas y técnicas renovadas y modernizadas, a la vez que se ha abierto paso una conciencia cada vez más intensa acerca del problema, lo que debe traducirse en nuevos compromisos e iniciativas. Es importante, en este sentido, el Plan de Acción por la seguridad y la salud en el trabajo recientemente puesto en marcha desde la Administración.

IV. PROTECCIÓN SOCIAL

El sistema de protección social, constituido por el conjunto de prestaciones sociales públicas garantizadas en situaciones de necesidad, constituye uno de los pilares fundamentales del Estado de Bienestar y, por tanto, es una herramienta esencial de la cohesión y de la equidad social que requiere, como recuerda el CES, «una política social avanzada hasta los límites de lo que sea económicamente posible, cumpliendo así los postulados de la Constitución Española al referirse a prestaciones sociales suficientes (arts. 41 y 50)» [10]. Cualquier análisis, por lo tanto, de la situación social de un país en un momento dado o en perspectiva temporal, debe atender a la evolución de las necesidades y demandas sociales y a la suficiencia de la respuesta colectiva a las mismas, esto es, al estado del sistema de protección social. No obstante, resulta obvio que la complejidad de este tema exigiría abordar una infinidad de cuestiones interrelacionadas que no puede ser llevada a cabo en el breve espacio de estas líneas. Por ello, nos limitaremos en este apartado a recordar algunas ideas generales en relación con el mismo.

10. CES, *Memoria...*, cit., 582.

Quizá la principal constatación a hacer en este terreno es el aumento continuo de las necesidades sociales con relación a situaciones de necesidad, de entre las cuales la evolución demográfica de la sociedad española, con el progresivo envejecimiento de la misma, tendencia que es común al resto de países europeos, constituye el fenómeno más acusado y preocupante. Por poner un ejemplo de especial relevancia en el conjunto del sistema, el crecimiento del número de pensiones contributivas, de todo tipo, fue, en 1997, del 1.9%, llegando a finales de ese año a 7.4 millones. Parece, no obstante, que el crecimiento tiende a ralentizarse, de suerte que, para 1998 y a falta de datos definitivos, se esperaba un incremento del 1.8% hasta alcanzar los 7.5 millones[11]. Esta progresión, unida al incremento de la cuantía de la pensión media, como consecuencia de las revalorizaciones y del llamado «efecto sustitución», se traduce obviamente en cargas del sistema de signo creciente.

Una segunda idea que debe destacarse es que en España se ha llegado a un amplio consenso político en el sentido de poner las bases y adoptar las medidas necesarias para consolidar el sistema público de protección social, introduciendo en el mismo las oportunas reformas a fin de prepararlo para los profundos cambios sociales, demográficos y económicos a los que asistimos. En efecto, en línea con los demás países europeos y con la postura de las propias instituciones de la UE, el dilema entre el mantenimiento con reformas de los sistemas públicos de pensiones o la sustitución de los mismos por sistemas privados basados en fórmulas diferentes, se ha saldado a favor de la primera de las opciones. Se ha puesto fin de esta manera al creciente cuestionamiento y desprestigio del sistema público que, desde múltiples posiciones, ha proclamado la obsolescencia e inviabilidad incluso a corto plazo del mismo, su carácter nocivo para el crecimiento económico en una economía globalizada, o, más aún, ha negado la equidad intrínseca de ese instrumento de redistribución de la riqueza y de solidaridad. Más allá del debate legítimo sobre un elemento crucial para nuestra sociedad, se han producido verdaderos ataques, casi siempre interesados, que han sembrado un desasosiego estéril e injusto acerca de la seguridad futura de muchos ciudadanos. El CES se ha posicionado claramente a favor del actual sistema, si bien introduciendo en el mismo las reformas necesarias y permitiendo el desarrollo de sistemas complementarios privados.

El instrumento en el que se plasmó ese amplio consenso de las fuerzas parlamentarias, el Pacto de Toledo, tuvo su complemento

11. CES, *Memoria...*, cit., 612 ss.

en el Acuerdo que suscribieron en octubre de 1996 el Gobierno y las centrales sindicales mayoritarias sobre Consolidación y Racionalización del Sistema de Seguridad Social. Las primeras medidas de aplicación del Pacto de Toledo y del Acuerdo Gobierno-sindicatos se plasmaron en la Ley 24/1997, de 15 de julio.

Una tercera idea a destacar en relación con la situación de la protección social es que en los dos últimos años el llamado «capítulo social» de los presupuestos no se ha visto negativamente afectado, o al menos no de forma grave, por las políticas presupuestarias restrictivas que se han puesto en práctica con la finalidad de lograr el objetivo de la convergencia. En términos generales, tanto en 1997 como en 1998, las necesidades de reducir el déficit público han descansado en mayor medida sobre otros capítulos presupuestarios, sin que las transferencias que realiza el Estado a la Seguridad Social se hayan visto mermadas, registrando, por el contrario, aumentos respecto a ejercicios anteriores. En línea, además, con las recomendaciones del Pacto de Toledo dirigidas a separar las fuentes de financiación de los distintos componentes del gasto del sistema. De esta forma, los presupuestos de los dos últimos años se han marcado como líneas prioritarias el mantenimiento del poder adquisitivo de las pensiones, la mejora de la asistencia sanitaria, la separación progresiva de las fuentes de financiación, y el reforzamiento de los mecanismos de control y lucha contra el fraude.

A lo anterior debe añadirse que el sistema ha visto acrecentados los flujos financieros derivados del esfuerzo en cotizaciones de trabajadores y empresarios en la presente coyuntura, como consecuencia de una serie de factores entre los que destacan el importante aumento del número de afiliados, que ha situado la relación entre cotizantes y perceptores de prestaciones en dos a uno, como ya dijimos anteriormente; la contención de la inflación, que ha permitido la revalorización de las pensiones sin disparar los costes, y ha propiciado ganancias de poder adquisitivo al situarse el IPC final por debajo del previsto sin que por ello se aplique el mecanismo legal de ajuste a la baja de dichas revalorizaciones; y, por último, el crecimiento de las bases de cotización, en aplicación del acuerdo entre Gobierno y sindicatos que preveía el «destope» de ciertos grupos de cotización y la aproximación progresiva de los mismos a los salarios reales, o la mejora de la lucha contra el fraude y de la recaudación en vía ejecutiva.

No obstante, a pesar de los efectos vigorizantes para el sistema público de pensiones y sanidad del actual ciclo expansivo en que se halla inmersa la economía española y del importante balón de oxígeno que ha supuesto la fuerte creación de empleo verificada en los dos últimos años, es necesario que no se baje la guardia en el camino de reformas consensuadas que se ha iniciado, situando el punto de mira político en el medio y largo plazo y no utilizando el presupuesto de la Seguridad Social en la mejora de resultados de políticas de corto plazo. Ello exigirá seguramente imprimir un mayor ritmo al desarrollo de las medidas contenidas en el Pacto de Toledo, entre las cuales la clarificación y separación de las fuentes de financiación del sistema debe culminarse lo antes posible.

Finalmente, con relación a la Seguridad Social como eje central del sistema, hay que recordar, un poco como contrapunto a lo dicho hasta aquí, que, en España, el porcentaje que representan los gastos de protección social con relación al PIB se encuentra cinco puntos por debajo de la media de la UE, y en los últimos años se ha roto la tendencia creciente de dicho porcentaje, por lo que cualquier planteamiento sobre la reforma del sistema de protección social no puede eludir, además del objetivo de su consolidación, que se consiga una paulatina aproximación de los niveles de protección social españoles a dicha media.

V. SANIDAD

El sistema sanitario español se caracteriza esencialmente por su universalidad, si bien todavía son necesarios importantes ajustes, transformaciones y mejoras del modelo actual. La reconocida necesidad de consolidación de un sistema sanitario público de carácter universal se relaciona fundamentalmente con las prestaciones, en el ámbito objetivo de la cobertura, y con el acceso en igualdad de condiciones, en el ámbito subjetivo. La universalización del derecho a la asistencia sanitaria pública, objetivo primordial de la Ley General de Sanidad[12], se ha garantizado por la progresiva extensión de la cobertura a la práctica totalidad de la población (98.7%)[13]. Sin embargo, la naturaleza de tal derecho universal padece las mismas contradicciones que el propio sistema sanitario, que pese a dicha extensión de la cobertura sigue distinguiendo entre el origen profesional o no del derecho al acceso y que, a pesar de haberse universalizado, exige una prueba

12. Completada posteriormente por el RD 1088/1989, de 8 de septiembre, de extensión de la cobertura de la asistencia sanitaria de la Seguridad Social a las personas sin recursos económicos.

13. CES, *Memoria...*, cit., 504.

de ausencia de recursos económicos a aquellos que no acceden por la vía de la afiliación profesional a la Seguridad Social.

En este contexto, en los últimos años la reforma sanitaria en España ha discurrido por al menos dos cauces paralelos pero de distinta profundidad y consecuencias. Por una parte, se ha producido en el marco de la acción política de los grupos parlamentarios, donde se ha intentado sin éxito alcanzar un consenso sobre las bases de una reforma integral del sistema vía identificación de sus principales problemas y propuesta de soluciones. Por otro lado, sin esperar a dicha reforma, el sistema sanitario ha seguido asistiendo a transformaciones parciales, sin olvidar la profundización en el desarrollo del modelo del Sistema Nacional de Salud configurado a partir de 1986. Al mismo tiempo, el marco financiero del sistema se ha intentado apuntalar, con medidas como la renovación del modelo de financiación de los servicios de Sanidad para el período 1998-2001, o el establecimiento por parte de la Ley de consolidación y racionalización del sistema público de Seguridad Social del año 2000 como improbable límite para que las prestaciones sanitarias se financien exclusivamente con cargo a los Presupuestos Generales del Estado.

Una de las paradojas de la encrucijada actual del sistema sanitario público es que los planteamientos de cambios confluyen con la todavía inacabada implantación de la reforma impulsada por la Ley General de Sanidad en 1986. Las medidas que se vienen barajando en los últimos años no cuestionan el modelo entonces introducido, pero tampoco incorporan una evaluación de aquella reforma o una recapitulación de sus resultados, de los problemas de su implantación o la necesidad de su culminación. Obligado el sistema sanitario público a mantenerse dentro de unos márgenes de disciplina presupuestaria, la reforma que se pretende impulsar en estos momentos tiende prioritariamente a la búsqueda del equilibrio económico del sistema, aunque parta de la permanencia de su configuración actual y de los niveles de calidad alcanzados. Mientras, otros vectores de reforma, como los realizados sobre el gasto farmacéutico, o la reciente propuesta de modificación de la situación jurídica de los centros hospitalarios del INSALUD con el objeto de convertirlos en fundaciones, no parecen contar con el consenso que el carácter intrínsecamente social de la sanidad exige. En este marco de reforma condicionada hacia variables financieras, los ciudadanos siguen contemplando al sistema sanitario como uno de los principales garantes de su calidad de vida, y como uno de los principales ejes vertebradores de su realidad social, por no decir el más importante. En este sentido, la sociedad española considera insuficiente la situación vigente, más aun cuando se atiende a la persistencia de algunos problemas crónicos del sistema actual. Éstos son, en especial, la existencia de listas de espera para recibir determinados tipos de asistencia, aunque su tendencia sea a la baja, y la percepción de que la calidad de los servicios prestados y de la atención recibida puede ser claramente más alta.

VI. EDUCACIÓN

Resulta una evidencia innegable que la sociedad española ha visto cómo en las últimas décadas han mejorado de forma espectacular sus niveles educativos y de formación, como demuestra cualquier análisis estadístico que se haga de las principales variables educativas, tales como el volumen de recursos empleados, el número de estudiantes universitarios o de cualquier otra categoría, o el desarrollo de la formación continua en las empresas.

En las últimas décadas, se ha reducido considerablemente el analfabetismo, un 3.8% en 1997 frente a un 6.3% en 1981 [14], convirtiéndose en un fenómeno marginal salvo en mujeres de edad avanzada; el nivel de instrucción femenino ha igualado al masculino salvo en las mayores que son, además, el colectivo sobre las que se concentra en particular el fenómeno de pobreza; y ha progresado considerablemente el índice de escolaridad tanto en los niveles de enseñanza obligatoria como en los que no lo son. El índice de cobertura educativa, que mide el porcentaje de personas escolarizadas en el conjunto de edades que comprende de 5 a 24 años, es desde hace una década superior incluso a la media comunitaria situándose por encima del 80%. Estas cifras, no obstante, a pesar de su tendencia claramente positiva, no deben interpretarse sin atender a otras realidades de la sociedad española como el fracaso escolar o el desempleo, que por ejemplo justificaría el alto índice de cobertura educativa ante la falta de alternativas para la población más joven, o la calidad de la educación comparando la situación en materia de recursos con la del resto de la UE.

En la actualidad, es particularmente relevante por su enorme trascendencia la relación que existe entre educación y empleo. Por ejemplo, en 1998 los jóvenes necesitaron casi un año de media para encontrar empleo una vez que finalizaron sus estudios universitarios. El menor

14. INE, *Censo de Población y Vivienda*, 1981. INE, *Encuesta de Población Activa*, 1997.

tiempo fue para los estudios de empresariales y matemáticas. Es significativo el hecho de que tan sólo el 3% se instaló como autónomo, en contra de lo que ocurre en otros países europeos en los cuales existe una mayor propensión a esta salida. En general, a medida que aumentan los niveles educativos, mejora la posibilidad de encontrar empleo. No obstante, se puede extraer alguna otra conclusión importante al analizar la relación entre el nivel educativo y la posibilidad de encontrar empleo. Así, la tasa de ocupación más elevada se da en los universitarios y, a continuación, en las personas con estudios primarios. En cambio, las personas sin estudios o con estudios secundarios, tanto generales como de formación profesional, tienen una tasa de ocupación inferior a la media. Existe también una clara desigualdad a la hora de emplearse por sexos, según niveles educativos. Para personas analfabetas, el diferencial de ocupación entre hombres y mujeres no es muy considerable (4 puntos de diferencia), si bien se eleva en el caso de estudios primarios (10 puntos), y es especialmente alto para estudios secundarios profesionales como la formación profesional (17 puntos de diferencia). En los universitarios la diferencia está entre 6 puntos en el primer ciclo y 12 puntos en el segundo ciclo.

El sistema educativo lleva varios años atravesando un período de cambios debidos, en buena medida, a la adaptación a la nueva sociedad de la información y, más en concreto, respondiendo a las reformas introducidas por la LOGSE y la Ley de Reforma Universitaria. Estas reformas, junto con la conclusión de los traspasos de la gestión universitaria a las Comunidades Autónomas y recientes cambios en la financiación de la educación, sitúan al sistema en una etapa de incertidumbre que requiere un seguimiento atento de su evolución.

VII. POBREZA Y EXCLUSIÓN SOCIAL

No es posible presentar un análisis global de la situación social en un país como España sin referirse a la realidad que afecta a los colectivos más desfavorecidos, que se enmarcan dentro de lo que se entiende como pobreza y exclusión social. El CES, consciente de la importancia de contar con una descripción ajustada a la realidad de estos colectivos, elaboró en 1996 un informe monográfico [15] encaminado a determinar el alcance de esta realidad y a servir como instrumento de

15. CES, *La pobreza y la exclusión social en España,* Informe 8, 1996.

la política social más intensa que existe destinada a eliminar estas situaciones.

El CES, en este informe, tras determinar los criterios metodológicos que definen los conceptos de pobreza, exclusión social y desigualdad, ha pasado revista a todos los elementos que determinan y configuran las situaciones de pobreza y exclusión social, como son su caracterización física, geográfica, por edades, sexos, nivel educativo, grado de percepción de asistencia sanitaria o de otras prestaciones, y la situación frente a la actividad y la ocupación. Tras realizar este estudio, se procedió a evaluar el efecto de las políticas de lucha contra la pobreza en cada uno de estos frentes, para realizar finalmente una serie de recomendaciones acerca de cómo, en opinión del CES, debería orientarse esta política.

En grandes líneas, el informe reconoce que en los últimos veinte años ha disminuido en España la pobreza y la desigualdad en todos sus niveles, pero se ha pasado de lo que se conoce como «pobreza tradicional» a la «nueva pobreza». Así ha crecido el número de hogares pobres encabezados por una mujer, configurando frecuentemente hogares monoparentales. La pobreza se concentra en el colectivo de personas de 65 años o más, aunque en los últimos años ha aumentado la pobreza en los grupos de jóvenes de menos de 29 años. Casi la totalidad de la población pobre es analfabeta o tan sólo cuenta con un nivel de estudios primarios. Sin embargo, ha aumentado la pobreza especialmente en jóvenes educados en niveles de enseñanza secundaria e incluso profesional. También ha crecido el número de hogares pobres encabezados por un ocupado o un pensionista, en particular el de encabezados por pensionistas, mientras que, paradójicamente, el número de situaciones de pobreza encabezadas por parados no ha aumentado. Estas situaciones de carencia de rentas suficientes se vuelven agudas cuando no se dispone de vivienda, lo cual determina el cuadro de pobreza extrema más general.

VIII. CONCLUSIONES

Situándonos en una perspectiva temporal amplia, se debe concluir que España ha experimentado importantes transformaciones en el terreno social. Estas transformaciones han supuesto, en muchos casos, indudables avances en la solución de problemas que venían de lejos. Pero, al mismo tiempo, han generado nuevos problemas y dejado subsistentes otros. En perspectiva temporal más reducida, cabe resaltar la situación de bonanza económica presente, que se traduce indudablemente en una mejora de problemas como el paro, la financiación de la protección social, etc., y, más en general, en la mejoría de las condiciones de vida de muchos ciudadanos.

La buena marcha de la economía y las halagüeñas perspectivas que se abren para España, con hechos como su pertenencia a la Moneda Única, proporcionan sin duda esperanzas de cara a la futura resolución de problemas de gran trascendencia social. Ello sólo no basta, sin embargo, para abordar el complejo abanico de temas que componen la situación social y los problemas que perciben y sienten los ciudadanos. Con la mejora relativa de determinadas variables sociales y económicas, que dejan así de ser tan apremiantes, se abre paso a la consideración de otros problemas. Por poner sólo algunos ejemplos, la preocupación por el medio ambiente, la marginación social o la violencia doméstica contra las mujeres, son temas que han marcado, a veces dramáticamente, nuestra realidad cotidiana del último año. Éstos, y otros que no es posible mencionar por no hacer más largo este artículo, son aspectos de la realidad social que no pueden quedar extramuros de las políticas de las instituciones públicas en el camino que nos ha de llevar al próximo siglo.

Capítulo 7

COMPETENCIA, MERCADO Y BIENESTAR

Amadeo Petitbò Juan

I. INTRODUCCIÓN

Durante los últimos años las economías de las sociedades occidentales han registrado cambios significativos. No se trata tan sólo de la introducción del euro o de la incorporación de China, India e Indonesia —cuya población se acerca a la mitad de la población mundial— al sistema de intercambios internacionales sobre la base de las reglas del mercado. Se trata, sobre todo, de la progresiva aceptación por parte de los ciudadanos de las sociedades occidentales del mercado como elemento eficaz de asignación de bienes y servicios y del abandono progresivo de viejas concepciones que juzgaban al mercado como un instrumento que estaba en el origen de los males económicos de dichas sociedades.

Tales cambios están dando lugar a un proceso ininterrumpido de internacionalización y globalización y a la sustitución de las tradicionales medidas de política económica por otras estrategias, algunos de cuyos elementos de apoyo son la liberalización, la desregulación y la privatización. Este proceso ha promovido, como no podía ser de otra forma, un debate en el que han participado los economistas, los políticos, los empresarios y los sindicalistas.

El resultado del debate ha sido positivo. Se está extendiendo en nuestra sociedad la cultura de la competencia como reacción al exceso de intervencionismo y regulación ineficiente, que ha soportado nuestra economía durante muchos años, y a los efectos de dicho intervencionismo sobre las empresas, los trabajadores y el propio sector público. Ahora se acepta que las empresas públicas, la resistencia a la liberalización y los efectos de la regulación inadecuada se traduzcan en mayores costes y en una pérdida de competitividad significativa. Y la competencia insuficiente tiene efectos negativos sobre el bienestar de los ciudadanos.

Con estos elementos de referencia el objetivo de este artículo es la exposición de algunos argumentos dirigidos a defender el papel de la competencia y del mercado en las sociedades modernas por su relación con la competitividad de las empresas y el bienestar de los ciudadanos. Para ello se hará referencia, en primer lugar, a la privatización de las empresas públicas; en segundo lugar, a la reforma de la regulación; en tercer lugar, a las consecuencias de la eliminación de la regulación ineficiente; en cuarto lugar, a determinadas propuestas de desregulación efectuadas por el Tribunal de Defensa de la Competencia; y, por último, a ciertas resoluciones del Tribunal.

II. PRIVATIZACIÓN Y COMPETENCIA

El análisis de la configuración y la dimensión del sector público empresarial revela que, en general, no responden a los fundamentos del análisis económico. La historia de las empresas públicas es muy compleja y el paso de la esfera privada a la pública no siempre ha reflejado los principios de la racionalidad económica. El elevado peso de la actividad empresarial pública ha respondido a la combinación —con proporciones desiguales en cada caso— de valoraciones ideológicas, políticas, económicas y sociales condicionadas, además, por el nivel de desarrollo económico de cada país. Ahora, tras un período de privatizaciones generalizadas, resulta sorprendente que en países con una dilatada tradición en la defensa del libre mercado y en los que la empresa privada tradicionalmente ha sido el motor de la economía, la provisión pública de bienes y servicios todavía tenga una importancia considerable.

El auge del sector público empresarial tuvo lugar en Europa tras la Segunda Guerra Mundial. A finales de la primera mitad del presente siglo, se interpretaba que las empresas públicas podían ser un buen instrumento para contrarrestar los fallos del mercado. Aún cuando en aquellos momentos tal argumento podía ser sostenido en determinadas circunstancias, de lo que no cabe duda alguna es de que se abusó del recurso de transferir a la esfera pública actividades que deben corresponder al sector privado. No debe olvidarse que algunas empresas privadas se convirtieron en públicas para disfrazar errores importantes de gestión empresarial. Con dicho procedimiento muchos trabajadores se convirtieron en una suerte de funcionarios y la tradicional y necesaria flexibilidad empresarial fue sustituida por relaciones mucho más rígidas que, en muchas ocasiones, han dificultado la adaptación de las empresas a una realidad aceleradamente cambiante.

Sin embargo, desde la crisis de los años '70, la percepción social de las empresas públicas se ha modificado.

La titularidad pública o privada no siempre es la causa principal de la mayor o menor eficiencia empresarial. Aún cuando la lógica económica conduce a pensar que los sectores público y privado deben llevar a cabo sus tareas específicas sin necesidad de realizar funciones que no les son propias, lo cierto es que la eficiencia empresarial es función del sistema de interrelaciones empresariales y del papel del mercado. Por esta razón, la eficacia de la privatización depende de la eficiencia de la empresa privatizada y del grado de liberalización de las actividades afectadas, con la oportuna regulación eficiente en caso de ser estrictamente necesaria. En consecuencia, resulta pertinente defender el principio de que antes de privatizar resulta conveniente liberalizar. Y ello por dos razones: la primera, porque con esta secuencia se aseguran la eficacia y los beneficios de la liberalización; la segunda, porque si no se liberaliza antes de privatizar, la liberalización se convierte en una tarea particularmente difícil y costosa.

Los análisis realizados por la OCDE han puesto de relieve que, en muchos casos, la falta de definición de objetivos precisos por parte de las empresas públicas y el hecho de que tales empresas no estén sujetas a la disciplina financiera impuesta por el mercado se ha traducido en una reducción significativa de su eficiencia. La evidencia pone de manifiesto que la empresa privada está sometida a una mayor presión del mercado para que reduzca sus costes y mejore su eficiencia, en comparación con la empresa pública que puede encontrar cauces alternativos para equilibrar sus resultados financieros. Por esta razón se ha defendido la privatización como medio para contribuir a la mejora de la eficiencia de la empresa pública en un contexto progresivamente competitivo. La liberalización y la privatización contribuyen a que las empresas sean más privadas y las administraciones públicas más públicas. La competencia fomenta que las empresas y la administración se dediquen a su cometido específico y se responsabilicen del mismo.

En resumen, el análisis de la experiencia privatizadora permite extraer tres conclusiones (Montes y Petitbò, 1998): en primer lugar, no debe confundirse gestión pública empresarial con regulación o explotación de monopolios naturales; en segundo lugar, los criterios de actuación y gestión de la empresa pública no deben ser distintos de los correspondientes a la empresa privada; por último, dichos criterios se resumen en una gestión empresarial eficiente. Un medio que contribuye a alcanzar tales objetivos es la privatización.

III. COMPETENCIA Y REFORMA DE LA REGULACIÓN

El desarrollo de las sociedades industrializadas ha conllevado un cambio importante en la interpretación del papel del Estado en la economía. Los fundamentos tradicionales de la regulación —y también de la propiedad pública— se han transformado significativamente. El monopolio natural era considerado como un elemento de referencia en muchas actividades hasta no hace mucho tiempo. También eran abundantes las empresas cuya actividad era considerada de interés social o estratégico. Dichas conclusiones llevaban a proponer una fuerte regulación de las mismas e, incluso, de la propiedad pública.

La evidencia empírica y los resultados empresariales son los elementos de referencia que permiten destruir los criterios y argumentos no apoyados en la realidad. Sobre la base de estas referencias pueden cuestionarse las interpretaciones de antaño. Los monopolios naturales en muchos casos son tan sólo monopolios sociales. La propiedad pública no siempre es el mejor mecanismo para asignar los recursos o para producir bienes y servicios. No queda al margen de estas consideraciones la introducción en el análisis de los posibles fallos del mercado. El coste privado y social de las citadas interpretaciones erróneas y actuaciones ha sido, sin duda, muy elevado en relación con los beneficios sociales y privados potenciales basados en una interpretación que dejara apoyar las decisiones privadas en el mercado en el contexto de un marco regulador eficiente. De todo ello se deduce que las regulaciones innecesarias o inadecuadas no contribuyen a eliminar o reducir las posibles distorsiones de los costes en relación con los correspondientes a un entorno competitivo, a adecuar los precios relativos a los correspondientes a un marco de eficiencia o a mejorar la competitividad de las empresas en los contextos nacional e internacional.

De acuerdo con Breyer y MacAvoy (1987), la regulación —especialmente en EE.UU.— consiste en las acciones públicas dirigidas a controlar los precios y las decisiones de producción de las empresas con el objetivo de evitar aquellas acciones privadas contrarias al interés público. La experiencia americana se basa en el papel de las agencias reguladoras. En Europa la noción de regulación tiene un alcance más amplio. Se refiere al control y a la intervención en la actividad económica. Y en muchos casos tal control e intervención no toman en consideración el interés público como elemento de referencia fundamental. Los ejemplos del suelo, de las telecomunicaciones, de la energía o de las farmacias son pruebas inequívocas de ello. Por esta razón, la defensa de la racionalidad económica y de los intereses públicos exige desregular todo aquello que se haya regulado innecesaria e ineficientemente. Se trata, pues, de evitar los costes inherentes a toda regulación inapropiada.

Como ha señalado R. Alonso (1996), la desregulación, entendida en su sentido amplio, pretende eliminar las normas que regulan un sector o la progresiva desaparición de la intervención del Estado en la economía. Por su parte, la liberalización se refiere a «la limitación o reducción de la intervención normativa del Estado a lo que debe ser su verdadera función: de un lado, la tutela del interés público, por ejemplo la seguridad, la salud o el bienestar de los ciudadanos; en este sentido resultan plenamente justificadas las normas de policía administrativa, seguridad, inspección y control técnico, protección del medio ambiente, sanitarias, etc., y nadie propone su derogación. Y, de otro, la defensa de la competencia, tarea en la que resultan comprometidas todas las Administraciones Públicas y que no debe dejarse en manos de los operadores económicos afectados». Es decir, desregular supone reducir la presencia y la intervención de las administraciones públicas en la economía; y liberalizar significa ampliar la capacidad de actuación de los agentes económicos en el marco de un mercado competitivo. No siempre se da una coincidencia de las estrategias liberalizadoras con las desreguladoras.

Como ha sostenido el Tribunal de Defensa de la Competencia, la liberalización no supone el olvido por las Administraciones Públicas de los objetivos sociales ni el abandono de los servicios públicos. El Tribunal es partidario —y se ha manifestado en este sentido— del servicio público universal de la telefonía, de los correos, o del suministro de energía eléctrica, por citar algunos ejemplos. También considera el Tribunal que los ciudadanos deben poder desplazarse o deben disponer de la adecuada asistencia sanitaria en las condiciones idóneas de calidad. Pero estos objetivos no suponen que tales servicios deban ser prestados en régimen de monopolio o, particularmente, que sean ofrecidos por monopolios públicos. La prestación de tales servicios es compatible con otras formas de organización tales como la concesión en condiciones de competencia, la autorización, los contratos-programa o la regulación que imponga a las empresas oferentes de los bienes y servicios determinadas obligaciones de servicio público.

En determinadas circunstancias es necesario combinar la competencia con la regulación eficiente de los mercados. Como ha señalado el

Tribunal de Defensa de la Competencia (1994), «la competencia en un mercado requiere la regulación y la vigilancia activa del Estado en este mercado. En primer lugar, el Estado debe imponer siempre una serie de normas limitativas de la actividad empresarial, con independencia de que el mercado sea monopolista o funcione en régimen de competencia, cuyo objetivo es proteger bienes públicos, como la seguridad o salubridad, bienes que pueden ponerse en peligro debido a la naturaleza del producto o a su modo de fabricación. En segundo lugar, porque la defensa de la competencia no puede dejarse en manos de los empresarios, sino que es el Estado el que debe asegurarla mediante una regulación que evite que las prácticas que atenten contra ella puedan ser desarrolladas por los empresarios [...]. La lección es clara: para proteger los intereses generales —salud seguridad, etc.— no hacen falta los monopolios, no hace falta suprimir o restringir la competencia. Tales objetivos pueden alcanzarse mucho mejor en competencia».

La libertad económica de las empresas, en especial las de mayor dimensión, exige una mayor regulación y vigilancia con el fin de eliminar la posibilidad de que en el mercado tengan lugar conductas de abuso de posición de dominio por parte de las empresas. La ruptura de los monopolios de las telecomunicaciones o de los transportes, en aquellos países donde ha tenido lugar, ha promovido nuevas estructuras reguladoras o de control y nuevos colectivos que han sustituido aquellos instrumentos y medios que, en una situación de monopolio, pertenecían al ámbito de las decisiones discrecionales de las administraciones públicas o del propio monopolio público. La regulación debe ser, ante todo, fuente de eficiencia, defensora de los mecanismos de mercado y debe referirse particularmente a los intereses públicos. A las empresas les corresponden las decisiones privadas en un contexto de mercado y competencia. A las administraciones públicas les corresponde asegurar el libre funcionamiento de los mercados.

El criterio de referencia principal cuando se ha regulado la competencia ha sido que la regulación sea predecible y trate por igual a todos los competidores. El eficaz funcionamiento de los mercados supone la abolición de la discrecionalidad y la incertidumbre. Este criterio exige que las reglas sustituyan a la discrecionalidad. La regulación, cuando contribuye a la competitividad y a la eficiencia, debe establecer criterios objetivos. Y, sobre todo, debe evitar fomentar la ineficiencia empresarial.

Más concretamente, puede sostenerse que el futuro de la regulación ante el aumento de la competencia —nacional e internacional—, en los mercados de bienes y servicios, debe apoyarse en tres consideraciones fundamentales. En primer lugar, la eliminación de las restricciones a la competencia no debe incluir necesariamente la desregulación total de los sectores y mercados liberalizados. Por el contrario, puede suponer el reforzamiento de la regulación tomando como referencia la defensa de los intereses generales. En segundo lugar, la regulación debe centrarse en la determinación de criterios objetivos sobre la calidad, la seguridad, el medio ambiente, la transparencia del mercado y, en su caso, sobre los niveles mínimos de cobertura territorial de los servicios y de inversión necesaria para satisfacer las necesidades de los ciudadanos y, en circunstancias excepcionales, los precios máximos de determinados bienes y servicios. Por último, la desregulación tradicional que deja el contenido de las decisiones a la discrecionalidad administrativa es contraria al funcionamiento efectivo de la competencia y, por regla general, no contribuye eficazmente a alcanzar los objetivos sociales.

La regulación innecesaria se traduce en importantes costes sociales y privados y en ineficiencias no deseadas tanto para determinados sectores, mercados y actividades como para el conjunto de la economía. Como ha indicado la OCDE (1996), «los resultados directos de una regulación inadecuada en un sector particular probablemente sean mayores costes, mayores precios, asignación inadecuada de recursos, insuficiencia de innovación de producto y escasa calidad del servicio ofrecido».

IV. LOS EFECTOS DE LA ELIMINACIÓN DE LAS NORMAS INEFICIENTES

La proliferación de estudios acerca de los efectos económicos de las regulaciones ineficientes a lo largo de la última década ha aportado abundante evidencia empírica en relación con los beneficios directos o indirectos potenciales de la reforma de dichas regulaciones. Entre ellos, destaca el desarrollado por la OECD (1997) en los últimos años, en el marco del Proyecto de Reforma de la Regulación, a partir del tratamiento de la información contenida en las tablas *input-output*. En los siguientes apartados se analizan algunos resultados de dicho trabajo y, en particular, los efectos de la reforma en cinco ramas de actividad tradicionalmente sometidas a una intensa regulación, en EE.UU., Japón, Alemania, Francia, Reino Unido y España, y en algunas variables como precios, producción, salarios y beneficios, y ocupación.

En estos estudios se ha tratado de medir el impacto que la eliminación de las regulaciones ineficientes o la introducción de otras nuevas con menores efectos sobre el mercado pueden tener sobre la actividad de sectores concretos y sobre la economía en su conjunto. Tales efectos se han estimado considerando diversos escenarios alternativos así como los efectos estáticos y dinámicos de la liberalización. La cuantificación de los resultados exige la realización de estudios monográficos complejos y sometidos al sesgo de las hipótesis y de los propios datos de partida. Los datos correspondientes a España se apoyan en la información contenida en las Tablas *input-output* de la economía española correspondientes al año 1990. En consecuencia, los efectos totales esperados ahora deben ser descontados de acuerdo con los resultados ya alcanzados.

1. *Las estimaciones de la OCDE sobre los efectos de la reforma de la regulación ineficiente en diversas ramas de actividad*

Por su particular interés, se incluye el cuadro 1 donde se resumen tanto las hipótesis de partida como los efectos potenciales a nivel macroeconómico de la reforma de la regulación sectorial en la economía española. La OCDE considera los sectores más dinámicos. Sectores como el carbón se excluyen del análisis dado que se prevé su progresiva pérdida de importancia en la economía.

Los resultados obtenidos, basados en un análisis estático, minusvaloran el impacto de la reforma de la regulación de la economía al no incluir sus efectos dinámicos y los efectos retroalimentados entre sectores. No se trata aquí de hacer un análisis pormenorizado de los datos de la OCDE. Ahora interesa destacar las conclusiones globales. El ejercicio realizado por la OCDE sostiene que la estimación final de los efectos directos e inducidos de la reforma de la regulación sectorial es un aumento acumulado de la producción total «del orden del 4 al 5%». Sin embargo, un resultado relevante del modelo, que se aleja de algunas opiniones sostenidas con vehemencia, es que los efectos sobre la ocupación son insignificantes. Y la conclusión de la OCDE es contundente: «Las reformas sectoriales podrían traer consigo aumentos de empleo, si los mercados de trabajo son suficientemente flexibles. Esta evaluación subraya que la reforma de los mercados de productos debería ir aparejada a la reforma del mercado de trabajo». Un reciente estudio de Di Tella y MacCulloch resumido por *The Economist* (6.2.1999) revela la posible relación existente entre desocupación y flexibilidad del mercado laboral (gráfico 1). La posición de España en el gráfico es elocuente.

El resto de los cuadros incluidos en este apartado recogen las estimaciones sobre el impacto de las reformas regulatorias y la extensión de sus efectos sobre el conjunto de los sectores de la economía en los países considerados.

Cuadro 1. HIPÓTESIS Y ESTIMACIÓN DE LOS EFECTOS POTENCIALES DE LA REFORMA DE LA REGULACIÓN SECTORIAL, ESPAÑA 1998. PORCENTAJES DE VARIACIÓN

	ELECTRICIDAD	TRANSPORTE AÉREO	PETRÓLEO Y GAS	TELECOMUNI-CACIONES
HIPÓTESIS				
Coste de los bienes intermedios	..	..	..	–10
Gas y petróleo	–7	–7	–7	Nd
Carbón	–50	Nd	Nd	Nd
Nuclear	0	Nd	Nd	Nd
Electricidad	–20	–20	–20	Nd
Transporte aéreo	Nd	–10	Nd	Nd
Costes laborales				
Productividad del trabajo	25	20	20	35
Salarios	–3	–15	–10	–15
Costes de capital	–25	–5	–25	–25
Beneficios	–15	0	–15	–10
Innovación (efectos sobre la producción)	0	5	0	30
Elasticidad-precio de la demanda	–0.5	–1.5	–0.5	–0.5
EFECTOS SECTORIALES				
Efecto directo sobre los precios	–20.1	–10.0	–6.8	–22.4
Efecto inducido sobre la producción (1)	10.1	15.0	3.4	11.2
Efecto sobre la producción (3)	10.1	20.8	3.4	44.6
Efecto sobre el empleo I (2)	–12.0	0.7	–13.8	7.1
Efecto sobre el empleo II (1)	–12.0	–4.1	–13.8	–17.6
EFECTOS SOBRE EL CONJUNTO DE LA ECONOMÍA				
Empleo total				
Contribución de cada sector (3)	–0.05	0	–0.02	0.05
Contribución de cada sector Excluida la innovación (1)	–0.05	–0.01	–0.02	–0.12
Productividad del trabajo	0.65	0.07	0.47	0.70
Productividad del capital	0.65	0.02	0.59	0.50
Salarios	–0.01	–0.03	–0.02	–0.11

(1) Excluye el crecimiento de la producción inducido por la innovación.
(2) Los efectos sectoriales sobre el empleo incluyen la incidencia de las ganancias de productividad, el crecimiento de la producción inducido por los precios, así como el efecto del crecimiento de la producción inducido por la innovación, pero no incluyen la posible incidencia del descenso de las primas de los salarios.
(3) Incluye el crecimiento de la producción inducido por la innovación.

Fuente: OCDE (1998).

GRÁFICO 1. *Flexibilidad del mercado laboral y desempleo, media 1984-1990*

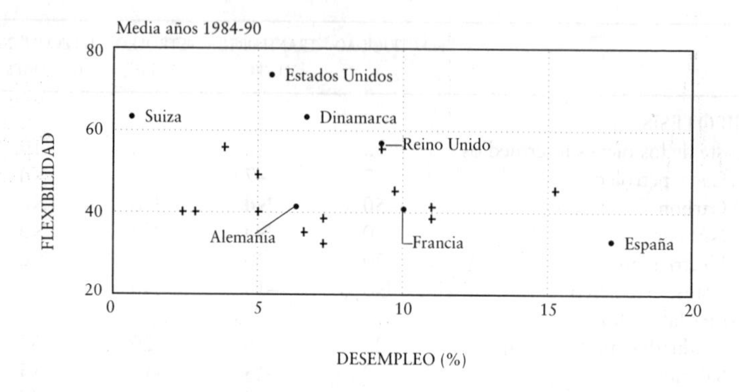

Fuente: Di Tella and MacCulloch, citado en *The Economist*, 06.02.1999.

a) Estimación de los efectos sobre los precios

La desigualdad de los ritmos correspondientes a la eliminación sectorial de la regulación ineficiente y los distintos niveles de competencia en los diversos sectores de la economía española, frente a las distintas tasas de crecimiento de la demanda, explican el comportamiento desigual de los precios. En efecto, a partir del mes de enero de 1986, el índice de precios al consumo en España ha crecido casi sistemáticamente por encima del índice de precios industriales, calculado a partir de una cesta de bienes en la que aquellos comercializables tienen una mayor ponderación (véase gráfico 2).

En relación con los efectos de la desregulación y la liberalización sobre los precios de los bienes y servicios, el cuadro 2 revela que, en los países considerados, la eliminación de la regulación restrictiva de la competencia se ha traducido en reducciones significativas de los precios tanto a nivel de cada uno de los sectores como del conjunto de la economía. Resulta señalable el impacto sobre los mismos estimado para algunos sectores proveedores de servicios como las telecomunicaciones o el transporte aéreo. En relación con la economía española, la OCDE (1998) ha señalado que la adopción de medidas de desregulación en los sectores eléctrico, transporte aéreo, hidrocarburos y telecomunicaciones se materializaría en una reducción de los precios de estos bienes y servicios del 20.1%, 10.0%, 6.8% y 22.4%, respectivamente (cuadro 1).

GRÁFICO 2. *Evolución del IPC y del Índice de Precios Industriales, 1976-1998*

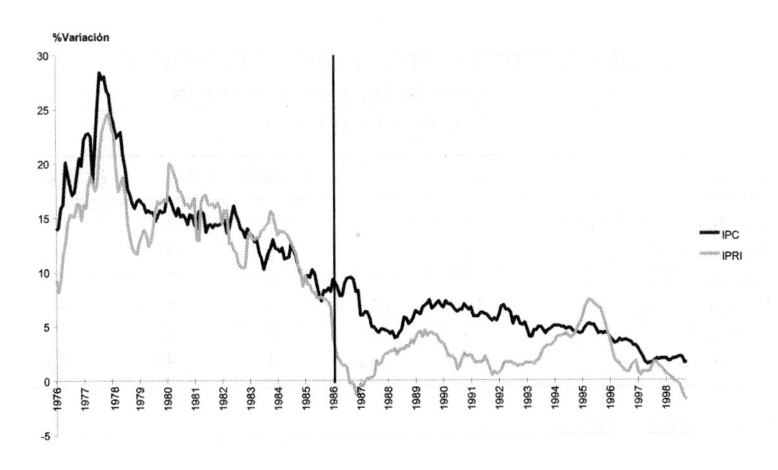

Fuente: Instituto Nacional de Estadística.

Cuadro 2. EFECTOS POTENCIALES DE LA REFORMA DE LA REGULACIÓN SOBRE LOS PRECIOS. PORCENTAJES DE VARIACIÓN

SECTORES	EE.UU.	JAPÓN	ALEMANIA	FRANCIA	R. UNIDO
Distribución comercial	0	–10	–2	–3	–2
Telecomunicaciones	–6	–16	–23	–30	–13
Transporte por carretera	–14	–9	–5	–5	–2
Transporte aéreo	–20	–10	–6	–6	–3
Electricidad	–5	–12	–15	–12	–11
Economía (1)	–0.3	–2.1	–1.3	–1.4	–1.2

(1) Deflactor del PIB.

Fuente: OECD (1997).

b) Estimación de los efectos sobre la producción

En relación con los efectos de la desregulación sobre la producción, las estimaciones de la OCDE (cuadro 3) revelan que los países cuya economía ha estado sujeta tradicionalmente a una regulación más intensa e inadecuada pueden incrementar su PIB real en magnitudes comprendidas entre el 3.5% y el 5.6% si se procede a la eliminación de dicha regulación.

Cuadro 3. EFECTOS POTENCIALES DE LA REFORMA DE LA REGULACIÓN SOBRE LA PRODUCCIÓN. PORCENTAJES DE VARIACIÓN

SECTORES	EE.UU.	JAPÓN	ALEMANIA	FRANCIA	R. UNIDO
Distribución comercial	0	5	1	2	1
Telecomunicaciones	3	8	11	15	6
Transporte por carretera	7	2	1	1	0
Transporte aéreo	59	15	9	9	4
Electricidad	3	6	7	6	5
Economía (1)	0.9	5.6	4.9	4.8	3.5

Fuente: OECD (1997a).

De acuerdo con las estimaciones de la OCDE, prescindiendo de los efectos inducidos por la innovación, las tasas de crecimiento potenciales de la producción fomentadas por la reforma de la regulación sectorial en España eran del 10.1%, 15.0%, 3.4% y 11.2% en los sectores de la electricidad, transporte aéreo, petróleo y gas, y telecomunicaciones, respectivamente.

c) Estimación del efecto sobre los salarios y los beneficios de la actividad empresarial

La mayor eficiencia y la consiguiente reasignación de recursos se materializan también en una redistribución de las rentas en la economía. Los cuadros 4 y 5 muestran el impacto de las reformas regulatorias sobre las rentas del factor trabajo y sobre los beneficios empresariales tanto en los sectores protegidos como en la economía en su conjunto.

La reforma del marco regulador de los mercados que se encuentran al abrigo de la competencia modifica el *statu quo* imperante en los mismos y altera el actual reparto de rentas, hecho que se traduce en la desaparición o, cuando menos, la reducción de los beneficios extraordinarios derivados de la inexistencia o escasez de competencia. Las rentas de monopolio se transfieren a los ciudadanos a través de decrecimientos o crecimientos menores de los precios. Por ejemplo, la OCDE (1998) estima que, tras la reforma

Cuadro 4. EFECTOS POTENCIALES DE LA REFORMA DE LA REGULACIÓN SOBRE LOS BENEFICIOS. PORCENTAJES DE VARIACIÓN

SECTORES	EE.UU.	JAPÓN	ALEMANIA	FRANCIA	R. UNIDO
Distribución comercial	0	–5	–5	–5	–5
Telecomunicaciones	–15	0	–15	–10	–25
Transporte por carretera	–10	0	0	0	0
Transporte aéreo	5	0	0	0	–10
Electricidad	–5	–20	0	–10	–10

Fuente: OECD (1997).

Cuadro 5. EFECTOS POTENCIALES DE LA REFORMA DE LA REGULACIÓN SOBRE LOS SALARIOS. PORCENTAJES DE VARIACIÓN

SECTORES	EE.UU.	JAPÓN	ALEMANIA	FRANCIA	R. UNIDO
Distribución comercial (1)	0	0	0	0	0
Telecomunicaciones (1)	0	0	0	0	0
Transporte por carretera (1)	–10	0	0	0	0
Transporte aéreo (1)	–5	–15	–5	–5	0
Electricidad (1)	–5	–2	–0	–0	0
Economía (1)	0	0	–0.1	0	0
Economía (2)	0.8	3.4	4.1	3.9	2.5

(1) Salarios nominales.
(2) Salarios reales.

Fuente: OECD (1997).

regulatoria, en España la reducción de los beneficios empresariales suponía el 25% en los mercados de la electricidad, los hidrocarburos y las telecomunicaciones, y se situaría en el 5% en el caso del transporte aéreo. En los sectores y países analizados la reducción de los beneficios empresariales alcanzará porcentajes de hasta el 25% en el caso de las telecomunicaciones del Reino Unido, siendo nula en bastantes casos en los que los mercados han sido liberalizados.

En cuanto a las rentas salariales, debe señalarse que, a pesar de que la competencia puede traducirse, por lo general, en una pequeña reducción de los salarios nominales en los sectores tradicionalmente protegidos de la misma, lo más relevante es que contribuye a incrementar los salarios reales —la capacidad adquisitiva de los ciudadanos— cuando las empresas responden con suficiente rapidez y agilidad a los cambios en la estructura de los mercados. Tomando como referencia el conjunto de la economía, los efectos potenciales estimados por la OCDE de la reforma de la regulación sobre los salarios reales oscilaría entre el 0.8% en EE.UU. y el 4.1% en Alemania. No cabe duda de que la reducción de los precios de los bienes y servicios combinada con la estabilidad o el incremento oportuno de los salarios nominales, supone un aumento del poder adquisitivo de los asalariados.

d) Estimación de los efectos sobre el empleo

Las estimaciones de la OCDE muestran que la eliminación de la regulación ineficiente puede conllevar menores niveles de ocupación, especialmente en actividades sometidas a una fuerte regulación. El caso del sector eléctrico en Alemania es elocuente. Sin embargo, un análisis riguroso de la realidad revela que el efecto global de la competencia sobre la ocupación depende de la estructura sectorial, de la rigidez del mercado de trabajo y del tiempo. Puede ocurrir que, a corto plazo, la competencia provoque una reducción de la ocupación en determinadas empresas —especialmente en las empresas que durante mucho tiempo han estado protegidas de la competencia— como consecuencia de la necesidad de mejorar la eficiencia y la innovación para poder competir mejor con el resto de empresas. También puede ocurrir, como ha señalado K. van Miert (1998), que «lógicamente la intensificación de la competencia también da lugar a la puesta en marcha de procesos de reestructuración y a la desaparición de las empresas menos dinámicas, lo que inevitablemente implica, de forma coyuntural, el cierre de unidades de producción con sus consiguientes repercusiones negativas sobre el empleo. En tales circunstancias, es difícil sostener que, en algunos casos, las iniciativas en favor de la competitividad no destruyen puestos de trabajo, por lo menos a corto plazo». Sin embargo, a medio y largo plazo, la eliminación de las barreras de entrada, la reducción de los trámites administrativos, la mayor movilidad posible del capital transnacional y las mayores oportunidades de creación de empresas promueven nuevas posibilidades de incrementar la ocupación. De hecho, lo que se espera es que la desregulación afecte de forma negativa a la ocupación en los sectores fuertemente regulados y abra nuevas posibilidades de ocupación compensadoras en los sectores nuevos y dinámicos.

Cuadro 6. EFECTOS POTENCIALES DE LA REFORMA DE LA REGULACIÓN SOBRE EL EMPLEO. PORCENTAJES DE VARIACIÓN

SECTORES	EE.UU.	JAPÓN	ALEMANIA	FRANCIA	R. UNIDO
Distribución comercial	0	–3	1	–1	–1
Telecomunicaciones	3	8	11	7	2
Transporte por carretera	–8	–11	–16	–12	–9
Transporte aéreo	8	–8	–1	–8	–1
Electricidad	–7	–12	–46	–19	–30
Economía	0.1	0	0	0	0

Fuente: OECD (1997).

Según los datos de la OECD (1997), en EE.UU., tras una reducción inicial de puestos de trabajo después de la desregulación del transporte aéreo, en el año 1996 el empleo total se ha incrementado en un 80% en relación con los niveles iniciales de ocupación, como consecuencia de los incrementos de demanda provocados por la reducción de las tarifas aéreas. En Japón y Finlandia, la creación neta de empleo en el sector de las telecomunicaciones ha sido positiva a pesar de la reducción de puestos de trabajo en las empresas principales. En EE.UU., el nivel de ocupación se ha mantenido tras la desregulación de las telecomunicaciones, pero se ha incrementado sustancialmente en los servicios de información y de derechos (*copyright industries*), pasando de 3 millones de ocupados en el año 1975 a 5.9 millones en el año 1994. La armonización de las características de los teléfonos móviles en Europa ha contribuido a incrementar la oferta. Consecuentemente, la ocupación se ha incrementado entre los años 1990 y 1995. La ampliación de los horarios comerciales ha contribuido a incrementar la ocupación en un 1.5% en Suecia.

V. ALGUNAS PROPUESTAS DE DESREGULACIÓN REALIZADAS POR EL TRIBUNAL DE DEFENSA DE LA COMPETENCIA

Con apresurada síntesis puede sostenerse que la competencia beneficia a los consumidores porque contribuye a incrementar el poder adquisitivo de sus salarios nominales al reducir el precio de determinados bienes o servicios. Al mismo tiempo, los efectos positivos de la competencia se extienden al aumento de las posibilidades de elección al ampliarse la gama de productos y servicios ofertados. En este contexto, el ejemplo de la reducción de los tipos de interés en los préstamos hipotecarios es elocuente.

Los beneficiosos efectos sobre el consumidor de la introducción y defensa de la competencia en el sector privado de la economía pueden ilustrarse con varios ejemplos.

En primer lugar, es destacable la liberalización del transporte aéreo en España. Este fenómeno, inimaginable hace tan sólo diez años, ha supuesto un incremento considerable de las plazas de avión para los clientes, así como un descenso medio de las tarifas superior al 30%. La evidencia empírica corrobora una de las predicciones de la teoría económica que señala que, con la eliminación de las barreras a la competencia que permiten la defensa de los monopolios, los precios se reducen, quizá no de forma inmediata pero inexorablemente en el medio plazo, permitiendo un aumento de la cantidad demandada. Muchos ciudadanos se benefician de la nueva oferta ampliada y lo hacen con un precio notablemente inferior. Resultan beneficiados por la eliminación de aquellos bienes los consumidores, las nuevas compañías del sector, y la propia compañía líder, que tiene ahora más posibilidades de ser eficiente y acometer con éxito el proceso de privatización. También el sector público obtiene ventajas, dado que la empresa dominante ya no dependerá tanto de la generosidad de los Presupuestos Generales del Estado. Las recientes declaraciones del presidente de la compañía líder son elocuentes: se espera incrementar los ingresos del año 1999 en torno a un 4% al nivel de grupo y los beneficios alrededor de un 31%.

Otros ejemplos, como el de las telecomunicaciones, tienen similar importancia. El mero anuncio de la liberalización fomentó la congelación de las tarifas telefónicas. En la actualidad el consumidor dispone de mayores posibilidades de elección y de nuevos servicios. Por ejemplo, además de poder elegir entre diversas compañías, puede beneficiarse de nuevos servicios como el buzón de voz, las facturas detalladas, la facturación por segundos, o los diversos planes de precios. De hecho, cada nuevo operador entra en el mercado mejorando las condiciones de los operadores existentes. Con la competencia, además de la bajada de precios y la diversificación de los servicios, se origina una ganancia en la calidad de la prestación, traducida, por ejemplo, en una significativa mejora en el trato al cliente. Se han eliminado las listas de espera y ahora se puede elegir entre operadores, aparatos y tarifas horarias.

El futuro de las telecomunicaciones depara la oferta de canales analógicos y digitales, televisión de alta definición, servicios a la carta, interactividad, telefonía móvil generalizada y videoteléfono, transmisión digital de datos y teletrabajo, canales digitales de música y radio, gestión informatizada a distancia de diferentes servicios de la vivienda, telebanco, telecompra, telemedicina, educación a distancia, videoconferencia, y un largo etcétera que se irá ampliando progresivamente a medida que los precios se vayan reduciendo. No cabe duda de que la propia competencia ha acelerado la liberalización de las telecomunicaciones.

De acuerdo con el art. 26 de la Ley 16/1989, de Defensa de la Competencia (LDC), el Tribunal tiene atribuidas funciones consultivas y de emisión de informes sobre materias relacionadas con la libre competencia, por decisión propia o a partir de la solicitud de las asociaciones o las instituciones especificadas en la ley.

En España, contamos con una rica tradición de propuestas de modificaciones normativas para conseguir la mejora de la eficiencia y el bienestar de la economía. Por citar un ejemplo valga la *Memoria sobre el desestanco del tabaco y de la sal* redactada por comisionados del Excmo. Ayuntamiento de Cádiz, Junta de Comercio y Sociedad Económica de Cádiz en el año 1852. En dicha Memoria se dice: «Entre tanto, rogamos que se tengan presentes nuestras demostraciones para convencerse de que la agricultura y todas sus ramas, la pesca y las salazones, las industrias de carnes y otras no menos interesantes, ven entorpecido su fomento por las trabas de los estancos y carestía de los precios, en daño de todos los consumidores y especialmente de las clases menesterosas: que por la misma causa los estímulos que favorecen para el contrabando y la persecución que se le hace tienen en continua guerra los intereses particulares con los de la hacienda pública; que disminuyéndose el trabajo y la producción, se disminuye la riqueza nacional en grave perjuicio del comercio, de la navegación, de la marina y del erario público, y que por consiguiente el imperio y observancia de las leyes, la dignidad del gobierno, y lo que importa más que todo, la moral pública, reclama imperiosamente una resolución que ponga término a tanto linaje de infortunios para que se condenen al olvido las causas de que proceden». Dicha tradición ha encontrado una de sus manifestaciones en la actividad de propuesta llevada a cabo por el Tribunal de Defensa de la Competencia. En efecto, al amparo de dicho art. 26 el Tribunal ha realizado diversos informes correspondientes a distintos sectores, mercados y actividades relacionados con bienes y servicios no comercializables. El Tribunal ha jugado un papel significativo en el fomento de la desregulación y la promoción de la competencia. En el año 1991 emprendió la realización de estudios sectoriales dirigidos a promover la remoción de normas contrarias a la competencia.

La elección de los sectores y mercados se sustenta en el hecho de que, tanto los servicios como determinadas actividades de la agroindustria, están fuertemente abrigados de la competencia. En unos casos, por la imposibilidad material de realizar intercambios a través del comercio exterior. En otros, por la existencia de barreras apoyadas en normas legislativas o administrativas que inhiben la competencia internacional e incluso la nacional. Igualmente, es relevante indicar que la falta de competencia en el sector terciario afecta al resto de sectores a través de las interacciones entre ellos. Este hecho es particularmente relevante en el caso de sectores básicos como la energía, las telecomunicaciones o el suelo.

En el año 1992, el mismo año en el que se aprueba el Tratado de la UE en Maastricht y se inicia el proceso de convergencia nominal conducente a la Unión Económica y Monetaria, el Tribunal publicó un «Informe sobre el libre ejercicio de las profesiones».

En 1993, difundió sus «Remedios políticos que pueden favorecer la libre competencia en los servicios y atajar el daño causado por los monopolios» donde, tras unas reflexiones acerca de la importancia de la liberalización, los daños causados por los monopolios, las dificultades de las reformas estructurales y el establecimiento de criterios y recomendaciones para diseñar políticas de liberalización, se analizaron los sectores de las telecomunicaciones, transportes, energía eléctrica, monopolios locales, suelo urbano, y el mercado de la instalación y el mantenimiento.

Asimismo, en el año 1995 publicó su tercera colección de informes bajo el título «La competencia en España: balance y nuevas propuestas» que estudia la dimensión social de la libre concurrencia y realiza el oportuno balance de la competencia en España, analizando los sectores de banca al por menor, puertos, distribución de productos petrolíferos, cine, y oficinas de farmacia. Posteriormente, el Tribunal ha realizado otros informes sectoriales referidos, la mayoría de ellos, a las reformas legislativas propuestas por el Gobierno, como, por ejemplo, las telecomunicaciones, los transportes terrestres, el sector del gas, farmacia, suelo, mercado de tabacos, o correos. Se separa de esta tendencia el realizado sobre el precio fijo de los libros.

A continuación se hace una breve referencia a algunos de estos sectores estudiados por el Tribunal y caracterizados porque sus productos son de difícil o imposible comercialización internacional a causa de la naturaleza del bien o servicio, o debido a la existencia de barreras legales.

1. *Colegios profesionales*

En su informe sobre el libre ejercicio de las profesiones, la propuesta principal del Tribunal rompía una tradición secular consistente en amparar de la competencia las actividades de los colegios profesionales. Dicha propuesta consistía en la modificación de la Ley de Colegios del año 1974 —que incluía entre sus fines, la restricción de la competencia entre los colegiados— mediante la introducción de un nuevo artículo que estableciera que los profesionales deberían llevar a cabo su actividad en régimen de libre competencia. Y como complemento de dicha medida principal, el Tribunal recomendó al Gobierno otras propuestas, a saber: en primer lugar, la liberalización de los precios; en segundo lugar, la supresión de todo tipo de restricciones a la publicidad de los profesionales, con la única excepción de las establecidas en la Ley General de Publicidad y en la Ley de Competencia Desleal; en tercer lugar, la posibilidad del libre ejercicio de la profesión en todo el territorio español sin necesidad de colegiarse en múltiples Colegios; en cuarto lugar, la eliminación de las restricciones impuestas a la libre configuración del negocio; en quinto lugar, la derogación de la obligación de cobro de honorarios a través de los Colegios; y, por último, la limitación de los visados, cuando los hubiere, a cuestiones de índole técnica.

El Tribunal, con razonable moderación, aceptó el mantenimiento de la colegiación obligatoria, por considerar que en España no suponía una barrera que dificultara o impidiera el acceso a las profesiones.

A posteriori, en relación con la publicidad de los profesionales, el Tribunal se pronunció en el mes de enero de 1997 sobre el Real Decreto-Ley 5/1996, de Medidas Liberalizadoras en Materia de Suelo y de Colegios Profesionales, con ocasión de su trámite como Proyecto de Ley. Su conclusión fue que la instauración como principio general del ejercicio profesional en régimen de libre competencia, elimina la restricción a la publicidad establecida hasta aquella fecha y, en consecuencia, liberaliza la misma para todas las profesiones colegiadas.

2. *Telecomunicaciones*

El Tribunal fue consciente de la importancia de la liberalización de las telecomunicaciones antes de la finalización del plazo concedido por las autoridades comunitarias. Y ello por dos motivos: en primer lugar, por los efectos sobre la competitividad del conjunto de la economía; y, en segundo lugar, por los efectos sobre el propio sector.

En su informe, el Tribunal combinó propuestas generales con propuestas específicas. Entre las primeras se incluían la separación entre reguladores y regulados, el mantenimiento del servicio universal y de una política flexible en relación con la política de liberalización europea, y la garantía de un trato equitativo para todos los operadores del sector. Entre las propuestas específicas figuraban las siguientes: en primer lugar, el establecimiento de tasas de crecimiento de precios moderadas para los servicios urbanos, combinadas con criterios de competencia en la determinación de las tarifas interurbanas e internacionales; en segundo lugar, la habilitación al gobierno para liberalizar rápida y flexiblemente el sector; en tercer lugar, la aprobación del Proyecto de Ley de Televisión por Cable; en cuarto lugar, la aplicación de las medidas liberalizadoras de la UE; en quinto lugar, la convocatoria de un concurso de telefonía móvil automática; en sexto lugar, la liberalización de las comunicaciones entre satélites y estaciones terrenas; y, por último, la introducción de competencia en todo tipo de servicios excepto, temporalmente, los correspondientes a la telefonía local.

En su Informe del año 1995, el Tribunal se refirió al Acuerdo adoptado por el Consejo de Ministros, el día 7 de octubre de 1994, el cual, coincidiendo en gran medida con las propuestas del Tribunal, «supuso un giro de 180 grados respecto a la política seguida anteriormente, fijándose ahora como objetivo la liberalización del sector y la introducción de competencia». En resumen, el cambio se apoyaba en la renuncia a la moratoria de cinco años concedida por la UE y en la introducción de competencia en la telefonía de voz en el año 1998. Esto implicaba la simultánea liberalización de las infraestructuras, de acuerdo con la Resolución del Consejo de la UE de 22 de diciembre de 1994 (94/C379/03).

La actividad consultiva del Tribunal prosiguió, en el mes de mayo de 1997, cuando realizó un Informe sobre el Anteproyecto de Ley General de Telecomunicaciones (LGT) en el que consideró que se mejoraba de forma sustancial la legislación existente desde el punto de vista de la competencia, de la libertad económica y, en definitiva, del funcionamiento del mercado en el sector de las telecomunicaciones, disminuyendo el control administrativo que sobre él existía. Sin embargo, el Tribunal criticaba el solapamiento entre diversos artículos de la LGT y de la LDC que podrían dar lugar a conflictos de competencias entre la Comisión del Mercado de las Telecomunicaciones y los órganos de defensa de la competencia dada la «clara invasión de competencias» en relación con cuestiones reservadas legalmente a dichos órganos.

3. *Sector eléctrico*

En los últimos meses, el sector eléctrico ha sido objeto de un fuerte debate en relación con el importe de los costes de transición a la competencia (CTCs), su titulización y el procedimiento seguido para su reconocimiento. También son relevantes desde la perspectiva de la competencia, aunque no resulten tan discutidos, el proceso de penetración de empresas extranjeras, que condicionará la posibilidad de incrementar el comercio internacional de energía, y los acuerdos en los que participan empresas del sector.

El análisis del mercado de la electricidad revela que en un contexto de transición a la competencia las empresas se inclinan por las negociaciones y alianzas. Tal estrategia resulta beneficiosa para las empresas, pero no cabe duda de que supone una limitación a la competencia efectiva, afectando al consumidor y al resto de la economía.

Las primeras discusiones acerca de la introducción de la competencia en el sector se iniciaron con el correspondiente informe del Tribunal. En dicho informe se proponía, básicamente: en primer lugar, el establecimiento de condiciones generales y no discriminatorias para la concesión de autorizaciones de actividad e instalación mediante procedimientos competitivos que permitieran la entrada de nuevos operadores; en segundo lugar, la creación de un «sistema independiente» en el que generadores y determinados consumidores pudieran establecer contratos de suministro; en tercer lugar, la separación de las actividades de generación y comercialización; en cuarto lugar, el establecimiento de los criterios de remuneración y de la estructura de precios; en quinto lugar, la posibilidad de que determinados consumidores pudieran adquirir energía eléctrica del sistema integrado sin la mediación de las empresas comercializadoras; en sexto lugar, la sustitución de la subvención implícita a la producción nacional de carbón por una cantidad explícita aplicable a la tarifa, discutida anualmente; en séptimo lugar, la aprobación de un sistema de valoración de los costes estándar reconocidos a las distintas actividades necesarias para la producción y suministro de energía eléctrica sobre la base de criterios objetivos; y, por último, la desaparición de la G4 y, en su caso, su sustitución por una cantidad aplicable a la tarifa, discutida anualmente.

Posteriormente, en el Informe del año 1995, el Tribunal se pronunció sobre la Ley 40/1994 de Ordenación del Sistema Eléctrico Nacional (LOSEN). El Tribunal diagnosticó que «la contribución más significativa de la LOSEN es que establece con claridad cuál es el régimen legal aplicable a las diversas actividades y empresas del sector eléctrico y regula las condiciones necesarias para que se pueda introducir competencia en el sector. Su mayor debilidad estaba en la vaguedad de las futuras condiciones de actuación en todos los nuevos elementos propuestos, en elevar a rango legal un sistema de reconocimiento de costes que no favorece la búsqueda de la eficiencia y en perpetuar el sometimiento del sector a que no se perjudique el funcionamiento del sistema integrado. Prácticamente todo se deja en manos de posteriores reglamentos y disposiciones, de forma que habrá que esperar a éstos para evaluar si la LOSEN es sólo una declaración de intenciones o algo más». Asimismo, el Tribunal consideró que se había desperdiciado la ocasión para modificar otros aspectos cuya contribución a la reducción de tarifas sería relevante. Se trataba del cálculo de la retribución a las empresas, la reelaboración de los criterios de reconocimiento de los costes fijos, el tratamiento otorgado al carbón nacional o la subvención a determinados consumidores.

En el mes de abril del año 1997, el Tribunal elaboró un Informe sobre el Anteproyecto de Ley por el que se liberalizan las actividades destinadas al suministro de energía eléctrica. De acuerdo con la opinión del Tribunal, en el Anteproyecto se introducían notables mejoras en el modelo de funcionamiento establecido por la Ley que se pretendía derogar. El Tribunal mostró su conformidad con los aspectos encaminados a introducir competencia en algunas fases de la actividad del sector, especialmente en las de instalación, generación, transporte y comercialización, pese a sugerir algunos cambios en relación con la comercialización. Sin embargo, consideró negativamente el tratamiento de las cuestiones relacionadas con la defensa de la competencia, por el riesgo que entrañaba de provocar conflictos competenciales con el Tribunal o el Consejo de Ministros en las operaciones de concentración de empresas.

4. *Servicios funerarios*

La Ley de Bases del Régimen Local de 1985 reconocía a las entidades locales la facultad de llevar a cabo los servicios mortuorios en régimen de competencia o de monopolio. En este marco de referencia, los ayuntamientos pueden optar entre la remisión de los servicios mortuorios a la iniciativa privada, la explotación de la actividad a través de una empresa mixta o su asunción en exclusiva. En ocasiones, el monopolio se extiende a actividades conexas como tanatorios o aspectos ornamentales.

De acuerdo con la regulación, la existencia de un cementerio es una obligación de servicio mínimo, de resultado, que la Ley impone a todos los ayuntamientos. Sin embargo, no es una obligación de medios; es decir, no es necesario que cada ayuntamiento disponga de su propio cementerio.

El análisis del mercado revela que no hay razones económicas que justifiquen el monopolio. La demanda es previsible y los servicios son divisibles, existiendo muchas empresas dispuestas a satisfacerla en régimen de competencia, incluso saliendo a Bolsa.

Con el objetivo de introducir competencia en el sector, el Tribunal propuso, en primer lugar, la supresión de los servicios mortuorios de la lista de actividades monopolizables por los entes locales; y, en segundo lugar, que las autorizaciones para el ejercicio de la actividad sean regladas, de *numerus apertus*, habilitando para el ejercicio empresarial en todo el territorio nacional.

5. *Oficinas de farmacia*

Tradicionalmente las oficinas de farmacia han sido consideradas como establecimientos sanitarios. Sin embargo, atendiendo a sus actividades, el Tribunal consideró que en su actividad coexisten dos aspectos: uno relacionado con la salud pública y otro, muy distinto, referido a las cuestiones mercantiles de la distribución de medicamentos. El Tribunal defiende una regulación eficiente que garantice la prevención de la enfermedad y la defensa de la salud. Sin embargo, considera que es necesario eliminar los obstáculos de carácter mercantil que entorpecen el libre ejercicio de la competencia en la distribución de los medicamentos.

El informe del TDC, dirigido a fomentar la introducción de competencia en la actividad de las oficinas de farmacia, se acotó, de manera voluntaria, al análisis de las restricciones a la competencia en el sector de la distribución minorista de medicamentos, regulado, fundamentalmente, por la Ley 14/1986, de 25 de abril, General de Sanidad, y la Ley 25/1990, de 20 de diciembre, del Medicamento y disposiciones complementarias, suplementadas por la regulación emanada de las Comunidades Autónomas.

La actividad comercial de la distribución de medicamentos es relevante desde el punto de vista económico. Los márgenes sobre el coste de los medicamentos rondan el 40% superando, frecuentemente, el 100% en el caso de los productos cosméticos. El Tribunal estimó que las rentas de monopolio superan los 100 000 millones de ptas. anuales. Además, la regulación ineficiente de la actividad comercial farmacéutica, por su carácter proteccionista e intervencionista, impide el acceso a la profesión a miles de licenciados en farmacia que, sin duda, contribuirían a aumentar la eficacia de la distribución farmacéutica.

Al considerar el Tribunal que la falta de concurrencia en este sector no tenía justificación alguna propuso, por lo tanto, la liberalización de la actividad comercial de dispensación de medicamentos. A dicho objetivo se dirigieron las propuestas del Tribunal, que pueden resumirse en los siguientes puntos: en primer lugar, recomendar a las Comunidades Autónomas que no establezcan nuevas restricciones legales o reglamentarias a la apertura de oficinas de farmacia ni deleguen nuevas facultades restrictivas de la competencia a los Colegios Oficiales de farmacéuticos; en segundo lugar, suprimir cualquier prohibición establecida por los citados Colegios o su Consejo de realizar descuentos; en tercer lugar, establecer la obligación de inscribir en los envases de los medicamentos cuyo precio haya sido regulado la mención «precio máximo de venta al público, impuestos incluidos»; en cuarto lugar, establecer por la Seguridad Social un Convenio de libre adhesión con las oficinas de farmacia en el que se fijaran los precios y plazos de pago de los medicamentos reembolsables por la Seguridad Social; en quinto lugar, suprimir las restricciones a la venta de especialidades farmacéuticas en establecimientos distintos de las oficinas de farmacia, como criterio general; en sexto lugar, elaborar por el Ministerio de Sanidad y Consumo, con criterios liberalizadores, la lista de especialidades farmacéuticas publicitarias que no puedan ser vendidas en establecimientos distintos de las oficinas de farmacia; y, por último, liberalizar los horarios de apertura y cierre de las oficinas de farmacia.

Tales propuestas se complementaban con otras dos, a aplicar en un plazo máximo de cinco años, con el fin de permitir a los farmacéuticos establecidos la adaptación a las nuevas circunstancias presididas por la competencia: en primer lugar, suprimir las referencias a la distancia mínima y al número de habitantes como condición necesaria para la apertura de una oficinas de farmacia; y, en segundo lugar, eliminar el requisito de que los propietarios de oficinas de farmacia sean necesariamente farmacéuticos titulados, manteniéndose tan sólo la condición de la presencia de un farmacéutico en la oficina de farmacia en el acto de dispensación de las especialidades farmacéuticas.

Las propuestas del Tribunal fueron contestadas de forma sistemática por los farmacéuticos ya instalados y, particularmente, por sus órganos representativos, tal como se desprende del contenido de sus publicaciones gremiales y de sus declaraciones. Sin embargo, se manifestaron los colectivos farmacéuticos que defienden los intereses de los profesionales que no disponen de oficina de farmacia en contra de dicho criterio. Ahora bien, los profesionales farmacéuticos realizan una lectura distinta a la de los órganos colegiados en relación con las propuestas del Tribunal. Cabe destacar la iniciativa de la Comunidad

Autónoma de Navarra, que ha propuesto un modelo de ordenación de las oficinas de farmacia que, en sus líneas generales, recoge los principios de las propuestas del Tribunal. Esta medida legislativa podría revelar cómo las propuestas del TDC se traducen en una mayor eficiencia del servicio de distribución minorista de medicamentos. No obstante, conocidas las presiones a que está siendo sometido, lo más probable es que no acabe de prosperar.

Un ejemplo permitirá ver el alcance del asunto que se discute. El caso de las leches maternizadas constituye un paradigma de los negativos efectos de las restricciones a la competencia. La leche maternizada se comercializaba tradicionalmente en las farmacias, las cuales disfrutaban de su distribución exclusiva. Las razones económicas de esta forma de distribución se derivan de una situación de información imperfecta y asimétrica, que situaba a los compradores de este producto en una situación de especial vulnerabilidad. En efecto, es frecuente que los consumidores crean que los productos distintos de los medicamentos, por el mero hecho de ser vendidos en una farmacia tienen un precio único fijado por el fabricante. Esta ineficiencia del mercado era aprovechada por los comerciantes de productos farmacéuticos mediante las correspondientes técnicas de mercadotecnia. Este hecho les permitió obtener las oportunas rentas de monopolio derivadas de su situación de mayor información y perpetuando la asimetría informacional. El círculo vicioso se rompió por la decisión de una empresa de Mollerussa de poner a la venta sus productos en grandes superficies. En la actualidad los hipermercados disponen de una cuota de mercado de leche infantil que supera el 25%, con una tendencia claramente creciente, habiendo descendido los precios del producto entre un 25% y un 30% en relación con los que aplicaban los comerciantes farmacéuticos que se beneficiaban del monopolio de la distribución. Tras la venta de leches infantiles en los nuevos circuitos de distribución se ha añadido la venta de papillas. También en este caso es indudable que los beneficiarios de la liberalización han sido los consumidores. Y los empresarios han tenido que aceptar la realidad. Sin embargo, es de destacar que ninguna empresa ha desaparecido del mercado. Lo que ha tendido a desaparecer son las rentas de monopolio asociadas a las restricciones a la competencia.

6. *Sector del libro*

En el mes de septiembre del año 1997, el Tribunal remitió al Gobierno un informe sobre el precio fijo de los libros. Su origen residía en el hecho de que la determinación en origen del precio fijo de los libros cuenta con amparo legal de acuerdo con la Ley 9/75, de 12 de marzo, de Régimen especial para la promoción y difusión de libros. El art. 33 de dicha norma, fiel reflejo de intervencionismo administrativo en la economía, establece que «el precio de venta al por menor de libros al público se realizará al precio fijo que figurará impreso en cada ejemplar». Adicionalmente, la práctica de descuentos sobre el precio fijo se desarrolló reglamentariamente en el RD 484/90, de 30 de marzo, sobre el precio de venta al público de los libros, que señala en su art. 1 que «el precio de venta al público al contado podrá oscilar entre el 95% y el 100% del precio fijo».

Como punto de partida, el Tribunal consideró que la fijación del precio de reventa de los libros y la prohibición de aplicar descuentos al precio fijado por el editor no protegen la creación literaria, restringen las ventas, reducen el poder adquisitivo de los ciudadanos, no protegen los títulos de venta lenta, no fomentan los servicios ofrecidos por los libreros, no protegen a las pequeñas librerías de su desaparición ni de la amenaza de los grandes establecimientos, restringen la modernización del sector, perjudican al comprador, favorecen la estabilidad del reparto de las rentas derivadas de la no competencia, consolidando una estructura de mercado similar a un *cartel*, y, por último, constituyen una medida desproporcionada para dar solución al problema de la doble imposición de márgenes.

Sobre la base de estos elementos de referencia, el Tribunal sostuvo que el reforzamiento de la competencia en el sector del libro constituye un elemento complementario de la política cultural, ya que por un lado, el abaratamiento de los libros aumentará el número de ejemplares vendidos, favoreciendo el acceso de los ciudadanos a la cultura y estimulando la actividad creadora y, por otro, la mayor competencia entre los agentes impulsará la modernización del tejido comercial librero e incrementará la oferta de servicios en beneficio de los consumidores y de la cultura, tal como ponen de manifiesto las experiencias liberalizadoras llevadas a cabo en diversos países comunitarios.

En consecuencia, el Tribunal propuso la retirada del amparo legal a la fijación en origen de los precios en el sector del libro mediante la derogación de la actual regulación del precio fijo y el paso gradual a una situación de libertad de precios en el mercado. El proceso debería iniciarse mediante la sustitución de la regulación actual por un sistema de precios establecidos por el editor sobre los que se puedan aplicar descuentos progresivamente crecientes por parte de los detallistas durante un período transitorio de tres años. Tras otro período caracterizado por la libertad de descuentos, debería procederse a la liberalización total, dejando que los mecanismos de mercado determinen los precios de venta al público de los libros. En todo caso, la aplicación de descuentos deberá respetar las prescripciones normativas en relación con las ventas a pérdida así como cuanto está dispuesto en la Ley de Defensa de la Competencia.

Cuando han conseguido sortear las barreras legales impuestas a la reducción del precio de los libros, algunas asociaciones de padres han conseguido adquirir los libros de texto para sus hijos con rebajas del 25% sobre el precio fijado por el editor. Se ha reducido el coste de la educación. Cabe preguntarse ¿qué sentido tiene restringir los descuentos aplicables en los libros al 5% o limitarlos ahora al 12% en el caso de los libros de texto correspondientes a la enseñanza reglada? ¿No sería mejor permitir que los descuentos se determinen libremente en función de los costes y de la eficiencia de los libreros? ¿Sobre la base de qué razón económica no se permite trasladar la mayor eficiencia de los editores, distribuidores mayoristas y comerciantes libreros a los ciudadanos? Y no olvidemos que, según las estimaciones del Tribunal, la materialización de las reducciones de precios podría generar un ahorro para los consumidores superior a los 50 000 millones de ptas. anuales.

7. *Suelo urbano*

La importancia del suelo reside en el hecho de que se trata de un bien básico que, directa o indirectamente, participa en todas las actividades de la economía. En consecuencia, cuanto ocurra en dicho mercado afectará al resto de las actividades, por lo que la liberalización del mercado del suelo urbanizable y la reducción de sus precios tendrá efectos beneficiosos para el conjunto de la economía.

El Tribunal consideró que el uso del suelo debe ser objeto de regulación por los poderes públicos. Son necesarias unas reglas generales de defensa de los intereses públicos. Pero no son necesarias normas excesivamente detalladas ya que puede resultar ineficiente que la autoridad urbanística decida de forma minuciosa e individualizada el uso de cada espacio. Los límites impuestos a los propietarios en relación con el uso del suelo segmentan el mercado de manera que limita significativamente la competencia. De hecho, se sustituye un mercado de gran dimensión por un elevado número de mercados de pequeña dimensión que reduce la oferta y fuerza los precios al alza. La falta de competencia se traduce en una ineficiente asignación de recursos y da lugar a la aparición de rentas de monopolio de una magnitud considerable.

Para el Tribunal, la ausencia de competencia, en combinación con la no coincidencia entre la conducta de los mercados y las previsiones de las autoridades se traduce en movimientos espasmódicos de precios y cantidades. Por lo tanto, en determinadas circunstancias la oferta supera a la demanda, en otras ocurre lo contrario, y, en fin, con mucha frecuencia las características de la demanda no coinciden con las de la oferta. Coexisten solares sin edificar con elevados precios de otras superficies. La paradoja del intervencionismo extremo es que, por un lado, sobra terreno y, por otro lado, y simultáneamente, los precios se disparan.

Por todo ello, el Tribunal recomendó las siguientes medidas: en primer lugar, la creación de una Comisión que estudiara los problemas relacionados con el suelo urbanizable. En segundo lugar, la búsqueda de fórmulas para acentuar el carácter reglado de la determinación del suelo urbano, garantizando el derecho a construir de conformidad con reglas generales y sometiendo efectivamente a los propios poderes públicos a dichas normas; en tercer lugar, la posibilidad de que los particulares puedan decidir sobre el uso del suelo urbanizable siempre que se cumplan las normas generales; en cuarto lugar, la necesidad de determinar cuál es el suelo no urbanizable en todo el territorio nacional de acuerdo con un plan de prioridades públicas en función de valores medioambientales, paisajísticos y ecológicos; y, por último, la reducción de los plazos y etapas para la calificación y gestión del suelo.

En el mes de mayo de 1997, el Tribunal elaboró un informe sobre el Proyecto de Ley sobre Régimen del Suelo y Valoraciones, resultado del fallo del día 20 de marzo de 1997 del Tribunal Constitucional en relación con los recursos de inconstitucionalidad planteados contra el Texto Refundido de la Ley sobre Régimen del Suelo y Ordenación Urbana, aprobado por el Real Decreto Legislativo 1/1992.

Desde el punto de vista de la competencia, las principales mejoras del nuevo texto se referían a la utilización de un lenguaje mucho más sencillo, la simplificación en el sistema de valoraciones y la mayor seguridad jurídica de la propiedad del suelo. Pese a dichas ventajas, el Tribunal recomendó, fundamentalmente, la incorporación del derecho a edificar y a aprovechar lo edificado dentro del derecho de propiedad, de acuerdo con el mandato contenido en el art. 33 de la Constitución española.

VI. LAS RESOLUCIONES DEL TRIBUNAL DE DEFENSA DE LA COMPETENCIA

Además de las propuestas de desregulación, el Tribunal contribuye a la extensión de la competencia mediante sus Resoluciones. No se trata de hacer un análisis exhaustivo de las mismas. En este apartado tan sólo se pretende hacer referencia a algunas Resoluciones del Tribunal cuyos efectos repercuten directamente sobre los consumidores.

Las referencias al sector editorial permiten subrayar la relevancia que tienen para el consumidor las políticas de introducción y defensa de la competencia. El Tribunal de Defensa de la Competencia ha defendido, mediante sus Resoluciones, la competencia en este sector. Por ejemplo, en la Resolución recaída en el expediente 47/93 (Libros de Texto de Valladolid), el Tribunal desestimó las pretensiones de los denunciantes de prohibir las campañas promocionales de diversos competidores que realizaban descuentos superiores al 5%, establecidos por el RD 484/1990, de 30 de marzo, desarrollando el art. 33 de la Ley 9/1975, de 12 de mayo, del Libro. Sorprendentemente, el propio Tribunal era requerido para defender intereses perjudicados por la presunta vulneración de disposiciones que restringían la competencia. En la Resolución de 10 de junio de 1993 (Expte. A 50/93), el Tribunal desestimó un recurso contra un acuerdo del Servicio de Defensa de la Competencia iniciado como resultado de la denuncia contra dos editores por diversas cuestiones entre la que se incluía la realización de descuentos superiores a los permitidos por el RD 484/1990. El Tribunal consideró que en el mercado de los libros, la fijación del precio de reventa «limita considerablemente la competencia [...]. El análisis económico revela que el mantenimiento del precio de reventa es la forma más fuerte de control vertical, dado que afecta directamente al precio. La fijación del precio de venta al público de los libros por el editor reduce la competencia a los aspectos distintos del precio impidiendo a los vendedores de libros combinar adecuadamente los factores precio y no precio con el fin de optimizar su posición competitiva». Además, según el Tribunal, sin la fijación del precio de reventa el contraste entre el poder oligopolístico —y, en ocasiones, monopolístico— del editor y la competencia entre un número elevado delibreros —de naturaleza distinta y con costes de explotación distintos— se traduciría en una diversidad de precios y en servicios que contribuiría al desarrollo del sector y a la mejora de la satisfacción del consumidor. Fue la imposibilidad de contribuir al fomento de la competencia mediante sus Resoluciones lo que impulsó al Tribunal a proponer al Gobierno la modificación de la legislación.

Los colegios profesionales han sido objeto de análisis en las Resoluciones del Tribunal. Valgan como ejemplos algunos casos. En su Resolución del día 5 de junio de 1997 (Expte. 372/96, Arquitectos de Madrid), el Tribunal consideró que la conducta llevada a cabo por el Colegio Oficial de Arquitectos de Madrid, consistente en fijar de forma directa el importe del presupuesto de una obra proyectada por un colegiado, dictando incluso el precio por metro cuadrado, y condicionando el visado del proyecto a la aceptación del criterio impuesto por el propio Colegio, era restrictiva de la competencia y, como tal, estaba prohibida por el art. 1.1.a) de la Ley de Defensa de la Competencia. Asimismo, en su Resolución del día 24 de julio de 1997, (Expte. 393/96 Aparejadores Cádiz), el Tribunal declaró prohibida por el mismo artículo la conducta de los Colegios de Aparejadores y Arquitectos Técnicos de Cádiz y Ceuta, consistente en convenir, en cuantías distintas a las previstas legalmente, las tarifas de honorarios a percibir para la legalización de determinadas viviendas. En la misma línea se pronunció el Tribunal en las Resoluciones de los días 14 de abril de 1998 (Expte. 374/96, Aparejadores Valencia y Alicante), y 8 de mayo de 1998 (Expte. 390/96, Arquitectos Asturias). En la Resolución del 10 de julio de 1998 (Expte. 397/97, Aparejadores Madrid), el Tribunal declaró que se había acreditado la práctica de una conducta restrictiva de la competencia prohibida por el art. 6.1 de la Ley de Defensa de la Competencia, consistente en la negativa de visado a un encargo profesional en tanto no se depositara la fianza que garantizase el pago de los honorarios discutidos con un profesional anterior.

Complementando su propuesta desreguladora, el Tribunal ha resuelto en diversas ocasiones expedientes relacionados con las restricciones a la competencia por parte de las Oficinas de Farmacia. En efecto, mediante Resolución del día 31 de julio de 1996 (Expte. 363/95, Cosméticos de Farmacia), el Tribunal declaró la existencia de una conducta restrictiva de la competencia del art. 1 de la Ley de Defensa de la Competencia y, en su caso, del art. 85.1 del Tratado de la UE, consistente en fijar los precios de los productos cosméticos comercializados en las oficinas de farmacia. En dicha resolución, el Tribunal consideró que «el precio recomendado funciona en el canal farmacéutico como un precio fijo que, al ser seguido por todos, les permite a todos mantener unos mismos márgenes, coadyuvando de este modo al funcionamiento no competitivo del mercado». Y añadió el Tribunal que dicha conducta, posiblemente la más grave de las infracciones del art. 1 de la Ley de Defensa de la Competencia, «viene a reforzar la falta de competencia de que adolece en general el circuito farmacéutico, impidiendo que ésta se inicie en productos que no son medicamentos, privando de este modo a los consumidores de la posibilidad de pagar los menores precios a que, si hubiera competencia, permitiría llegar el amplio margen con que los cosméticos se venden».

En este punto conviene señalar que por Resolución correspondiente al Expediente 363/95 (Cosméticos en Farmacia), el Tribunal declaró, en julio de 1996, que la práctica habitual de determinados laboratorios fabricantes de productos cosméticos de vender sus productos exclusivamente en las oficinas de farmacia es contraria a la Ley de Defensa de la Competencia. No cabe ninguna duda de que los efectos de tal resolución —actualmente recurrida— deberán repercutir favorablemente sobre los consumidores. Lo mismo ocurrirá como consecuencia de la Resolución recaída en el Expediente 409/97 (Sandoz) en la que se declaró práctica restrictiva de la competencia el acuerdo de fijación de precios de venta al público de determinados alimentos infantiles y cosméticos, así como su distribución exclusiva a través del canal farmacéutico. En su Resolución 409/97, de 11 de diciembre de 1998, el Tribunal declaró la existencia de una práctica restrictiva de la competencia consistente en acordar la fijación del precio de venta al público de los alimentos dietéticos infantiles y productos cosméticos que ponen en el mercado para su distribución o exclusivamente a través del canal farmacéutico un conjunto amplio de empresas.

El Tribunal también se ha referido a productos que constituyen ingredientes fundamentales de la compra diaria. La falta de competencia puede tener lugar en mercados como los del pan, el pescado o incluso la lencería, por citar tan sólo algunos ejemplos, en los cuales podría esperarse que la atomicidad del mercado debería fomentar *a priori* un ambiente competitivo.

Al respecto, pueden citarse algunos casos examinados por las autoridades de defensa de la competencia. En las Resoluciones relativas a los Expedientes 320/92 (Pan Asturias Unión), de septiembre de 1993; 348/94 (Asociación de Panaderos de Salamanca), del 9 de febrero de 1995; y 377/96 (Pan Barcelona), de diciembre de 1996, el Tribunal de Defensa de la Competencia estudió varios casos de conductas restrictivas de la competencia llevadas a cabo por sendas Asociaciones Provinciales de Fabricantes y Expendedores que recomendaban, tanto a sus asociados como a los no asociados, la modificación uniforme de los precios y los formatos del pan, y la imposición de estos precios y formatos a los revendedores. El Tribunal falló en contra de tales acuerdos horizontales imponiendo en todos los casos las oportunas sanciones.

Al mismo tiempo, el Tribunal también ha emitido Resoluciones en relación con determinadas prácticas restrictivas de la competencia en la distribución mayorista de pescado. Véase, por ejemplo, la relativa al Expediente 378/96 (Asentadores de Pescado), de noviembre de 1996. Dicho producto constituye, tras el capítulo de carnes y productos lácteos, el segundo capítulo del gasto en alimentación de los hogares españoles.

Ni siquiera los mercados de corsetería o de lencería han estado libres de comportamientos colusorios. Por ejemplo, la Asociación Empresarial de Fabricantes de Corsetería intentó obtener la autorización del Tribunal para un acuerdo colectivo consistente en no permitir a los consumidores cualquier devolución de productos de corsetería que no se fundase en las causas del contrato de compraventa mercantil. La pretendida autorización fue denegada por la Resolución del Expediente 181/96 (Fabricantes de corsetería), de 14 de noviembre de 1996. Por otra parte, en el Expediente 359/95 (Lencería de Gijón), de 8 de enero de 1996, el Tribunal impuso multas por conductas restrictivas de la competencia. En este caso, la Unión de Comerciantes de Gijón y diversos empresarios minoristas del sector de la lencería acordaron el envío de circulares a los mayoristas amenazando con la cesación de pedidos si no se detenían los aprovisionamientos a un competidor. La causa del malestar de quienes tomaron el citado acuerdo era que el competidor «rebaja los precios de los productos puestos a la venta, en la mayor parte de los casos, por debajo del precio recomendado por los fabricantes y sin respetar las prácticas comerciales que se han mantenido entre el resto de los empresarios y que nos han posibilitado una convivencia entre todos».

En relación con los expedientes resueltos, como ocurre frecuentemente, el tránsito desde el monopolio hacia la competencia conlleva la aparición de conductas de abuso de posición de dominio, prohibidas por la LDC. Este hecho ha ocurrido en el sector de las telecomunicaciones y ha llevado a la intervención de los órganos de defensa de la competencia. Mediante la Resolución de fecha 1 de febrero de 1995 (Expte. 350/94, Aeropuertos españoles), el Tribunal declaró la existencia de una conducta de abuso de posición de dominio prohibida por el art. 6.2 de la LDC y 86 del Tratado CE, consistente en la negativa y retraso injustificados de suministro de líneas telefónicas por Telefónica de España a 3C Communications España, con el resultado de la expulsión de dicho operador del mercado.

En la Resolución correspondiente al expediente 361/95 (Funerarias de Madrid 2), de fecha 30 de diciembre de 1997, iniciado a partir de las denuncias presentadas por Unespa y la compañía aseguradora La Preventiva, S.A., contra la Empresa Mixta de Servicios Funerarios de Madrid por la realización de diversas prácticas de abuso de posición dominante consistentes, según los hechos probados, en las siguientes conductas: en primer lugar, incremento de forma generalizada de los precios de las tarifas de los servicios funerarios por encima del índice general de precios; en segundo lugar, supresión de la relación de los servicios funerarios de aquellos de menor precio; en tercer lugar, establecimiento de un canon de manipulación de coronas; y, por último, fijación de un recargo en la tarifa aplicable a los fallecidos en Madrid que no estuvieran empadronados en dicho municipio. El Tribunal confirmó el abuso de posición de dominio, intimó a la denunciada para que en lo sucesivo se abstenga de realizar tales conductas e impuso a la Empresa Mixta la oportuna sanción.

Los elementos de análisis ofrecidos permiten evaluar cualitativamente los beneficios que los consumidores podrán derivar de una política de promoción y defensa de la competencia. La lencería, el pescado, el pan, los productos farmacéuticos y parafarmacéuticos, los libros de texto, los productos petrolíferos, la electricidad, el transporte aéreo o las telecomunicaciones configuran un amplio elenco de productos que revelan la enorme importancia de la materia. Con mucha frecuencia, la falta de competitividad va acompañada de un uso no eficiente de los recursos productivos. Las repercusiones de esta situación afectan negativamente a los consumidores y a los empresarios, retrasando y encareciendo la necesaria modernización económica y el empleo más eficiente del capital y el trabajo.

VII. CONCLUSIONES

Los países de la OCDE están llevando a cabo un intenso proceso de desregulación y eliminación de la regulación ineficiente e introducción de competencia en sus respectivos sectores y mercados. Este proceso supone un cambio fundamental en cuanto a la tradición intervencionista y reguladora característica de los años que siguieron a la finalización de la Segunda Guerra Mundial. Uno de los elementos de referencia de dicho cambio de actitud es el reconocimiento de las conclusiones de la teoría económica: la competencia contribuye, entre otras cuestiones, a reducir los precios, a mejorar la calidad y cantidad de la oferta y, en suma, a mejorar la eficiencia y el bienestar de los ciudadanos. Y lo más relevante es que puede sostenerse que las conclusiones de la teoría económica resultan avaladas por la evidencia empírica.

El análisis del proceso de liberalización y desregulación en la economía española es elocuente. Aun cuando quedan cuestiones relevantes por resolver, el camino recorrido ha sido significativo. Los avances registrados en sectores como las telecomunicaciones, o el transporte aéreo, contrastan con el camino que queda por recorrer en mercados como el suelo o las farmacias, por citar tan sólo dos ejemplos. Esta asimetría revela que el proceso no es sencillo. La defensa de los intereses privados no siempre coincide con la defensa del interés general. Esto ha sucedido siempre y en todas partes. Por esta razón son necesarios órganos independientes fuertes cuya misión sea el fomento y la defensa de la competencia. Su coste es reducido en comparación con los beneficios privados y sociales que ofrecen a la sociedad. Tales beneficios toman la forma de mayor eficiencia para las empresas y un mayor nivel de bienestar para los ciudadanos.

BIBLIOGRAFÍA

Alonso, R. (1996): «Competencia y desregulación económica: los informes del Tribunal de Defensa de la Competencia sobre la liberalización de los servicios», en VV.AA.: *Estudios jurídicos en homenaje al Profesor Aurelio Menéndez*, Ed. Civitas (separata).

Breyer, S., y MacAvoy, P. W. (1987): «Regulation and deregulation», en Eatwell, J. Milgate, M. y Newman, P.: *The New Palgrave. A Dictionary of Economics*, Mac Millan.

Comisionados del Excmo. Ayuntamiento, Junta de Comercio y Sociedad Económica de Cádiz (1852): *Memoria sobre el desestanco del tabaco y de la sal*, Imprenta de El Contribuyente.

Eatwell, J., Milgate, M. y Newman, P. (1987): *The New Palgrave. A Dictionary of Economics*, MacMillan.

Montes, J. V. y Petitbò, A. (1998): «The privatization of state enterprises in the Spanish economy», en Parker, D.: *Privatization in the European Union. Theory and Policy Perspectives*, Rouledge.

OECD (1996): *The economy-wide effects of regulatory reform, Working paper.*

OECD (1997): *The OECD Report on Regulatory Reform*, 2 vol., OECD.

OCDE (1998a): *Estudios Económicos de la OCDE. España. Capítulo especial. Reforma del sector público empresarial.*

Parker, D. (1998b): *Privatization in the European Union. Theory and Policy Perspectives*, Rouledge.

Tribunal de Defensa de la Competencia (1994): *Remedios políticos que pueden favorecer la libre competencia en los servicios y atajar el daño causado por los monopolios*, Ministerio de Economía y Hacienda, Madrid.

Capítulo 8

SOBRE POBRES Y RICOS. UNA PROPUESTA DE RENTA FISCAL UNIVERSAL PARA ESPAÑA

Jordi Sevilla

I. INTRODUCCIÓN

A pesar de tratar con las mismas realidades, nivel de ingresos y situación familiar, nuestro sistema impositivo es independiente de los programas sociales de sostenimiento de rentas en favor de los más pobres. Ello da lugar a tratamientos regresivos, ya que los créditos fiscales que se otorgan en el IRPF son superiores a las transferencias hacia quienes están en la pobreza. Este modelo de redistribución no equitativa se inscribe en una nueva dinámica entre pobres y ricos que intenta legitimar una menor actuación solidaria por parte del Estado.

En este trabajo se efectúa una propuesta de Crédito Fiscal Universal sobre la base de convertir al mínimo vital, definido en el IRPF, en una auténtica renta garantizada, es decir, el mínimo ingreso que el Estado asegura a todos los ciudadanos por igual. Ello implica importantes cambios en el propio impuesto, suprimiendo deducciones y pasando el mínimo personal y familiar a la cuota, así como en las líneas de política social que incorporan ayudas monetarias: pensiones no contributivas, subsidio de desempleo, rentas mínimas autonómicas, etc., caminando hacia un modelo más equitativo, eficaz y transparente.

La propuesta, que tiene mucho que ver con los debates en torno al salario social como expresión de la libertad real en sociedades justas, es abierta y flexible. Señala más una dirección que un itinerario cerrado, por lo que su aplicación puede ser gradual y adaptarse, en cada momento, a lo que permita el deseo mayoritario de la sociedad.

Estamos viviendo lo que he denominado la rebelión de los ricos[1]. La protesta articulada de esas capas sociales que perciben que su contribución individual a la sociedad a través de los impuestos es superior a lo que ellos reciben en forma de bienes y servicios públicos, fundamentalmente, porque su nivel de renta les permite utilizar la alternativa privada. En consonancia con ello, predican un adelgazamiento del Estado y sus funciones que se corresponda con la menor presión fiscal posible. Esto vale tanto para los sistemas públicos de pensiones o sanidad como para los programas específicamente redistributivos de lucha contra la pobreza.

Esta rebelión de los ricos está dando lugar a comportamientos que intentan legitimar peticiones explícitas en favor de limitar o, incluso, reducir, los niveles de cohesión y solidaridad alcanzados. Bien sea en el ámbito de la UE, con la petición alemana de contribuir menos a costa de un recorte de las políticas de cohesión como ejemplo más reciente, bien en el nacional con reivindicaciones sobre saldos fiscales territoriales o comportamientos asimétricos como elevar un 11% de media la renta disponible de quienes por su nivel de ingresos tienen que presentar declaración de IRPF y sólo un 1.8% la de quienes, por vivir muy por debajo de esos ingresos, reciben transferencias gubernamentales.

El carácter de las relaciones entre pobres y ricos ha sido abordado desde tres modelos interpretativos principales que, a pesar de no ser necesariamente secuenciales, se pueden vincular a realidades productivas diferentes. El más pesimista, analiza la existencia de pobres como un hecho natural frente al que nada se puede hacer excepto animar a la caridad de los ricos para que los indigentes sobrelleven su desgracia en mejores condiciones. No hay nada que cambiar en la sociedad salvo intentar influir sobre las conciencias de los ricos con distintos tipos de argumentos, religiosos o no, para que incrementen sus donaciones privadas en favor de los pobres.

Esta concepción alcanza su momento culminante, en occidente, durante la Edad Media donde la pobreza se concibe como algo relativo a la justicia divina que no puede ser juzgada por los hombres. En el mejor de los casos es una prueba para los pobres —que sería exaltada por las órdenes mendicantes como virtud— y una oportunidad para que los ricos practiquen la caridad. Durante el siglo XVI, como consecuencia del movimiento humanista primero y del protestantis-

1. J. Sevilla: «La rebelión de los ricos»: *El País*, octubre 1997; «La rebelión de los ricos contra el IRPF»: *Claves*, Primavera 1998.

mo después, se empieza a plantear como desgracia superable por medio de la justicia humana y se articulan los primeros programas públicos de lucha contra la pobreza, en medio de un tremendo recelo, cuando no oposición, por parte de las autoridades eclesiásticas. Sustituir la limosna por el trabajo fue, ya entonces, un programa revolucionario que introdujo muchas prácticas nuevas que han durado casi hasta nuestros días, aunque difícilmente penetrara en la conciencia social la idea de que la pobreza podría ser consecuencia de un modelo social concreto y, por lo tanto, también ha perdurado hasta llegar a hoy la idea pesimista de que «siempre habrá pobres» y lo único que podemos hacer es caridad, institucional o privada, pero caridad.

La segunda explicación introduce una novedad sustancial respecto a la anterior: la necesaria explotación de los pobres por parte de los ricos. Los ricos son ricos porque explotan a los pobres. Para que haya ricos es necesario que haya pobres y, por tanto, para que los pobres dejen de serlo tienen que acabar con la riqueza excesiva de unos pocos. Se recurre así a la dinámica del enfrentamiento, bien entre las clases sociales, bien entre naciones desarrolladas y subdesarrolladas.

Se podría discutir hasta qué punto este enfoque, del que su exponente máximo sería la teoría marxista de la lucha de clases, se refiere exactamente al mismo tipo de pobres que la anterior. Cuando se habla de explotación se hace respecto de alguien que tiene trabajo, mientras que, en la antigua concepción, la pobreza estaba asociada a la ausencia de trabajo. Parecería pues más adecuado referir esta segunda explicación al fenómeno de los hoy llamados «trabajadores pobres» que, lejos de ser un invento moderno del sistema social americano de los últimos años, contaría ya con antecedentes en los orígenes de la industrialización inglesa. Este carácter restrictivo del concepto de pobreza derivada de la explotación por parte de los ricos se vería reforzado por la conocida dificultad con que el marxismo ha tratado el asunto del llamado «lumpemproletariado», los que sí serían pobres y marginados, sin trabajo. No obstante, su aplicación de la teoría del intercambio desigual a las relaciones entre países desarrollados y subdesarrollados, permitiría extender a todos los pobres el enfoque del necesario enfrentamiento con los ricos.

La tercera interpretación transforma a la lucha en cooperación al reconocer que los ricos serán más ricos en la medida en que los pobres dejen de serlo y tengan poder adquisitivo suficiente para comprar los productos que, de forma masiva, se producen bajo la propiedad de los primeros. La necesidad de convertir a los pobres en consumidores, obteniendo los ricos una ganancia con ello, justifica políticas de redistribución de renta en beneficio mutuo como las englobadas en el llamado Estado de Bienestar o en la Ayuda al Desarrollo del Tercer Mundo.

Esta dinámica cooperativa, que nos ha permitido disfrutar en las últimas décadas de las mayores tasas de crecimiento económico y bienestar social de la historia, es la que se está poniendo en cuestión ahora, transmitiendo la idea de que hemos alcanzado ya un nivel aceptable de igualdad entre individuos y territorios que hace innecesario seguir dedicando tantos recursos a la redistribución. Nótese que esta rebelión de los ricos no ataca, de momento, la necesidad misma de la cooperación sino sólo su cuantía. Aunque al introducir una lógica contable —cuánto aporto, cuánto recibo— en las relaciones sociales resquebraje la idea de colectividad como entidad propia y cuestione su legitimidad para imponer políticas de este tipo.

Es verdad que, incluso en los años de mayor aceptación colectiva de una política redistributiva en favor de los menos favorecidos, ha persistido en los países ricos un núcleo de pobreza resistente a las terapias aplicadas. Lo que ha sido utilizado, con razón, para cuestionarlas. Pero lo que se está poniendo ahora sobre el tapete es un debate político en el que sobresalen dos cuestiones: si nos consideramos tan satisfechos con lo conseguido en la lucha contra la desigualdad —y no sólo la pobreza— como para eliminarla de las prioridades públicas, al menos en cuanto a la intensidad de los recursos dedicados y, en segundo lugar, qué ha cambiado en nuestra sociedad para que esa resistencia por parte de los ricos a la solidaridad pública, que siempre ha existido en círculos minoritarios, sea en el presente una bandera presentable a la que se enganchan, incluso, gentes de izquierda.

Parece que la polarización entre pobres y ricos se ha reducido como consecuencia, entre otras cosas, de las políticas redistributivas aplicadas que han mostrado, con ello, su efectividad. Pero la consolidación de las clases medias permite pensar ahora en la posibilidad de articular, en algunos países y regiones más ricos, un bloque de intereses, que puede ser mayoritario en unas elecciones, en torno a la demanda de menor presión fiscal con fines redistributivos. Además, en la sociedad globalizada, los pobres no sólo son minoría sino que su concurso económico no es ya determinante para la obtención de beneficios por parte de los nuevos ricos, lo cual facilita su marginación como puede comprobarse viendo la indiferencia internacional frente a la realidad de África o la pasividad con que se asume las nuevas formas de pobreza que vemos en nuestras sociedades ricas.

Esta presión social está condicionando cambios importantes en los sistemas tributarios de los países desarrollados que, en el límite, llegan a cuestionar algunos principios básicos de las tradicionales políticas de bienestar. El carácter redistributivo de medidas como la universalización a precio de consumo cero de determinados bienes sociales, como la educación o la sanidad, se fundamentaba en dos hechos: primero, era el medio que mejor garantizaba la equidad en el acceso a los mismos en función de las necesidades y no de la renta, manteniendo una elevada calidad en la prestación y, segundo, se financiaba mediante impuestos progresivos sobre la renta de tal manera que los ricos contribuían más que los pobres al mantenimiento de unos servicios que disfrutaban todos por igual.

Pues bien, hoy sigue siendo cierto que la universalidad garantiza la equidad en el acceso, pero existen serias dudas sobre que a la financiación de estos sistemas universales contribuyan en mayor medida los más ricos. La progresividad de los impuestos sobre la renta se ha visto muy erosionada en los últimos años en todos los países avanzados por la confluencia de varios factores. Empezando por el trato favorable concedido a las rentas del capital —factor móvil— frente a las del trabajo —factor menos móvil—, o bien con el pretexto de un supuesto fomento del ahorro, bien como consecuencia de la liberalización de los movimientos de capitales en medio de una competencia fiscal a la baja entre los países para condicionar su localización.

A la brecha abierta por un diferente tratamiento a las distintas rentas según su origen, se ha sumado la tendencia a escorar el conjunto de la carga tributaria hacia los impuestos indirectos aligerando, así, la presión fiscal ejercida por los directos mediante rebajas en los tipos, sin la ampliación suficiente en las bases impositivas lo que merma su potencial recaudatorio. El resultado es un sistema tributario menos progresivo y que ofrece importantes vías de escape, incluso legales, precisamente a los más ricos.

En paralelo, se han ido adoptando diferentes medidas que favorecen, mediante beneficios fiscales o subvenciones directas, el desarrollo y ampliación de un sector privado, complementario de momento con el público, en la oferta de determinados servicios universales en los que, sin embargo, la existencia de trabas adicionales hace que sea más fácil el acceso a los mismos por parte de los ricos.

La evolución conjunta de estas dos tendencias: sistemas tributarios menos progresivos y oferta privada de servicios públicos universales, crecientemente alternativos a los públicos, puede acabar erosionando gravemente al Estado de Bienestar, tal y como lo hemos conocido, hasta el punto de que su ruptura en dos subsistemas, uno privado para los ricos, eso sí, con estímulos fiscales, y otro público orientado a los menos favorecidos, con menor carga presupuestaria e impositiva para su financiación, puede ser sólo cuestión de no demasiado tiempo. El debate sobre la universalización de determinadas prestaciones no es sólo un problema de definición de derechos, sino también de los mecanismos de financiación y provisión de los mismos.

Impulsada por la rebelión de los ricos, la dinámica social y política de las relaciones pobres/ricos está cambiando de nuevo. Pero todavía estamos a tiempo de escoger entre dos alternativas: revisar la primera interpretación de dicha relación aceptando que las actuales desigualdades sociales o territoriales vuelven a ser naturales y nada, salvo la caridad, se puede hacer para corregirlas y menos que nada políticas públicas redistributivas que, obviamente, sólo pueden pagar los nuevos ricos. O pensar que la puesta en práctica de dicho modelo incrementaría el número de pobres, extendiéndolo de nuevo a los trabajadores pobres, y proceder a una actualización del pacto social basado en la cooperación que empiece por una revisión profunda de los instrumentos de solidaridad utilizados hasta ahora y que fundamente dicha cooperación en una lógica complementaria a la del mutuo beneficio.

En este trabajo, sin embargo, no voy a entrar en el análisis del conjunto de esas relaciones mediatizadas por el Estado de Bienestar. Mi pretensión es más concreta: centrarme en aquellas políticas que se dirigen específicamente a la lucha contra la pobreza y la exclusión social mediante transferencias directas de renta.

II. UN NUEVO CONTRATO PARA EL BIENESTAR

Bajo ese título presentó el nuevo Gobierno Laborista su propuesta para modificar el sistema de bienestar británico de una manera que se ha considerado como radical por su profundidad[2]. Partiendo de la nueva correlación de fuerzas entre pobres y ricos derivada de lo que llamamos globalización de la economía y de las deficiencias comprobadas en los mecanismos tradicionales de lucha contra la marginación social, la propuesta de nuevo pacto social —que encuentra sus antecedentes inmediatos en las reformas hechas en EE.UU. por Clinton—, se articula mediante el desarrollo de dos principios básicos:

2. Fundación Tolerancia y Solidaridad, *Un nuevo contrato para el Bienestar*, Nau Llibres, Valencia, 1998.

el primero, «trabajo para el que puede trabajar y seguridad vital para el que no puede hacerlo», y el segundo, «es responsabilidad del Estado ofrecer ayuda efectiva, pero es responsabilidad de quien la necesita, el aceptarla».

A partir de estas dos ideas, aparentemente simples, se inicia una revolución en los mecanismos y programas tradicionales de ayuda a aquellos en situación de carencia: se hace necesario un conocimiento personalizado de las capacidades y necesidades, elevando, a la vez, los niveles de exigencia personal y colectiva. Por otro lado, la relación entre Estado e individuos rompe con el viejo paternalismo que tantos efectos perversos había generado y se trasforma en una relación de responsabilidad compartida con exigencias mutuas.

Como trasfondo de estos planteamientos, se pueden encontrar varias ideas subyacentes que merece la pena explorar. En primer lugar, frente a lo que significa la rebelión de los ricos, mantiene la necesidad de políticas redistributivas aunque uno de los efectos de las medidas adoptadas sea, precisamente, rebajar la carga presupuestaria de los programas. En segundo lugar, atribuye una responsabilidad personal a quien se encuentra en la pobreza ya que se le exige hacer algo por su parte para salir de esa situación, aunque sea aprovechar bien la ayuda pública. En tercer lugar, diferencia la ayuda que se presta a aquellos que pueden trabajar de la de aquellos otros que, por distintas circunstancias personales, no pueden. Los primeros deben ponerse en situación de hacerlo, mientras que hay que sostener a los segundos, a pesar de todo. Con ello, en cuarto lugar, identifica trabajo con no-pobreza, situación que no se adecua, en demasía, a la realidad actual del mercado laboral donde, junto a los parados, existe un amplio porcentaje de trabajo precario.

A pesar de que los focos han estado centrados en el fenómeno mediático que ha representado el nuevo laborismo y su tercera vía, ninguno de estos planteamientos es estrictamente novedoso. En lo inmediato, guardan mucha semejanza conceptual con lo que se ha dado en llamar la «tercera ola» de programas de rentas mínimas contra la pobreza puestos en marcha en distintos países europeos desde mediados de los años '80, una de cuyas características diferenciadoras respecto a los anteriores programas es, precisamente, la vinculación explícita entre asistencia e inserción laboral y social. Incluso en España, como luego veremos, en todos los casos en los que existen programas autonómicos de rentas mínimas, y el primero es de 1989, su concesión está condicionada a que el perceptor ofrezca una contrapartida en forma de trabajo social, asistencia a cursos de formación, rehabilitación en los casos necesarios, etc.

Si retrocedemos en el tiempo, principios muy parecidos los podemos encontrar en el *Tratado del Socorro de los pobres* escrito por el humanista valenciano Luis Vives en el siglo XVI: «A ningún pobre que por su edad y salud pueda trabajar, se le ha de permitir estar ocioso» [3]. Donde, por cierto, también se pone de relieve la necesidad de que, aquellos que no tengan oficio, «han de ser instruidos en aquel a que tengan más inclinación», que recuerda nuestra actual empleabilidad o se destaca la necesidad, si fuera necesario, de crearles empleo en las obras públicas de la ciudad o «en todas aquellas obras que fuere necesario hacer en hospitales» es decir, en lo que serían los nuevos yacimientos de empleo de la época.

En cualquier caso, la revisión de los mecanismos de lucha contra la pobreza sintetizada en el nuevo contrato social ofrecido por los laboristas británicos, permite situar el debate en un nuevo terreno. Empezando por los fines y los medios. Incluso para aquellos que seguimos defendiendo la necesidad de políticas redistributivas que mejoren la situación de los menos favorecidos, hay que reconocer que los instrumentos concretos mediante los que se plasma la consecución de este objetivo deben ser sometidos a revisión profunda. Tan profunda como sea necesaria para tener en cuenta la propia experiencia de que la pobreza persiste e, incluso, aumenta en nuestros días; que el marco económico global ha cambiado de forma sustancial respecto al vigente cuando se diseñaron los actuales mecanismos; que existe un cambio de percepción social respecto a los límites de la redistribución que se expresa bajo las formas de un cierto cansancio fiscal por parte de los contribuyentes y unas exigencias aceptadas en favor del equilibrio presupuestario como norma en situaciones cíclicas normales.

Aun manteniendo el debate dentro de una concepción revisada del Estado de Bienestar, no se puede eludir el hecho de que todo lo anterior plantea el problema de la universalidad de los beneficios sociales. Trataremos este punto con más extensión en el apartado siguiente. De momento, valga con recordar el hecho comprobado de que los programas dedicados sólo a los pobres, acaban siendo pobres programas, al menos, desde un punto de vista presupuestario.

Por último, debe tenerse en cuenta, también, en ese nuevo marco de juego que está redefiniendo las tareas del Estado en la sociedad, el importante papel desarrollado en los programas de lucha contra la ex-

3. L. Vives, *Tratado del socorro de los pobres*, edición semifacsímil, Ministerio de Asuntos Sociales, 1991.

clusión social del llamado tercer sector, no-público, no-privado, que, junto a las iniciativas de autoayuda, configuran el llamado capital social cuya efectividad es, a menudo, muy superior a la del propio Estado en estos asuntos. Ello puede condicionar la forma concreta mediante la cual se instrumentalizan los programas públicos de la lucha contra la pobreza.

III. DEBATE SOBRE RENTAS GARANTIZADAS

Todo el mundo está de acuerdo en que el fenómeno de la pobreza es complejo y que significa algo más que la ausencia de recursos económicos suficientes. Por ello, cualquier programa que pretenda mitigarla debe contemplar un amplio espectro de instrumentos destinados a favorecer la integración social y, donde sea posible, laboral de los considerados pobres. La falta de empleo, de recursos económicos o de apoyo familiar, no es siempre el único factor que empuja a alguien a la pobreza. Pero están presentes en todos los casos de pobreza por lo que el subsidio económico, de una forma u otra, es siempre un elemento básico en todos los programas dirigidos a combatirla.

En este epígrafe, voy a centrarme en los programas de rentas mínimas. Y ello por dos razones. En primer lugar, porque representan la quintaesencia de una política redistributiva en favor de los pobres, que es de lo que estamos hablando aquí. En segundo lugar, por su vinculación con un asunto de gran efervescencia en estos momentos como son las diferentes concepciones y propuestas en torno a las ventajas e inconvenientes de establecer un salario social garantizado, como forma de repartir renta en lugar de trabajo, y como pieza base de una concepción determinada de sociedad justa, que tiene mucho que ver tanto con los viejos como con los renovados planteamientos en favor de un impuesto negativo sobre la renta.

A la hora de abordar la necesidad de establecer una compensación económica, un subsidio, como instrumento de cualquier programa público de lucha contra la pobreza, se plantean cuatro decisiones que, a pesar de su evidente interrelación, trataremos por separado: cuál es el nivel de renta mínima que se fija, quién lo financia, son ayudas condicionales o no y son universales o no.

Empezando por la última, se confunde a menudo el carácter universal de las ayudas y su concepción como derechos subjetivos, bien de los ciudadanos individuales, bien de las unidades familiares. En el segundo caso, lo que se está diciendo es que todos aquellos que reúnan una serie de condiciones previamente definidas y que delimitan una situación de pobreza, tendrán derecho a exigir del Estado, entre otras medidas, la percepción de la ayuda económica establecida. Por tanto, no es un acto discrecional por parte del Estado el fijar ayudas económicas en favor de los pobres y, en consecuencia, no podrá ampararse en cuestiones tales como una insuficiencia presupuestaria para restringir la percepción de dichas cantidades por parte del ciudadano afectado. Como en otros casos de derechos subjetivos, la prestación podrá ser de mejor o peor calidad, de mayor o menor cuantía, pero no se podrá excluir a nadie que reúna los requisitos establecidos.

Si se decide que tengan carácter universal, se abre la posibilidad de que todos los ciudadanos, o todas las unidades familiares, tengan derecho a la percepción de una renta mínima por parte del Estado y no sólo aquellos que están en la pobreza, con lo que entraríamos en la discusión en torno al salario social garantizado, en cualquiera de sus formulaciones y variantes. La universalización de la medida, en este sentido, la haría independiente del nivel de renta del perceptor aunque, como efecto secundario, sirviera para aliviar las situaciones de pobreza.

Es evidente que se pueden encontrar fórmulas mixtas si entendemos el derecho universal a la prestación como lo hacemos, por ejemplo, en el caso de la educación o la sanidad gratuitas donde el derecho a la misma lo tiene cualquier ciudadano, cualquiera que sea su renta, pero sólo lo ejercen aquellos que lo necesitan, es decir, los que están enfermos o en edad escolar. En ese sentido, se podría pensar que todos los ciudadanos tienen el derecho universal a recibir una renta mínima, pero que sólo se puede ejercer cuando uno lo necesita, por lo tanto, cuando se está en la pobreza, con lo que aproximaríamos el carácter universal de la medida a su tratamiento como derecho subjetivo de los ciudadanos.

En cualquiera de las opciones elegidas, hay que determinar además si la existencia de una ayuda económica pública debe obligar a alguna contraprestación por parte del perceptor y, en su caso, si el incumplimiento de la misma debe acarrear la suspensión del derecho. Aquí, se mezcla una discusión conceptual con otra empírica. Si la renta mínima o el salario social garantizado lo entendemos como uno de los principios fundadores de una sociedad bien ordenada que no puede permitir que algunos de sus miembros padezcan hambre y estén en situación de pobreza o, dicho de otro modo, que una sociedad justa debe garantizar la subsistencia a todos sus ciudadanos; lo más coherente sería concebirlo como un derecho de ciudadanía y, en ese sentido, ser incondicional.

Existen otros argumentos a favor de su carácter tanto universal como, sobre todo, incondicional, relacionados tanto con una teoría de la justicia social como del propio funcionamiento eficiente de la economía. Nos centraremos en dos grupos suficientemente poderosos.

El primero parte del enfoque de la teoría del equilibrio general, según la versión convencional de Arrow-Debreu, que es el modelo más sofisticado y consistente para probar que el libre funcionamiento de los mercados produce un óptimo de eficiencia productiva en cuanto a la utilización de los recursos existentes y la satisfacción de las necesidades de los agentes. Dicha conclusión está basada, entre otras cosas, en la asunción de que la decisión entre trabajo y ocio depende de las preferencias de los agentes individuales y de los precios relativos del trabajo y de otros bienes. En dicho modelo, el desempleo sólo es posible cuando existe un exceso de oferta de trabajo para salarios igual a cero. Si tiene que existir para los individuos la opción real entre trabajar a los salarios vigentes, o no hacerlo, ello sólo es posible si la subsistencia está garantizada de forma incondicional, con independencia de la decisión tomada. De no ser así, su decisión no es libre, ni el resultado eficiente.

Este planteamiento conectaría con la defensa de un ingreso básico universal e incondicional que hacen autores como P. Van Parijs desde la filosofía política[4]. Si el objetivo deseable para una sociedad es maximizar la libertad real para todos sus ciudadanos, eso es algo más que asegurar su capacidad de elección entre los distintos bienes disponibles en el mercado. Es también, y sobre todo, asegurar su libertad de elección respecto al proyecto de vida que quieren llevar adelante. Sólo sintiéndose propietarios de sí mismos, los ciudadanos tienen libertad real de elección entre las vidas posibles, y ello exige que su subsistencia esté garantizada de manera incondicional. Conectaría también con la concepción de A. Sen de que lo importante es lograr la igualdad inicial entre las oportunidades de los individuos teniendo en cuenta su diversidad y no preocupándose tanto por la igualación en los resultados obtenidos. Con una subsistencia garantizada y unos mecanismos públicos adecuados que permitan contrarrestar las desigualdades de origen, ya es responsabilidad individual el aprovecharlo más o menos, dando lugar a distintos resultados finales, ya no imputables, por así decirlo, a la sociedad.

El segundo grupo de argumentos procede también de una puesta en común de la teoría económica y de la filosofía política. El mismo

4. P. Van Parijs, *Libertad real para todos*, Paidós, 1996.

modelo de equilibrio económico general, mencionado antes, parte de una dotación inicial de recursos dada que es un legado del pasado y que tiene que estar repartida entre los agentes individuales de manera tal que, para cada uno de ellos, debe formar un subconjunto no vacío. A partir de ahí, se efectúan los intercambios y, como consecuencia de los mismos, esa riqueza alcanza un nuevo reparto distinto al inicial. Los economistas reconocen que esa distribución de la riqueza, producida por la actuación del libre mercado, puede no ser socialmente aceptada y ello motivar una intervención estatal para redistribuirla. Sin embargo, su propuesta es que, para alterar lo menos posible la eficiencia del mercado, la acción del Estado a favor de una redistribución se produzca sobre el reparto inicial de la riqueza que se determina como una variable exógena al modelo de equilibrio general, mejor que interfiriendo sobre el funcionamiento de este último. En ese sentido, van muchas de las propuestas que se están haciendo en torno a la supresión de los salarios mínimos, dejando que el mercado ajuste los precios de los factores, complementado con acciones sostenedoras de rentas por fuera de los mecanismos del libre intercambio.

La separación entre funcionamiento del mercado y acciones de redistribución de la riqueza, cuando el modelo necesita que todos los participantes tengan algo de esa riqueza inicial heredada del pasado puede convertirse, fácilmente, en un salario social garantizado e incondicional sobre todo si entendemos que los procesos de intercambio a través del mercado tienen una secuencia temporal reiterativa en la que, en cada momento, hay un punto de partida que requiere una distribución inicial dada.

Visto desde la filosofía política el problema es parecido al que se plantea cuando abordamos, desde la óptica de los derechos de propiedad, la cuestión de la apropiación originaria, cuestión que tiene difícil solución desde un liberalismo radical y sólo se la encuentra si reconocemos al Estado una capacidad de intervención sobre el reparto de esos bienes cuya existencia es anterior a la primera definición de los derechos de propiedad, y que no son otra cosa que esa riqueza como legado histórico a la que hace mención la teoría del equilibrio general. Ello se puede traducir en un determinado modelo impositivo[5] o en una renta garantizada.

La cuestión, pues, de una renta básica garantizada por el Estado para todos los ciudadanos y de manera incondicional, no sólo como

5. J. V. Sevilla Segura: «¿Hacia un Estado Patrimonial?», en VV.AA., *Seminario sobre Estado, Mercado, Sociedad*, Instituto de Estudios Fiscales, 1995.

forma de lucha contra la pobreza, tiene muchas derivaciones y ha sido, de una manera u otra, tratada desde ámbitos académicos distintos y también desde posiciones enfrentadas en el espectro ideológico. Desde lo que podríamos llamar convencionalmente la derecha, Friedman fue el primero que la planteó bajo la forma del impuesto negativo sobre la renta, y otro Premio Nobel, G. Becker, la ha relanzado actualmente como un crédito tributario a favor de las rentas salariales. Desde el otro lado, podríamos remontarnos a Lafargue y su «derecho a la pereza» o citar la creación, en 1992, de una Red Europea a favor de un Ingreso Básico, o la reciente propuesta de Atkinson[6] a favor de un Ingreso básico combinado con un Impuesto de tipo único sobre la renta para mostrar el interés y la proliferación de estudios al respecto.

Uno de los problemas importantes que plantea un ingreso básico incondicional es su posible repercusión negativa sobre los incentivos al trabajo. Es evidente que este problema sólo tiene sentido en una sociedad que valore de manera destacada la aportación individual al bienestar colectivo a través de un esfuerzo remunerado en términos convencionales. No vivir de la sopa boba sería entonces otro de los principios rectores de dicha sociedad, que debe ponerse en contacto, incluso por delante, de la garantía de subsistencia y su repercusión sobre la libertad real para todos.

Dejando aparte la interesante discusión sobre el propio concepto de trabajo, su papel como elemento vertebrador de la sociedad e, incluso, de la personalidad individual, con las conocidas dificultades de cómo tratar entonces al trabajo del ama de casa o la existencia de otras actividades que incrementando el bienestar colectivo no se canalizan a través del mercado mediante un trabajo remunerado; la cuestión de los incentivos es, además de un problema de jerarquía de valores rectores de una sociedad, un problema empírico. Aunque para ello debamos hacer abstracción de la diversidad humana —tan importante para el análisis de la desigualdad, según Sen— y suponer que todos reaccionamos más o menos igual ante los mismos incentivos.

Si se recibe un ingreso garantizado, tanto si se trabaja como si no, habremos eliminado la llamada trampa de la pobreza que, en aquellos modelos de apoyo económico a favor de los pobres que desaparecen cuando se encuentra un empleo, hace que pueda ser más rentable cobrar el subsidio que el ingreso esperable por un trabajo ade-

6. A. B. Atkinson, *Public Economics in Action. The Basic Income/Flat Tax proposal*, Clarendon Press, Oxford, 1995.

cuado a la cualificación del perceptor. Sin embargo, existe una elevada probabilidad de que haya menos gente dispuesta a trabajar o, en todo caso, a hacerlo durante muchas horas, con la consiguiente repercusión negativa sobre la riqueza total colectiva. Pues bien, allí donde ha sido posible realizar estudios empíricos del comportamiento humano en situaciones parecidas, los resultados no son concluyentes. Hay casos donde sí se puede establecer esa relación, pero hay otros donde no aparece por ningún lado. Ello, en parte, puede querer decir dos cosas: que la actitud hacia el trabajo depende del nivel cuantitativo al que se establezca la renta garantizada en relación con lo que serían las necesidades básicas históricamente determinadas y, en segundo lugar, que no es generalizable la suposición de que el comportamiento humano está determinado sólo, o principalmente, por incentivos económicos como prueba la existencia de un amplio trabajo voluntario en nuestra sociedad, la renuncia de salario a favor de prestigio social o de poder que se produce en otros colectivos, o el escaso impacto que sobre el trabajo de los altos ejecutivos tiene movimientos al alza, o a la baja, de los impuestos personales sobre la renta.

En cualquier caso, el asunto de determinar cuál es el nivel establecido para esa renta, condicionada o no, cobra entonces una dimensión distinta que va más allá de la meramente vinculada con su coste social o presupuestario. Es evidente que, si con ella aspiramos a facilitar opciones vitales reales, debe permitir, como mínimo, la subsistencia. Si nuestra pretensión es menos ambiciosa y, además, el problema de los incentivos sobre el trabajo nos parece importante, su cuantía debe medirse en relación con algún otro parámetro, graduarse para estimular el esfuerzo personal o/y ser condicional. Las posibilidades son varias pero lo importante es que tengan una coherencia interna y estén en consonancia con otros elementos constitutivos del sistema tributario general. Por ejemplo, qué sentido tiene un sistema espléndido de deducciones fiscales para quienes tienen unos niveles de renta tales que están obligados a efectuar declaración, mientras aquellos que no llegan a esas rentas, no sólo no se benefician de esa generosidad estatal, sino que tampoco disfrutan de otras ayudas equivalentes.

Esto nos lleva al último de los puntos generales que quería tratar aquí: ¿quién lo paga? Sea cual sea la modalidad elegida, incluso en el caso más favorable de que la renta garantizada lo sea para todos los ciudadanos, es evidente que hay un elemento redistributivo en la medida: unos ciudadanos pagan y reciben, otros, sólo reciben, por lo que el pago de los primeros debe ser suficiente para atender su propia renta y la de aquellos que no contribuyen.

El carácter redistributivo de la acción del Estado no es una novedad. Pero su alcance es precisamente lo que pone en cuestión la rebelión de los ricos. Por ello merece la pena que insistamos sobre el particular, con algún argumento novedoso o escasamente reconocido. Hasta ahora, el principio moral que justificaba la redistribución de renta a través del Estado era, de una manera u otra, un principio de justicia como equidad en el sentido que Rawls recoge al hablar de que una sociedad justa debe procurar no sólo una igualdad de oportunidades, sino el máximo beneficio de los miembros menos aventajados de la misma. Ahora, además, podemos ofrecer otra razón vinculada con la distribución de esa herencia histórica recibida que constituye la dotación inicial de riqueza de la sociedad, anterior incluso a la definición de los derechos de propiedad o a los procesos de intercambio a través del mercado.

En cualquier caso, resulta llamativo que se cuestione la redistribución a favor de los pobres y no, en cambio, la efectuada entre los no-pobres mediante la proliferación de deducciones y exenciones fiscales que deben entenderse como una especie de crédito fiscal que el Estado les concede y de la que, por definición, están excluidos los más pobres. Los beneficios fiscales otorgados por el Estado a aquellos que por su nivel de ingresos tienen que efectuar la declaración de renta, sociedades y patrimonio alcanza, en España, algo más de 3 billones de ptas. anuales, el 42% del total de lo recaudado por esos conceptos. Esta generosidad estatal supera, en mucho, a la destinada a los programas de lucha contra la pobreza, incluso si la ponderamos por el número de afectados. Y, sin embargo, nadie se queja de ella.

IV. ALGUNOS RASGOS DE LA SITUACIÓN EN ESPAÑA

A la hora de trasladar a España los debates que en torno al Estado de Bienestar se han producido en EE.UU. o en Gran Bretaña, más o menos al calor de eso que se ha dado en llamar la Tercera Vía, conviene empezar recordando algo sabido, pero que olvidamos con alguna frecuencia: lo que en el mundo anglosajón definen como *welfare system* no es, exactamente, lo que aquí entendemos por Estado de Bienestar.

En España, solemos englobar bajo ese concepto las pensiones, la sanidad, la educación, la protección frente al desempleo, en menor medida la vivienda y, sólo de forma marginal, la política de servicios sociales heredera de la vieja asistencia social. Mezclamos, pues, lo que son mecanismos colectivos de protección frente a determinados riesgos que adoptan la forma de un seguro público, con medidas de redistribución de renta, junto a otras que persiguen la mitigación de las desigualdades individuales, socialmente condicionadas. Por su parte, en la tradición anglosajona, las políticas del *welfare system* son sólo aquéllas destinadas a mitigar o corregir la pobreza y la exclusión social.

La distinción es algo más que académica ya que, por ejemplo, todo el programa del Gobierno Laborista Británico entorno al *welfare to work*, que constituye una de sus propuestas más innovadoras, tiene poco que ver con nuestra situación. Primero, por la extensión de las medidas. Es conocido que una de las principales preocupaciones para Blair, como para Clinton, ha sido las ayudas a madres solteras, la carga presupuestaria de las mismas y su impacto negativo sobre la disponibilidad a trabajar por parte de las receptoras de dichas ayudas. Pues bien, nosotros no tenemos ese problema, porque además de que el número de hogares monoparentales existente en España es mucho menor, sencillamente tampoco hemos tenido nunca un programa social de ese tipo. Segundo, por la intensidad de las ayudas. Allí el debate ha girado en torno a los problemas derivados de la trampa de la pobreza o los desincentivos a trabajar por parte de quienes se acostumbran a vivir de los programas públicos. En nuestro caso, es ciertamente retórico hablar de estos asuntos, con la mitad de los parados sin cobertura alguna y con unos programas de rentas mínimas, tan mínimas y tan restrictivos que haría falta recurrir a complejas explicaciones psicológicas, rayando con el masoquismo, para que alguien optase racionalmente por renunciar a un trabajo con tal de no perder esas ayudas.

Comparado con otros países, resulta evidente lo mucho que tenemos que hacer en España en cuanto al tejido de esa red de seguridad ofrecida por la sociedad a todos aquellos que, por distintas circunstancias, se encuentran en la pobreza, en la marginación social o, sencillamente, en situaciones en las que la aparición de nuevas necesidades, como el cuidado de ancianos o niños en hogares donde trabajan los dos cónyuges, se convierte en problemas que desbordan las posibilidades de respuesta familiar.

Si la concepción de un Estado de Bienestar moderno, o al menos equiparable al existente en otros países europeos, se origina en España a partir de la Constitución de 1978, habrá que esperar todavía unos años para que se vaya produciendo su implantación efectiva. La universalización del derecho a la prestación sanitaria es de 1986 y su modelo de financiación mediante impuestos generales no se ha completado hasta este año. El sistema público de pensiones, que se ha ido consolidando mediante reformas sucesivas que empezaron en 1985, siendo la más reciente de 1997, ha mostrado su potencial solidario con varias medidas de lucha contra la pobreza entre las que destacan dos: el establecimiento de una garantía de mínimos para pensiones contributivas y la creación, a partir de 1990, de un esquema de pensiones no contributivas, que son una renta mínima garantizada para los que no están en edad laboral. Y así con otras políticas como la educación gratuita y obligatoria, las pensiones para minusválidos, etc.

La implantación en España del Estado de Bienestar ha sido, sin duda, un factor determinante en el proceso de reducción de las desigualdades sociales y económicas experimentado durante la década de los '80, a la vez que ha extendido, y hecho más efectiva, la igualdad de oportunidades.

Sin embargo, de este desarrollo gradual del Estado de Bienestar en España, han quedado relativamente excluidos, precisamente, los servicios sociales que son el sistema de protección pública que se concentra en la lucha contra la marginación y la pobreza. Aunque la Constitución reconoce para todos los ciudadanos la garantía de asistencia y prestaciones suficientes ante situaciones de necesidad, superando la vieja idea de la asistencia social como algo meramente mitigador de las situaciones de desigualdad individual, el desarrollo normativo, presupuestario y administrativo de este precepto ha sido mucho menor, en relación con otros aspectos del Estado de Bienestar.

A ello ha contribuido, sin duda, la superposición de competencias en la materia por parte de las tres administraciones —Central, Autonómica y Local—, sin la suficiente coordinación, lo que ha generado un gran número de iniciativas parciales, dispersas y no siempre relacionadas entre sí. En la mayoría de los casos, los recursos son municipales, la regulación normativa es de las Autonomías, aunque también se reconoce a los poderes locales, y el Estado Central mantiene las competencias de los servicios sociales de la Seguridad Social.

Esta situación mejoró a partir de 1988 con la puesta en marcha de Planes Concertados de Prestaciones Básicas de Servicios Sociales que permite a los Ayuntamientos adherirse a una red de inversiones y prestaciones para garantizar una cobertura asistencial básica, a través de los Centros de Servicios Sociales, financiada de manera coordinada por el Estado Central, las Autonomías y los propios Entes Locales. La cobertura de dicho Plan abarca, prácticamente, a todos los municipios, excepto a los del País Vasco, y su financiación conjunta alcanzó el máximo en 1995 con algo más de 60 000 millones de ptas.

Paralelamente, también se ha avanzado en la creación de una red de servicios especializados dirigida a la atención de personas mayores, con discapacidades físicas o psíquicas, menores y otros colectivos necesitados, como inmigrantes. En todo caso, todavía queda mucho por hacer en esta materia, sobre todo si ampliamos la visión al surgimiento de nuevas necesidades sociales que hoy cubren las familias y que deberían contar con más apoyo público. Todo ello requeriría una Ley Básica de Servicios Sociales capaz de dar respuesta a las viejos y a los nuevos retos en la materia.

Quiero centrarme, sin embargo, en lo que son prestaciones económicas directas que expresan una decisión clara de efectuar una redistribución de renta en favor de los más pobres. Empezaré por el establecimiento de una garantía de mínimos en favor de las pensiones contributivas, de tal manera que aquellas que, conforme al cálculo legal sobre lo cotizado, ofrecen prestaciones económicas por debajo de ese mínimo, reciben un complemento por parte de los presupuestos del Estado. En torno al 33% del total de pensiones reciben hoy este complemento, cuyo impacto presupuestario se sitúa alrededor de los 600 000 millones de ptas.

En segundo lugar, hay que hablar de las pensiones no contributivas. Partiendo de la existencia de las pensiones asistenciales y de las prestaciones establecidas en 1982 para las personas con discapacidad, la Ley de Pensiones No Contributivas de.1990 extendió la protección económica por jubilación e invalidez a personas carentes de recursos y en situación de necesidad que, por no haber trabajado o no haberlo hecho durante el tiempo suficiente, quedaban fuera del sistema general de la Seguridad Social. La nueva Ley subsumía paulatinamente las prestaciones anteriores, a la vez que reconocía el carácter de derecho subjetivo a la reclamación de una ayuda económica por parte del Estado en determinados casos de necesidad.

En la actualidad, la cuantía de la prestación está fijada en 37 951 ptas. al mes y el número de perceptores de pensiones no contributivas está en el entorno de las 440 000 personas, con un coste presupuestario de alrededor de 235 000 millones de ptas., como consecuencia de un endurecimiento en las condiciones para solicitarla producido a principios de 1998. A esta cifra hay que añadir los casi 250 000 perceptores de las antiguas pensiones asistenciales y de la LISMI (Ley de integración de los minusválidos) que todavía no han pasado al sistema no contributivo.

A pesar de que todos los análisis coinciden en señalar el importante papel desempeñado por estas pensiones no contributivas y por los complementos de mínimos en la lucha contra la pobreza y la marginación, su ámbito de aplicación se circunscribe a los jubilados y a aquellos con un elevado nivel de minusvalía. ¿Y qué pasa con aquellos pobres o marginados que están en edad laboral? Poco más de 660 000 personas —incluyendo los trabajadores eventuales del campo— reciben un subsidio por desempleo equivalente al 75% del Salario Mínimo Interprofesional por un período máximo de 18 meses que, sólo en casos muy excepcionales, puede llegar a los 30. Son aquellos a quienes se les ha terminado el período de prestación contributiva por desempleo, siguen en paro y tienen cargas familiares sin recursos alternativos. El grueso de los mismos está formado por varones de más de 55 años y mujeres entre 25 y 45 años. Pero si tenemos en cuenta que la prestación por desempleo no alcanza a cubrir ni al 50% de los parados y que, además, existe una elevada tasa de inactividad entre la población en edad laboral, ¿qué pasa con el resto, con aquellos parados sin subsidio y con aquellos que ni siquiera están incluidos como parados en el mercado laboral, cuando se encuentran en situación de necesidad?

Éste es el hueco que vienen a cubrir, parcialmente, los programas de rentas mínimas puestos en marcha en todas las Comunidades Autónomas desde comienzos de los años '90. Se trata de una especie de salario social de última generación, dirigido al colectivo de excluidos entre 24 y 64 años, mediante el que se vincula la percepción de unos ingresos públicos mínimos con otras tareas y actividades destinadas a fomentar la inserción laboral y social de los beneficiarios. La condicionalidad de la renta al desarrollo de determinados compromisos y actividades por parte del receptor es tan clara que, en muchos casos, adopta incluso la forma de un contrato entre el perceptor y la Administración donde figuran los compromisos mutuos, cuyo incumplimiento acarrea la suspensión del cobro de la renta.

A pesar de que la diversidad entre las distintas normas autonómicas es muy amplia en lo relativo a requisitos, condiciones, cuantía etc., algunos rasgos comunes merecen destacarse: elevado nivel de restricciones para su concesión; duración limitada en el tiempo; cuantía variable según el total de recursos del perceptor y diferente según situaciones familiares; finalidad dual de la prestación, por una parte subsistencia, por otra, reinserción; condicionalidad de la misma no sólo respecto a los compromisos asumidos por el beneficiario, sino también respecto a las disponibilidades presupuestarias de la administración.

Todos estos rasgos, sin quitar mérito a la iniciativa más moderna y positiva que se ha adoptado en nuestro país para luchar contra la exclusión social, hacen, sin embargo, que sólo desde un exceso de optimismo se pueda interpretar que las rentas mínimas de inserción puestas en pie por nuestras Comunidades Autónomas respondan al reconocimiento de un derecho de asistencia y subsistencia por parte de los ciudadanos en situaciones de pobreza o necesidad[7].

Por su diseño, parecen más un complemento de las políticas de reinserción dirigidas a colectivos marginales que un programa de rentas garantizadas como los discutidos en el punto anterior. De hecho, se estima que el total de beneficiarios potenciales oscila en el entorno del 1-3% de los hogares españoles, es decir, aquéllos situados en lo que se denomina pobreza severa que son sólo una pequeña parte del total de pobres, definidos convencionalmente como aquellos hogares cuyos gastos están situados por debajo del 50% del gasto medio de las familias del país. Para tener una idea cuantitativa, en los tres años inmediatos a su implantación, 1991-1993, únicos datos agregados de que dispongo, se han destinado en conjunto, a las rentas mínimas de inserción, alrededor de 60 000 millones de ptas. en atender a 75 000 familias[8]. Si tenemos en cuenta que a partir de 1993 empezaron las restricciones presupuestarias necesarias para cumplir con los criterios de convergencia del euro, es difícil que la situación hoy sea muy distinta.

V. UNA PROPUESTA DE RENTA O CRÉDITO FISCAL UNIVERSAL EN ESPAÑA

Las principales críticas a los mecanismos de transferencia de rentas en favor de los pobres y excluidos son tan antiguas, como conocidas: elevado coste de gestión cuando se tienen que someter al examen de requisitos; descoordinación entre diferentes políticas y organismos; cobertura insuficiente; desincentivo frente al trabajo; trampa de la pobreza; etc.

Siendo todas ellas ciertas, la más importante, no obstante, es otra menos publicitada: al estar desconectados del sistema impositivo general sobre la renta se produce la paradoja de que los pobres, por sus escasos ingresos, no se pueden beneficiar de los gastos fiscales otorgados por el Estado en favor de quienes, por sus mayores ingresos,

7. C. Estévez González, *Las rentas mínimas autonómicas*, CES, Colección Estudios, 1998.

8. CES, *La pobreza y la exclusión social en España*, Informe 8, 1996.

presentan declaración de impuesto sobre la renta. De acuerdo con el Presupuesto de Gastos Fiscales para 1999 presentado por el Gobierno, aquellos que por su nivel de ingresos tienen obligación de declarar el IRPF obtienen créditos fiscales en forma de renta que se les devuelve por conceptos y cuantías agregadas tales como: vivienda (687 198 millones de ptas.); protección a la familia (427 532 millones de ptas.); fomento del ahorro (525 667 millones), incluso políticas redistributivas entre ellos por un importe de 412 658 millones de ptas.

A la vista de estos datos, se puede concluir que los beneficios fiscales que el Estado otorga, que no son otra cosa que transferencias de renta aunque sean a los mismos individuos que las generan, son muy superiores para los tramos medios y altos de ingresos, que lo que destina a políticas redistributivas en favor de los más pobres.

Este tratamiento no equitativo entre unos y otros, que puede ser calificado incluso de regresivo, unido a las críticas anteriormente mencionadas sobre los programas de sostenimiento de rentas, han dado lugar a distintas propuestas en el sentido de armonizar el impuesto sobre la renta y las prestaciones monetarias en favor de los pobres que se mueven, por lo general, en las áreas de los servicios sociales o de la Seguridad Social. Dado que tanto uno como las otras se basan en el nivel de renta de los sujetos y en su situación familiar, teniendo en cuenta, además, sus posibles minusvalías físicas o psíquicas, parece posible, e incluso conveniente, unificar ambos mecanismos para racionalizar las actuaciones del sector público en la materia, dotándolas de mayor equidad, transparencia y simplicidad.

La idea no es nueva y existen diferentes propuestas, bajo uno u otro nombre desde, al menos, 1962, cuando M. Friedman hizo la suya bajo la denominación de impuesto negativo sobre la renta a la que siguieron, por mantenernos en el ámbito de los economistas, otra de Tobin en 1968 y aún otra de Meade en 1972.

El debate, aunque nunca ha decaído y llegó a formar parte destacada en las propuestas políticas sobre todo en EE.UU. y Reino Unido, cobra nuevo impulso y otra dimensión cuando entra en relación con las iniciativas en favor de establecer una renta mínima garantizada para todos los ciudadanos vistas en un punto anterior. Ya no se trata sólo de una fórmula eficaz y equitativa para una política de sostenimiento de rentas en favor de los pobres, sino que pasa a ser un requisito universal que asegura la libertad real de los ciudadanos en una sociedad justa, mediante un esquema que vincula la implantación con la financiación de dicho salario social.

Es precisamente este carácter de prestación universal, igual para todos, lo que permite sacarlo del reducto de las «políticas para pobres» sin perder su aspecto redistributivo que, en la práctica, combate la pobreza. Además, articulado de manera que evite el problema del salto brusco en los tipos marginales del impuesto, elimina también la trampa de la pobreza que tanto dificulta la aplicación de otras medidas de sostenimiento de rentas.

Los elementos esenciales a definir en un modelo de este tipo serían:

1. El nivel de renta mínima garantizada e igual para todos, precisando si es individual o familiar.
2. La escala de gravamen de la tarifa (tipo único o progresivo) de un nuevo impuesto sobre la renta que todos los ciudadanos tienen la obligación de presentar, aunque sea extremadamente simple ya que sólo debe contemplar dos elementos: ingresos totales y situación familiar.

A partir de ahí se calcula la cuota del impuesto (ingresos × tipo) y el resultado se minora por la renta mínima garantizada, igual para todos. Para niveles de ingresos superiores a dicho mínimo el impuesto será positivo (pagarán) mientras que para ingresos inferiores será negativo (cobrarán).

La equidad, simplicidad y transparencia en el esfuerzo redistributivo no son las únicas ventajas. El esquema es lo suficientemente flexible como para permitir su implantación gradual (puede empezar siendo complementario de los actuales programas, hasta acabar sustituyéndolos) y controlada (por ejemplo, a efectos presupuestarios), así como para extenderse, eventualmente, a las prestaciones contributivas de la Seguridad Social, suprimiendo las actuales cotizaciones e integrándolas en el nuevo impuesto.

Un resumen, como el presentado en el cuadro 1, de la situación española actual respecto a la acción pública redistribuidora de renta monetaria nos puede servir de ejemplo a la vez que de base para una propuesta.

El cuadro 1 muestra algunas inconsistencias en nuestra actual acción pública respecto a los distintos niveles de renta y situaciones familiares de los ciudadanos más allá de las señaladas previamente. En el IRPF se define un mínimo personal y familiar exento de tributación por ser «la parte de renta dedicada de forma obligada a la cobertura de sus necesidades y las de su familia». Pues bien, esta cuantificación por parte del Estado de lo que sería un mínimo vital para aquellos

Cuadro 1. ELEMENTOS DE LA ACCIÓN PÚBLICA REDISTRIBUIDORA DE RENTAS

CONCEPTO	CUANTÍA ANUAL 1999 (PESETAS)		COSTE PRESUPUESTARIO 1999 (MILLONES DE PESETAS)
	CON CÓNYUGE A CARGO	SIN CÓNYUGE A CARGO	
1. Pensiones Mínimas Contributivas			599 000
a) Jubilación			
— más de 65 años	938 700	797 860	
— menos de 65 años	821 660	696 290	
b) Incapacidad Permanente (máximo)	1 408 050	1 196 790	
2. Subsidios de desempleo	623 376		468 000
3. Pensiones no Contributivas	531 370		235.000
4. Rentas Mínimas Autonómicas	— Entre 43.9%-60% del SMI — Entre 81.6%-100% PNC		23 000 (datos del '93)
5. Mínimo personal en IRPF			
— más de 65 años	1 300 000	650 000	
— menos de 65 años	1 100 000	550 000	
Mínimo familiar			
— 2 primeros hijos a cargo	200 000 cada uno		
— a partir del tercero	300 000 cada uno		
6. Total de beneficios fiscales en IRPF			2 452 960
7. Otros datos de interés			
— Salario Mínimo Interprofesional	969 710		
— Pensión Media del Sistema Contributivo	1 176 824		
— Gasto medio por hogar	725 544 (3er Trim. 1998)		
— Hogares que llegan con algún grado de dificultad a fin de mes	57.1%		
— Hogares que no pueden dedicar dinero al ahorro	70%		

Fuente: elaboración propia.

que declaran el impuesto es superior a las ayudas que ese mismo Estado concede por pensiones no contributivas, por subsidios de desempleo a cabezas de familia, o por rentas mínimas de inserción. Incluso es superior a la pensión media contributiva del sistema si se tiene cónyuge a cargo o al salario mínimo si el que lo cobra es cabeza de familia. Al parecer, para nuestro Estado, las necesidades básicas personales o familiares son mayores cuanto mayor sea la renta de las personas. Cosa que, además ratifica, cuando dicha exención la sitúa en la base imponible del impuesto y no en la cuota, de tal manera que su efecto reductor de la carga fiscal es tanto mayor cuanto mayor sean los ingresos y, en consecuencia, el tipo impositivo por el que se tribute.

Junto a esta contradicción, que sin duda es la fundamental, subsisten otras que vienen a reforzar la idea de que los mecanismos de sostenimiento de rentas están basados más en criterios cercanos a la caridad que a los de derechos o de justicia social. Por ejemplo, si se define una pensión mínima garantizada por el Estado, de tal manera que cuando la contribución efectuada al sistema de pensiones ha sido escasa y, en consecuencia, proporciona una prestación inferior a ese mínimo, el Estado efectúa una transferencia complementaria, tiene poco sentido que, luego, la cuantía de la pensión no contributiva sea menor. Si la primera es una pensión mínima, ninguna otra puede estar por debajo y será el hecho de haber contribuido poco o mucho al sistema lo que marcará la percepción de prestaciones adicionales por encima de ese mínimo. La idea de caridad moderna que preside el sistema de transferencia de rentas en favor de los pobres se refuerza cuando observamos las cuantías de las rentas mínimas de inserción que difícilmente cubren los niveles de pobreza. Y, mientras tanto, el Estado devuelve renta a los que tienen niveles superiores de ingresos, bajo la forma de deducciones fiscales, por un importe total equivalente a casi 2.5 billones de ptas.

Parece, pues, necesaria una unificación de criterios contributivos y redistributivos en función de la renta y la situación familiar como la apuntada anteriormente. Algo que en nuestro caso, podría pasar por una propuesta como la que se efectúa a continuación, que tiene a su favor su carácter abierto y flexible. Abierto, en el sentido de señalar más una dirección que un itinerario concreto. Y flexible, por cuanto abre distintas posibilidades que pueden seguirse o no, en función de los intereses mayoritarios en cada momento.

Una propuesta, en suma, para el debate, que empezaría por aceptar las cantidades definidas en el IRPF como mínimo vital personal y familiar, con revisiones períodicas, y extenderlo a todos los grupos de renta, aunque sea de forma gradual, configurando el embrión de lo que sería la renta mínima garantizada para todos. Ello exigiría dar los siguientes pasos no secuenciales:

a) El mínimo vital debe ser igual para todos los contribuyentes. Ello quiere decir que su deducción en el impuesto no se efectúa en la base impositiva, sino al final, tras calcular la cuota íntegra.

b) El IRPF debe tender a gravar todas las rentas de manera más equitativa que en la actualidad, y no sólo las del trabajo personal dependiente.

c) La pensión no contributiva se debe igualar con el mínimo personal.

d) Las rentas mínimas de inserción deben ir aproximándose a la cuantía del mínimo personal.

e) Las pensiones mínimas con cónyuge a cargo se aproximan al mínimo familiar, manteniendo las de sin cónyuge la misma proporción con las anteriores que en la actualidad (85%).

f) El subsidio de desempleo, con cargas familiares, se debe ir aproximando al mínimo familiar.

g) Extender paulatinamente el sistema a colectivos hoy excluidos del mismo. En especial, se debe ampliar la cobertura del subsidio de desempleo y las personas susceptibles de percibir una renta mínima de inserción como parte de un programa de integración laboral y social.

h) Avanzar en la reducción sustancial de los actuales gastos fiscales en el IRPF.

Conseguidos estos objetivos, bastaría para la integración de todas las políticas públicas que tienen que ver con la renta y la situación familiar de los individuos simplemente canalizarlas a través de la misma declaración del impuesto que sería, como derecho de ciudadanía, obligatorio para todo el mundo.

Una propuesta de este tipo, o parecida, plantea tres interrogantes importantes: su compatibilidad con los principios de consolidación presupuestaria aceptados en el contexto del euro; su impacto sobre la predisposición a trabajar de aquellos colectivos que reciben una renta asegurada por parte del Estado, y el tipo, o tipos, impositivos del nuevo impuesto. Las tres merecen una reflexión si pretendemos que una propuesta como la aquí presentada tenga visos de credibilidad. Pero antes, querría incluir dos datos que, aunque no deben condicionar el análisis de la propuesta, tampoco pueden mantenerse al margen.

El primer dato tiene que ver con los objetivos sociales que debemos marcarnos en la nueva fase del euro. Creo que existe consenso en afirmar que es conveniente aprovechar las oportunidades que nos ofrece el nuevo contexto competitivo en que se mueve nuestra economía —y ello exige, entre otras cosas, mantener la convergencia nominal con nuestros socios en los términos conseguidos— para avanzar en nuestros niveles de crecimiento y bienestar colectivos hasta ir aproximándolos a la media comunitaria. A eso se le llama convergencia real y creo posible, incluso conveniente, el configurarlo como un compromiso concreto, centrado en la evolución de varios indicadores —6 son los que manejan los expertos—, empleando la misma metodología que, con tanto éxito, hemos utilizado para conseguir la convergencia nominal. En cualquier caso, mejorar nuestra convergencia real con Europa exige, entre otras cosas, incrementar el número de trabajadores hasta alcanzar una tasa de ocupación parecida a la de nuestros socios-competidores y, también, repartir los frutos del crecimiento económico de una manera más solidaria. Es decir, mejorar nuestro ratio de gastos dedicados a protección social respecto al PIB, hoy 6 puntos porcentuales por debajo de que hacen otros países.

¿Es eso posible? En la anterior fase expansiva de nuestra economía, entre 1986 y 1990, lo fue, y ése es el segundo dato. Las prestaciones sociales que recibieron las familias españolas como renta crecieron un 62% frente al 7.7% en el actual ciclo de crecimiento. Es verdad que entonces estábamos implantando el modelo y era lógico que experimentaran unos crecimientos mayores que, por otro lado, tuvieron su impacto negativo sobre el déficit público. Pero en algún momento nos tendremos que plantear hacer algo más que mantener el poder adquisitivo de las prestaciones para que vayan mejorando en términos reales de tal manera que se amplíe el número de beneficiarios de la buena marcha de la economía española.

A partir de ahí, que marca una voluntad explícita de caminar en un sentido determinado, abordemos, siquiera brevemente, los interrogantes con anterioridad citados, empezando por la compatibilidad entre una propuesta de Renta o Crédito Fiscal Universal como la presentada y el equilibrio presupuestario en los términos del Pacto de Estabilidad. Es evidente que conseguir un déficit reducido, o incluso un superávit, determina una forma concreta de hacer política, pero no dice nada respecto al tamaño de los ingresos y gastos públicos salvo que han de estar equilibrados. Pero más allá de eso, y aún de la aproximación gradual con la que se debe abordar el Crédito Fiscal Universal, el colchón financiero que representan los actuales gastos fiscales y los cambios a introducir en el propio IRPF, ofrecen un margen de maniobra muy elevado para que la financiación adicional, que exige la propuesta, no tenga por qué traducirse en más déficit público aunque represente una opción de política redistributiva, distinta a la actual.

¿Incrementa la carga fiscal de los contribuyentes? Para ser honestos, es imposible saberlo en la fase actual de la propuesta. Puede que sí, o puede que no. Depende, entre otras cosas, de la intensidad redistributiva que se desee y de la adecuación que se quiera hacer de la tarifa al ampliarse las bases impositivas tras suprimir exenciones y deducciones. Lo cierto es que se gana en simplicidad, transparencia y equidad, lo que no es poco.

Vayamos, por último, al impacto sobre los incentivos al trabajo cuando una de las prioridades de la convergencia real es conseguir que trabaje más gente. Una propuesta como la efectuada, por su carácter universal, elimina el problema de la trampa de la pobreza que sí plantea fórmulas como las vigentes cuando las prestaciones se pierden al encontrar un empleo, normalmente de bajo salario, con la consecuencia de que los ingresos adicionales obtenidos pueden ser tan escasos que la decisión racional sería no aceptar el empleo. El Crédito Fiscal Universal, como cualquier otra fórmula de renta garantizada, lleva la decisión a un terreno distinto.

Si, aun siendo respetuosos con las decisiones individuales respecto al trabajo, queremos incentivarlo, preocupación que comparte el nuevo laborismo con su programa *welfare to work*, caben, al menos, tres opciones: hacer más atractivo el trabajo con medidas que garanticen su estabilidad y unos sueldos decentes; condicionar otro tipo de ayudas que deben acompañar a la prestación económica en todo programa de servicio social, a la aceptación del trabajo; o, en último término, considerar que el Crédito Fiscal es universal, pero las condiciones para tener derecho al mismo son distintas si el perceptor está en edad laboral y puede trabajar. En este caso, se puede condicionar su cuantía, o el plazo de percepción a que el receptor aproveche las oportunidades de empleo que le surjan o, al menos, las ayudas que en esa dirección le presten los servicios sociales. Así se plasmaría el principio de ayudar al que puede trabajar y sostener al que no puede.

Un enfoque de este tipo, al establecer una especie de contrapartida por la renta fiscal recibida, se alejaría del planteamiento teórico de una renta garantizada como criterio principal que asegura la libertad individual real, incluso para trabajar o no hacerlo, y primaría más como criterio social el no vivir de la sopa boba, cuando se está en condiciones y edad de trabajar. La flexibilidad de la propuesta permite, sin embargo, su adaptación, en uno u otro sentido, según la primacía en cada momento de unos valores u otros. Y, en todo los casos, con mayor equidad y eficiencia que lo existente hoy en la materia, a la vez que permite ir integrando dos sistemas públicos similares, como son la Hacienda y la Seguridad Social, hoy absurdamente separados.

Es difícil pensar que una fórmula simple resuelva problemas complejos. Pero es inaceptable que un problema social complejo no tenga solución y debamos conformarnos con su existencia más o menos visible. Más allá de dónde situemos la línea de la pobreza y de cuántos españoles estén por debajo de ella, creo que debemos ser crecientemente intolerantes con la desigualdad de trato y oportunidades, así como con aquellas medidas que esconden comportamientos asimétricos en beneficio de los más ricos. Puede que nuestra sociedad y sus actuales mayorías políticas y culturales estén dispuestas a llegar a un alto en las medidas redistributivas de renta, aunque algunos pensemos que todavía estamos lejos de haber alcanzado lo necesario en ese terreno. Pero la respuesta no puede ser aceptar pasivamente medidas regresivas o encerrarnos en la defensa de lo existente. Defender medidas equitativas, racionales y universales, como la aquí propuesta, puede ser una forma de agotar los argumentos discursivos de la rebelión de los ricos en esta materia. Porque, sin argumentos, la dinámica social camina por otros derroteros.

Capítulo 9

PRIVATIZACIÓN DE EMPRESAS, SECTOR PÚBLICO Y ESTADO DE BIENESTAR

Juan Antonio Garde Roca

I. INTRODUCCIÓN

«La ola de futuro» es el título que Gary Becker ofrecía para un artículo sobre la política de privatizaciones. El Premio Nobel de Economía norteamericano considera las privatizaciones como un estímulo a la eficiencia, la innovación y la despolitización de la economía. La política de privatizaciones ha alcanzado a la mayoría de las empresas públicas rentables de nuestro país.

Argumentos financieros y de coyuntura (la reducción del déficit), de supuesta mejora de la eficiencia y el empleo (la gestión privada es capaz de modernizar y hacer un uso más productivo de unos recursos «cautivos»), y de conveniencia ideológica («el sector público no debe gestionar empresas»; en un mundo con libertad de movimiento de capitales, bienes y servicios; «la empresa pública es un anacronismo») sirven de justificación a la estrategia adoptada.

II. EL DEBATE EN ESPAÑA

Como suele suceder cuando se trata de temas cruciales que implican políticas de largo alcance y también programas de inmediata aplicación, el debate se desborda en distintos planos y niveles, netamente ideológicos algunos, supuestamente científicos otros, de oportunidad los más, incluso acudiendo al paradigma histórico de la desamortización.

El entorno y la red de intereses que confluyen en las decisiones tienden a incorporar factores adicionales de complejidad y derivaciones considerables al debate. Para algunos, en este caso fundamentalmente desde el dogmatismo liberal, estamos ante una batalla para devolver al mercado lo que nunca debió arrebatársele, dentro de la estrategia de máximo mercado mínimo Estado.

Para otros, desde el gobierno, forma parte del paquete modernizador y desregulador necesario para garantizar la eficiencia económica, no ocultando la conveniencia del efecto financiero favorable que los ingresos han supuesto para el cumplimiento del objetivo de déficit público y los criterios de convergencia fijados en Maastrich y en relación con el Plan de Estabilidad.

Es preciso señalar que la actitud de la oposición al Gobierno está siendo templada, alejada de los falsos dilemas y los antagonismos maniqueos, probablemente la política privatizadora de las legislaturas socialistas y las insuficiencias del discurso al efecto, están influyendo en ello.

Los sindicatos han argumentado su oposición frontal a las medidas desde una triple óptica: la carga ideológica del proceso; la ausencia de criterios efectivos de eficiencia económica; y su dudosa racionalidad en relación con los derechos de propiedad resultantes.

Por parte del principal partido de la oposición, los argumentos iniciales en contra estaban directamente relacionados con lo que los socialistas consideran un mero plan de obtención de liquidez, teniendo en cuenta que las privatizaciones tuvieron por objetivo empresas públicas eficazmente gestionadas (Repsol, Argentaria, Endesa, Gas Natural, Telefónica, Aldeasa, etc.).

Afirmaba, por otra parte, el principal partido de la oposición, que este programa de privatizaciones serviría para consolidar duopolios y oligopolios privados en sectores estratégicos de futuro sometidos a liberalización, y que favorecería «núcleos de control» en ocasiones muy alejados de los necesarios compromisos con la industria, con el peligro evidente de pérdida en el futuro de la «nacionalidad» de algunas empresas españolas más eficientes y de una mayor dependencia de nuestra economía.

Se critica igualmente la ideologización y falta de rigor en el análisis de los efectos de estas medidas sobre la eficacia en el cumplimiento de nuestras metas más próximas y sobre la eficiencia general de la economía. Estamos, en consecuencia, en un debate que en principio trasciende de la mera dualidad público-privado y que se configura en torno a concepciones más amplias de política industrial, desarrollo económico estratégico y también, cómo no, de política fiscal.

III. LOS RESULTADOS

El resultado de las grandes operaciones de privatización abordadas en los tres últimos años está consolidando un proceso oligopolístico, de un poder económico restringido y concentrado, con efectos desfavorables para el futuro de nuestra economía y de la competencia. Todo ello sin mencionar los efectos perversos que la consolidación de un *lobby* político-económico en las empresas privatizadas está planteando y pueden plantear en el futuro.

En la década de los '90, los ingresos por privatizaciones de empresas públicas españolas han ascendido a 5.45 billones de ptas., situando a nuestro país en el quinto lugar de la OCDE bajo este concepto.

En el informe mensual de coyuntura de enero de 1999 editado por La Caixa, se efectúa un completo estudio del proceso privatizador de empresas en nuestro país en los últimos años. Mantiene el informe que son diversos los factores que han propiciado una fuerte corriente privatizadora en el conjunto de las economías occidentales. Entre ellos, el auge del liberalismo económico ha sido determinante, junto con los motivos propios de consolidación fiscal.

El proceso ha sido posible por el grado de desarrollo del Estado de Bienestar, que ha favorecido la extensión del denominado «capitalismo popular».

A continuación, el informe señala cómo el proceso privatizador en España ha tenido dos fases claramente diferenciadas. En sus inicios, la racionalización del sector público empresarial prevaleció sobre la privatización en un intento de rentabilizar la empresa pública mediante el fomento de su competitividad y una estrategia de expansión internacional.

Las privatizaciones acometidas en esa primera época fueron de carácter parcial y el Estado mantuvo participaciones de control, excepto en empresas de menor dimensión que fueron enajenadas directamente.

El método privatizador cambia tras las elecciones de la primavera de 1996, y en poco más de dos años los recursos obtenidos superan ampliamente los de la década anterior sobrepasando los 4 billones de ptas. Se venden las participaciones en las empresas más significativas y rentables y se diseñan planes para la pronta privatización de todas las compañías con viabilidad comercial.

Los gobiernos anteriores hicieron de las privatizaciones una fuente de ingresos; este aspecto junto con la ausencia de discurso riguroso en torno al tejido productivo y la estrategia industrial parece hoy evidente. No obstante, en la última legislatura socialista se inició cierto cuestionamiento acerca de que «la mejor política industrial sea la ausencia de política industrial», impulsando una estrategia liberalizadora, desreguladora y de compromiso con la industria que se hizo compatible con un amplio programa de privatizaciones. Este último aparecía vertebrado con una concepción profesional y eficientista en un núcleo de empresas mixtas situadas fundamentalmente en los sectores de la energía, las comunicaciones, el comercio y los servicios. La presencia pública minoritaria en estas empresas, con criterio de control, no aparecía como un obstáculo sino más bien como garantía de la vocación de permanencia y de la continuidad de las estrategias competitivas y de internacionalización abordadas.

Si repasamos la reciente historia económica de España y recordamos nuestra tardanza en incorporarnos a la revolución industrial y a la modernización burguesa, constatamos la insuficiencia de empresarios innovadores —en la concepción schumpeteriana del término— en los períodos claves de despegue; revisamos las relaciones banca-industria y el coste del saneamiento de entidades financieras y sectores industriales privados para el Estado; si no olvidamos el trasvase de empresas al capital extranjero en la década de los '80 y la ausencia de compromiso con la industria de gobernantes y empresarios; si profundizamos, en fin, en el origen de buena parte de la empresa pública actual con pérdidas y de las razones de que deviniera como tal, probablemente, estaríamos en mejores condiciones de valorar sin apriorismos la complejidad de una política en la que lo público (no sólo como subvencionador o regulador) y lo privado estén obligados a interactuar.

IV. ESTADO-MERCADO-SOCIEDAD

Hoy el trípode Estado-mercado-sociedad y su interrelación aparecen como imprescindibles para garantizar el progreso económico. Resulta, en consecuencia, pueril la pretensión de que los procesos de integración y de internacionalización —a los que estamos obligados a adaptarnos— implican desechar cualquier papel para el sector público en el desarrollo directo de la política industrial. Y resulta, al día de hoy, verdaderamente ingenuo pretender que los condicionantes en materia política que la presencia de los gobiernos puede implicar, en los modernos conglomerados económicos, son más relevantes que los efectivamente inducidos por otros grupos de poder o núcleos duros de control con participaciones muy minoritarias.

En la actualidad, la sustracción de la actividad empresarial a las leyes del mercado tiene efectos más graves y negativos que en períodos anteriores. Sin embargo, la existencia de externalidades —positivas y negativas— implica que éstas necesitan ser jerarquizadas según las preferencias colectivas. Éste es el fundamento de la intervención pública, al impedir que la mayor flexibilidad en el marco de la actuación privada se traduzca en una pérdida de bienestar general. Esta realidad/necesidad de actuación pública puede materializarse a través de participaciones en la titularidad jurídica de los derechos de propiedad, junto con los intereses privados, y configurarse como factor de eficiencia para el funcionamiento de la economía.

Por lo tanto, a eficiencia para la economía en su conjunto y la vinculada a su propia gestión son los criterios fundamentales que deben considerar los economistas. La presencia del sector público en Repsol con una participación del 10%, en Telefónica con el 21% o en Tabacalera con el 53%, ¿era garantía de mayor ineficiencia para estas empresas y para la economía española? En las condiciones de globalización económica e interdependencia actual, ¿no existen sectores estratégicos o políticas industriales que defender, también por razones de eficiencia, desde el interés de los estados nacionales?

Desregular, abrir a la competencia, despolitizar (no en sentido de interés público, sino en sentido meramente partidista), ganar en eficiencia, modernizar, no son sinónimos de desaparición del interés público de la realidad económica productiva directa. En ocasiones, esta presencia cualitativa en convergencia con las políticas de regulación favorece una mayor eficiencia, no garantizada inicialmente por los mercados.

En nuestro país, la empresa pública ha resultado ser, en ocasiones, más eficiente que la privada, dentro de marcos de competencia limitada. Es el caso de Endesa y Repsol, en comparación con Iberdrola y Cepsa.

El concepto de eficiencia no se corresponde, a menudo, con los resultados de las cuentas anuales de pérdidas y ganancias, ya que éstos pueden resultar poco eficientes desde otros ámbitos económicos de análisis.

Es obvio que, en un mundo de economías abiertas y competitividad creciente, no tienen sentido actividades productivas arropadas de las inclemencias del mercado; probablemente sólo en situaciones muy excepcionales. Pero sí cabe la presencia pública por motivos estratégicos fundados. Entre estos motivos se encuentran la garantía de servicios públicos básicos, evitar la concentración excesiva del poder económico y las restricciones a la competencia, y velar por los intereses económicos y sociales nacionales.

Considerar que el sector público es paradigma de ineficiencia y el sector privado de lo contrario, descartar por principio la empresa pública (realmente mixta) como anacrónica, considerar que modernizar es privatizar sin más, son presupuestos ideológicos que no se basan en la evidencia empírica ni, posiblemente, en las previsibles necesidades presentes y futuras de la economía.

Si las razones ideológicas sin fundamento empírico deben ser desterradas, las razones de caja en este escenario deben estar supeditadas a una concepción de política industrial y económica firme y coherente, que piense no sólo en la coyuntura sino también en el medio y largo plazos.

Sólo desde esa óptica es posible el logro de la racionalización, la eficiencia y la modernización económicas, reconvirtiendo todo lo drásticamente que sea necesario la actividad productiva del sector público y privatizando aquello que no tiene ningún fundamento para permanecer en el ámbito público.

V. A MODO DE CONCLUSIÓN

Las consideraciones exclusivamente de caja y la presunción de que la ecuación propiedad privada = eficiencia, se cumplen inexorablemente, olvidándose de la amplia literatura de los fallos del mercado y la rica experiencia de la historia económica reciente, sólo puede estar suponiendo haber perdido de nuevo una ocasión para consolidar y poner al servicio de la modernización los logros en el campo empresarial de algunas de las políticas impulsadas desde el sector público. Porque no debemos olvidar que el Estado no es sólo una fuente de problemas desde el punto de vista económico (fallos del Gobierno), sino también una fuente de oportunidades e incentivos para el funcionamiento de los mercados, que en ausencia de los mismos se tornan ineficientes.

La venta de los derechos de propiedad de las empresas con presencia pública que resultan rentables, algunas de las cuales se ubican en sectores estratégicos y de futuro claves, no parece fundamentarse en consideraciones económicas sólidas.

Las olas se caracterizan por configurarse como proceso de flujo y reflujo, avance y retroceso; y el futuro es, por mera definición, algo abierto. La ola de futuro que conforma las privatizaciones, utilizando la expresión de Gary Becker, debe ser examinada con la prudencia y madurez a que la historia del pensamiento económico nos obliga. Probablemente estemos convirtiendo en maremoto lo que no es sino un fenómeno habitual seducido por la luna.

II

POLÍTICAS SECTORIALES

Capítulo 10

LAS POLÍTICAS DE EMPLEO: PASADO, PRESENTE Y FUTURO

Juan Francisco Jimeno

I. INTRODUCCIÓN

En lo que se refiere a las políticas sociales, los últimos 25 años se recordarán en España por la consolidación del Estado de Bienestar. En este período de tiempo, la oferta pública de protección social ha crecido a niveles semejantes a la de los Estados del Bienestar de mayor tamaño, como son los de los países de la Unión Europea (UE). Pero este período también se recordará como los «años del paro», por su magnitud y su persistencia. De hecho, en la actualidad, el problema social y económico más grave al que se enfrentan la mayoría de los países de la UE es el desempleo. La falta de un empleo remunerado es la principal causa de la pobreza, la exclusión social y la desigualdad en los niveles de renta y riqueza en estos países. De aquí que la solución a este grave problema pueda ser la contribución más importante a la mejora de los Estados del Bienestar europeos. Las políticas de empleo, que están dirigidas a favorecer un funcionamiento eficiente del mercado de trabajo (mediante una regulación adecuada del mercado de trabajo) y a mejorar la situación laboral de la población (mediante las denominadas políticas del mercado de trabajo), constituyen, por tanto, un elemento clave del desarrollo del Estado de Bienestar en la actualidad.

No obstante, existe una corriente de opinión que sostiene que «Estado de Bienestar» y «paro» son las dos caras de una misma moneda. Según esta opinión, la principal causa del paro sería un «desarrollo excesivo del Estado de Bienestar» que ha resultado en que no existan suficientes incentivos para que determinados desempleados busquen o acepten una oferta de trabajo. En particular, los individuos con bajos niveles de cualificación profesional y que, por tanto, tienen una productividad baja y sólo serían contratados a salarios bajos, encuentran refugio en las prestaciones sociales que, por otra parte, tampoco suelen ser excesivamente generosas, por lo que el propio Estado de Bienestar acaba generando «trampas de la pobreza o del paro». Con estas premisas, los partidarios de esta visión abogan por un desmantelamiento progresivo del Estado de Bienestar, para evitar dichas trampas de la pobreza y por la desregulación del mercado de trabajo, para que se creen puestos de trabajo a bajos salarios que sirvan para ocupar a los trabajadores menos cualificados.

Por el contrario, también existen quienes piensan que los problemas de pobreza y de exclusión social que se viven en los países europeos se deben, principalmente, a un desarrollo insuficiente del Estado de Bienestar y que el problema del paro no tiene nada que ver con la regulación del mercado de trabajo sino con una falta de demanda causada por políticas macroeconómicas (fiscales y monetarias) restrictivas. En esta línea de pensamiento se concluye que sólo con una mayor intervención estatal se puede avanzar en la protección social y en la solución del problema del paro.

Los dos párrafos anteriores reflejan, necesariamente, una visión caricaturesca de las dos corrientes de opinión más extremas sobre Estado de Bienestar y paro. Sin embargo, a pesar de su simplicidad, se suelen escuchar numerosas opiniones fundadas sobre los principios enunciados en los dos párrafos previos. Tras muchos estudios sobre las causas del paro, en la actualidad tenemos suficientes fundamentos teóricos y empíricos como para pensar que ninguna de las dos visiones anteriores está cerca de la realidad. Los que abogan por el desmantelamiento del Estado de Bienestar y por la desregulación del mercado de trabajo olvidan que los ciudadanos europeos demandan una cierta «cohesión social» y no parecen dispuestos a aceptar los niveles de desigualdad y fractura social que existen en países con Estados de Bienestar menos desarrollados y con mercados de trabajo «menos regulados». (En este sentido, el caso de EE.UU. es el que se suele utilizar como ejemplo.) Por otra parte, los que piden un Estado de Bienestar «más desarrollado» y «más regulación» del mercado de trabajo están cerrando sus ojos a la evidencia. En muchos países europeos existen ciertas deficiencias en algunos instrumentos del Estado de Bienestar y en el diseño institucional del mercado de trabajo que se traducen en una pérdida de bienestar social que sufren, principalmente, los más desfavorecidos. Un Estado de Bienestar sobredimensionado e ineficaz y un diseño institucional del mercado de trabajo poco adecuado pueden generar situaciones de pobreza, exclusión social y desigualdad parecidas a las que se observan en países con Estados de Bienestar poco desarrollados y mercados de trabajo «desregulados».

La cuestión relevante, por tanto, consiste en identificar qué elementos del Estado de Bienestar, en general, y de las políticas de empleo, en particular, contribuyen de una manera eficaz a satisfacer las demandas de protección social de los ciudadanos, evitando el maniqueísmo de pensar que toda intervención estatal en esta materia bien genera paro o bien, sin más, contribuye al bienestar social. El objetivo de este artículo es plantear el estado de la mencionada cuestión en lo que se refiere a las políticas de empleo. Se trata de pasar revista a la experiencia europea en políticas de empleo y de extraer de ella algunas lecciones que pueden guiar la formulación de dichas políticas en el futuro. Para ello, en el apartado siguiente se define el concepto de políticas de empleo y se compara la evolución seguida en España con la del resto de países de la UE, en lo que se refiere a dichas políticas. A este respecto, en la actualidad, la situación está muy marcada por las iniciativas adoptadas por los países de la UE a partir del Tratado de Amsterdam y de la Cumbre de Luxemburgo (noviembre de 1997) que serán objeto de discusión en el apartado tercero. Estas iniciativas parecen apuntar hacia la consolidación de las políticas activas del mercado de trabajo como principal protagonista en la lucha contra el paro en los países de la UE. Por ello, el apartado cuarto se dedica a ofrecer una lectura de la experiencia europea en materia de políticas activas de mercado de trabajo para concluir que en el diseño y aplicación de dichas políticas existen ciertos aspectos a mejorar y que no cabe esperar que, incluso aunque se eliminaran sus deficiencias, las políticas activas del mercado de trabajo constituyan la panacea en la lucha contra el paro. Finalmente, el apartado cinco contiene algunos comentarios finales.

II. LAS POLÍTICAS DE EMPLEO EN LA UE

Conviene empezar definiendo el concepto de «políticas de empleo». Demasiadas veces en los debates políticos se denomina «política de empleo» a cualquier actuación pública que tiene o es susceptible de tener efectos sobre el empleo. En realidad, las políticas de empleo son aquellas actuaciones públicas referidas bien a la regulación del mercado de trabajo, bien a las políticas denominadas del mercado de trabajo que están dirigidas a mejorar la situación laboral de los trabajadores, por ejemplo, aumentando la tasa de salida del desempleo de los parados o mejorando la cualificación profesional de los ocupados a través de programas de formación continua. El cuadro 1 presenta un resumen de las distintas manifestaciones de las políticas de empleo, distinguiendo la regulación del mercado de trabajo de las llamadas políticas del mercado de trabajo. A continuación se describen con más detalle los distintos tipos de intervenciones públicas que pertenecen al ámbito de las políticas de empleo, en cada una de las dos vertientes citadas anteriormente.

Cuadro 1. LAS POLÍTICAS DE EMPLEO

TIPOS	CONTENIDOS	EJEMPLOS
1. Regulación del mercado de trabajo	1.1. Regulación de las condiciones de entrada, salida y modificaciones de las condiciones del empleo	Mecanismos de contratación laboral. Legislación sobre despido individual, despido colectivo, contratación temporal, etc. Legislación sobre movilidad geográfica, funcional, etc.
	1.2. Regulación del tiempo de trabajo	Legislación sobre jornada laboral y horarios de trabajo. Legislación sobre jubilación y prejubilación. Contratación a tiempo parcial.
	1.3. Regulación del proceso de determinación salarial	Legislación sobre salarios mínimos. Regulación de la negociación colectiva. Determinación salarial en el sector público.
2. Políticas del mercado de trabajo	2.1. Políticas activas (aumento de las tasas de salida del paro hacia la ocupación)	Formación profesional, ocupacional y continua. Subvenciones directas a la creación de empleo. Servicios públicos de información, inserción y gestión del empleo. Apoyo a colectivos específicos (jóvenes, mujeres, discapacitados, parados de larga duración).
	2.2. Políticas pasivas (mantenimiento de las rentas de los desempleados)	Sistema de prestaciones por desempleo. Prestaciones por invalidez, prejubilación, etc.

1. *La regulación del mercado de trabajo*

Todas aquellas actuaciones públicas dirigidas a regular el funcionamiento del mercado de trabajo son susceptibles de tener efectos sobre la creación y destrucción de empleo y, por tanto, entran en el ámbito de las llamadas políticas de empleo. En general, tal y como se recoge en el cuadro 1, estas actuaciones pueden clasificarse en tres grandes grupos:

a) La regulación de las condiciones de entrada y salida en el empleo, de las modificaciones de las condiciones de empleo y de las condiciones bajo las cuales las empresas y trabajadores pueden realizar y rescindir los contratos de trabajo (mecanismos de contratación, condiciones y tipos de despido) y bajo las cuales pueden cambiar las condiciones del empleo (movilidad geográfica, funcional, etc.). Al conjunto de toda esta regulación se le suele denominar sistema de contratos de trabajo.

b) La regulación sobre el tiempo de trabajo, que es uno de los determinantes del número de horas de trabajo por trabajador y de los costes laborales unitarios (la relación entre los costes laborales y la productividad del trabajo).

c) La regulación de los mecanismos de determinación salarial que en la mayoría de los países, al menos en el sector privado, se organiza a través de la legislación sobre salarios mínimos y la regulación de la negociación colectiva, que acaba determinando la cobertura y la estructura de los convenios colectivos que fijan los salarios de la mayoría de los trabajadores de la UE.

En la mayoría de los países de la UE existe una amplia y abundante legislación sobre las condiciones de empleo. La mayor parte de esta legislación está dirigida a proteger al trabajador ante despidos o variaciones sustanciales en las características de sus puestos de trabajo. Este tipo de legislación se puede justificar, no sólo por consideraciones distributivas, sino también por cuestiones relacionadas con la eficiencia económica. Por ejemplo, la legislación sobre protección al empleo puede reducir los costes de contratación mediante el establecimiento de condiciones generales; puede permitir una mayor calidad en el emparejamiento entre trabajadores y puestos de trabajo y fomentar la inversión en capital humano específico a la empresa; y favorecer la búsqueda de un nuevo empleo, en caso de despidos. No obstante, este tipo de legislación también afecta a los costes laborales y, por tanto, puede reducir el nivel de empleo.

Independientemente de las razones que justifiquen esta legislación, el hecho es que todos los Estados de la UE intervienen de una manera o de otra para proteger las condiciones de empleo de los trabajadores. En el caso de las contrataciones, los instrumentos de intervención pueden referirse a la intervención administrativa o de los representantes de los trabajadores en el proceso de contratación de un nuevo trabajador. En el caso de los despidos, los instrumentos de intervención desde el establecimiento de distintos períodos de aviso; la distinta clasificación de los tipos de despido según las causas que lo hayan motivado; la intervención administrativa y/o judicial en la declaración del tipo de despido; y el pago de indemnizaciones según los casos. En general, la legislación sobre protección del empleo es alta en la UE en relación, por ejemplo a EE.UU., pero existen ciertas diferencias entre los países del sur (Portugal, España, Italia y Grecia), que tienen las legislaciones más estrictas en esta materia, y países de tradición anglosajana (Reino Unido, Irlanda, Dinamarca) donde este tipo de legislación es menos estricta[1].

A pesar de las diferencias en los mecanismos de protección del empleo entre Estados, los países de la UE han compartido una cierta estrategia común a la hora de reformar este tipo de legislación, estrategia que ha consistido básicamente en la liberalización de «contratos atípicos de trabajo» (contratos temporales, contratos a tiempo parcial, etc.), sin modificar sustancialmente las condiciones de los contratos permanentes[2]. El cuadro 2 presenta un resumen de las reformas recientes en este campo. Este cuadro muestra, en primer lugar, que durante la primera mitad de los '90, las tendencias en la reforma de las condiciones de despido de los trabajadores con contrato permanente no son muy claras. Mientras algunos países (Reino Unido, Bélgica, Finlandia, Portugal y España) han suavizado algunas de las restricciones al despido, en otros países (Francia y Dinamarca) las restricciones al despido de los trabajadores con contratos permanentes han aumentado. No obstante, también se observa que las principales reformas de la legislación sobre la protección del empleo durante este período han sido parciales y no han

1. Una clasificación del grado de rigidez de la legislación sobre protección del empleo en los países de la UE se puede consultar en OECD, 1994, capítulo 6. Esta clasificación se refiere a las restricciones a la contratación y al despido de trabajadores con el «contrato típico», esto es, contratos permanentes a tiempo completo.

2. Estas reformas a «dos velocidades» han significado un aumento de la flexibilidad laboral, pero también han tenido otros efectos negativos (véase Bentolila y Dolado, 1994; Bertola e Ichino, 1995).

Cuadro 2. REFORMAS DE LA LEGISLACIÓN SOBRE PROTECCIÓN DEL EMPLEO EN LOS PAÍSES DE LA UE DURANTE LOS AÑOS '90

	ENDURECIMIENTO DE LOS REQUISITOS DE DESPIDO DE TRABAJADORES PERMANENTES	SUAVIZACIÓN DE LOS REQUISITOS DE DESPIDO DE TRABAJADORES PERMANENTES
Alemania, 1993	Aumento del período de aviso para trabajadores manuales.	
Alemania, 1996		El tamaño mínimo de la empresa afectada por la legislación se aumenta de 5 a 10 trabajadores.
Francia, 1989	Despidos colectivos deben ir acompañados de un «plan social».	
Francia, 1993	Definición de los contenidos de los «planes sociales».	
Francia, 1995	Los tribunales interpretan la reforma de 1993 restrictivamente.	
R. Unido, 1993		El período de prueba se amplía de 1 a 2 años.
Bélgica, 1994		El período de aviso para trabajadores no manuales de salarios altos se deja a la negociación.
Dinamarca, 1994	Se amplía el período de aviso para despidos colectivos en grandes empresas.	
Finlandia, 1996		Propuestas de reducción del período de aviso de dos a un mes para trabajadores de antigüedad inferior a 1 año.
Luxemburgo, 1993	Restricciones a los despidos colectivos.	
Portugal, 1989 y 1991		Ampliación de las causas del despido, suavización de las restricciones a los despidos colectivos y reducciones de las indemnizaciones en caso de desacuerdo.
España, 1994		Ampliación de las causas del despido y suavización de trámites administrativos.
España, 1997		Introducción de un nuevo contrato con indemnizaciones por despido más bajas y bonificaciones de las cotizaciones a la Seguridad Social.

Fuente: OECD (1997).

afectado de forma fundamental a los trabajadores empleados con contratos permanentes, sino a los nuevos trabajadores empleados con «contratos atípicos» (contratos temporales, contratos a tiempo parcial, etc.). En este sentido, España, con alrededor de un tercio de los asalariados con contrato temporal, que es la mayor tasa de empleo temporal de la UE con diferencia, constituye el paradigma. La mayoría de las reformas de la legislación laboral que se han introducido recientemente (en 1994 y 1997) han estado dirigidas a reducir esta tasa de temporalidad. Sin embargo, a pesar de estas reformas y de las bonificaciones a las cotizaciones a la Seguridad Social de algunos contratos permanentes, dicha tasa de temporalidad no se ha reducido sustancialmente.

Por lo que se refiere al tiempo de trabajo, la negociación entre trabajadores y empresarios es su principal determinante. En cualquier caso, en la mayoría de los países existe cierta legislación sobre la jornada normal de trabajo, tanto en lo que se refiere a su duración como a su distribución, así como las condiciones para las horas extraordinarias (prima salarial, etc.). A este respecto, en la actualidad, se observan dos tendencias. En primer lugar, se percibe un cierto aumento en la «flexibilidad horaria», es decir, en la cantidad de trabajo realizado fuera del horario normal que, en el caso de España, se debe, en gran medida, al cambio de legislación (introducido en 1994) que permitió el cómputo anual de las horas de trabajo. En segundo lugar, se está produciendo un intenso debate sobre el llamado «reparto del trabajo» como elemento fundamental de las «políticas de empleo» que, en algunos países, ha llevado a tomar distintas medidas. Por ejemplo, en Francia se ha optado por favorecer una reducción gradual de la duración de la jornada normal de trabajo hasta las 35 horas semanales y otros países están considerando avanzar en esta línea.

Mucho se ha discutido sobre la capacidad de generar empleo de las políticas llamadas de «reparto del trabajo» (que no se limitan a la reducción de la jornada normal de trabajo sino que también incluyen medidas como el fomento del trabajo a tiempo parcial o la prejubilación como mecanismo de sustitución de trabajadores cercanos a la jubilación por jóvenes). En realidad, no existen argumentos sólidos, ni de tipo teórico ni de tipo empírico, que permitan pensar que «el reparto del trabajo» contribuye a la creación de empleo, sino que, por el contrario, puede encarecer el factor trabajo y crear otro tipo de problemas: por ejemplo, una buena parte de los problemas de sostenibilidad financiera de los sistemas públicos de pensiones que se pueden plantear en el futuro se originan por el adelanto en la edad de jubilación en que se ha traducido la generalización de los planes de prejubilación[3].

Finalmente, por lo que se refiere a la regulación del proceso de determinación salarial, también existe gran variedad de intervenciones estatales en relación con la fijación de salarios mínimos y la regulación de la negociación colectiva, que determinan en buena parte el grado de flexibilidad microeconómica y macroeconómica de los salarios (es decir, el grado de ajuste entre los salarios y las condiciones de las empresas y la situación macroeconómica general del país, respectivamente). Las tendencias recientes en este sentido son de mantenimiento de la relación entre salarios mínimos estatutarios y salarios medios, con reducciones de las cotizaciones sociales de los trabajadores menos cualificados en algunos países, y una ligera descentralización de la estructura de la negociación colectiva. En el caso español, el salario mínimo interprofesional (SMI) de los trabajadores adultos ha crecido menos que los salarios medios, mientras que el de los trabajadores menores de 18 años ha experimentado un crecimiento sustancial al equipararse con el SMI de los trabajadores adultos. Por lo que respecta a la regulación de la negociación colectiva, a pesar de ciertas reformas de la legislación en 1994 (la obligatoriedad de incluir una cláusula de descuelgue en los convenios colectivos de ámbito superior a la empresa) y del acuerdo entre la CEOE, UGT y CC.OO. en 1997 para racionalizar la estructura de la negociación colectiva, la situación actual no es muy diferente a la de mediados de los '80.

2. *Las políticas del mercado de trabajo*

Por políticas del mercado de trabajo se entienden aquellas actuaciones públicas dirigidas a mejorar la situación laboral de los trabajadores. Es bastante común que este tipo de políticas se clasifiquen en dos categorías: *I*) políticas *pasivas*, aquéllas cuyo objetivo fundamental es el mantenimiento de las rentas de los trabajadores en paro o en dificultades especiales; y *II*) políticas *activas,* que pretenden aumentar la tasa de inserción laboral de los trabajadores desempleados o la productividad de los trabajadores ocupados mediante mejoras de su cualificación profesional. A continuación se analiza la situación de este tipo de políticas en los países de la UE.

3. Un buen resumen de los resultados de la investigación económica sobre los efectos del «reparto del trabajo» se puede encontrar en Hunt, 1998.

3. *Las políticas pasivas del mercado de trabajo*

El componente principal de las políticas pasivas del mercado de trabajo es el sistema de prestaciones por desempleo. En la mayoría de los países de la UE este sistema está organizado sobre dos pilares: prestaciones contributivas o seguro de paro (a las que tienen derecho los trabajadores parados que han trabajado previamente y han cotizado al sistema) y prestaciones asistenciales (a las que tienen derecho los parados que no acceden a las prestaciones contributivas o han agotado las prestaciones contributivas y no tienen fuentes de renta por encima de un mínimo establecido). Los sistemas de prestaciones por desempleo difieren notablemente entre países en función de las condiciones de acceso a las prestaciones (contributivas y asistenciales), la cuantía de dichas prestaciones (que se suele medir en términos de la tasa de sustitución, es decir, el cociente entre las prestaciones y el salario que recibiría el trabajador si estuviera ocupado) y la duración de dichas prestaciones. Estas diferencias hacen que la comparación entre «los niveles de generosidad» de las prestaciones por desempleo entre países sea extremadamente compleja[4]. No obstante, a pesar de esta complejidad, se pueden observar las siguientes tendencias (véase OECD, 1994, para más detalles). Los países de la UE (con excepción de los países del Sur) han tenido un sistema de prestaciones por desempleo relativamente generoso desde principios de los '60, y la mayoría de dichos países (con las excepciones de Francia y Alemania) aumentaron dicha generosidad durante la década de los '60 y principios de los '70. En el período 1975-85 también se produjeron aumentos en la generosidad de las prestaciones por desempleo en Dinamarca, Holanda, Irlanda y Francia, mientras que países como Bélgica y el Reino Unido las redujeron. Por lo que se refiere a los países del Sur de Europa, las prestaciones por desempleo han permanecido en niveles relativamente poco generosos en Italia, mientras que aumentaron notablemente en España durante el período 1980-92 hasta alcanzar niveles de generosidad similares a la de los países del centro y del norte de Europa. En Grecia y Portugal, los aumentos de la generosidad de las prestaciones por desempleo se producen a partir de finales de los años '80.

La situación actual a este respecto se resume en el cuadro 3, que presenta algunos indicadores del sistema de prestaciones por desem-

4. En lo que sigue, «generosidad» ha de entenderse en un sentido actuarial, esto es, en referencia a la relación entre la cuantía y cobertura de las prestaciones por desempleo, por un lado, y el nivel de los salarios medios.

Cuadro 3. PRESTACIONES POR DESEMPLEO EN LOS PAÍSES DE LA UE

	1	2	3	4	5	6	7	8	9	10	11
Alemania	26	54	4	28.1	26.4	Sí		Sí		64	76
Francia	38	55	3	37.2	37.5		Sí	Sí		81	77
Italia	20	19	0.5	2.5	19.7	Sí					
Reino Unido	18	51	4	17.5	18.1	Sí	Sí		Sí	86	97
Austria	26		2	31.0	25.8		Sí	Sí		89	90
Bélgica	42	59	4	42.3	41.6	Sí				89	94
Dinamarca	71	81	2.5	51.9	70.3	Sí	Sí			100	100
Finlandia	43	59	2	38.8	43.2		Sí	Sí		101	100
Grecia	22			17.1	22.1					53	50
Irlanda	23	37	4	29.3	26.1	Sí		Sí		95	95
Holanda	46	69	2	51.3	45.9	Sí	Sí		Sí	145	144
Portugal	35		0.8	34.4	35.2					22	43
España	32	49	3.5	33.5	31.7	Sí	Sí	Sí		54	40
Suecia	27	67	1.2	29.4	27.3	Sí	Sí	Sí		66	73

Notas: 1) Tasa de sustitución bruta, 1995; 2) Tasa de sustitución neta (1994-95); 3) Duración máxima de las prestaciones por desempleo en años — 4=indefinidas— 4) Índice de generosidad, 1991; 5) Índice de generosidad, 1995; 6) Requisitos de disponibilidad laboral más duros; 7) Requisitos de elegibilidad más duros; 8) Reducciones de tasas de sustitución iniciales; 9) Reducciones de la duración; 10) Perceptores de prestaciones por desempleo como porcentaje de los parados, 1990; 11) Perceptores de prestaciones por desempleo como porcentaje de los parados, 1995. Las columnas 5 a 8 se refieren a reformas durante la primera mitad de los '90.

Fuente: Columna 3, Nickell y Layard, 1997. Resto de columnas, OECD, 1997.

pleo en los países de la UE. Los indicadores (tomados de OECD, 1997) se refieren a distintas definiciones de la tasa de sustitución de las prestaciones por desempleo, índices de generosidad, evolución de los requisitos de elegibilidad durante la primera mitad de los '90 y a tasas de cobertura de las prestaciones. Las tres primeras columnas del cuadro muestran que tanto en lo que se refiere a las tasas de sustitución y duración máxima de las prestaciones, existen diferencias apreciables. Estas diferencias se traducen en índices de generosidad más altos en Holanda, Bélgica, Finlandia y, sobre todo, Dinamarca, y más bajos en Italia y el Reino Unido. También las tasas de cobertura de las prestaciones por desempleo —columnas 10 y 11— varían entre los niveles del 40% o 45% en España y Portugal a niveles que igualan o incluso superan el 100% (Holanda, Bélgica, Finlandia). Las columnas 6 a 8 muestran que la mayoría de los países durante la primera mitad de los '90 han introducido reformas dirigidas a disminuir la generosidad de las prestaciones, bien reduciendo las tasas de sustitución y/o la duración de las prestaciones o estableciendo requisitos de elegibilidad y/o de disponibilidad laboral más restrictivos. Sin embargo, la comparación de las columnas 4 y 5 permite concluir que estas reformas no se han traducido en una tendencia definida de los índices de generosidad en todos los países de la UE. Mientras que estos índices han aumentado en países como Italia, Grecia (dos países con prestaciones relativamente poco generosas en 1990) y en Dinamarca y Finlandia (dos países con prestaciones relativamente muy generosas en 1995), han disminuido en otros países como Austria, Irlanda (dos países cercanos a la media en 1990) y Holanda (un país con prestaciones relativamente generosas en 1990). En definitiva, existen diferencias muy notorias en la forma en que estos países tratan a los parados que no parecen haberse reducido a lo largo de la primera mitad de los '90.

4. *Las políticas activas del mercado de trabajo*

Las políticas activas del mercado de trabajo toman formas variadas. Fundamentalmente, existen cuatro tipos de programas: creación directa de empleo en el sector público, subvenciones al empleo en el sector privado, programas de formación, y servicios públicos de gestión e intermediación del mercado de trabajo. Además, en todos los países existen programas específicos diseñados para ayudar a ciertos colectivos cuya situación laboral es especialmente desfavorecida, como pueden ser los jóvenes, las mujeres, los parados de larga duración o los discapacitados. La mayoría de estos programas pertenecen al ámbito de los servicios públicos de empleo (el INEM, en el caso español), aunque cada vez es más frecuente que gobiernos regionales o locales se involucren en el diseño y financiación de políticas activas del mercado de trabajo.

Existen varios indicadores sobre el tamaño de las políticas activas del mercado de trabajo. Según estos indicadores, la forma en que los países de la UE diseñan las políticas de empleo también es muy variada. En primer lugar, el cuadro 4.a muestra que el gasto en políticas activas de empleo que, en media es de alrededor del 1% del PIB, difiere notablemente entre países. Aproximadamente la mitad de los países supera dicho porcentaje de gasto, siendo especialmente alto en Suecia y Dinamarca. Por el contrario, en el Reino Unido, Austria, Grecia y España, el gasto en políticas activas de empleo está alrededor del 0.5% del PIB. En la casi totalidad de los países de la UE (excluyendo a Grecia, Italia y Suecia), el gasto en políticas activas de empleo es inferior al gasto en políticas pasivas de empleo. En segundo lugar, según los datos del cuadro 4.a, desde mediados de los años '80 se ha producido un aumento casi general del gasto en políticas activas del mercado de trabajo en términos del PIB (las excepciones son Austria, Grecia y Reino Unido). En cuanto al peso de las políticas activas res-

Cuadro 4.a. EVOLUCIÓN DEL GASTO EN POLÍTICAS ACTIVAS DE EMPLEO EN LOS PAÍSES DE LA UE DURANTE LOS AÑOS '90

	COMO PORCENTAJE DEL PIB (%)		COMO PORCENTAJE DEL GASTO TOTAL EN POLÍTICAS DE EMPLEO (%)	
	1985	1996	1985	1996
Alemania	0.8	1.4	36	36
Francia	0.7	1.3	22	42
Italia	N.d.	1.1	n.d.	55
Reino Unido	0.7	0.4	26	29
Austria	0.3	0.4	23	22
Bélgica	1.3	1.5	28	35
Dinamarca	1.1	1.9	23	31
Finlandia	0.9	1.7	41	32
Grecia	0.2	0.3	33	38
Irlanda	1.5	1.7	30	41
Holanda	1.3	1.4	27	25
Portugal	0.4	1.1	50	51
España	0.3	0.7	11	24
Suecia	2.1	2.4	71	51
UE	0.9	1.2	32	35

Fuente: OECD, base de datos sobre programas del mercado de trabajo.

pecto a las políticas pasivas del mercado de trabajo, en el período 1985-96 se observa un ligero aumento en el porcentaje de gasto en relación con el gasto total en políticas de empleo (de tres puntos para el conjunto de la UE), con fuertes reducciones en Finlandia y Suecia, y aumentos significativos en España, Irlanda y Francia.

Los cuadros 4b y 4c muestran otros indicadores de la importancia de las políticas activas del mercado de trabajo en los países de la UE, como son el cociente entre el gasto en políticas activas del mercado de trabajo y el PIB por ocupado y el porcentaje de la población activa que ha participado en programas relacionados con dichas políticas. El primero de estos indicadores sirve para aproximar el grado de «calidad» de los programas en términos de los recursos per cápita que se dedican a los mismos, mientras que el segundo puede tomarse como una indicación de la eficacia de dichos programas en términos del número de beneficiarios. Según se observa en estos cuadros, existe una amplia disparidad en ambos indicadores entre los países de la UE. Por una lado, el gasto por parado, normalizado con relación al PIB por ocupado, fluctúa entre el 3% (en Grecia y en España) y los valores cercanos al 30% (en Suecia y Dinamarca), habiendo aumentado en la última década en la mayoría de los países (las excepciones son Finlandia, Grecia, Italia, Luxemburgo, Sue-

Cuadro 4.b. GASTO EN POLÍTICAS ACTIVAS DEL MERCADO DE TRABAJO POR PARADO EN RELACIÓN CON EL PIB POR OCUPADO (%)

	1985	1990	1996
Austria	7.6	9.6	9.5
Bélgica	10.8	13.9	11.4
Dinamarca	20.9	13.6	27.9
Finlandia	18.5	29.4	10.7
Francia	6.6	9.2	10.7
Alemania	10.0	16.7	16.1
Grecia	2.2	5.2	2.6
Irlanda	8.8	10.5	13.9
Italia	—	18.3	9.0
Luxemburgo	3.3	2.8	0.8
Holanda	11.5	16.2	21.3
Portugal	4.2	14.0	14.1
España	1.6	4.7	3.0
Suecia	73.8	102.4	30.6
Reino Unido	6.4	11.0	5.0
UE	13.3	18.5	11.3

Fuente: OECD, base de datos sobre programas del mercado de trabajo.

Cuadro 4.c. PARTICIPANTES EN PROGRAMAS DE POLÍTICAS ACTIVAS DEL MERCADO DE TRABAJO (COMO PORCENTAJE DE POBLACIÓN ACTIVA)

	1986	1990	1996
Austria	—	2.4	—
Bélgica	—	10.9	17.0
Dinamarca	9.5	11.0	19.4
Finlandia	4.5	5.3	12.8
Francia	—	7.4	11.3
Alemania	—	4.0	4.2
Grecia	—	2.5	3.0
Irlanda	—	6.9	11.3
Holanda	2.3	2.8	12.7
Portugal	1.6	4.7	7.1
España	6.6	7.6	2.8
Suecia	—	3.7	13.8
Reino Unido	—	2.2	2.4
UE	—	5.8	9.8

Fuente: OECD, base de datos sobre programas del mercado de trabajo.

cia y Reino Unido). Igualmente, por lo que respecta a la participación en dichos programas, los valores fluctúan entre cifras de alrededor del 3% (en Grecia, España y el Reino Unido) y valores de alrededor del 20% (en Dinamarca), siendo la tendencia de los últimos años también creciente en la mayoría de los países (con la excepción de España).

Por lo que se refiere a la composición del gasto en políticas activas de empleo en los países de la UE, el cuadro 4d muestra su evolución durante el período 1985-96. Aquí también se aprecian pocos elementos comunes. Por ejemplo, el peso de la formación en las políticas activas de empleo es relativamente alto (por encima del 50%) en Dinamarca y España (donde se ha multiplicado por siete en los últimos diez años), mientras que representa menos de la cuarta parte del gasto en Bélgica, Holanda, Irlanda, Luxemburgo, Suecia y Reino Unido. Por otra parte, el gasto en creación directa de empleo en el sector público es relativamente alto en Dinamarca, Finlandia e Irlanda, mientras que representa una parte pequeña del gasto en Francia, Reino Unido, Austria, Grecia, Portugal y España. En tercer lugar, las subvenciones a la creación de empleo, que en media representan alrededor del 10% del gasto en políticas activas del mercado de trabajo, tienen un peso relativamente alto en Grecia, Francia, Alemania, Irlanda y España y bajo en el Reino Unido, Austria y Dinamarca. En general, tampoco en este componente institucional del mercado de trabajo se

Cuadro 4.d. COMPOSICIÓN DEL GASTO EN POLÍTICAS ACTIVAS DEL MERCADO DE TRABAJO

	ADMINISTRACIÓN DE SERVICIOS PÚBLICOS DE EMPLEO		FORMACIÓN		MEDIDAS PARA LOS JÓVENES		SUBVENCIONES AL EMPLEO EN EL SECTOR PRIVADO		CREACIÓN DIRECTA DE EMPLEO EN EL SECTOR PÚBLICO		MEDIDAS PARA LOS DISCAPACITADOS	
	1985	1996	1985	1996	1985	1996	1985	1996	1985	1996	1985	1996
Austria	38	37	31	35	10	2	9	5	3	8	8	13
Bélgica	13	16	15	20	1	6	2	8	58	41	11	10
Dinamarca	7	5	37	51	19	7	5	5	15	13	17	20
Finlandia	9	9	29	33	6	13	5	6	41	32	10	7
Francia	20	12	39	29	25	19	9	15	0	17	8	7
Alemania[a]	26	17	24	32	6	5	6	7	15	21	23	19
Grecia	40	42	12	28	16	9	26	20	4	0	1	1
Irlanda	11	15	42	13	34	14	6	15	6	38	1	5
Luxemburgo	8	10	0	3	18	50	23	20	0	1	50	16
Holanda	21	26	15	9	3	7	1	9	3	10	57	39
Portugal	18	11	51	37	10	34	3	8	7	3	10	7
España	25	13	7	52	0	12	37	14	29	7	2	2
Suecia	12	11	24	23	10	5	5	11	15	19	34	31
Reino Unido	22	43	9	22	35	26	4	1	25	2	4	6
UE	19	19	24	28	14	15	10	10	16	15	17	13

Fuente: OECD, base de datos sobre programas del mercado de trabajo.

observa un grado de homogeneidad alto o creciente entre los países de la UE. Puesto que tanto el gasto en políticas de empleo como su composición están condicionados por la magnitud e incidencia en determinados colectivos del paro en los distintos Estados, que son muy distintos entre los países de la UE, tal heterogeneidad no es de extrañar. España destaca por el alto porcentaje de gasto dedicado a programas de formación, que, además, se debe a un crecimiento intenso experimentado en los últimos años.

III. LA COORDINACIÓN DE LAS POLÍTICAS DE EMPLEO ENTRE LOS PAÍSES DE LA UE

La unión monetaria es un elemento importante en el proceso de integración económica y política de los países de la UE, pero no es el único. En este proceso de integración, hasta hace pocas fechas, el problema del paro no era un protagonista principal. Durante la primera mitad de los '90, el proceso de integración europea ha estado marcado fundamentalmente por los requisitos de convergencia (nominal y fiscal) establecidos por el Tratado de Maastricht para formar parte de la UEM. Las diferencias apreciables en las tasas de paro y en el funcionamiento de los mercados de trabajo de los países de la UE no se consideraron un obstáculo insalvable para el establecimiento de la zona del euro. Sin embargo, una vez cumplidos los requisitos de convergencia fiscal y nominal, los gobernantes europeos han pasado a prestar más atención al problema del paro. Esta mayor preocupación se refleja en algunos capítulos del Tratado en Amsterdam de junio de 1997, que marcan el punto de partida hacia un enfoque coordinado de las políticas de empleo[5].

El Tratado de Amsterdam otorga al problema del paro una importancia prioritaria de varias formas:

a) estableciendo que alcanzar un elevado nivel de empleo es uno de los objetivos clave de la UE;

b) declarando que el empleo es una cuestión de interés común;

c) introduciendo el principio de que todas las políticas comunitarias han de ser evaluadas en función de su impacto sobre el empleo;

5. Para los detalles del desarrollo de las políticas de empleo en la UE a raíz del Tratado de Amsterdam, véase VV.AA., *Políticas de empleo en la Unión Europea: Presente y Futuro*, Federación de Cajas de Ahorros Vasco-Navarras, Vitoria, 1999.

d) creando un procedimiento para el seguimiento y evaluación de las políticas de empleo de cada país miembro;

e) fundando estructuras institucionales permanentes con base jurídica (el Comité de Empleo) dedicadas a un debate transparente y continuo sobre temas de empleo;

f) creando una base legal para el análisis, la investigación, el intercambio de buenas prácticas, y la promoción de medidas a favor del empleo; y

g) permitiendo la toma de decisiones por mayoría cualificada.

Una buena muestra del cambio de consideración del problema del paro en las políticas comunitarias en la UE es que, en la cumbre de Luxemburgo de noviembre de 1997, los jefes de gobierno aceptan implementar las medidas sobre el empleo del Tratado de Amsterdam antes de que se proceda a la ratificación de dicho tratado por los respectivos parlamentos de los países miembros. En dicha cumbre se acordó un procedimiento de coordinación de las políticas de empleo que consiste básicamente en lo siguiente:

a) Cada año en octubre la Comisión adoptará un paquete de informes sobre la situación del empleo en Europa que incluirá propuestas de directrices para los países miembros.

b) Las propuestas serán sometidas a dictamen en los diferentes organismos e instituciones, incluyendo al Parlamento Europeo.

c) El Consejo Europeo de diciembre de cada año discutirá las propuestas y adoptará las directrices finales para cada año.

d) Sobre la base de estas directrices, los países miembros preparan o revisan sus Planes Nacionales de Empleo.

e) La Comisión examina la coherencia de los Planes Nacionales con las líneas directrices y someterá sus conclusiones al Consejo Europeo de junio de cada año.

f) Los Estados miembros han de entregar informes de ejecución de sus respectivos Planes de Empleo en julio de cada año.

g) La Comisión examina dichos informes de ejecución y los tiene en cuenta para la elaboración del informe conjunto que se someterá al Consejo Europeo de diciembre de cada año. Asimismo, la Comisión puede proponer recomendaciones individuales a los Estados miembros que considere oportuno.

h) El Consejo examinará las políticas de empleo de cada país y podrá adoptar recomendaciones individuales por mayoría cualificada.

Una novedad importante de estos acuerdos es que se decidió que las políticas de empleo en la UE deben basarse en objetivos cuantificados o, por lo menos, específicos. Así en las primeras directrices para 1998, se establecieron los siguientes:

«Directrices 1 y 2: *Combatir el desempleo juvenil y prevenir el desempleo de larga duración.* Para corregir la evolución del desempleo juvenil y del desempleo de larga duración, los estados miembros elaborarán planes preventivos centrados en la capacidad de inserción profesional, basándose en la determinación precoz de las necesidades individuales; en un plazo fijado por cada uno de ellos, que no podrá ser superior a cinco años —este plazo podrá ser más largo en los estados miembros que tengan una tasa de desempleo particularmente elevada—, los estados miembros tomarán las medidas oportunas a fin de:

»— ofrecer una nueva oportunidad a todos los jóvenes antes de que hayan pasado seis meses en paro, en forma de formación, reciclaje, prácticas laborales, de empleo o cualquier otra medida que pueda favorecer su inserción profesional,

»— ofrecer la posibilidad de un nuevo comienzo a los desempleados adultos antes de que hayan pasado doce meses en paro, por alguno de los métodos arriba mencionados o, en términos más generales, mediante un seguimiento individual de orientación profesional.»

El resto de directrices, hasta un total de 19, contienen declaraciones generales sin que se especifiquen objetivos o medidas concretas a tomar por los países miembros.

En definitiva, se trata de establecer en el ámbito comunitario mecanismos de control y de supervisión del desarrollo de las políticas de empleo de los países miembros. No obstante, la utilidad de estos mecanismos está por demostrar. En principio, aparte de los rendimientos propagandísticos que algunos gobiernos han tratado de obtener de este proceso, es cierto que se ha reorientado la formulación de las políticas de empleo hacia una mayor cooperación horizontal (entre gobiernos) y vertical (entre las distintas administraciones que dentro de cada Estado tienen competencias en esta materia), lo cual puede tener consecuencias positivas. Por ejemplo, esta mayor cooperación puede redundar en una mayor eficacia de las políticas de empleo, pero también puede dar lugar a desacuerdos (fundamentalmente entre gobiernos) que limiten la adopción de medidas necesarias y que puedan tener un cierto coste político. Hasta el momento, por lo menos en lo que se refiere a las políticas de empleo en España, tal y como se plasma en *el Plan de Acción para el Empleo del Reino de España, 1998*, parece que la consecuencia inmediata de este proceso ha sido dedicar más recursos a las políticas activas del mercado de trabajo (principalmente a la formación y a la inserción laboral) para satisfacer los requisitos de las directrices 1 y 2 de la Cumbre de Luxemburgo.

IV. LA EFICACIA DE LAS POLÍTICAS ACTIVAS DEL MERCADO DE TRABAJO

A la vista de los resultados de la cumbre de Luxemburgo y de sus primeras manifestaciones en los planes de acción para el empleo de los países de la UE, parece que la estrategia comunitaria de coordinación de las políticas de empleo va a estar basada en el desarrollo de las políticas activas del mercado de trabajo. Ante los costes políticos de abordar reformas institucionales que puedan contribuir a mejorar el funcionamiento de los mercados de trabajo, los gobernantes europeos han optado por otorgar mayor peso a los programas de orientación, inserción y formación laboral, como demuestra el hecho de que sean éstos los únicos programas con objetivos cuantificados y explícitos en las directrices de la cumbre de Luxemburgo. ¿Cabe esperar que esta estrategia contribuya a resolver el problema del paro?

La eficacia de las políticas activas del mercado de trabajo como instrumento de lucha contra el paro constituye el objeto de una discusión cada vez más intensa. Tanto desde el punto de vista teórico como desde el punto de vista empírico, existen dudas sobre la contribución de estas políticas a la reducción del paro (véase Calmfors, 1995). Las políticas activas del mercado de trabajo tienen como objetivo aumentar la probabilidad de encontrar empleo de los trabajadores en paro. Sin embargo, aparte de sus resultados prácticos en relación con la consecución de dicho objetivo, su eficacia neta puede verse reducida por ciertos efectos negativos adversos como son los siguientes:

a) el efecto de «peso muerto» (*deadweight losses*), el cual consiste en que parte de los empleos creados para los trabajadores en paro se hubiesen creado sin necesidad de los programas de empleo correspondientes;

b) el «efecto sustitución» (*substitution effect*), que consiste en que parte de los trabajadores empleados como consecuencia de programas de empleo ocupan puestos de trabajo que hubieran ocupado otros trabajadores no amparados por dichos programas;

c) el efecto desplazamiento (*displacement effect*), el cual consiste en que parte de los empleo creados en las empresas cubiertas por los programas pueden simplemente sustituir a empleos de otras empresas;

d) el efecto «salarial» (*accommodation effect*), que consiste en que, al disminuir el coste de ser despedido (en la medida en que los trabajadores despedidos pueden acceder a programas de empleo subsidiados), la presión salarial aumenta y, por tanto, el empleo disminuye; y

e) el «efecto búsqueda» (*lock-in effect*) radica en que la intensidad de búsqueda de los trabajadores en programas de empleo puede verse reducida, al menos, mientras asisten a dichos programas.

En cuanto a la evidencia empírica, esta evaluación puede hacerse a dos niveles: microeconómico y macroeconómico (véase Schmid, O'-Reilly, and Schömann, 1996). La evalución microeconómica consiste en medir el efecto de los programas sobre la probabilidad de salida del paro hacia el empleo de los trabajadores afectados por dichos programas. La evaluación macroeconómica consiste en relacionar variables que representen el comportamiento del mercado de trabajo (tasas de empleo, participación y paro, y sus variaciones en ciertos períodos de tiempo) con indicadores del grado de intensidad de los programas de empleo (número de trabajadores cubiertos, gasto por trabajador afectado por los programas, etc.). Estudios de tipo microeconómico se han realizado para varios países (en España, el número de este tipo de estudios es muy limitado) y, en general, es difícil encontrar una evidencia empírica rotunda que indique que la probabilidad de encontrar empleo de los trabajadores afectados por los programas aumente significativamente (aunque programas a pequeña escala, centrados en grupos específicos con necesidades claramente identificadas, suelen tener mejores resultados). En cuanto a los estudios de tipo macroeconómico que utilizan datos por países o por regiones para identificar la relación entre intensidad de las políticas activas y comportamiento del mercado de trabajo (véase, por ejemplo, Scarpetta, 1996; Nickell y Layard, 1997), tampoco permiten justificar un mayor gasto indiscriminado en este tipo de políticas. En concreto, lo que la experiencia reciente en este sentido parece demostrar se puede resumir en los puntos siguientes (véase, asimismo, Fay, 1996; Martin, 1998):

1) La ayuda personalizada a la búsqueda de empleo parece ser, en términos de coste-beneficio, una de las intervenciones más efectivas para la mayoría de los parados. No obstante, en países con un alto nivel de paro, este tipo de intervenciones no puede ofrecerse, co-

mo es obvio, a todos los individuos, por lo que ha de limitarse a determinados colectivos. Ésta es la opción tomada tras la Cumbre de Luxemburgo, eligiéndose a los jóvenes y a los parados de larga duración como grupos objetivo. Si esta elección es acertada, si este tipo de intervenciones ha de complementarse con otros, y sus consecuencias en el largo plazo, son cuestiones que están por resolver. En principio, los resultados demuestran que los parados jóvenes son el grupo más difícil de ayudar; que una intervención rápida es crucial; que, por tanto, se requieren programas muy intensos (y costosos); y que las políticas de mercado de trabajo, por sí solas, no serán capaces de resolver el problema del paro juvenil.

2) Por lo que respecta a los programas de formación, cabe distinguir entre los programas general y aquellos específicamente dirigidos a grupos específicos de parados. Con respecto a los primeros, los resultados son poco esperanzadores, aunque se detectan ciertas posibilidades de éxito en aquellos programas que están ligados con los servicios de ayuda a la búsqueda de empleo, y que no otorgan derechos adicionales a prestaciones por desempleo. Los programas de formación especialmente dirigidos a grupos específicos y que, en general, suelen tener una escala pequeña, son más efectivos que los que se ofrecen sin restricciones, sobre todo si se desarrollan con un fuerte componente de formación dentro de las empresas.

3) En cuanto a la formación continua (formación para ocupados), los resultados tampoco son especialmente exitosos. Las subvenciones a la formación en las empresas pueden servir únicamente para sustituir formación privada, que se realizaría en cualquier caso, o para motivar la acreditación de formación espúrea que no sirve para nada. Una evaluación rigurosa de los resultados de estos programas, sobre todo en España donde se han desarrollado muy rápidamente tras la constitución del FORCEM, es imprescindible.

4) Para finalizar con la formación profesional, es ilusorio pensar que un sistema de formación ocupacional (tanto en su vertiente de formación de los parados como en la de formación continua de los ocupados) desarrollado por los servicios públicos de empleo pueda sustituir a la formación general y profesional que debe proporcionar el sistema educativo. En este sentido, la experiencia demuestra que los sistemas duales de formación profesional (como el alemán) donde la formación profesional se ofrece tanto en el sistema educativo como dentro de las propias empresas bajo la figura del aprendiz, constituyen la mejor opción por lo que respecta a la mejora de la inserción laboral de los jóvenes. También ocurre que una política de degradación del sistema educativo general tiene efectos muy negativos para

la inserción laboral de los graduados que no pueden compensarse mediante una mayor oferta de programas de formación, al margen del sistema educativo, cuya eficacia es más que dudosa.

5) Las subvenciones directas al empleo pueden constituir un elemento importante de las políticas activas del mercado de trabajo dirigidas hacia la reinserción laboral de los parados de larga duración y de las mujeres que desean volver a participar en el mercado de trabajo tras un período de inactividad laboral, sobre todo si se combinan con programas de formación específicos y de ayuda de búsqueda al empleo. No obstante, los costes de peso muerto y los efectos sustitución de este tipo de subvenciones pueden ser muy altos, por lo que, además, es necesario desarrollar mecanismos de control y de supervisión para evitar que las empresas utilicen estas subvenciones como una fuente regular de subsidios a su fuerza de trabajo. De igual modo, la ayuda a los parados para la creación de nuevas empresas sólo es eficaz si se elige muy cuidadosamente los beneficiarios de este tipo de programas.

6) La creación directa de empleo en el sector público debe utilizarse como él último recurso y sólo para aquellos individuos que sufren especiales dificultades para incorporarse al mercado de trabajo no solubles con otros tipos de programas. En cualquier caso, la mayoría de los programas desarrollados en este campo tienen un impacto muy limitado y sus resultados son poco concluyentes.

En definitiva, dada la considerable y la creciente magnitud de los recursos que se dedican a las políticas activas del mercado de trabajo, puesto que los países de la UE parecen otorgar a estas políticas un papel preponderante en la lucha contra el desempleo, es de total importancia que se sea capaz de discernir entre los programas que funcionan y los que no. Para esto, es fundamental que los países desarrollen métodos de evaluación sistemática de las políticas de mercado de trabajo que, hasta la fecha, no se consideran necesarios. Además, estos procedimientos de evaluación deberían diseñarse como una parte fundamental de los programas, más que como ejercicios *a posteriori* siempre limitados por la disponibilidad de datos. Si no se hace así, los errores del pasado se volverán a repetir y estos errores serán cada vez más costosos.

V. COMENTARIOS FINALES

En este artículo se ha pasado revista a la situación de las políticas de empleo, definidas en sentido estricto como el conjunto de intervenciones públicas que regulan el funcionamiento del mercado de trabajo y que están especialmente dirigidas a mejorar la situación laboral de los individuos. Dado el grave problema de paro que sufren la mayoría de los países de la UE, unas políticas de empleo eficaces y que contribuyan a resolver el problema del paro pueden constituir un avance importante en la consolidación del «Estado de Bienestar» y en la erradicación de la pobreza, de la exclusión social y de las desigualdades de renta y de riqueza que todavía se observan en algunos de estos países.

Las principales conclusiones se pueden resumir en dos mensajes básicos. En primer lugar, todavía se observan grandes diferencias en el diseño de las políticas de empleo entre países, tanto en lo que se refiere a la regulación del mercado de trabajo como a las políticas activas y pasivas del mercado de trabajo. En concreto, en lo que se refiere a la regulación del mercado de trabajo, los países de Europa del Sur, entre ellos España, conservan una legislación sobre protección al empleo más restrictiva y unos mecanismos de determinación salarial poco descentralizados, a pesar de las sucesivas reformas de los últimos años. Si acaso, los procesos de liberalización del mercado de trabajo han resultado en una dualización y una segmentación del empleo entre trabajadores con contratos permanentes y trabajadores con contratos temporales con consecuencias económicas negativas e implicaciones sociales injustas. Por último, en este campo, las tendencias hacia una reforma de la legislación que favorezca una reducción del tiempo de trabajo por trabajador («reparto del trabajo») constituyen una vía equivocada en la lucha contra el paro.

Por lo que se refiere a las políticas pasivas del mercado de trabajo, existen varios mecanismos diseñados para contribuir al mantenimiento de las rentas de los trabajadores, entre los que destaca el sistema de prestaciones por desempleo. En esta campo, España ha experimentado un camino de ida y vuelta, que se inició con un aumento considerable y continuo de las prestaciones por desempleo durante el período 1980-92, para pasar a reducir dichas prestaciones por la carga financiera que llegaron a representar a principios de los años '90. En la actualidad, la mayoría de los países de la UE mantienen sistemas relativamente generosos, sin que se observen tendencias generales hacia la reducción sustancial de dichas prestaciones.

Por último, las políticas activas del mercado de trabajo están obteniendo un mayor peso dentro de las políticas de empleo, lo cual, en parte, se debe al procedimiento de coordinación de las políticas de empleo que se ha establecido tras la Cumbre de Luxemburgo de noviembre de 1997. La evidencia disponible parece demostrar que no siempre estas políticas son eficaces y que es cada vez más necesario que se proceda a la evaluación de los programas de inserción laboral, formación ocupacional, subvenciones al empleo y creación directa de empleo en el sector público, sobre los que se desarrollan la mayor parte de las políticas activas. En este caso, como en tantos otros, un mayor gasto no es sinónimo de mejores resultados y mayor bienestar social. Y el «Estado de Bienestar» sólo es tal si cumple los objetivos para los que se supone que ha sido creado.

BIBLIOGRAFÍA

Bentolila, S. y J. J. Dolado (1994): «Labour flexibility and wages: Lessons from Spain»: *Economic Policy*, 18, 53-99.

Bertola, G. y A. Ichino (1995): «Crossing the river: A comparative perspective on Italian employment dynamics»: *Economic Policy*, 21, 359-420.

Calmfors, L. (1995): «What can we expect from active labour market policy?»: *Konjunkturpolitik*, 43.

Fay, R.G. (1996): «Enhancing the effectiveness of active labour market policies: Evidence from programme evaluations in OECD countries», en OECD, *Labour Market and Social Policy Occasional Papers*, 18.

Hunt, J. (1998): «Hours Reductions as Work-Sharing»: *Brookings Papers on Economic Activity*, 1, 339-381.

Martin, J. P. (1998): «What works among active labour market policies: Evidence from OECD countries' experiences», en OECD, *Labour Market and Social Policy Occasional Papers*, 35.

Nickell, S. y Layard, R. (1997): «Labour Market Institutions and Economic Performance»: Centre for Economic Performance, LSE, working paper 23.

OECD (1994): *The OECD Jobs Study*, OECD, Paris.

OECD (1997): *Implementing the OECD Jobs Strategy: Members' Countries Experience*, OECD, Paris.

Scarpetta, S. (1996): «AssesSing the Role of Labour Market Policies and Institutional Settings on Unemployment: A Cross-Country Study»: *OECD Economic Studies*, 26, 43-98.

Schmid, G., O'Reilly, J. y Schömann, K. (1996): *International Handbook of Active Labour Market Policy and Evaluation*, Edward Elgar.

Capítulo 11

CRECIMIENTO ECONÓMICO Y POLÍTICAS DE EMPLEO

José Antonio Griñán Martínez

I. CRECIMIENTO ECONÓMICO Y CREACIÓN DE EMPLEO

Hemos escuchado, recientemente, que estamos asistiendo a una etapa histórica en la que el paro dejará de ser un problema en un plazo de tres años. En socorro de semejante afirmación, una tropa de aprendices de Procusto dedica su tiempo a torturar cifras y estadísticas, para presentarnos una nueva Arcadia en el horizonte inmediato. La realidad, sin embargo, escapa al control de los profetas y el paro sigue considerándose, tan dramática como tozudamente, el primer problema de los españoles.

La economía española viene creando empleo desde la segunda mitad de 1994. No es nada nuevo en términos históricos. El mercado de trabajo español ha demostrado, desde los años '70, que es extremadamente sensible al ciclo económico: fuerte creación de empleo en las fases de crecimiento y gran reducción de la ocupación en los momentos de recesión; muestra rasgos bulímicos inequívocos, en parte debido a que el empleo ha venido siendo, en estos últimos veinte años, la variable de ajuste al ciclo económico más utilizada por las empresas para adaptarse a la situación coyuntural de los mercados y, en parte también, porque, en este mismo período de tiempo, se ha producido una excepcional reconversión de activas consecuencia del proceso de apertura económica. Hay una tercera causa que explica estos movimientos ciclotímicos: «Los contratos temporales —han escrito Miguel Ángel Malo y Luis Toharia—

aumentan la sensibilidad del empleo ante las vicisitudes del ciclo económico» [1].

Desde la segunda mitad de 1994, decía, estamos inmersos en una nueva fase de creación de empleo. A partir de entonces se han creado casi 1.6 millones de empleos con un aumento de la ocupación del 13.6%. Pero esto mismo también ocurría diez años atrás, en la fase de crecimiento económico inmediatamente anterior: entre la segunda mitad de 1985 y el tercer trimestre de 1989 (por computar también en este período los diecisiete primeros trimestres desde el inicio de la recuperación), el empleo aumentó un 17.5%, al crearse 1.85 millones de puestos de trabajo.

No hay novedad alguna, por lo tanto, en que coincida una explosión de empleo con la fase inicial de la recuperación económica. Ocurrió en los '80 y ha vuelto a ocurrir en los '90. A finales de la década anterior, más de la mitad de los empleos creados en la entonces Comunidad Europea se habían creado en España. Ahora ocurre lo mismo. Pero entre una y otra fecha se produjo una recesión en la que la destrucción de empleo fue más amplia en nuestro país que en el resto de los miembros de la UE. Éste es también un «hecho diferencial» de nuestra realidad sobre el que convendría investigar con profundidad, puesto que el nivel de paro que se alcanza en la fase baja del ciclo viene siendo superior al alcanzado en la inmediatamente precedente: hoy estamos por encima del 18% y en 1991, al comenzar la última recesión, estábamos en el 15.8%.

A este resultado contribuye la utilización, como antes dije, del empleo como principal factor de adaptación empresarial a las circunstancias cambiantes de los mercados. Alguien ha afirmado que «mientras que en Estados Unidos la gradación de la recesión del mercado de trabajo ante situaciones de crisis es, primero, la movilidad geográfica, segundo la flexibilidad salarial y, sólo en tercer lugar, el paro, en Europa, la reacción ha sido casi exclusivamente el incremento del paro» [2].

II. LA ELASTICIDAD DEL CRECIMIENTO ECONÓMICO SOBRE EL EMPLEO

Se ha dicho, también recientemente, que la actual elasticidad entre crecimiento económico y creación de empleo es mayor de la que exis-

1. M. A. Malo y L. Toharia, «Economía y derecho del trabajo: las reformas laborales de 1994 y 1997»: *Cuadernos Económicos*, 63 (1997).
2. J. Sevilla, «Nuevos empleos: el reto de la UE», en *Crecimiento, empleo y reducción de trabajo*, Ediciones GPS, Madrid, 1998.

tía en la anterior fase alta del ciclo. Se trata de una afirmación probablemente apresurada aunque tenga algunos visos de ser cierta. Resulta escasamente riguroso, eso sí, tratar de obtener esta conclusión analizando exclusivamente los datos y cifras de 1998 por elevada que haya sido en esta oportunidad la elasticidad (0.90). Conviene recordar que en 1989, pongamos por caso, con un incremento del PIB del 4.7%, aumentó el empleo en un 4.12%, alcanzándose una elasticidad del 0.88, prácticamente la misma que en este último año, pero con un matiz: si eliminamos la incidencia, en ambos casos, del factor estructural de pérdida de efectivos en la agricultura y medimos la elasticidad del crecimiento sobre el aumento de los ocupados no agrarios, comprobaremos que la elasticidad de 1998 (1.00) ha sido bastante más baja que la que se alcanzó en 1989 (1.23). Es prematuro, por consiguiente, establecer conclusiones con la evolución de una sola variable en un único año.

La medida exacta de la elasticidad del crecimiento económico en esta fase concreta del ciclo actual sólo podremos tenerla cuando éste se haya completado. Por el momento podemos trabajar con algunas series comparativas y tratar de establecer ciertas conclusiones que, si no definitivas, sí pueden proporcionarnos una semblanza aproximada de la realidad. Utilizaremos, para ello, varias fuentes, combinadas, de datos. Las series EPA tienen el inconveniente de la fractura de la serie, en los años '90, por el cambio de censo. Añadiremos, por ello, las series de empleo de la Contabilidad Nacional. Por último, trataremos de suprimir los efectos estructurales de cambio en la distribución sectorial del empleo, para lo que utilizaremos también la evolución de los ocupados no agrarios.

Con estos datos es ya posible extraer algunas conclusiones:

Cuadro 1. ELASTICIDAD CRECIMIENTO ECONÓMICO-EMPLEO

PERÍODO	95/98	85/88	86/89	85/90
PIB	3.1	4.1	4.7	4.2
Empleo EPA	2.4	2.7	3.2	3.0
Elasticidad (1)	0.77	0.66	0.68	0.72
Empleo CN	2.2	2.8	3.2	3.2
Elasticidad (2)	0.71	0.68	0.68	0.76
Empleo no agrario	2.3	3.6	3.8	4.6
Elasticidad (2)	0.74	0.88	1.07	1.1

(1) Cociente entre crecimiento del empleo series EPA, crecimiento del PIB.
(2) Ídem series Contabilidad Nacional

Fuente: INE (Tasas anuales de crecimiento).

— En primer lugar, la elasticidad entre el crecimiento económico y la creación de empleo es, en esta fase del ciclo (1995/1998), ligeramente superior a la que podría considerarse como fase simétrica del período expansivo inmediatamente anterior (sea 1985/1998, sea 1986/1989), con cualquiera de las fuentes de datos de creación total de empleo utilizadas.

— Sin embargo, la elasticidad actual es algo inferior a la del anterior momento expansivo, contemplado éste en su conjunto (1985/1990), si utilizamos las series de la Contabilidad Nacional que, por lo que se refiere a estos últimos cuatro años, parecen más fiables.

— Podemos, por último, prescindir de los efectos que ha podido tener sobre el empleo la pérdida de ocupados agrarios, midiendo la relación entre aumento del PIB y creación de empleo no agrario; en este caso, la conclusión será distinta: la elasticidad conseguida en esta última fase (95/98) es inferior a la que se produjo en los años '80.

Estas conclusiones, tras la contemplación conjunta de los distintos resultados obtenidos, nos llevan a una primera consideración: sólo podremos llegar a resultados definitivos cuando el actual período expansivo se haya completado. No obstante, sí puede afirmarse que a la mejora de la elasticidad actual ha contribuido de forma decisiva la mayor incidencia que tuvo en los años '80 el proceso de pérdida de efectivos agrarios. Por último, y acaso sea esto lo que más claramente puede afirmarse del actual período de crecimiento económico, *esta fase está siendo capaz de aportar una mayor elasticidad crecimiento/empleo con menor crecimiento del PIB*. Expresado en la «terminología Okun», parece que el umbral de crecimiento del PIB necesario para empezar a crear empleo se ha reducido en este período.

Es difícil establecer con precisión cuáles han sido las *razones* que han conducido a este resultado. Las hay que tienen mucho que ver con la forma en que se ha salido de la crisis. En primer lugar, la política de convergencia, la reforma laboral de 1994 y, sobre todo, la nueva actitud de los agentes sociales en los procesos de negociación colectiva, han cooperado sin duda a este renacimiento del empleo.

Pero, además de éstas, que son explicaciones que tienen que ver con políticas y comportamientos concretos, ha habido otra razón de la que ya he hablado y que tiene mayor dimensión histórica, al no estar directamente relacionada con la coyuntura o el ciclo: las transformaciones estructurales que ha venido experimentando nuestro mercado de trabajo, desde los años '80, han hecho que éste sea hoy más homogéneo con los distintos mercados laborales de la UE y que sus respuestas sean más previsibles al estar más relacionadas e influidas por la coyuntura económica y tener menos peso en ellas los factores estructurales. Dicho de otra forma: estos cambios en la elasticidad del crecimiento del PIB sobre el empleo que se pueden apreciar actualmente en el mercado de trabajo español son, sin duda, la consecuencia de factores coyunturales, que tienen que ver con la política económica (planes de convergencia) con que se afrontó en toda Europa la salida de la crisis de principios de los '90, pero también de factores sociales (comportamiento de los sindicatos en la negociación colectiva) y de factores estructurales de cambio que se vienen produciendo, entre nosotros, en la actividad y el empleo desde mediados de la década de los '80. Cabría añadir otro más: la alta tasa de temporalidad de nuestro mercado de trabajo.

1. *Reformas laborales y moderación salarial*

Parece indudable que la reforma laboral de 1994 y los subsiguientes procesos de negociación colectiva, más orientados a la creación de empleo que a las ganancias de poder adquisitivo de los salarios, han tenido una incidencia positiva en que se haya conseguido una recuperación estimable del empleo con crecimientos moderados del PIB:

Cuadro 2. SALARIOS E INFLACIÓN

AÑO	RETRIBUCIÓN EN CONVENIO	IPC	CLUN (1)
1987	6.5	5.2	
1988	6.4	4.8	
1989	7.8	6.8	
1990	8.3	6.7	7.5 (a)
1991	8.0	5.9	
1992	7.3	5.9	
1993	5.5	4.6	
1994	3.6	4.7	1.4 (b)
1995	3.9	4.7	
1996	3.8	3.6	
1997	2.9	2.0	1.9
1998	2.6	1.8	1.8 (prev.)

(1) Costes Laborales Unitarios Nominales. *Fuente*: Banco Central Europeo.
(a) Variación porcentual anual media período 1990/1993.
(b) Variación porcentual anual media período 1994/1997.
Fuente: INE y Ministerio de Trabajo y Asuntos Sociales (BEL); 1998: tres primeros trimestres.

En el cuadro 2 se aprecia claramente el paulatino ajuste de las rentas salariales al crecimiento de la inflación: en el período comprendido entre 1987 y 1990, las retribuciones pactadas en convenio colectivo subieron un 26.2% por encima del IPC que, a su vez, había experimentado un aumento del 25.6%. En el período 1991-1994, los salarios de convenio crecieron un 17.1% sobre la inflación. En estos últimos cuatro años (1995/1998), con una inflación más moderada, los aumentos de los salarios en convenio han sido solamente un 10.3% mayores que el crecimiento de los precios. Esto ha hecho que los costes laborales unitarios del conjunto de la economía hayan descendido desde una tasa media de variación anual del 6.7%, en la anterior etapa de crecimiento hasta el 1.4% actual, entre 1994 y 1997.

Los datos que aporta el Banco Central Europeo son significativos desde el punto de vista comparativo con otros países de la UE y valorados, en consecuencia, en términos de competitividad: mientras que en el período 1990-93 nuestros costes laborales unitarios crecieron a una tasa media anual del 7.5%, la media de la Unión lo hizo al 4.8%; los costes alemanes crecieron el 3.8% en ese período; los franceses, el 3.1%; los italianos, el 5.9% y los británicos, el 5.2%. Entre 1994 y 1997, en cambio, nuestros costes laborales unitarios nominales aumentaron a una tasa media anual del 1.4%, mientras que la media de la UE registró un aumento del 1%. Alemania, en el mismo período, vio crecer sus CLUN en un 0%; Francia en un 0.5%; Italia en un 2.2% y el Reino Unido en un 1.6%.

El encauzamiento de la economía española, a partir de 1994, una vez superada la crisis de principios de los '90, hacia la consecución de los objetivos de la convergencia ha tenido, sin duda, unos positivos resultados desde el punto de vista del empleo. La reforma laboral, la estabilidad monetaria, la reducción de los tipos de interés y la negociación colectiva han participado en esta dirección y es fácil concluir, con los resultados en la mano, que han sido, en buena medida, factores muy positivos en la mejoría experimentada por nuestro mercado laboral.

2. *Cambios estructurales*

Pero, como dije antes, no han sido los únicos factores y, tal vez, tampoco hayan sido los que más han incidido en los aumentos del empleo o en la reducción del paro.

En efecto, nada de todo esto habría sido posible, sin embargo, si, en etapas anteriores, no se hubiera producido en nuestro mercado de trabajo una enorme transformación cualitativa de sus activos que ha permitido que las actuales respuestas del empleo al ciclo económico sean más previsibles y estables que hace algunos años. Dicho de otra forma: si en los años '80 no hubieran tenido lugar los cambios profundos que se produjeron en el mercado de trabajo, el resultado sobre el empleo de las políticas de convergencia y estabilidad y de las reformas laborales habría sido muy distinto.

Muchos de los problemas históricos del mercado de trabajo español son la consecuencia de un proceso de modernización que tuvimos que afrontar más tarde, y más deprisa, que la gran mayoría de los países de la UE. En un reciente trabajo, elaborado por el equipo de investigación de la Universidad Autónoma de Barcelona, dirigido por el catedrático de Economía Aplicada, Josep Oliver Alonso[3], se valoran, de forma analítica, los factores históricos que más han incidido en las cifras del desempleo: factores *demográficos*, como el «baby boom» de los '60; factores *culturales*, como la masiva incorporación de la mujer al trabajo remunerado, a mediados de los '80; y factores *económicos* como la modificación de la estructura productiva con una pérdida de peso de la agricultura y una especialización industrial en sectores de baja demanda.

«En efecto —se afirma en este estudio—, difícilmente se encontrará en Europa otro país que, en un lapso de tiempo tan corto, haya efectuado transformaciones tan intensas como las que han tenido lugar en España.» En el momento de nuestra incorporación a la entonces Comunidad Europea, recordémoslo, el 16% de nuestra población ocupada tenía su empleo en la agricultura, mientras que sólo diez años después, este porcentaje se había reducido a menos de la mitad. Desde 1980, el total de mujeres presentes en el mercado de trabajo ha aumentado en 2.5 millones. Por el contrario, la población entre 16 y 19 años, que había aumentado en un 11% entre 1976 y 1986, se ha reducido en ese mismo porcentaje entre los años 1986 y 1998.

Todos estos «hechos diferenciales» componen una historia que no está escrita en las series estadísticas, pero que conviene tener en cuenta a la hora de hacer un diagnóstico sobre el mercado de trabajo español. Muchas de estas particularidades, es cierto, han recorrido aceleradamente el camino de la convergencia real y, hoy, las diferencias cualitativas con nuestros socios de la Unión Monetaria

3. *Índice Manpower de convergencia laboral de España*, diciembre de 1998.

son considerablemente menores a las que existían en los primeros momentos de nuestra participación en el espacio común europeo.

Ésta es la razón por la que la evolución del empleo está cada vez menos influida por los factores estructurales y en la actualidad se atiene más a la evolución del ciclo. Las transformaciones ajenas a la coyuntura siguen naturalmente presentes, pero su incidencia en las grandes magnitudes de la EPA se está viendo notablemente mermada. Mientras que, entre 1985 y 1988, la población mayor de 16 años aumentó en más de 1.5 millón de personas, entre 1995 y 1998 lo ha hecho en menos de 1 millón. O mientras que la tasa de ocupación agraria se redujo entre 1985 y 1988 en 4 puntos, sólo lo ha hecho en 1.7 puntos entre 1995 y 1998. Caminamos, pues, hacia una mayor estabilidad de los activos en el mercado de trabajo.

Volviendo al estudio antes citado, dirigido por el profesor Oliver, podemos ver cómo el valor añadido bruto (VAB) por ocupado de la economía española ha experimentado una reconversión profunda en los últimos 20 años, de forma que hoy nuestras cifras de empleo guardan una mayor correspondencia con la realidad productiva del país. Podría decirse que los empleos de hoy son mucho más «reales» que lo eran los empleos de ayer y que, por tanto, su estabilidad es considerablemente mayor. Dicho de otra forma: *las transformaciones necesarias que el empleo ha de experimentar,* al margen del ciclo económico, *son hoy menores* que las que hubo de sufrir en el pasado reciente.

Cuadro 3. EMPLEO Y VAB POR SECTORES DE ACTIVIDAD

	% OCUPADOS		% VAB TOTAL	
SECTOR	1977	1997	1977	1997
Primario	21.1	8.4	6.0	4.3
Industria	27.4	20.2	30.1	28.0
Construcción	9.8	9.7	8.0	7.0
Servicios	41.7	61.7	51.3	55.0
Total	100	100	100	100

Fuente: Índice Manpower de Convergencia Laboral, diciembre 1998.

De todo lo anterior deberíamos obtener una conclusión: parece evidente que, a la hora de analizar los efectos sobre el empleo del ciclo económico, hemos de tener presentes los factores de cambio estructurales que han dominado, y dominan, nuestro mercado de trabajo. En el reciente pasado tuvieron una incidencia decisiva en los valores cuantitativos que arrojaban las series estadísticas de actividad, ocupación y de paro. Qué duda cabe de que ha habido aumentos de población activa (por ende, menores reducciones, o incluso aumentos, del paro) que no respondieron a la coyuntura económica sino a factores demográficos «baby boom» o culturales (incorporación de la mujer al trabajo) y que, simultáneamente, se han producido pérdidas de empleo en el sector agrario y en el industrial que se debieron a factores estructurales, no relacionados con el ciclo. Esto, que ha marcado profundamente, el semblante estadístico del mercado de trabajo español a lo largo de los años '80 y parte de los '90, ha reducido su incidencia en estos últimos años y, por consiguiente, es una de las causas probables de esta mejora de la elasticidad con bajos crecimientos del PIB que estamos comentando.

Una década atrás, entre 1985 y 1990, se crearon casi 2 millones de empleos y el paro se redujo, sin embargo, en apenas medio millón de personas. Fueron necesarios cuatro empleos netos para reducir el paro en una sola persona. Hoy esta proporción se ha reducido a la mitad: desde 1995 se han creado 1.16 millones de empleos y el paro se ha reducido en 600 000 personas.

Todo lo anterior no significa, ni mucho menos, que los efectos de las transformaciones estructurales hayan terminado o que apenas vayan a tener incidencia en el futuro inmediato. No es así. Nuestra tasa de ocupación agraria es aún muy alta, no sólo en términos comparativos con la UE, sino también en términos de productividad. Algo similar le ocurre al sector de los servicios que, a pesar de su dinamismo en cuestión de empleo, acusa unas tasas de productividad muy bajas que no hacen otra cosa que anunciar importantes reconversiones que afectarán al empleo y, sobre todo, a su distribución entre los distintos subsectores. Por otra parte, la tasa de actividad femenina sigue siendo muy baja y es de esperar, y de desear, que continuemos viendo aumentar la presencia de la mujer en la población activa. A cambio, los flujos de incorporación a la población en edad de trabajar han empezado a reducirse considerablemente desde 1996.

Así las cosas, al analizar el comportamiento actual del mercado de trabajo, su evolución en el pasado, el presente y, probablemente, en el futuro, es conveniente introducir estos datos en el ordenador. Sobre todo, con el fin de conocer: premisa imprescindible para diseñar y poner en marcha políticas activas de empleo.

III. LOS ASPECTOS MÁS NEGATIVOS DEL MERCADO DE TRABAJO ESPAÑOL

A pesar del actual ritmo de creación de empleo y de la probable mejoría de la traducción en empleo de los incrementos de la riqueza nacional, el mercado de trabajo español sigue manifestando, de forma persistente, unos problemas que parecen estar lejos de encontrar la solución, tal vez por falta de políticas de empleo adecuadas.

Tenemos un problema de *baja actividad* (fundamentalmente de baja actividad femenina), *de segmentación* (alta tasa de temporalidad) y *de elevado paro estructural* que tiene su manifestación más grave en el desempleo de larga duración y en el de los jóvenes que se incorporan al mercado de trabajo.

1. *Baja tasa de actividad femenina (TAF)*

La tasa de actividad española está aún 6 puntos por debajo de la media de la UE y sólo por encima de las de Grecia e Italia. A ello colabora decisivamente la todavía baja tasa de actividad femenina, a pesar de que, desde 1986, ha registrado un crecimiento considerable. Entre ese año y 1996, aumentó un 33% (pasando del 27.8 al 37%), 7 veces más que en Francia y muy por encima de lo que aumentó la TAF en la UE.

Nos mantenemos, pues, por debajo de la tasa media de actividad femenina, aunque la senda de los últimos quince años podría indicarnos que se trata de un diferencial que habrá de absorberse en pocos años. Algo está ocurriendo, sin embargo, desde 1996, que ha cambiado esta tendencia y que, si el cambio se consolida, puede estropear estas previsiones.

Desde 1996, se viene registrando una caída del crecimiento de la TAF que convendría analizar con algún detenimiento. Mientras que la tasa de actividad del varón, que se había estado reduciendo de forma ininterrumpida desde los años '70, ha tocado suelo en su declive y ha empezado a estabilizarse a partir de 1995, la TAF ha crecido en estos tres últimos años cinco veces menos de lo que lo hizo en la anterior fase de creación de empleo.

Podría pensarse que el menor número de efectivos de las nuevas cohortes generacionales que se están incorporando ahora al mercado de trabajo, por comparación con los que se incorporaban en los años '80, explica este menor crecimiento de la TAF. Podría también pensarse que el paulatino aumento de la edad media de incorporación al mercado de trabajo, que se está produciendo de forma constante desde los años '70 es otra razón añadida. A fin de cuentas, ésta es la razón fundamental por la que se redujo la tasa de actividad masculina y podría ser, en estos momentos, la que explicara el mismo fenómeno con relación a la mujer.

En efecto, la edad de entrada en el mercado de trabajo ha venido aumentando, como veremos con mayor detalle en el punto III.3. La tasa de actividad de la población entre 16 y 19 años ha pasado de ser del 54%, en 1977, al 24% actualmente.

Ahora bien, un análisis más detenido de las series estadísticas nos obliga, sin embargo, a considerar que las expuestas no son razones *suficientes* para explicar la caída de la TAF. Los activos femeninos entre 25 y 54 años (el 75% del total), no afectados por los cambios generacionales comentados, han reducido también su ritmo de crecimiento a la mitad de lo que lo hicieron entre 1985 y 1988, lo cual ya no tiene explicación razonable; menos aun teniendo en cuenta que los flujos de incorporación a ese grupo de población son hoy más elevados que hace años y que se trata además de flujos con mejor bagaje formativo que los que se incorporaban en los años '80.

Cuadro 4. EVOLUCIÓN DE LA TAF POR GRUPOS DE EDAD (EN PUNTOS PORCENTUALES)

PERÍODO	16 A 19	20 A 24	25 A 54	55 Y MÁS	TOTAL
1985/88	–0.49	+7.14	+3.90	–1.83	+1.61
1995/98	–0.90	–2.28	+1.67	–0.03	+0.97

Fuente: Índice Manpower de Convergencia Laboral, diciembre 1998.

Estamos, pues, ante una realidad, la del menor crecimiento de la TAF que, teniendo presente que mantenemos todavía una presencia de la mujer en el mercado de trabajo muy inferior a la media de la UE, debería merecer una atención preferente en la definición de las políticas activas de empleo. En estos dos últimos años, el número de mujeres activas ha crecido sólo un 73% de lo que lo ha hecho el número de mujeres potencialmente activas, mientras que, entre 1986 y 1990, el crecimiento de las activas sobre las potencialmente activas fue del 119%.

2. *Alta tasa de temporalidad*

Se trata, sin ningún género de dudas, del problema de nuestro mercado de trabajo sobre el que más ríos de tinta se han gastado y que mayor atención ha merecido de los agentes sociales y de las políticas activas del gobierno. Los resultados de tanto debate y tanta medida no parecen, sin embargo, haber dado todavía en la diana; ni están en relación con los esfuerzos desarrollados por los agentes sociales ni, desde luego, están en consonancia con los recursos públicos gastados en este propósito, muy probablemente porque lo que no ha estado en consonancia con el problema ha sido la orientación de dichos recursos presupuestarios.

Cuadro 5. EVOLUCIÓN DE LA CONTRATACIÓN TEMPORAL E INDEFINIDA

AÑOS	TOTAL DE CONTRATOS	% EVOL.	INDEFIN.	% EVOL.	TEMPORALES	% EVOL.	EPA TASA TEMP.
1995	7 356 314		206 826		7 149 488		34.87
1996	8 627 547	18	354 372	71.3	8 273 175	15.7	33.54
1997	10 093 565	17	707 481	99.6	9 386 084	13.5	33.21
1998	11 663 279	16	970 964	37.2	10 692 315	14.0	32.96

Fuente: INEM y EPA.

Tras la entrada en vigor de las nuevas normas sobre contratación (junio de 1997), se ha producido un aumento del número de contratos indefinidos registrados. Un dato este que se repite constantemente desde instancias oficiales pero que resulta, como luego veremos, escasamente relevante a los efectos de medir la estabilidad real del mercado de trabajo. En todo caso, no debería perderse de vista que, entre 1995 y 1996, sin la vigencia de esa normativa, ya se había producido un incremento del 71.3% de la contratación indefinida registrada en el INEM. Pero hay más: los nuevos contratos, al estar bonificados, son de registro obligatorio, mientras que no lo son los indefinidos sin subvención pública. Por último, conocemos los flujos de entrada en registro de contratación pero desconocemos los saldos netos, al no disponer de información de las extinciones de contratos indefinidos en igual tiempo.

Así, pues, el dato de registro de contratos que se viene utilizando como fuente de conocimiento de la evolución de la temporalidad no es más que un elemento indiciario que, para tener algún relieve, exigiría el contraste con otras fuentes de conocimiento. Si así lo hacemos, llegaremos a conclusiones bien distintas a las que se proclaman desde el triunfalismo oficial:

— La tasa de temporalidad que arroja la Encuesta de Población Activa (proporción de asalariados con contrato temporal sobre el total) no sólo no se ha reducido significativamente desde la puesta en marcha de las últimas medidas de apoyo a la contratación estable, sino que lo ha hecho en una menor proporción que la reducción que, sin ellas, se había producido entre 1995 y 1996.

— Por otra parte, la relación entre contratos indefinidos registrados y aumentos netos del empleo por tiempo indefinido es hoy muy baja. Como ha señalado Carlos Morán[4], la mayor generación de contratos indefinidos se está trasladando con más lentitud a la tasa de ocupación asalariada neta. «En concreto —afirma Morán—, mientras que en la situación anterior se necesitaban menos de dos contratos fijos para generar un puesto de trabajo neto, en la actualidad la horquilla se ha elevado hasta casi tres contratos indefinidos.»

— Otra encuesta, en este caso del Banco de España, también nos indica que las cosas no han mejorado mucho en este aspecto: el último dato conocido de la Central de Balances, correspondiente a los resultados del tercer trimestre de 1998, muestra que si el empleo neto de las empresas financieras consultadas ha aumentado el 0.9%, lo ha hecho solamente con el empleo temporal, que ha crecido el 9.3%, puesto que el empleo fijo se mantuvo en tasas negativas (-0.2%).

— La Encuesta de Coyuntura Laboral (tercera encuesta oficial, en este caso del propio Ministerio de Trabajo y Asuntos Sociales) demuestra que, entre 1997 y 1998, la tasa de empleo temporal no se ha reducido. Según los datos publicados (Boletín de Estadísticas Laborales de diciembre de 1998), la tasa de temporalidad que en el tercer trimestre de 1996 era del 35.59%, subió en el tercer trimestre del año 1997 al 37.61% y en este mismo porcentaje estaba situada en el penúltimo trimestre del año 1998.

— Pero los datos que, tal vez, mejor indican que la actual política de bonificaciones a la contratación estable no ha dado las respuestas que pretendía y empieza a mostrar síntomas de agotamiento son los que la misma evolución de los contratos indefinidos registrados pone de manifiesto. A una etapa inicial en la que la implantación de un sistema de contratos indefinidos, con despido más barato y costes de Seguridad Social reducidos, tuvo una buena aceptación empresarial (sobre todo, para transformar, a su finalización, los contratos temporales en indefinidos), ha seguido una fase de letargo en la que, lejos de mantenerse la progresión inicial, se han producido claras muestras de agotamiento de los efectos de esta política:

4. *La Gaceta de los Negocios*, 10.12.1998.

PERÍODOS	CONT. TEMP.	% EVOL.	CONT. INDEF.	% EVOL.
Junio-diciembre 1997	5 599 356		557 360	
Junio-diciembre 1998	6 490 303	16	553 380	–0.71

Comparando el período de tiempo en que la reforma estuvo en vigor durante 1997 (junio a diciembre) con idéntico período de 1998 (es decir, comparando períodos homogéneos), vemos que los contratos temporales han crecido un 16%, en tanto que los indefinidos se redujeron en casi un 1%.

3. *Elevada tasa de paro estructural: el desempleo de larga duración y el de los jóvenes*

Entramos en el que, con seguridad, es el problema más agudo de nuestro mercado de trabajo. La alta tasa de paro estructural tiene sus efectos más indeseables en el desempleo de larga duración y en el de los que buscan su primer empleo. Es éste un problema que afecta a todos los países de la UE, aunque en el nuestro reviste caracteres más severos, no sólo por las cifras absolutas sino por su persistencia. Casi el 54% de los parados españoles llevan más de un año en la situación de desempleo y el 36% lleva más de dos.

Estamos, pues, ante el primer problema en términos humanos, sociales y, por tanto, políticos, que muestran las estadísticas oficiales. Las Directrices Europeas para el Empleo en 1999, como ya hicieran las de 1998, sitúan como su primer objetivo el de «combatir el desempleo juvenil y prevenir el desempleo de larga duración».

La dedicación prioritaria de las primeras decisiones europeas en políticas de empleo a la contención y superación del paro de larga duración y el de los jóvenes (en muchos casos, la doble cara de una misma moneda) demuestra claramente la sensibilidad de la Unión ante la realidad de un problema que trasciende en su dimensión el campo específico de la política laboral. Entre nosotros, por lo demás, el problema adquiere caracteres más acuciantes.

En los momentos actuales, como ha ocurrido en anteriores fases de crecimiento económico, el paro de larga duración se está reduciendo. Pero lo está haciendo muy despacio. A un ritmo inferior a aquél en que disminuyó en los finales de los años '80 y principios de los '90.

No es únicamente la lentitud con la que se reduce lo más preocupante del paro de larga duración; también lo es su enquistamiento en cada vez mayor porcentaje de parados. Mientras que en 1996 el

66.3% del total de parados de larga duración llevaban más de dos años en desempleo, en 1997 fueron el 66.7% y en 1998 han sido el 67.1%. Tal y como ha concluido Manuel Escudero[5], «la tendencia principal, dentro del desempleo de larga duración, es a que los desempleados por más de un año tengan grandes posibilidades de continuar siéndolo por más de dos años». Estamos ante un problema que ha de erigirse en la almendra de las políticas activas de empleo: el del paro de larga duración y el de los jóvenes.

El desempleo de los jóvenes ha experimentado, por su parte, una reducción en sus cifras, tanto por el crecimiento de la ocupación como por la reducción de su tasa de actividad que viene produciéndose de forma ininterrumpida desde los años '70. La prolongación de los años de formación y el aumento del número de jóvenes universitarios han producido una permanente reducción de la tasa de actividad de la población menor de 20 años, desde esa década, y de la comprendida entre los 20 y 25 años desde principios de los '90:

Cuadro 6. TASAS DE ACTIVIDADES POR GRUPOS DE EDAD

AÑOS	16 A 19	20 A 24	25 A 54	55 Y MÁS
1977	53.97	58.78	62.08	28.22
1987	38.49	66.05	66.69	20.53
1997	23.95	59.12	75.17	15.83

Fuente: EPA.

Según podemos observar, la caída de activos más importante en estos últimos veinte años, se produce en los jóvenes entre 16 y 19 años y en los adultos de más de 54 años. Mientras que en 1977 los activos entre 20 y 54 años suponían el 74.7% del total de la población activa de ese año, veinte años después, en 1997, el porcentaje de activos con esas edades se elevaba al 85.7%.

Esta caída de la tasa de actividad de los más jóvenes ha tenido una indudable repercusión en las cifras del desempleo juvenil: el descenso, entre 1995 y 1998, de 232 000 desempleados menores de 25 años se debe a un aumento del empleo de 117 000 jóvenes y a la reducción 115 000 activos de esa edad. Es decir, la mitad de la reducción del paro de los más jóvenes es debida a la reducción de su tasa de actividad.

5. M. Escudero, *Pleno Empleo*, Espasa, Madrid, 1998.

Cuadro 7. ACTIVIDAD, OCUPACIÓN Y PARO DE LOS MENORES DE 25 AÑOS (MILES)

AÑOS	ACTIVOS	OCUPADOS	PARADOS
1995	2 709	1 557	1 151
1996	2 690	1 563	1 057
1997	2 655	1 620	1 035
1998	2 594	1 674	920

Fuente: EPA.

Dentro de lo positivo que, en todo caso, supone la reducción del desempleo de los jóvenes, hay algunos datos que, por sus características negativas, merecen un comentario:

a) Las cifras de parados que buscan su *primer empleo* experimentaron un considerable aumento tras la crisis de principios de esta década para luego iniciar un descenso que, no obstante, está siendo mucho más lento del que se producía, con respecto al mismo colectivo, en la anterior etapa de creación de empleo. Un dato este que ha de resultar más preocupante si consideramos que se está produciendo una reducción del ritmo de crecimiento de las incorporaciones al mercado de trabajo. Así, mientras que el paro total es, en la actualidad, un 17.3% menor que en 1994, el paro de quienes buscan su primer empleo sólo se ha reducido desde ese año en un 5.5%. Muy poco si se tiene en cuenta que desde 1994 la población total de jóvenes entre 16 y 25 años se ha reducido en un 5.5%, exactamente en la misma proporción en la que ha bajado el paro de los que buscan su primera oportunidad en el mercado de trabajo.

Cuadro 8. PARADOS QUE BUSCAN SU PRIMER EMPLEO (MILES)

AÑOS	PARO 1ER EMPL.	EVOL.	PARO TOTAL	EVOL.	POB. 16 A 25	EVOL.
1994	800	100	3 738	100	5 941	100
1995	814	101.7	3 584	96	5 999	101
1996	815	101.8	3 540	94.7	6 067	102
1997	800	100	3 356	89.8	5 995	101
1998	756	94.5	3 093	82.7	5 846	98.4

Fuente: EPA (1998 tres primeros trimestres).

b) El segundo problema que comienza a manifestarse, dentro del paro de los jóvenes (al menos teóricamente de jóvenes, aunque es posible que esté afectando ya a los mayores), lo encontramos en el aumento del desempleo de los universitarios. Utilizamos para comprobar el efecto la tasa de desempleo por nivel de estudios (TDNE) en su relación con la tasa de desempleo general (TDG), para obtener la tasa relativa por nivel de estudios (TR).

Cuadro 9. TASA RELATIVA DE DESEMPLEO POR NIVEL DE ESTUDIOS [TR=TDNE (100): TDG]

AÑOS	SIN ESTUDIOS	PRIMARIOS	MEDIOS	PRESUPERIORES	SUPERIORES
1994	104.1	89.3	115.8	65.9	69.3
1995	109.5	88.6	113.9	73.6	70.2
1996	109.1	88.9	113.5	73.8	71.6
1997	116.2	89.3	111.7	71.3	75.9

Fuente: Elaboración propia a partir de datos EPA, siendo la tasa general de desempleo equivalente al valor 100: 24.17% (1994); 22.93% (1995); 22.21% (1996) y 20.82% (1997).

Aunque los desempleados con estudios superiores muestran todavía una tasa de desempleo bastante inferior a la tasa media general (un 75.9%, en 1997), su posición relativa ha venido empeorando ininterrumpidamente desde 1994. En ese año su tasa de desempleo era sólo el 69.3% de la tasa media general. Resulta ciertamente significativo que los dos grupos que más han empeorado su tasa relativa de desempleo sean los que se sitúan en los dos extremos: los que no tienen estudios, que siguen siendo los que tienen una tasa de desempleo más elevada, y los que tienen estudios superiores, que son, proporcionalmente, los que más han empeorado su posición relativa. Es probable, a falta de un estudio pormenorizado de este fenómeno, que al aumento del desempleo de los universitarios no sólo se deba a que la Universidad esté produciendo más titulados de los que precisa nuestra organización productiva, o de que los estudios universitarios se estén distanciando del mercado. Puede que este paro tenga también bastante que ver con los ajustes de plantilla que se han venido produciendo en determinados sectores y actividades y que han afectado a cuadros y titulados superiores, mayores de 45 años.

El incremento del paro entre los desempleados sin estudios o el polo opuesto, con estudios superiores, es interpretado por Manuel Escudero[6] a partir del análisis de la evolución del empleo en los últimos años: el 85% de los puestos de trabajo que se han creado han requerido cualificaciones de nivel medio.

6. M. Escudero, cit.

IV. LAS POLÍTICAS DE EMPLEO

Si hacemos caso al profesor Juan F. Jimeno, y deberíamos hacerlo, llegaríamos, como él, a la conclusión de que «las políticas de empleo que están dirigidas a favorecer un funcionamiento eficiente del mercado de trabajo (mediante una regulación adecuada) y a mejorar la situación laboral de la población (mediante las denominadas políticas del mercado de trabajo) constituyen un elemento clave del Estado de Bienestar en la actualidad»[7].

Las políticas de empleo han alcanzado en la actualidad una importancia extraordinaria en el Viejo Continente. De la correcta acotación de los problemas del mercado de trabajo y de la selección de los programas más adecuados para tratar de resolverlos va a depender, en buena medida, la incidencia que logren tener en el bienestar colectivo las políticas económicas y, consiguientemente, su legitimación social.

El proceso de integración monetaria «ha estado marcado fundamentalmente por los requisitos de convergencia (nominal y fiscal) establecidos por el Tratado de Maastricht»(Jimeno), sin que las distintas tasas de actividad, ocupación y paro hayan sido un impedimento para acceder a la moneda única. Sin embargo, tras ser alcanzados los objetivos de convergencia, el empleo ha pasado a situarse en el centro del escenario político de la construcción europea. «Una vez en el euro —ha escrito Jordi Sevilla[8]—, tenemos la obligación de definir y aplicar una política económica cuyo objetivo explícito sea la consecución de la convergencia real con aquellos países con los que compartimos moneda.»

La UE ha sido consciente de que la convergencia hasta el euro había preterido los indicadores directos de bienestar, en beneficio de los equilibrios macroeconómicos y, acaso por ello, se produjo un cierto distanciamiento de los ciudadanos con respecto al proyecto europeo. Los gobiernos de los Estados miembros, que hubieron de pasar serias dificultades para convencer a sus conciudadanos de las bondades de la ratificación del Tratado de Maastricht, decidieron buscar un punto de encuentro entre los quehaceres de la Unión Económica y Monetaria y las aspiraciones de la población. Lo encontraron en la lucha contra el desempleo. No es fácil determinar con exactitud la

7. Véase, en este mismo informe, «Las políticas de empleo: pasado, presente y futuro» de Juan Francisco Jimeno.

8. J. Sevilla, «Activismo a favor de la convergencia real», en VV.AA., *Libro Marrón*, Círculo de Empresarios, 1998.

conjunción de factores que incidieron para que, a finales de 1997, los Jefes de Estado y de Gobierno señalaran orientaciones nuevas de crecimiento y empleo, pero es lícito pensar que la mayoría socialdemócrata impulsó esta nueva política común y consiguió situar al empleo, como ya pidiera J. Delors en el *Libro Blanco* de la Comisión, en el centro de la estrategia.

En el Tratado de Amsterdam, el empleo ha pasado a ser una materia de «interés común» que reclama un procedimiento propio de coordinación y evaluación de las respectivas políticas de empleo nacionales. El Consejo Europeo extraordinario de Luxemburgo, de noviembre de 1997, anticipó a la propia ratificación del Tratado la puesta en marcha de estos mecanismos de coordinación, seguimiento, evaluación y, en su caso, recomendación. Aprobó, consecuentemente con ello, las primeras *directrices europeas para el empleo* que, desde 1998, vinculan a los quince Estados miembros de la Unión en una política común.

Hay, es cierto, un problema de empleo en la UE, aunque no pueda decirse que el problema sea el mismo, ni de idéntica naturaleza, ni de idéntica dimensión, para cada uno de sus Estados miembros. Ésta es la razón por la que las directrices para el empleo se han configurado sobre cuatro pilares comunes (1. Mejorar la capacidad de inserción profesional; 2. Desarrollar el espíritu de empresa; 3. Fomentar la capacidad de adaptación de los trabajadores y las empresas; y 4. Reforzar la política de igualdad de oportunidades) que incorporan una serie de propuestas abiertas (veinte en las directrices correspondientes a 1999) para que cada país pueda adaptarlas a las particularidades de su mercado de trabajo o de sus problemas concretos de desempleo.

Se trata, por tanto, de una nueva dimensión de la UE, que, sin ser contradictoria con el programa de estabilidad y crecimiento, simboliza bien la voluntad de una inmensa mayoría de los gobiernos europeos por alcanzar, junto a la política monetaria común, una política económica de la Unión que se oriente al objetivo del empleo.

El mayor peligro que amenaza al éxito de esta iniciativa europea por el empleo es el escepticismo. Escepticismo del que participan cuantos consideran que el crecimiento económico (el crecimiento estable, añaden), y *sólo* el crecimiento económico, solucionará el problema del paro, lo cual puede conducir no únicamente a una preterición de las políticas de empleo (y, en consecuencia, de los compromisos adquiridos en Luxemburgo), dejando que el problema del paro encuentre su solución en el funcionamiento libre de los mercados, sino también a la «apariencia» de que se está trabajando en la dirección que marcan las directrices europeas, aunque dejando a éstas huérfanas de recursos presupuestarios adecuados y suficientes. O, lo que es lo mismo: se puede hacer propio el discurso común del empleo pero no asumir simultáneamente compromisos concretos. Me temo que, en nuestro caso, estamos en una orientación de esta naturaleza.

Desarrollar las directrices para el empleo no consiste en formular un Plan Nacional que haga un recorrido literario, eso sí, exhaustivo, por sus veinte propuestas, sin incidir con medidas efectivas en casi ninguna , sino en diagnosticar los problemas reales del mercado de trabajo, seleccionar y definir, a partir de ellos, objetivos y concentrar los recursos presupuestarios en su consecución. Las políticas de empleo están en todas y en cada una de las propuestas que contienen las directrices, pero no todos ellas son igual de convenientes a la realidad nacional a la que han de aplicarse. Aparentar hacer muchas cosas es la demostración de no estar haciendo gran cosa.

Antes vimos cuáles eran los problemas mayores del mercado de trabajo español: baja tasa de actividad femenina; excesiva temporalidad de los empleos; alto porcentaje de paro de larga duración y prolongada permanencia en la situación de desempleo de quienes buscan su primer empleo. A estos problemas se les está uniendo, en los últimos años, el aumento del paro entre quienes no tienen estudios o los tienen de nivel superior (o, dicho de otra forma: existe inadecuación entre la oferta y la demanda).

Atender a *estos problemas* y buscar apoyos para su solución en las políticas activas debería ser el compromiso explícito del Plan de Empleo que ha de formular anualmente el Gobierno español. En el primero de los presentados, el correspondiente a 1998, no ha sido así: no ha habido un diagnóstico preliminar y profundo de los problemas, no ha habido una priorización de programas; no se han establecido objetivos e indicadores concretos; no ha existido una asignación de recursos presupuestarios adecuada; no se ha establecido un mecanismo de evaluación; y, por todo ello, no se han puesto las bases para formular el que ha de ser el segundo Plan de Empleo.

En definitiva, durante 1998, se han desarrollado las políticas que ya estaban previstas con anterioridad a la Cumbre de Luxemburgo, de manera que las directrices europeas han pasado por España sin modificar en nada el plan de acción del ejecutivo. Un plan de acción que, por lo demás, plantea tres serios problemas que han condicionado negativamente su eficacia. El primero hace referencia a una financiación inadecuada; el segundo está en la equivocada selección de los objetivos y en la desproporción de los medios y el tercero, consecuencia del anterior, se origina por el abandono de problemas importantes a la sola dinámica de las fuerzas del mercado.

1. *La financiación de las políticas activas*

Más del 70% de los recursos con los que se financian las políticas de empleo provienen de cotizaciones sociales sobre el salario. No estamos, ni mucho menos, ante una cuestión menor.

Una de las directrices europeas para fortalecer los procesos de creación, o mantenimiento, del empleo que más se viene reiterando desde el *Libro Blanco* de la Comisión y el Consejo Europeo de Essen, de 1994, es la correspondiente a la paulatina *reducción de los costes indirectos del factor trabajo, en especial aquellos que gravan los empleos de baja cualificación.* A nadie se le escapa la relación inversamente proporcional entre los costes laborales no ligados a la productividad y el empleo. Limitar, por tanto, su aumento y afrontar su reducción se han convertido en compromisos unánimemente aceptados por los Estados miembros de la Unión desde 1993.

En nuestro caso, no obstante, esta máxima común europea de reducción de costes indirectos del factor trabajo no se está atendiendo.

Por un lado, la presión fiscal de las cotizaciones sociales ha crecido en los últimos años, debido a que han tenido que hacerse cargo de un volumen importante de gastos no contributivos de nuestro sistema de protección social. Por otro, la única política de reducción de cuotas abordada, que se ha dirigido no a favorecer el empleo de los trabajadores con baja cualificación y productividad, sino a incentivar el empleo por tiempo indefinido, será financiada con las cotizaciones por desempleo, con lo cual, desde el punto de vista de las cargas sobre el factor trabajo, tendrá un efecto neutro.

La participación de las cuotas en el conjunto de los ingresos de la Seguridad Social, que había venido disminuyendo constantemente, ha experimentado un aumento en los últimos años. Las cotizaciones de empresarios y trabajadores a la Seguridad Social suponían, en 1996, un 64.0% del total de los recursos del Sistema. En 1999 esta participación será del 65.26%. En la liquidación del Presupuesto de 1995 las cuotas devengadas supusieron el 10.01% del PIB; en la liquidación de 1997 el porcentaje fue del 10.28% [9].

9. Ministerio de Trabajo y Asuntos Sociales, *Informe Económico Financiero de los Presupuestos de la Seguridad Social para 1999.*

Si pasamos de las cotizaciones a la Seguridad Social a las cuotas por desempleo, nos encontraremos con un camino aún más contradictorio con la consigna europea. Los recursos obtenidos por la cotización a esta contingencia se están haciendo cargo progresivamente de financiar todo el Presupuesto del INEM y, por tanto, no sólo los gastos de las políticas pasivas (contributivos y no contributivos) sino también los de las políticas activas.

Cuadro 10. PARTICIPACIÓN DE LAS APORTACIONES DEL ESTADO Y DE LAS CUOTAS EN LA FINANCIACIÓN DE LAS POLÍTICAS ACTIVAS (%)

	95/96	1997	1998	1999
Aportaciones del Estado	66.1	64.4	54.8	29.3
Cuotas (desempleo y FP)	33.9	35.6	45.2	70.7
Gasto en FP	33.9	35.6	37.2	26.6

Fuente: Presupuestos del INEM.

Hasta 1998, las cuotas recaudadas en el INEM únicamente se hicieron cargo de los gastos de FP que se financian con una cotización específica del 0.7% sobre los costes salariales del factor trabajo. Sin embargo, a partir de ese año, la parte del presupuesto que financian las cotizaciones de empresarios y trabajadores ha comenzado a ser superior a los costes de FP. Por lo tanto, en 1999, las cuotas van a hacerse cargo del 70.7% de las políticas activas, además de todas las prestaciones, incluidas las no contributivas, de desempleo.

Este proceso es la conclusión lógica del abandono presupuestario del INEM por parte del Estado, debido a que los recursos obtenidos por cuotas exceden con mucho las necesidades financieras de las políticas pasivas.

Cuadro 11. TRANSFERENCIAS DEL ESTADO AL INEM (MILES DE MILLONES)

	1994	95/96	1997	1998	1999
Transferencias del Estado al INEM (miles de millones)	920.4	808.4	274.3	216.0	153.8

Fuente: Presupuestos del INEM.

En 1999, los compromisos presupuestarios que el Estado ha adquirido con el INEM sólo llegan a ser el 16.7% de los que adquirió en 1994.

No hay duda alguna de que una buena parte de los objetivos de convergencia en déficit se han alcanzado por la traslación de las responsabilidades del Estado con el INEM a empresarios y trabajadores, quienes, con sus cuotas, han pagado la factura de gastos que teórica y legalmente eran de la competencia fiscal del Estado. Dicho de otra forma: un logro positivo (reducción del déficit del Estado) se ha alcanzado trasladando una carga desde los presupuestos del Estado al territorio de la economía productiva y, dentro de ella, a su parte más sensible: los costes del empleo.

Esta financiación de las políticas activas de empleo con cotizaciones sociales, tal como viene ocurriendo ya desde 1997 y que se convierte en regla general en 1999, ha sido posible por dos causas: la primera es consecuencia de la disminución del gasto por desempleo que se viene produciendo, no tanto por la reducción del paro (mientras que éste ha caído un 17% desde 1996, el gasto por esta contingencia se ha reducido en un 33%), como por las reformas legales de la prestación en 1992 y 1993. La otra se produce por el mantenimiento, de forma innecesaria, de un tipo de cotización por desempleo muy alto (se trata del tipo de emergencia, provisional por tanto, que se estableció para absorber los déficits de principios de los '90), sin que las exigencias financieras actuales de la protección dispensada por la situación legal de desempleo lo justifiquen.

Como antes dije, la única política dirigida a la reducción de las cotizaciones sociales está establecida para favorecer la contratación indefinida y en 1999 se financiará con cargo a las cuotas por desempleo. Estamos ante una decisión ciertamente censurable:

— En primer lugar, es *incoherente* puesto que, si los costes indirectos sobre el trabajo son penalizaciones del empleo, no parece que sea buena idea que el dinero que gastamos en favorecer su creación se obtenga precisamente con un sobrecoste del factor trabajo. Como mucho, podremos esperar que los efectos de una decisión como ésta se neutralicen.

Pero la incoherencia es aún mayor, si atendemos a que la política activa cuantitativamente más importante que se está financiando con cotizaciones sociales por desempleo es, precisamente, la *reducción de las cotizaciones a la Seguridad Social.* Dicho de otra forma: se está manteniendo una carga innecesaria sobre el empleo para todos los empresarios y trabajadores con el fin de, con ello, rebajar esa misma carga a algunos empresarios y trabajadores. Si la selección de estos últimos fuera acertada, a lo máximo que podríamos aspirar es a conseguir un efecto desplazamiento en el empleo. Pero, como veremos más adelante, no parece que esté ocurriendo ni siquiera esto.

— En segundo lugar, la financiación de las políticas activas con los recursos obtenidos por cotizaciones sociales estrecha considerablemente la base de solidaridad. Es decir, estamos ante una financiación, en gran medida, *insolidaria.*

— En tercer lugar, se trata de un sistema de financiación que entra abiertamente en contradicción con lo establecido en el art. 206 de la Ley General de la Seguridad Social: las cuotas de desempleo han de destinarse de manera exclusiva a financiar la acción protectora de esta contingencia y ésta comprende solamente las prestaciones por desempleo y las acciones de formación, orientación y reconversión de trabajadores desempleados. En ningún caso, por tanto, las bonificaciones de las cuotas de la Seguridad Social son parte de esa acción protectora; estamos, por consiguiente, ante un caso de financiación *ilegal* de políticas de empleo.

— En cuarto lugar, la financiación con cargo a cotizaciones sociales de las bonificaciones de cuotas supone un manifiesto incumplimiento de la primera recomendación del Pacto de Toledo, cuyo tenor literal no deja espacio a la duda: «La fiscalidad general —dice—, debe hacer frente a la bonificación en las cotizaciones de los contratos».

Todas éstas son razones suficientes para impugnar *ab ovo* la formulación de las políticas activas de empleo que se ha venido haciendo desde 1997. El desarrollo posterior que de ellas se ha hecho tampoco merece un juicio favorable. No se han fijado prioridades (salvo la desgravación de los contratos estables); no se han establecido indicadores; no se han consignado recursos presupuestarios; no se ha hecho una evaluación de los resultados; y la solución de muchos de los problemas más graves se ha dejado al libre juego de las fuerzas del mercado.

2. *La selección de las políticas activas*

No debería resultar difícil establecer las líneas prioritarias de actuación: una tasa de desempleo del 18.8% de la población activa; una tasa de actividad de la mujer de sólo el 37.8%, con una tasa de paro de, sin embargo, el 26.6%; y un desempleo de larga duración del 54%, establecen por sí solos los objetivos centrales que habrían de determinar la confección de los programas y, sobre todo, la asignación de los recursos. En el Plan de Empleo, desarrollado en 1998, y en el que se puede ya entrever para 1999, pocos de estos objetivos concitan partidas presupuestarias lo suficientemente significativas como para decir que la Cumbre de Luxemburgo ha significado, entre nosotros, un hito en el terreno de la lucha contra el paro y en la formulación de las políticas activas de empleo. Únicamente la desgravación de cuotas empresariales a la Seguridad Social como medio para el fomento de la contratación por tiempo indefinido ha mantenido una presencia constante dentro de los recursos dispuestos para este fin.

Cuadro 12. PORCENTAJE SOBRE EL TOTAL DE POLÍTICAS ACTIVAS

	1995	1996	1997	1998	1999
Formación profesional	40.1	40.1	40.8	40.6	28.4
Bonificaciones de cuotas	14.3	14,3	13.7	21.8	40.7

Fuente: Presupuestos del INEM.

Las partidas presupuestarias que se asignan a las bonificaciones de cuotas significan en 1999 más del 40% del gasto total en políticas de empleo. Incluso la formación profesional ocupacional destinada a trabajadores en desempleo, cuya financiación proviene, en gran medida, de recursos propios, puede acercarse a este nivel de gasto.

Se trata de una priorización de los objetivos sumamente desatenta con los problemas más lacerantes del mercado de trabajo como pueden serlo el paro de larga duración, el de los jóvenes o el de los mayores de 40 años. No es discutible, desde luego, que la alta tasa de temporalidad sea un problema del mercado de trabajo español. Sí lo es, en cambio, que sea el único o, incluso, el más importante.

Por lo demás, la forma utilizada para reducir los costes indirectos de los contratos estables no ha sido la más indicada. Las medidas que se han de orientar a la consecución de este objetivo deben ser coherentes y, desde luego, selectivas. Dos notas que claramente están ausentes en la actual regulación. La incoherencia (financiar rebajas de cotizaciones con cotizaciones) ya está dicha. La falta de selectividad se obtiene por la comprobación de que se ha establecido, con carácter general, mediante la reducción de un porcentaje igual de la cuota empresarial por trabajador contratado, con independencia de que esté muy bien formado o que no lo esté en absoluto. Como es factible pensar que el primero triplique las remuneraciones del segundo, lo que se hace es triplicar las ayudas a la contratación de personas de gran productividad, en relación con las que se reciben por los contratos con trabajadores de baja productividad. Dirección equivocada.

3. *La eficacia de las medidas*

La experiencia de la cual disponemos nos indica que la medida estrella de las políticas activas no está dando los resultados que se esperaban. Ya se vio anteriormente que la tasa de temporalidad no se ha reducido. Es muy probable que se estén produciendo en su desarrollo algunos de los «efectos negativos adversos» que define el profesor Jimeno en el trabajo antes citado. El «efecto peso muerto», consistente en que parte de los empleos creados para los trabajadores en paro se hubieran creado sin la necesidad de estos programas, no ha sido analizado en profundidad, pero es probable que se haya producido. El profesor Samuel Bentolila ha afirmado [10] que, suponiendo que la proporción de contratos no registrados en el INEM se haya mantenido constante, 600 000 contratos indefinidos se habrían realizado aun sin la subvención, resultando en ello una pérdida de 100 000 millones de ptas. «Este cálculo —concluye Bentolila—, es seguramente exagerado, pero ilustra los problemas para medir la creación de empleo debida a la bonificación.»

Lo que sí puede comprobarse es que, sin bonificaciones, el registro de contratos indefinidos en el INEM creció en 1996 un 71.3%. En 1997, ya con las bonificaciones en vigor desde finales de mayo, creció un 99.6% y en 1998, con las bonificaciones vigentes durante todo el año, aumentó sólo en un 37.2%. Ya vimos que, comparando los siete meses de 1997 con vigencia de las bonificaciones con los siete mismos meses de 1998, el resultado es desolador: la contratación indefinida se ha reducido, a pesar de que empleo temporal creció, en el mismo período, un 16%.

La persistencia de la situación de temporalidad en un tercio de la población asalariada, tras diecinueve meses de aplicación de las bonificaciones, nos lleva a la conclusión de que otros dos de los «efectos negativos adversos» se están produciendo. El «efecto sustitución» (parte de los contratados ocupan puestos que hubieran ocupado trabajadores no incluidos en el ámbito de aplicación de este programa) será pequeño, puesto que el abanico de colectivos al que se extiende el ámbito de aplicación de las bonificaciones comprende a prácticamente la totalidad de la población activa. Mayor habrá sido probablemente el llamado «efecto desplazamiento», si atendemos a la información que nos proporciona la Central de Balances del Banco de España y, sobre todo, a la persistencia de la tasa de temporalidad.

De la poca eficacia que está teniendo esta política a favor de la estabilidad no sólo dan cuenta las estadísticas y las cifras. También

10. «Empleo a golpe de talonario»: *Cinco Días*, 25.11.1998.

significativamente lo ha dado a entender el Gobierno, de forma, eso sí, casi clandestina, al incorporar a la Ley de acompañamiento de los presupuestos para 1999, en la fase de enmiendas del Senado, una prórroga de las bonificaciones de las cuotas empresariales a la Seguridad Social de los contratos indefinidos, una vez expirada su vigencia. Decía el profesor Bentolila, en el artículo antes citado, que «si un empleo se crea debido a una bonificación, normalmente se destruirá cuando ésta desaparece». En el caso que nos ocupa, este efecto perverso tiene aun mayores probabilidades de que ocurra, si tenemos en cuenta que el coste de la indemnización por despido de esos contratos es inferior a las cantidades que se ha ahorrado en cotizaciones el empleador. En estas circunstancias, el Gobierno ha optado por prorrogar las bonificaciones, no tanto para tratar de seguir conduciendo al empleo por la senda de la estabilidad, como por temor a que, extinguidas las ayudas públicas, se extingan también los contratos. Con esta decisión nos asalta, pues, una duda: ¿no nos estará diciendo esta prórroga de las bonificaciones que los nuevos contratos indefinidos corren el riesgo de ser contratos estables de duración determinada (esto es, durante el tiempo que duren las ayudas)?

Sindicatos y empresarios firmaron en 1997 un acuerdo en la dirección que la doctrina y los expertos les señalaban como la más indicada para reducir la temporalidad: abaratar el despido de los nuevos contratos indefinidos. «La reforma de 1997 parece dar la razón a este enfoque, ya que, tras los máximos históricos en las cifras de los despidos, se ha hecho algo que en la reforma de 1994 parecía imposible: reducir el coste del despido de los trabajadores fijos.» [11]

Las prisas que se dio el Gobierno en aprobar unas bonificaciones para estos contratos nos dejó sin la posibilidad de conocer si una reducción del coste del despido tiene, por sí misma, efectos favorables para la estabilidad, como se ha afirmado con reiteración. De esta forma, no nos es posible encontrar una relación de causalidad entre lo acordado por los agentes sociales y los resultados que se han producido en el mercado de trabajo.

Se trata de dos medidas que, aunque concurren en un mismo objetivo, tienen distinta naturaleza y dimensión. Con el menor coste del despido se pretende reducir el efecto, presuntamente negativo, que tienen los altos costes de extinción de la relación laboral sobre la contratación por tiempo indefinido. Es un debate que ha estado, y está, presente en todas los análisis que se hacen al medir el efecto de la re-

11. M. A. Malo y L. Toharia, cit.

gulación laboral sobre el empleo estable. Con la reducción de cotizaciones sociales se aborda, en cambio, un problema de naturaleza distinta: el de la incidencia que tienen los costes indirectos del factor trabajo en la creación de empleo. Se trata, pues, de dos medidas con personalidad propia que merecen una evaluación por separado de sus correspondientes efectos. En nuestro caso esto no será posible por la conjunción de una y otra en el mismo supuesto.

Respecto a la reducción del coste del despido en los nuevos contratos, será difícil medir, en este caso, su relación con una mayor estabilidad, al haberse tapado esta medida con las bonificaciones de cuotas. Malo y Toharia no consideran, sin embargo, que esta novedad, tal y como se ha formulado, haya significado una aportación legal importante al debate de la temporalidad. Al ser el despido improcedente por razones económicas el único que ha rebajado el nivel indemnizatorio de 45 a 33 días por año con un tope máximo de 24 anualidades, los autores consideran que la vía del despido disciplinario (no se adelante el pago de la indemnización, no incluye preaviso y la posibilidad de declaración de nulidad del acto de despido son muy inferiores) podrá seguir ejerciendo una mayor fuerza atractiva a pesar de sus costes legales. «El ordenamiento laboral —consideran[12]— debería estar diseñado de tal manera que la mejor estrategia posible para empresas y trabajadores fuera cumplir la ley. En este sentido hay dudas razonables consideran que el nuevo contrato fijo acabe con el uso de la figura del despido disciplinario para la realización de despidos económicos».

Otra razón por la que esta medida legal produce escepticismo en este sector de la doctrina es que sólo es aplicable a los *outsiders*; es decir, a los que aún no tienen contrato por tiempo indefinido, en tanto que los *insiders* conservan íntegramente la vigencia de la legislación anterior, con lo que las razones de utilización desviada del despido disciplinario por circunstancias económicas siguen inalteradas.

Respecto de las bonificaciones de cuotas, su prórroga, sin que haya mediado una evaluación de resultados, reincide en el error. Algo particularmente grave, si se tiene en cuenta que esta sola medida se lleva la parte del león de las políticas activas de empleo.

La falta de mecanismos de evaluación de las políticas activas de empleo es, como antes dije, uno de los aspectos más censurables de las mismas. Antes de gastar 300 000 millones de ptas. parecería oportuno saber qué se ha conseguido y qué es previsible conseguir

12. M. A. Malo y L. Toharia, cit.

con semejante cifra de gasto. Por el momento, casi todos los análisis más serios nos indican que el camino escogido para favorecer la estabilidad ha de experimentar serias correcciones. Algunos de los problemas que persisten en relación con la temporalidad ya se vieron: están en las estadísticas oficiales y en la realidad de un mercado cuya proliferación de contratos ha llegado a cotas hasta ahora desconocidas, por lo que se refiere a la cantidad y por lo que respecta, también, a la brevísima duración de muchos de ellos. Habría sido bueno tratar de corregirlos modificando en lo que fuera necesario la actual política de subvenciones. No se ha hecho y la perseverancia en ella puede ser consecuencia tanto de la «conciencia triunfal» del gobierno, como del miedo al reconocimiento de un error. En todo caso, el propio ejecutivo ha dado una muestra incontestable del reconocimiento de que las cosas no iban por el buen camino al haber incrementado las cotizaciones por desempleo de los contratos temporales.

Se trata de una medida que deberíamos calificar de atípica. Desde el punto de vista de la protección es una decisión estéril, puesto que no se ha tomado para aumentar la cobertura o la intensidad de la protección por desempleo. Desde el punto de vista financiero, es una medida innecesaria, puesto que, como ya se vio, hay amplios remanentes de ingresos de cotizaciones sobre el gasto de desempleo. En 1999 es probable que los ingresos por cuotas superen los gastos totales de esta contingencia en unos 350 000 millones de ptas. Y desde el punto de vista que más nos interesa ahora tratar, el de las políticas activas, es una medida contradictoria, puesto que se va a penalizar el empleo en sectores como el de la construcción o el de la hostelería que, en los últimos dos trimestres de 1998, han asumido el protagonismo del crecimiento económico.

Estamos, por tanto, en una utilización de las cotizaciones sociales con fines estrictamente punitivos que, dejando aparte los riesgos profesionales, únicamente tiene un precedente en nuestra reciente historia de la legislación laboral: el tipo de cotización por horas extraordinarias. Se trata de una penalización del empleo temporal que confiesa paladinamente la ineficacia de las medidas adoptadas hasta la fecha. Se acumulan, de esta forma, tres medidas que tratan, todas ellas, de conseguir una mayor estabilidad en el empleo: el abaratamiento de los costes del despido; la reducción de las cotizaciones sociales para los contratos por tiempo indefinido; y el aumento de las cuotas de desempleo para los contratos temporales.

Tanta hiperactividad, tantas medidas y dinero, para solucionar el problema de la temporalidad, sin un método claro de diagnóstico y análisis y sin un sistema de evaluación de resultados, no puede dar resultados positivos. Se trata, qué duda cabe, de un problema (para el gobierno «el» problema) del mercado de trabajo español que tiene consecuencias graves en otros aspectos de la realidad. Su tratamiento, no obstante, merecería un poco más de reflexión y menos apresuramientos.

En la temporalidad influyen factores que tienen que ver con nuestra particular estructura productiva, pero también bastantes otros que son la respuesta empresarial a un marco normativo determinado, a una realidad social concreta y a una historia económica propia. Y no hay duda sobre que a mayores dificultades de extinción de un contrato, mayores serán también las reservas hacia su formalización. También es cierto que los procesos de reconversión y de adaptación a los cambios de las empresas son, en la actualidad, más frecuentes y rápidos de los que lo fueron en etapas anteriores. Y, por lo demás, la reciente historia de nuestro mercado de trabajo, en la que el empleo, como afirmé previamente, se ha utilizado por nuestras empresas como principal factor de ajuste a la evolución del mercado reiteradamente, sigue condicionando el comportamiento de los empleadores que usan la contratación temporal como colchón frente a los cambios de la demanda.

La contratación temporal, pese a que jurídicamente ha recuperado, desde la reforma de 1994, la causalidad, ha aumentado de forma espectacular en los últimos tres años, demostrando que la regulación no es, en bastantes ocasiones, un factor decisivo para cambiar la dinámica interna de las relaciones de producción. Lo más negativo de este incremento de los contratos temporales ha estado en la menor duración de cada uno de ellos.

El contrato eventual por circunstancias de la producción ha venido siendo el de más frecuente utilización por los empresarios (más de 4 millones en 1998), de forma que el recurso a este tipo de contrato, de muy breve duración, ha aumentado en 1998 un 20% respecto de 1997 y casi un 50% respecto de 1996. Es posible que la supresión del contrato, no causal, de fomento de empleo (en 1994) y del contrato de lanzamiento de nueva actividad (en 1997) hayan tenido algo de relación con esta reducción de la vida del contrato temporal. En todo caso, parece que sería útil investigar por qué se incumple sistemáticamente la normativa sobre causalidad de los contratos temporales. Estamos ante un problema, el de la temporalidad, que no cabe resolver con un tropel acumulativo de medidas que consumen los recursos públicos con eficacia discutible y que aumentan la segmentación del mercado de trabajo.

4. *Los grandes olvidos en políticas activas*

En términos personales, sociales y políticos, el paro de larga duración es, sin duda, el mayor problema de nuestro mercado de trabajo y, con seguridad también, de la UE. Se trata de una situación que se retroalimenta: los trabajadores que permanecen largo tiempo en la situación de desempleo pierden empleabilidad. Hay, es cierto, un problema de deterioro de las actitudes: los empleadores se muestran renuentes a ofrecer oportunidades a quienes llevan más de un año en el paro y los trabajadores en esta situación reducen la intensidad con la que buscan, o se preparan para, un empleo.

Pero, como escribe Manuel Escudero[13], «hay que preguntarse, si, aparte de la actitud, existen cuestiones de aptitud que hacen que el parado no tenga efectividad a la hora de encontrar un empleo». Sin duda, sí sería la respuesta y así lo razona contundentemente Escudero: «Que el 85.5% de los puestos de trabajo creados requiera cualificaciones no es un argumento que pueda ser rechazado en un país en el que el grueso de la población desempleada, el 72.6% exactamente, no las tiene».

«Educación, educación, educación» reza el lema de los laboristas británicos. No es un mal eslogan. Cuando menos, es una redundancia que casa perfectamente con la tozudez con la que el mercado de trabajo nos dice que hay un grave problema de inadecuación profesional. El cambio experimentado en los niveles organizativos de la producción, las nuevas aplicaciones tecnológicas, la mayor polivalencia funcional, el trabajo en red, han modificado la naturaleza de las colocaciones demandadas en estos últimos diez años. La oferta de empleo, sin embargo, no difiere tanto de la que había hace una década. Lo que nos lleva inexorablemente a la formación como línea fundamental de ataque contra el paro de larga duración.

Así lo considera la UE: en sus primeras directrices para el empleo, las de 1998 y las de 1999, afronta desde el comienzo el paro de larga duración y el de los jóvenes, situándolos en la máxima prioridad y avanzando, para estos grupos, objetivos concretos: «Para corregir la evolución del desempleo juvenil y del desempleo de larga duración —dicen las Directrices—, los Estados miembros *intensificarán sus esfuerzos* para elaborar planes preventivos centrados en la capacidad de inserción profesional, basándose en la determinación precoz de las necesidades individuales; en un plazo fijado por cada uno de ellos,

13. M. Escudero, cit.

que no podrá ser superior a *cuatro* años pero que podrá ser más largo en los Estados miembros que tengan una tasa de desempleo particularmente elevada; los Estados miembros tomarán las medidas oportunas a fin de:

»1. Ofrecer una nueva oportunidad a todos los jóvenes desempleados antes de que hayan pasado seis meses en paro, en forma de empleo, formación, reciclaje, prácticas laborales o cualquier otra medida que pueda favorecer su inserción profesional;

»2. Ofrecer asimismo la posibilidad de un nuevo comienzo a los desempleados adultos antes de que hayan pasado doce meses en paro por alguno de los medios mencionados o, en términos más generales, mediante un seguimiento individual de orientación profesional.

»Estas medidas preventivas y de inserción deberían combinarse con medidas de reinserción de los desempleados de larga duración.»

La empleabilidad es, sin duda, un término cacofónico, pero de innegable interés en este caso. Lo que algunos han bautizado como el *mismatch* que se está produciendo entre la nueva demanda de trabajo y la envejecida oferta sólo es posible superarlo con políticas activas de orientación, clasificación, formación e inserción de las personas que están buscando un empleo. Y para ello hace falta dinero e instrumentos.

Lo primero, los recursos económicos, se obtiene, en nuestra realidad, con las cuotas de formación profesional que giran sobre los salarios de los trabajadores ocupados. Un sistema de financiación inadecuado por varias razones: porque invierte la relación entre necesidades y obtención de recursos (mayores éstos cuando menores son aquéllas y viceversa); porque es un coste más sobre el factor trabajo; y porque, para hacer frente a las necesidades actuales (cumplimiento de la primera directriz europea), harán falta muchos más recursos de los que puede allegar la cuota.

Por lo que se refiere al instrumento que pueda permitir alcanzar eficientemente los objetivos asignados a los recursos, hay que concluir que no existe. Las transferencias del INEM a las Comunidades Autónomas, sin haberse establecido previamente las bases del Servicio Estatal de Empleo, van a dificultar más aun la implantación de un sistema integrado de formación, directamente relacionado con un mercado de trabajo abierto, de dimensiones amplias, y para el que, a tenor de las diferencias actuales de desempleo entre Comunidades Autónomas, sería necesaria una ágil movilidad geográfica.

La pregunta inmediata, tras la definición y puesta en marcha de un programa de empleabilidad sería algo más complicada: ¿bastaría todo esto para reducir a la irrelevancia el paro de larga duración? La contestación, si ha de pronunciarse en términos de probabilidades, no puede ser muy optimista. Lo que nos encamina directamente a otra pregunta: ¿habrá que resignarse a mantener tasas de desempleo del 10% como irremediables? ¿Bastan las prestaciones de desempleo para que esta situación resulte socialmente tolerable?

De una respuesta negativa a estas dos últimas preguntas es de donde han surgido propuestas nuevas y arriesgadas de políticas activas de empleo que han recibido una descalificación displicente por parte de la ortodoxia. Sean fórmulas como el reparto del trabajo, sean políticas de estímulo presupuestario a la contratación de parados, sean los nuevos yacimientos de empleo, estaremos ante la presencia incómoda de la herejía. Un atrevimiento en cualquier caso que es el fruto de no entregarse a la resignación y que ha dado vida a medidas tales como las leyes de 35 horas semanales en Francia e Italia, o a la contratación de jóvenes en paro por las Corporaciones Locales en Francia.

Ha sido el debate de las 35 horas el que, sin duda, ha cosechado una mayor colección de frases despampanantes y de anatemas. No es ésta la ocasión (ocasión temática, quiero decir) para profundizar en esta medida, aunque sí hay datos de la realidad que merecería la pena poner en circulación, al hilo de lo que se ha podido leer o escuchar sobre esta decisión de los gobiernos italiano y francés.

Habla Marcos Peña[14] de la paradoja a la que asistimos todos los días en nuestra sociedad: el desempleo se considera algo dramático pero no serio. La afirmación, en términos sociológicos, parece impecable. Todos vivimos esta paradoja cotidianamente y todos la hacemos buena día tras día.

Cuando el Presidente del Gobierno afirma que, en un plazo de tres años, el problema del paro habrá desaparecido y, al día siguiente de afirmarlo, presenta un Programa de Estabilidad en el que se prevé que, en el año 2003, el 12.8% de la población activa seguirá buscando trabajo, a pesar de que se cuenta con que, en ese año del siglo XXI, los activos seguirán siendo casi los mismos que hoy, estamos asistiendo a una representación de esta paradoja.

Cuando nos enteramos de que, en 1998, se han hecho casi 100 millones de horas extraordinarias, que equivalen a más de 50 000 em-

14. Acerca de la reducción de la jornada laboral, véase J. Sevilla, *Crecimiento, empleo y reducción del tiempo de trabajo*, cit.

pleos anuales a tiempo completo volvemos a ser espectadores de esa misma representación.

Son muchas las formas en que estamos viviendo la contradicción entre lo que decimos, al afirmar que el paro es el principal problema de los españoles, y la práctica política y económica cotidianas. La manifestación más persistente de esta paradoja está, como sostuve antes, en el escepticismo que se desprende de las concepciones más dogmáticas de la actividad económica.

Como se ha dicho insistentemente, «aunque sean numerosas las ventajas que España puede obtener de su integración en la UM, existen también importantes incertidumbres sobre las consecuencias de la Unión en la economía española, sobre todo a corto y medio plazo, máxime cuando todavía nos encontramos lejos de la convergencia real del núcleo central de la UE en materias tales como la renta per cápita y el nivel de desempleo» [15].

La historia, según hemos visto, ha corregido bastantes de los rasgos más anacrónicos del mercado de trabajo español tras la apertura de nuestra economía. Muchos de ellos, sin embargo, no nos han abandonado y continuarán incidiendo en la evolución del empleo, en sus cifras estadísticas. Pero la situación de nuestra economía empieza a aproximarse a la de una economía madura al conseguir que crecimientos no elevados del PIB, pero en condiciones de estabilidad, se traduzcan en procesos significativos de creación de empleo. El riesgo, en estos momentos, estaría en dar por cancelados estos procesos históricos de transformación, convertir las variables de la convergencia nominal en factores reales de equiparación y dejar a la sola política de estabilidad la solución del problema del desempleo. Esto nos colocaría en un equilibrio subóptimo [16]: por debajo del crecimiento preciso para solucionar nuestras diferencias reales y en un abandono de los fines propios de legitimación política en todo lo que se refiere a la distribución del producto.

Hemos convergido pero no somos iguales. Nuestra tasa de actividad es más baja y nuestro desempleo mayor. Esto nos obliga a crecer más que el resto y a añadir a las políticas clásicas de mercado de trabajo nuevas políticas activas. Deberemos investigar nuevas posibilidades de empleo desde nuevas orientaciones. La investigación, y promoción, de lo que, en la jerga comunitaria, se ha dado en lla-

15. J. I. Pérez Infante, «Reformas laborales y creación de empleo en la economía española en el contexto de la Unión Monetaria», en *Euro y Empleo*, CES, 1998.
16. J. Sevilla, cit.

mar nuevos yacimientos de empleo, adquiere en estos momentos un papel relevante.

Los nuevos yacimientos de empleo no son únicamente un trabajo de prospectiva que nos permite conocer hoy por dónde pueden surgir los empleos de mañana. Son, sobre todo, una propuesta para orientar el crecimiento hacia sectores y tareas con altos rendimientos de empleo. Una propuesta, por consiguiente, que precisa de medidas públicas que incentiven el proceso. La Comisión Europea ha sugerido cuatro líneas de actividad que nos pueden permitir orientar la dirección del cambio y, por tanto, las políticas de apoyo a los nuevos yacimientos de empleo [17]: *Servicios de proximidad* (servicios a domicilio, cuidado de los niños, nuevas tecnologías de la información y la comunicación, ayudas a jóvenes con problemas); *servicios de mejora de la calidad de vida* (mejora de la vivienda, seguridad, transportes colectivos locales, espacios públicos urbanos, comercios); *servicios culturales y de ocio* (turismo, audiovisual, patrimonio cultural); y *servicios ligados al medio ambiente* (gestión de residuos, del agua, protección de zonas naturales y control de la contaminación).

En opinión de Jordi Sevilla, dos tipos de dificultades frenan el adecuado desarrollo de estos sectores. Por un lado, los servicios de proximidad reúnen las características de mercados incompletos o irregulares y, por otro, los bienes públicos de nuevo cuño (medio ambiente) no siempre encuentran el rendimiento adecuado a su importancia desde concepciones más tradicionales del sector público [18]. En uno y otro caso, será el gobierno quien deberá encargarse de remover los obstáculos, lo que, en algunos casos, exigirá apoyos económicos directos sea para garantizar la accesibilidad a estos bienes colectivos, sea para sostener la provisión de recursos.

Tal vez sean las nuevas oportunidades de empleo en lo que se conoce como la *nueva sociedad de la información* la que nos ofrece el mejor ejemplo de las posibilidades que encierran los llamados nuevos yacimientos.

En el apartado 35 de las Conclusiones de la Presidencia del Consejo Europea de Luxemburgo (noviembre de 1997), los Jefes de Estado y de Gobierno de los Estados miembros de la Unión pidieron a la Comisión que procediera a elaborar, antes de finales de 1998, un informe sobre los resultados obtenidos y las perspectivas en materia de co-

17. Véase L. Cachón y Fundación Tomillo, *Nuevos yacimientos de empleo en España*, Ministerio de Trabajo y Asuntos Sociales, 1999.
18. Id.

mercio electrónico, desarrollo de las redes abiertas y utilización de los instrumentos multimedia para la educación y la pedagogía, debido a las posibles repercusiones en el ámbito de la formación y, por lo tanto, en el empleo de las tecnologías del conocimiento y de la información.

En cumplimiento de este mandato, la Comisión ha presentado un informe[19], en el que se incluyen reflexiones y conclusiones de gran valor para, a partir de ellas, corregir muchos de los cuellos de botella que están impidiendo extraer todo el potencial de empleo en este nuevo mundo.

La sociedad de la información es sin duda la principal creadora de empleo en la UE. Da trabajo en estos momentos a más de 4 millones de personas y fue capaz de crear 300 000 nuevos puestos de trabajo entre 1995 y 1997. Pero lo que me interesa destacar, en este contexto de políticas activas de empleo, es que la sola inercia de las fuerzas del mercado no está extrayendo el auténtico potencial de la sociedad de la información. Hacen falta actuaciones, públicas y privadas, que hagan que la innovación empresarial y la oferta de trabajo se adapten rápidamente a la nueva situación. «Es necesario —afirma en el citado informe la Comisión—, llevar a cabo urgentemente una acción concertada en tres áreas clave, si la UE quiere eliminar las barreras que impiden el éxito y aprovechar al máximo los beneficios sociales y económicos de la Sociedad de la Información: desarrollo de una cultura empresarial, fomento del cambio de organización e impulso de la capacitación.» Además del temor a lo nuevo que experimentan muchas empresas para incorporarse a este nuevo estilo, el dato verdaderamente alarmante lo da la propia Comisión: a finales de 1998, dice, se estima que el déficit es de 500 000 puestos de trabajo no cubiertos en la UE (por falta de adaptación profesional) y que dicho déficit aumentará a 1.2 millones en el 2002.

Como vemos, hay un conjunto amplio de políticas activas por desarrollar para combatir el paro de larga duración. Desarrollarlo será la prueba de que no hay espacio para la resignación ante unas tasas de desempleo que debilitan decisivamente los factores de cohesión social.

No es posible dar por concluido este capítulo de grandes ausentes en las políticas de empleo, sin volver al gravísimo problema de la baja tasa de actividad, y alta de desempleo, de la mujer. También so-

19. «Oportunidades de empleo en la Sociedad de la información: explotar el potencial de la revolución de la información», Bruselas, 25.11.1998.

bre esta cara negativa del mercado de trabajo es necesaria una política, alejada de todo verbalismo, que transforme las buenas intenciones en resultados concretos. Lo contrario a lo que se ha hecho y a lo que, según se deduce del Programa de Estabilidad presentado por el Gobierno español, se pretende hacer en el futuro inmediato.

El Programa de Estabilidad de España (1998-2002) prevé que, entre 1999 y el año 2002, las cifras de ocupación van a aumentar en 1 329 000 personas y que la tasa de paro se va a reducir hasta el 12.8% desde el 18.7% actual. Para que, con la creación de empleo prevista, se reduzca el desempleo hasta dicha tasa es imprescindible que la población activa no crezca por encima de su crecimiento vegetativo (es decir, unas 375 000 personas) en el lapso temporal computado: la estricta correspondencia con los flujos demográficos netos que se incorporarán al mercado de trabajo, sin incrementar, por tanto, la tasa de actividad actual. Dicho más claramente, en el Programa de Estabilidad, el Gobierno ha hecho público que *la tasa de actividad femenina no va a crecer de aquí al 2002.*

La inmersión de la población activa femenina no va a hacer, sin embargo, que el problema desaparezca. Ni éste, el de su baja tasa de actividad, ni el de su elevada tasa de desempleo que, eso sí, quedará maquillada estadísticamente. El primero de los problemas es acaso más grave, porque, además de que encierra en sí mismo un paro no contabilizado (sumergido), contradice las líneas de avance de un proceso histórico de igualdad y rompe parte de los cimientos de las sociedades democráticamente más avanzadas. Pero el segundo problema, el del paro, muestra más claramente la raíz de esta discriminación.

Si atendemos a los datos de paro de larga duración, veremos que éste afectaba en 1997 al 49% de los varones en desempleo y al 59.8% de las mujeres en igual situación. Si diferenciamos el paro de larga duración por niveles de estudios (bajo, medio y superior), observaremos que, en todos los grupos, el porcentaje de mujeres en paro de larga duración es muy superior al de los varones: nivel superior (57.9% mujeres por 49.2% varones); medio (59.8% y 47.8% respectivamente) y bajo (62.1% y 50.4%).

En los datos de empleo de la mujer, por nivel formativo, se aprecia también un alto grado de discriminación: en este caso, lo que ocurre es que el mercado de trabajo parece exigir mayores cualificaciones a la mujer que al varón a la hora de ofrecerles una ocupación. Mientras que el 13.5% de los empleos de jóvenes varones son de personas con baja cualificación, en el caso de las mujeres el porcentaje se reduce al 8%. En cambio, el porcentaje de los jóvenes varones empleados con titulación superior respecto al empleo total de su sexo es del 27.2%, y el correspondiente de las mujeres es del 39.5%.

Dicho de otra forma: el mercado de trabajo español penaliza doblemente a la mujer. Mientras que, para encontrar un empleo, la mujer precisa más cualificación de la exigida a los varones, la tasa de mujeres en paro con formación de nivel superior es más alta que la de los varones con igual cualificación.

No estamos, sin embargo, ante una discriminación que pueda encontrar apoyo alguno en la legislación española que, desde hace años, persevera en el principio de igualdad de trato. Nos enfrentamos a las consecuencias indeseables de usos sociales que, por un lado, han venido convirtiendo una diferencia, la maternidad, en condición de desigualdad y, por otro, obligan a millones de mujeres a una doble jornada laboral (la remunerada y la del hogar). Sólo poniendo fin a estas costumbres podrá empezar a solucionarse el problema de la baja tasa de actividad de la mujer en España. Para lo cual son mucho más necesarias políticas activas concretas que regulaciones específicas.

Políticas activas directamente relacionadas con el primer bloque de las propuestas de la Comisión sobre yacimientos de empleo: articulación de una red de servicios sociales.

V. RECUENTO FINAL

Hay, desde luego, un campo abierto para el desarrollo de las políticas activas de empleo que necesita nuestro mercado de trabajo. Cada una de ellas merecería un capítulo propio y mucho más espacio. El resumen, sin embargo, no es difícil de hacer ni exige demasiada extensión, aunque haya, eso sí, que repetir algunas ideas.

Tenemos una población activa que apenas alcanza a la mitad de la población mayor de 16 años y una tasa de actividad femenina que encierra un problema económico de infrautilización de recursos humanos y un problema social de discriminación y ruptura de los lazos democráticos. Ampliar la población activa debería ser el primer objetivo de una política de empleo, aunque el éxito pudiera «ensuciar» las cifras de paro, como ocurrió en la anterior fase de crecimiento económico.

El paro de larga duración es un espejo del conjunto de los problemas que tiene nuestro mercado de trabajo: inadecuación de la oferta a la demanda, insuficiente o deficiente nivel de cualificación, falta de instrumentos adecuados de intermediación, inmovilidad geográfica de la población en desempleo, etc. También es un objetivo, el de su reducción o eliminación, que puede concitar todo el conjunto de medidas activas para favorecer el empleo y combatir el paro. Desde las formativas a los yacimientos de empleo, desde la reducción y reordenación del tiempo de trabajo a la disminución selectiva de costes indirectos del factor trabajo, prácticamente todas las indicaciones de las directrices europeas de empleo caben aquí. Ninguna propuesta debería merecer, por lo demás, juicios displicentes o jactanciosos.

La tasa de temporalidad, como la alta tasa de siniestralidad laboral, son, dentro de los cualitativos del empleo, elementos negativos cuya investigación, diagnóstico y selección de medidas requieren algo menos de hiperactividad y una mayor capacidad de analizar las cosas desapasionadamente.

En 1999, España debe presentar un nuevo Plan de Empleo. Ésta debería ser la oportunidad para que pudiéramos llegar entre todos a los diagnósticos más certeros de la realidad y, a partir de ellos, a la selección de objetivos y medios más convenientes. Eso sí: sin triunfalismo ni escepticismo. O, lo que es igual, sin resignación.

Capítulo 13

LOS PROBLEMAS DE LA EDUCACIÓN ESPAÑOLA

Álvaro Marchesi

I. LAS RAZONES Y LOS OBJETIVOS DE LA REFORMA EDUCATIVA

La globalización de la economía, el auge imparable de la comunicación y de las redes de información, los cambios sociales, el pluralismo ideológico y cultural, las modificaciones en el mercado laboral y las previsiones en relación con el empleo de las nuevas generaciones están produciendo profundos cambios en la realidad educativa. Es normal que esto sea así. No es posible concebir la enseñanza al margen de los cambios de la sociedad ni se puede pretender que la educación sea impermeable a las transformaciones sociales. Por esta razón, el sistema educativo debe estar en disposición de enfrentarse a la cambiante realidad social y de preparar a los jóvenes para su incorporación autónoma y creativa a la sociedad adulta.

Las nuevas condiciones sociales y laborales plantean cuatro exigencias principales al sistema educativo: *a*) el refuerzo de la educación básica de todos los alumnos es una garantía para su inserción social y laboral. Esta opción se abre camino frente a las alternativas anteriores que apostaban por una especialización más prematura de los alumnos en función de sus intereses académicos o profesionales; *b*) la educación no ha de ser preferentemente un proceso de asimilación de conocimientos, sino más bien de formación de la capacidad de los alumnos para buscar y seleccionar información, para detectar y enfrentarse a los problemas, para trabajar en equipo y para asumir decisiones personales en beneficio de la colectividad; *c*) la mayor heterogeneidad cultural y social de los alumnos debe ser un medio de enriquecimiento mutuo, pero, al mismo tiempo, debe impulsar los cambios necesarios para que se puedan atender con garantías suficientes las necesidades y motivaciones diferentes del alumnado; y *d*) las nuevas tecnologías de la comunicación y de la información han de modificar de forma radical los métodos de enseñanza en el aula.

La LOGSE, aprobada en 1990, tuvo la finalidad principal de impulsar una reforma del sistema educativo que permitiera cumplir con mayores garantías sus objetivos específicos. El sistema educativo anterior, fruto de la Ley general de Educación, presentaba cuatro limitaciones principales: 1) finalizaba la educación obligatoria a los 14 años cuando la edad legal de incorporación al mundo de trabajo estaba situada a los 16 años; 2) separaba un Bachillerato claramente académico de la Formación Profesional. A este segundo tipo de estudios accedían principalmente los alumnos que no habían obtenido el título de EGB, lo que conducía a su menor valoración académica y social; 3) orientaba al Bachillerato casi exclusivamente hacia los estudios universitarios. El aumento progresivo del número de alumnos que lo estudiaba hacía necesaria la existencia de otras alternativas formativas; 4) establecía un currículo muy rígido, escasamente flexible y descentralizado. El papel de las Comunidades Autónomas y de los propios centros docentes obligaba a una profunda reorganización de los objetivos y contenidos de la enseñanza.

En el fondo existía la convicción de que el sistema educativo español no estaba suficientemente preparado para afrontar con garantías de éxito una mejor y más amplia formación básica para todos; para asegurar una buena relación entre la oferta educativa y las demandas sociales; para facilitar el progreso de todos los alumnos en condiciones de igualdad; para transformar la formación profesional; y para conseguir una clara descentralización de la gestión educativa en el marco de un modelo de educación común y libremente compartido.

La reforma educativa, que se inició con una amplia etapa de experimentación y continuó con un extenso debate con todos los sectores educativos, intentó resolver estos problemas y mejorar el sistema educativo en su conjunto. Entre sus objetivos principales cabe destacar la extensión de la educación básica hasta los 16 años, la reorganización de las etapas educativas, la incorporación de una formación profesional básica para todos los alumnos a lo largo de su educación obligatoria, la configuración de un nuevo modelo de formación profesional más vinculado al mundo laboral, y el establecimiento de un nuevo currículo que respetara las competencias de las comunidades autónomas. Junto con estas propuestas se impulsaron otras iniciativas más directamente relacionadas con la calidad de la educación: la mayor importancia otorgada a la educación física, la música y la lengua extranjera; la relevancia de los denominados temas transversales del currículo que, desde la educación ética y cívica hasta la educación medioambiental, para la salud y la igualdad deben ser tenidas en cuenta en todas las áreas curriculares; el apoyo a la autonomía de los centros; el refuerzo del papel de los equipos directivos, de la evaluación y de la formación de los profesores; la reducción de los alumnos por aula; el incremento de los servicios de orientación; la integración de los alumnos con necesidades educativas especiales.

Todas estas razones y objetivos son, sin duda, ampliamente conocidos. Pero es importante volverlos a destacar cuando se escuchan voces contrarias al significado y alcance de la reforma emprendida hace ya casi veinte años. La LOGSE fue un importante impulso legal a un proceso de cambio que había comenzado muchos años atrás y que debía seguir en el futuro. ¿Cuál sería la opinión de los ciudadanos y de la comunidad educativa si se mantuvieran los mismos programas de enseñanza, el mismo modelo de Formación Profesional, la misma organización de los centros y la misma duración de la educación obligatoria y gratuita, la más reducida de Europa? Este razonamiento es el que hicieron la casi totalidad de las organizaciones sociales presentes en el ámbito educativo que firmaron, a partir de una iniciativa de la Fundación Encuentro, la Declaración Conjunta en favor de la Educación, en septiembre de 1997. Su clara posición se recoge en la siguiente afirmación: «En estos momentos, en que está en marcha una profunda reforma educativa impulsada especialmente a partir de la aprobación de la LOGSE, las entidades firmantes de este documento creemos que es necesario lograr un clima de concordia y estabilidad que garantice la consecución de los grandes objetivos que deben orientar la educación española de cara al próximo milenio. En consecuencia, respaldamos las líneas básicas de la reforma sin que esto signifique una rígida aprobación de todas sus propuestas, admitiendo las modificaciones que la propia experiencia vaya poniendo de relieve, tal y como, por otra parte, esa misma ley proclama en su preámbulo».

Este respaldo a los grandes objetivos que la LOGSE plantea no debe ser ni un pretexto para no analizar los resultados que se están obteniendo en su aplicación, ni una excusa para no apoyar nuevas iniciativas que resuelvan los problemas que se vayan detectando. Al análisis de estos temas se dedican los apartados siguientes.

II. PRIMERAS EVALUACIONES

Las evaluaciones que se han realizado sobre la el desarrollo de la reforma educativa son todavía escasas, en gran medida porque aún no se ha implantado de manera completa. Durante el curso 1998-99 se puso en marcha de forma generalizada tercero de Educación Secundaria Obligatoria. Todavía son necesarios cuatro cursos más para que se complete su aplicación en la etapa obligatoria, en el bachillerato y en la formación profesional. Pero incluso una vez transcurridos estos años, hay que tener en cuenta que los cambios educativos deben consolidarse en los años siguientes. Los teóricos del cambio hacen referencia a una última etapa de institucionalización, posterior a la fase de aplicación, que implica la normalización de los cambios educativos y su incorporación a la práctica habitual del sistema educativo.

Una vez señaladas estas precisiones, que limitan el alcance de las conclusiones de los estudios realizados hasta el momento, se pueden incluir y comentar los principales resultados que se han obtenido. Una primera decisión es qué tipo de resultados se van a seleccionar. La interpretación más esquemática es que los resultados que deben tenerse en cuenta fundamentalmente en las evaluaciones de los programas educativos son los que se refieren a los logros académicos de los alumnos. Es una opción que olvida la realidad de la enseñanza, condicionada por el contexto social de los alumnos, por su entorno, por la organización y el funcionamiento del centro y por la práctica docente en el aula, y que margina otros resultados también importantes: la valoración que padres, profesores y alumnos tienen de su centro y de sus enseñanzas. Por estas razones, una evaluación cuidadosa del impacto de un programa educativo, en este caso de la reforma impulsada en el LOGSE, debe recoger información de los diferentes niveles que configuran la realidad educativa: el contexto, las variables de entrada, los procesos del centro y del aula y los resultados (véase cuadro 1).

Los dos principales estudios realizados hasta el momento han sido elaborados y publicados por el Instituto Nacional de Evaluación y Calidad (INCE). El primero sobre la educación primaria (1997) y el segundo sobre la educación secundaria obligatoria (1998). Sólo este último incluye algunos datos comparativos con el sistema educativo anterior referidos a los resultados académicos de los alumnos. También van a ser útiles como instrumento de comparación las series de datos de la evaluación de los alumnos que publica anualmente la inspección educativa del Ministerio de Educación. En ellas se encuentra información relevante en relación con dos de los niveles que se han recogido en el cuadro: los procesos de centro y los procesos de aula. Por el contrario, no hay información significativa referida al contexto y al nivel inicial de los alumnos, por lo que estas dimensiones no se van a abordar en estas páginas.

Cuadro 1. NIVELES QUE HAN DE TENERSE EN CUENTA PARA LA EVALUACIÓN DEL CAMBIO EDUCATIVO

CONTEXTO	ENTRADA	PROCESOS DEL CENTRO	PROCESOS DEL AULA	RESULTADOS
Índice sociocultural	Nivel inicial de los alumnos	Organización	Estrategias didácticas	Alumnos
Características del centro		Participación	Organización del aula	Profesores
		Cultura	Atención a la diversidad	Padres

1. *Los procesos de centro*

Son muchas las dimensiones que se pueden incluir en este apartado y que han sido recogidas en los informes de los que ya se ha hecho mención: proyectos curriculares, participación, relaciones entre los profesores, diseño curricular, funcionamiento del centro, etc. No es posible recoger todas ellas para ofrecer una amplia panorámica de la opinión de la comunidad educativa sobre estos aspectos. Dos temas pueden ser representativos por reflejar alguna de las innovaciones más importantes de la reforma: la elaboración del proyecto curricular y la incorporación de un conjunto de temas más nuevos. Los cuadros 2 y 3 recogen estas valoraciones.

Hay tres datos especialmente relevantes. En primer lugar, la positiva valoración general de la utilidad del proyecto curricular, uno de los cambios más importantes de la reforma. En segundo lugar, la insuficiente incorporación de algunos temas relevantes como los transversales y la atención a la diversidad. Y en tercer lugar, la menor inclusión y valoración de estas cuestiones por los profesores de secundaria en comparación con los de primaria e infantil. En relación con este último dato cabe preguntarse si los profesores de secundaria están en contra de los planteamientos curriculares básicos de la refor-

Cuadro 2. SATISFACCIÓN DE LOS PROFESORES DEL PRIMER CICLO DE LA EDUCACIÓN PRIMARIA EN LA ELABORACIÓN DEL PROYECTO CURRICULAR

	NADA O MUY POCO	ALGO	BASTANTE O MUCHO	NC
Satisfacción de los profesores	13%	28%	59%	5%

Fuente: INCE, 1997.

Cuadro 3. INCORPORACIÓN DE LOS TEMAS MÁS NUEVOS DEL PROYECTO CURRICULAR EN CADA ETAPA EDUCATIVA Y VALORACIÓN DE SU UTILIDAD GENERAL. EN PORCENTAJES

		NADA O MUY POCO	MEDIO	BASTANTE O MUCHO
Inclusión de temas transversales	Infantil	18	46	36
	Primaria	19	44	37
	Secundaria	49	38	13
Atención a la diversidad	Infantil	32	42	26
	Primaria	27	45	28
	Secundaria	42	40	18
Evaluación de la práctica docente	Infantil	38	42	20
	Primaria	36	46	18
	Secundaria	58	32	10
Utilidad del proyecto curricular	Infantil	11	42	47
	Primaria	12	46	42
	Secundaria	19	53	28

Fuente: Ministerio de Educación y Ciencia: Informe General sobre el Plan de Evaluación de Centros Docentes, Plan EVA, curso 1994-95, 1996.

ma. La respuesta que da el estudio del INCE (1998) es bastante clara. La valoración que hacen los profesores a las cuestiones sobre los objetivos, las áreas y los temas transversales es muy alta y se sitúan entre la valoración de «bastante importante» y «muy importante» (véase figura 1). En consecuencia, se puede pensar que los profesores de secundaria están de acuerdo con estos planteamientos, pero por otro tipo de razones, tal vez la falta de asesoramiento, de tiempo o la dificultad para cambiar estilos de enseñanza consolidados, no los llevan a la práctica.

2. *Procesos de aula*

Un factor fundamental de la calidad de la enseñanza se refiere a la docencia en el aula. Lo que es importante conocer es si las estrategias didácticas de los profesores se han modificado con el paso del tiempo, si esos cambios han sido debidos a la reforma educativa y si los cambios favorecen un mejor aprendizaje de los alumnos. De nuevo no existen datos suficientemente amplios y fiables sobre estas cuestiones que permitan conocer las modificaciones que se han producido en los últimos años. Se conoce lo que opinan los profesores sobre su práctica docente, pero no se tiene información sobre lo que realmente

FIGURA 1. *Valoración de las intenciones de la ESO*

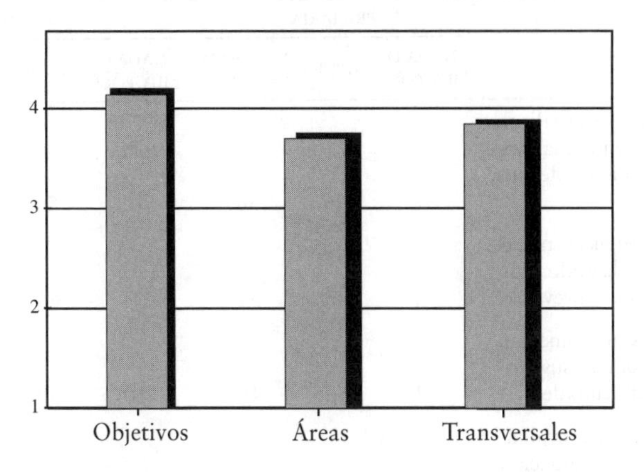

Fuente: INCE, 1998, vol. 1, 69.

hacen en la práctica y acerca de si existen cambios en esta práctica a lo largo de los años.

El estudio del INCE sobre la educación Primaria recoge las opiniones de los profesores sobre la educación, la práctica docente, las programaciones, la organización del aula, la preparación de las clases, los procedimientos didácticos y las técnicas e instrumentos de evaluación. El conjunto de las opiniones muestra a un profesorado con amplias estrategias didácticas, con capacidad para programar en común, sensible a los conocimientos previos de los alumnos e interesados en relacionar los temas con algún supuesto vinculado a la vida diaria, dispuestos a que los alumnos participen en las actividades de aprendizaje y que utilizan variados sistemas de evaluación.

El estudio del INCE sobre la educación Secundaria así como las informaciones que se recogen en los planes de evaluación de la inspección educativa muestran algunas diferencias en relación con la educación Primaria: los profesores de secundaria conocen peor las relaciones intragrupales que existen en las aulas, tienen una inferior consideración del ejercicio de las funciones del tutor y emplean menos frecuentemente métodos de autoevaluación y de coevaluación de sus alumnos. El cuadro 4 puede ser un ejemplo de estas diferencias en el ámbito de la evaluación de los alumnos. De todas formas, hay que reconocer que estos datos, recogidos de forma aislada, apenas aportan información sobre la influencia de la reforma en los procesos de aula.

Cuadro 4. EVALUACIÓN DEL ALUMNADO. EN PORCENTAJE

	PRIMARIA			SECUNDARIA		
	NADA O MUY POCO	MEDIO	MUCHO O BASTANTE	NADA O MUY POCO	MEDIO	MUCHO O BASTANTE
Los profesores realizan habitualmente una evaluación inicial de sus alumnos	8	56	36	12	54	34
Existe coherencia entre el objetivo de la evaluación y los objetivos previstos	1	48	51	3	66	31
Los profesores comentan con sus alumnos sus progresos y dificultades	1	50	49	10	60	30
Se favorece la coevaluación y la autoevaluación del alumnado	11	73	26	30	62	8

Fuente: Ministerio de Educación, 1996, Plan EVA, curso 1994-95.

3. *Resultados de los alumnos*

Una de las dimensiones a las que los ciudadanos prestan mayor atención es la que se refiere a los aprendizajes de los alumnos. ¿Aprenden más con el nuevo sistema?, se preguntan. O, como considera un sector importante de la opinión pública, ¿baja el nivel con la reforma? Hay dos tipos de datos que pueden recogerse para responder a estos interrogantes: el estudio del INCE sobre la educación Secundaria, porque compara el sistema nuevo con el antiguo, y las calificaciones que obtienen los alumnos al finalizar los distintos cursos de la ESO y los cursos análogos de EGB, BUP y FP. Son datos de distinta naturaleza, pero que presentados de forma conjunta permiten construir una imagen aproximada de los avances o retrocesos del nivel medio de los alumnos.

El estudio del INCE compara el nivel de los alumnos de 16 años en 4º de la ESO, en 2º de BUP y en 2º de FP. El cuadro 6 recoge los resultados que obtienen los alumnos en las áreas evaluadas.

Estos resultados nos llevan a dos conclusiones principales: 1) Los alumnos de BUP obtienen mejores resultados que los de la ESO; 2) Los alumnos de la ESO obtienen en algunas áreas mejores resultados que la media de los alumnos de BUP y de FP, y en el resto obtienen resultados similares. La lectura e interpretación del cuadro 5 son muy representativas de las intenciones previas con las que el lector se apro-

Cuadro 5. MEDIAS DE RENDIMIENTO EN LAS ÁREAS EVALUADAS POR LÍNEAS CURRICULARES A LOS 16 AÑOS

LÍNEAS	COMPRENSIÓN LECTORA	GRAMÁTICA Y LITERATURA	MATEMÁTICAS	CIENCIAS DE LA NATURALEZA	GEOGRAFÍA E HISTORIA
2° de BUP	283	293	279	276	283
4° de ESO	273	265	267	274	271
2° de FP	246	224	228	226	233

Fuente: INCE, 1998.

xima a él. Es cierto que los alumnos de BUP tienen mejores resultados que los de la ESO. Pero cuando este dato se utiliza para concluir que el sistema anterior prepara mejor que el nuevo se está realizando una inferencia inexacta porque se está comparando a una parte de los alumnos, que estudiaban en el BUP, con todos los alumnos, que estudian la ESO. La comparación más correcta es la que pone en relación a todos los alumnos del anterior sistema (BUP más FP) con todos los alumnos del nuevo (ESO). Y en esta comparación la nueva etapa educativa no presenta resultados inferiores. Lo que sí hay que aceptar es que en la nueva etapa de secundaria hay una mayor heterogeneidad de alumnos que hace la enseñanza más difícil y que exige medios y recursos más completos.

El segundo tipo de datos procede de las evaluaciones que los profesores hacen a sus alumnos al término de cada curso escolar. Es posible comparar el porcentaje de alumnos que promocionan en cada uno de los cursos análogos del sistema antiguo y del nuevo. El cuadro 6 recoge esta comparación. De acuerdo con los datos presentados, se observa un mayor porcentaje de aprobados en 8° de EGB que en 2° de la ESO. Se puede pensar que esta diferencia es debida a dos causas. La primera es que no hay repetición en 1° de la ESO mientras que sí la había en 7° de EGB. La suma de alumnos que no promocionan en 7° y 8° es igual a la de los que no promocionan en el primer ciclo de la ESO. La segunda se refiere al efecto terminal de 8° de EGB, que tiende a favorece la promoción de los alumnos. Esta misma tendencia estaría presente cuando el primer ciclo de la ESO se imparte en los centros de primaria, por lo que la comparación no se vería afectada dado el elevado porcentaje de centros en los que esto se produce.

La comparación de los resultados de 2° BUP y 2° FP con los de 4° de la ESO manifiesta más claramente la similitud de los resultados, ya que la promoción automática en 1° de FP hace difícil el análisis en el curso anterior. Mientras que en 2° de BUP promociona el 83% y en 2° de FP el 53%, en 4° de la ESO lo hacen el 73% de los alumnos. Son datos muy semejantes a los que obtuvo el INCE y que se comentaron anteriormente. Los resultados del BUP son mejores que los de la ESO y estos últimos superan a los de FP. Cuando BUP y FP se toman en conjunto, los resultados de la ESO muestran un significado más esperanzador.

Cuadro 6. PORCENTAJE DE ALUMNOS QUE PROMOCIONAN AL FINALIZAR 8º DE EGB Y 1º Y 2º DE BUP Y FP, EN COMPARACIÓN CON 2º, 3º Y 4º DE LA ESO

8º de EGB (1)	82.4
2º de ESO	75.5
1º de BUP	80.3
1º de FP	(2)
2º de BUP	83.1
2º de FP	53
3º de ESO	69.6
4º de ESO	73.3

(1) Se incluyen sólo los que obtienen el graduado escolar
(2) En 1º de FP la promoción es automática

Fuente: Ministerio de Educación. Resultados de la Evaluación de los alumnos. Ámbito de gestión del MEC. Curso 1996-97 para el sistema antiguo y 1997-98 para el nuevo.

Estos datos generales positivos no deben hacer olvidar que la tendencia media encubre en muchas ocasiones situaciones desiguales. Los centros de FP escolarizaban alumnos con menor nivel académico. Estos alumnos proceden mayoritariamente de las clases populares, mientras que los alumnos de clase media están sobre-representados en el BUP. (Véase *Fundación Encuentro-CECS*, 1997, 282.) En la medida en que los centros públicos atienden en mayor proporción a los sectores populares (véase de nuevo *Fundación Encuentro-CECS*, 1997, 318), se puede concluir que el mayor esfuerzo para aplicar la nueva educación secundaria recae en los centros y en los profesores que escolarizan a los sectores populares y, dentro de aquéllos, en los públicos.

4. *Valoración de los padres y de los profesores*

Los resultados de un nuevo sistema educativo, o del funcionamiento de un centro, no deben referirse exclusivamente a los progresos académicos de los alumnos, sino que deben extenderse también a los efectos que provocan esos cambios en la opinión de los padres, los profesores y los propios alumnos. Existen pocos datos todavía sobre la valoración que la comunidad educativa realiza sobre la reforma educativa y su percepción de los aciertos y de las insuficiencias. Algunos, sin embargo, pueden obtenerse de los estudios del INCE y de una reciente encuesta.

La valoración de las novedades de la reforma en la educación Primaria por los padres, los profesores y el equipo directivo fue una de las preguntas que se incluyó en el estudio del INCE sobre la Primaria (véase cuadro 7). Los datos muestran una imagen muy favorable. Una pregunta similar no se introdujo en el estudio de la educación Secundaria. Sin embargo, en este último se recogen las opiniones de los ciudadanos sobre la educación y de los padres sobre el profesorado. En el primer caso, algo menos de la mitad de los ciudadanos la califican como buena o muy buena, aunque más de la mitad considera que su calidad ha aumentado en los últimos años. En el segundo caso, el 88% de los padres y madres valoran la labor profesional de los profesores como bastante satisfactoria o muy satisfactoria, lo que coincide con los datos que se recogen en el informe sobre la educación Primaria.

Cuadro 7. VALORACIÓN DE LAS NOVEDADES DE LA REFORMA EN LA EDUCACIÓN PRIMARIA (ESCALA 1 A 5)

	PROFESORES	EQUIPOS DIRECTIVOS	FAMILIAS
Especialista en música y educación física	4.60	4.64	4.76
Desarrollo de las capacidades el alumno	4.26	4.37	4.64
Autonomía organizativa y curricular	4.37	4.32	4.27
Importancia del trabajo en equipo	4.48	4.64	
Importancia de la orientación y tutoría	4.23	4.37	
Secuenciación curricular por ciclos	4.26	4.32	
Prolongación de la enseñanza obligatoria		4.16	
Creación comisión coordinación pedagógica		4.11	
Currículo abierto		4.1	
Concepto y procedimientos de evaluación		3.87	
Evaluación continua de los aprendizajes	4.53		
Temas transversales	4.23		
Metodología globalizadora	4.23		
Evaluación de la práctica docente	4.1		
Aprendizaje lengua extranjera a los 8 años			4.56
Apertura de la participación de los padres			4.4
Duración de seis cursos de la primaria			3.81

Fuente: INCE, 1997.

No hay datos similares en la educación Secundaria. En el correspondiente estudio del INCE, se recoge la opinión favorable de los profesores sobre los objetivos, las áreas y los temas transversales, lo que se expuso en páginas anteriores, pero no se incluye su opinión acerca de los cambios que la reforma educativa provoca en sus centros y en sus condiciones de trabajo. Sin embargo, una reciente encuesta (1998), realizada a los profesores de secundaria de centros públicos, concertados y privados situados en distintos contextos socioculturales, puso de manifiesto las principales preocupaciones de los profesores (véase cuadro 8). Entre todas ellas destacan dos: el salario y sus perspectivas profesionales. En tercer lugar, la motivación de los alumnos, lo que condiciona sin duda su trabajo docente, aunque después éste recoge un alto nivel de satisfacción.

Cuadro 8. SATISFACCIÓN DE LOS PROFESORES DE SECUNDARIA SOBRE DIVERSOS ASPECTOS DE SU TRABAJO (ESCALA 1 A 7)

Trabajo que realiza	5.38
Tutoría	5.08
Condiciones de trabajo del centro	4.66
Posibilidades de formación	4.35
Valoración profesional	4.33
Motivación de los alumnos	3.93
Perspectivas profesionales	3.41
Salario	3.17

5. *A modo de resumen*

Se puede presentar alguna conclusión provisional a partir de las primeras evaluaciones que se han realizado sobre la implantación de la reforma educativa. En primer lugar, existe una amplia aceptación de sus objetivos generales aunque no se han llevado todavía de forma generalizada a la práctica en las aulas. En segundo lugar, los resultados que obtienen los alumnos son similares si se compara el sistema antiguo y el nuevo. En tercer lugar, los padres valoran positivamente los cambios introducidos y el trabajo de los profesores. En cuarto lugar, los profesores de secundaria asumen el peso principal de la extensión de la educación obligatoria, sobre todo aquellos que trabajan en zonas más desfavorecidas socialmente. Y en quinto lugar, los profesores, especialmente los de secundaria, manifiestan una mayor insatisfacción en los temas referidos a su salario y a sus perspectivas de promoción profesional. Ante esta situación es el momento de analizar qué ha hecho el Ministerio de Educación durante estos tres años y qué se debería hacer.

III. TRES AÑOS DE EDUCACIÓN CONSERVADORA

No es difícil resumir la acción del Ministerio de Educación durante estos tres años. Sus propuestas han sido muy numerosas pero sus decisiones operativas tan escasas que pocas páginas son necesarias para describirlas. Tres temas merecen destacarse: sus mensajes, los cambios en el sistema de admisión de alumnos y los intentos de mejorar el estudio de las humanidades. El resto de sus iniciativas —cambiar la LOGSE, modificar la selectividad, reducir las optativas, aumentar los horarios de determinadas materias, ampliar las materias troncales del bachillerato— no han sido más que propuestas poco meditadas de las que nada se sabe cuando estas páginas se terminan de escribir a finales de 1998[1].

1. *Mensajes descorazonadores*

Los responsables del Ministerio de Educación han mantenido desde el inicio de su gestión un claro rechazo a la reforma educativa impulsada por la LOGSE. Su desconfianza en las posibilidades de una enseñanza común hasta los 16 años, su convencimiento de que la reforma era un obstáculo para la calidad de la enseñanza, su insistencia en la falta de formación que reciben los alumnos y su añoranza de tiempos pasados han sido la tónica general de los mensajes enviados a la opinión pública. Es cierto que todo cambio educativo, lógicamente también el que se lleva a la práctica en España, ha de enfrentarse con muchos problemas y con enormes resistencias. Pero es insólito que los abanderados de la protesta sean los responsables del Ministerio de Educación, sin que sean capaces de encabezar un proyecto alternativo que genere ilusión.

Detrás de sus críticas, se puede rastrear una opción ideológica y educativa. Pretenden un sistema educativo competitivo, en el que la libertad de elección de los padres sea un instrumento clave para estimular

1. El cambio del equipo ministerial, en enero de 1999, no parece que vaya a suponer un nuevo impulso a la educación ya que no ha realizado ninguna propuesta seria salvo la de culminar el traspaso de competencias a las Comunidades Autónomas.

a los centros en la captación del alumnado y conseguir con ello mejorar la calidad de la enseñanza. Buscan organizar un sistema educativo en el que la enseñanza pública sea un sistema que llegue a donde la enseñanza privada no llega. Desean un tipo de educación de corte claramente académico, basada en el estudio de las áreas tradicionales y que recupere los sistemas de evaluación clásicos, es decir, el examen de cada profesor sobre los conceptos que ha aprendido el alumno. El modelo educativo que se añora es el de épocas pasadas, centralizado y selectivo. Si se piensa que esta valoración es exagerada, debe releerse las intervenciones de los responsables del Ministerio de Educación y subrayar lo que critican y hacia lo que apuntan. No es posible encontrar prácticamente ningún mensaje que conecte con los retos que la educación va a tener de cara al próximo milenio: nuevas formas organizativas de los centros, apertura al exterior, redes de comunicación, integración de lo académico y de lo profesional, polivalencia, flexibilidad, desarrollo profesional de los docentes, interculturalidad. Sus mensajes son otros muy distintos: libertad de elección de centros, refuerzo de las humanidades y menos educación común para todos los alumnos. Como en este tercer aspecto nada se ha hecho, salvo atacar los supuestos negativos resultados de la educación conjunta de los alumnos, sólo es posible analizar con detalles los dos proyectos principales del Ministerio de Educación durante estos tres años: los criterios para la admisión de alumnos y el refuerzo de las humanidades.

2. *El sistema de admisión de alumnos*

La principal propuesta del Ministerio de Educación que ha llegado a las páginas del Boletín Oficial del Estado se refiere al sistema de admisión de alumnos. Conviene, antes de analizarla con mayor detalle, explicar las razones de la especial atención a este tema. La opción ideológica del Ministerio de Educación se sitúa dentro de las coordenadas liberales. Su planteamiento básico consiste en aplicar las leyes del mercado al sistema educativo. Los padres actúan como consumidores de los bienes de la educación que ofrecen los centros. Si los colegios ofrecen una alta calidad de enseñanza serán más demandados, tendrán más alumnos y recibirán más recursos Si, por el contrario, su calidad es escasa, la demanda será menor y, finalmente, deberán ser cerrados porque nadie querrá ir a ellos. La competencia entre los centros y las mayores posibilidades de que los padres elijan son las estrategias claves del planteamiento liberal en educación. La elección de centro es, por tanto, el motor principal del esfuerzo de los centros para conseguir una mejor enseñanza.

Frente a este planteamiento ideológico existen otros, más sensibles a la realidad educativa, que utilizan diferentes tipos de estrategias para conseguir una mayor calidad educativa. No es el momento de describirlos[2]. Conviene, sin embargo, analizar el alcance y las consecuencias del mayor apoyo ministerial a la «libertad de elección de centro». De acuerdo con la legislación española, los padres pueden elegir centro escolar en función de sus preferencias u opciones personales. Nada impide a un padre llevar a su hijo a cualquier centro, siempre que haya plazas disponibles. El problema sólo existe cuando la demanda de plazas es superior al número de puestos escolares disponibles. En este caso hay que establecer un sistema que regule las prioridades para la elección. Es decir, el orden para acceder al centro. Pero en este supuesto el problema ya no es de libertad de elección, sino de quiénes entran en el centro. Porque si hay cien plazas disponibles y doscientas solicitudes, habrá cien alumnos que no tendrán garantizada la supuesta libertad de elección. Lo que se dirime en este caso son los criterios que se aplican para establecer los que finalmente van a ser escolarizados en ese centro.

Los cambios que ha realizado el Ministerio de Educación se sitúan en la línea de otorgar más poder al centro para que elija a sus alumnos frente a criterios más objetivos. Dos modificaciones fueron las que introdujeron: ampliar la zona de influencia del centro y otorgar a los centros la potestad discrecional de dar una puntuación específica. Una vez que la zona establecida es tan amplia que casi todos los alumnos que demandan el centro obtienen esa puntuación, el elemento que finalmente decide en la mayoría de los casos es el punto específico establecido por el centro, en muchos casos vinculado a situaciones que priman a los alumnos con mejor situación económica o académica. La libertad de elección no supone que más alumnos accedan a los centros que quieren, sino que accedan, entre todos los que los soliciten, algunos que reúnen determinadas características de acuerdo con lo que cada centro ha decidido.

Los defensores de la libertad de elección de centro defienden que de esta manera los alumnos de sectores populares pueden elegir los mejores centros situados en otros lugares, ya que no tienen que atenerse al criterio de zona. En ningún país se ha producido este efecto, y tampoco en España. Los centros supuestamente mejores situados en barrios de clase media de las grandes ciudades han destinado

2. El capítulo 1.º del libro de Marchesi y Martín, 1998, describe las características principales de las diferentes ideologías presentes en el ámbito educativo.

su puntuación adicional a primar a los hijos de antiguos alumnos, a los alumnos que estaban escolarizados en el centro en una etapa no gratuita y, por tanto, no asequible para la mayoría de las familias; o a los mejores expedientes académicos en el caso de la educación secundaria. Pocos han dado la puntuación a los colectivos de alumnos con mayores necesidades educativas. La consecuencia de todo este proceso, limitada por la imposibilidad del gobierno popular de cambiar las leyes orgánicas aprobadas durante el mandato socialista, es el incremento de la desigualdad en el acceso a la educación.

3. *El debate de las humanidades*

Un amplio sector de la sociedad española, influido por los profesionales más vinculadas a las lenguas clásicas y a la filosofía, han valorado que la reforma educativa no incorporaba suficientemente la formación humanística. Es justo reconocer que el latín y la filosofía han perdido tiempo de estudio obligatorio en el nuevo plan de enseñanza. La importancia de ampliar las posibilidades de elección de los alumnos, en donde se ha situado el aprendizaje de una segunda lengua extranjera como opción preferente, así como el incremento de la música, de las artes plásticas y de la tecnología determinaron la disminución del horario de las áreas obligatorias, si bien la lengua española ha incrementado su peso proporcional en relación con las materias tradicionales. Estas decisiones fueron expresión de un amplio acuerdo entre el Ministerio de Educación y las Comunidades Autónomas, durante los años 1990-1992. Junto con este pacto, se estableció también la distribución de los contenidos de la enseñanza: el Gobierno determinaba los contenidos mínimos, que no podían superar el 55% (o el 65% en el caso de las comunidades sin lengua oficial distinta del castellano) del horario lectivo de los alumnos, y las Comunidades Autónomas los desarrollaban y completaban. El consenso en los temas de historia y geografía fue especialmente laborioso, pero al final se consiguió un difícil equilibrio entre los elementos más comunes para todos y los más específicos de cada uno de los territorios históricos.

El Ministerio de Educación consideró, en 1997, que esos mínimos comunes en Historia y Geografía eran insuficientes y que en Cataluña y el País Vasco no se estudiaba la Historia y la Geografía española, por lo que procedió a elaborar una nueva norma básica mucho más exhaustiva y pormenorizada. No es momento aquí de analizar el valor pedagógico de esta propuesta. Lo cierto es que consiguió unir a todos los partidos políticos, excepto al Popular, para votar en contra de la norma. A partir de ese momento, el Ministerio de Educación impulsó la creación de una amplia comisión con la finalidad de que elaborara un dictamen. En junio de 1998 se presentó el informe en el que se proponía un conjunto de medidas en relación con los contenidos y el horario de las materias más relacionadas con las humanidades. Tres semanas después la Ministra de Educación presentó a los medios de comunicación una serie de propuestas para mejorar el estudio de las humanidades solamente en los centros que dependían de su gestión directa. Han pasado más de siete meses desde entonces y todavía no ha habido ninguna propuesta de cambio recogida en el Boletín Oficial del Estado.

En resumen: un proceso que se inicia para conseguir que en Cataluña y en el País Vasco se estudie más Historia y Geografía de España, termina con una propuesta que, si finalmente llega al Boletín Oficial del Estado, no va a afectar a casi ninguna comunidad autónoma porque la mayoría de ellas asumirán competencias educativas durante el año 1999. Y en esta batalla estéril ha gastado el Ministerio de Educación gran parte de sus energías que podía haber destinado a resolver los problemas reales que tiene la educación española.

4. *Alguna valoración positiva*

Ninguna gestión es totalmente negativa, por lo que no sería justo terminar en los párrafos anteriores. El Ministerio de Educación ha adoptado algunas iniciativas positivas que merecen destacarse. La primera, haber realizado una amplia evaluación de la educación Secundaria, de la que se han recogido algunas conclusiones en los apartados anteriores. No es momento de entrar en las intenciones que había detrás de esta evaluación. Lo cierto es que el estudio ha contribuido a conocer mejor lo que sucede en la educación Secundaria y ha creado un ambiente más favorable para la realización de nuevos estudios.

La segunda, el impulso al proceso de transferencias a todas las comunidades autónomas. Aunque en el momento de escribir estas líneas todavía no ha concluido el proceso, hay ya varias Comunidades Autónomas (Baleares, Aragón, Cantabria, previsiblemente Madrid y Castilla-La Mancha) que asumirán en breve las competencias en educación. Se abre de esta manera una nueva etapa en la educación española, ya que el papel que asumió el Ministerio de Educación en el pasado, en gran medida por tener que gestionar la educación de casi la mitad de España, se modifica. Su potencial liderazgo se reduce y se abren otras vías de relación entre las administraciones educativas.

Será preciso asegurar la coordinación y la solidaridad entre todas las Comunidades Autónomas, pero sin perder capacidad de iniciativa. Ni la solidaridad debe producir uniformidad, ni la iniciativa ha de generar desigualdad. Entre ambas tensiones debe situarse la función de impulso y de cohesión del Ministerio de Educación.

IV. LOS PRINCIPALES DESAFÍOS DE LA EDUCACIÓN ESPAÑOLA

La puesta en práctica de la reforma educativa exige durante los próximos años un gran esfuerzo ya que, no hay que olvidarlo, es preciso todavía completar la implantación de la educación secundaria obligatoria, el bachillerato y la formación profesional. Este esfuerzo debe concretarse principalmente en la ampliación de los recursos que se destinan a la educación para conseguir un progresivo aumento de la calidad educativa en beneficio de todos los alumnos. En este proceso de puesta en práctica de las nuevas etapas educativas, es preciso desarrollar nuevas propuestas que contribuyan a resolver los problemas existentes y que hagan posible una enseñanza mejor. Entre todas las posibles, se seleccionan las cuatro siguientes: la evaluación de los centros; el desarrollo profesional de los profesores; la reducción del abandono escolar prematuro; y el acceso de los alumnos a las nuevas redes de información.

1. *Evaluación de los centros*

Conocer el funcionamiento de cada centro docente es una condición necesaria para adoptar iniciativas que mejoren su calidad. Por ello es importante desarrollar proyectos que impliquen a los centros en su evaluación y que favorezcan la existencia tanto de una evaluación externa como interna. La Ley Orgánica de la Participación, la Evaluación y el Gobierno de los Centros, aprobada en 1995, estableció en su art. 29 que las administraciones educativas pondrán en marcha planes de evaluación de los centros que deberán tener en cuenta el contexto socioeconómico de los mismos y los recursos de que disponen, y que incluirán los procesos y los resultados obtenidos, tanto en lo relativo a organización, gestión y funcionamiento como al conjunto de las actividades de enseñanza y aprendizaje.

Poco se ha avanzado desde la aprobación de esta ley. El Ministerio de Educación había puesto en marcha un plan experimental de evaluación de centros, el plan EVA, en el que combinaba las entrevistas a la comunidad educativa con el análisis de cuestionarios e informes. Los resultados eran valorados posteriormente por el propio centro. Fue una fase importante para sensibilizar a la comunidad educativa sobre la importancia de la evaluación. Sin embargo, este proyecto no ha tenido continuidad en los últimos años.

Hay que reconocer que la evaluación de los centros no es una tarea sencilla, especialmente si se intenta combinar la evaluación externa con la interna y se pretende ofrecer a la comunidad educativa una información contextualizada e interesante, confidencial y no competitiva, pero capaz de detectar los problemas e impulsar el cambio. Exige un diseño cuidadoso, un esfuerzo sostenido y una voluntad de crear las condiciones para que los centros perciban la evaluación externa como estímulo y apoyo, y no como un sistema más de control.

2. *El desarrollo profesional de los profesores*

Los datos que se han apuntado en las páginas anteriores indican que una de las principales razones de insatisfacción de los profesores es la ausencia de perspectivas profesionales. Mientras que en años anteriores el mayor problema percibido por los profesores se situaba en su formación, las últimas encuestas revelan que en la actualidad el desarrollo profesional es el tema más acuciante. La motivación de los profesores y su participación en los cambios educativos está estrechamente relacionada con las posibilidades que se le ofrecen para progresar en su profesión. No cabe duda de que un salario digno y satisfactorio inicial es importante para asegurar que los mejores profesores no rechazan la enseñanza por esta razón o la abandonan enseguida por la existencia de otras opciones de trabajo más atractivas y mejor remuneradas. Pero el problema posterior es cómo asegurar mecanismos de promoción a lo largo de la vida que hagan atractiva la dedicación a la docencia.

El primer problema que se plantea es qué tipos de incentivos constituyen la carrera profesional del docente, más allá de incrementar la retribución económica por su antigüedad. Las posibilidades son muy diversas. En cada una de ellas deben establecerse las condiciones para su acceso y el reconocimiento económico o profesional asociado a la dedicación. Los profesores deben conocer cuáles son las opciones que tienen, cuándo pueden optar a ellas y qué méritos se exigen para su acceso.

En el tipo de méritos que se exigen y en la forma de determinarlos está el segundo gran problema al que se enfrenta la definición de una carrera profesional. La valoración del trabajo de los profesores es uno de los instrumentos que más fuerza tiene pero que más controversia suscita. Su utilización favorece el reconocimiento de los mejores profesores y ayuda a más dedicación y competencia profesional en su centro y en su aula. Pero también la valoración de los profesores puede ser contraproducente si no se ha establecido una perspectiva profesional clara y si el sistema utilizado no es capaz de promover la renovación de la práctica docente.

Es preciso, por tanto, avanzar en la elaboración de un modelo de desarrollo profesional que sea negociado y acordado con los profesores y en el que se establezcan los sistemas de incentivo y las condiciones que hay que cumplir para obtenerlos. Este modelo podría tener una parte común para todos los profesores y dos caminos específicos más diferenciados. La parte común estaría basada en el incremento de las retribuciones cada seis o siete años a partir de la valoración de la práctica docente, de los proyectos de innovación o del trabajo en equipo. Los dos caminos específicos serían el de gestión-supervisión y el de asesoramiento-formación, con suficiente flexibilidad entre ambos. El primero supondría principalmente el acceso a puestos directivos y posteriormente a la inspección educativa. El segundo estaría más orientado a la docencia, al asesoramiento de profesores recién ingresados en el sistema, a la coordinación o dirección de los seminarios en secundaria o de los ciclos en primaria, y a la formación de los profesores.

3. *La reducción del abandono escolar*

La extensión de la educación obligatoria plantea serias dificultades a los centros y a los profesores para conseguir que todos los alumnos terminen la educación secundaria obligatoria. La presencia de alumnos escasamente motivados, poco preparados, con gran desconocimiento del castellano o con graves problemas familiares y sociales hace difícil no sólo cumplir este objetivo sino asegurar una buena enseñanza a todos los alumnos. El hecho de que el 25% de los alumnos no obtenga la titulación de educación básica obliga a reflexionar sobre la situación de estos alumnos y sobre sus dificultades futuras para incorporarse al mundo del trabajo.

Es necesario, además, poner en marcha nuevas iniciativas que, por una parte, ayuden a los profesores a la educación de grupos de alumnos difíciles pero que, por otra, aborden las causas sociales, familiares y estructurales que generan el abandono escolar. Hay que tener en cuenta que la mayoría de los alumnos con riesgo de fracaso escolar están escolarizados en determinados institutos de secundaria situados en las zonas o barrios con menor nivel social, económico y cultural. La primera iniciativa se refiere al tratamiento diferencial de estos centros, que deben recibir una atención más específica, más recursos económicos de la administración educativa, más incentivos para los profesores y una clara preferencia para acceder a nuevos programas educativos. El número máximo de alumnos debería disminuir en estos centros y, asimismo, necesitarían incorporar nuevos profesionales, como trabajadores sociales, para desarrollar programas de intervención familiar y comunitaria en colaboración con otras instituciones sociales.

La segunda iniciativa supone abordar con una clara orientación integradora la organización del currículo en la educación Secundaria, especialmente en el segundo ciclo. Frente a propuestas que reducen la optatividad o que configuran unidades cerradas para estos alumnos que no conducen a ninguna titulación, es conveniente flexibilizar la organización del segundo ciclo de la ESO, aumentar la optatividad y profundizar en opciones educativas más diferenciadas pero que permitan a los alumnos obtener la titulación básica. Este último aspecto puede concretarse en la existencia de dos modalidades específicas de programas de diversificación curricular, una para los alumnos con mayor retraso y otra para aquellos con menor motivación, y en el acceso a ellos a partir del segundo ciclo de la ESO.

La tercera iniciativa supone desarrollar programas integrados que se enfrenten a las condiciones sociales, laborales y culturales de aquellas zonas en las que se produce un mayor abandono escolar. La mayor orientación a las familias, la ampliación de la oferta formativa de educación básica y de formación profesional para las personas sin trabajo, el incremento de las bibliotecas, de los lugares de estudio y de los campos de deporte, el apoyo a actividades recreativas, la creación de nuevas plazas gratuitas para la educación infantil y la ampliación de los servicios sociales y de salud contribuirá a mejorar la situación de estas familias y ayudará a reducir el abandono escolar.

4. *Acceso de los alumnos a las nuevas redes de información*

Finalmente, conviene analizar lo que está suponiendo la presencia masiva de los ordenadores y de las redes de información en la vida social y qué repercusiones tiene en el ámbito educativo. Estamos asistiendo a un cambio enorme con una celeridad impresionante. En los próximos años, la mayoría de las familias dispondrán de ordenador y estarán conectadas a las redes de comunicación y de información.

Los alumnos establecerán nuevas relaciones sociales y desarrollarán habilidades específicas para obtener la información. Ante estos cambios, que van a condicionar los proceso de aprendizaje de los alumnos, la escuela no puede quedarse indiferente. Dos programas deben obtener una máxima prioridad: la dotación masiva de ordenadores a las escuelas, y la formación y orientación a los profesores para que incorporen esta herramienta de forma eficaz en su enseñanza. La dedicación casi total de uno de los profesores del centro a garantizar el funcionamiento de estos sistemas y a asesorar sobre los cambios de organización y didácticos que comporta empieza a ser una necesidad ineludible.

BIBLIOGRAFÍA

Fundación Encuentro-CECS (1998): *Informe España 1997*, Fundación Encuentro, Madrid.

INCE (1997): *Evaluación de la Educación Primaria*, Ministerio de Educación y Cultura, Madrid.

INCE (1998): *Diagnóstico del Sistema Educativo. La escuela secundaria obligatoria,* Ministerio de Educación y Cultura, Madrid.

Marchesi, A. y Martín, E. (1998): *Calidad de la enseñanza en tiempos de cambio*, Alianza, Madrid.

Capítulo 13

POLÍTICA SANITARIA: LA REFORMA DE LA SANIDAD

José Ignacio Echániz Salgado

I. INTRODUCCIÓN

El enorme esfuerzo que ha realizado España en los últimos años, para lograr la convergencia nominal en el proceso de integración económica y monetaria europea (tipos de interés, déficit, inflación, deuda pública, etc.), exige en estos momentos continuar trabajando en la consecución de la convergencia real (el bienestar de los ciudadanos de la UE).

Para ello, el diseño de una política económica basada en una ejecución presupuestaria rigurosa que ha conseguido reducir sensiblemente el déficit público, una política avanzada de liberalización de los mercados y una política de respaldo a la economía productiva en sus aspectos financieros, tributarios y laborales, ha sido esencial.

Desde el punto de vista de la salud, el hecho de que la sanidad española consuma un volumen de recursos públicos cercano a 4 billones de ptas., y el margen que aún queda en términos de eficiencia, subraya la necesidad de una reforma estructural de nuestro sistema público sanitario para que contribuya a hacer sostenible nuestro Estado de Bienestar.

Un importante número de países de ese Espacio Euro ha ido ya generando reformas similares en sus sistemas sanitarios.

En este sentido, nuestro país ha abordado en los últimos años importantes iniciativas que han de ser la base para esa reforma: el Acuerdo de la Subcomisión para la Consolidación y Racionalización del Sistema Nacional de Salud del Congreso de los Diputados, el Nuevo Acuerdo de Financiación Sanitaria (1998-2001) y el Nuevo Plan Estratégico del INSALUD.

Estas cuestiones, junto con un análisis de los problemas estructurales de la sanidad, el gasto sanitario, las listas de espera y las Fundaciones Públicas Sanitarias, entre otras, son analizadas en el contenido de este trabajo.

II. LOS PROBLEMAS DE LA SANIDAD

La sanidad pública española es uno de los ámbitos esenciales del Estado, porque afecta a todos los ciudadanos y por los importantes recursos que se le asignan.

Nadie cuestiona, en estos momentos, los sólidos principios sobre los que se asienta el Sistema Nacional de Salud: *universalidad*, *equidad* y *calidad*, ni que el mismo supone un *eje vertebrador* de nuestro Estado de Derecho, un importante factor de cohesión social y una conquista de nuestra sociedad construido con gran esfuerzo por varias generaciones de españoles, que tenemos la obligación de preservar y mejorar.

El sistema sanitario público ofrece en estos momentos una *cobertura cuasi-universal* (98.5%); colectiviza los riesgos bajo el principio de solidaridad; se *financia íntegramente* a través de *impuestos generales* —sin la participación de cuotas de Seguridad Social—; dispone de una red asistencial cuya titularidad es mayoritariamente pública; ofrece un completo catálogo de prestaciones, en su mayor parte gratuitas; goza de una amplia dotación de recursos materiales y humanos y de un alto nivel científico perfectamente equiparable al del resto de los países desarrollados; y presenta una alta eficiencia macroeconómica, en la medida en que, con un gasto equiparable al de otros países occidentales, dispone de unos indicadores del estado de salud por encima de la media europea.

A pesar de estas características, su desarrollo a lo largo de las últimas décadas ha evidenciado problemas y carencias que merecen la pena analizar:

Los cambios demográficos producidos en los últimos años, con el aumento de la longevidad y, por tanto, de la edad media de la población, han afectado directamente a las necesidades financieras, en la medida en que son precisamente las personas mayores las que más uso de la sanidad hacen. El intenso desarrollo tecnológico en la sanidad, que aplica procedimientos diagnósticos y terapéuticos cada vez más caros y sofisticados, y sistemas de información cada vez más complejos, junto con la rápida obsolescencia de los mismos, ha sido otro de los factores que han acelerado el gasto sanitario.

El *cambio en el patrón de las enfermedades* y la aparición de *nuevas patologías* es otro de los elementos que, asimismo, inciden en esta situación.

El mayor nivel de formación de los ciudadanos ha mejorado su percepción de la soberanía individual y ha generado mayores expectativas respecto del Sistema, exigiendo un mejor servicio, a cambio de su contribución fiscal.

Todos estos elementos, y algunos más, han dado como resultado un aumento de las necesidades de financiación del sistema.

En la medida en que ese aumento del gasto sobrepasaba, en ejercicios anteriores, el presupuesto inicial asignado a la sanidad, generó, durante la última década y la mitad de la presente, tensiones financieras e importantes desviaciones y déficits que aumentaron el nivel de endeudamiento de la Seguridad Social, comprometiendo el resto de las prestaciones sociales a su cargo.

Si añadimos una histórica ausencia de disciplina presupuestaria, un desequilibrio en las dotaciones de infraestructuras y de tecnologías entre las distintas Comunidades Autónomas y una cierta disfuncionalidad en el reparto territorial de los recursos, tenemos algunos de los ingredientes que han generado problemas en el ámbito de la financiación sanitaria.

La incorporación de todos los nuevos procedimientos clínicos, sin una adecuada evaluación coste-efectividad previa, sin la revisión de los procedimientos anticuados y, sobre todo, sin una asignación presupuestaria adicional para poder hacerles frente, también ha tenido una influencia negativa en el ámbito financiero de la sanidad.

El desequilibrio en la oferta asistencial (exceso de camas de agudos y déficits en las de media y larga estancia); el alto nivel de demanda con baja conciencia del coste y el alto consumo en farmacia; las ineficiencias asignativas por la fuerte regulación administrativa y el déficit de participación social y de capacidad de elección de proveedor; la existencia de incentivos perversos en los sistemas de pago; las inequidades territoriales en el acceso a las prestaciones; las listas de espera; las rigideces en las normas que regulan las relaciones laborales; el escaso compromiso de los profesionales; la aparición de una «medicina defensiva» como respuesta al aumento del número de demandas en los tribunales; la descoordinación entre los niveles de atención primaria y especializada; la falta de desarrollo de la salud pública y la medicina preventiva; el colapso de las urgencias; el escaso nivel de autonomía y de exigencia de responsabilidad en un sistema integrado verticalmente que no tiene separadas entre sí las funciones de financiación, compra y provisión; la existencia de un modelo territorial pendiente de culminar (sólo siete Comunidades Autónomas han recibido las transferencias en materia sanitaria); y la insuficiencia de los mecanismos de coordinación ante la progresiva descentralización de los servicios sanitarios, son algunos de los elementos que conformaban el sistema sanitario, algunos de los cuales perduran en la actualidad.

III. EL ACUERDO DE LA SUBCOMISIÓN DEL CONGRESO

Con estas premisas, en marzo de 1996, se produce en nuestro país un cambio de Gobierno. Consciente de la situación expuesta, el Presidente del Gobierno, José María Aznar, ofrece en su discurso de investidura ante el Parlamento la creación de una ponencia que estudie estos problemas y proponga soluciones.

Personalmente tuve el honor de redactar, en nombre del Grupo Parlamentario Popular, una Proposición No de Ley, instando al Congreso de los Diputados a crear una Subcomisión en seno de la Comisión de Sanidad para estudiar en el ámbito del poder legislativo, con objetividad, serenidad, profundidad y rigor, los problemas y las reformas necesarias para consolidar, mejorar y modernizar nuestro Sistema Nacional de Salud. Esta iniciativa parlamentaria fue aprobada por unanimidad de la Cámara, el 11 de junio de 1996, lo que suponía de antemano un reconocimiento explícito a las dificultades del sistema y a la necesidad de reformas.

El hecho de que la Subcomisión de estudio se crease en el máximo órgano representativo de la soberanía popular —situación que se producía por vez primera desde la reinstauración democrática en nuestro país—, perseguía el objetivo de dotar a los acuerdos de *legitimidad política y parlamentaria*.

Los antecedentes que permitieron la maduración para llegar a este trabajo, en función de la evolución histórica, fueron la Ley del Seguro Obligatorio de Enfermedad de 1942, la Ley de Bases de 1963, la Ley de Seguridad Social de 1966 y el texto refundido de 1974, la creación de Ministerio de Sanidad en 1977, la creación del Instituto Nacional de la Salud (INSALUD), en 1978, tras la escisión de Instituto Nacional de Previsión, la regulación del derecho a la salud en la Constitución Española de 1978, la aprobación de la Ley General de Sanidad en 1986 —Ley que a pesar de llevar entonces más de 10 años en vigor, había demostrado importantes carencias, al estar excesivamente basada en el derecho administrativo, por no estar convenientemente orientada a satisfacer las necesidades del paciente, por no abordar con adecuación la salud pública, ni ser suficientemente estimulante para los profesionales (recuérdense las importantes huelgas sanitarias de principios de los '90, entre otras muchas); y los trabajos de la Comisión de Análisis y Evaluación del Sistema Nacional de Salud, más conocido como Informe Abril, en honor al que fuera su presidente, Fernando Abril Martorell, ex-vicepresidente de uno de los gobiernos de UCD con Adolfo Suárez, Informe en el que trabajaron varias subcomisiones y cientos de expertos, y que vio la luz en el verano de 1991..., por muy poco tiempo.

La falta de voluntad política del Gobierno y la presión de los sindicatos dinamitaron un análisis y unas propuestas que, en su mayor parte, eran correctas y que han retrasado unos preciosos años el necesario proceso de reforma de la sanidad en nuestro país.

Otros antecedentes que sirvieron de base para el trabajo de la Subcomisión del Congreso fueron el Acuerdo de Financiación Sanitaria del Consejo de Política Fiscal y Financiera para el cuatrienio 1994-1997 y las reformas llevadas a cabo en los países de nuestro entorno: Holanda desde 1989, Gran Bretaña desde 1990, Francia a partir 1991, Suecia desde 1991, Alemania desde 1993, Italia desde 1993, etc.; reformas que tienen rasgos y tendencias comunes: descentralización de la gestión; separación de los agentes que participan en la sanidad; libertad de elección por parte del paciente; delimitación de las prestaciones; extensión de la co-financiación privada del gasto sanitario; y aplicación de diversos mecanismos de control del gasto farmacéutico.

Por último, también sirvieron como antecedentes y justificación de la creación de la Subcomisión las innovaciones llevadas a cabo en los últimos años por algunas Comunidades Autónomas con competencias en materia sanitaria, el Pacto de Toledo de 1996 —Acuerdo parlamentario que supuso un importante avance en la modernización y consolidación del sistema público de pensiones—, el Pacto por el empleo de 1997, y la oportunidad que suponía el que los últimos barómetros sanitarios evidenciaran que un 80% de los españoles estaban de acuerdo en que en el ámbito sanitario se llegase a un acuerdo de Estado similar al del Pacto de Toledo para las pensiones.

Para los trabajos de la Subcomisión, se utilizó la siguiente metodología: los miembros de la misma (13) fueron elegidos por los grupos parlamentarios, siguiendo la composición numérica de la Comisión y, por tanto, del Pleno de la Cámara —3 del Grupo Parlamentario Popular; 3 del Grupo Parlamentario Socialista; 2 del Grupo Parlamentario de Izquierda Unida; 2 del Grupo Parlamentario de Convergencia i Unió; 1 del Grupo Parlamentario del PNV; 1 del Grupo

Parlamentario de Coalición Canaria; y 1 del Grupo Parlamentario Mixto.

Desde septiembre de 1996 y hasta abril de 1997, se sucedieron las comparecencias, hasta un número total de 56, de representantes sindicales y empresariales, colegios profesionales, consumidores, Administración Central (Ministerios de Sanidad, Trabajo y Asuntos Sociales, y Economía y Hacienda) y Autonómica (las 7 CC.AA. con competencias sanitarias) y 2 Consejeros de Sanidad de Comunidades sin transferencias, uno por cada uno de los Grupos Mayoritarios (PP y PSOE), y de un importante número de expertos españoles y extranjeros, algunos de ellos con experiencia en reformas llevadas a cabo en otros países.

Todos estos comparecientes, en intensas jornadas de trabajo, volcaron sus análisis, conocimientos, experiencias y posibles soluciones, contestaron a todas las preguntas de los miembros de la Subcomisión y entregaron también aportaciones por escrito.

Tras esta primera fase, se elaboraron por parte del Ministerio de Sanidad y de la Subcomisión varios documentos de análisis de la situación (febrero de 1997), y un esquema de temas a tratar, que sirvieron para centrar los debates (junio de 1997), y que abordaban cuatro áreas de interés:

1. Financiación.
2. Aseguramiento y Prestaciones.
3. Organización y Gestión.
4. Modelo Territorial.

Desde junio de 1997 y hasta finales de septiembre de mismo año, se debatieron en el seno de la Subcomisión, de forma abierta y dialogante, todas y cada una de las ideas y aportaciones de los expertos y de los grupos, llegando al final a una serie de conclusiones que resumo brevemente:

1. *Financiación*

— Garantizar la suficiencia, estabilidad y equidad en la financiación sanitaria.

— Establecer una *base presupuestaria adecuada y realista*: mayor dotación financiera y aumento del gasto sanitario público en la riqueza nacional (PIB).

— Medidas de *disciplina presupuestaria* y *corresponsabilidad en el gasto*.

— Revisión del criterio capitativo simple establecido en la Ley General de Sanidad: consideración de factores ajenos a la gestión, que condicionan diferentes costes de provisión.
— Encaje a medio plazo, de la financiación sanitaria, en la financiación autonómica, sobre criterios de integración progresiva, y corresponsabilidad fiscal.

2. *Aseguramiento y prestaciones*

— Consolidar el Sistema bajo los principios de *universalidad, equidad, solidaridad* y aseguramiento *público y único*.
— Fijar los contenidos y carácter del *derecho a la asistencia sanitaria* como *derecho público subjetivo, personal* y *no contributivo*, sin discriminaciones en el acceso a los servicios.
— Lograr la *universalización efectiva* del Sistema, desvinculándolo de los regímenes de afiliación a la Seguridad Social.
— Precisar el papel de las distintas entidades, especialmente las actuales mutualidades administrativas, en la gestión y provisión de aseguramiento y la asistencia sanitaria.
— Regular la exigencia de la *acreditación individual* sanitaria (tarjeta sanitaria).
— *Reparto de competencias* de ordenación, en distintos niveles (Estado, Autonomías, Instituciones).
— *Garantías básicas* establecidas por Ley (libre elección, información, reclamación y reintegro, calidad).
— Introducir criterios de *necesidad, utilidad asistencial y social*, y *coste/efectividad*, en la ordenación de las prestaciones.
— Establecer un programa de *evaluación de tecnologías* que fije prioridades de evaluación.
— Establecer *garantías de tiempos máximos de espera*, para procedimientos que se consideren prioritarios.
— Establecer la *ordenación normativa de las prestaciones*, mediante un proceso *participativo* y abierto, como elemento fundamental de determinación de los contenidos del derecho a la asistencia.
— Impulsar la *asistencia socio-sanitaria* e introducir nuevas iniciativas de control del gasto farmacéutico.
— *Delimitar prestaciones sanitarias* de las actividades asistenciales de carácter eminentemente social.
— Promover el desarrollo de una *red de asistencia socio-sanitaria* (bajo principios de descentralización administrativa, participación social y contribución económica de los usuarios).

— Involucrar a la sociedad y a las familias en la asistencia, e incentivar el asociacionismo, el voluntariado, y la iniciativa privada.

— Separar el registro de la financiación, en la prestación farmacéutica.

— Promover los *medicamentos genéricos* e implantar los *precios de referencia.*

— Mejorar los instrumentos de gestión y control del fraude.

— Introducir los *presupuestos farmacéuticos* por unidad asistencial.

— Promover una *mayor participación* de las *oficinas de farmacia* en el Sistema Nacional de Salud.

3. *Organización y gestión*

— Promover la *autonomía y competencia* entre proveedores e impulsar el papel de los ciudadanos.

— Configurar los *centros asistenciales* como *organizaciones autónomas*, con efectiva traslación de facultades de decisión y responsabilización.

— Facilitar la extensión de *nuevas de formas de gestión* a la red asistencial existente.

— Impulsar la *competencia ente proveedores* en el marco de *un mercado sanitario regulado.*

— Controlar la calidad asistencial e impulsar su mejora a través de un *sistema general de acreditación* de centros y servicios sanitarios.

— Reconocer el derecho a la libre *elección de médico* y *centro.*

— Regular el derecho a la *información asistencial comparada.*

— Fomentar la *participación social* en el Sistema.

— Motivar e involucrar a los profesionales.

— Regular las peculiaridades profesionales de los sanitarios mediante un *Estatuto profesional propio*, de carácter básico para todo el Sistema.

— Fomentar la *descentralización* de los *procesos de selección.*

— Flexibilizar el régimen de dedicación, mediante una mayor personalización de las condiciones de trabajo.

— *Nuevas fórmulas retributivas* que prioricen incentivos a la eficiencia y la calidad, y promuevan la participación en las decisiones en el ámbito institucional.

— Regular la *negociación colectiva al nivel de centro*, bajo pautas comunes al Sistema (volumen total de empleo, condiciones salariales básicas).

— Implantar la *formación continuada* y la carrera profesional (con carácter general, y sin vinculación salarial).

— Adecuar las especialidades a las necesidades asistenciales y crear áreas de capacitación específica.

4. *Modelo territorial*

— *Equiparar las competencias de las Comunidades Autónomas* del art. 143, en materia de asistencia sanitaria, y hacer efectivos los traspasos de la misma.

— Desarrollar una *mayor presencia* de las *corporaciones locales* en la actividad asistencial.

— Perfilar el contenido de la *función financiera del Estado.*

— Poner en marcha *instrumentos de coordinación normativa* (Estado-Comunidades Autónomas).

— Renovar contenidos y dotar de medios a la *planificación integral*; potenciar *programas sectoriales conjuntos* especialmente de Salud Pública.

— Definir el *modelo central de información.*

— Redefinir la Alta Inspección como instrumento de *garantía de equidad* en el acceso.

— Crear una *Agencia del Medicamento* a semejanza de otros países occidentales.

— Revisar la *naturaleza* del Consejo Interterritorial, dándole mayores facultades de decisión, y *ampliar sus funciones* como órgano de coordinación general.

— Modificar la *composición* de Consejo Interterritorial, suprimiendo su carácter paritario, y establecer un *nuevo régimen de acuerdos.*

— Impulsar la *participación social* en el Consejo Interterritorial, y dotar de una estructura más operativa a todos sus órganos.

En definitiva, como se puede observar, se trata de unas conclusiones, elaboradas mediante un proceso consensuado, que pretenden:

a) La consolidación:

1. Del *aseguramiento* (universal, público y único);
2. De la *financiación* (suficiencia, equidad y convergencia real);
3. Del *modelo territorial* (cierre del modelo e impulso a la cooperación/coordinación);

b) La modernización:

1. *Organizativa* (descentralización y autonomía);
2. De la *oferta prestacional* (racionalización, adecuación a las necesidades emergentes y priorización explícita);
3. Del *papel de los usuarios* (libre elección y participación);
4. Y del *régimen de personal.*

Y cuyos grandes objetivos son:

— Consolidar el sistema sanitario público (aseguramiento universal, público y único, base financiera suficiente, convergencia real);
— Mejorar la equidad (inter- e intraterritorial en la asignación de recursos y garantías de tiempos máximos de espera);
— Mejorar la *eficiencia* (separación de funciones, autonomía de gestión y competencia interna regulada);
— Controlar y fomentar la *calidad* (sistema común de acreditación e información asistencial comparada);
— Motivar e involucrar a los profesionales (nuevo régimen de personal, carrera profesional y formación continuada);
— Otorgar mayor poder a los ciudadanos (libre elección y participación social);
— Consolidar el modelo territorial (realizando las transferencias pendientes e impulsando la cooperación/coordinación).

Estas conclusiones, aprobadas por la Subcomisión, fueron elevadas, primero, a la Comisión de Sanidad y, luego, aprobadas definitivamente por el Pleno del Congreso.

Como consideración especial, hay que decir que el acuerdo fue firmado por los partidos políticos PP, CIU, PNV y CC. Y que tanto el PSOE como IU decidieron abandonar los trabajos de la Subcomisión antes de producirse el debate de las líneas que dieron lugar a las conclusiones finales.

Personalmente, creo que el PSOE e IU antepusieron otros elementos políticos al logro de un gran pacto sanitario, en la medida en que las conclusiones adoptadas eran perfectamente asumibles por todas las fuerzas políticas. Con ello, creo que todos perdimos una ocasión histórica, en este país, de consensuar los elementos básicos para la consolidación y modernización de nuestro Sistema Sanitario Público en el futuro.

En definitiva, este acuerdo, que fue elaborado de una forma abierta y dialogante, ha de servir como partitura para las importantes reformas que precisa nuestra sanidad en los próximos años y en las que todos, usuarios, profesionales, sindicatos, administración, parlamentarios, etc., tendremos un papel destacado, para lograr la sostenibilidad y excelencia del Sistema Nacional de Salud.

IV. EL ACUERDO DE FINANCIACIÓN SANITARIA 1998-2001

En el apartado II vimos algunos de los factores que inciden directamente sobre el gasto sanitario y que han hecho que, en la última década, experimentase en nuestro país un crecimiento de 2 billones en ptas. corrientes, o lo que es lo mismo, que se multiplicase por dos, y que esta situación generase en muchos casos tensiones presupuestarias y déficit en las cuentas de la sanidad pública.

El gasto sanitario público en España se halla integrado, además de por las asignaciones de recursos del INSALUD (gestión directa y transferida), por las correspondientes al Ministerio de Sanidad, al Ministerio de Defensa, al Instituto Social de la Marina, a las mutuas patronales de accidentes de trabajo y enfermedades profesionales, al mutualismo administrativo (MUFACE, MUGEJU e ISFAS), a los Ayuntamientos y a las Diputaciones Provinciales.

El gasto sanitario total en España (como porcentaje del PIB) ha ido aumentando a medida que lo ha hecho nuestro nivel socioeconómico, hasta igualarse en términos relativos prácticamente con el de los países pertenecientes a la OCDE. El hecho de partir de un gasto sanitario menor, ha provocado también que, en los últimos años, España haya realizado un enorme esfuerzo para que las tasas de crecimiento fuesen mayores que las de países de nuestro entorno.

Existe la constatación empírica de que el gasto sanitario tiende a aumentar, proporcionalmente, algo más que el incremento de la renta de cada país (elasticidad del gasto sanitario respecto al PIB, mayor que uno) o, lo que es lo mismo, la sanidad se comporta como un bien de lujo.

En la curva de regresión, que relaciona el gasto sanitario per cápita con el PIB per cápita, España se ubica justo sobre la curva, lo que indica que nos encontramos en un nivel de gasto sanitario acorde con la riqueza de nuestro país y, por tanto, con nuestras posibilidades.

Sin embargo, la pregunta que se formulan todos los países occidentales en estos momentos es: ¿hasta dónde se puede llegar en el gasto sanitario?; debido a que su incremento progresivo puede suponer, en virtud del coste de oportunidad, la infrafinanciación de otros servicios públicos.

GRÁFICO 1. *Evolución del gasto farmacéutico y el IPC, 1987-1998*

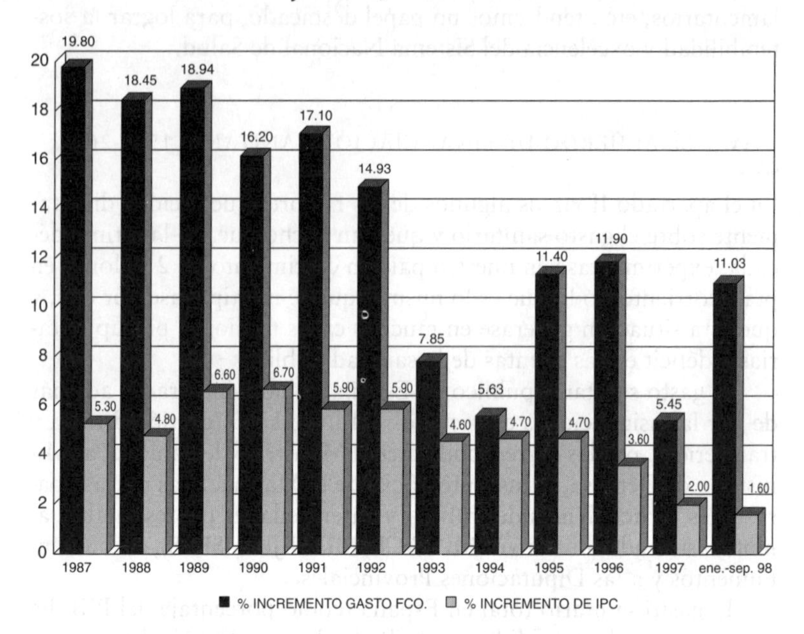

Notas: IPC hasta 1996 media anual y en 1997 diciembre-diciembre.

Fuente: Ministerio de Sanidad y Consumo.

Cuadro 1. EVOLUCIÓN, 1986-1997

AÑOS	CONSUMO PVP	% Δ ANUAL	GASTO PÚBLICO	% Δ ANUAL
1986	249 388	6.4	214 095	7.6
1987	294 893	18.2	256 234	19.7
1988	347 514	17.8	303 458	18.4
1989	409 246	17.8	360 951	18.9
1990	472 019	15.3	420 034	16.4
1991	549 364	16.4	491 700	17.1
1992	627 011	14.1	564 995	14.9
1993	673 767	7.5	609 398	7.9
1994	714 396	6.0	643 662	5.6
1995	800 677	12.1	717 972	11.5
1996	888 138	10.9	800 625	11.5
1997	*933 553*	*5.1*	*856 653*	6.9

Fuente: Ministerio de Sanidad y Consumo.

Atención aparte merece el Gasto Farmacéutico que representa casi la cuarta parte del Gasto Sanitario Total, cifra que supera sensiblemente la media de los países de la OCDE. Lo contrario podríamos decir del Gasto Farmacéutico Público como porcentaje del Gasto Farmacéutico Total, lo cual significa que la contribución de los españoles a la factura farmacéutica es de las más bajas de estos países.

Los problemas en la financiación sanitaria comenzaron con motivo del proceso de asunción por parte de las Comunidades Autónomas de las competencias de gestión de los servicios sanitarios, que empezaron en 1981 con el traspaso de la misma a Cataluña.

De ese modo, y hasta la situación actual, podemos distinguir dos períodos: uno inicial, desde 1981 a 1993, que se caracterizó por ese paulatino proceso de traspasos, por la heterogeneidad en el criterio de asignación territorial y por la aparición de tensiones presupuestarias debidas a las diferencias coyunturales entre la dinámica de gastos y de recursos, que obligó a importantes operaciones de saneamiento.

Y uno posterior, en el cuatrienio 1994-1997, en el que se firma un acuerdo de financiación, que incorpora sendas de aproximación al criterio general de población protegida recogido en la Ley General de Sanidad y por la paulatina eliminación de las tensiones presupuestarias, adoptando el criterio de suficiencia dinámica, incorporando el crecimiento del Gasto Sanitario al PIB nominal.

A finales de 1997, una vez caducado el modelo anterior, y recogiendo los principios del Acuerdo de la Subcomisión del Congreso, el Consejo de Política Fiscal y Financiera trabajó en un nuevo Sistema para el cuatrienio 1998-2001 que reformara al anterior:

1. *Ámbito de la reforma*

La propuesta de reforma del sistema de financiación de los servicios sanitarios debería abordar y desarrollar las siguientes cuestiones:

a) La *suficiencia de partida*, es decir, el volumen de recursos que deberían dotarse para la financiación de los servicios sanitarios del INSALUD, en el ámbito estatal, en el ejercicio de 1998.

b) La *distribución de los recursos*, tanto entre las Administraciones gestoras, como su asignación a fondos finalistas para la cobertura financiera de programas específicos de gasto, cuya inclusión en la masa general no fuese aconsejable.

c) Las *reglas o criterios a aplicar* para determinar la evolución temporal de los recursos del sistema a lo largo del cuatrienio que, en cualquier caso, debería eliminar tensiones presupuestarias y asegurar

GRÁFICO 2. *Evolución del presupuesto inicial*

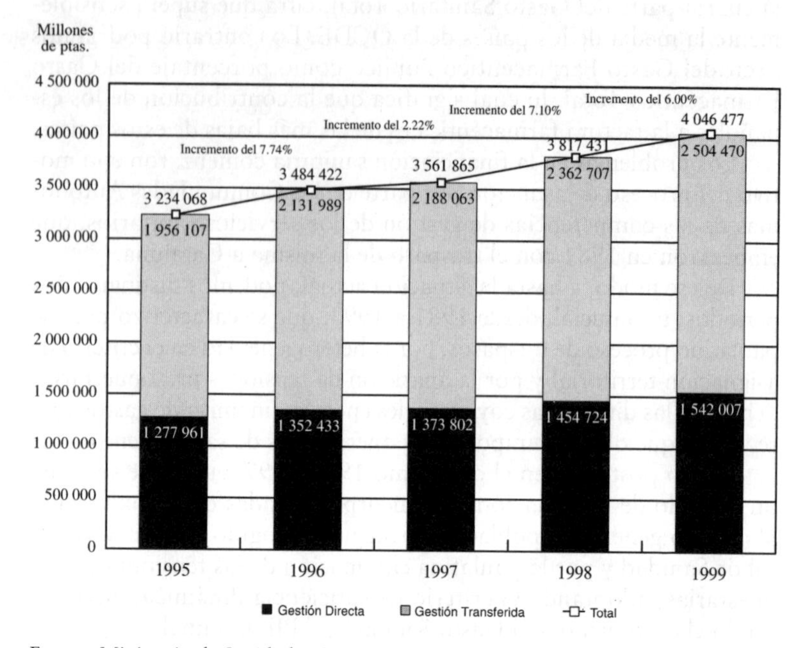

Fuente: Ministerio de Sanidad y Consumo.

la adecuación entre la financiación resultante de su aplicación y el crecimiento de las necesidades de gasto, en función de los diversos factores que las determinan.

d) El establecimiento de *objetivos de ahorro* en el gasto asociado a la prestación de los servicios sanitarios, con la finalidad de alcanzar los niveles adecuados de las prestaciones sociales y posibilitar, de este modo, un incremento en la dotación de recursos del Sistema Sanitario.

e) La adopción de *medidas* encaminadas a conseguir *niveles óptimos* de utilización de los servicios sanitarios, a fin de eliminar o disminuir los gastos o consumos que no resulten necesarios para los fines de la salud que constituyen su objeto.

2. *Principios básicos del Sistema*

Los principios básicos del nuevo sistema de financiación de la Sanidad son los siguientes:

a) *Suficiencia estática*. La aplicación de este principio lleva aparejada el señalamiento inicial de un volumen de recursos, en el primer año del período, que responde a las necesidades reales de gasto del sistema.

b) *Homogeneidad distributiva*. El criterio de distribución de los recursos debe tener validez universal.

c) *Suficiencia dinámica*. La regla de evolución de los recursos del sistema tiene por finalidad garantizar la cobertura del crecimiento del gasto sanitario en cada uno de los ejercicios del cuatrienio. A tal efecto, se debe tener en cuenta tanto la evolución de la economía y su capacidad real para asignar recursos a la cobertura de los servicios públicos, como los distintos factores que influyen en la evolución del gasto sanitario. De acuerdo con esta circunstancia, se considera que los recursos del Sistema Sanitario evolucionarán durante el período 1998 a 2001 según el índice de incremento del PIB nominal.

d) *Satisfacción de la demanda de servicios* tanto respecto a su prestación en régimen normal como a la que sea necesaria por razones de demanda de naturaleza particular o específica.

e) *Eficiencia en la aplicación de recursos*. Este principio exige el establecimiento y ejecución de planes de control del gasto encaminados a eliminar el fraude en la percepción de las prestaciones sociales, destinando recursos provenientes de esos planes al incremento de la dotación de los servicios sanitarios.

f) *Equidad en la distribución de los costes del sistema*, con el objetivo de garantizar una adecuada correspondencia entre determinados gastos del sistema y el cumplimiento de los fines de atención a la salud que le son propios.

g) *Equilibrio financiero* que garantice a cada administración gestora que la incidencia en la financiación de la variable de distribución no pueda sobrepasar determinados limites, con la finalidad de asegurar su capacidad de financiación sin oscilaciones significativas. Esta garantía se definió del modo siguiente: la pérdida de financiación como consecuencia de la variación de población protegida no podría suponer, para cada administración gestora, más del 0.25% de sus recursos asignados en el Proyecto de Ley de los Presupuestos Generales del Estado para 1998.

La suficiencia se concretó, de partida, en la determinación de la masa de recursos que se asignaron el primer año:

— *Cifra de referencia inicial*, el gasto presupuestado para el sistema en el año 1998 en el Proyecto de Ley de Presupuestos Generales del Estado (3 719 396 millones de ptas., que incluía recursos adicionales para mejoras del sistema por importe de 25 000 millones, con relación a lo que resultaría una prórroga del modelo anterior).

— Un *importe adicional*, para incrementar la cobertura de la cifra inicial de 10 000 millones de ptas.

— *Medidas de ahorro en Incapacidad Temporal*, mediante programas de control del gasto y mejora de la atención sanitaria para hacer frente a estas contingencias, que permitan incrementar los recursos del fondo general de financiación sanitaria (40 000 millones de ptas.).

— La dotación necesaria para asegurar *una financiación mínima en cada administración gestora* por la incidencia de la variable población (20 444 millones de ptas.).

— La financiación de los gastos extraordinarios, originados por docencia y asistencia hospitalaria, a los residentes en otros territorios que alcanzan, para el conjunto del sistema, un importe de 47 918 millones de ptas.

— Los ahorros resultantes de las medidas de *racionalización del gasto* que se adopten, que se estiman en 65 000 millones, y que podrán destinarse por las administraciones gestoras a la cobertura de otras necesidades.

Cuadro 2. FINANCIACIÓN SANITARIA, 1998

1. FONDO GENERAL		3 784 068.5	
Proyecto presupuestario 1998	Prórroga presupuestos 1997 (presupuesto 1997 más incremento del PIB)		3 709 068.5
	Crédito para mejora del sistema		25 000.0
Incremento de la garantía de cobertura sanitaria			10 000.0
Crédito asociado a reducción costes IT			40 000.0
2. FONDO DE ATENCIONES ESPECÍFICAS		73 362.8	
Fondo de modulación financiera			20 444.4
Fondo de asistencia hospitalaria (docencia y desplazados)			52 918.4
3. MEDIDAS DE RACIONALIZACIÓN FARMACÉUTICA		65 000.0	
Total de financiación anual		*3 922 431.3*	

Fuente: Ministerio de Salud y Consumo.

La distribución entre administraciones gestoras de las partidas que constituyen los recursos financieros se efectúa mediante la aplicación de las variables, que se señalan a continuación, a los dos tipos de fondos:

a) El fondo general (98.6%), cuyos recursos se destinarán por las administraciones gestoras a la cobertura de los gastos del sistema ocasionados por las prestaciones generales de asistencia sanitaria de la población, atendiendo a criterios de equidad y accesibilidad, se distribuye en atención al criterio de población protegida, determinada a partir de los últimos datos sobre población de derecho aprobados por el INE (1996), y los colectivos no protegidos, según informes emitidos al efecto por las respectivas mutualidades (MUFACE, MUGEJU e ISFAS).

b) El fondo finalista o de objetivos específicos (1.4%), atiende a la modulación financiera, con base en los criterios o índices que, según los estudios realizados, reflejan el saldo financiero de cada administración gestora respecto de:

— Los *gastos de docencia* que se producen por la existencia de centros acreditados como unidades docentes para la formación sanitaria especializada.

— Los gastos producidos por *asistencia sanitaria hospitalaria a pacientes de otros territorios*.

— La garantía de una *financiación mínima* a las administraciones gestoras, cuya población haya experimentado una minoración significativa.

Como consecuencia de este Acuerdo de Financiación Sanitaria, de la aplicación de una rigurosa disciplina presupuestaria y del importante incremento de los recursos en los Presupuestos de 1998 (381 000 millones de ptas.), la sanidad goza de la situación más equilibrada financieramente de los últimos tiempos (la asignación per cápita creció este año en más de 10 000 ptas., hasta situarse en una media de 104 500 ptas. por persona y año).

V. EL PLAN ESTRATÉGICO DEL INSALUD

El plan estratégico del INSALUD surge como una necesidad para dar repuesta a la falta de adaptación de las organizaciones provisoras de servicios sanitarios públicos, a los avances incorporados en el resto de la sociedad en materia de organización, gestión, dirección y nuevas tecnologías, y a cinco elementos que gravitaban negativamente sobre el INSALUD: la dificultad histórica de acometer con éxito la problemática de *las esperas* (desde 1991 hasta mediados de 1996 se observa una tasa anual media de incremento del 4.52%), lo que constata el hecho de que los servicios sanitarios no respondían a las expectativas de los usuarios; los *sucesivos conflictos* del sector sanitario, canalizados incluso a través de grandes huelgas (1986, 1995), que son síntoma de un estado de crisis, descontento, insatisfacción y desmotivación de los profesionales de la sanidad; las *dificultades para racionalizar el gasto farmacéutico*; *el difícil control presupuestario del sector sanitario*, que obligó en años anteriores a operaciones de saneamiento por valor de 1 billón de ptas.; y la *necesaria reorientación* de los servicios sanitarios públicos *hacia el usuario*, mediante la progresiva implantación de la libre elección efectiva por parte del paciente de facultativo y centro asistencial.

Estos hechos, junto a que el INSALUD, con más de 133 000 empleados y un presupuesto superior a los 1.4 billones de ptas., es una organización excesivamente compleja, animaron a la elaboración de este Plan.

El Plan Estratégico es el documento del Instituto Nacional de la Salud que define sus líneas de actuación para los próximos cuatro años. Supone un ejercicio corporativo de ordenación de prioridades y el marco para la diferenciación de las funciones de compra y provisión que, junto con el desarrollo de las líneas estratégicas o de actuación, establece las bases que permitirán, de forma paulatina, ir generando un sistema de competencia regulada dentro del propio sistema sanitario público.

El Plan Estratégico es una *herramienta dinámica* que es *revisada anualmente* y que incorpora las mejoras necesarias y las aportaciones de los agentes sociales, corporativos o colegiados, de cualquier profesional del Instituto y de los propios ciudadanos, y que establece la posibilidad de que los centros vayan consiguiendo progresivamente personalidad jurídica.

El Plan contiene los estudios realizados por cientos de expertos en distintas comisiones y grupos de trabajo, en dos fases: una de análisis de la situación y otra de desarrollo de líneas estratégicas y de planes de actuación.

El mismo desarrolla un escenario de actuación de forma que, manteniendo su carácter público, garantice la equidad en el acceso, la calidad en las prestaciones, mayor capacidad de elección del usuario, y motivación y participación de los profesionales.

El Plan Estratégico del INSALUD se ha diseñado para diagnosticar con precisión las causas de los problemas y para analizar los posibles tratamientos que las aborden, para priorizar soluciones viables y comprometerse en la aplicación de las líneas de actuación seleccionadas; en definitiva, para saber qué debemos hacer y cómo.

Se ha realizado con la voluntad de que toda la organización conozca los propósitos de la reforma y los planes de modernización, y para que los profesionales conozcan y participen del futuro de sus centros, unificando los esfuerzos.

El Plan Estratégico del INSALUD implica un proceso de reflexión, estudio, análisis y concreción, fortalece los principios del Sistema Nacional de Salud: cobertura universal y equidad, y permite mayor libertad organizativa a los centros asistenciales para adaptarse a las necesidades de la población, y una asignación del presupuesto en función de la elección de los pacientes.

Con él, los ciudadanos podrán disfrutar de una carta de derechos, recibir más y mejor información, tener derecho a saber cuánto ha costado su asistencia, y participar en los Órganos de Gobierno de los hospitales, con el objeto de acercar la realidad de éstos a la sociedad, permitiendo una mayor transparencia y conocimiento de su funcionamiento y, en definitiva, recuperar el papel que les corresponde como destinatarios últimos del sistema sanitario, así como propietarios legítimos del mismo.

El Plan también otorga mayor protagonismo a los profesionales a través de una mayor autonomía en la gestión, mayor capacidad de organización de los recursos materiales y humanos, y mayor vinculación con el centro.

Este Plan no acaba en sí mismo, ya que tiene su *continuidad* en la elaboración de un *Plan Estratégico en cada hospital*, que pretende dotar, a los centros asistenciales, de herramientas organizativas y de gestión que permitan que el trabajo en los hospitales y centros de atención primaria se desenvuelva sin barreras administrativas ni burocráticas, y que éstos puedan definir su futuro a partir de sus características, peculiaridades, historia, ubicación, entorno, y en función de sus orientaciones.

VI. LAS NUEVAS FORMAS DE GESTIÓN EN EL SISTEMA NACIONAL DE SALUD. LAS FUNDACIONES SANITARIAS

Hasta hace poco tiempo, la forma tradicional de prestación de asistencia hospitalaria por parte del INSALUD era a través de: Hospitales y Centros de Salud propios; hospitales gestionados por el INSALUD, en virtud de acuerdos con administraciones o entidades con responsabilidad patrimonial sobre el hospital; hospitales con convenios singulares con el INSALUD; hospitales y otros centros concertados.

A pesar de que la red del INSALUD fue creada en los años '60 y '70, significó un avance extraordinario en la configuración de la asistencia sanitaria en nuestro país y tiene grandes valores que es necesario preservar y estimular: su núcleo profesional de alta calidad, su constante innovación en la prestación asistencial y su amplia cobertura, entre otros; no es menos cierto que estos centros se ven enfrentados a demandas muy apremiantes, tanto de los ciudadanos como de sus propios profesionales, a las que el marco administrativo tradicional no es capaz de responder de forma correcta, ya que no se corresponde con el dinamismo de la innovación en la asistencia médica, ni está adaptado a los requerimientos de grandes instituciones, como las hospitalarias: rigidez administrativa y burocrática, excesiva centralización, alejando la toma de decisiones del núcleo operativo profesional, presencia de bolsas de ineficiencia, desmotivación de los profesionales sanitarios y presencia de incentivos perversos.

Existen antecedentes en distintas Comunidades Autónomas de este intento de huir de los problemas y limitaciones del régimen administrativo de las Instituciones preexistentes: Galicia, Cataluña, Andalucía, Canarias, País Vasco y Comunidad Valenciana, entre las que tienen transferidos los servicios sanitarios, y Asturias, Murcia, Baleares y Castilla-León, entre las que siguen bajo la gestión del INSALUD. Ello evidencia que la necesidad de avanzar en la modernización del sistema se da al margen del signo político de los Gobiernos que impulsan las reformas.

En 1997, el Acuerdo Parlamentario de la Subcomisión, para la Consolidación y Modernización del Sistema Nacional de Salud del Congreso de los Diputados, planteaba la exigencia de dotar de mayor autonomía de gestión a los centros sanitarios y recomendaba extender las nuevas formas de gestión a toda la red asistencial pública.

En 1996, se aprobó el RD Ley 10/96, sobre habilitación de nuevas formas de gestión en el INSALUD, que permitió la puesta en marcha de las Fundaciones Hospital Manacor y Hospital Alcorcón. La valoración de los primeros resultados: disminución de la estancia media, concesión de altas los domingos, utilización de sus quirófanos a pleno rendimiento mañana y tarde..., es muy positiva.

Cuadro 3. NUEVAS FÓRMULAS DE GESTIÓN EN COMUNIDADES AUTÓNOMAS CON COMPETENCIAS EN GESTIÓN SANITARIA

COMUNIDAD AUTÓNOMA	TRANSFERENCIAS	FUNDACIÓN	EMPRESA PÚBLICA (EP)	CONCESIONES ADMINISTRATIVAS
Andalucía	RD 400/1984, de 22 de febrero BOE 51 29/02/84. RD 211/1987, de 6 de febreroz BOE 41 17/02/87.	F. Progreso y Salud (Sevilla)	Hospital de la Costa del Sol (Marbella). EPES (Empresa Pública de Emergencias Sanitarias). E. P. Hospital de Poniente (Almería)	
Asturias	No	F. H. de Oriente (Arriondas)		
Baleares	No		E. P. Gestión Sanitaria de Mallorca (GESMA)	
Canarias	RD 446/1994, de 11 de marzo BOE 85 09/04/94		Gestión Sanitaria Canaria	
Cataluña	RD 1517/1981, de 8 de julio BOE 4179 24/07/81	F. Sanitaria de Igualda F. Puigcerdá Red de Fundaciones de apoyo a la gestión de la investigación de cada uno de los hospitales Fundación Jordi Gol i Gorina (Investig. en Atención Primaria)	Gestión de Servicios Sanitarios (H. de Lleida) Gestión y Prestación de Servicios de Salud (Hosp. Diput. Tarragona) Instituto de Asistencia Sanitaria (Hosp. Diput. Gerona) Instituto de Diagnóstico por la Imagen (IDI) Instituto Catalán de Oncología (ICO) Agencia de Evaluación de Tecnología Médica (AATM) E. P. Servicios Sanitarios de Referencia, Centro de Transfusiones y Banco de Tejidos (Banco de Sangre)	Hospital de Mora de Ebro (GECOHSA) Hospital de Vielha i Tremp (CEGESA) Servicios de Atención Primaria en Olesa

Cuadro 3 (cont.). NUEVAS FÓRMULAS DE GESTIÓN EN COMUNIDADES AUTÓNOMAS CON COMPETENCIAS EN GESTIÓN SANITARIA

COMUNIDAD AUTÓNOMA	TRANSFERENCIAS	FUNDACIÓN	EMPRESA PÚBLICA (EP)	CONCESIONES ADMINISTRATIVAS
Galicia	RD 1679/1990, de 28 de diciembre. BOE 313 31/12/90	F. Hospital Verín F. Centro Gallego de Transfusiones Instituto Gallego de Oftalmología F. Hospital Virxen da Xunqueira (en Cee) F. Hospital Comarcal de Barbanza (en Ribeira)	E. P. MEDTED (Instituto de Medicina Técnica) del Hospital Xeral de Vigo	
Murcia	No	F. Hospital de Cieza		
País Vasco	RD 1536/1987, de 6 de noviembre BOE 299 15/12/87		Diagnóstico por Imagen (OSATEK) Centro de Transfusión	
Valencia	RD 1612/1987, de 27 de noviembre BOE 312 30/10/87			Hospital de Alcira
INSALUD		F. Hospital Manacor F. Hospital Alcorcón		

Cuadro 3 (cont.). NUEVAS FÓRMULAS DE GESTIÓN EN COMUNIDADES AUTÓNOMAS CON COMPETENCIAS EN GESTIÓN SANITARIA

COMUNIDAD AUTÓNOMA	SOCIEDAD MERCANTIL	CONSORCIO	CONTRATOS DE GESTIÓN	SOCIEDADES MUNICIPALES
Andalucía				
Asturias				
Baleares				
Canarias				
Cataluña	Energética de Instalaciones Sanitarias, SA Sistema de Emergencias Médicas, SA	C. Hospitalario del Parc Taulí (Sabadell) C. Hospitalario de Terrassa C. Hospitalario de Vic C. de Hospitales de Barcelona C. para la gestión del Hospital de la Cruz Roja de l'Hospitalet C. de la Unidad de Diagnóstico de Imagen de Alta Tecnología (UDIAT) C. Sanitario de Mataró C. Asistencial del Baix Empordà C. Sanitario de la Selva C. Sanitario del Alt Penedès C. Hospitalario de Cataluña (más de 40 hospitales)	Gestión de una de las dos zonas de salud de Vic a través de una Sociedad Limitada, S. L. Experiencia piloto en Atención Primaria.	Sociedad Anónima Municipal de Sant Joan de Reus Organismo Autónomo Local Hospital Sant Jaume de Calella Gestió Pius Hospital de Valls
Galicia				
Murcia				
País Vasco				
Valencia				
INSALUD				

Fuente: Ministerio de Sanidad y Consumo.

Tras la tramitación del aludido RD Ley, se aprobó la Ley 15/97 que permite la gestión y administración de los centros sanitarios a través de entes con personalidad jurídica, como Empresas Públicas, Consorcios o Fundaciones.

El Plan Estratégico del INSALUD también contemplaba entre sus objetivos la dotación de personalidad jurídica propia a los centros y servicios, para otorgar autonomía real y para que éstos se responsabilizasen de los resultados de su gestión.

Poco después se aprobó la LOFAGE (Ley Orgánica de Funcionamiento de la Administración General del Estado), que predefine la actuación de los entes empresariales de carácter público, se llegó a un compromiso con las Organizaciones Sindicales para mantener el marco estatutario para el personal, y se identificó la necesidad de extender las nuevas formas de gestión a las instituciones preexistentes.

Para desarrollar la Ley 15/97, los centros sanitarios actualmente en funcionamiento podrían haberse transformado en: *Fundaciones* (de acuerdo con la Ley 30/94), *Sociedades Estatales*, *Entidades Públicas Empresariales* o *Consorcios*. Sin embargo, las dos primeras chocaban contra el hecho de que su personal debía ser laboral; la tercera exigía su creación mediante leyes, obstáculo para la transformación gradual de los centros sanitarios existentes; y la cuarta no es siempre aplicable, ya que requiere necesariamente otra administración para consorciarse, lo que no es fácil.

Estas razones apuntaron, como más apropiado, la creación de una figura nueva, las *Fundaciones Públicas Sanitarias* que corresponde a una adaptación de las Fundaciones a las necesidades de las instituciones sanitarias públicas existentes.

Por este motivo, la Ley de Acompañamiento de los Presupuestos Generales del Estado para 1999 (50/98) incluyó un artículo que recoge el marco legal para la dotación de personalidad jurídica propia a los hospitales del INSALUD. Dicho marco legal promueve una descentralización de la gestión operativa hacia los centros sanitarios, que adquieren así mayores cuotas de autonomía tanto en materia de inversión como de gasto. La medida está encaminada a dotar de autonomía a los hospitales para que gestionen su presupuesto de forma independiente. El INSALUD garantizará el actual régimen jurídico del personal y establecerá mecanismos de control de la eficacia financiera y la contratación.

Los hospitales que opten por este nuevo sistema dispondrán de patrimonio y tesorería propios, lo que les confiere mayor capacidad operativa para el cumplimiento de sus fines. De este modo, se agili-

Cuadro 4. FORMAS DE GESTIÓN

CARACTERÍSTICAS	TRADICIONAL	FUNDACIÓN 30/94	CONSORCIO	SOCIEDAD ESTATAL	FUNDACIONES PÚBLICAS SANITARIAS
Personalidad Jurídica	No	Sí (Ley 30/94)	Sí (RD Leg. 781/1986)[1].	Sí (Ley de Sociedades Anónimas y LGP)	Sí (art. 111 de la Ley 50/98 (Ley 15/97)
Relación con terceros	No	Sí	Sí	Sí	Sí
Marco Legal de aplicación	Administrativo	Ley 30/94. Mercantil, Civil y Laboral	Capacidad jurídica de derecho público y privado	Mercantil, Civil y Laboral	Capacidad jurídica de derecho público y privado
Régimen Económico-Financiero	Seguridad Social	Estatutos. LGP Mercantil	Estatutos. LGP	LGP	LGP
Régimen Contable	Presupuestario	Ley 30/94. LGP PGC	Estatutos. LGP	LGP y PGC	PGCP
Régimen Patrimonial	Seguridad Social	Estatutos. Propio	Estatutos	LGP	Seguridad Social Propio. Otros públicos
Régimen Fiscal	No	Ley 30/94 Exenciones	No	Legislación Tributaria	No
Contratación de bienes y servicios	Ley de Contratos de las Administraciones Públicas	Publicidad y Libre concurrencia Estatutos	Ley de Contratos de las Administraciones Públicas	Publicidad y Libre concurrencia	Ley de Contratos de las Administraciones Públicas
Régimen de Personal	Estatutarios	Laboral	Laboral, Estatuario y Funcionario	Laboral (RD Legislativo 1/1995)	Estatuario

[1] Ley de 30/92 Régimen Jurídico de la AAPP art. 7; Ley de Bases de Régimen local de 1985; RD Legislativo 781/1986. Texto Refundido de las deposiciones de régimen local 1986; y Ley de Contratos de las Administraciones Públicas.

SM = Sociedad Mercantil; PGCP = Plan General de Contabilidad Pública; PGC = Plan General Contable (mercantil); LGP = Ley General Presupuestaria.

Cuadro 4 (cont.). FORMAS DE GESTIÓN

CARACTERÍSTICAS	TRADICIONAL	FUNDACIÓN 30/94	CONSORCIO	SOCIEDAD ESTATAL	FUNDACIONES PÚBLICAS SANITARIAS
Selección de Personal	Centralizado (DGRRHH)	Principios de igualdad, publicidad, mérito y capacidad	Principios de igualdad, publicidad, mérito y capacidad	Principios de igualdad, publicidad, mérito y capacidad	Centralizado. Principios de igualdad, publicidad, mérito y capacidad
Capacidad para negociación con proveedores	No	Sí	(Sí) Pagos	Sí	(Sí) Pagos
Capacidad para gestión de tesorería	No	Sí	Sí	Sí	Sí
Capacidad para generar beneficios	No	No. Art. 1º Ley 30/94	No	Sí	No
Obligación de reinversión de excedentes en fin fundacional	No	Sí	Estatutos	No	Sí
Capacidad para recibir donaciones con aplicación fiscal	No	Sí. Ley 30/94	No	No	No
Capacidad para la división del capital social	No	No	No	Sí	No
Capacidad para definir política de incentivos	No	Sí (relativo)	Sí (relativo)	Sí (relativo)	Sí (relativo)
Fines de interés general	Sí	Sí	Sí	No	Sí

Fuente: Ministerio de Sanidad y Consumo.

zarán los pagos y será posible establecer pactos con los proveedores, generando ahorro. La disposición de presupuesto de explotación propio permitirá generar recursos entre partidas, adaptándose de esta manera el funcionamiento del hospital a la evolución de las necesidades de su población. Asimismo, en caso de que se produzcan excedentes, éstos revertirán en el propio hospital.

La adopción de este nuevo modelo de gestión por parte de los centros sanitarios será voluntaria y, en el diseño estratégico, deberán estar presentes los órganos de participación de los profesionales, tanto sanitarios como no sanitarios de cada centro.

Teniendo presente que el carácter de servicio público no está determinado por la forma jurídica en que se organiza, sino básicamente por la naturaleza de la función y por la financiación, la transformación pretendida, a través de las Fundaciones Públicas Sanitarias, afecta única y exclusivamente a los aspectos formales. Se refiere a la gestión, sin vulnerar el carácter de servicio público sanitario que tienen los hospitales del INSALUD, manteniendo los principios básicos de universalidad, equidad y solidaridad. La configuración de los centros sanitarios como organismos públicos constituye una innovación organizativa en el sector sanitario, en orden a mejorar la eficacia del sistema.

Resumiendo, las características de las Fundaciones Públicas Sanitarias serán:

— Son organismos públicos adscritos al INSALUD que tendrán personalidad jurídica propia.

— Su constitución y extinción será aprobada por el Consejo de Ministros.

— El Plan inicial de actuación será aprobado por la Presidencia Ejecutiva del INSALUD.

— El personal será, con carácter general, estatutario, pudiendo incorporarse igualmente personal funcionario o laboral.

— El personal directivo podrá contratarse conforme al régimen laboral de Alta Dirección.

— Las Fundaciones Públicas Sanitarias podrán disponer de su propio patrimonio, al margen de los bienes adscritos de la Administración General del Estado o de la Tesorería General de la Seguridad Social.

— El régimen presupuestario, económico-financiero, de contabilidad, intervención y de control financiero, será el establecido en la Ley General Presupuestaria para las Entidades Públicas Empresariales.

— La constitución de las Fundaciones Públicas Sanitarias se realizará de forma paulatina y tendrá un carácter voluntario para los centros (solicitud explícita, consenso interno suficiente y herramientas para la autonomía: proceso de homologación).

— En sus actuaciones en materia de contratación de bienes y servicios, se rigen por lo previsto en la Ley de Contratos de las Administraciones Públicas, respetando los principios de publicidad y libre concurrencia.

— Sus recursos económicos vienen establecidos en el art. 65.1 de la LOFAGE: bienes y valores patrimoniales y sus productos y rentas, consignaciones de los Presupuestos Generales del Estado, transferencias corrientes o de capital de las Administraciones o Entidades Públicas, ingresos ordinarios y extraordinarios que tengan autorizados, donaciones, legados y otras aportaciones de entidades privadas y particulares, y cualquier otro recurso que pudiera serles atribuido. La mayoría de los recursos provendrán de las aportaciones del INSALUD a través de los correspondientes Contratos de Gestión.

— Las Fundaciones Públicas Sanitarias no poseen ánimo de lucro, tienen su patrimonio afectado a la realización de fines sanitarios de interés general, no tienen ninguna posibilidad de privatización, ya que su capital no se agrupa en acciones y, en definitiva, aglutinan las ventajas del modelo público y algunas del privado.

Además de lo comentado, se está avanzando en la apertura de nuevos servicios bajo fórmulas jurídicas más flexibles, como los Institutos Clínicos, las Fundaciones de Investigación o los Sistemas para la Coordinación de la Atención de Urgencias y Emergencias.

VII. LA DISMINUCIÓN DE LAS LISTAS DE ESPERA

Las listas de espera han sido uno de los principales problemas endémicos de la Sanidad en los últimos años.

Desde mediados de 1996, se abordó con rigor un *plan integral de reducción* de las mismas, que comenzó a partir de un estudio cuantitativo pormenorizado de la dimensión del problema y con la elaboración de objetivos concretos.

De esta suerte, la lista de espera de larga evolución se había reducido a mediados de 1998, en 40 751 pacientes (75%) con respecto a junio de 1996, y en 11 306 pacientes (45%), con respecto al cierre de 1997.

	JUNIO 96	DICIEMBRE 96	DICIEMBRE 97	JUNIO 98	DICIEMBRE 98	∇ 98/96
Pacientes en lista de espera quirúrgica mayor de 6 meses	54 438	49 849	24 993	13 687	530	99%

Por otra parte, en dos años, la demora media se ha reducido en 144 días (68%).

	JUNIO 96	DICIEMBRE 96	DICIEMBRE 97	JUNIO 98	DICIEMBRE 98	∇ 98/96
Demora media (en días)	210	135	98	83	66	68%

Y la lista de espera total se ha reducido en 57 779 pacientes (30%).

	JUNIO 96	DICIEMBRE 96	DICIEMBRE 97	JUNIO 98	DICIEMBRE 98	∇ 98/96
Total lista de espera quirúrgica	190 000	165 000	148 247	138 264	132 221	30%

Simultáneamente, se implantó el *Programa de Garantía contra la demora quirúrgica* (seguro sueco), que empezó a funcionar en junio de 1997 y que garantiza a los pacientes en lista de espera la intervención en un plazo determinado, superado el cual la intervención se realiza en otro centro público o concertado.

El Programa, en 1997, cubrió 8 procedimientos quirúrgicos, garantizando demoras máximas por cada patología y se beneficiaron del mismo 9 018 pacientes.

En 1998, el programa se extendió a 12 procedimientos quirúrgicos.

En 1997, también se consiguió disminuir la demora media en todas las especialidades de consultas externas y pruebas diagnósticas, en un porcentaje que oscila entre el 15% y el 50%, con respecto al año 1996.

GRÁFICO 3. *Lista de espera de más de 6 meses (INSALUD)*

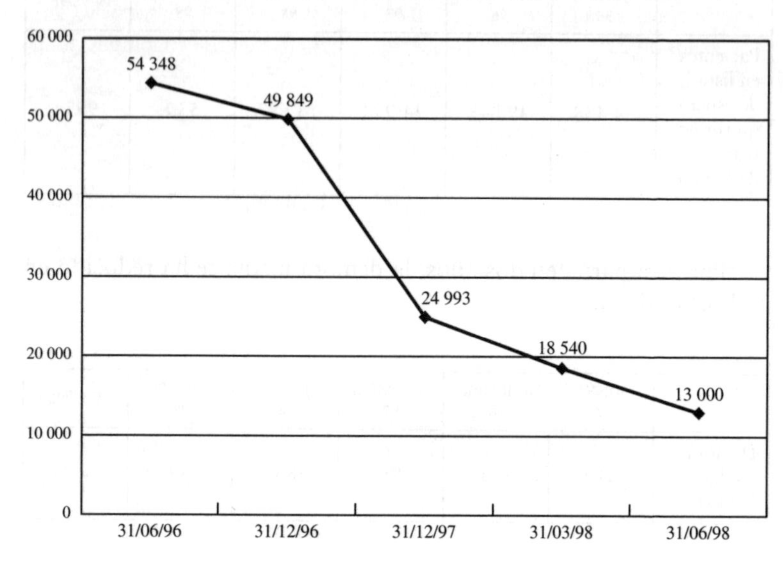

Fuente: Ministerio de Sanidad y Consumo.

El objetivo planteado para este año es no superar una demora máxima, en las primeras consultas externas, de cuatro meses, y de tres meses en las consultas sucesivas.

Asimismo, se han potenciado las alternativas a la hospitalización, con un aumento muy importante de la Cirugía Mayor Ambulatoria. En 1998, se incluyeron 6 nuevos procedimientos, con lo que se alcanza un total de 23 procedimientos tributarios de CMA.

	1995	1996	1997	1998
Número de Intervenciones de Cirugía Mayor Ambulatoria	36 676	51 421	73 067	aprox. 90 000

En 1997, se crearon 12 Unidades de Cuidados Paliativos, y en 1998, 10 nuevas unidades (UCP) para pacientes oncológicos, 6 para pacientes con SIDA, y se dotó con camas específicas a todas las áreas con UCP funcionantes.

Respecto a los Hospitales de día, en 1997 se aumentó el número de tratamientos para enfermos con SIDA, Oncológicos, Psiquiátricos y Geriátricos, en un 22%, y en 1998 se financiaron 10 nuevos Hospitales de día.

VIII. CONCLUSIÓN

En los últimos tres años, y por primera vez en la historia reciente de la sanidad española, se han puesto las bases para su necesaria reforma: se ha firmado un Acuerdo Parlamentario para la Consolidación y Modernización del Sistema Nacional de Salud (que ha de servir como guión de las reformas), se ha firmado un Acuerdo de Financiación de la Sanidad muy satisfactorio para el cuatrienio 1998-2001 (que ha mejorado sustancialmente los recursos asignados al sistema) y se ha elaborado el Plan Estratégico del INSALUD (que ha priorizado y concretado las líneas operativas de actuación necesarias, extendiéndose a los distintos hospitales de la red, que también han diseñado sus propios planes estratégicos).

GRÁFICO 4. *Tasa de SIDA por millón de habitantes (evolución)*

Fuente: Ministerio de Sanidad y Consumo.

GRÁFICO 5. *Incidencia anual del SIDA en España*

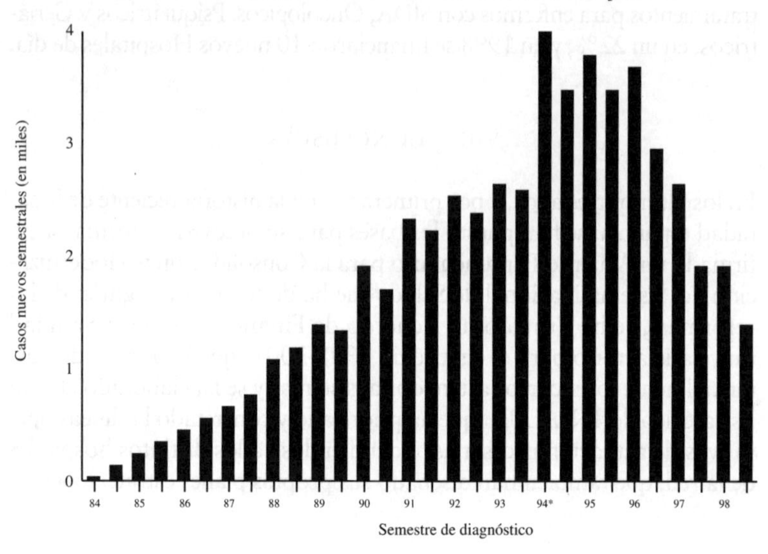

Fuente: Ministerio de Sanidad y Consumo.

GRÁFICO 6. *Tasa anual de donantes*

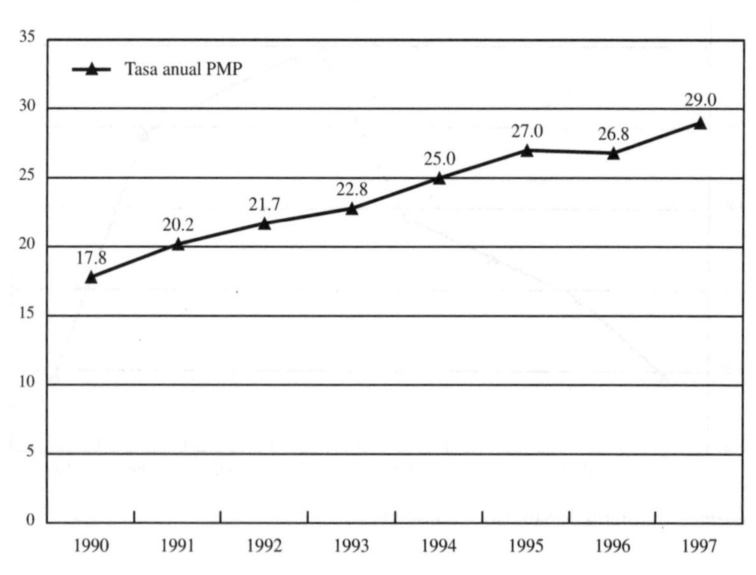

Fuente: Ministerio de Sanidad y Consumo.

Estos tres pilares, junto con una priorización de la calidad a todos los niveles que incluye: un importante impulso a las tecnologías de la información y a los Sistemas de Información Sanitarios (tarjeta sanitaria individual, TAIR —para la identificación de recetas—, red corporativa de comunicaciones en todo el territorio INSALUD, informatización integral de los Centros de Atención Primaria y de los Hospitales de la red); el desarrollo de la evaluación de procedimientos, tecnologías y de la Medicina Basada en la Evidencia; una eficaz lucha contra el fraude en la incapacidad temporal; una decidida actuación en materia de salud pública —especialmente en la lucha contra el SIDA—; una mejora en todos los índices relacionados con el trasplante de órganos; una política integral en materia de farmacia —Ley 16/97 de regulación de las oficinas de farmacia, ajuste de los márgenes comerciales, modificación de la Ley del Medicamento, impulso a la política de genéricos y de precios de referencia, convenio de participación de los laboratorios farmacéuticos en el coste de la asistencia (acuerdo con Farmaindustria), y Real Decreto por el que se amplía la financiación selectiva de medicamentos en el Sistema Nacional de Salud—; un decidido apoyo a la investigación y la docencia; la puesta en marcha del Centro de Investigaciones Oncológicas dirigido por el prof. Barbacid; una mejora en el ámbito de la protección de los consumidores y en la coordinación de la atención socio-sanitaria; y una política decidida de inversiones —con un incremento superior al 50% en este cuatrienio, 10 nuevos hospitales y más de 70 nuevos Centros de Salud—; ponen de manifiesto una clara apuesta, en estos tres años, por la mejora de la sanidad y de la salud de los españoles.

Capítulo 14

POLÍTICA SANITARIA

José Manuel Freire

I. INTRODUCCIÓN. LA SALUD Y LA POLÍTICA SANITARIA: OBJETIVO DE ESTE TRABAJO

La sanidad es quizá el sector social más complejo de los países desarrollados. En efecto, la salud y todo lo relacionado con ella comprende múltiples dimensiones, que a su vez abarcan un amplísimo espectro de actividades y de sectores. La preocupación individual y colectiva por la salud es una de las primeras prioridades personales y sociales, de modo que es también una las responsabilidades fundamentales del Estado moderno (*salus publica lex suprema est*). Esta responsabilidad estatal en la protección de la salud de los ciudadanos ha desbordado en todas las sociedades desarrolladas el marco de los servicios tradicionales de salud pública (protección de la salud asociada a policía sanitaria), para incluir también el acceso a los servicios sanitarios. De este modo, con la notable excepción parcial de los EE.UU., todos los países desarrollados han puesto en marcha mecanismos para garantizar a su población acceso a los servicios de la medicina moderna, de modo que la sanidad es uno de los elementos claves del Estado de Bienestar.

La salud no tiene una definición fácil. La OMS [1] la considera un *Estado de Bienestar físico, psíquico y social, tanto del individuo como de la colectividad*, lo cual tiene el mérito de superar la idea de salud como mera ausencia de enfermedad y como buen funciona-

1. World Health Organization, «Constitution of the WHO»: *Chronicles of the Who*, 1 (1947), 1-2.

miento biológico, pero es percibida por muchos como utópica. Aunque no existe consenso para definir la salud, y ésta se mide paradójicamente a partir de sus contrarios (la frecuencia y distribución de defunciones y enfermedades en una población), está más claro cuáles son los factores que influyen en ella. La salud es el resultado de múltiples factores, repartidos desigualmente en la sociedad, que han sido agrupados, para su mejor compresión y para facilitar la intervención sobre ellos, en cuatro grandes determinantes[2]: 1) Herencia biológica, medio ambiente (tanto físico como socioeconómico), estilos de vida y servicios sanitarios. En este esquema, por *biología humana* se entiende el sustrato sobre el que actúan todos los demás determinantes y, como es obvio, viene dado por la naturaleza (herencia, edad, etc.), aunque cada día se abren nuevos horizontes a la intervención humana sobre ella (ingeniería genética). 2) *Medio ambiente* comprende, a su vez, un amplio conjunto de factores cuya característica común es escapar a la decisión personal del individuo (aunque no del conjunto de la sociedad). Se incluyen aquí, el medio ambiente físico, pero especialmente los *condicionantes socioeconómicos* (renta y acceso a educación, pobreza relativa, condiciones de trabajo o desempleo, etc.). Es un hecho innegable, y abrumadoramente documentado, que la pobreza, en todas sus manifestaciones y formas, es la primera causa de enfermedad en todos los lugares; por ello, la lucha contra la pobreza —y las desigualdades socioeconómicas— es la mejor forma de mejorar la salud individual y colectiva. No es pues una sorpresa que, en conjunto, los factores socioeconómicos sean el determinante más decisivo sobre el nivel de salud/enfermedad, y, por ello, causa final de casi todas las desigualdades en salud. 3) Los *estilos de vida* se refieren a los hábitos de todo tipo que cada cual «elige libremente» para vivir su vida (alimentación, tabaquismo, estilo de conducir, conducta sexual, ejercicio físico, etc.); se les atribuye casi la mitad de toda la mortalidad evitable en los países desarrollados, pero el contexto socioeconómico condiciona de tal modo estas decisiones individuales que matiza el grado de autonomía individual y de «libertad» con la que son tomadas. Por ello, no es posible adjudicar a los individuos, personalmente, toda la responsabilidad de sus hábitos no-saludables, que sería como echar la culpa (responsabilidad) a las víctimas (*blaming the*

2. M. Lalonde, *New Perspectives for the Health of Canadians*, Government of Canada, 1974. Un clásico de la política sanitaria que se puede leer en la página de internet del Ministerio de Salud canadiense (www.ho.sc.gc.ca).

victims)[3]. 4) Los *servicios sanitarios*, aunque son de una indudable importancia para la salud individual y colectiva, su contribución a ella (medida en términos de mortalidad evitable) es claramente muy inferior a los estilos de vida y el medio-ambiente. No obstante, conviene insistir que la mortalidad no es el único indicador adecuado para valorar la contribución de los servicios sanitarios a la salud[4] y al bienestar, y que el hecho de no disponer de datos que capten, de forma simple y reproducible, los beneficios de los servicios sanitarios (por ejemplo, el dolor o las incapacidades permanentes evitadas gracias a ellos) no puede negar beneficios que constituyen la experiencia diaria de ciudadanos y profesionales sanitarios. Los determinantes socioeconómicos tienen una repercusión del mayor impacto sobre la salud pero, para reconocer suficientemente este hecho, no es preciso minimizar el papel de los servicios sanitarios. Es cierto que los grandes avances en la mejora de la salud de la humanidad están más vinculados a la mejora de las condiciones de vida (alimentación, higiene, sanidad ambiental, etc.) que a los avances, por espectaculares que hayan sido, de la medicina moderna[5], pero es igualmente innegable la contribución de los servicios sanitarios a la salud y al bienestar individual y colectivo.

La idea de determinantes de la salud/enfermedad constituye un esquema conceptual que, además de ofrecer un modelo explicativo razonable de los factores que influyen en la salud, es un valioso instrumento para diseñar estrategias operativas de una política sanitaria que atienda por igual a la protección y promoción de la salud, y al tratamiento y prevención de las enfermedades. Esta reflexión al comienzo de este trabajo es importante para enfatizar que la salud no es, única ni fundamentalmente, un fenómeno biológico ante cuya pérdida (la enfermedad) intervienen los servicios sanitarios. Es, sobre todo,

3. R. Crawford, *Your are Dangerous to Your Health: The Ideology and Politics of Victim Blaming,* Int J Health Services, 7 (1977), 663-680.

4. Esta reflexión puede resultar engañosa. De hecho es muy corriente la falacia de comparar gasto sanitario y esperanza de vida entre varios países y extraer conclusiones sobre la eficacia de la sanidad (la inversión —adicional— en servicios sanitarios tiene escasa rentabilidad en términos de mejora de la salud). Pero medir los beneficios de los servicios sanitarios únicamente en términos de mortalidad ignora otros beneficios muy importantes: incapacidad evitada, supresión del sufrimiento, seguridad ante la incertidumbre, etc. (¿Cómo dejar de contar como positivo los ancianos que tienen un visión correcta gracias a la operación de cataratas, la movilidad que devuelven las prótesis de cadera, o los beneficios de suprimir las úlceras de estómago con medicamentos, etc.?)

5. T. McKeown y C. R. Lowe, *An introduction to Social Medicine*, Blackwell Scientific Publications, Oxford, 1974.

el resultado de las condiciones ambientales socioeconómicas en las que se desarrolla la vida de las personas.

El comentario precedente tiene por objeto aclarar la dimensión amplia de la expresión *política sanitaria* a la que responde el título de este trabajo. Según ella, debiéramos abordar en él dos componentes distintos, aunque íntimamente conectados, de la *política sanitaria*: 1) política de *salud (pública)* cuyo objetivo es la protección y mejora del nivel de salud de la población, mediante la acción intersectorial[6] y las intervenciones específicas de los servicios de salud pública sobre todos los determinantes de la salud; y 2) política de *servicios sanitarios*, que en España se organiza a través del Sistema Nacional de Salud (SNS) y que es, a su vez, parte de la política global de salud pero, dado el volumen de recursos que emplea y la transcendencia que tiene en las sociedades modernas, constituye la *política sanitaria* por antonomasia. Este trabajo está centrado precisamente en algunos aspectos clave de esta política, pero no podía faltar la reflexión precedente que enmarcara aunque fuera con suma brevedad la salud en su contexto amplio.

Precisamente porque este trabajo está centrado en el SNS, es importante dejar claro que la *política sanitaria* va más allá de los servicios sanitarios/médicos, por importantes que éstos sean (que efectivamente lo son), ya que la dimensión de salud pública y los aspectos intersectoriales tienen tal influencia sobre la salud, que son los componentes esenciales de cualquier política pública que quiera tener la salud como objetivo. En efecto, la política de salud comprende áreas bien distintas de los servicios sanitarios, unas específicamente sanitarias —higiene y seguridad de los alimentos, salud pública medioambiental, control de enfermedades infecciosas, vigilancia epidemiológica, etc.—, pero otras son inespecíficas, aunque no por ello de menor impacto en la salud, como política de rentas, educativa, vivienda, etc. Se trata de una parte muy importante en el conjunto de la política pública contemplada desde la óptica de su impacto en la salud (y calidad de vida) de la población. El *Informe SESPAS 1998*[7], editado por la Sociedad Española de Salud Pública y Administra-

6. La acción intersectorial se refiere al conjunto de las políticas públicas (sectores) no estrictamente sanitarias que tienen impacto en la salud de la población. Ejemplos: la fiscalidad del tabaco; las subvenciones a ciertos productos agrícolas; los límites de velocidad en el tráfico; la disponibilidad de instalaciones para el ejercicio físico; etc.

7. F. Catalá Villanueva y E. De Manuel Keenoy (eds.), *Informe SESPAS 1998: La Salud Pública y el Futuro del Estado de Bienestar*, Escuela Andaluza de Salud Pública, Granada, 1998.

ción Sanitaria, contiene una excelente revisión de estos aspectos de la política sanitaria y de la situación de la Salud Pública en España[8].

La existencia de esta revisión reciente y, sobre todo, la orientación del presente informe hacia las políticas socioeconómicas aconsejan centrar este trabajo en la política de los servicios sanitarios y en el SNS que, por otra parte, tienen en las sociedades modernas un peso social, económico y político de primera magnitud. Aun habiendo reducido el campo de estudio, el análisis de la política sanitaria española, ésta constituye una realidad de enorme complejidad. En efecto, los servicios sanitarios comprenden un amplio abanico de políticas que incluyen, entre otras, la política farmacéutica (un área en la que se han producido hechos como la creación de la Agencia del Medicamento; el llamado «*medicamentazo*»[9]; la normativa en preparación sobre precios de referencia[10]; la regulación y política restrictiva de autorización de genéricos), la política de recursos humanos de las profesiones sanitarias, la financiación de los servicios sanitarios y su distribución, territorial y por programas, el marco de organización y gestión de los servicios públicos, el mix público privado en la provisión de servicios, y los aspectos generales de la regulación y ordenación del sector y del sistema sanitario, seguimiento de las políticas de las distintas administraciones, etc. Ante la dificultad de ofrecer en este Informe una visión comprehensiva de la política sanitaria en su conjunto en el período de tiempo analizado, se ha optado por centrar este trabajo en aspectos estratégicos, claves para la compren-

8. En sus en sus capítulos 2 al 8 (pp. 61-251), un grupo de expertos revisan un conjunto de temas (Análisis de la situación de salud en España; La organización de la salud pública: su reforma en las reformas; Envejecimiento y Salud; Desigualdades sociales en mortalidad en áreas pequeñas en España; Nuevos retos en salud ambiental; y Seguridad alimentaria hoy) cuya lectura es imprescindible para conocer la realidad de la Salud Pública en España.

9. Con este nombre se conoce popular y mediáticamente la decisión de elaborar listas negativas de medicamentos que son excluidas de la financiación pública. El término *medicamentazo* fue puesto en circulación en el contexto de la dura campaña del Partido Popular, entonces en la oposición, contra la lista negativa elaborada por el gobierno socialista, en 1993. Es interesante constatar que entonces prometió abolirla si llegaba a gobernar, pero una vez en el gobierno, la amplió incluyendo grupos terapéuticos enteros.

10. Expresión que se refiere al establecimiento por parte del sistema sanitario de *precios máximos* financiados por el mismo para cada tipo de medicamento, de modo que si el médico receta y/o el paciente desea el mismo producto de una marca más cara que el precio máximo establecido por el sistema sanitario es el paciente quien ha de abonar la diferencia (Holanda, Alemania, Suecia son países europeos con precios de referencia).

sión del debate político sanitario y el seguimiento de la política del Gobierno del PP en este sector.

El propio Ministerio de Sanidad en la publicación titulada *Realizaciones del Ministerio de Sanidad y Consumo. Balance de dos años de gestión*[11], indica cuáles son los temas principales de balance. Dice textualmente: «La situación del SNS en mayo de 1996, cuando accedió al Ministerio el actual equipo, hacía necesaria la adopción de iniciativas políticas, financieras y organizativas que impulsaran una nueva dinámica en el sector. A tal efecto, el Gobierno adoptó, en junio de ese mismo año, dos importantes acciones: de una parte, la propuesta al Parlamento de constitución de una *Subcomisión para el estudio de las medidas* necesarias de consolidación y modernización del sistema sanitario, y, de otra, la aprobación urgente, por Real Decreto-Ley, de una norma que posibilitara la implantación de nuevas formas de gestión en el SNS».

En efecto, la citada Subcomisión y sus recomendaciones constituyen el referente de la política sanitaria del Gobierno, mientras que la creación de las llamadas Fundaciones Públicas Sanitarias es una de las reformas de más calado de los últimos años. Además, el abordaje del «aseguramiento sanitario» que hace la Subcomisión da pie para analizar otro tema de gran importancia estratégica: la modificación del IRPF que otorga incentivos al aseguramiento sanitario privado de las empresas para sus trabajadores. Por todo ello, el análisis de la política sanitaria del Gobierno debe considerar en primer lugar el Documento de la Subcomisión en el que se ha plasmado (con los matices que veremos) la política sanitaria del Gobierno, y las dos decisiones de mayor impacto potencial para el SNS que derivan de su filosofía: 1) la transformación de los centros sanitarios en *empresas publicas sanitarias* (la palabra «fundaciones» es utilizada por el Gobierno impropiamente, por razones de *marketing* político); y 2) la subvención fiscal a los seguros sanitarios privados.

Este trabajo trata sobre los aspectos de la política sanitaria más relacionados con la organización y gestión de la sanidad pública, y con los rasgos básicos del SNS como servicio público, de cobertura universal equitativa, financiación pública y provisión de responsabilidad también pública. Para ello, y en primer lugar, se tratará de situar al SNS español en su contexto evolutivo y organizativo, comentando sus logros, sus problemas y las opciones existentes para su reforma.

11. Ministerio de Sanidad y Consumo, *Realizaciones del MSC. Balance de dos años de gestión. Anexo 2*, octubre 1998, mimeo; se trata de una publicación fundamentalmente orientada a su distribución entre los medios de comunicación.

En segundo lugar, para una mejor comprensión del análisis que sigue, se comenta la política sanitaria del Partido Popular en su trayectoria más inmediata. En tercer lugar, se analiza la Subcomisión, el contexto en el que es creada y el texto de sus recomendaciones. A continuación, se presentan dos políticas concretas de gran calado estratégico para el SNS que derivan de la filosofía sanitaria del Gobierno, expresada en las recomendaciones de la Subcomisión: 1) la transformación de los centros sanitarios públicos en Fundaciones Públicas Sanitarias, enmarcada en el contexto del *mercado interno,* modelo sanitario de referencia para el Gobierno; y 2) la reforma del IRPF como instrumento incentivador del aseguramiento sanitario privado, enmarcado en el concepto de «aseguramiento sanitario» del documento de la Subcomisión que, a su vez, es también analizado. En último lugar, se analiza el discurso oficial sobre las prestaciones sanitarias. Se concluye con algunas reflexiones acerca de la reforma del SNS, que ofrecen una perspectiva alternativa a los planteamientos del Gobierno.

II. EL SISTEMA NACIONAL DE SALUD ESPAÑOL: LOGROS, PROBLEMAS Y OPCIONES DE REFORMA

El Sistema Nacional de Salud (SNS) garantiza el acceso de toda la población española a la medicina más avanzada, en condiciones razonables de equidad y calidad, y puede ser considerado como el mejor servicio público de nuestro país. Sin duda alguna, es una de las instituciones más emblemáticas de la España moderna y, a pesar de sus insuficiencias, una de las más apreciadas por la población. El SNS español ha logrado reunir las características positivas esenciales para ser el mejor de los servicios sanitarios posibles para un país que quiere ofrecer estos servicios a todos sus ciudadanos, con equidad y solidaridad, con un nivel aceptablemente alto de calidad, y a un costo razonable respecto a la riqueza nacional.

La sanidad pública española se caracteriza por su cobertura casi universal de la población, financiación pública por impuestos (100% del gasto sanitario público) que llega al 5.8% del PIB, por la provisión predominantemente pública e integrada de los servicios, por unas prestaciones[12] que dan acceso a todos los servicios de la medicina mo-

12. Sin embargo, las prestaciones del SNS en odontología sólo incluyen urgencias y extracciones, con excepción del País Vasco y Navarra donde los niños de 7 a 15 años tienen acceso a servicios dentales preventivos y de tratamiento (véase «PADI:

derna sin coste para el paciente, y por ser responsabilidad política de las Comunidades Autónomas[13] (CC.AA.) que en la actualidad gestionan los servicios de más del 61% de la población española (el resto sigue siendo responsabilidad del Gobierno central, a través del INSALUD). Estos rasgos son extraordinariamente positivos y constituyen auténticos activos del sistema sanitario, en especial: su financiación pública por impuestos; su cobertura universal de facto de toda la población; la provisión predominantemente pública de servicios; y la amplitud de las prestaciones. Estas características son las condiciones necesarias (aunque no suficientes) que pueden hacer posible un SNS moderno, eficiente, equitativo y de excelente nivel de calidad, dentro de la restricción presupuestaria que sitúa al gasto sanitario público entre un 6-7% del PIB.

Aunque el SNS sea el mejor servicio público de la sociedad española de fin de siglo, presenta defectos, carencias y problemas importantes (ninguno de pronóstico fatal), que arrastra desde hace años sin que hayan sido abordados. Unos son el resultado de su evolución muy peculiar, a lo largo de más de 50 años (de ellos, más de 30 bajo dictadura), pero la mayoría pueden ser atribuidos a la ausencia de las necesarias reformas estructurales durante los últimos tiempos.

El SNS ha evolucionado a lo largo de los últimos 50 años[14], en paralelo con el desarrollo económico, social y político de España. Tiene su origen en la Asistencia Sanitaria de la Seguridad Social (ASSS), que, a su vez, es el desarrollo del modesto Seguro Obligatorio de Enfermedad (SOE, 1943). Éste, inicialmente, cubría sólo a los trabajadores de ingresos más bajos (*productores económicamente débiles,* en el lenguaje de la época) y nació con unos horizontes muy li-

balance de nueve años»: *Gaceta Dental*, 92 (1998), 72-88. Otra laguna importante del SNS es la atención —domiciliaria o en residencias— a pacientes ancianos y crónicos).

13. Las CC.AA. con transferencias de INSALUD en 1998 son: Cataluña (1981), Andalucía (1984), País Vasco (1998), Comunidad Valenciana (1988), Navarra (1990), Galicia (1992), Canarias (1994). En total, estas siete CC.AA. tienen el 61% de la población española; los servicios sanitarios del Resto de España dependen del Gobierno central (INSALUD gestión directa). El análisis de la política sanitaria española se ha hecho más compleja al tener cada Comunidad un amplio margen de autonomía dentro de un marco que es común al conjunto del SNS. No obstante, el Gobierno Central sigue siendo el actor decisivo en la política sanitaria, entre otras razones de más peso, porque es responsable de la gestión directa del INSALUD que, al atender al 38% de la población española, continúa siendo el referente en torno al que gravita el SNS.

14. A. M. Guillén Rodríguez, *Políticas de reforma sanitaria en España: de la restauración a la democracia,* Instituto Juan March de Estudios e Investigaciones. Centro de Estudios Avanzados en Ciencias Sociales, Madrid, 1996.

mitados; más tarde, la ASSS fue creciendo a lo largo de los años, tanto en porcentaje de población atendida, como en el desarrollo de su red asistencial propia, de modo que, a finales de los años '70, la Seguridad Social había configurado de hecho unos servicios sanitarios en España que, por el alto porcentaje de población cubierta (83%), por su distribución territorial relativamente uniforme, y por contar con una red propia de servicios (sistema integrado), constituía casi un Servicio Nacional de Salud.

La Constitución española de 1978 estableció el principio del derecho de todos los ciudadanos españoles a la protección de la salud, que más tarde fue desarrollado por la Ley General de Sanidad de 1986 (LGS), de modo que, durante los gobiernos socialistas (1982-1996) se logró que a principios de los '90 toda la población española estuviera *de facto* cubierta por el sistema sanitario público [15]. La LGS creó el SNS y dio lugar a una serie de reformas posteriores que vertebraron el conjunto, hasta entonces disperso, de la sanidad nacional (la proveniente de la SS, del Estado —beneficencia, hospitales infecciosos y universitarios— y la de las corporaciones locales), en el actual SNS. Hasta la LGS de 1986, los servicios sanitarios españoles no respondían a ningún plan o modelo explícito, sino que eran el resultado de muy diversos impulsos políticos y de las transformaciones inducidas por dos tensiones relativamente extrínsecas a los propios servicios sanitarios. En primer lugar, y durante todo el largo período de desarrollo de la ASSS anterior a la Constitución, el crecimiento del sistema de la SS durante casi cuatro décadas, como consecuencia del desarrollo (en cobertura poblacional y en medios asistenciales), que dio lugar progresivamente a su total hegemonía dentro de la sanidad española; el crecimiento fue en sí mismo el factor más importante de cambios, a medida que la SS fue extendiendo su cobertura a más personas y aumentando su red propia de servicios. En segundo lugar, los cambios políticos puestos en marcha por la Constitución de 1978 que dieron lugar a dos importantes reformas en el sistema sanitario público: 1) la consagración del derecho a la salud, que fija como horizonte de la sanidad española el objetivo de la universalización; y 2) la descentralización política y administrativa de la sanidad a las CC.AA.

15. Sin embargo, esta *cobertura universal* no es todavía un derecho ligado a la condición de ciudadanía y residencia; este hecho es una de las contradicciones del SNS actual, máxime cuando está financiado por impuestos en su totalidad. Por otro lado, es también una fuente de problemas para algunos sectores de la población y para la organización y planificación del sistema sanitario.

Durante las dos últimas décadas, la sanidad española ha experimentado cambios muy importantes que, en conjunto, han contribuido muy positivamente a su evolución y a la configuración de la sanidad pública como Sistema Nacional de Salud. Las reformas[16] más significativas han sido: 1) el aumento de la cobertura sanitaria, hasta llegar a la universalización de facto a principios de los '90; 2) la puesta en marcha de la Medicina de Familia (MF) como especialidad médica con formación a través del sistema de residencia (MIR), que ha permitido a partir de 1978 una de las mayores revoluciones de la medicina española; 3) la reforma, a partir de 1984, del viejo sistema ambulatorio de la Seguridad Social, con la creación de los Equipos de Atención Primaria, la construcción de centenares de nuevos Centros de Salud, a los que se han incorporado las promociones de médicos de MF; 4) la restauración del Ministerio de Sanidad, y la creación del INSALUD en 1978, a partir del tronco común de la Seguridad Social que hasta entonces era el histórico Instituto Nacional de Previsión (INP, 1908-1978); 5) la transferencia del INSALUD a siete CC.AA. (61% de los españoles); y 6) la aprobación de la Ley General de Sanidad (LGS) en 1986 que dotó a la sanidad española del marco de referencia que supuso la creación del Sistema Nacional de Salud.

La secuencia temporal de todas estas reformas es muy ilustrativa, y en ella se puede observar un período de reformas que coincide con la Transición y los primeros gobiernos democráticos (creación del Ministerio de Sanidad, del INSALUD, de la especialidad de MF, la primera transferencia de INSALUD a Cataluña, en 1981), y un segundo período, ya con gobiernos socialistas, en el que se produce la expansión definitiva de la cobertura sanitaria, la reforma de la Atención Primaria, la LGS, nuevas transferencias de INSALUD y una política general y sanitaria tendente a la consolidación del SNS, según el patrón socialdemócrata europeo.

En términos de impacto global en el SNS, es preciso destaca dos reformas, bien diferentes entre sí pero cuya contribución a la transformación de la sanidad pública ha sido de la mayor trascendencia: las transferencias del INSALUD a las CC.AA., y la reforma de la Atención Primaria. Ambas pueden ser consideradas como las más transcendentes habidas en la sanidad española durante los últimos años. Sin embargo, a pesar de la importancia de éstos y otros cambios, el sistema sanitario español, en sus aspectos básicos, ha tenido una estabili-

16. J. M. Freire, «Problemas y Reformas en la Sanidad Española», en A. Castells y N. Bosch (dirs.): *El Futuro del Estado del Bienestar,* Ed. Civitas, Madrid, 1997.

dad notable. Por sorprendente que parezca, los cambios de los últimos tiempos, con la excepción quizá de algunos aspectos de la reforma de la Atención Primaria[17], no han cuestionado apenas en lo sustancial los elementos centrales del sistema tradicional de la SS, tanto en lo que se refiere a los procedimientos de organización y gestión, como al contenido de los servicios y al circuito de atención de los pacientes dentro del mismo. Las reformas citadas no han respondido al impulso reformador que precisaban los problemas de organización y gestión del sistema sanitario español (aunque sin duda han influido en ellos, especialmente las transferencias que han dado considerable autonomía a las CC.AA.). Pero las transferencias del INSALUD han obedecido, en su cadencia y finalidad última, básicamente a diferentes impulsos políticos, más que a imperativos propiamente sanitarios. Por su parte, la reforma de la AP tenía como objetivo un nuevo esquema de atención ambulatoria que sustituyera al tradicional de la SS, que había llegado a una degradación difícilmente imaginable. Por ello, a pesar de la indudable transcendencia de unos y otros cambios, el SNS español continúa presentando importantes problemas de organización y gestión, que no han sido objeto de atención específica y son, desde hace años, la asignatura pendiente de la sanidad española. Su existencia ha sido, y es, ampliamente reconocida, pero sólo en raras ocasiones ha formado parte del debate político (la Comisión Abril en 1990 fue una oportunidad perdida). Existe, no obstante, una amplia coincidencia sobre el agotamiento de numerosos aspectos del modelo organizativo y gestor actual de la sanidad pública española, y con ello de la necesidad de analizar sus problemas y buscarles solución. Una situación en la que es más evidente lo que ya no sirve del modelo organizativo y de servicios actual, que el qué y el cómo de las nuevas formas que deberían sustituirlo.

1. *Problemas del SNS*

El SNS español comparte rasgos positivos pero también problemas con los servicios sanitarios de todos los países desarrollados, que son comunes a todos los sistemas sanitarios del mundo, sea cual fuere su modelo sanitario. Entre estos últimos se encuentran: las tensiones del crecimiento del gasto sanitario; los retos de adecuar la practica clí-

17. J. Gérvas y M. Pérez Fernández, «Propuestas para mejorar el modelo español de atención primaria»: *Cuadernos de Gestión* (para el personal de AP), 2 (1996), 131-139.

nica a la evidencia científica; los desafíos de las nuevas tecnologías; las expectativas crecientes de la población; etc.

Por otro lado, el SNS presenta insuficiencias y problemas que son propios y específicos del sistema sanitario español. Por su cultura organizativa, su peculiar historia y, sobre todo, por estar integrado en la Administración Pública española (tan necesitada a su vez de reformas), tiene problemas reales que comprometen seriamente su eficiencia, le deslegitiman ante la población a la que sirve y deterioran su equidad. Estos problemas presentan unas características que no tienen comparación posible en los sistemas sanitarios europeos de provisión pública más ejemplares (Reino Unido y países nórdicos). Y es que el SNS español, al ser un sistema integrado[18] de provisión mayoritariamente pública, comparte también los rasgos positivos —mayor equidad y mayor eficiencia macroeconómica— de los países que tienen sistemas similares (Reino Unido, países nórdicos, Italia, Portugal), pero acusa también los problemas que estos sistemas presentan en mayor o menor grado: limitaciones en la libertad de elección del paciente, rigideces burocráticas y organizativas, problemas estructurales en la gestión pública que dan lugar a ineficiencias y listas de espera, todo lo cual repercute negativamente en los niveles de satisfacción de la población y de los pacientes. Estos problemas no son inherentes a la producción pública de servicios, pero están muy relacionados con los aspectos organizativos, la gestión y los incentivos que operan en cada sistema sanitario. Las especiales circunstancias del desarrollo del SNS español, el contexto organizativo (tan asimilado a administración pública común), político, sindical y profesional en el que se desenvuelve, dan a los problemas del SNS unas características muy específicas y bien diferentes de las de los sistemas sanitarios de los países nórdicos o del Reino Unido, que son sin duda alguna el referente positivo del sistema sanitario español.

18. La tipificación tradicional de los sistemas sanitarios divide a estos en dos grandes sistemas tipo: los modelos de SS (referente Alemania), financiados por cotizaciones obligatorias, y en los que la financiación —el seguro— contrata externamente los servicios —modelo *contractual*— y los sistemas tipo Servicio Nacional de Salud, con financiación por impuestos y producción de servicos dependiente del financiador —modelo público integrado—, cuyo prototipo ha sido el NHS británico. España, al igual que los países de Iberoamérica, desarrolló un sistema de SS con producción propia de servicios —*integrada*— que, por efecto de la expansión de la cobertura (y más el impulso de la LGS), se ha convertido de un sistema tipo Servicio Nacional de Salud. Las reformas de principios de los '90 (M. Thatcher) en el Reino Unido han estado orientadas a la transformación del sistema sanitario en un sistema contractual —contratos en lugar de integración— en cuyo marco fuera posible la competencia.

La percepción de la necesidad de cambios organizativos en el SNS tiene tres razones principales: 1) En primer lugar, la realidad económica y fiscal que impone limitaciones al ritmo de crecimiento financiero de la sanidad; ello obliga a extremar el control del gasto sanitario público, buscando aumentar los niveles de eficiencia con nuevas formas organizativas e incentivos; 2) La insatisfacción de la población con algún aspecto de los servicios sanitarios que, como es característico de los sistemas de planificación y control público, han sido diseñados más desde la óptica de la oferta, pensando acaso más en «necesidades» que en «expectativas» y demandas de la población. El paso del tiempo acusa los efectos de la rigidez e insuficiencia de sus viejas fórmulas para responder a lo que requiere una sociedad que evoluciona mucho más que su administración pública; así por ejemplo, no tolera fácilmente ciertas listas de espera y limitaciones a su libertad de elección en los servicios sanitarios; 3) La actual organización y gestión de la sanidad pública hacen difícilmente viable la consecución de objetivos de control del gasto, mayor eficiencia, efectividad y satisfacción de la población considerados como inaplazables política, económica y socialmente.

Los problemas de un sistema sanitario están todos relacionados entre sí en una compleja red de causas y efectos. No obstante, del análisis de situación del SNS español se puede concluir que quizá sus tres problemas estructurales más importantes y específicos son: 1) la insatisfacción de la población; 2) un marco organizativo y de gestión inadecuada (incluidas las normas obsoletas que rigen su personal); 3) la coordinación global del SNS. Esta priorización es cuestionable, pero se puede argumentar considerando estos como problemas-raíz de casi todos los demás que se puedan citar (los desafíos relacionados con la calidad y la efectividad de la práctica clínica, la atención a los ancianos y pacientes crónicos, etc.). Intencionadamente no se incluye aquí la financiación sanitaria entre los problemas más prioritarios del SNS, por considerar que una vez que el SNS está financiado por impuestos y que tiene un nivel aceptable de suficiencia, el nivel de recursos asignados y su distribución territorial es más un tema general de política fiscal y autonómica que de política sanitaria. En cualquier caso, las reformas estructurales que con más urgencia precisa el SNS son independientes de su financiación.

La *insatisfacción de la población con los servicios del SNS* (compatible con un apoyo popular abrumadoramente elevado a la sanidad pública) es quizá su problema más importante, porque es consecuencia de todos sus demás problemas y compromete más que ningún otro su futuro. Se manifiesta en las encuestas y da lugar a que los ciudadanos que pueden hacerlo (los funcionarios, y distintas «elites» del mundo laboral) voten con los pies, eligiendo otras alternativas asistenciales bajo cobertura pública (más del 85% de los funcionarios de MUFACE y MUGEJU optan por ser atendidos fuera del sistema público). Las listas de espera, la escasa *cultura de servicio*[19], reflejada en información deficiente a los pacientes/familiares, el trato poco personal, las arbitrariedades organizativas, el mobiliario y mantenimiento descuidado, las deficiencias de la atención primaria a domicilio y, en general, la ausencia de atención a los detalles del servicio, son parte y causa de este problema. Pero, ¿cómo no relacionar este problema con la gestión?

En efecto, el problema central (raíz) del SNS español es de organización y gestión. En primer lugar, porque el *marco jurídico* de las *organizaciones y centros del SNS* es inadecuado a sus funciones e ineficiente y, al contrario de lo que sucede en otros países con larga tradición de sanidad pública, coloca a las instituciones del SNS como una parte (muy poco diferenciada) de la Administración Pública general (a su vez necesitada de reformas profundas). La administración pública general, incluso en los países donde ésta es más modélica, no es la ubicación adecuada para una actividad tan compleja y diferenciada como son los servicios sanitarios modernos. Por ello, el condicionante más crucial de esta situación es la ausencia de un marco jurídico adecuado, tanto para los centros sanitarios individuales como para los entes de los que forman parte (INSALUD, Servicios de Salud de las CC.AA.). Es decir: los servicios sanitarios públicos españoles, con la reciente excepción del Osakidetza/Servicio Vasco de Salud[20], no tienen una personalidad jurídica que le permita gestionar sus servicios con agilidad y autonomía diferenciada respecto al resto de la correspondiente administración pública. Sin embargo, y en segundo lugar, la solución a los problemas que esta realidad plantea no depende únicamente de un cambio legal; éste, una vez más, es una condición

19. Entre las raíces de la escasa cultura de servicio del SNS español hay que destacar que los colectivos con mayor influencia social y política, y capacidad de demandar servicios de calidad, pueden optar (con financiación pública) por servicios privados (sin que ello suponga perder la red de seguridad del SNS). Es el caso de funcionarios (directivos públicos, profesores, jueces, etc., a través de MUFACE y MUGEJU), trabajadores de empresas «colaboradoras» de la SS (casi todos los bancos, eléctricas, TVE, etc.), periodistas, etc. Del mismo modo que un servicio público para pobres tiende a ser un pobre servicio, la exclusión casi sistemática de las elites españolas de los servicios del SNS ayuda poco a que éste desarrolle una cultura de servicio moderna. En los servicios públicos universales, la equidad es también una condición de calidad.

20. Parlamento Vasco, Ley 8/97, de 26 de junio de 1997, de Ordenación Sanitaria de Euskadi. Esta ley configura a Osakidetza/SVS como ente público de derecho privado a partir del 1 de enero de 1998.

necesaria pero no suficiente para las transformaciones que son precisas, entre las cuales se incluyen fundamentalmente una nueva cultura organizativa y de servicio, hábitos de transparencia en la toma de decisiones y, sobre todo, un marco de relaciones laborales y profesionales diferente.

En cualquier caso, los problemas de gestión del SNS no son, es obvio, recientes. Vienen de antiguo y en no poca medida surgen porque las viejas estructuras de organización y gestión heredadas del pasado no sirven para los nuevos retos, y en lo esencial no se han reformado. Son, pues, precisos cambios estructurales profundos que no se dieron con la Ley General de Sanidad, ni posteriormente. Por desgracia, como veremos, la agenda política sanitaria del Gobierno del PP está más volcada en acomodar la realidad a los esquemas del mercado interno, los que M. Thatcher aplicó a la sanidad británica, que en el análisis de los problemas reales y en la búsqueda de soluciones a los mismos.

2. *La cultura organizativa y de gestión del SNS español: conflicto de paradigmas*

El actual SNS español responde, en su organización y cultura de gestión, a una triple tradición e influencia: 1) en primer lugar, la cultura original de la SS que se desarrolla activamente desde sus orígenes hasta la llegada de la democracia, y que da a las instituciones de la SS formas organizativas y de gestión propias, diferenciadas, específicas de los servicios sanitarios, e independiente de las de la administración pública general; 2) en segundo lugar, los cambios introducidos durante los primeros años de democracia y en especial al principio de los años '80 que, tomando como referente la administración pública común, reorientan hacia ella, en un sentido homogeneizador, todo el sector público, incluida la sanidad —con independencia de lo especializado de sus servicios—, imprimiendo una tendencia burocrática y uniformizadora en materia de personal; y 3) en tercer lugar, la influencia de lo que podríamos llamar *gerencialismo empresarial público,* que desde el comienzo de los '80 y sobre todo en los '90, que abarca un amplio espectro de ideas, que incluyen desde el «menos Estado» neoliberal duro, a la búsqueda genuina, desde el compromiso con los valores de lo público, de formas más eficaces y sensibles de respuesta a las demandas de la población, y para gestionar más eficientemente los servicios públicos.

Como primer componente, la cultura original de la SS y el INP, en el que tiene su origen el INSALUD, nace con el Seguro Obligatorio de Enfermedad (SOE) en los '40, pero formaliza en los años '60 con la maduración de la SS, y se desarrolla sin grandes cambios hasta finales de los '70. Se caracteriza, a los efectos que aquí nos interesan, por haber definido una personalidad jurídica y organizativa propia, con un notable margen de autonomía, diferenciada de la administración general del Estado, y que responde a procedimientos muy adaptados a los servicios sanitarios de la época (caracterizada, por otro lado, por una dictadura, sin libertad política ni sindicatos libres). De este período datan los Estatutos del personal del INSALUD y no pocos de los procedimientos de gestión que todavía perduran y permiten a los hospitales funcionar con cierto margen de maniobra, a pesar de no ser más que «centros de gasto» desde el punto de vista organizativo y jurídico. En definitiva, se trata de una variante de cultura administrativa basada en el procedimiento administrativo reglado, típica de la administración tradicional, con el condicionante de haberse desarrollado en ausencia de libertades políticas.

El segundo componente que contribuye a configurar el patrón organizativo actual del INSALUD (y en general de los diferentes Servicios Autonómicos de Salud) es la progresiva integración de la sanidad dentro de la política general de administración pública, tanto por el gobierno central como por los autonómicos, sin distinción de partidos políticos. Esta tendencia, especialmente marcada durante la primera época de los gobiernos socialistas, se tradujo en una progresiva homogeneización y dilución de las especificidades organizativas y gestoras de la sanidad, heredadas de la tradición de la SS, en las normas comunes de la administración pública general. La asimilación del SNS (particularmente su personal) a la administración pública común, responde a una pulsión centralizadora, más preocupada con la seguridad jurídica en la aplicación de leyes comunes a todo el personal del sector público, que por la eficiencia y calidad del servicio[21]. Esta resistencia a reconocer la especificidad de organizativa de los servicios sanitarios públicos, la escasa sensibilidad gestora a la que responde, ha contribuido a que las normas por las que se rige el personal sanitario sean progresivamente más inadecuadas a las exigencias de una administración prestadora de un servicio público tan dinámico y moderno como

21. A esta dinámica no son ajenos otros factores como: los equilibrios de poder e influencia en el seno de los gobiernos entre los departamentos horizontales (Función Pública y Hacienda) y los departamentos gestores, en los que habitualmente éstos carecen de poder político para imponer sus puntos de vista; una dinámica sindical que favorece acuerdos centralizados; ausencia de una visión alternativa para una organización más autónoma y diferenciada de los servicios sanitarios, etc.

es la sanidad. La consecuencia más clara de esta influencia no sólo fue una notable pérdida de autonomía y especificidad de la administración sanitaria, respecto al pasado, sino sobre todo respecto a las nuevas necesidades de flexibilidad y autonomía, que son ahora más evidentes que antes. La principal consecuencia negativa quizá haya sido el truncamiento del desarrollo y modernización que necesitaba la organización sanitaria tradicional, sin que haya sido sustituido por una alternativa clara: la presión hacia lo funcionarial indiferenciado, junto con la tensión contrapuesta del paradigma gerencialista, no fue acompañada de las reformas de todo tipo que el modelo de administración tradicional precisa para ser mínimamente eficaz[22].

La tercera influencia que recibe la gestión del SNS, principalmente a finales de los '80 y primeros '90, como reacción a las dificultades de la gestión real, es lo que podemos llamar *gerencialismo empresarial público*, que a partir de mediados de los '80, tanto en INSALUD, como en los Servicios de Salud de las CC.AA., constituye el discurso de referencia central de los directivos sanitarios, en mayor o menor grado. La corriente *gerencialista* aspira a una mayor autonomía de gestión del sector sanitario respecto a la administración general, pero sobre todo, de los centros y ámbitos locales respecto a los niveles superiores, como condición para poder prestar los servicios sanitarios con eficacia y eficiencia. En este sentido, «empresarializar» la gestión de los centros sanitarios equivaldría a poder hacerla más eficiente y flexible, en contraste con las limitaciones atribuidas al modelo administrativo tradicional conocido[23] (cuyos defectos eran más patentes que su capacidad de reforma). Esta pulsión por aumentar la eficacia gestora está en la raíz del considerable esfuerzo de toda una generación de gestores públicos que han hecho posible los indudables avances habidos en la gestión sanitaria durante los últimos años, que son contrastables en la evolución de los indicadores de productividad y eficiencias de los centros.

El convencimiento generalizado de la necesidad de cambios en la dirección antes indicada coincide en el tiempo con las reformas sa-

22. B. Arruñada, «Bases para profesionalizar la sanidad pública», en G. López i Casasnovas y D. Rodríguez Palenzuela (coords.), *La regulación de los servicios sanitarios en España,* FEDEA/AES, Ed. Civitas, Madrid, 1996.

23. La discusión de las limitaciones (y ventajas) inherentes a la gestión pública tradicional y a la viabilidad de importar de la empresa privada sus instrumentos de gestión, desborda el marco de este trabajo, pero es una reflexión de enorme importancia.

nitarias que impulsa M. Thatcher en el NHS británico[24], que tanta influencia habrían de tener en España y otros países. En las reformas sanitarias de los conservadores británicos cabe distinguir dos períodos: 1) el primero, que podríamos llamar *gerencialista* (años '80), en el que se acometen diversos cambios organizativos y de gestión para lograr mejoras en la productividad (*efficiency gains*); entre ellos cabe destacar la introducción de la nueva figura de los gerentes, tras el Informe Griffiths[25], como la reforma más significativa de esta época; y 2) el segundo (a partir de 1989), caracterizado por la introducción de los principios de mercado en la organización y gestión de la sanidad pública británica (*mercado interno*), que estuvo motivado más por la pulsión ideológica[26] que por evidencia empírica alguna de su necesidad y efectividad.

Si la primera de estas reformas pasó relativamente desapercibida en nuestro país, la segunda, la del *mercado interno*, representó un referente atractivo y moderno para muchos en España y en otros países. El por qué de esta fascinación que ha convertido la reforma de M. Thatcher en todo un paradigma no es fácil de entender: a ello contribuye, sin duda, lo novedoso de la idea de sustituir la *integración por contratos*, la autonomía de los hospitales-*trust,* y sobre todo, la contundencia reformadora de un cambio real, extraordinariamente atractiva[27], en un SNS tan difícil de reformar. Un factor adicional, de gran importancia, es la coincidencia de esta propuesta con una cierta crisis de los valores del Estado de Bienestar, y con una época de particular auge de los planteamientos ideológicos neoliberales[28], que atribuyen al mercado la solución de toda ineficiencia. Con ello nace un nuevo paradigma, cuyos elementos se convierten en lugares comunes del discurso sanitario español (e internacional): *separación entre compra-*

24. DHSS, *Working for Patients,* HMSO, London, 1989.

25. DHSS, *The NHS Management Inquiry,* Chairman Mr Roy Grifftiths, June 1983. Fue publicado en forma de carta y dio lugar a la creación de los gerentes (*General Managers*) en el NHS británico, y sin duda alguna influyó en la decisión similar que se tomo en España.

26. J. Mohan, *A National Health Service?*, Macmillan, London, 1995.

27. Lamentablemente, la fascinación por el *mercado interno* sanitario y sus reformas no implicaba necesariamente el conocimiento de las peculiaridades del NHS británico, entre ellas, su extraordinaria flexibilidad organizativa y gestora tradicional —sobre todo por comparación con el SNS español—, que nada tenía que ver con las reformas del *mercado interno*, y al que muchos han atribuido virtudes que son más bien características de la gestión pública británica.

28. R. B. Saltman y C. von Otter, *Mercados Planificados y competencia pública. Reformas estratégicas en los sistemas sanitarios de los países del norte de Europa*, Escuela Nacional de Sanidad/SG Editores, 1994.

dores y proveedores, contratos, mercado interno, «dinero que sigue al paciente», *competencia regulada, hospitales-fundaciones con papel de proveedores, autoridades sanitarias-compradoras servicios, médicos de cabecera-que-compran-servicios-especializados*, etc. Este nuevo lenguaje, mercantilizador del sistema sanitario, ha arraigado con más profundidad en los planteamientos sanitarios de la derecha, pero también de un sector importante de la *intelligentsia* sanitaria. Una prueba de la temprana influencia de estos planteamientos es que las propuestas de más calado del Informe Abril[29], en 1991, eran básicamente una adaptación de la reforma británica al sistema sanitario español. Más adelante veremos como el *mercado interno* constituye la panacea estratégica del PP para la sanidad.

La contradicción y disfuncionalidades que suponen estas tres influencias quedan patentes en dos aspectos emblemáticos de la gestión sanitaria: personal y gestores. La normativa que afecta al personal (los antiguos Estatutos de los años '60) ha ido siendo transformada en un sentido funcionarizante, pero sin asumir plenamente sus consecuencias, incompatibles con la visión *gerencialista* de la administración sanitaria. Pues bien, esta indefinición y contradicción está en la raíz de la existencia en el INSALUD de más de 7 000 médicos (24% del total) en situación de interinidad, que para no pocos dura casi diez años, por la ausencia de concursos desde 1989[30]. Por otro lado, a partir de 1984, se creó la figura del gerente para el gobierno de los centros y hospitales, como reflejo de las corrientes *gerencialistas*, y de su puesta en marcha (*general managers*) en el NHS británico tras el Informe Griffiths de 1982. Sin embargo, ni cambiaron al mismo tiempo los instrumentos de gestión, ni se revitalizaron los órganos colegiados de gobierno, ante los cuales debiera responder el gerente en buena lógica empresarial; con el RD 521/87 que regula la organización de los hospitales se produce la definitiva desaparición de sus Juntas de Gobierno históricas, y se consolidan gerencias unipersonales, cuya característica más diferencial respecto a lo anterior es que su nombramiento termina siendo totalmente discrecional. De este modo, toda la organización sanitaria se convierte en un sistema de *command and control*

29. Comisión de Análisis y Evaluación del SNS (Comisión Abril), *Informe y Recomendaciones*, Edición del Ministerio de Sanidad y Consumo, abril 1991.

30. Esta situación, que tuvo mucho que ver con la huelga médica de 1995, afecta también a otros colectivos profesionales y es causa de todo tipo de tensiones. La ausencia de concursos es un incumplimiento por parte de la administración de sus propias normas, con lo que ello significa de deslegitimación en una organización en la cual el personal es el elemento clave.

jerárquico, más propio, en todo caso, de un modelo administrativo. Estos ejemplos ilustran el conflicto entre dos visiones diferentes de la gestión sanitaria, y el contraste entre la realidad administrativa cotidiana y los referentes «empresariales».

La contradicción existente entre la tendencia administrativo-funcionarial y la pulsión *gerencialista* es también un reflejo de la tensión entre dos formas diferentes de gestión pública: el modelo administrativo, cuyo referente internacional sería la administración pública francesa, del cual deriva la cultura del sector público español, y las nuevas influencias provenientes del mundo anglosajón. Desgraciadamente, del primer referente no se han incorporado ni su revisión y adaptación permanente de normas y procedimientos, ni el rigor en su cumplimiento, y del segundo no es posible importar la cultura organizativa, política y social que lo hace posible. De este modo, la administración sanitaria española termina por no responde del todo a los patrones de la administración pública tradicional (que puede funcionar con niveles excelentes de eficacia), al tiempo que ha incorporado sólo injertos del modelo de gestión empresarial (su manifestación más visible es la figura del gerente). De este modo, se produce un choque de culturas en la misma organización (sobre todo en el hospital) por la contradicción entre un modelo administrativo residualizado en el que se incluyen los valores meritocráticos de los profesionales sanitarios, y la superestructura gerencial (con una fuente de legitimación distinta —nombramiento discrecional—), y que además carece del referente de autoridad que suponen los *conseils* o los *boards*, una vez que se ha prescindido de las tradicionales Juntas de Gobierno, que de alguna forma asumían un cierto papel de Consejos de Administración. Las repercusiones negativas de estos desajustes en el clima profesional y laboral de la sanidad pública no deben ser subestimadas.

Si bien es cierto que el SNS del Estado de las Autonomías, aunque sigue manteniendo muchos rasgos comunes, experimenta los cambios que le imprime el dinamismo de las distintas administraciones sanitarias, especialmente las CC.AA. con INSALUD transferido. Mientras en el centro —Madrid— se ha caracterizado por un cierto inmovilismo y ausencia de iniciativas de calado para reformar la organización y gestión del SNS a partir de la LGS en adelante, las CC.AA. han tomado con más facilidad iniciativas. Así, casi todas las CC.AA. con INSALUD transferido, han empezado a organizar sus *nuevos* centros según fórmulas de gestión novedosas, más o menos empresariales, con el común denominador de acogerse al derecho privado. No obstante, los centros nuevos son pocos y, por ello, estos cambios afectan sólo a la periferia del sistema sanitario público, y no al grueso de la sanidad que son las instituciones ya existentes, que siguen sin alternativa de reforma alguna. Entre otras razones porque entraña más riesgos políticos y el Gobierno Central es quien tiene la llave a través de la legislación básica del Estado en materia de personal y otros temas claves. De hecho, una vez que fracasó el intento del Ministro García Valverde de convertir al INSALUD en un ente con personalidad jurídica propia y autonomía (1991-1992), no volvió a haber ningún otro intento serio de reforma estructural desde el Gobierno central. Como contraste, el País Vasco, con un gobierno de coalición PNV/PSOE-EE, aprobó en 1997 la ley que transforma el Osakidetza/SVS en ente público de derecho privado[31].

Así pues, desde la perspectiva de la gestión, el SNS a la llegada del PP al gobierno en 1996 presenta un cuadro poco claro, en el que operan tensiones de cambio contrapuestas, sin que existan referentes y liderazgos claros. Por otro lado, desde una perspectiva estratégica, la alternativa de referencia eran versiones más o menos explícitas y modificadas del *mercado interno* (precisamente cuando la llegada de los laboristas al gobierno británico evidenciaba y certificaba oficialmente su fracaso[32] en el Reino Unido). De esta forma, dentro del SNS español conviven organizativamente, a modo de estratos arqueológicos, lo viejo con lo novísimo y, a falta de un claro liderazgo central, cada CC.AA. con competencias de INSALUD ha ido definiendo su propia vía de cambio, dando lugar a una situación caracterizada por: 1) Existencia en todas las CC.AA. de «formas nuevas de gestión» para iniciativas y centros generalmente hospitalarios y de nueva creación. Son ensayos a mayor o menor escala de gestión pública con fórmulas de derecho privado. En conjunto, la dimensión proporcional al todo de estas iniciativas es muy minoritaria, y se puede considerar por ello, y pese a su volumen nada despreciable, como experimental; 2) Inexistencia de estos «experimentos» de gestión en el ámbito del INSALUD; 3) Presencia de fondo del paradigma reformador del *mercado interno* sanitario propugnado por M. Thatcher, que para algunos es toda una panacea estratégica; 4) Ausencia de otras propuestas alternativas de cambio en el ámbito nacional para el conjunto del SNS, expresada en una reflexión organizativa documentada, y ello a pesar de que la transferencia del INSALUD a todas las CC.AA. es parte

31. Véase nota 20, de este artículo, sobre Ley 8/97 del Parlamento Vasco.

32. *The New NHS. Modern, Dependable*, Presented to Parliamente by the Secretary of State for Health, December 1997, Cm 3807, The Stationary Office, London, 1997.

del escenario futuro, y que los mecanismos de información y coordinación existentes brillan por su ausencia.

Esta situación contrasta vivamente con la de otros países europeos (Reino Unido, Alemania, Francia, etc.), en los cuales, durante los últimos años, se han tomado medidas de cierto calado para la reforma de sus sistemas sanitarios, respondiendo a demandas de cambios diferentes en cada país. En los países con sistemas de seguros sociales y provisión no integrada (Francia y Alemania), con el objetivo central de controlar el crecimiento del gasto sanitario, y en los países con producción pública integrada de servicios sanitarios (Reino Unido, Suecia) para mejorar la eficiencia y la respuesta a los pacientes, introduciendo nuevos esquemas organizativos y de gestión.

III. LA POLÍTICA SANITARIA DEL PP: PELIGRO A LA DERECHA PARA EL SNS

La política sanitaria del PP se enmarca, como es lógico, en sus objetivos estratégicos generales. De su análisis con una perspectiva temporal, lo primero que emerge es el carácter meramente instrumental[33] de la sanidad en la estrategia política del partido del gobierno actual. Es difícil encontrar texto alguno del cual se pueda deducir otra conclusión, avalada por una interpretación nada forzada de los hechos. Así, cuando el PP estaba en la oposición utilizó a fondo la sanidad como arma de combate para la erosión del gobierno socialista (sin importarle su coste); como contraste, ahora ya desde el gobierno, reclama a la oposición consenso sanitario (en torno a los valores que antes atacó), con el objetivo de inspirar seguridad a sus votantes y preservar e incrementar su cuota de mercado electoral.

No es posible entender la política sanitaria del Gobierno del PP y las reacciones de los partidos de la oposición a la misma, sin tener en cuenta que durante el último gobierno socialista el PP hizo una oposición extraordinariamente agresiva, en ocasiones objetivamente irresponsable, y no exenta de agravios personales. Además, y esto es lo más relevante aquí, los programas electorales del PP en 1989 y

33. Este comentario no se refiere a la *instrumentalizacion electoral* de la sanidad, que en modo alguno es exclusiva del PP. Su objetivo es destacar que, para los partidos de la izquierda, el Estado de Bienestar, del que la sanidad pública es componente esencial, forma parte de su ideario y de sus objetivos políticos (es un fin de la acción política); por el contrario, para la derecha no es así, y la sanidad pública se convierte más fácilmente en *mero instrumento* para alcanzar o mantener el poder.

1993, el capítulo de Sanidad de su XI Congreso Nacional de 1993 (es inútil buscar propuesta alguna en el más reciente de 1999), y todas sus manifestaciones políticas hasta la primavera de 1996, planteaban una política sanitaria claramente alternativa y distinta [34] del modelo de SNS aprobado en la General de Sanidad, con sus principios de cobertura universal, financiación pública, equidad, solidaridad, etc. Lo que proponía el PP con estas políticas significaba claramente fragmentar el aseguramiento sanitario público [35] y, en sus propias palabras, «romper el monopolio asistencial del Estado» [36]. Obviamente, esta toma de posición era muy vulnerable en una campaña electoral, por más que fuera popular entre algunos sectores vinculados a la sanidad privada.

Quizá por ello, poco antes de las elecciones últimas de 1996, las que le habrían de llevar al Gobierno, el PP dio un giro sorprendente de 180 grados a su política sanitaria. Presentó un programa electoral que rompía (ignoraba más bien) con todas sus propuestas políticas anteriores, haciendo aparentemente suyos los principios del SNS. De este modo, el PP abandonó entonces, sin explicación ni justificación alguna, su anterior discurso de oposición, caracterizado por su primitivismo anti-sistema, lleno de guiños privatizadores demagógicos e imposibles a los sectores más contrarios a la sanidad pública de la sociedad y la medicina española. Era un discurso que prometía todo a todos (por el lado público y por el privado): desde suprimir los medicamentos incluidos entonces en una lista negativa por el gobierno socialista (el ya citado *medicamentazo)*, hasta su propuesta estrella: *mufacear* (trocear) por etapas la sanidad pública, extendiendo el sistema MUFACE, específico por razones históricas de los funcionarios, a otros colectivos como el de los trabajadores autónomos. Este

34. Por ejemplo, la estrategia del nuevo modelo sanitario del PP del Programa Electoral de 1989 (la de 1993 era igual) incluía: «Todos los ciudadanos podrán elegir libremente la modalidad asistencial en la que quieran ser atendidos, y podrán abandonarla cuando no les satisfaga. Se incluyen como modalidades asistenciales: el INSALUD, el Instituto Social de la Marina, las entidades colaboradoras de las empresas (Telefónica, TVE, bancos, etc.), las mutualidades, las cooperativas e igualatorios y las sociedades de seguro libre de prestación de servicios asistenciales o de reembolso de su coste» (p. 13).

35. J. M. Freire, «Aseguramiento público para todos»: *El País*, 22.2.1996.

36. E. Fernández Miranda, «La reforma del Sistema Nacional de Salud»: *Anuario El País* (1996), 188. Recientemente, el Ministro de Sanidad también se ha referido a que el dilema de la sanidad no es «entre público y privado, sino entre monopolio y competencia» (intervención del 24 de noviembre en un Simposio sobre la Sanidad Privada en España, Madrid).

discurso de oposición, que no rehuyó azuzar una huelga médica y ni estuvo falto de agresividad escasamente cívica [37], fue sustituido, a partir de la campaña electoral del '96, por una adhesión, casi piadosa, a los valores de la sanidad pública. A partir de entonces, y en contraste con los planteamientos previos de voladura controlada del SNS, el PP empezó a propugnar el posibilismo gestor que venía practicando en Galicia (Comunidad con transferencias del INSALUD de la que era Consejero de Sanidad el Sr. Romay), donde se daba una mezcla de práctica administrativa clientelar, junto con los planteamientos modernizadores de las *nuevas formas de gestión* —fundaciones, empresas públicas, etc.—. Esta nueva doctrina tiene como imprescindible referente teórico las ideas del *mercado interno* de M. Thatcher, cuyo origen y contenidos ideológicos se procura que pasen prudentemente desapercibidos, disfrazados de consenso de expertos. Con el nombramiento del Sr. Romay como Ministro de Sanidad, esta política se convierte en la posición oficial del Gobierno del PP.

Una vez formado gobierno, la principal obsesión del PP en política sanitaria para esta primera legislatura parece ser «no asustar», y despejar la desconfianza que despierta en la población respecto a las políticas sociales, especialmente la sanidad. Este déficit de credibilidad se presentaría como un escollo importante para rebasar su actual barrera electoral y, eventualmente, tener posibilidades de conquistar la mayoría necesaria para gobernar sin socios. Para ello, la política sanitaria del Gobierno del PP se desarrolla como si obedeciera una *estrategia virtual* basada en cuatro componentes: 1) Ganar tiempo, que en la sanidad no se note el cambio de gobierno, o que al menos no se note negativamente; 2) Reducir al mínimo cualquier conflicto susceptible de ser traducido a la opinión pública como *ruido privatizador*; 3) Rectificar sobre la marcha lo que haya que rectificar y testando cualquier iniciativa con el correspondiente globo sonda previo; y, sobre todo, 4) Buscar desesperadamente el consenso con la oposición, como fuente de legitimación política [38]. El afán de consenso y de ganar tiempo ha sido, sin duda, una razón de peso para lanzar la Subcomisión de Sanidad, cuyo objeto de deseo perseguido no era otro que comprometer al PSOE en la firma de un documento general de intencio-

37. Los lectores que consideren esta descripción dura o la quieran contrastar con evidencias documentales, pueden revisar no sólo las hemerotecas y las muchas publicaciones semiprofesionales dirigidas a los médicos españoles. Son también muy ilustrativas de aquel estilo de oposición las actas de las sesiones de la Comisión de Sanidad del Congreso.

38. J. M. Romay Beccaria, «Fundaciones Sanitarias: un consenso ya alcanzado»: *El País*, 8.12.1998. Este artículo del Ministro de Sanidad es muy ilustrativo al respecto (¿consenso a instancia de parte?).

nes que diera al PP el aval buscado y eliminara la sanidad de la competencia política (como había sucedido con las pensiones).

Sin que sea contradictorio con lo anterior, el Gobierno del PP, sea por tensiones internas, la presión de sus socios y deudos, y sobre todo por la pulsión de actividad que lleva a las organizaciones a huir del vacío de no tener proyectos, ha terminado por presentar no pocas iniciativas que chocan parcialmente con la *estrategia virtual* citada. La mayor parte de estos proyectos (globos sonda iniciales, *medicamentazo*, Fundaciones Públicas Sanitarias, reforma del IRPF incentivadora de seguros sanitarios privados, etc.) han generado controversia social y, percibidos como negativos para el SNS, causado *alarma* en una sociedad que valora muy positivamente la sanidad pública.

Por más que esta *conversión* sanitaria del PP haya de ser bienvenida, la aparente facilidad con la que se sustituyó el discurso de oposición por el de gobierno es un precedente muy poco tranquilizador para el futuro. Es más, constituye una evidencia a favor del carácter meramente instrumental que tiene el SNS para el PP, y da argumentos a los que creen que el PP tiene una *agenda sanitaria* oculta (más allá de las proclamas electorales), que se manifiesta subrepticiamente en todas y cada una de las decisiones y propuestas de su Gobierno (hospitales-empresas, incentivos fiscales a los seguros privados, etc.). Esta *agenda oculta* se expresaría más como una tendencia a desmantelar paulatinamente las bases de la sanidad pública, que como medidas concretas, claramente privatizadoras, que le serían electoralmente contraproducentes en una sociedad que apoya inequívocamente su SNS[39].

Por otro lado, la política que está llevando a cabo el PP Comunidad Valenciana, fuera de los focos *centristas* de la política nacional, es gravemente privatizadora: los habitantes de Alcira y su comarca han visto como sus servicios sanitarios han sido transferidos por concesión administrativa *en régimen de monopolio* a una compañía aseguradora privada. Este esquema responde, pero sólo parcialmente, a la idea *Private Finance Initiative* (PFI) puesta en marcha por el gobierno conservador británico[40], pero en Valencia el PP ha ido mucho más lejos, ya que no se trata sólo de la *financiación* con capital privado de un hospital público —idea original británica—, sino que también se ha incluido la *gestión* asistencial privada, dejando la atención

39. M. Sánchez Bayle, «La política sanitaria del Partido Popular»: *Salud 2000* 69 (1998), 8-20.

40. Treasury Committee, «The Private Finance Initiative»: *HMSO* (*House of Commons Paper*), 146 (1996). Véase, también, D. Dawson y A. Maynard, «Private finance for the public good?»: *BMJ* 313 (1996), 312.

sanitaria de toda una comarca en manos de un consorcio privado, a través de una concesión administrativa. Ni M. Thatcher, ni los conservadores de ningún otro país europeo se han atrevido a ir tan lejos en la privatización de la sanidad pública.

IV. LAS RECOMENDACIONES DE LA SUBCOMISIÓN PARLAMENTARIA PARA LA REFORMA DE LA SANIDAD: BASES DE LA POLÍTICA SANITARIA DEL GOBIERNO ACTUAL

1. *Contexto y antecedentes*[41]

El «Informe de la Subcomisión constituida en el seno de la Comisión de Sanidad y Consumo, para avanzar en la consolidación del Sistema Nacional de Salud mediante el estudio de las medidas necesarias para garantizar un marco financiero estable y modernizar el sistema sanitario manteniendo los principios de universalidad y equidad en el acceso»[42] fue aprobado el día 18 de diciembre de 1997 en el Pleno del Congreso de los Diputados con 170 votos a favor, 130 en contra y una abstención. Finalizaba de este modo una Subcomisión creada con el apoyo de todos los Grupos Parlamentarios en el Pleno del 11 de junio de 1996[43], pero sólo tras aceptarse una enmienda del PSOE que le dio a la Subcomisión su largo nombre. Con éste, el PSOE y otros Grupos Parlamentarios de la oposición querían acotar claramente la misión de la Subcomisión y dejar claro que «la base del consenso con la que se iniciaron los trabajos significaba la aceptación expresa por parte del Grupo Parlamentario Popular de los principios del SNS, su mantenimiento y consolidación»[44]. Con la aceptación de este peculiar nombre para la Subcomisión el Gobierno del PP conseguía su aprobación, esencial para su estrategia política de ganar tiempo y activos de credibilidad y legitimidad popular para su débil flanco de política social, especialmente en sanidad. Por su parte, el PSOE lograba arrancar del Gobierno una confesión explícita de apoyo

41. Esta sección está tomada, en parte, de J. M. Freire, «Comentarios a propósito del documento de la Subcomisión para la la reforma del SNS español»: *Revista de Administración Sanitaria* 2, 5 (1998), 23-50.

42. *Diario de Sesiones del Congreso de los Diputados*, 128, 18 de diciembre de 1997, 6753-6768.

43. Boletín Oficial Cortes Generales BOCG D-015/27.5.96; D-25/17.6.96; DS 11.

44. Del voto particular de rechazo a las conclusiones del documento de la Subcomisión por parte del Grupo Parlamentario Socialista, BOCG D— 205,10.

a los principios en los que se basa el SNS, dejando constancia de la defensa de la sanidad pública como seña de identidad política, al tiempo que mostraba su disposición a hacer oposición constructiva. Sin embargo, en mayo de 1997, el PSOE abandonó la Subcomisión por un conjunto de circunstancias que, a su entender, deslegitimizaban su misión y debido a la instrumentalización que de la misma hacía el Gobierno [45]. Los avatares de una Subcomisión que, en principio estaba aprobada para seis meses y luego duró dieciocho, han tenido mucho que ver con las confrontaciones políticas habidas en el período, que tenían como telón de fondo la necesidad del Gobierno de lograr un apoyo parlamentario de CiU a los presupuestos de 1998, que este partido condicionaba a la satisfacción de sus demandas de financiación sanitaria para Cataluña [46].

2. *El documento de la Subcomisión: un texto* políticamente correcto, *pensado para el consenso*

El método de trabajo inicial consistió en la comparecencia de autoridades y expertos propuestos por los partidos, pero fue el Ministerio de Sanidad quien aportó la Subcomisión sus documentos básicos, entre ellos el Anteproyecto de Conclusiones y Recomendaciones (el 17 de junio de 1997) que fue aprobado, sin cambios sustanciales, en septiembre. El texto del documento [47] hace propuestas agrupadas en trece recomendaciones generales, que a su vez se articulan en los cuatro grandes capítulos sobre los que la Subcomisión ha organizado su trabajo: I) Aseguramiento y prestaciones; II) Financiación sanitaria; III) Organización y Gestión; y IV) Coordinación Territorial. En cada capítulo se incluyen unas líneas de comentario que preceden a

45. Para conocer la argumentación completa, véanse los debates de la Comisión de Sanidad (www.congreso.es). Los debates relativos a la Subcomisión se encuentran en el *Diario de Sesiones*, Comisión de Sanidad, 21 de octubre de 1997; y *Diario de Sesiones Pleno*, 18 de diciembre de 1997, 6753-6768.

46. De hecho, la financiación del SNS acaparó todo el protagonismo de la Subcomisión, porque en paralelo a sus trabajos, y al margen de ella, el Gobierno y CiU estuvieron negociando el acuerdo para la financiación de la sanidad en el próximo cuatrienio y los presupuestos de 1998. Una vez más, como señalaba J. M. Vía, la agenda política sanitaria estuvo centrada casi exclusivamente en la insuficiencia financiera, perdiéndose otra oportunidad para abordar los problemas estructurales del SNS; véase J. M. Vía, «La sanidad a debate: hacer posible la reforma»: *El País*, 6.6.1997.

47. *Acuerdo de la Subcomisión de Consolidación y Modernización del SNS*, Congreso de los Diputados, 23 de septiembre de 1997, Madrid. (Existe una edición del Ministerio de Sanidad, NIPO 351-98-003-7.)

la enumeración de las recomendaciones o planteamientos de la Subcomisión en relación con el tema del que se trata.

En líneas generales, el documento está cuidadosamente redactado para ser «políticamente correcto». Una «corrección política» que se logra, en gran parte, por la proclamación de principios con los que nadie puede estar en desacuerdo, con la ausencia de medidas concretas y mediante una redacción calculadamente ambigua de los puntos susceptibles de discrepancia. Un texto, en definitiva, que cumple bien su papel de documento político genérico, pero poco útil a la hora de redactar un texto legal de contenido operativo. Sea cual fuere el *mix* de cálculo político-electoral y convicción sincera de cada uno de los grupos políticos firmantes, caben pocas dudas de que este empeño de «ortodoxia sanitaria» responde a uno de los objetivos centrales de la agenda política del Gobierno del PP durante este su primer gobierno: disipar la desconfianza inicial de los votantes hacia su política social, particularmente la sanitaria. De ahí, su empeño en perseguir a toda costa *el consenso* (o la imagen del mismo) con el principal partido de la oposición. Lograrlo supondría una suerte de validación de la *nueva* política sanitaria del PP, al tiempo que reduciría el espacio político de la oposición, excluyendo a la sanidad de debate político (de la competencia electoral, como supuso el Pacto de Toledo con relación a las pensiones). La importancia política de estos objetivos para el partido del Gobierno hubiera justificado cualquier eventual concesión (como sucedió con el largo nombre de la Subcomisión), máxime cuando el eventual consenso se plasmaría en un documento genérico (no en una ley), que además no estaba previsto que incluyese objetivos instrumentos y plazos concretos.

El estilo de redacción del documento y su tramitación parlamentaria son escasamente compatibles con una voluntad clara de abordar reformas en el SNS. Sus recomendaciones y propuestas están redactadas como *opiniones, consideraciones y sugerencias* de la Subcomisión. Sus expresiones parecen más propias del lenguaje de profesores y expertos que prudentemente estuvieran aconsejando a políticos, que de una comisión de Diputados que elabora un texto que, tras someterlo al Pleno del Congreso, debiera servir para poner en marcha reformas legales del SNS.

Aunque el contenido del documento, con sus cuatro grandes capítulos y las trece recomendaciones en los que se subdividen, abarca potencialmente casi todos los temas importantes de la sanidad, hay, sin embargo, algunas ausencias difíciles de justificar: una de las más destacadas es la de la *Salud Pública,* que carece de apartado propio. Otra ausencia, si cabe más sorprendente, es la de los propios servicios sanitarios (atención primaria y hospitales), para cuya modernización y consolidación se ha constituido la Subcomisión: el documento sólo trata de lo que podríamos llamar la *superestructura del SNS*, pero ni el título y ni el contenido de sus capítulos abordan los servicios sanitarios directamente: la *atención primaria* y los *hospitales* ni siquiera aparecen una sola vez en el texto de la Subcomisión. Estas ausencias dan una idea del grado de abstracción estructural en el que se mueve el documento, y de su desconexión con la realidad sanitaria cuyos problemas debe resolver, y que son los que vive la población, los pacientes, los trabajadores del sector y, no en último lugar, los gestores del sistema sanitario público[48]. No es por ello sorprendente que algunas recomendaciones puedan ser también aplicables al sistema sanitario de cualquier otro país: ¿dónde no es preciso asegurar un marco financiero estable, atender a las preferencias de los usuarios, o garantizar las prestaciones sanitarias? Sin embargo se obvia la realidad, y así no se menciona que el SNS español es quizá el único país desarrollado europeo que no incluye adecuadamente los servicios dentales, ni siquiera para los niños, ni tampoco ofrece atención domiciliaria.

Es igualmente llamativo que la Subcomisión no realizado *diagnóstico* alguno de los problemas del SNS. De haberlo hecho, se hubiera visto obligada a conectar de algún modo este diagnóstico con soluciones e instrumentos para ponerlas en marcha. Este hecho explica parcialmente la escasa conexión entre la realidad del SNS y la naturaleza genérica y superestructural de unas propuestas que sólo remotamente responden a problemas reales de los servicios sanitarios públicos. En los aspectos de gestión y organización, el problema central del SNS, según hemos señalado anteriormente, la Subcomisión se limita a aplicar un esquema preconcebido y universalmente válido (con independencia del país o del sistema sanitario de que se trate), cuyo ingrediente fundamental es la introducción de *mecanismos de mercado* en la provisión de los servicios sanitarios, siguiendo miméticamente la reforma conservadora del NHS británico, precisamente cuando en

48. Como contraste, es interesante comprobar cómo el documento de la reforma del *NHS* británico del gobierno de M. Tatcher, *Working for Patients* (que tanta influencia tiene en las recomendaciones de la propia Subcomisión, dedica seis de sus trece capítulos a los servicios hospitalarios y de atención médica primaria. Igualmente, el nuevo *Libro Blanco* del actual Gobierno laborista (en el que se suprime el mercado interno creado por la reforma de Thatcher) se centra, como no podía ser menos, en los servicios sanitarios concretos que se propone reformar (*The New NHS, Modern, Dependable.* (Cm3807) HMSO, 1997, London).

el mismo se suprime el mercado interno sobre la base de la experiencia de los últimos años[49].

No obstante, el carácter atemporal y genérico de las recomendaciones de la Subcomisión no se debe, únicamente, a la aplicación de un esquema teórico alejado de la realidad del SNS español; responde más bien a las exigencias del equilibrio, de poder e ideológico, que se da en el seno del Gobierno, y entre éste y los partidos políticos que le apoyan. La ambigüedad de las propuestas sirve para contentar a todos, y la ausencia de reformas estructurales en la organización y gestión del SNS no altera el *statu quo* de los servicios de salud dentro de la administración pública (el reparto de competencias entre Sanidad y otros ministerios horizontales con más poder), al tiempo que evita los eventuales costes políticos que conlleva toda reforma realmente importante.

3. *La filosofía sanitaria del Gobierno en el documento de la Subcomisión*

Si cualquier política concreta es el resultado de las ideas de moda, la ideología y la necesidad de pragmatismo para resolver los problemas y conflictos, el documento de la Subcomisión responde con claridad a las ideas de moda y a la ideología sanitaria hegemónica en algunos ámbitos[50]: el «mercado interno» de la reforma M. Tatcher para el NHS británico y, en menor medida, al «prototipo» sanitario de los laboratorios de economistas neoliberales[51]. Lo cierto es que en estas ideas ha encontrado el Gobierno del PP un referente teórico ideal para su *nueva* política sanitaria. Además, su carácter de casi *pensamiento único*, su amplia difusión, y el hecho de ser susceptible de interpretaciones bien diferentes, permitían abrigar expectativas de *consenso* sanitario con la oposición en torno a estas propuestas.

Para el objetivo de este trabajo, interesa discutir algunas de estas ideas de política sanitaria, en las que se basa el texto de la Subcomisión, examinar su adecuación a las reformas que el SNS precisa realmente, y los peligros potenciales que comportan para la sanidad pública española. En el análisis de la filosofía sanitaria que inspira el texto de

49. DoH, *The NHS, modern, dependable,* HMSO, London, 1997.
50. R. B. Saltman, y C. von Otter, *Mercados planificados...*, cit.
51. NERA (National Economic Research Associates), *The Economics of Health Care Reforms: A Prototype*, vol. 2, London, 1993. Véase, también, NERA, *Financing Health Care*, Kluwer Academic Publishers, The Netherlands, 1994.

la Subcomisión, se han singularizado tres conceptos cuyas implicaciones son de especial interés: 1) en primer lugar, todo el paradigma del «mercado interno», asumido como panacea estratégica para el SNS; 2) en segundo lugar, el concepto de «aseguramiento» en el contexto del SNS español; y 3) en tercer lugar, el papel atribuido a la «ordenación de las prestaciones» en el discurso sanitario oficial. El argumento principal de los comentarios que siguen es que estos tres aspectos, que tanta importancia tienen en el documento de la Subcomisión, son escasamente relevantes como problemas reales de la sanidad pública española. Sin embargo, y en el mejor de los casos, distraen la energía política y de todo tipo que es precisa para resolver los problemas verdaderos y mejorar los servicios del SNS español.

4. *El* Mercado Interno *sanitario como panacea estratégica de la política sanitaria del Gobierno del PP*

El texto de la Subcomisión, en el capítulo III sobre Organización y Gestión, recomienda «proseguir en los esfuerzos por separar las funciones de planificación, financiación, compra y provisión de servicios, que los centros asistenciales sean organizaciones autónomas, [...] independientes de las entidades compradoras y/o financiados, y la creación de las condiciones para impulsar la competencia entre proveedores en el marco de un mercado sanitario regulado».

Como previamente se ha indicado, la reforma Thatcher del NHS británico ha tenido una gran influencia en las ideas sanitarias de los últimos años en España y en otros países europeos[52]. La creación del *mercado interno* introduce un sistema de contratos y de compra de servicios en las relaciones entre los distintos niveles de atención sanitaria (hospital/médico de cabecera/autoridades sanitarias territoriales) que previamente venían operando integradamente, como parte de una única organización. Para ello hubo que dotar de personalidad diferenciada a las partes de la organización sanitaria a las que corresponden ahora distintos papeles dentro del nuevo mercado: separando

52. Existe una gran cantidad de literatura sobre la reforma del NHS británico que el lector interesado puede consultar con facilidad. Por su rigor y proximidad al lector español, es particularmente recomendable el trabajo de J. R. Repullo, «Compra de Servicios y Contratos; Balance del Experimento de mercado Interno británico. Parte 1.ª: Competencia, función de compra y contratos»: *Revista de Administración Sanitaria*, vol. I, 6, «Parte 2.ª: Desarrollo de los contratos y función de compra»: *Revista de Administración Sanitaria*, vol. II, 7 (1998), 39-63.

los «compradores» de servicios sanitarios (Direcciones Sanitarias Área[53] y médicos-generales-detentadores-de-presupuestos —literalmente: *General Practitioners Fundholders* (GPFH)— de un lado, y los «proveedores» del otro lado —hospitales-*trusts* públicos[54], y hospitales privados que compiten entre sí en el nuevo mercado—). No es posible comentar aquí toda la complejidad de esta reforma pero para la discusión que sigue es útil hacer dos observaciones. En primer lugar, y como ya se ha indicado antes, su introducción obedeció fundamentalmente a una pulsión ideológica[55] por el mercado, no a la evidencia de su racionalidad, ni a una crisis especial en el sistema sanitario británico que justificara un cambio tan radical. Bien al contrario, como reconocen casi todos los autores[56], el NHS británico de finales de los '80 tenía un nivel de eficiencia, calidad y equidad único en el mundo[57], en gran medida como consecuencia de las reformas del principio de la década, introducidas también por el gobierno conservador (entre ellas, los gerentes en 1983)[58]. En segundo lugar, existen diferencias de todo tipo entre el SNS español y el NHS británico, que responden a un contexto organizativo, a una cultura política, de gestión y profesional muy diferentes. Entre ellas cabe mencionar, como ya se ha señalado, que el SNS forma parte indiferenciada de la administración pública española (con todo lo que ello implica), mientras que el NHS tiene décadas de tradición autónoma a todos sus niveles de organización, incluidos los hospitales, y una cultura organizativa que constituía un referente internacional

53. Es importante tener en cuenta que en este diseño la separación entre órganos «compradores» y los proveedores se hace únicamente a nivel local (de Distrito o Área), y no se plantea, a nivel del sistema, diferenciación alguna de funciones dentro del conjunto del NHS.

54. Los *hospitales-Trust* (fundaciones, en español) previamente estaban gestionados directamente por las Direcciones de Área, pero la mecánica del mercado exige dotarlos de una personalidad jurídica diferenciada y autónoma para lo que se transforman en *hospitales-Fundaciones*. Nótese la similitud, incluso de nombre, con el discurso sanitario del Gobierno al crear las llamadas «Fundaciones» Públicas Sanitarias (véase más adelante).

55. C. Paton, *Health Policy and Management. The healthcare agenda in a British political context*, Chapman & Hall, London, 1996, 57.

56. D. W. Light, «From Managed Competition to Managed Cooperation: Theory and Lessons from the British Experience»: *The Milbank Quarterly*, vol. 75, 3 (1997), 297-341.

57. D. W. Light, «Observations on the NHS: An American Perspective»: *BMJ*, 303 (1991), 568-570.

58. El *Griffiths Report* (1983) introdujo los métodos de gestión del sector privado en el NHS y gerentes que reemplazaron a los equipos de gestión anteriores (Roy Griffiths, autor del informe, era el Director de la cadena de supermercados Sainsbury).

indiscutido[59]. Con razón previene el economista canadiense Evans acerca de lo que él llama «contrabando de reformas sanitarias», en la importación sesgada de ideas[60].

Además de los dos puntos mencionados, e incluso obviando la validez conceptual y teórica del *mercado interno* como alternativa, transcurridos varios años de su implementación en el Reino Unido, es obligado evaluar si la experiencia británica ha sido tan positiva como para importarla al SNS español. Decididamente, el balance del mercado interno en el NHS británico no ofrece evidencia alguna para animar a su importación al SNS español: el experimento ha resultado muy caro en costes administrativos (y de transacción), y sus beneficios distan mucho de ser evidentes. De hecho, desde el principio fueron tales los problemas, que el Gobierno se vio obligado a tomar un férreo control del proceso, de modo que, irónicamente, la competencia significó en realidad más control y regulación que el anterior sistema administrativo[61]. Además, en el proceso de su aplicación, el mercado interno fue perdiendo tantas de sus características iniciales, que su reciente supresión por el nuevo Gobierno laborista es tanto el resultado de su propia desnaturalización, como de la decisión política de suprimirlo.

Afortunadamente, el texto citado de la Subcomisión recoge una de las conclusiones centrales del experimento británico y es que este esquema sólo resulta viable si el mercado tiene lugar «fomentando relaciones estables y duraderas entre los agentes del sistema» (lo cual es muy parecido a cómo estaban las cosas antes de introducir la idea de mercado, con los costes de todo tipo que implica). Así pues, ante los problemas de organización y gestión del SNS (bien diferentes de los del *NHS* británico, por cierto) la Subcomisión —el Gobierno— ofrece únicamente como solución el mismo esquema de mercado interno que ha fracasado en el NHS británico. Irónicamente, el texto fue aprobado por el Pleno del Congreso de los Diputados diez días después de que el Gobierno del Reino Unido hubiese anunciado la supresión del mercado interno. Dejando al margen la valoración que a cada cual merezca la confianza ideológica en el mercado para solucionar todos los proble-

59. Otra diferencia de gran interés y que afecta de un modo importante a la cultura organizativa de la sanidad es que los médicos de cabecera británicos son *independent contractors* (profesionales liberales «concertados» con el NHS), mientras que en España son profesionales empleados por el SNS.

60. A. J. Culyer, R. G. Evans, J.-M. von der Schulemburg, van de Ven WPMM, Weisbrod BA., *International Review of the Swedish Health Care System*, SNS, Stockholm, 1991.

61. Véase D. W. Light, cit., 317.

Cuadro 1. REFERENTE TEÓRICO DEL PLAN ESTRATÉGICO DEL INSALUD: COMPARACIÓN CON LOS TEMAS PRINCIPALES DE LA REFORMA CONSERVADORA BRITÁNICA. EL *MERCADO INTERNO* COMO PANACEA ESTRATÉGICA

REFORMA DE M. THATCHER, RU 1991	REFORMA GOBIERNO PP, 1996
Documento: *Working for Patients* (1989)	Documentos: — *Informe de la Subcomisión del Congreso* — *Plan Estratégico de INSALUD*
Separación entre compradores y proveedores	Sí (pág. 126, Plan Estratégico)
Relaciones basadas en *contratos*	Sí (pág. 127, íd.)
Competencia entre proveedores	Sí (pág. 125, íd.)
Mercado interno	Sí (pág. 126, íd., para n.º 2)
Incentivos de mercado	Sí (pág. 126, íd.)
Hospitales convertidos en *Trusts*	Sí, nuevas FPS (Ley 50/98, art. 111)
Médicos Generales con presupuestos (GPFH)	Sí: «EAP compradores de servicios» (pág. 148) y «Creación de Sociedades Médicas» (pág. 150)
DHA y *GPFH* como «compradores»	Direcciones Prov. INSALUD, Atención Primaria

mas del SNS, su aplicación al SNS español, al igual que sucedió en el Reino Unido, resultará cara, problemática, y a la postre, difícilmente implementable. Es de temer que signifique la distracción de valiosos y escasos recursos en la persecución de una quimera conceptual, con el consiguiente agravamiento de los problemas reales.

El ejemplo más claro de hasta qué punto las ideas del *mercado interno* constituyen *en la práctica* la panacea estratégica del Gobierno del PP para la sanidad española se encuentra en el Plan Estratégico del INSALUD [62]. Del análisis de sus principales propuestas es perfectamente constatable que estamos ante otra versión nacional (de nuevo: incompleta y meramente instrumental) del *mercado interno* [63] de

62. INSALUD, *Plan Estratégico. El Libro Azul*, Madrid, 1998; véase, también, FADSP, «Análisis del Plan Estratégico del INSALUD»: *Salud 2000*, 66 (1998), 4-5r.

63. El *Plan Estratégico* del INSALUD fue elaborado y concluido antes del *Libro Blanco* del gobierno de Blair (*The New NHS,* diciembre 1997), aunque fue presentado más tarde (enero 1998). Por ello, recoge plenamente los planteamientos de la reforma conservadora británica de mercado interno, que seguía siendo la reforma de moda para muchos. Tras haber sido criticado por ello, en una segunda reimpresión, la

M. Thatcher, esta vez aplicada al INSALUD. El cuadro 1 es suficientemente ilustrativo.

Teniendo en cuenta el papel tan importante que juega el Plan Estratégico en la política sanitaria del Gobierno del PP, se constata que la única propuesta de reforma que éste ofrece para la sanidad española es importar, como panacea estratégica, los aspectos más instrumentales de la reforma de M. Thatcher, fracasada en su país de origen. Sin embargo, la imagen de radicalidad conservadora asociada a estas reformas, y el daño que han causado al NHS británico, hace que la política sanitaria del gobierno del PP sea muy vulnerable a la constatación de este parentesco ideológico, sobre todo en el mundo profesional médico que conoce a través de las revistas científicas lo que ha significado. Por ello, una vez descartado cualquier consenso político en torno a lo que se tenía por *pensamiento único sanitario*, la conversión al centrismo del Gobierno del PP exige la *desideologización* de estas propuestas. Por ello, como veremos, se presenta a las Fundaciones Públicas Sanitarias como un mero plan para dotar de más autonomía a los centros (algo en lo que muchos pueden estar de acuerdo), desdibujando el papel que les corresponde como *proveedores* en el guión del mercado interno, que tan explícitamente está descrito en el Plan Estratégico del INSALUD.

V. LAS LLAMADAS FUNDACIONES PÚBLICAS SANITARIAS

1. *La reforma más radical de los centros sanitarios públicos españoles: una exigencia del guión del* Mercado Interno[64]

La decisión del Gobierno del PP de crear las Fundaciones Públicas Sanitarias (FPS) supone, de llevarse a la práctica, el cambio más radical que hayan tenido los hospitales públicos españoles a lo largo de su historia. Esta reforma se expresa legalmente en el art. 111 de la Ley 50/1998 de *Medidas Fiscales, Administrativas y del Orden Social*, que a su vez se complementa con el art. 16 de la Ley 49/1998 de Presupuestos Generales del Estado para 1999, que recoge disposiciones de orden económico que son de aplicación a las FPS. Una medida de tanta im-

expresión *mercado interno*, que aparecía en la pág. 126 para. 2, ha sido suprimida. Permanecen no obstante múltiples alusiones al mismo que son ubicuas en todo el libro. La eliminación de todas ellas obligaría a redactar un plan bien diferente.

64. Este apartado está tomado, en parte, de J. M. Freire, «Fundaciones Públicas Sanitarias, comentarios y propuestas»: *Revista de Administración Sanitaria*, vol. III, 9 (1999), 69-92.

portancia para el SNS no ha sido discutida ni tramitada según los procedimientos ordinarios previstos legalmente, sino que es el resultado de un *golpe de mano legal*: la presentación sorpresiva e improvisada de una enmienda a la Ley 50/98 en su trámite en el Senado (donde el PP tiene mayoría absoluta), precisamente en el último día del plazo autorizado para ello. Lo inadecuado del procedimiento legal utilizado para la creación de las FPS plantea sólidos argumentos de inconstitucionalidad, que han motivado el correspondiente recurso del PSOE y de la Junta General del Principado de Asturias[65]. Pero las FPS merecen ser rechazadas no sólo con argumentos de forma (que tan importantes son en democracia), sino especialmente sobre la base de argumentos de fondo, por su impacto negativo en el sistema sanitario público, como trataré de argumentar a lo largo de este comentario.

Las FPS, más que responden a problemas analizados e identificados de la sanidad española, replican en todos los detalles relevantes a los hospitales-*Trusts* (literalmente, Fundaciones) creados en Gran Bretaña por la reforma conservadora (véase cuadro 1). Con independencia de cualquier otro objetivo que la creación de las FPS pudiera tener, es claro que su puesta en marcha es un paso necesario para configurar a los proveedores autónomos e independientes que exige el guión del *mercado interno*. Sea por ésta u otra razón, que en cualquier caso ha de ser de peso, el hecho es que en la creación de las FPS concurre la suficiente voluntad política como para romper la vía de consenso que ofreció el PSOE cuando voto la Ley 15/97, de 25 de abril, de *habilitación de nuevas formas de gestión del SNS*[66].

Las FPS son una nueva figura legal que tiene mucho en común con los Entes Públicos Empresariales (EPE) definido en la LOFAGE[67], con la excepción de que el personal no tiene que ser laboral. Desde el punto de vista legal, su nombre más adecuado sería pues «Empresas Hospitalarias Públicas», ya que «Fundación» tiene un sentido legal muy diferente al que se utiliza en las FPS; pero como explicita la Memoria de la enmienda, la palabra «Fundación» responde mejor a *la imagen de marca* (sic) que se busca para las FPS.

65. Junta General del Principado de Asturias: Documento del 11 de febrero de 1999 presentado a la Mesa, sobre acuerdo de interposición de un recurso de inconstitucionalidad contra el art. 111 de la ley 50/1998.

66. Esta Ley permitía con ciertas garantías poner en marcha, en los centros sanitarios, formas de gestión diferentes a las tradicionales, pero su reglamento nunca fue desarrollada por el Gobierno del PP, en contra de sus propios compromisos en el Congreso.

67. Ley 6/1997, de 14 de abril, de Organización y Funcionamiento de la Administración General del Estado (LOFAGE).

Desde hace ya unos años se venía dando en la sanidad pública española, en administraciones sanitarias de todos los signos políticos, la puesta en marcha de «nuevas forma de gestión» para algunos nuevos centros sanitarios públicos, creando para ello diversas figuras jurídicas. En el contexto de este análisis, es importante señalar que la característica común de estas nuevas formas de gestión era su *naturaleza excepcional* y *semi-experimental* en el conjunto de la gestión sanitaria pública. Generalmente, estas fórmulas han sido utilizadas para gestionar hospitales nuevos, o servicios muy específicos y diferenciados como los de urgencias y diagnóstico por imagen, etc. Su existencia constituye un nuevo referente para la gestión de los centros sanitarios públicos españoles, pero hasta ahora en ninguna CC.AA. se había intentado una reforma de todas las instituciones sanitarias ya existentes basada en estas experiencias.

Hasta la llegada del PP al gobierno, en el ámbito del INSALUD no se había puesto en marcha fórmula alguna de este tipo, por no existir la legislación habilitante que lo hiciera posible, al revés que en muchas CC.AA. donde se había aprobado la legislación específica que las hacía jurídicamente viables. El PP, nada más llegar al Gobierno, aprobó el Decreto-Ley 10/1996, convalidado sin el apoyo del PSOE, que hacía posible la introducción de nuevas modalidades de gestión de los centros sanitarios, bajo fórmulas organizativas de cualquier naturaleza, pública o privada. Tramitado posteriormente como Ley, la norma correspondiente (Ley 15/1997) contó con el apoyo del PSOE además de los restantes grupos parlamentarios que ya habían apoyado la norma anterior (todos menos IU), una vez que el ámbito de las entidades que podrían constituirse a su amparo se redujo a «cualesquiera entidades de naturaleza o titularidad *pública* admitidas en Derecho». La Ley 15/1997 se aprueba estando ya en vigor la Ley 6/1997 (LOFAGE), que únicamente admite como organismos públicos (art. 45 ss.) los Organismos Autónomos Administrativos (OOAA) y las entidades públicas empresariales (EPE) —cuya creación sólo es posible por Ley; el personal es funcionario o laboral en los OOAA, y laboral únicamente en las EPE—. Las otras dos opciones a considerar, en el marco de la Ley 15/97, son las fundaciones y los consorcios.

Los Hospitales-Fundaciones (HF) creados hasta la fecha en territorio INSALUD al amparo de la Ley 15/97 (FH Alcorcón y FH Manacor) son fundaciones de naturaleza privada pero con titularidad pública. Se rigen por la Ley de Fundaciones, y sus empleados tienen contrato laboral (Estatuto de los Trabajadores). Pero este tipo de ente no podría ser aplicado fácilmente en los hospitales ya en funcionamiento, con personal estatutario de la SS (una relación laboral semi funcionarial).

Con estas limitaciones derivadas de la LOFAGE, debe entenderse que el consenso alcanzado con la Ley 15/97 estaba limitado a la autorización para crear *centros piloto* que, tras un período de tiempo razonable, permitieran evaluar las nuevas formas de gestión, contribución a la mejora de la eficiencia, calidad, satisfacción de la población y respuesta a las necesidades sanitarias de la población con equidad en el acceso.

Las limitaciones derivadas de la Ley 15/1997 y de la LOFAGE para generalizar un modelo de total descentralización y autonomía de los centros sanitarios, impulsa al Gobierno del PP a crear (con una precipitación y urgencia que no tiene justificación alguna, ni política, ni organizativa, ni sanitaria), un nuevo tipo de organismo, más compatible con las circunstancias de los hospitales y centros sanitarios públicos ya existentes: las FPS. Éstas son parecidas a las EPE en su funcionamiento, aunque difieren, sin embargo, de ellas entre otras cuestiones, en que su constitución, modificación y extinción sólo necesita autorización del Consejo de Ministros. Es importante subrayar que, en contra de lo que ha expresado el Gobierno, para deslegitimar la oposición a las FPS del PSOE, las nuevas fundaciones de las que estamos hablando aquí no son un desarrollo de la Ley 15/1997, sino la creación de una nueva entidad de naturaleza pública distinta a las contempladas por la LOFAGE; se trata claramente de una nueva habilitación legal, ya que una ley no se desarrolla con otra.

2. *Características más destacables de las Empresas/Fundaciones Sanitarias Públicas*

El art. 111 de la Ley 50/98, con sus once apartados, es toda la legislación que regula los nuevos entes. Sus aspectos más importantes son: 1) Incluyen potencialmente a *todos* los centros sanitarios públicos existentes, por lo que constituye una reforma de gran calado para la sanidad española, y una medida de una gravedad potencial extraordinaria para el futuro del SNS. Esta es una diferencia respecto a las medidas aparentemente similares tomadas en diversas CC.AA. que sólo han afectado a los centros nuevos; 2) Tienen personalidad jurídica propia y una autonomía de la que, contradictoriamente, carece el propio INSALUD del que forman parte; 3) Su personal seguirá siendo estatutario (este aspecto habría sido la razón determinante para la creación de las FPS); 4) Mantienen el sistema y las reglas de contratación propia de las Administraciones Públicas; 5) Serán creadas por Acuerdo del Consejo de Ministros individualmente y no se precisará ninguna otra ley para ello; 6) Les corresponde el rol de proveedores en el *mercado interno* sanitario (y teóricamente competirán entre sí y con los centros privados por los contratos públicos de servicios sanitarios —véase la *Memoria* de la enmienda—); 7) Carecen de órganos colegiados de gobierno (juntas o consejos de administración) que no se contemplen en ninguno de los 11 apartados del somero artículo que crea las FPS. Este hecho es una omisión particularmente grave, puesto que a más autonomía corresponde más control y más garantías de buena gestión[68]; 8) Carecen de un reglamento general o marco común para todas las FPS, aprobado por ley como lo es este tipo de normas en los países de nuestro entorno. De hecho, está previsto en la ley que cada FPS tenga el suyo, y ante los problemas que eso plantea las centrales sindicales han sido convocadas para consensuar el futuro reglamento común que, al parecer, sería un Real Decreto.

Lo peculiar de la puesta en marcha de las FPS plantea muchas preguntas, que difícilmente tendrán respuesta satisfactoria. ¿Qué circunstancias de urgencia aconsejaron una tramitación parlamentaria tan atípica e incompleta de una reforma tan importante? ¿Cómo encajan las FPS en el resto del sistema sanitario público, y con los hospitales sujetos al RD 521/1987 que no se transformen en FPS? ¿Cómo afectará a las FPS una eventual ley sobre el SNS anunciada públicamente como inminente unos días antes de la presentación de la enmienda FPS? (¿Qué razones de urgencia existían para crear las FPS como han sido creadas, estando esta ley tan avanzada?) ¿Qué pasará con los dos hospitales-fundaciones existentes en territorio INSALUD? ¿El reglamento que exige la ley 15/97 y que es un compromiso firme del Gobierno, será promulgado? ¿Cuales son los instrumentos para lograr más eficiencia en las FPS, si la situación prevista para su personal y su sistema de compras permanece sin cambios respecto a la actualidad? ¿Cómo se justifica la ausencia de órganos colegiados de gobierno en instituciones públicas de carácter empresarial? ¿De qué forma se ejercerá el control y la coordinación corporativa, si el INSALUD carece de la personalidad jurídica que tendrían sus FPS? ¿De qué manera se evitará que la cuenta de resultados de las FPS mejore transfiriendo costos a las familias de los pacientes y a la Atención Primaria?

68. Véase J. M. Freire, «Consejos de la Administración en la Sanidad»: *Diario Médico*, 9.2.1999. Se trataría de aplicar al gobierno de las instituaciones sanitarias las buenas prácticas de gestión que son recomendadas en las empresas. Veáse, también, en la página de internet de la Comisión Nacional del Mercado de Valores (http://www.cnmv.es/) el informe Olivencia (España), el informe Cadbury (RU) y otros similares de Holanda, Francia y distintos países (incluida la OCDE) sobre criterios universalmente aceptados para organizar el buen gobierno de las empresas.

3. *Argumentos para rechazar las Empresas/*Fundaciones *Públicas Sanitarias*

Los argumentos contra las FPS son tan numerosos como las preguntas sobre ellas que carecen de respuesta convincente. Las razones para decir no a las FPS, tal como han sido presentadas, aprobadas y reguladas, son de forma y de fondo: de forma, por lo políticamente atípico e irregular de una tramitación que será, con mucha probabilidad, declarada inconstitucional, y también por la falta de respeto a la sociedad que supone intentar una reforma de consecuencias tan importantes a través de una norma elaborada sin el rigor técnico exigible, llena de insuficiencias; ya que por la forma precipitada en la que fue presentada, carece de los informes (legales, organizativos, de organización sanitaria, técnicos, etc.) que la hubieran legitimado social, política, técnica, y sanitariamente. Las objeciones de fondo tienen que ver con sus insuficiencias en todos estos campos. Las razones que aconsejan que las FPS vuelvan al tablero de diseño organizativo y sanitario para regresar, en su caso, al parlamento como una ley auténtica, pueden concretarse en los siguientes puntos.

a) *El procedimiento utilizado para su introducción legal es* totalmente *inaceptable en democracia*. De un lado, porque hay argumentos muy sólidos de su inconstitucionalidad, de otro, porque no se puede aceptar que una reforma de tanto calado social, político y sanitario, para la cual no existe ninguna razón de urgencia conocida, sea objeto de un auténtico golpe de mano legal, que impide que tenga la elaboración técnica exigible desde el punto de vista organizativo, gerencial y sanitario. No se trata sólo, con ser ello muy importante, de que, tras el correspondiente recurso, el art. 111 de la Ley 50/98 sea declarado con toda probabilidad inconstitucional: la forma apresurada de presentar el proyecto FPS hacía imposible su debate político en el parlamento, y era también incompatible con el rigor y elaboración profesional exigibles para una ley de tanta trascendencia.

b) *Porque el texto legal no contiene aspectos fundamentales (órganos colegiados de gobierno, y de control, garantías de servicios público, de entronque corporativo) que debieran ser regulados por ley.* Estos aspectos, particularmente los órganos de gobierno, son un componente esencial de un proyecto cuyo objetivo es dar autonomía empresarial a los centros sanitarios públicos. Son temas que en todos los países de nuestro entorno (Francia, Reino Unido) están regulados por ley. ¿Cómo es posible aceptar que para los centros sanitarios públicos no sean de aplicación los principios de buen gobierno empresarial que son de aceptación universal? ¿En qué país europeo carecen los hospitales públicos de un equivalente a los Consejos de Administración? Es de suponer que las FPS busquen dotar de más autonomía a los centros, no de más discrecionalidad al gerente, como órgano unipersonal de gobierno. Sólo la precipitación en la tramitación parlamentaria de las FPS pueden explicar satisfactoriamente el que éstas hayan nacido sin órganos colegiados de gobierno; cualquier otra razón sería mucho más grave.

c) *Porque el texto legal es tan incompleto que constituye un* cheque en blanco *al gobierno, que usurpa un papel que corresponde al parlamento*. El citado art. 111 no regula aspecto alguno de lo que sería el contenido básico de los estatutos o reglamentos de los nuevos entes (que son nada menos que todos los hospitales públicos, pero también todos los demás centros sanitarios). De este modo, quedan fuera del debate parlamentario aspectos de gran importancia social y política a los que éste no debe en modo alguno ser ajeno, y el gobierno —por un procedimiento viciado— dicta no sólo una ley, sino también los reglamentos, tal como ambicionaba el marqués de Salamanca. Este déficit democrático no es subsanable posteriormente, a través del consenso con las centrales sindicales del sector: es deseable que éstas participen en la elaboración de los reglamentos, pero nadie puede sustituir a la legitimidad del parlamento en una decisión que fundamentalmente afecta a los intereses de toda la población.

d) *Porque fragmentan organizativa y gerencialmente al sistema sanitario, rompiendo su coherencia interna.* Desde el punto de vista organizativo y gerencial, la articulación y coordinación de las FPS con el resto de la administración sanitaria (sea del Área de Salud, o en el ámbito corporativo) serán problemáticas y, en todo caso, estarán llenas de incógnitas. En el INSALUD, la lógica empresarial de las FPS casará mal con la lógica administrativa vigente en el ente al que pertenecen, que sigue, él mismo, sin personalidad jurídica, y no tendrá la autonomía de gestión de los nuevos entes. Organizativamente, es poco coherente que las partes (los centros) tengan más autonomía que el todo (INSALUD). En estas circunstancias, ¿cómo —con qué instrumentos— evitar la fragmentación organizativa y los taifatos sanitarios locales? ¿Cómo coordinar corporativamente con eficacia a unos gerentes que no tendrán consejos de administración ante los que dar cuentas? ¿Con qué instrumentos se mantendrá la planificación estratégica corporativa de unas FPS obligadas a competir y a cuadrar su cuenta de resultados?

e) *Porque las FPS fragmentarán también los servicios sanitarios al paciente y a la población,* sustituyendo la cooperación y coordinación por la competencia. Unas FPS, inicialmente creadas para dotar de autonomía a los hospitales, tratarán de mejorar su cuenta de resultados traspasando costes a otros niveles de atención (y a las familias), destruyendo las ventajas de *la integración de los servicios sanitarios* en el ámbito territorial del Área de Salud. ¿Cómo se evitará que las FPS basen su éxito económico en aumentar las cargas de las familias de los pacientes, o en pasarlos prematuramente a la atención primaria de su área de influencia?

f) *Por responder a la lógica del «mercado interno» sanitario de la reforma de M. Thatcher en el Reino Unido.* Este tipo de reforma ha evidenciado ya su fracaso en el Reino Unido —en condiciones comparativamente óptimas para su éxito—. Allí generó altos costes administrativos[69], ineficiencia, distorsionó las prioridades sanitarias, puso en marcha incentivos perversos, aumentó la burocracia; introdujo el secretismo comercial en el mundo sanitario, la inestabilidad organizativa y laboral, la falta de equidad y la fragmentación de los servicios, sustituyendo los valores y la ética profesionales y del servicio público por la lógica comercial. ¿No deberíamos aprender de la experiencia británica otras lecciones bien distintas?

Como ya hemos señalado, las FPS no representan sólo un proyecto para dotar de mayor autonomía a los centros (que en tal caso sería manifiestamente mejorable), sino que responden fundamentalmente al papel de «proveedores» que exige el guión del *mercado interno* de M. Thatcher, en el que los responsables del Gobierno del PP habrían encontrado toda una filosofía articulada para inspirar sus reformas. No obstante, el descrédito de la reforma conservadora británica tras la llegada del gobierno de Blair, que desmantela el mercado interno sanitario en el Reino Unido, hace políticamente poco atractivo para el PP que sus planes para la sanidad española sean ahora asociados con la reforma de Thatcher. Y, sin embargo, éste es el armazón ideológico de referencia de la política sanitaria del PP; sin él, y sin los tópicos importados del mismo, el Plan Estratégico del INSALUD y el Documento de la Subcomisión *carecerían* de coherencia alguna. Pero ¿por qué imitar una reforma con resultados, en el mejor de los casos, dudosos, y que ha sido abandonada en el país donde se puso en marcha?

69. El libro blanco *The New NHS* estima en más de 200 000 millones de ptas. el ahorro en costes administrativos derivado de la supresión del mercado interno y su despilfarro burocrático.

De llevarse a cabo con carácter generalizado la implantación de las FPS tal como están perfiladas, en el mejor de los casos, se malgastarían valiosos —por escasos— recursos de gestión en la quimera del mercado interno y en una reorganización demasiado improvisada, sin solucionar los problemas actuales. Pero, desgraciadamente, es más probable que sus costes administrativos y de transacción terminen comprometiendo la viabilidad económica del SNS, que supongan su fragmentación y descoordinación, y sobre todo, que la sustitución de los valores del servicio público, por la lógica mercantil de la competencia, lleve a la degradación de los valores en que se basa la sanidad pública española.

VI. EL SNS Y EL «ASEGURAMIENTO» SANITARIO EN LAS RECOMENDACIONES DE LA SUBCOMISIÓN. LA SANIDAD PÚBLICA: ¿SERVICIO PÚBLICO O SEGURO COLECTIVO?

Tradicionalmente en los sistemas sanitarios integrados[70], y la asistencia sanitaria de la SS española lo es, se ha venido utilizando la expresión «cobertura poblacional o subjetiva» para referirse al derecho personal de acceso a los servicios sanitarios, y en este sentido se habla de *cobertura universal*. Por otro lado, en los países con servicios sanitarios financiados por impuestos y provisión pública, como el SNS español, la sanidad se ha considerado siempre como un *servicio público* integrado e integral y no fraccionado en componentes (aseguramiento/provisión). Desde hace unos años, sin embargo, se viene empleando en España la expresión «aseguramiento» con el mismo significado que tiene ahora en el texto de la Subcomisión/Gobierno. A primera vista, podría parecer que se trata de una cuestión meramente semántica, técnica, o de un modismo, pero cabe preguntarse (como lo hace la portavoz de IU en el debate parla-

70. En la nota 19, del presente artículo, hemos visto que los sistemas sanitarios *integrados* son aquellos en los que el financiador/asegurador provee con sus propios medios los servicios, por contraste con los *basados en contratos* entre el asegurador y proveedores independientes de éste. Son integrados los sistemas sanitarios tipo Servicio Nacional de Salud de los que Gran Bretaña y los países nórdicos son los modelos de referencia tradicionales (también la mayor parte de las *HMOs* en los EE.UU.); Alemania y otros países centroeuropeos, por el contrario, tienen sistemas de seguros sociales obligatorios, que contratan los servicios de médicos y hospitales independientes. La asistencia sanitaria de la SS española ha sido siempre un sistema *integrado*, aunque con un importante sector *concertado* (contratado).

mentario[71] sobre el Documento de la Subcomisión) si el término *aseguramiento* es el adecuado, y lo que es más importante, si empleado en el contexto de los servicios sanitarios de financiación y provisión pública, no tiene implicaciones conceptuales de más largo alcance, y matices sustancialmente diferentes, contraponibles al de *servicio público* integral.

De un lado, es posible un interpretación *positiva*, por garantista, de este concepto, significando con él una mayor *explicitación* del derecho mismo a la atención sanitaria, y del contenido de los servicios, respecto a los cuales también los derechos habrían de ser más explícitos. Esta interpretación implicaría que la cobertura sanitaria pública de los ciudadanos generaría *derechos exigibles* legalmente, una idea que va mucho más allá de la situación actual en los países con Servicios Nacionales de Salud, en los cuales *el derecho* a los servicios sanitarios no está bien precisado legalmente. La adopción de esta perspectiva, que daría lugar a un servicio sanitario basado en derechos explícitos, es de un innegable atractivo. Tendría, sin embargo, importantes consecuencias para la política sanitaria; la más evidente es que podría llevar al sistema sanitario público a un nivel de gasto impredecible e incontrolable, razón por la que se considera mejor buscar otras alternativas para hacer realidad el derecho a una atención de calidad dentro de los sistemas sanitarios públicos[72].

Otra consecuencia, bien distinta, del uso de la expresión «aseguramiento» en el SNS, es que abre el camino a la diferenciación del *aseguramiento* como una función específica dentro del SNS. Esta función *aseguramiento* resultaría ser, además, conceptualmente el núcleo más importante del SNS: la financiación pública. Desde esta perspectiva, el derecho a la atención sanitaria no tendría por qué estar ligado ya a la estructura pública de provisión de servicios, propia de SNS «asegurador»; la *provisión* podría ser pues diferenciada, desgajada del SNS, y prestada por un mercado de proveedores públicos autónomos o privados en competencia. La sanidad pública, como servicio público, quedaría así fragmentada en dos funciones diferentes, susceptibles de ser efectivamente separadas: aseguramiento-financiación de un lado, provisión de servicios para los asegurados por otro. Este planteamiento, totalmente ajeno a los supuestos en los que se basan los sistemas sanitarios europeos tipo *servicio nacional de*

71. Véase *Diario de Sesiones, Comisiones, Sanidad y Consumo*, 21 de octubre de 1997, 9052.

72. A. Coote y D. J. Hunter, *New agenda for health*, IPPR, London, 1995, 71 ss.

salud[73], significa la migración conceptual de un modelo *integrado* y unitario de sistema sanitario, a otro *contractual* entre los organismos y actores responsables de las funciones de aseguramiento y provisión. La situación resultante facilitaría, por ejemplo, que el aseguramiento público pudiera ser complementado con fondos privados y gestionado por entidades aseguradoras diferentes al propio SNS, que incluso competirían entre sí, en lo que es el escenario ideal de los economistas neoliberales: competencia en el aseguramiento y no sólo en la provisión. La cuestión aquí no es tanto saber si este escenario de políticas sanitaria es en sí mismo una opción teóricamente deseable o posible en nuestro país, como constatar que la utilización de ciertos conceptos, aparentemente neutros, tiene implicaciones que comportan graves riesgos potenciales para la equidad del SNS, porque apuntan hacia un modelo sanitario radicalmente distinto al actual, en el que la equidad y la solidaridad estarían seriamente comprometidas.

Aunque a primera vista pudiera parecer que la diferenciación de una función «aseguramiento» dentro del SNS favorecería conceptualmente la separación entre «compra y provisión», que introdujo la reforma del NHS británico, lo cierto es que son dos debates conceptualmente bien diferentes. En este sentido es importante subrayar que, en la reforma impulsada por los gobiernos de M. Tatcher, hubiera sido impensable cualquier replanteamiento del derecho a la cobertura pública de la sanidad pública, como derecho cívico, igual para todos. Sus planteamientos por radicalmente conservadores que puedan parecer nunca cuestionaron ese *consenso* básico de la sociedad británica (que por serlo no necesita ser explicitado en pactos políticos). Desgraciadamente no es así en España, y es conocido que el PP antes de las últimas elecciones incluía en sus programas un plan, nada improvisado, que implicaba la fragmentación del aseguramiento sanitario. Por fortuna parece que esto ya no es así, pero quizá sea todavía pronto para despejar esos temores, dado el doble sentido de algunas expresiones utilizadas en el texto de la Subcomisión, lo prematuro de considerar definitivo el giro habido en política sanitaria del PP, y el interés de los nacionalistas catalanes por empujar en esa dirección con

73. El sistema canadiense con financiación/aseguramiento público y provisión privada es, sin duda, un excelente ejemplo para los que defienden la diferenciación entre *aseguramiento* y *provisión* dentro del SNS. Por deseable que pueda parecer la situación sanitaria de Canadá, es fruto de una historia y sus circunstancias, ciertamente muy diferentes a las españolas y a las de otros países europeos con Servicios Nacionales de Salud (países nórdicos, Italia, Portugal, Gran Bretaña) en los que, por cierto, el *aseguramiento* sanitario está ausente de la agenda política.

sus enmiendas. En efecto, las enmiendas presentadas por el Grupo Parlamentario de CiU al capítulo de aseguramiento y en especial al párrafo I.1.c) dejan clara su voluntad de que las *entidades de seguro libre* participen junto a las mutualidades administrativas en la gestión y provisión del aseguramiento. En la argumentación de una enmienda se dice: «el aseguramiento no tiene por qué ser único, puede ser por una entidad pública o privada, lo que tiene que ser único es la financiación pública del mismo» [74]. Aunque las versiones no definitivas del documento de la Subcomisión recogieron estos planteamientos en el apartado c) del capítulo I.1 del texto, sin embargo, la polémica causada dio lugar a su posterior modificación. No obstante, su redacción definitiva no ayuda a despejar las dudas, ya que se sigue hablando de *la gestión y provisión del aseguramiento* y ¿qué otra cosa puede significar sino que se deja abierta la puerta a su eventual fraccionamiento? La reciente subvención fiscal a los seguros sanitarios privados (véase *infra*), lejos de despejar duda alguna sobre las intenciones del Gobierno, abona las sospechas al respecto.

Por lo demás, lo realmente urgente y necesario en relación con la cobertura poblacional es hacer efectiva cuanto antes la universalización de la cobertura sanitaria como un *derecho* cívico [75], ligado únicamente a la condición de ciudadanía o residencia. Aunque esta decisión puede parecer un paso menor cuando ya se da la cobertura universal *de facto*, se trata de una de las medidas más importantes y significativas de política social, cuyo impacto positivo para el funcionamiento del SNS y sectores importantes de la población no debe ser infravalorado. Los episodios recientes con la atención a niños emigrantes sin papeles revelan que éste es un tema importante de la política sanitaria.

VII. LA REFORMA DEL IRPF, INCENTIVOS FISCALES AL ASEGURAMIENTO SANITARIO PRIVADO A TRAVÉS DE LAS EMPRESAS: UNA SEÑAL DE ALARMA PARA EL SNS

Hasta 1998, el contribuyente con seguros privados de asistencia sanitaria disfrutaban en el IRPF de una desgravación del 15% sobre la

74. *Propuesta de enmiendas del Grupo Parlamentario Catalán al texto del Anteproyecto de Acuerdo Parlamentario para la Consolidación y Modernización del SNS*, Secretaría General del Congreso de los Diputados. Dirección de Comisiones, Registro de entrada 6702, 23 de junio de 1997.

75. J. M. Freire Campo, y A. Infante Campos, «Universalización y Aseguramiento sanitario en España»: *Med Clin*, 105 (1995), 96-98.

cuota pagada. De este modo, el Estado subvencionaba este seguro con el 15% de su importe, y el total del gasto fiscal previsto para 1998 por este concepto se sitúa en unos 80 000 millones de ptas., de los que 40 000 millones corresponden a los seguros privados según datos del propio sector (UNESPA).

La nueva Ley del IRPF (40/1998, de 9 de diciembre) suprime totalmente la deducción anteriormente vigente sobre la cuota íntegra, aduciendo que este tipo de gastos están incluidos dentro del denominado *mínimo personal*[76]. La compensación a esta pérdida de la subvención indirecta, en términos más que equivalentes, viene dada por una serie de mejoras en la tributación que afecta a los beneficiarios individuales pero también a las empresas aseguradoras: 1) Exención a los seguros sanitarios de tributar el 6% en concepto de IVA sobre la prima (adicional 13ª de la Ley 40/1998). Teniendo en cuenta que la recaudación por primas de los seguros privados de asistencia sanitaria ascendió a 316 740 millones de ptas. en 1997, esta exención equivale a unos 20 000 millones de ptas./año. 2) Considerar como rentas en especie exentas las primas o cuotas satisfechas a entidades aseguradoras para la cobertura de enfermedad del trabajador, en las condiciones y con los límites que reglamentariamente se establezcan —art. 43.2.f Ley 40/1998—.

El Reglamento del Impuesto (RD 214/1999, BOE del 9 de febrero) contiene algunos aspectos que son de interés sanitario: 1) Al especificar que la cobertura de la póliza puede incluir al trabajador, cónyuge, ascendientes y descendientes, se está posibilitando la ampliación del ámbito de esta subvención fiscal a las familias de los trabajadores, dando a esta medida un impacto poblacional que va más allá de la empresa y sus trabajadores. 2) Al especificar que la prestación debe derivar de un convenio colectivo suscrito empresa/trabajadores, se favorece potencialmente la expansión de este tipo beneficio fiscal, particularmente en situaciones en las que existan limitaciones para aumentar los salarios monetarios. 3) Por otro lado, la limitación de que estas pólizas no deben contener discriminación por razón de riesgo (en sí misma un aspecto positivo) refuerza el aspecto de seguro de empresa de estos acuerdos, pero apunta a un eventual carácter del mismo más sustitutorio que complementario del sistema sanitario público.

El Reglamento, en su art. 45, establece que no se considerará rendimiento hasta 60 000 ptas. de cuotas anuales individuales, o 200 000

76. CC.OO. Gabinete Técnico Confederal: *La reforma del IRPF, valoración de la propuesta del Gobierno*, mayo 1998.

si el seguro comprende al cónyuge o descendientes. Lo relevante de estas cifras no es tanto el juicio que nos puedan merecer por su cuantía de hoy, como el hecho de su existencia y la facilidad con la que pueden ser, en sucesivos ejercicios fiscales, modificaciones al alza y actuar como incentivo para desvincular a los trabajadores de las empresas más exitosas del SNS.

Por su parte, la empresa puede incorporar el costo total de las primas de seguro de asistencia sanitaria para sus trabajadores como gasto deducible en el Impuesto de Sociedades, reduciendo por tanto el beneficio en la misma cuantía. El ahorro en impuestos para el empresario de una operación de este tipo estaría entre el 30 y el 35% de lo pagado a los trabajadores en especie —tipo de gravamen del impuesto—. En otras palabras, estos seguros gozan de una subvención fiscal, a través de la empresa, de un 30-35% de la prima.

Del análisis de la Ley caben las siguientes conclusiones:

a) Esta norma abre una línea estratégica de un gran peligro potencial para el futuro del SNS y su cobertura universal única y equitativa. La trascendencia a largo plazo de esta medida deriva de la experiencia de los EE.UU. donde decisiones de este tipo han llevado a la consolidación del más injusto y despilfarrador de los sistemas sanitarios[77].

b) En este sentido, la vinculación de los beneficios fiscales a la existencia del convenio colectivo, lejos de representar un factor limitante positivo alguno, coincide con una de las características de la nefasta experiencia sanitaria de los EE.UU.[78]. Allí la situación actual de des-aseguramiento sanitario vinculado al empleo empezó de esta forma durante los años de la Segunda Guerra Mundial, cuando en los pactos laborales se subscribieron masivamente seguros sanitarios al estar limitadas las subidas salariales por la situación bélica.

c) Aunque la existencia actual de un límite relativamente modesto a la deducción por parte del trabajador y la inexistencia de mayor incentivo económico para la empresa limita momentáneamente los efectos negativos de la decisión adoptada, queda siempre la posibilidad de que los límites actuales (¿intencionadamente restrictivos para no alarmar?) puedan eliminarse o ampliarse en el futuro. Con las consecuencias nefastas que serían de prever.

77. V. Navarro, «La reforma del Sistema Fiscal (IRPF), el aseguramiento sanitario privado y la experiencia liberal anglosajona»: *Revista de Administración Sanitaria*, vol. 2, 8 (1998), 13-32.

78. B. Kirkman-Liff, «The United States», en Ham, C. (ed.): *Healthcare Reform, learning from international experience*, Open University Press, 1997.

En cualquier caso, estamos ante una medida de un gran calado potencial. Cabe preguntarse si el abandono aparente por parte del PP de su anterior pretensión de extender el modelo MUFACE, no habrá sido sustituido por la estrategia de implicar a las empresas y a sus trabajadores, selectivamente, a largo plazo, y a través de incentivos fiscales y del atractivo superficial de un seguro sanitario privado, en el desarrollo de una poderosa industria sanitaria privada en España, que eventualmente pueda suponer una alternativa, al menos para ciertos grupos de clases medias, al SNS.

El escenario de esta estrategia pasaría por favorecer fiscalmente la existencia de una masa crítica suficientemente numerosa de empresas/trabajadores con doble aseguramiento (público-privado) en un primer período. Con ello se iría consolidando una industria sanitaria privada (seguro y provisión) que, en la actualidad, en España es relativamente débil y fragmentada, y que en este esquema se haría cargo de la patología menos costosa (más rentable) dejando los casos graves para el SNS. Un crecimiento cuantitativo de la base de clientes generaría presiones económicas, sociales y políticas que eventualmente podrían abrir las puertas a cambios que desnaturalizasen la concepción actual del SNS como servicio universal.

La apertura de esta vía de incentivos fiscales a la sanidad privada está estrechamente relacionada en su gravedad potencial con la reflexión siguiente sobre las prestaciones del SNS y la obsesión del Gobierno con elaborar un *Catálogo de Prestaciones*.

VIII. LA ORDENACIÓN DE LAS PRESTACIONES Y SUS PELIGROS PARA EL SNS

La Subcomisión dedica una de sus trece recomendaciones generales a las prestaciones, y sin citar para nada la normativa existente al respecto, propone una nueva regulación de las mismas que «deberá realizarse por ley». Como no es de suponer que el cambio de rango de la norma tenga un valor añadido en sí mismo, o que ello pueda resolver problema alguno del SNS, cabe preguntarse por qué este interés en abordar las prestaciones como problema que precisa redefinición legal, en lugar de prestar atención a los problemas reales como el déficit de servicios dentales[79] y domiciliarios, dos aspectos de las prestaciones merecedores, éstos sí, de atención.

79. Cabría esperar que se recomendara al menos la evaluación del Programa de Atención Dental Infantil (PADI) existente desde hace 8 años en el País Vasco y Nava-

El término *prestaciones* incluye significados muy diferentes: desde las situaciones que dan derecho a la cobertura del SNS —maternidad—, el contenido material de los servicios —medicinas, pero también el innumerable catálogo de procedimientos diagnósticos y terapéuticos existentes en la medicina moderna—, la gratuidad o no de los servicios —co-pago—, prioridades en la asistencia sanitaria, necesidad de racionar los servicios ante la limitación de los recursos, etc. No es de extrañar pues que el discurso sanitario en torno a las *prestaciones* resulte complejo, confuso, y tenga con frecuencia aspectos claramente inaceptables desde el punto de vista de la equidad (co-pago, paquete de prestaciones básicas, etc.).

Una de las peculiaridades del discurso sanitario oficial español es el papel que en él tienen las *prestaciones* sanitarias como problema (y aparentemente como solución) para los retos del SNS. Esta preocupación[80] tuvo su primera manifestación en el Informe Abril (Recomendaciones 44-47) y desde entonces ha sido una constante en la política sanitaria española, que culminó con la publicación del RD 63/1995, sobre ordenación de las prestaciones sanitarias del SNS. Esta preocupación continúa. Al igual que sucedía con el aseguramiento, contrasta también la fuerte presencia de las «prestaciones» en el discurso sanitario español con su ausencia en otros países europeos con Servicios Nacionales de Salud, en los cuales no existe un catálogo explícito de prestaciones ni el convencimiento de su utilidad. Suecia y Holanda han impulsado, respectivamente desde el Parlamento y el Gobierno, sendas comisiones sobre las prioridades en los servicios sanitarios y los criterios en los que éstas deberían basarse. Sus dos importantes

rra, con vistas a su eventual extensión a toda España. Desde 1990, los niños entre 7 y 15 años del País Vasco tienen derecho la atención integral de su salud dental, que aunque orientada fundamentalmente a la prevención, incluye todos los tratamientos necesarios (Decreto 118/90 del Gobierno Vasco). Navarra implantó este servicio tomando como base la experiencia vasca. El resto del sistema sanitario público español sólo ofrece servicios dentales de urgencia y extracciones para la generalidad de la población, de modo que casi todos los cuidados dentales han de ser obligatoriamente privados.

80. Hay que señalar que algunos de los problemas que plantean ciertos supuestos de indefinición de prestaciones tienen su solución relativamente fácil en la elaboración de un *listado negativo* de los servicios excluidos (donde estaría la ya clásica eliminación de tatuajes y pocas cosas más). Ésta es la aproximación más frecuente en la mayor parte de los sistemas sanitarios públicos europeos, en los que no hay catálogo positivo de prestaciones. Por el contrario, un enfoque normativo de las prestaciones aporta muy poco a la mejora del SNS y sobre todo detrae también importantes energías políticas y organizativas que serían mejor empleadas en problemas más reales y susceptible de mejora.

informes[81] ilustran claramente, desde objetivos distintos, pero con ópticas parecidas, sobre las limitaciones prácticas y la complejidades de todo tipo, de definir de forma explícita el listado de prestaciones y las prioridades en los servicios sanitarios. Una dificultad que ha sido también analizada en nuestro país con ocasión de la publicación del Real Decreto citado anteriormente[82].

El documento de la Subcomisión tiene en relación con las prestaciones tres componentes: 1) la fijación del catálogo de la mismas; 2) sus garantías, y 3) su financiación selectiva. Mientras que nada hay que objetar a las garantías de las prestaciones (sobre todo se concretan), y son muy evidentes las amenazas potenciales para la equidad que implica la financiación selectiva, el catálogo de prestaciones esconde problemas potenciales para el SNS que, por ser menos evidentes a primera vista, merecen comentario.

El objetivo de elaborar un catálogo de prestaciones comunes para el conjunto del SNS, dejando a un lado sus dificultades y escasos beneficios, presenta otros problemas, si cabe más importantes. Por lo que respecta a las dificultades y beneficios, se puede argumentar convincentemente que el ejercicio de elaborar un catálogo positivo de las prestaciones del SNS, que vaya más allá de una formulación genérica, tiene tales dificultades y problemas éticos, políticos y técnicos, y cabe esperar tan pocos beneficios de todo ello, que difícilmente se justifica el esfuerzo[83].

Este ejercicio, sin embargo, tendría plenamente sentido si se buscase (como no puede descartarse dada la ambigüedad del documento de la Subcomisión y los antecedentes existentes), que el nuevo catálogo que hoy recoge las prestaciones «comunes» pretendiera en realidad que éstas fueran las «básicas», tal como proponía en su día el Informe Abril, y ha pretendido una enmienda al texto inicial, realizada por

81. Escuela Nacional de Sanidad, *Prioridades en atención sanitaria. Informe para el Gobierno de Holanda* (Informe Dunning), SG Editores, Barcelona, 1994; y *Priorities in Health Care. Ethics, economy, implementation.* Final report by The Swedish Parliamentary Priorities Commission. Swedish Government Official Reports, SOU 5, Stockholm, 1995.

82. H. Cabasés (ed.), «Jornada Técnica de SESPAS sobre Ordenación y Catálogo de las Prestaciones Sanitarias del SNS», *Gaceta Sanitaria* (Suplemento), 46 (1995), 19.

83. J. M. Freire, «La ordenación de las prestaciones: aspectos sanitarios»: *Gaceta Sanitaria* (Suplemento), 46, 19 (1995), 11-29; y J. Puig i Junoy y E. Dalmau i Matarrodona, «Regulación de la innovación tecnológica en el mercado sanitario: una valoración de la efectividad de los instrumentos», en G. López Casasnovas y D. Rodríguez Palenzuela (coords.), *La Regulación de los Servicios Sanitarios en España*, FEDEA/AES, Ed. Civitas, Madrid, 1997.

CiU, en la que literalmente se decía: «Es necesario establecer la definición de un catálogo de prestaciones que contenga un paquete asistencial básico garantizado para todo el SNS». Conviene, pues, leer el párrafo del capítulo I.2.a) del documento de la Subcomisión en paralelo con las recomendaciones 44-47 del Informe Abril que sugieren que «deberían delimitarse con precisión las prestaciones básicas que han de ser cubiertas mayoritariamente con fondos públicos...», e introduce el concepto de «prestación complementaria», con co-financiación del usuario (o cobertura a través de una póliza colectiva de las incentivadas fiscalmente por la reforma del IRPF comentada *supra*). La posibilidad de un deslizamiento de las prestaciones *comunes* hacia un paquete de prestaciones *básicas*, tal como defiende el prototipo neoliberal[84] de modelo sanitario es el mayor peligro potencial del discurso gubernamental de las prestaciones.

El escenario que resultaría de ello es, como no podía ser menos, totalmente coherente con algunas de las posibles implicaciones, vistas anteriormente, de independizar la función de «aseguramiento» en el SNS, y al incentivar fiscalmente coberturas colectivas privadas en las empresas. En el modelo sanitario resultante habría, en efecto, aseguramiento universal y financiación pública por impuestos, pero éstos únicamente cubrirían el llamado *Paquete Garantizado de Servicios Sanitarios*[85], común para todos, pero también *básico*, y por ello quizá obligadamente complementable (según sea de básico lo *básico*) con prestaciones adicionales, éstas sí, financiadas privadamente a través de entidades de seguro sanitario, que gestionarían, en un sistema parecido al actual de MUFACE, el aseguramiento público. Este modelo, totalmente ajeno a la cultura social y política española y europea, está en el fondo de no pocas propuestas de reforma del SNS (era la política oficial del PP antes de su *conversión* sanitaria, y CiU lo ha propugnado, más o menos abiertamente, en sus enmiendas a los capítulos del *aseguramiento* y de las *prestaciones* dentro de la propia Subcomisión). Aunque en las circunstancias actuales es poco probable que el SNS español se encamine *abiertamente* hacia este horizonte, la ambigüedad del texto de la Subcomisión/Gobierno, las medidas tomadas para convertir a los centros sanitarios en empresas autónomas, los incentivos fiscales al aseguramiento privado incluidos en la reforma del IRPF, no permiten descartar que un escenario de este tipo no sea el re-

84. Véase el documento de NERA citado.
85. D. Whitaker y P. Sánchez Garcías, *El Sistema Sanitario Español: Alternativas para su reforma,* NERA, Consultores en Economía, Madrid, 1997.

ferente subliminal de propuestas de política sanitaria (y no sanitaria como el IRPF) aparentemente inconexas. Como tampoco cabe negar la existencia de poderosas presiones en esta dirección, ni la coherencia interna neoliberal y privatizadora de este planteamiento, que atenta frontalmente contra el principio de equidad del SNS, es preciso no bajar la guardia por parte de los que consideran el SNS como uno de los mayores logros de la sociedad española contemporánea.

IX. A MODO DE CONCLUSIÓN

En las páginas precedentes hemos revisado los logros del SNS y sus problemas (que fundamentalmente son de organización y gestión), tratando de situarlos en su contexto. El análisis de la política sanitaria del Gobierno se ha basado en dos aspectos que el propio Ministerio de Sanidad destaca en su gestión: de un lado, en su componente doctrinal, plasmado en el Documento de la Subcomisión parlamentaria (muy directamente inspirado por el Gobierno) y, por otro lado, en dos medidas concretas de especial impacto en el SNS: transformación en empresas de los centros sanitarios —las FPS— y los incentivos fiscales a los seguros sanitarios privados en la reforma del IRPF.

Paradójicamente, las propuestas del Gobierno para reformar la sanidad pública están centradas en los elementos que precisamente constituyen sus mejores virtudes y sus rasgos más sólidos (cobertura universal, prestaciones, financiación pública), mientras que sus problemas más objetivables reciben una atención menor. Aunque el Gobierno realiza un esfuerzo evidente por mantener sus soluciones a los *no-problemas del SNS* en términos *políticamente correctos*, sus propuestas tienen tal ambigüedad que son perfectamente encajables con un escenario radicalmente opuesto al del SNS que preconiza la LGS. El impulso al desarrollo de los seguros sanitarios privados en la nueva normativa sobre el IRPF encaja muy coherentemente en este escenario y de ahí su gravedad. Además de los peligros que estas ideas suponen para el futuro de un sistema sanitario público equitativo, lo más preocupante de este dar vueltas a los no-problemas del SNS es que desvía la atención y las energías que precisan sus problemas reales, de modo que con el paso del tiempo éstos sólo pueden empeorar, haciendo más verosímil un escenario de sanidad dualizada por estratos sociales, e incentivando la desafección hacia ella de las clases medias urbanas.

Por otro lado, cuando el Gobierno aborda los problemas de organización y gestión de los centros y servicios del SNS (que constituyen su hipoteca más importante), en lugar de basar sus propuestas en un buen diagnóstico de la situación, importa como única solución la panacea estratégica del *mercado interno* thatcheriano, y por ello su primer paso es transformar a los centros sanitarios en seudo empresas públicas, que serían el brazo proveedor del futuro mercado sanitario. Desgraciadamente, la ideología y el mimetismo tienen aquí más peso que toda la evidencia empírica en contra de estas propuestas. ¿Cómo es posible ignorar el fracaso de la experiencia de la reforma conservadora del NHS británico, su alto coste, y todos sus efectos negativos?

Las iniciativas adoptadas por el Gobierno no responden a los retos reales que tiene planteado el SNS, ni tienen en cuenta las alternativas y oportunidades existentes para mejorar múltiples aspectos de la organización y de los servicios de la sanidad pública española. No existe un modelo ideal para resolver los problemas de gestión los sistemas sanitarios, de modo que no es posible ahorrarse el esfuerzo de analizarlos para buscar en cada caso las soluciones que mejor se acomoden a las restricciones y demandas de todo tipo que operan en una realidad tan compleja. Por otro lado, aunque resulta obvio que no se deben importar las soluciones que no han tenido éxito en otros países (caso del *mercado interno* en el Reino Unido), tampoco es posible copiarlas cuando han dado resultado, porque los diversos sistemas sanitarios responden a realidades políticas, culturales, profesionales y económicas muy diferentes. Sin embargo, es obligado aprender de las experiencias de otros, de sus aciertos y errores y, en este sentido, los servicios sanitarios de otros países nos proporcionan indicaciones muy valiosas, que sería irresponsable ignorar.

La experiencia internacional permite concluir que es bueno para la equidad y la eficiencia de los servicios de salud que éstos sean públicos. De modo que el reto es lograr que lo público sea eficaz, y para ello tiene que poder contar con los instrumentos adecuados y con la cultura política, organizativa y de gestión que lo haga posible. No obstante, es un hecho que el SNS español se enmarca dentro de la administración pública de nuestro país, mucho más profunda e indiferenciadamente de que lo que sería deseable para su buen funcionamiento. En efecto, de un lado, nuestra administración pública precisa a su vez de reformas importantes; de otro lado, los servicios sanitarios modernos tienen tal especificidad y dinamismo que difícilmente pueden ser acomodados en el marco organizativo de la administración pública común, por excelente que ésta sea.

Las reformas —en plural— que precisa el SNS deben, pues, encuadrarse en la corriente de renovación de la gestión pública y mejora de su eficacia (*new public management*), adaptando las instituciones del estado liberal a las nuevas demandas sociales y a las exigencias de los servicios públicos modernos. Ello implica, en primer lugar, renunciar a encajonar toda la complejidad del sector público con un único patrón organizativo y asumir que la especificidad de los distintos servicios —sanitarios y de otro tipo— exige fórmulas organizativas diferenciadas, con su propia personalidad jurídica y el correspondiente margen de autonomía respecto a la administración común de la que forman parte. Siguiendo este razonamiento, los servicios sanitarios públicos españoles (INSALUD y los Servicios de Salud de las CC.AA.-SAS, SVS, SERGAS, etc.) deberían tener su propia personalidad jurídica diferenciada, tal como se ha hecho con el Servicio Vasco de Salud/Osakidetza. Dentro de este marco corporativo (y justo al revés de lo planteado en las Fundaciones Públicas Sanitarias que, en este sentido, empiezan la casa por el tejado), los hospitales y los distintos niveles territoriales tendrían todo el margen de autonomía preciso para una gestión eficaz. Este esquema es organizativamente coherente y haría posible combinar la autonomía local de gestión, con la necesidad y ventajas de la coordinación, la planificación, las economías de escala y la cooperación entre los diversos niveles asistenciales que pertenecen a una organización corporativa común.

En segundo lugar, es preciso repensar los órganos de gobierno de la sanidad pública y organizar su gestión, a todos los niveles (hospitales, centros de salud, áreas de salud, etc.), en base a los patrones generalmente aceptados para todas las organizaciones, sean públicas o privadas. De un modo especial, es preciso *establecer órganos colegiados de gobierno en la sanidad pública*, que en la actualidad están clamorosamente ausentes de la misma. Los Consejos de Administración y sus equivalentes son prácticas de buen gobierno corporativo que, sin ser la panacea para una gestión que siempre tendrá problemas, constituyen una condición necesaria para que la gestión de la sanidad sea más eficaz. Proporcionarían un nuevo impulso de legitimación democrática y de eficacia a toda la sanitaria pública, pero de un modo especial a los hospitales, donde son necesarios en particular (los hospitales públicos españoles son quizá los únicos de la UE que carecen de órganos colegiados de gobierno). Las múltiples opciones para la composición de los órganos de gobierno de la sanidad pública, una decisión política que en la Europa democrática se toma por ley, permiten abrir la gestión sanitaria a la participación de los ayuntamientos, de la sociedad y de los profesionales sanitarios, con las ventajas de todo tipo que ello supone. En el SNS, los nuevos órganos colegiados de gobierno serían un instrumento de renovación de la gestión, haciéndola más democrática y transparente, y facilitando la necesaria profesionalización y despolitización de los cargos directivos de los centros.

Por otro lado, estos órganos colegiados de gobierno, que serían especialmente imprescindibles en los hospitales —empresa que desea crear el Gobierno (a más autonomía más garantías de control)—, son igualmente importantes en los hospitales de gestión administrativa tradicional. Para reinstaurarlos no es necesario adoptar las llamadas *nuevas formas de gestión*: en el ámbito del INSALUD bastaría con modificar el RD 521/87, que suprimió las antiguos Juntas de Gobierno, y actualizar sus competencias y composición de modo que quedaran lo más asimiladas posibles a auténticos órganos colegiados de gobierno (no meramente consultivos ni de participación).

Es evidente que estas reformas, siendo necesarias para modernizar la organización y gestión del SNS, no son suficientes por sí mismas para crear la nueva cultura de servicio y de excelencia clínica que es deseable en la sanidad pública. Son precisas otras reformas, de ellas dos de especial importancia: 1) una nueva política respecto a las profesiones sanitarias, especialmente respecto a la medicina; y 2) profundizar en la equidad del SNS. Los servicios sanitarios son un servicio personal, vertebrado en profesiones (medicina, odontología, farmacia, enfermería, etc.). La naturaleza profesional de la sanidad es una de sus características más diferenciales e importantes, de modo que cualquier planteamiento de reforma debe tener en cuenta este hecho. La política de recursos humanos del SNS, y de un modo especial su dimensión profesional, constituye una de las claves más importantes, y también más descuidadas, para el futuro del SNS. Aunque no es posible profundizar en el tema, es obligado al menos mencionarlo y destacar su transcendencia para la sanidad española.

La otra reforma de gran importancia estratégica para la mejora de la sanidad pública sigue siendo la superación de los privilegios y diferencias en el acceso a los servicios sanitarios de financiación pública que todavía subsisten en España (más equidad). El SNS mejorará notablemente la calidad de sus servicios cuando se integren en ellos con normalidad, como sucede en resto de los países europeos, todos los sectores de la sociedad española que ahora tienen su propio subsistema sanitario (funcionarios civiles, militares, judiciales, periodistas, y trabajadores de ciertas empresas). Del mismo modo que los servicios para pobres terminan siendo siempre pobres servicios, un servicio público, del cual estén excluidos sectores importantes de las clases medias, está abocado a un nivel de calidad mediocre (y tampoco la eficiencia es posible sin calidad). Por eso, en la sanidad pública universalizada hay una relación tan estrecha entre equidad y calidad: la una no es posible sin la otra. El acceso por igual de todos los grupos sociales a la sanidad pública mejora su calidad y, a su vez, un buen nivel de calidad hace que las clases medias urbanas utilicen la sanidad pública y la apoyen políticamente.

Avanzar en estas direcciones implica aceptar los principios de universalidad y equidad de la sanidad pública, sin reservas ni segundas intenciones, y ser consecuentes con ellos. Implica también voluntad de situar los temas que son importantes para los ciudadanos —y sin duda alguna la sanidad es uno de ellos— en la agenda política, con una prioridad y relevancia que ahora no tienen (la política de educación y de sanidad siguen estando en la sección de sociedad de los periódicos más serios). La modernización de la sanidad pública, y también la del conjunto del país, exige una nueva cultura política en la que los debates sobre estos temas tengan la relevancia que les corresponde por su importancia social, económica, y de todo tipo. Exige también un compromiso real para modernizar la gestión de lo público, que es además una condición para el desarrollo económico y la cohesión social. En cualquier caso, la mejora de la sanidad pública es un reto permanente para el que no existe una única solución válida, pero sí múltiples oportunidades de mejora. Con la evidencia disponible, ninguna de ellas pasa por la «competencia entre proveedores en el marco de un mercado sanitario», como al parecer pretende el actual Gobierno; sin embargo, las ideas de la nueva gestión pública democrática ofrecen perspectivas más prometedoras.

Capítulo 15

FINANCIACIÓN Y SOSTENIBILIDAD DEL SISTEMA DE PENSIONES

Julio Gómez-Pomar Rodríguez

I. INTRODUCCIÓN

Durante los últimos años, tanto los estudiosos del Sector Público como la sociedad en su conjunto, y no sólo en España sino en la mayor parte de los países occidentales, han visto como saltaba al primer plano de la actualidad la situación en la que se encontraba nuestro sistema de protección social. Podría afirmarse, que si la preocupación en España durante la década de los '80 y buena parte de los '90 fue la extensión y mejora del Estado de Bienestar y su aproximación a Europa, los últimos años han venido presididos por la preocupación por la sostenibilidad del sistema de pensiones.

Han sido muchos los que, en el curso de los últimos años, han arrojado sombras sobre la sostenibilidad del sistema, tal y como estaba configurado, y han planteado la urgente necesidad de su reforma. Académicos y servicios de estudios de entidades financieras y otras instituciones han producido informes de gran calidad que tienen la virtud de abrir a la sociedad y llamar la atención de las fuerzas políticas sobre la necesidad de abordar esta cuestión.

Se coincida o no con las opiniones vertidas o con las opciones y alternativas que se han propuesto, lo cierto es que una sociedad moderna debe contar con opiniones contrapuestas y fundadas sobre los problemas de orden económico-social que tienen delante.

No cabe duda de que la situación de la Seguridad Social es el principal de todos ellos.

La cuestión primordial que, aunque obvia, debe dejarse clara desde un primer momento, es que poner en duda la solvencia financiera del

Sistema de la Seguridad Social es poner en duda la solvencia financiera del Estado, y ello, en España como en cualquiera de los países de nuestro entorno, es una absoluta irresponsabilidad.

Podrá discutirse si el sistema de reparto tiene inconvenientes importantes en las sociedades que envejecen y si los sistemas de capitalización ofrecen ventajas teóricas en este punto, podrá discutirse si hay determinadas prestaciones que presentan una posición deficitaria respecto de las cotizaciones que las amparan. Lo que no puede ser objeto de discusión es la capacidad fiscal, entendida en un sentido amplio, como capacidad de un Estado democrático de detraer recursos coactivamente para dibujar el mapa social de los derechos subjetivos exigibles de un Estado y, en consecuencia, garantizar un Estado de Bienestar acorde con el nivel de riqueza y desarrollo del país.

El trabajo que se presenta analiza la evolución de las principales fuentes de financiación del Sistema de la Seguridad Social, así como de los empleos en los que se materializan; examina también los elementos intrínsecos del Sistema y externos al mismo, que condicionan y explican su dinámica; y resalta el papel que los acuerdos políticos y el consenso logrado en la materia han tenido para dibujar un modelo sostenido y sostenible de la Seguridad Social.

II. EVOLUCIÓN DE LA FINANCIACIÓN DEL SISTEMA DE LA SEGURIDAD SOCIAL, 1990-1998

Las fuentes de financiación del Sistema de la Seguridad Social son: Cotizaciones sociales, transferencias del Estado y otros ingresos (ingresos patrimoniales, enajenación de inversiones reales y activos y pasivos financieros).

1. *Cotizaciones sociales*

La participación de las cotizaciones en el total de los recursos del Sistema de la Seguridad Social se ha reducido considerablemente durante el período 1990-1998, mientras que en el primer año significaban cerca del 72% de todos los recursos, en 1998 representan el 65%, es decir, la participación de las cuotas ha descendido en 7 puntos (cuadro 1).

Sin embargo, si bien se observa esta tendencia decreciente, las cotizaciones sociales continúan siendo la principal fuente de financiación de nuestro sistema. Así, el ingreso obtenido por cotizaciones ha pa-

Cuadro 1. RECURSOS DE LA SEGURIDAD SOCIAL DISTRIBUCIÓN %
(Importe en miles de millones de pesetas)

	COTIZACIONES		TRANSFERENCIAS		OTROS INGRESOS		TOTAL	
AÑOS	IMPORTE	%	IMPORTE	%	IMPORTE	%	IMPORTE	%
1990	4 861.4	71.76	1 692.1	24.98	221.1	3.26	6 774.6	100.0
1991	5 421.6	71.20	1 945.3	25.55	247.3	3.25	7 614.2	100.0
1992	6 142.4	68.81	2 230.5	24.99	553.2	6.20	8 926.1	100.0
1993	6 524.1	69.05	2 461.2	26.05	463.7	4.91	9 449.0	100.0
1994	7 146.9	65.92	2 774.7	25.59	919.4	8.48	10 841.0	100.0
1995	6 980.1	64.00	3 198.3	29.32	728.0	6.67	10 906.4	100.0
1996	7 513.2	63.69	3 453.4	29.27	830.4	7.04	11 797.0	100.0
1997	7 993.4	63.43	3 693.9	29.31	915.0	7.26	12 602.3	100.0
1998	8 434.0	65.38	3 998.0	30.99	467.8	3.63	12 899.8	100.0

Fuente: Informe Económico Financiero de la Seguridad Social para 1999.

sado de 4.8 billones de ptas. en 1990 a 8.4 billones de ptas. para 1998, por lo tanto, durante los últimos ocho años el importe de las cuotas se ha incrementado en un 75%.

2. *Transferencias del Estado*

La segunda fuente de financiación son las transferencias corrientes del Estado que han crecido de forma significativa desde el año 1990. En ese ejercicio las transferencias ascendían a 1.7 billones de ptas. financiando el 25% del Sistema de la Seguridad Social, y para el ejercicio de 1998 suponen cerca de los 4 billones de ptas., que representan el 31% de todos los ingresos. Es decir, el importe se ha multiplicado por 2.3 y su participación ha aumentado en 6 puntos.

Por lo tanto, la menor contribución de las cotizaciones ha sido compensada con un crecimiento de la aportación del Estado a lo largo del período considerado.

III. EVOLUCIÓN DE LOS GASTOS DEL SISTEMA DE LA SEGURIDAD SOCIAL, 1990-1998

Los gastos del Sistema de la Seguridad Social se pueden clasificar por las siguientes funciones: Prestaciones Económicas, Asistencia Sanitaria, Servicios Sociales y otros gastos (Tesorería, Informática y distintos servicios funcionales comunes).

1. *Prestaciones Económicas*

Esta función abarca el conjunto de prestaciones que comportan transferencias monetarias directas en favor de los beneficiarios del Sistema de la Seguridad Social, con independencia de que sean de carácter contributivo o no contributivo, régimen o contingencia que las motive.

Dentro de las Prestaciones Económicas se incluyen las pensiones contributivas de incapacidad permanente, jubilación y muerte y supervivencia, las pensiones no contributivas de vejez e invalidez, la incapacidad temporal, maternidad, prestaciones familiares, prestaciones sociales y otras prestaciones e indemnizaciones.

Las Prestaciones Económicas constituyen la primera función en importancia dentro de los gastos del Sistema de la Seguridad Social por cuanto suponen cerca del 66% del total de los gastos para 1998. En el año 1990 su participación era del 63.6% con un importe de 4.3 billones de ptas. A lo largo de los últimos ocho años el importe se ha duplicado alcanzando la cifra de 8.5 billones de ptas. (cuadro 2).

2. *Asistencia Sanitaria*

La Asistencia Sanitaria comprende las prestaciones sanitarias que dispensa la Seguridad Social, las cuales se extienden a los afiliados y a sus beneficiarios, así como a las personas que carecen de recursos económicos suficientes.

La Asistencia Sanitaria constituye la segunda función por el volumen de gastos, siendo su participación del 30.3% en el total de gastos del Sistema, con un importe de 3.9 billones de ptas. para 1998, mientras que para el año 1990 el gasto fue de 2.1 billones de ptas., manteniendo su grado de representación durante los últimos ocho años.

3. *Servicios Sociales*

La tercera función en importancia de contenido prestacional corresponde a los Servicios Sociales que suponen el 2% del total del gasto para 1998 y un volumen de 265 113 millones de ptas. Se trata de una función cuyos servicios se han transferido en buena parte a las Comunidades Autónomas, quienes gestionarán en dicho ejercicio 150 000 millones de ptas. (el 56.6%), correspondiendo el importe restante a los servicios no transferidos.

Cuadro 2. GASTOS DE LA SEGURIDAD SOCIAL
(Importe en miles de millones de pesetas)

AÑOS	PRESTACIONES ECONÓMICAS		ASISTENCIA SANITARIA		SERVICIOS SOCIALES	
	IMPORTE	%	IMPORTE	%	IMPORTE	%
1990	4 294.8	63.62	2 131.8	41.58	195.1	2.89
1991	4 847.0	63.16	2 335.9	30.44	248.1	3.23
1992	5 530.9	61.82	2 930.2	32.75	252.4	2.82
1993	6 102.0	62.74	3 080.3	31.67	257.7	2.65
1994	6 588.5	63.47	3 316.1	31.95	247.7	2.39
1995	7 154.0	65.18	3 408.8	31.06	247.8	2.26
1996	7 760.1	65.69	3 629.5	30.73	235.5	1.99
1997	8 126.8	66.28	3 703.3	30.20	236.1	1.93
1998	8 505.2	65.93	3 915.1	30.35	265.1	2.06

AÑOS	OTROS GASTOS		TOTAL	
	IMPORTE	%	IMPORTE	%
1990	129.2	1.91	6 750.9	100.0
1991	242.9	3.17	7 673.9	100.0
1992	233.0	2.60	8 946.5	100.0
1993	286.1	2.94	9 726.1	100.0
1994	227.9	2.20	10 380.2	100.0
1995	164.6	1.50	10 975.2	100.0
1996	187.5	1.59	11 812.6	100.0
1997	194.7	1.59	12 260.9	100.0
1998	214.4	1.66	12 788.8	100.0

Fuente: Informe Económico Financiero de la Seguridad Social para 1999.

4. *Análisis de las Prestaciones Económicas*

La importancia del gasto en las Prestaciones Económicas hace necesario realizar un análisis más amplio para poder observar la evolución de las mismas, agrupadas en los siguientes tipos: Pensiones, Incapacidad Temporal, Maternidad, Protección Familiar y otras (cuadro 3).

a) Pensiones

Dentro de las Prestaciones Económicas y en lo que a volumen de gasto se refiere, las Pensiones son las que tienen mayor peso específico y las que conforman el mayor volumen de gasto total.

Cuadro 3. EVOLUCIÓN DE LAS PRESTACIONES ECONÓMICAS
(Importe en millones de pesetas)

	PENSIONES							
	CONTRI BUTIVAS	NO CONTRIBUTIVAS	TOTAL	INCAPACIDAD TEMPORAL	MATERNIDAD	PROTECCIÓN FAMILIAR	OTRAS	TOTAL
1990	3 780 659		3 780 659	413 813	5 617	31 699	11 959	4 242 747
1991	4 223 314	6 291	4 229 605	501 989	7 515	33 353	13 195	4 785 657
1992	4 721 238	57 395	4 778 633	565 144	8 761	90 846	15 264	5 458 648
1993	5 248 526	100 472	5 348 998	557 239	9 040	95 004	16 919	6 027 200
1994	5 687 718	144 051	5 831 769	561 499	8 875	96 386	16 013	6 514 452
1995	6 190 361	160 977	6 351 338	561 707	55 120	99 546	15 078	7 082 789
1996	6 716 555	186 621	6 903 176	584 655	80 241	103 622	15 318	7 687 012
1997	7 077 834	204 449	7 282 283	551 853	89 189	106 389	24 658	8 054 372
1998	7 476 465	221 762	7 698 227	519 174	85 165	97 570	27 323	8 427 459

Nota: No comprende los gastos de gestión ni los gastos de capital.

Fuente: Informe Económico Financiero de la Seguridad Social para 1999.

Después de la Ley 26/1990, de 20 de diciembre, por la que se establecen en la Seguridad Social prestaciones no contributivas, cabe distinguir dos modalidades de pensión: las contributivas y las no contributivas.

Las primeras conceden rentas, generalmente vitalicias y proporcionales a los ingresos en la vida activa, a quienes cesan en la misma, siempre que reúnan los requisitos exigidos para su reconocimiento, entre los que se destaca, con carácter general, tener cubierto un período mínimo de cotización a la Seguridad Social.

Las pensiones no contributivas otorgan rentas de compensación de carácter uniforme a todos los residentes que se encuentren en las situaciones de vejez e invalidez y carezcan de recursos. Ambas modalidades de pensión se complementan entre sí para conseguir una protección integral y presentan distinta finalidad protectora.

Durante el período 1990-1998, el gasto total en pensiones se ha duplicado, pasando de 3.8 billones de ptas. a 7.7 billones de ptas., y su participación respecto al conjunto de las Prestaciones Económicas aumentó en 3 puntos: del 89% en el primer año considerado al 91% en 1998.

Las pensiones contributivas de jubilación, incapacidad, viudedad, orfandad y en favor de familiares (conocidas las tres últimas como pensiones de muerte y supervivencia), son las de mayor peso económico en el conjunto de las Prestaciones Económicas, por cuanto supo-

Cuadro 4. EVOLUCIÓN DEL GASTO EN PENSIONES CONTRIBUTIVAS
(Importe en millones de pesetas)

AÑOS	JUBILACIÓN	INCAPACIDAD	VIUDEDAD	ORFANDAD	F. FAMILIAR	TOTAL
1990	2 001 490	1 037 265	669 187	60 995	11 722	3 780 659
1991	2 238 477	1 139 621	766 393	65 854	12 969	4 223 314
1992	2 496 157	1 262 532	877 250	71 228	14 071	4 721 238
1993	2 793 797	1 379 319	982 241	77 426	15 743	5 248 526
1994	3 057 531	1 470 498	1 061 832	78 721	19 136	5 687 718
1995	3 360 470	1 580 166	1 146 954	82 588	20 183	6 190 361
1996	3 672 987	1 694 631	1 240 816	86 521	21 600	6 716 555
1997	3 893 727	1 771 687	1 300 876	88 682	22 862	7 077 834
1998	5 072 133 (1)	904 319 (1)	1 380 536	96 547	22 930	7 476 465

(1) Según el art. 7 del Real Decreto 1647/1997, de 31 de octubre, las pensiones de incapacidad permanente, cuando los beneficiarios cumplen 65 años, pasan a denominarse pensiones de jubilación.

Fuente: Informe Económico Financiero de la Seguridad Social para 1999.

nen el 88.7% en 1998, con un volumen de gasto de 7.5 billones de ptas. Por lo tanto, sólo el gasto en pensiones contributivas absorbe el 58% de todos los recursos del Sistema de la Seguridad Social.

Las causas que determinan la evolución de tales pensiones dependen esencialmente de factores demográficos como la distribución por edades de la población pensionista, de la esperanza de vida, del número de nuevas altas de pensiones, así como de otros factores de carácter socioeconómico. Se trata por tanto de factores externos al Sistema de la Seguridad Social que condicionan el desenvolvimiento del mismo y sobre los que no se puede actuar.

Atendiendo a la clasificación de las Pensiones mencionada anteriormente (cuadro 4), destaca, sin duda, el volumen del gasto de la Pensión de Jubilación, que supone el 68% del total de gastos en pensiones contributivas para 1998, si bien hay que señalar que en este año se ha tenido en cuenta lo establecido en el art. 7 del Real Decreto 1647/1997, de 31 de octubre, que dispone que las pensiones de incapacidad permanente, cuando los beneficiarios cumplen 65 años, pasan a denominarse pensiones de jubilación. Desde el año 1990 hasta el ejercicio de 1997 (las cifras son homogéneas) el gasto ha pasado de 2 billones de ptas. a 3.9 billones de ptas., casi se ha multiplicado por dos.

Esta evolución del gasto de la prestación contributiva de Jubilación viene determinada fundamentalmente por dos factores: el número de pensiones y la cuantía de la pensión media. El número de pensiones pasó de 2.8 millones en 1990 ha 4.4 millones en 1998. El importe de la pensión media en 1990 era de 51 259 ptas. mientras que en 1998 fue de 82 210 ptas., es decir, la cuantía de la pensión media experimentó un crecimiento considerable en estos ocho años superior al 60%. Las causas que influyen en este aumento son: la política de revalorización llevada a cabo durante esos años y, principalmente, el denominado «efecto sustitución», que significa que las nuevas pensiones que se conceden son de mayor cuantía que la de las bajas que se producen. Así, la pensión media de las alta iniciales de jubilación en 1998 es de 101 038 ptas. mientras que la pensión media de las bajas definitivas que se producen en el Sistema de la Seguridad Social es de 72 732 ptas. para el mismo año, por lo tanto, la cuantía de las altas supera al importe de las bajas en un 39%.

b) Incapacidad temporal

La Ley 42/1994, de 30 de diciembre, de Medidas Fiscales, Administrativas y de Orden Social, crea la situación de incapacidad temporal que viene a sustituir a las anteriores prestaciones de incapacidad laboral transitoria e invalidez provisional.

Tienen la consideración de situaciones de incapacidad temporal las debidas a enfermedad común o profesional y a accidente, sea o no de trabajo, mientras el trabajador reciba asistencia sanitaria de la Seguridad Social y esté impedido para el trabajo, con una duración máxima de 12 meses, prorrogables por otros 6 cuando se presuma que durante ellos pueda el trabajador ser dado de alta médica por curación.

También son situaciones determinantes de incapacidad temporal los períodos de observación por enfermedad profesional en los que se prescriba la baja para el trabajo durante los mismos, con una duración máxima de 6 meses, prorrogables por otros 6 cuando se estima necesario para el estudio y diagnóstico de la enfermedad.

La cuantía de la prestación consiste en un subsidio calculado en función de la base reguladora y de la contingencia que genere la prestación.

El gasto de la prestación por Incapacidad Temporal representa el 6.2% del volumen de gastos de las Prestaciones Económicas para 1998, mientras que en 1990 su participación era del 9.8%, es decir, se ha reducido en más de 3 puntos. Hay que señalar que esta prestación es objeto de un control especial, tanto en el pago directo, como en el pago delegado, con el fin de evitar que permanezcan en incapacidad temporal personas que o bien están incapacitadas con carácter permanente o bien están aptas para el trabajo.

c) Maternidad

La prestación económica por maternidad ha dejado de tener la condición de prestación por incapacidad laboral transitoria desde el año 1994 y ha pasado a ser una prestación con regulación y créditos diferenciados.

Se consideran situaciones protegidas: la maternidad, la adopción y el acogimiento previo durante los períodos de descanso que para tales situaciones se disfruten.

La prestación económica consiste en un subsidio equivalente al 100% de la base reguladora correspondiente.

Para 1998 el volumen de gasto alcanza la cifra de 85 165 millones de ptas.

d) Prestaciones familiares

La Ley 26/1990, de 20 de diciembre, por la que se establecen en la Seguridad Social prestaciones no contributivas, modifica sustancialmente las prestaciones familiares por hijo a cargo que hasta esta fecha venía otorgando el Sistema de la Seguridad Social. Estas prestaciones pasan a tener un carácter universal y redistributivo.

En su nueva concepción, las Prestaciones Familiares consisten en una asignación, en su modalidad contributiva y no contributiva, por cada hijo a cargo menor de 18 años, o mayor de dicha edad, siempre que se encuentre afectado por una minusvalía en grado igual o superior al 65%.

El gasto de esta prestación ha crecido considerablemente durante los últimos ocho años, pasando de 31 699 millones de ptas. en 1990 a 97 570 millones de ptas. para el ejercicio de 1998.

IV. FACTORES DETERMINANTES DE LA SITUACIÓN FINANCIERA DE LA SEGURIDAD SOCIAL

Una vez examinadas las principales políticas de gasto, su evolución reciente y la importancia relativa de cada una de ellas, es oportuno hacer la siguiente reflexión a la hora de analizar la sostenibilidad del sistema: ¿cuáles son los factores determinantes del comportamiento de las distintas políticas de gasto? ¿Qué elementos son los que explican su desarrollo? A estos efectos, es interesante distinguir entre aquellos elementos intrínsecos o internos al sistema, y aquellos otros externos, sobre los que no hay capacidad de actuación en el corto y medio plazo y muy difícilmente en el largo plazo.

1. *Elementos internos*

Durante la década de los '80 se adoptaron una serie de reformas para mejorar nuestro Sistema de Seguridad Social. Era necesario corregir las desviaciones y desequilibrios que estaban poniendo en peligro su mantenimiento y, a la vez, superar los importantes déficits de protección existentes, tanto en extensión como en intensidad.

En esta época, se comienza a proporcionar una mayor protección social, no sólo en cuanto a su extensión subjetiva sino también respecto al nivel de cobertura, así como a aproximar nuestra protección a la otorgada en los países de la UE. Esto se tradujo en un mayor nivel de gasto, que ha requerido dedicar parcelas adicionales del PIB, y que se manifiesta en que la participación de los gastos de Seguridad Social en dicha magnitud haya pasado del 11.4% en 1980 al 15.5% en 1999.

La Ley 26/1985, de 31 de julio, suprimió el requisito del alta para las pensiones de jubilación e invalidez (actualmente de incapacidad) y el establecimiento, por vez primera, de la revalorización automática de las pensiones en función del índice de precios del consumo previsto para cada año, así los pensionistas mantienen el poder adquisitivo de sus pensiones.

A partir de 1989, se produce lo que se conoce como la «universalización de la sanidad», es decir, la asistencia sanitaria se extiende a todos los españoles residentes en territorio nacional que carezcan de recursos económicos. Todo esto hizo necesario, a su vez, que la evolución de los recursos fuese paralela con el incremento de los gastos para darle plena cobertura.

Respecto a la estructura financiera del Sistema de la Seguridad Social, hay que señalar que la principal fuente de ingresos recae sobre las cotizaciones sociales. Sin embargo, tal como ya hemos visto, su participación en el total de los recursos del Sistema se ha reducido considerablemente, pasando de representar el 89% en el año 1980 al 65.3% en 1999.

La segunda fuente de financiación son las transferencias corrientes del Estado que han crecido de forma significativa desde 1980, pasando del 9.5% del total de recursos del sistema en ese año al 31.7% para el ejercicio de 1999.

La estructura financiera de la Seguridad Social fue modificada en el año 1989 a través de la Ley 37/1988, de Presupuestos Generales del Estado. Hasta dicho ejercicio, las aportaciones del Estado se aplicaban sin diferenciar qué tipo de prestaciones de la Seguridad Social financiaban. A partir de dicha fecha, la mayor parte de los gastos de asistencia sanitaria se financian con las aportaciones del Estado. Con la medida anterior se inicia la adecuación de la financiación a la naturaleza de la protección, de modo que las prestaciones de carácter contributivo tienen su cobertura financiera mediante cotizaciones sociales, mientras que las de naturaleza no contributiva y de cobertura generalizada se financian con aportaciones del Estado.

En concordancia con esta reforma de la estructura financiera, las pensiones no contributivas establecidas por la Ley 26/1990, de 20 de diciembre, se financian, como así expresamente se dispone en la propia Ley, con aportaciones del Estado a la Seguridad Social.

Lógicamente, esta evolución ha ido acompañada de un cambio en la estructura de ingresos del Sistema que, de financiarse básicamente por cotizaciones sociales, ha pasado a tener una financiación estatal creciente como corresponde al aumento de las prestaciones de carácter universal.

Un primer dato que hay que constatar en relación con el crecimiento que han experimentado, en porcentaje del PIB, las políticas de gasto, es que en los últimos años ha aumentado a unas tasas ciertamente elevadas.

Desde 1980 a 1995, el gasto de protección social ha pasado del 18.2% del PIB al 22.7%, es decir, se ha incrementado en 4.5 puntos del PIB, mientras que la media comunitaria pasó del 24.3% al 28.4%, en el mismo período, aumentando 3.9 puntos. Este incremento del gasto social se ha mantenido hasta la actualidad y señala nuestra convergencia con el resto de los países de la UE.

De esos 4.5 puntos, hay que señalar que 2.1 puntos lo han sido en los cinco últimos años considerados, desde 1990 a 1995, por lo tanto, cerca de la mitad del crecimiento se ha producido en tan sólo 5 años.

2. *Elementos externos*

Los factores externos o exógenos al Sistema de la Seguridad Social son aquellos que condicionan el desenvolvimiento del mismo y sobre los que no se puede actuar como, por ejemplo, las tasas de natalidad, índice de mortalidad, sucesivos cumplimientos de la edad que dan derecho a la pensión de jubilación y, en general, las circunstancias económicas y de empleo que afectan directamente al Sistema de la Seguridad Social.

a) Factores demográficos

— Envejecimiento de la población:

Caída de las tasas de natalidad y mortalidad infantil. La tasa de natalidad presenta un continuo descenso, de manera que de una tasa del 21‰ en 1965 se pasa al 15.2‰ en 1980 y al 9.1‰ en la actualidad en España, es decir, la tasa de natalidad se reduce más de la mitad. Además, España registra la tasa mas baja de todos los países de la UE, así la tasa para el conjunto de los 15 países de la UE es de 10.8‰.

La tasa de mortalidad se ha reducido también, aunque en menor cuantía.

La caída de la natalidad está ocasionando un descenso en la variación de la población total y un envejecimiento de la misma.

El número de hijos por mujer es de 1.15 actualmente en España, mientras que en el año 1980 era de 2.20. Para el conjunto de la Comunidad Europea este indicador es de 1.44 en la actualidad.

Aumento de la esperanza de vida. La esperanza de vida ha crecido en nuestro país considerablemente. Así, para el período 1940-1980 la esperanza de vida al nacer creció un 53.9% para los varones y un 47.7% para las mujeres. La esperanza de vida a los 65 años también ha tenido un fuerte incremento que se cifra para el período 1980-1990, en un aumento de 0.8 años en los varones y 1.24 años en las mujeres.

La esperanza de vida es diferente en hombres y mujeres situándose en 1997 en 74.1 años y 80.5 años respectivamente para el conjunto de la UE y en España en 74.4 años y 81.6 años. El número esperado de años de vida ha tenido un fuerte incremento en los últimos años, así durante el período 1980-1997 ha aumentado en 3.6 años en los varones y en 3.4 en las mujeres. Estas cifras tienen gran trascendencia en la protección social ya que implican un alargamiento en el número de años de percepción de pensiones así como una mayor demanda de asistencia sanitaria y servicios sociales.

b) Factores laborales

La población cotizante al Sistema de la Seguridad Social procede de la población activa que, según la Encuesta de Población Activa del Instituto Nacional de Estadística (INE), se define como el conjunto de personas que suministran mano de obra para la producción de bienes y servicios económicos o que están disponibles y hacen gestiones para incorporarse a dicha producción.

Los indicadores más relevantes son:

— Tasa de actividad: La proporción de la población con 16 años o más dispuesta a trabajar es del 50.25% en el tercer trimestre de 1998. Esta tasa ha tenido un comportamiento bastante estable durante el período 1980-1998, registrándose en el último año la más alta de todas.

Para el conjunto de países de la UE la tasa de actividad es del 55.3%, siendo España e Italia los países que tienen la tasa mas baja.

— Tasa de ocupación: Según el INE se consideran ocupados las personas que tienen un trabajo por cuenta ajena o ejercen una actividad por cuenta propia. El mayor número de trabajadores ocupados se ha producido en 1998 con 13.3 millones. A partir del año 1996 se está produciendo un aumento en el número de ocupados, pasando de 12.4 millones en 1996 a 13.3 millones de ocupados en el tercer trimestre de 1998, lo que supone un crecimiento de la tasa de ocupación del 38.6% en 1996 al 40.9% en 1998. Esta tendencia de mejora del empleo se prevé que se produzca también durante 1999, de forma que, para este año, está previsto un crecimiento del empleo del 2.8%.

— Tasa de paro: El desempleo afecta al 18.55% de la población activa española, según los datos de la Encuesta de Población Activa para el tercer trimestre de 1998, siendo la tasa más alta de todos los países de la UE. No obstante, cabe destacar que la tasa de paro se ha reducido desde 1996 en 3.65 puntos al pasar del 22.2% en ese año al 18.55% en 1998. Se estima que la tasa de paro disminuya en 1999 como consecuencia de la mejora del empleo hasta situarse en el 17.4%.

Por otra parte, el paro registrado en el Instituto Nacional de Empleo en el mes de diciembre de 1998 es de 1.8 millones de personas, lo que supone una tasa de paro del 10.9%.

c) Relación Activos, Afiliados y Pensiones

— Activos/Pensiones: La relación entre el número de activos y el número de pensiones es de 2.19 en 1998.

— Afiliados/Pensiones: El número de afiliados por pensionista ha ido descendiendo en los últimos años hasta estabilizarse en 1996 y 1997, momento a partir del cual se ha recuperado esta relación, pasando de 1.98 en esos años a 2.02 en 1998 y a 2.06 en 1999, según las estimaciones realizadas para este año.

Para realizar un análisis sobre la financiación y sostenibilidad del Sistema de la Seguridad Social, es necesario observar la evolución de los dos factores expuestos, tanto los factores exógenos, es decir, los factores que siendo externos al Sistema lo condicionan y sobre los que no se puede actuar como, por ejemplo, la tasa de natalidad, el índice de mortalidad, tasa de defunción, sucesivos cumplimientos de la edad que da derecho a pensión (jubilación), etc., como los factores endógenos o internos del sistema que influyen en el desenvolvimiento del mismo.

Para mantener y mejorar nuestro sistema de protección social, resulta necesario adoptar una serie de medidas que contribuyan eficazmente al sostenimiento del Sistema de la Seguridad Social. Sin embargo, las decisiones políticas, incluso las decisiones que se adopten dentro de la propia Seguridad Social, poco o nada pueden hacer en relación con los elementos externos al Sistema indicados en el párrafo anterior.

No obstante y en la medida de lo posible, se debe actuar sobre aquellos factores exógenos relacionados con las circunstancias económicas y de empleo que directamente inciden y condicionan el volumen de ingresos y gastos del Sistema de la Seguridad Social.

¿Qué tipo de actuaciones, cabe pues, adoptar ante el conjunto de elementos examinados? La respuesta es bastante sencilla: la mejor garantía para el sostenimiento de nuestro sistema de protección social es mantener una senda de crecimiento sostenido y generador de empleo, con baja inflación y bajos tipos de interés, que elimine el déficit público y posibilite el equilibrio exterior. Ésta y no otra es la mejor garantía para nuestro sistema.

En este marco hay que insertar las políticas macro emprendidas así como las acciones micro que han tenido un extraordinario impacto en la evolución económica y en la racionalidad del sistema.

Así, en el ámbito del empleo, el Acuerdo Interconfederal para la Estabilidad en el Empleo, de 7 de abril de 1997, ha sido un dinamizador del empleo estable de gran valor.

En el terreno de la Seguridad Social, los acuerdos de desarrollo del Pacto de Toledo y la Ley de Consolidación y Racionalización del Sistema de la Seguridad Social, son el segundo elemento favorecedor de esta política.

V. MEDIDAS SOBRE LAS VARIABLES ECONÓMICAS QUE AFECTAN AL SISTEMA DE LA SEGURIDAD SOCIAL

En efecto, el conjunto de medidas que permiten garantizar un desarrollo del Sistema de la Seguridad Social estable y sostenido y que afectan a los elementos externos del sistema, se centran en el control de la inflación, de los tipos de interés y en la reducción del déficit público:

1. *Control de la inflación*

La tasa de inflación ha caído considerablemente en los últimos 5 años. En 1993, la inflación anual era del 4.9% y en diciembre de 1998 se situaba en el 1.4%, es decir, se ha reducido de manera estimable, siendo la mejor desde el año 1962, alcanzando, por tanto, un mínimo histórico. Este dato significa que España ha logrado la estabilidad en materia de precios.

Respecto a la convergencia con los países de la UE, la tasa promedio de inflación en noviembre de 1998 era del 1.8% en España, 0.6 puntos por encima del índice medio de los países de la UE de la zona euro, es decir, la UEM-11 que, en ese mismo mes, era del 1.2%.

2. *Reducción de los tipos de interés*

Los tipos de interés han disminuido considerablemente en España durante el período 1993/98. En el primer año considerado, los tipos de interés que servían de referencia para determinar el cumplimiento de los criterios de convergencia en los países de la UE (media de los tipos de interés a largo plazo), estaban en el 10.2% (0.7 puntos por encima del límite máximo). En noviembre de 1998 los tipos de interés estaban en el 5%, mientras que la media de los países de la UEM-11 se situaba en el 4.8%. Por lo tanto, los tipos de interés se han reducido a la mitad durante los últimos cinco años y nos encontramos muy próximos a la media comunitaria.

3. *Caída del déficit*

El déficit de las Administraciones Públicas registra un descenso continuado desde el año 1993. El ratio déficit de las AAPP en relación con el PIB era del 7% en ese año y 1997 el déficit se situó en el 2.6% del PIB. El límite máximo establecido en los criterios de convergencia era del 3%, por lo tanto, España cumplió este objetivo regulado en el Tratado de la UE.

4. *Medidas de estímulo a la actividad económica*

El consumo privado se vio afectado en 1993 por la reducción del empleo y por un cambio de actitud de los consumidores que derivó en comportamientos mas prudentes, lo que ocasionó una disminución del mismo del –2.2%; este descenso produjo una disminución de la demanda nacional (–4.3%) y un retroceso económico; el PIB descendió por primera vez desde 1982 (–1.2%).

Con la reactivación económica y el crecimiento del empleo que se aprecia desde el año 1994 y que se consolida en 1997 (el PIB aumenta un 3.4%), comienza a despegar la economía y así, en el tercer trimestre de 1998 el consumo privado creció un 3.46% y el PIB un 3.76%, crecimientos todos superiores a las previsiones iniciales del Ministerio de Economía y Hacienda que, para el PIB, era del 3.4%.

La evolución de los distintos componentes del PIB hacen prever que en todo caso y a pesar del cierto estancamiento que se está produciendo en la economía internacional, podrá cumplirse el objetivo de crecimiento marcado para 1999 del 3.8%. Este crecimiento se verá favorecido por los efectos de la reforma del impuesto sobre la renta, el incremento de las inversiones públicas, todo ello unido al aumento del empleo.

5. *Crecimiento del empleo*

El mayor ritmo de crecimiento de la economía española ha permitido que la creación de empleo sea superior a la previsión realizada para 1998 (incremento del 2.5%). Así, en el tercer trimestre de 1998 el aumento del empleo (ocupados) fue del 3.6% (EPA, 3er trimestre) continuando esta tendencia positiva en los meses siguientes como lo demuestran las cifras de paro registrado del INEM, con un descenso continuado del número de parados inscritos y que permite cerrar el ejercicio de 1998 con una tasa de paro del 10.9%, es decir, el desempleo desciende a los niveles de 1980.

Esta tendencia de mejora del empleo se verá también reflejada en los datos de 1999, de manera que se estima que los ocupados aumenten un 2.8% y la tasa de paro (según EPA) se reduzca hasta situarse en el 17.4%.

6. *Aumento de la afiliación*

El crecimiento de la economía y, fundamentalmente, la considerable reactivación del empleo, ha permitido un incremento espectacular del número de afiliados ocupados en el Sistema de la Seguridad Social.

En diciembre de 1998 el número de afiliados fue de 13 816 294 superior en un 6.04% a la cifra registrada en el mismo mes del año anterior. En términos absolutos significa que hay más de 780 000 afiliados que el año anterior. El récord de afiliados se obtuvo en el mes de noviembre del mismo año con 13.9 millones.

Es importante señalar que los afiliados al Régimen General (que comprende los trabajadores por cuenta ajena de la industria y los servicios) aumentan en 1998 respecto a 1997 en 685 546 lo que supone un incremento considerable del 7.41%.

El crecimiento sostenido de la economía ha generado un aumento del empleo y un crecimiento considerable de la afiliación al Sistema de la Seguridad Social. Esto último ha permitido que la relación entre afiliados y pensiones haya mejorado a partir de 1998, dato importante si tenemos en cuenta que el volumen de gasto en pensiones está influido por el número de pensiones y dicho gasto está soportado, fundamentalmente, por la recaudación correspondiente al número de cotizantes existentes en cada momento.

Una economía fuerte y con crecimiento estable y sostenido es fundamental para que se genere riqueza y se pueda dedicar parte de la misma a políticas de contenido social.

VI. MEDIDAS DENTRO DEL SISTEMA DE LA SEGURIDAD SOCIAL

1. *Pacto de Toledo*

El denominado «Pacto de Toledo» fue signado por las fuerzas políticas y sociales de nuestro país y su contenido aprobado por unanimidad por el Pleno de las Cortes Generales del día 6 de abril de 1995, bajo el título «Informe de la Ponencia para el análisis de los problemas estructurales del Sistema de la Seguridad Social y de las principales reformas que deberán acometerse».

Este Informe, fruto del consenso político, contiene una serie de Recomendaciones cuya finalidad es la de garantizar en el futuro un sistema público de pensiones justo, equilibrado y solidario.

De las quince Recomendaciones contenidas en el «Pacto de Toledo», conviene señalar que la primera trata de la «Separación y clarificación de las fuentes de financiación», estableciendo que la financiación de las prestaciones de naturaleza contributiva dependerá básicamente de las cotizaciones sociales y la financiación de las prestaciones no contributivas y universales (sanidad y servicios sociales entre otras) exclusivamente de la imposición general.

En la Recomendación número nueve, «Sobre la equidad y el carácter contributivo del Sistema», se propone el reforzamiento de estos principios, de manera que, sin perjuicio del criterio de solidaridad y de forma gradual, las prestaciones guarden una mayor proporcionalidad con el esfuerzo de cotización realizado y se eviten situaciones de falta de equidad en el reconocimiento de las mismas.

Asimismo, se recomienda al Gobierno que adopte las medidas necesarias para profundizar de forma paulatina en la dirección de la separación de las fuentes de financiación según la naturaleza de la protección, iniciada a partir de 1989, hasta su culminación efectiva en el menor plazo posible, quedando claramente delimitados, dentro del modelo de protección, el sistema contributivo y no contributivo.

La aprobación del «Pacto de Toledo» supuso el compromiso de todas las fuerzas parlamentarias para hacer viable financieramente el actual modelo de Seguridad Social.

2. *Acuerdo Gobierno y Sindicatos*

Fruto del diálogo social emprendido y del decidido empeño del Gobierno por encontrar cauces de entendimiento y consenso con todas las fuerzas políticas, sociales y económicas, como única vía posible de superar los importantes retos que tienen planteados la sociedad española en general, y la Seguridad Social en particular, el 9 de octubre de 1996, el Gobierno y las Organizaciones Sindicales (CC.OO. y UGT) firman el Acuerdo sobre Consolidación y Racionalización del Sistema de la Seguridad Social y, siguiendo las Recomendaciones del «Pacto de Toledo», se establece como primer criterio la separación y clarificación de las fuentes de financiación del Sistema de Protección Social.

Según este criterio, la acción protectora en su modalidad universal se financiará mediante aportaciones del Estado, mientras que las prestaciones contributivas deberán ser financiadas básicamente con cargo a las cotizaciones de las personas obligadas.

La firma de este Acuerdo por parte de los sindicatos supone su respaldo al contenido del «Pacto de Toledo» que asumen y comparten y, al mismo tiempo, los agentes sociales adquieren el compromiso de colaborar en la mejora del sistema de protección social.

3. *Ley sobre consolidación y racionalización del Sistema de la Seguridad Social*

Como consecuencia de lo dispuesto en el «Pacto de Toledo» y lo firmado en el Acuerdo mencionado anteriormente, el 15 de julio de 1997 se aprobó la Ley sobre Consolidación y Racionalización del Sistema de la Seguridad Social.

Las medidas contenidas en dicha Ley se pueden clasificar en:

a) Medidas de carácter financiero

— Separación y clarificación de las fuentes de financiación de la Seguridad Social.

Todas las prestaciones de naturaleza no contributiva y de extensión universal pasan a ser financiadas a través de aportaciones del Estado, mientras que las prestaciones netamente contributivas se financian por cotizaciones de empresas y trabajadores.

De acuerdo con lo establecido en la citada Ley, la naturaleza de las prestaciones de la Seguridad Social será la siguiente:

1) *Tienen naturaleza contributiva:*
— Las prestaciones económicas de la Seguridad Social.
— La totalidad de las prestaciones derivadas de las contingencias de accidente de trabajo y enfermedad profesional.
— Los gastos de gestión correspondientes a las prestaciones señaladas anteriormente.
— Los gastos de funcionamiento de los servicios correspondientes a las funciones de afiliación, recaudación, gestión económica y financiera y patrimonio.

2) *Tienen naturaleza no contributiva:*
— Las prestaciones y servicios de asistencia sanitaria.
— Los servicios sociales, salvo los derivados de accidente de trabajo y enfermedad profesional.
— Las pensiones no contributivas por incapacidad y jubilación
— Las prestaciones que se concedan en concepto de complementos a mínimos de las pensiones contributivas de la Seguridad Social.
— Las prestaciones familiares por hijo a cargo.

Sin embargo, la misma Ley dispone que, hasta que no se establezca definitivamente la naturaleza de los complementos a mínimos de las pensiones de la Seguridad Social, éstos serán financiados en los términos en que se determine por la correspondiente Ley de Presupuestos Generales del Estado para cada ejercicio económico.

Asimismo, en la Ley se establece que la separación de las fuentes de financiación de la Seguridad Social se llevará a cabo, de modo paulatino, antes del ejercicio económico del año 2000.

— Constitución de reservas. La citada Ley dispone la constitución de reservas, con cargo a los excedentes de cotizaciones sociales que puedan resultar de la liquidación de los Presupuestos, con la finalidad de que las mismas, a través de su debida materialización, permitan atenuar los efectos de los ciclos económicos, tanto respecto a la recaudación de cotizaciones, como a la preservación del empleo.

— Mejora de las bases de cotización. De conformidad con lo establecido en la misma Ley, los importes de las bases máximas de cotización por contingencias comunes, aplicables a las distintas categorías profesionales, deberán coincidir con la cuantía del tope máximo de cotización. Para ello, se debe continuar el proceso iniciado en el año 1997, en el sentido de aproximar las cuantías de las bases máximas de cotización de los grupos 5 al 11, ambos inclusive, del Régimen General de la Seguridad Social, de modo que en el año 2002 se alcance la equiparación de los importes de las bases máximas de cotización de los indicados grupos, con la cuantía del tope máximo.

Con esta medida se cumple lo indicado en la Recomendación número tres del «Pacto de Toledo», en el sentido de que las bases de cotización deberán coincidir en todos los grupos plenamente con los salarios reales, con aplicación gradual de un único tope de cotización para todas las categorías laborales, que fija el techo de aseguramiento del sistema público de protección.

b) Medidas de carácter prestacional

— Equidad y carácter contributivo del Sistema de la Seguridad Social. Con la finalidad de que las prestaciones económicas sean reflejo del esfuerzo de cotización realizado previamente y se posibilite una mayor equidad en las pensiones, la Ley introduce mayores elementos de contribución y proporcionalidad en el acceso y determinación de la cuantía de las pensiones de jubilación. Para ello, se establece:

a) Ampliación de 8 a 15 años el período de cotización que sirve para determinar la base reguladora de la pensión de jubilación, si bien su aplicación se realizará de forma gradual hasta el final del año 2001.

b) Diluir la denominada carencia «cualificada» exigiendo únicamente dos años de cotización dentro de los últimos 15 años, impidiendo así que afiliados con largas carreras de cotización puedan ser excluidos del Sistema por carecer de cotizaciones en los últimos años de su vida laboral.

— Edad de jubilación. En el Régimen General de la Seguridad Social, de las altas en jubilación que se producen, el 43.1% corresponde a personas con 60 años y, únicamente el 31.8% de los jubilados de este Régimen tienen 65 o más años de edad. Es decir, existe una proporción elevada de trabajadores que pasan a la condición de pensionista con 60 años y, si a estos añadimos aquellos que se jubilan entre los 61 y 64 años, se tiene que la proporción de jubilaciones anticipadas en el Régimen General es del 68.2%.

La edad media de las altas en jubilación es de 62 años en el Régimen General y de 62.9 años en el conjunto del sistema.

Teniendo en cuenta el alto índice de jubilaciones anticipadas que se producen en nuestro Sistema de Seguridad Social, la Ley establece la acentuación de la proporcionalidad de los años de cotización acreditados por el trabajador, de forma que se modifica el porcentaje aplicable a la base reguladora de la pensión de jubilación, en el sentido de que a los 25 años cotizados se alcanza el 80% y con el período mínimo exigible para acceder a la pensión contributiva de jubilación (15 años), el 50% de su base reguladora, manteniendo el derecho a la percepción del 100% con 35 años de cotización.

Con esta medida se pretende:

a) Desincentivar la jubilación anticipada.

b) Incentivar el retraso de la jubilación voluntaria.

4. *Medidas de gestión*

De las Recomendaciones contenidas en el «Pacto de Toledo», las relativas a la mejora de la gestión son:

— Recomendación 7 sobre la «Integración de la gestión». Se recomienda reafirmar la eficacia gestora del sistema a través de una mayor integración orgánica de las funciones de afiliación, recaudación y de gestión de prestaciones, que facilite nuevos avances en este ámbito.

— Recomendación 13 sobre «Mejora de la gestión». Se manifiesta la necesidad de adoptar medidas destinadas a mejorar la gestión de las prestaciones por incapacidad temporal y permanente, al objeto de frenar las causas de fraude dentro del sistema público en el acceso y permanencia de estas prestaciones.

— Recomendación 5 sobre «Mejora de los mecanismos de recaudación y lucha contra la economía irregular». Se considera que se debe incentivar el trabajo regular y luchar de forma decidida contra la economía sumergida, permitiendo que aflore el empleo oculto existente en nuestra sociedad. Asimismo, hay que proseguir los esfuerzos de mejora de los mecanismos de recaudación de las cotizaciones que posibiliten la reducción de la morosidad.

Estas medidas han sido tenidas en cuenta en la elaboración de los sucesivos Presupuestos de la Seguridad Social y así han quedado reflejadas en el Presupuesto correspondiente al ejercicio de 1999. De las medidas recogidas sobre la mejora de la gestión de la Seguridad Social, destacan:

a) Continuar el proceso de control de las situaciones de incapacidad temporal.

b) Aplicar los criterios de eficacia y economía del gasto a la gestión de prestaciones y servicios de la Seguridad Social.

— Mejora de la gestión de la Seguridad Social, agilizando y perfeccionando los procesos y los cauces de información al ciudadano y sus garantías jurídicas.

c) Lucha contra el fraude con objeto de velar por la viabilidad del Sistema de Protección Social.

En el área de la gestión de los recursos del sistema se continúa perfeccionando los mecanismos de recaudación que hagan posible la reducción de la morosidad y la lucha contra el fraude, para ello se adoptan, entre otras, las siguientes acciones:

a) Sustitución paulatina del actual documento de afiliación a la Seguridad Social por una tarjeta con microprocesador que permitirá la mejor identificación y actualización de datos de los titulares en el ámbito de las prestaciones y de la recaudación.

b) Sustitución progresiva de los documentos de cotización soportados en papel por transmisiones electrónicas de datos, lo que facilitará su informatización inmediata con el consiguiente ahorro de tiempo y fiabilidad de la información.

Resultado de todas las medidas expuestas anteriormente es que, en la actualidad, tenemos un modelo de Seguridad Social básicamente contributivo. Este modelo comprende las prestaciones económicas (pensiones contributivas de jubilación, incapacidad y muerte y supervivencia; subsidios de incapacidad temporal y maternidad; y otras prestaciones como indemnizaciones), que constituyen el núcleo esencial del sistema y que son financiadas a través de las cotizaciones sociales de empresarios y trabajadores.

El modelo contributivo proporciona rentas de sustitución, por razones de edad, incapacidad o muerte, en proporción al esfuerzo de cotización efectuado. Esta modalidad ha sido reformada considerablemente desde el año 1985, con el fin de lograr un mayor equilibrio, equidad y proporcionalidad entre las cotizaciones y las prestaciones generadas con el esfuerzo contributivo.

Junto al modelo contributivo señalado, existe el modelo no contributivo o universal, dirigido a compensar la ausencia de rentas de los ciudadanos que se encuentren en situación de necesidad por razones de edad, enfermedad, o cargas familiares y cuya función es la de mitigar las consecuencias de los estados necesidad. Este modelo se completa con la existencia de prestaciones técnicas de asistencia sanitaria y servicios sociales, extendidas a toda la población. La financiación de esta modalidad se realiza a través de las aportaciones del Estado, es decir, vía impuestos, dado su carácter universal.

VII. SEPARACIÓN DE LAS FUENTES DE FINANCIACIÓN DE LA SEGURIDAD SOCIAL

La Ley de Presupuestos Generales del Estado para 1989 modificó la estructura financiera de la Seguridad Social. A partir de dicha fecha se inicia la adecuación de la financiación a la naturaleza de la protección, de modo que las prestaciones de carácter contributivo tienen su cobertura financiera mediante cotizaciones sociales, mientras que las de naturaleza no contributiva y de cobertura generalizada se financian con aportaciones del Estado.

Posteriormente, en el contenido del llamado «Pacto de Toledo» de 1995, así como en el Acuerdo sobre Consolidación y Racionalización del Sistema de la Seguridad Social firmado por el Gobierno y los Sindicatos en 1996, se expone la necesidad de proceder a la separación de las fuentes de financiación del sistema de protección social y que este proceso se lleve a cabo de forma que permita contar con el volumen de cotizaciones preciso para garantizar el equilibrio financiero, presente y futuro, del sistema.

Por último, el art. 1 de la Ley 24/1997, de 15 de julio, de Consolidación y Racionalización del Sistema de la Seguridad Social, regula la separación y clarificación de las fuentes de financiación de la Seguridad Social y establece la naturaleza de las prestaciones en contributivas y no contributivas.

Esta medida, la separación de las fuentes financieras, se incluye en el Presupuesto de la Seguridad Social de 1999, de forma que, para este ejercicio, el Estado aportará 103 000 millones de ptas. adicionales para financiar la asistencia sanitaria del Instituto Nacional de la Salud, liberando al sistema de igual volumen de cotizaciones sociales que hasta 1998 financiaban esta prestación universal. Por primera vez, la Sanidad se financia completamente con aportaciones ajenas al sistema contributivo.

Asimismo, se mantiene la financiación íntegra de las prestaciones no contributivas establecidas por la Ley 26/1990, de 20 de diciembre, de pensiones de jubilación e invalidez y prestaciones familiares.

Para la financiación de los complementos a mínimos de pensiones, el Estado realiza una transferencia de 16 288 millones de

Cuadro 5. EVOLUCIÓN DE LA FINANCIACIÓN DE LA SEGURIDAD SOCIAL

AÑOS	RECURSOS				PRÉSTAMO DEL ESTADO	TOTAL RECURSOS
	COTIZACIONES SOCIALES	APORTACIÓN DEL ESTADO (1)	OTROS INGRESOS	TOTAL		
1996	7 513 220	3 489 278	349 606	11 352 104	444 865	11 796 969
1997	7 993 384	3 726 300	377 002	12 096 686	505 612	12 602 298
1998	8 433 991	4 039 121	301 276	12 774 388	125 443	12 899 831
1999	8 897 199	4 391 889	255 995	13 545 083	88 100	13 633 183

(1) Incluye las transferencias de capital.

Fuente: Informe Económico Financiero de la Seguridad Social para 1999.

ptas. en 1999, que supone un incremento respecto al año anterior del 1.8%. La delimitación definitiva en la esfera contributiva o no contributiva de estos complementos se realizará en el año 2000.

VIII. EVOLUCIÓN DE LA FINANCIACIÓN DE LA SEGURIDAD SOCIAL

El mejor indicador de la salud financiera del sistema y el más inmediato viene dado por el comportamiento del déficit de la Seguridad Social y los requerimientos de financiación que ello comporta.

Así, en el cuadro 5, se observa la necesidad de financiación que el Sistema de la Seguridad Social ha tenido en los últimos años. En 1996 el déficit fue de 444 865 millones de ptas., que supuso el 0.60%

Cuadro 6. EVOLUCIÓN DEL DÉFICIT DE LA SEGURIDAD SOCIAL SEGÚN LOS CRITERIOS DE MAASTRICHT

AÑO	DÉFICIT (Porcentaje sobre el PIB)
1996	0.62
1997	0.23
1998	0.15
1999	0.10

Fuente: Informe Económico Financiero de la Seguridad Social para 1999.

del PIB y para 1999 está previsto un préstamo de 88 100 millones de ptas. frente a los 125 443 millones de 1998, lo que supone una reducción del 29.76% respecto al año anterior y significa que el déficit presupuestario para 1999 se sitúa en el 0.1% del PIB.

Si tenemos en cuenta la evolución del déficit de la Seguridad Social, de acuerdo con los criterios establecidos en Maastricht, el cuadro 6 refleja una tendencia decreciente dado que pasa del 0.62% del PIB en 1996 al 0.23% del PIB en 1997, reduciéndose hasta el 0.15% del PIB en 1998, gracias al fuerte incremento de los ingresos motivado por el tirón que ha supuesto la afiliación a la Seguridad Social, y está previsto que para 1999 se sitúe en el 0.10% del PIB.

Por lo tanto, ha habido una reducción progresiva del déficit y, en consecuencia, el préstamo del Estado necesario para lograr el equilibrio presupuestario de la Seguridad Social se ha reducido considerablemente; como sostenemos, éste es el mejor indicador de la salud financiera de nuestro Sistema de Seguridad Social.

IX. CONCLUSIONES

El objetivo fundamental que se pretende consiste en mantener el nivel efectivo de protección social alcanzado y, consecuencia, el mantenimiento y mejora del poder adquisitivo de todas las pensiones del Sistema de la Seguridad Social.

Para lograr este objetivo ha sido y es necesario la adopción de determinadas medidas que permitan consolidar un Sistema de Seguridad Social más justo, equitativo, sólido y solidario.

En el futuro, el desarrollo del Sistema de Protección Social deberá estar vinculado al crecimiento de la economía, por cuanto resulta difícil mantener un Sistema de Seguridad Social con un aumento del volumen del gasto a tasas superiores a las registradas por nuestro PIB, hecho que se ha producido en épocas recientes.

En la medida en que se avance en la separación de las fuentes de financiación, de forma que las prestaciones de naturaleza no contributiva se financien íntegramente con aportaciones del Estado, liberando al sistema del volumen de cotizaciones sociales que todavía financian estas prestaciones universales, y en la medida que los aumentos de gasto del Sistema de la Seguridad Social se armonicen con los incrementos de la economía nacional, por cuanto el mismo no puede evolucionar al margen de la política económica, la financiación del Sistema estará garantizada.

La separación de fuentes no es sólo una cuestión conceptual, de distinción entre lo contributivo y lo no contributivo, ni puede ser solamente una forma de trasladar financiación de los Presupuestos Generales del Estado a este último ámbito. Lo verdaderamente relevante es que las decisiones que se tomen en el ámbito de las prestaciones contributivas en un futuro se hagan a la luz de los recursos que el propio sistema genere para su sostenimiento. La separación de fuentes debe ser, ante todo, clarificación de los recursos de que dispone el sistema para su sostenimiento y exclusión de su afectación a otros gastos que no sean los del ámbito contributivo.

El primer paso, ordenar el proceso de toma de decisiones está dado. Así podrá presentarse un balance claro de los recursos y empleos del Sistema, que será la base sobre la que los grupos políticos y el Gobierno deberán localizar su atención.

Anexo 1. ELEMENTOS EXTRÍNSECOS

➡ Factores demográficos - envejecimiento de la población
- Tasa de natalidad: 9.1 hijos por cada 1 000 habitantes (1.15 hijos por mujer).
- Esperanza de vida al nacer: 79 años.
- Esperanza de vida a los 65 años: 17.5 (82.5 años)

➡ Tasa de actividad
50.25%

➡ Empleo
Tasa de paro: 18.55% (EPA)
10.9% (INEM)

➡ Relación Activos - Cotizantes - Pensiones
- Activos / Pensiones: 2.19
- Cotizantes / Pensiones: 2.06

Anexo 2. CRECIMIENTO SOSTENIDO CREADOR DE EMPLEO I

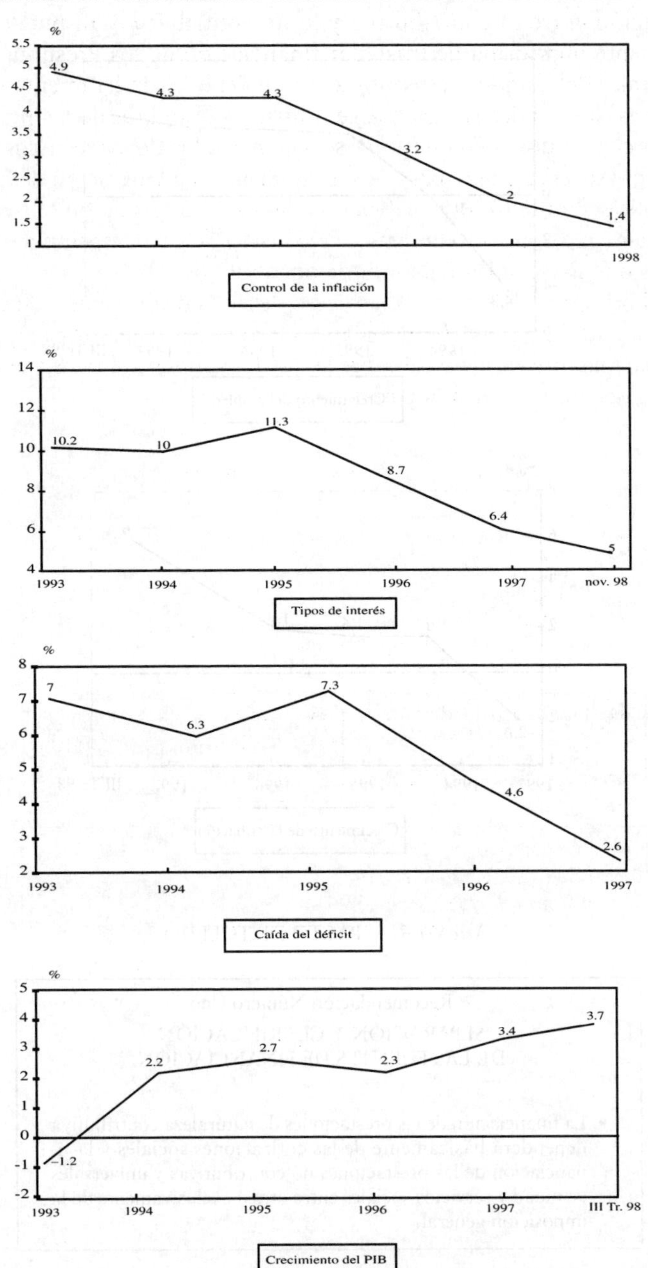

Anexo 3. CRECIMIENTO SOSTENIDO CREADOR DE EMPLEO II

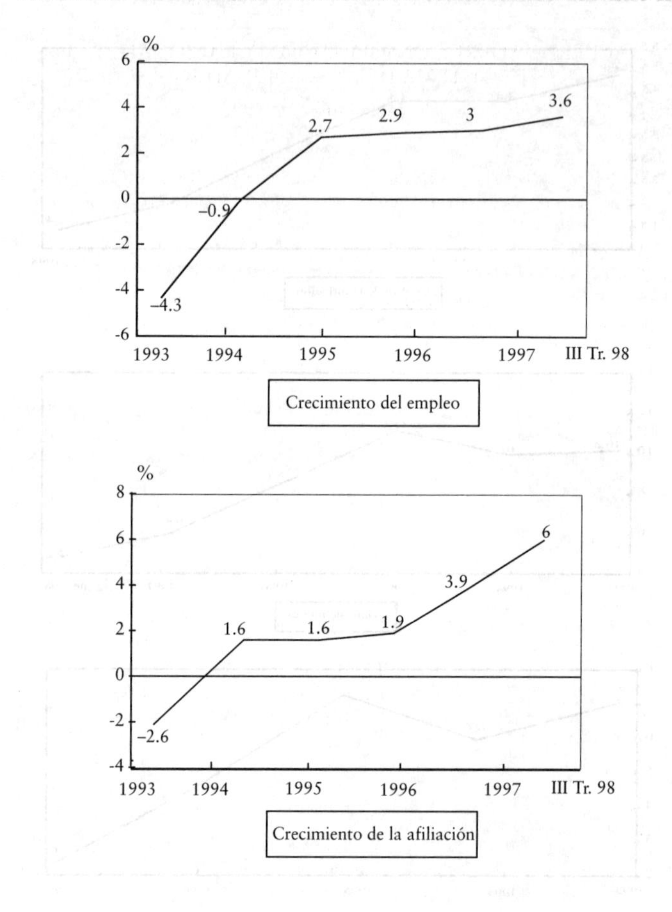

Anexo 4. PACTO DE TOLEDO

Recomendación Número Uno

SEPARACIÓN Y CLARIFICACIÓN DE LAS FUENTES DE FINANCIACIÓN

- La financiación de las prestaciones de naturaleza contributiva dependerá básicamente de las cotizaciones sociales y la financiación de las prestaciones no contributivas y universales (sanidad y servicios sociales entre otras) exclusivamente de la imposición general.

Anexo 5. ACUERDO CON LOS SINDICATOS

ACUERDO SOBRE CONSOLIDACIÓN Y RACIONALIZACIÓN DEL SISTEMA DE LA SEGURIDAD SOCIAL

De 9 de octubre de 1996

PRESTACIONES CONTRIBUTIVAS	PRESTACIONES NO CONTRIBUTIVAS
• Pensiones contributivas • Todas las prestaciones derivadas de Accidentes de Trabajo y Enfermedades Profesionales • Gastos de gestión y funcionamiento	• Asistencia sanitaria • Servicios sociales • Pensiones no contributivas de jubilación e invalidez • Complementos a mínimos • Prestaciones familiares por hijo a cargo

Anexo 6. LEY DE CONSOLIDACIÓN Y RACIONALIZACIÓN DEL SISTEMA DE LA SEGURIDAD SOCIAL

De 9 de octubre de 1996

APLICACIÓN PAULATINA DE LA SEPARACIÓN DE LAS FUENTES DE FINANCIACIÓN DE LA SEGURIDAD SOCIAL

- La separación y clarificación de las fuentes de financiación de la Seguridad Social se llevará a cabo de modo paulatino, antes del ejercicio económico del año 2000.

➡ Los términos los establecerá la correspondiente Ley de Presupuestos Generales del Estado de cada ejercicio económico.

LA NATURALEZA DE LOS COMPLEMENTOS A MÍNIMOS NO ESTÁ DEFINITIVAMENTE ESTABLECIDA.

Capítulo 16

SITUACIÓN Y PERSPECTIVAS DE LA POLÍTICA DE PENSIONES

Fidel Ferreras Alonso

I. EXPLICACIÓN PRELIMINAR SOBRE LAS PENSIONES

El Sistema de Seguridad Social vigente en España, en virtud del cual se reconocen las pensiones, es un sistema mixto: contributivo y no contributivo.

Fundamentalmente, existen tres tipos de pensiones:

a) Las que se reconocen por haber pertenecido y cotizado a la Seguridad Social (pensiones contributivas).

b) Las que se tiene derecho por haber sido funcionario público del Estado (clases pasivas).

c) Las que se reconocen por carecer de medios suficientes de subsistencia en caso de vejez o incapacidad (las pensiones no contributivas).

Por el colectivo que abarcan, las más importantes son las pensiones contributivas de la Seguridad Social, cuya regulación se contiene en la Ley General de la Seguridad Social de 1994 y en las normas específicas de los regímenes especiales (agrario, autónomos, mar, carbón y empleados del hogar).

Las que se conceden a los funcionarios públicos se regulan en normas específicas, y las no contributivas también es la Ley General de la Seguridad Social la que contiene las reglas por las que se reconocen.

Las condiciones para el acceso a las pensiones contributivas de la Seguridad Social y las de los funcionarios públicos del Estado, después del proceso de homogeneización producido en los últimos años, no mantienen sustanciales diferencias entre sí, salvo las de incapacidad (en clases pasivas, sólo está previsto un grado de incapacidad, y en la Seguridad Social contributiva 4 grados).

Así, en la Ley General de la Seguridad Social, como en las normas que regulan las clases pasivas, está prevista la concesión de pensiones contributivas cuando se alcanza una determinada edad (pensión de jubilación), cuando existe una incapacidad que anula o reduce la capacidad para realizar una actividad (pensiones por incapacidad) y pensiones para los familiares del trabajador que ha fallecido, bien siendo trabajador o pensionista (pensiones de viudedad y orfandad).

De acuerdo con el mecanismo de funcionamiento del modelo contributivo, estas pensiones, tanto las contributivas de la Seguridad Social como las de los funcionarios públicos, sólo se reconocen si el asegurado ha cotizado durante un determinado período de tiempo, que varía en función de la clase de pensión de la cual se trate. Sólo cuando la pensión se deriva de un accidente de trabajo o como consecuencia de un acto de servicio, no se exige período previo de cotización para otorgar una pensión de contributiva.

La cuantía de la pensión, como en cualquier modelo contributivo, está en función del período durante el cual se ha cotizado (como es el caso de la pensión de jubilación) y, siempre, de las bases por las que ha cotizado el asegurado. Esa correspondencia entre bases de cotización y cuantía de pensión no siempre se cumple, ya que la propia norma de Seguridad Social establece un tope máximo de pensión absoluto, aunque se tuviera una base de cotización superior y, llegado el caso, del derecho a las pensiones a que se tuviera derecho. Este tope máximo es de 295 389 ptas./mes para 1999 (14 veces al año), que suele ser modificado anualmente en función de la evolución del IPC.

El establecimiento de complementos para garantizar una cuantía mínima de pensión, también rompe esa correspondencia entre bases de cotización y cuantía de prestación. No existe una cuantía mínima absoluta, sino diferentes en función de la clase de pensión de que se trate, aunque cada vez se van acercando más entre sí. A título de ejemplo, la pensión mínima de jubilación para mayores de 65 años y la de incapacidad absoluta es de 67 050 ptas./mes para 1999 (14 veces al año) y siempre que el pensionista tenga cónyuge a cargo. Esta garantía se condiciona a que el beneficiario no sobrepase una determinado límite de ingresos anuales (para el año 1999: 837 635 ptas.).

En el año 1990 (Ley 26/1990) se establecieron por primera vez en España las llamadas pensiones no contributivas, previstas para aquellas personas que carecen de medios económicos suficientes de subsistencia en caso de vejez o de incapacidad. Su concesión sólo se condiciona a ese requisito. La cuantía para 1999 es de 37 955 ptas./mes (14 veces al año), que se suele actualizar una vez al año en función del IPC.

Las reformas de las pensiones de la Seguridad Social que ha marcado en cierta forma su evolución, habría que situarlas en el año 1985, con la Ley 26/1985, de 31 de julio; el establecimiento de pensiones no contributivas en el año 1990 (Ley 26/1990); el Pacto de Toledo, de 6 de abril de 1995, y el acuerdo con los agentes sociales y el Gobierno, el 9 de octubre de 1996, que encontraron su desarrollo en la Ley 24/1997, de 15 de julio.

Estas medidas, por una parte, han tratado de corregir los desequilibrios y las desviaciones que se estaban produciendo en el sistema y, por otra, reforzar los principios de contributividad, equidad y solidaridad, además de unificar su propia estructura (integración de regímenes), para así poder mantener el propio modelo de protección. No hay que olvidar tampoco el largo proceso de la generalización del sistema a todas las personas que realizan una actividad.

La reformas antes mencionadas han permitido tanto el mantenimiento y mejora del nivel de protección, como el propio modelo de reparto, y un acercamiento a los niveles medios de la UE, aunque todavía exista una distancia en pensiones de algo más de 4 puntos del PIB, todo ello a pesar de los malos augurios sobre la viabilidad del sistema que algunos pronosticaban a principio de los años '80. Según datos recientes, el gasto per cápita en protección social de la economía española, es inferior en un 27.4% al gasto promedio de la UE (J. E. Bosca y otros en *Hacienda Pública*, 14, 142, 1997).

Hay que reconocer que faltan estudios económicos y criterios de economía que permitan determinar el nivel óptimo del presupuesto social respecto de la riqueza nacional. Seguramente, existe un límite absoluto que no se puede traspasarse sin peligro, pero ese límite es impreciso y especialmente fluctuante en el tiempo, puesto que no ha cesado de retroceder desde que se comenzó hablar del problema del coste de la Seguridad Social y al que ahora nos referimos como si fuera materia funesta. La Seguridad Social, como bien indica Euzéby, no está constituida por «organismos devoradores de riqueza», sino que se trata de un conjunto de mecanismos de «redistribución de los ingresos». El límite del gasto se parece a un espejismo que se aleja cada vez que uno cree que se está acercando a él.

En los apartados siguientes se expone, con datos y cifras, y con el detalle que permiten las limitaciones de espacio, cómo se ha ido produciendo y comportando la reciente evolución del sistema de pensiones, así como algunos apuntes sobre los cambios que deberían introducirse en el mismo.

II. LAS PERSONAS A LAS QUE PROTEGE LA SEGURIDAD SOCIAL

El Sistema de Seguridad Social se ha venido extendiendo en los últimos años a todas las personas que desarrollan una actividad y, simultáneamente, ha integrado también a aquellas otras que tenían unos mecanismos propios de protección distintos a los de la Seguridad Social. Restan unos colectivos muy señalados que aún no pertenecen al sistema, y que se concentran en personas que ejercen la actividad profesional por cuenta propia, tales como los abogados, médicos, por señalar a los más numerosos. El resto de personas que desarrollan una actividad, sea por cuenta ajena o cuenta propia, pertenecen obligatoriamente a la Seguridad Social a través del régimen general o de los especiales existentes (autónomos, agrario, mar, carbón y empleados del hogar). Los funcionarios públicos, de la llamada Administración del Estado, tienen su propio régimen de protección, no así los funcionarios de las Comunidades Autónomas, de la Administración de la Seguridad Social y de la Administración Local, ya que todos ellos pertenecen al régimen general de la Seguridad Social.

Esa extensión de la Seguridad Social a todas las personas que desarrollan una actividad, así como la integración en la misma de colectivos que tenían sus propios mecanismos de protección, es lo que le da su importancia y transcendencia y, al mismo tiempo, lo que ha favorecido el desarrollo de la propia Seguridad Social, dejando de ser un privilegio de unos, para convertirse en un derecho de todos.

En el cuadro 1 se puede observar la evolución del número de afiliados/ocupados a la Seguridad Social desde el año 1980 hasta la actualidad:

Lo más significativo de este cuadro es que se ha pasado de 10.6 millones de afiliados a 13.8, es decir, que hubo un incremento de casi 3.2 millones (más del 30%) y, sin embargo, no se ha alcanzado la tasa de ocupación del año 1980 (menos de 1.4 puntos), y con una tasa de paro de más de 5 puntos en el año 1998 sobre el año 1980. El mercado de trabajo no ha absorbido el crecimiento demográfico a pesar de haberse producido los siguientes hechos:

a) La población española entre 0 y 14 años ha pasado a representar el 14.5% en el año 1998, en tanto que en el año 1980 representaba el 25%, con una caída de más de 10 puntos.

Cuadro 1. EVOLUCIÓN SOBRE LA AFILIACIÓN A LA SEGURIDAD SOCIAL Y TASAS DE OCUPACIÓN Y PARO

AÑO	N.º AFILIADOS-OCUPADOS (en miles)	POBLACIÓN DE MÁS 16 AÑOS (en miles)	TASA OCUPACIÓN EN %	TASA DE PARO EN %
1980	*10 597.1*	*26 747.2*	*41.4*	*14.2*
1981	10 568.7			
1982	10 657.1			
1983	10 532.8			
1984	10 556.0			
1985	*10 546.8*	*28 582.8*	*37.2*	*21.6*
1986	10 807.2			
1987	11 130.6			
1988	11 609.5			
1989	12 128.1			
1990	*12 513.9*	*30 429.7*	*41.3*	*16.3*
1991	12 648.3			
1992	12 535.5			
1993	12 099.4			
1994	12 046.3			
1995	*12 413.5*	*31 880.1*	37.8	22.9
1996	12 630.0	32 128.2	38.6	22.2
1997	13 282.0	32 345.2	39.4	20.8
1998*	13 760.0*	32 511.9	40	19.6

* Septiembre 1998.

Fuente: Presupuestos Seguridad Social 1998-1999 y elaboración propia.

b) La población española entre 15 y 64 años ha aumentado más de 5 puntos en 18 años (63% en el año 1980; 68%, en 1998).

c) La población española de más de 65 años se ha incrementado en más de 5 puntos (11%, año 1980; 16,8%, año 1998).

La principal incógnita para la Seguridad Social es si el ritmo de crecimiento de afiliación producido en los últimos 3 años (1996-1998 = 1.13 millones), se podrá seguir manteniendo y durante cuánto tiempo. Entre los años 1985-1990, el aumento fue de 2 millones, con un crecimiento económico interanual que osciló entre el 2.6% y el 5.6%, en tanto que en estos últimos 3 años, el crecimiento económico oscila entre el 2.4% y el 3.8%, con una previsión hasta el año 2002 del 3.3%, según el Programa de Estabilidad presentado por el Gobierno y con un crecimiento anual del empleo del 2.3%, también hasta el año 2002.

Es precisamente en las estimaciones sobre la evolución del número de afilados al sistema, donde se producen más desviaciones en los estudios sobre proyecciones hasta ahora realizados. Así, en el estudio patrocinado por La Caixa (1994, 22), se estima el número de afilados al sistema en 12 095 millones para el año 1995 cuando, según los datos existentes en la Seguridad Social, fue de 12 413 millones, es decir con una desviación de más de 300 000 afiliados. Pero es que para el año 2000, en ese mismo estudio, se estima el número de afiliados en 13 millones, cuando ya en el año 1998 (mes de septiembre), según datos de la propia Seguridad Social, el número es de 13 776 millones, por lo que es probable que se produzca una desviación de un millón de afiliados en el año 2000. A partir de estas desviaciones, cualquier estimación que se lleve a cabo sobre el equilibrio económico del sistema resulta poco creíble y habría que aceptarlo con muchas reservas.

Más grave aún es la desviación del estudio realizado por D. José Piñera, patrocinado por el Círculo de Empresarios y publicado en el año 1996, en donde defiende a ultranza el cambio del sistema actual por uno de capitalización. Según este autor (Piñera, 1996, 92), el número de afiliados en el año 1995 era de 11 987 millones (desviación a la baja de más de 400 000; ¿intencionada?), y para el año 1998, la estimación era de 12 847 millones (desviación a la baja de un millón, ya producida).

III. LA EVOLUCIÓN DEL NÚMERO DE PENSIONES

Los ciudadanos perciben y valoran el funcionamiento y la importancia de la Seguridad Social principalmente por dos de sus manifestaciones: la asistencia sanitaria y las pensiones. Las pensiones, por el colectivo que abarca, y porque es el mecanismo a través del cual se garantiza a los ciudadanos unos ingresos económicos que le permiten mantener casi el mismo el nivel de vida que tenían cuando trabajaban, precisamente en un período de su existencia en que no pueden desarrollar una actividad (vejez, invalidez, etc.).

A lo largo del tiempo, los requisitos para acceder al derecho a las pensiones se han ido modificando, en unos casos eliminando alguno, con lo cual se ha permitido que un mayor número de cotizantes accedan a las prestaciones; en otros, sin embargo, se han introducido nuevos condicionamientos más exigentes para alcanzar el derecho. En efecto, las pensiones de viudedad y orfandad se reconocen con sólo 500 días de cotización en los 5 años inmediatamente anteriores al fallecimiento del cónyuge, en igualdad de condiciones a hombres y a mujeres, y según recientes modificaciones normativas, con 15 años de cotización, con independencia de en qué período se hayan efectuado las cotizaciones (Ley 50/1998, de 30 de diciembre).

Sin embargo, respecto a las pensiones de jubilación y a las de invalidez, prácticamente todas las reformas que se han venido produciendo en los últimos años han sido para endurecer los requisitos o más rigurosas para calcular la cuantía, entre las que cabe destacar:

a) pensión de jubilación:

— El período previo de cotización para tener derecho ha pasado de 10 a 15 años (Ley 26/1985);

— Para calcular la pensión se ha pasado de tomar los 2 años de bases de cotización previas a la jubilación a 8 años (Ley 26/1985) y, recientemente, a 15 años (Ley 24/1997);

— La ponderación de los años de cotización para determinar la cuantía de la pensión ha pasado de ser un porcentaje lineal para todos los años, a premiar más la duración de la cotización (Ley 24/1997);

b) pensión de incapacidad:

— Se ha aumentado en función de la edad del inválido el período previo de cotización para tener derecho (Ley 26/1985);

— Se prohíbe la concesión de pensiones de invalidez a partir de los 65 años, salvo muy raras excepciones (Ley 24/1997);

— Para calcular la pensión se ha pasado de tomar los 2 años previos de bases de cotización a 8 años (Ley 26/1985); y,

— Se ha establecido un nuevo mecanismo de valoración de la incapacidad que asigna un porcentaje de incapacidad para cada dolencia (Ley 24/1997). Por la Ley 50/1998, de 30 de diciembre, se da un plazo de un año al Gobierno para que lleve a cabo dicha regulación.

La protección de la vejez y de la incapacidad se ha transformado en dos modalidades de protección a partir del año 1990 (Ley 26/1990): las pensiones contributivas tradicionales, cuyo derecho se alcanza si previamente se ha cotizado un determinado período de tiempo y cuya cuantía está en función tanto de las bases por las que el interesado ha cotizado, como por el período durante el que lo ha hecho en caso de jubilación; por otra parte, las pensiones no contributivas se reconocen en tanto en cuanto no se tienen medios económicos propios de subsistencia (el límite de ingresos es igual a la cuantía de la prestación), y son de cuantía uniforme (para el año 1999, su cuantía es de 37 955 ptas./mes (14 veces = 531 370 ptas./anuales).

La evolución del número de las pensiones contributivas desde el año 1980 hasta el año 1999 se recoge en el cuadro 2:

Cuadro 2. EVOLUCIÓN DEL NÚMERO DE PENSIONES EN VIGOR A 31 DE DICIEMBRE

AÑOS	INCAPACIDAD PERMANENTE	JUBILACIÓN	VIUDEDAD	ORFANDAD	F.FAMILIARES	OTRAS	TOTAL %	INCREMENTO
1980	*1 024 413*	*2 190 247*	*1 026 614*	*137 819*	*19 094*	*247*	*4 398 434*	
1981	1 106 402	2 261 999	1 093 130	144 815	20 082	184	4 626 612	5.19
1982	1 215 367	2 307 016	1 145 028	149 104	20 971	157	4 837 643	4.56
1983	1 331 710	2 362 191	1 190 973	151 541	21 701	95	5 058 211	4.56
1984	1 419 934	2 422 918	1 236 686	153 949	22 423	89	5 255 999	3.91
1985	*1 459 383*	*2 470 122*	*1 288 430*	*155 622*	*22 880*	*80*	*5 396 517*	*2.67*
1986	1 490 439	2 535 626	1 338 290	157 598	23 466	73	5 545 492	2.76
1987	1 516 942	2 618 895	1 390 433	158 800	23 713	66	5 708 849	2.95
1988	1 542 341	2 701 239	1 450 735	161 334	24 830		5 880 479	3.01
1989	1 558 368	2 772 149	1 513 365	162 662	25 703		6 032 267	2.58
1990	*1 581 441*	*2 844 583*	*1 570 974*	*163 653*	*26 484*		*6 187 135*	2.57
1991	1 602 543	2 926 309	1 626 859	165 032	27 230		6 347 973	2.6
1992	1 628 659	3 009 050	1 678 159	166 388	27 509		6 509 765	2.55
1993	1 654 591	3 141 673	1 763 609	168 067	41 963		6 769 903	4
1994	1 667 951	3 225 629	1 799 337	168 251	41 915		6 903 083	1.97
1995	*1 677 379*	*3 313 602*	*1 837 241*	*168 659*	*42 797*		*7 039 678*	*1.98*
1996 (1)	1 694 440	3 398 186	1 879 340	206 833	44 194		7 222 993	2.6
1997 (2)	811 485	4 372 974	1 920 188	213 496	46 089		7 364 232	1.96
1998*	808 684	4 454 782	1 958 217	231 265	46 050		7 498 998	1.83
1999*	818 388	4 531 105	1 995 423	242 828	46 234		7 633 978	1.8

(1) Se han contabilizado el número de huérfanos en lugar de agruparlos por familia.
(2) Al cumplir los 65 años los pensionistas, las pensiones de invalidez se transforman en pensiones de jubilación (RD 1647/1997, de 31 de octubre).
* Estimación.

Fuente: Presupuestos de la Seguridad Social 1999.

Como se puede observar en el cuadro 2, en casi 20 años se ha duplicado el número de pensiones de jubilación y de viudedad y se ha producido un incremento en las de invalidez de casi el 80%.

El crecimiento del número de pensiones más espectacular se produjo hasta finales de la década de los '80, ya que ningún año bajó del 2% en su conjunto; sin embargo, el crecimiento exorbitante de pensiones se produce hasta el año 1983 respecto de las de invalidez, ya que crecían a tasas interanuales de casi el 10% (100 000 pensiones nuevas cada año durante casi cuatro años, 1979-1983). Exceptuando ese anormal e injustificado crecimiento, que se cortó radicalmente en el año 1984, el crecimiento interanual ha sido relativamente bajo (en torno al 2.5%), y tiene parte de justificación por los colectivos que se han integrado en la Seguridad Social a lo largo de los años '80 y hasta principios de los '90, y que estaban fuera de ella con mecanismos de protección propios (la ONCE, Telefónica, MUNPAL, etc., por citar los más significativos). Esta circunstancia no se puede volver a producir, pues no hay colectivos fuera del sistema tan importantes en número, como los que hasta ahora se han integrado. En la Ley 50/1998, de 30 de diciembre, se insta al Gobierno a que el personal de la Administración Foral de Navarra lo incluya en el régimen general de la Seguridad Social, pero su número no tiene la importancia de los colectivos antes citados. La extensión del sistema a la totalidad de la población activa es ya un hecho, con lo que las variaciones se producirán en función de la evolución demográfica —variable cierta y estimable—, y del comportamiento del mercado de trabajo —cuya evolución seguirá siendo una incógnita—. Una tercera variable que puede modificar la evolución futura del número de pensiones son los cambios normativos, que pueden ralentizar o acelerar su crecimiento en relación con lo que está sucediendo en la actualidad. Pero es una variable que puede, en cualquier caso, ser predecible y modificable en función de la evolución que vaya experimentando el sistema.

La reconversión industrial, el rejuvenecimiento de las plantillas de las empresas y la situación del mercado de trabajo, han intervenido para que aumente el número de pensiones, especialmente las de jubilación.

Suele ser muy frecuente que las empresas ante cualquier proceso de reconversión, un modo eufemístico de llamar a la reducción del número de trabajadores, realicen estudios sobre el número de trabajadores que pueden acceder a la pensión de jubilación, premiando económicamente el cese voluntario y en función de los años que restan a los trabajadores para alcanzar la edad de 65 años. Este proceso no significa siempre que las empresas reduzcan el número de sus trabajadores, sino que alguna de las veces se trata de un intercambio de trabajadores de edad avanzada por trabajadores jóvenes con contratos temporales, con menores salarios y, según la tendencia que se está observando en los últimos tiempos, con fuertes bonificaciones en las cotizaciones sociales a cargo, precisamente, de las cotizaciones sociales que pagan trabajadores y empresarios (véase el presupuesto del INEM para el año 1999 que dedica más de 300 000 millones de ptas. a bonificaciones de cotizaciones, lo cual equivale a la reducción de cerca de más de un punto en el tipo de cotización; un punto del tipo de cotización = 275 000 millones de ptas. aproximadamente). Es decir, que se puede estar produciendo un intercambio de trabajadores de edades superiores a los 50 años que pasan a ser desempleados-jubilados, por jóvenes con menores salarios y con bonificaciones en la cotización a la Seguridad Social. De seguir esta tendencia, y teniendo en cuenta el mercado de trabajo, a largo plazo la diferencia entre las pensiones nuevas y las que se extinguen por fallecimiento será cada vez menor.

Al contrario de lo que se podía esperar, desde el año 1992 a la actualidad, se ha incrementado el número de trabajadores que acceden antes de los 65 años de edad a una pensión de jubilación en el régimen general, cuando simultáneamente, como se puede comprobar en el cuadro 3 sobre la evolución de la afiliación al sistema, es a partir de entonces que se produce un incremento en el número de afiliados. En efecto, en cuadro siguiente se puede observar la tendencia sobre las jubilaciones producidas antes de los 65 años de edad:

Cuadro 3. PORCENTAJES DE JUBILACIONES ANTES DE LOS 65 AÑOS

AÑO	A LOS 60 AÑOS	ANTES DE LOS 65 AÑOS
1992	40.75%	65.04%
1993	41.21%	67.16%
1994	40.73%	69.95%
1995	42.09%	71.64%
1996	44.40%	70.67%
1997	46.49%	70.65%
1998	43.11%	68.16%*

* Hasta junio 1998.

Fuente: Presupuestos de la Seguridad Social y elaboración propia.

El análisis sobre la edad media de entrada de las nuevas pensiones por incapacidad revela un dato que puede ser preocupante a largo plazo, si se trata de una tendencia. Por una parte se ha reducido hasta límites inferiores a la media europea el crecimiento interanual del número de pensiones por incapacidad (en España en torno al 1% en los últimos 5 años, en tanto que la media europea se sitúa alrededor del 2.3%), pero simultáneamente se está produciendo una reducción de la edad media de acceso a la pensión de incapacidad, lo cual significa que puede prolongarse el tiempo de percepción de la misma. En el régimen general en el año 1994 la edad media de las altas de las pensiones por incapacidad se situaba en los 50 años, y en el año 1997, se sitúa en los 48.5 años. En todo el sistema, en el año 1994, la edad media de los nuevos pensionistas era de 51.7 años de edad, en el año 1997, de 49.9 años. Esta situación, si se confirma que se trata de una tendencia, es más peligrosa para la estabilidad del sistema que el aumento del número de pensiones.

A partir de mediados de los años '90, el crecimiento interanual del número de pensiones se ha estabilizado en torno al 1.9%, con tendencia decreciente hasta el año 2010 según la composición demográfica de la población española. Las estimaciones hechas en el año 1995 en cuanto al número de pensiones, se vienen cumpliendo hasta la actualidad (Ministerio de Trabajo y Seguridad Social, *La Seguridad Social en el umbral del siglo XXI*, 105 ss.). Las tendencias y presiones hacia un mayor crecimiento interanual del número de pensiones se seguirán produciendo en tanto en cuanto se incremente la esperanza de vida, en especial, a partir de los 65 años de edad. Con la legislación actual, casi con toda probabilidad, el número anual de pensiones crecerá con moderación —evolución estable y posiblemente decreciente—, en función de las variables antes indicadas, lo cual confirma, por una parte, que el modelo ha madurado y, por otra, que el crecimiento del número de pensiones se ha estabilizado.

IV. EL GASTO EN PENSIONES

El crecimiento del gasto en pensiones contributivas de la Seguridad Social se ha caracterizado por dos factores principalmente: por el bajo nivel de protección del que partía a finales de los años '70 y principios de los '80, y por la rapidez con que se ha producido el crecimiento del gasto. En el año 1980, el gasto en pensiones del sistema representaba el 5.77% del PIB y, en el año 1999, la totalidad del gasto en pensiones públicas alcanzará aproximadamente el 10.37% del PIB. Este porcentaje se está manteniendo estable, aunque con ligera tendencia a la baja en los últimos años, pues mientras que en 1995 el porcentaje del PIB destinado a pensiones era del 11.2%, para el año 1999 está previsto que alcance el 10.37% antes indicado. Esta situación se produce, entre otros motivos, porque mientras el crecimiento del PIB entre el año 1995 y el año 1999 es del 26%, el gasto en pensiones es del 24.91%, lo que significa que los pensionistas sólo están participando en una pequeña parte del aumento de la riqueza que se está produciendo en el país, aunque mantengan el poder adquisitivo de las pensiones e, incluso, superen en algunas décimas el mismo. Parece lógico que, a medida que la riqueza del país —por habitante— se vaya acercando a la media europea, también se produzca un acercamiento del gasto en pensiones a la media europea (todavía hay una diferencia de algo más de 4 puntos del PIB —convergencia real—).

Los factores más importantes que han determinado y condicionado el crecimiento del gasto en pensiones son:

a) la incorporación de nuevos colectivos de pensionistas a lo largo de estos casi 20 años;

b) los fuertes incrementos por la revalorización de las pensiones debido al elevado IPC (para el año 1999 está previsto un incremento del 1.80%, el más bajo en los últimos 20 años);

c) la igualación del número de pagas anuales a todos los pensionistas (agrario, hogar y autónomos que percibían solo 12 pagas de pensión al año); ahora todos los pensionistas perciben 14 pagas al año de pensión;

d) al reconocimiento de pensiones por pertenencia a los antiguos seguros sociales (retiro obrero obligatorio, y seguro obligatorio de vejez e invalidez); y,

e) al establecimiento de pensiones mínimas dentro del sistema contributivo.

1. *Gasto inducido por la revalorización y el número de pensiones*

En el cuadro 4 se puede observar cuál ha sido la evolución del gasto y los componentes que han inducido a su incremento desde el año 1981.

2. *Gasto inducido por las pensiones derivadas de regímenes derogados*

El sistema ha tenido que hacerse cargo de las pensiones que se generan por la legislación de los seguros sociales que se extinguieron en el

Cuadro 4. COMPOSICIÓN DEL GASTO EN PENSIONES

AÑO	GASTO ANUAL (MILLONES PTAS.)	INCREMENTO %	NÚMERO PENSIONES A 31-12	INCREMENTO %	REVALORIZACIÓN %	INCREMENTO % OTROS EFECTOS*
1981	1 106 889		4 626 612			
1982	1 317 767	19.05	4 837 643	4.56	9.40	4.10
1983	1 591 020	20.74	5 058 211	4.56	12.60	2.50
1984	1 869 730	17.52	5 255 999	3.91	8.00	4.70 (1)
1985	*2 119 561*	*13.36*	*5 396 517*	*2.67*	*7.00*	*3.20 (2)*
1986	2 407 835	13.60	5 545 492	2.76	8.00	2.40 (3)
1987	2 647 046	9.93	5 708 849	2.95	5.33	1.40 (4)
1988	2 951 176	11.49	5 880 479	3.01	5.30	2.80
1989	3 328 870	12.80	6 032 267	2.58	7.55	2.20 (5)
1990	*3 780 659*	*13.57*	*6 187 135*	*2.57*	*9.21*	*1.40*
1991	4 223 314	11.71	6 347 973	2.60 (7)	7.05	1.70
1992	4 721 238	11.79	6 509 765	2.55 (7)	6.16	2.70 (6)
1993	5 248 526	11.17	6 769 903	4.00 (7)	5.10	1.70 (8)
1994	5 687 718	8.37	6 903 083	1.97	3.50	2.70
1995	*6 190 361*	*8.84*	*7 039 678*	*1.98*	*4.40*	*2.20 (9)*
1996	6 716 555	8.50	7 222 993	2.60	4.40	1.30 (9)
1997	7 077 834	5.38	7 364 232	1.96	2.60	0.70
1998 pto	7 476 465	5.63	7 498 998	1.83	2.10	1.60
1999 pto	7 892 069	5.56	7 633 978	1.80	1.80	1.86

* Efectos de la variación entre la pensión media de las altas y bajas de pensiones y primeros pagos de las altas, además de:
(1) Efecto de una paga extraordinaria adicional en el régimen especial agrario.
(2) Efecto del crecimiento en la pensión media por incorporarse a ésta la protección a la familia por esposa.
(3) Variación de la pensión media por el efecto acumulado de la Ley 26/85.
(4) Efecto de igualar la secuencia de pago RENFE. Se contabilizan sólo 13 mensualidades.
(5) Contiene el efecto de una paga adicional a los regímenes agrario, hogar y autónomos.
(6) Contiene el efecto de una paga adicional a los regímenes de hogar y autónomos.
(7) Integración de colectivos importantes: en 1991, la ONCE; en 1992, Telefónica; en 1993, la MUNPAL.
(8) Este componente recoge el efecto de que el gasto de MUNPAL no corresponde al año entero, sino desde abril.
(9) Contiene paga adicional por revisión de la revalorización.

Fuente: Presupuestos de la Seguridad Social 1999.

año 1967, y cuyas cuantías no guardan relación alguna ni con las bases ni con los períodos de cotización que se efectuaron en esos regímenes extinguidos. Ese colectivo de pensionistas va disminuyendo a medida que transcurre el tiempo, pero todavía es importante su número: en el año 1980, había 728 000 pensiones derivadas de esos regímenes; en el año 1999, según presupuestos, el número quedará reducido a 385 978, con una cuantía mensual de 40 750 ptas. (14 veces al año) lo que representa algo más de 5% del número total de pensiones.

3. *Gasto inducido por las pensiones mínimas*

El segundo elemento dinámico del gasto en pensiones son los complementos para garantía de pensiones mínimas, y no parece que a medio plazo vayan a desaparecer; es más, hay síntomas de que se va a incrementar el gasto si se pretende igualar la pensión mínima por viudedad para menores de 60 años a la de los que sí tienen esa edad.

El establecimiento de pensiones mínimas no tiene otro objeto que garantizar un determinado nivel de ingresos a aquellas personas que han alcanzado la condición de pensionista. Tienen un fuerte elemento redistributivo dentro del sistema, ya que garantiza el percibo de una cuantía mínima de pensión a aquellos pensionistas que por sus cotizaciones no la han alcanzado, y siempre que no superen un determinado nivel de ingresos.

El establecimiento de pensiones mínimas dentro de un sistema contributivo es un elemento extraño si es el propio sistema contributivo el que financia con las cotizaciones de los asegurados los costes que se derivan de esa garantía de pensiones mínimas, pues de esta forma se detraen recursos económicos que de otra forma reforzarían el carácter y el esfuerzo contributivo que realizan los asegurados para alcanzar pensiones superiores a las mínimas vigentes en cada momento.

Hay regímenes especiales a los que, con su actual estructura, les va a resultar difícil evitar que altos porcentajes de sus asegurados sólo logren pensiones mínimas. Existen regímenes que incluso mediante su estructura fomentan las pensiones mínimas. Así, en el régimen especial de empleados del hogar más del 57% de sus pensionistas perciben pensión mínima, y no se trata de una situación circunstancial, sino que ya en el año 1987 el porcentaje era de algo más del 61%. En el régimen especial agrario (cuenta ajena), el porcentaje de pensionistas que percibe una pensión mínima no sólo no ha disminuido desde el año 1987 (el 50%), sino que ha aumentado actualmente al 53.54%. En el régimen especial de trabajadores autónomos se está observando una disminución de pensiones mínimas desde que se estableció una base mínima de cotización que evita que las nuevas pensiones de jubilación y de incapacidad sean pensiones mínimas, aún cuando se haya cotizado poco tiempo o por la base mínima de cotización. (La base mínima de cotización durante el año 1999 para el régimen general es de 80 820 ptas./mes, y para el de autónomos de

113 340 ptas./mes.) Así, en el año 1987 el porcentaje de pensionistas del régimen especial de autónomos que percibían una pensión mínima era del 62%, mientras que en el año 1998 se ha reducido al 45.63%.

El número de pensiones que percibieron complemento por garantía de mínimos en el sistema durante 1998 es de 2 455 127, lo que representa el 33.10%. Por tipo de pensión el porcentaje, es el siguiente: incapacidad permanente, el 3.88%; jubilación, el 32.63%; viudedad, el 44.31%; orfandad, el 47.70%; y favor familiar, el 43.11%. Son las pensiones de viudedad y las de orfandad las que mayor porcentaje representan del total de las pensiones mínimas, y es probable que vayan en aumento si se produce una cierta unificación de la cuantía de la pensión mínima de viudedad.

Cuadro 5. EL GASTO ANUAL EN COMPLEMENTOS A MÍNIMOS HA IDO INCREMENTÁNDOSE ANUALMENTE

AÑO	PTAS./AÑO EN MILLONES
1995	568 894
1996	604 490
1997	608 105
1998	612 603
1999	615 581

Fuente: Presupuestos de la Seguridad Social.

El Estado ha pasado de financiar con 232 040 millones, en el año 1995 y 1996, a sólo 16 288 millones, en el año 1999.

4. *Gasto inducido por el «efecto sustitución»*

La cuantía de las pensiones está vinculada a las bases por las que ha cotizado el asegurado y las bases a su vez a la evolución de los salarios, lo que significa que si no se produce una reducción de éstos, las nuevas pensiones son de un monto superior a las pensiones que se extinguen, generalmente, por fallecimiento. Esa diferencia entre la cuantía de la pensión media de las nuevas pensiones, y la de las que se extinguen, es un factor importante que induce también a un incremento en el gasto de pensiones. En efecto, la cuantía media de las altas iniciales de pensiones hasta junio de 1998 fue de 79 807 ptas., en tanto que la cuantía media de las bajas de pensiones, también en esa misma fecha, fue de 63 627 ptas.

5. *Gasto inducido por la revalorización*

La revalorización de las pensiones es uno de los factores más dinámicos del gasto por su carácter acumulativo, de tal forma que para el año 1999 del importe de la nómina de pensiones corresponde aproximadamente un 57% a pensión inicial, el 34% a revalorización y un 8% a complementos de mínimos.

En el cuadro 6 se puede observar la composición del gasto para cada clase de pensión:

Cuadro 6. DISTRIBUCIÓN DEL IMPORTE DE LAS PENSIONES

CLASE	PENSIÓN INICIAL	REVALORIZACIONES	MÍNIMOS	TOTAL
Incapacidad	71.82	27.72	0.45	100
Jubilación	61.41	32.38	6.21	100
Viudedad	35.25	45.76	18.98	100
Orfandad	50.21	38.48	11.31	100
Favor Familiares	37.17	50.91	11.92	100
Total	*57.62*	*34.42*	*7.95*	*100*

Fuente: Presupuestos Seguridad Social, 1999.

V. PERSPECTIVAS DE EVOLUCIÓN Y DESARROLLO DEL SISTEMA DE PENSIONES

1. *El desarrollo del sistema según el Pacto de Toledo*

El consenso logrado en torno al Pacto de Toledo no cabe duda que ha conseguido traer una cierta calma a la discusión sobre el futuro del sistema de la Seguridad Social y, especialmente, de las pensiones como parte fundamental del mismo. El posterior acuerdo suscrito por el Gobierno con los agentes sociales para iniciar el desarrollo de las recomendaciones del Pacto de Toledo, ha contribuido indudablemente a ese sosiego de la discusión que culminó con la aprobación de la Ley 24/1997, de 15 de julio, de Consolidación y Racionalización del Sistema de la Seguridad Social, aunque con ocasión del debate de esta ley, se empiezan a advertir distintas lecturas sobre el desarrollo del Pacto de Toledo.

Las motivaciones más comunes para promover y alentar las reformas de las pensiones, por lo general, siempre se han fundamentado en la preocupación en cuanto a la viabilidad financiera de los sistemas respectivos, y así lo hace también el Pacto de Toledo que niega la necesidad de cambio del modelo de financiación de reparto por otro de capitalización, y apuesta claramente por el mantenimiento del mismo como mecanismo de solidaridad, aunque quiere asegurar su estabilidad financiera haciendo diversas recomendaciones.

Las 14 Recomendaciones que propone poner en marcha el Pacto de Toledo pretenden asegurar el funcionamiento y desarrollo del sistema en su actual configuración, perfeccionando y reforzando los mecanismos contributivos propios de un sistema de esas características y adaptándolo, en su caso, a las cambiantes situaciones sociales que se vayan produciendo.

La Ley 24/1997, de 15 de julio, es un primer paso en el cumplimiento de las Recomendaciones del Pacto de Toledo, así como las Leyes de Presupuestos anuales de 1998 y 1999 y las Leyes de Acompañamiento de esos mismos años. En efecto, se ha avanzado en el reforzamiento de la equidad y el carácter contributivo del sistema (ampliación de los períodos de cotización para determinar la base reguladora de las pensiones de jubilación y premiando más la permanencia en la cotización para determinar la cuantía de esas mismas pensiones) —Recomendación 9.ª—; en el mantenimiento del poder adquisitivo de las pensiones —Recomendación 11.ª—; en el refuerzo del principio de solidaridad, elevando la edad máxima de permanencia en el percibo de las pensiones de orfandad y en la mejora de los mínimos de las pensiones de viudedad para menores de 60 años —Recomendación 12.ª—; en el acercamiento hacia un único tope máximo de cotización para todas las categorías laborales —Recomendación 3.ª—; y, por último, potenciando y mejorando los mecanismos de recaudación y de evaluación de las pensiones por incapacidad —Recomendación 5.ª y 13.ª, respectivamente—.

Faltan por desarrollar las ocho recomendaciones de mayor calado y transcendencia para el futuro del sistema y las que, de alguna manera, son las más singulares y las de mayor relevancia y justificación del propio Pacto de Toledo. En efecto, se trata de las recomendaciones de carácter económico-financiero y de estructura del sistema, que son las que clarificarían su evolución.

2. *Respecto de la unificación de las bases de cotización*

El establecimiento de un único tope máximo de cotización: aún cuando se han producido avances, todavía existe un diferencial de más de un 12% entre el actual tope máximo de las categorías profesionales 1.ª a la 4.ª y las comprendidas entre la 5.ª y la 11.ª para que se produzca la igualación prevista en la recomendación 3.ª del Pacto de Toledo.

3. *En relación con la simplificación e integración de regímenes especiales*

En la simplificación e integración de regímenes especiales aún no se ha producido ningún avance y no se advierte que se deberían producir tensiones en conseguir la simplificación de la estructura del sistema, pues la acción protectora de todos ellos, incluida la del régimen general y la de Clases Pasivas del Estado, es prácticamente igual, y aunque existen algunas singularidades, no tendrían que desaparecer porque se produzca la simplificación de regímenes anunciada en la Recomendación 6.ª

4. *Respecto a la financiación de los regímenes especiales*

Los regímenes especiales se crearon con una acción protectora diferenciada de la que tenía régimen general de la Seguridad Social y, en algunos casos, incluso mantuvieron la que tenían antes de su transformación en regímenes especiales, aunque era superior a la del régimen general.

Las diferencias iniciales de la acción protectora que existían entre los distintos regímenes que formaban el conjunto del sistema, se han ido superando a lo largo del tiempo, y las que aún existen, son prácticamente irrelevantes y, en muchos casos, derivadas de la propia actividad (trabajos en la minería, en el mar, etc.). Sin embargo, ese proceso de igualación y homogeneización de la acción protectora y, especialmente, de las pensiones, no ha supuesto una igualación paralela del esfuerzo contributivo de alguno de los colectivos que están integrados en los regímenes especiales con el esfuerzo contributivo del colectivo integrado en el régimen general, a cuya acción protectora se han igualado.

En el régimen especial agrario, los trabajadores por cuenta ajena cotizan por un tipo del 11.5% y los por cuenta propia por el 18.75% (recuérdese que en el régimen general el tipo es del 28.3%), es decir el 60% menos en el caso de trabajadores por cuenta ajena que en régimen general y el 34% menos cuando son por cuenta propia. Además, la base única mensual de cotización de estos últimos trabajadores es de 89 490 ptas., en el año 1999, con lo cual con 25 años de cotización, que es el 40% de los que se jubilan, no alcanzan por sus cotizaciones la cuantía de la pensión mínima, a la cual tienen derecho si no superan unos ingresos anuales de 837 635 ptas. Aproximadamente el 30% de los trabajadores por cuenta ajena de este régimen especial agrario se encuentran en la misma situación que los trabajadores por cuenta propia antes descrita. Estos trabajadores cotizan, incluso, por una base cotización más baja (84 150 ptas./mes).

Los trabajadores incluidos en el régimen especial de empleados del hogar cotizan por un tipo del 22% sobre una base única mensual de cotización de 84 150 ptas. (año 1999), es decir, un 23% menos que los trabajadores incluidos en el régimen general, con lo cual ni con 25 años de cotización, que son más del 85% de los que se jubilan, alcanzan la cuantía de la pensión mínima por sus cotizaciones, a la cual tienen derecho si no disponen de unos ingresos anuales superiores a 837 635 ptas. (año 1999).

La cotización en el régimen especial del mar tiene prevista reducciones, variables en función de las toneladas de registro bruto de las embarcaciones que van desde 1/3 cuando se trata de trabajadores por cuenta propia, hasta 2/3 cuando son embarcaciones entre 50.1 y 150 toneladas. Además, desde el año 1998, la cotización por los trabajadores por cuenta ajena que perciben sus retribuciones en función de la pesca que capturan, no cotizan por salarios reales, como se recomienda en el Pacto de Toledo, sino por una base uniforme de cotización que se fija anualmente en función de la modalidad de la pesca, categoría profesional, provincia y teniendo en cuenta los valores medios de la remuneración percibida en el año precedente.

La Recomendación 4.ª del Pacto de Toledo aboga porque a igualdad en la acción protectora sea «también semejante la aportación contributiva», debiendo modificarse «en lo posible la situación actual» y que anteriormente se ha descrito respecto de lo que sucede en algunos regímenes especiales. La intencionalidad de esta Recomendación no parece que deje lugar a dudas: a igual acción protectora se corresponde igual cotización, pues de otra forma el sistema contributivo, por el cual se apuesta en el Pacto de Toledo, está asumiendo responsabilidades que no le son propias y además distorsionan su realidad económica y la propia actividad económica de los distintos sectores productivos.

El sistema contributivo, cuando precisamente está reforzando su carácter, no tiene que aceptar como inevitable y definitivo diferencias en el esfuerzo contributivo, según se trate de unos u otros sectores productivos, sino que debería ser el propio Estado, a través de sus políticas sectoriales el que asumiera esas iniciativas, igual que en la actualidad se está haciendo de forma transitoria dentro del régimen general con la política de bonificaciones de las cotizaciones para incentivar la contratación de colectivos con dificultades para encontrar empleo. El Pacto de Toledo, respecto de la política a seguir en relación con las bonificaciones de las cotizaciones, indica claramente en su Recomendación 1.ª, que debe ser la fiscalidad general la que debe hacerse cargo del coste que represente (en el año 1999, según presupuestos del INEM, el 50% del coste de las bonificaciones —303 100 millones de ptas., lo que supone de hecho una reducción del tipo general de cotización del 28.3% en más de un punto [275 000 millones de ptas = 1 punto]—, se financiará con cargo a las cotizaciones por desempleo). Recientemente lo que se está observando son algunas tendencias que profundizan aún más en las diferencias respecto del esfuerzo contributivo, no entre sectores productivos, sino entre colectivos de trabajadores, tal y como sucede en relación con los trabajadores a tiempo parcial, a los cuales se les considera para acceder a las pensiones y para determinar su cuantía como si hubieran realizado la prestación de servicios en la empresa a tiempo completo, sin que la Seguridad Social sea compensada económicamente por ese tratamiento (RD Ley 15/1998, de 27 de noviembre).

5. *Modificaciones en la edad de jubilación*

En el Pacto de Toledo se hacen pocas aportaciones innovadoras y sugerentes respecto de la edad de jubilación. En su Recomendación 10.ª aboga por mantener la edad ordinaria de jubilación a los 65 años, tal y como sucede actualmente en el ámbito normativo. La realidad, sin embargo, es que más del 68% de las jubilaciones se producen con anterioridad a que los asegurados alcancen esta edad, como consecuencia de normas transitorias que permiten la jubilación antes de los 65 años a aquellos que habían cotizado a las extinguidas Mutualidades Laborales de trabajadores por cuenta ajena antes del 1 de enero de 1967. Es previsible, si no se modifican tales normas transitorias, recientemente ratificada su vigencia por la Ley 47/1998, de 23 de diciembre, que a medida que vaya transcurriendo más tiempo, menor será el número de trabajadores que hayan cotizado antes del año 1967.

Ha sido muy abundante lo que en los últimos tiempos se ha discutido y escrito sobre cuál debería ser la edad ordinaria de jubilación. En esa discusión, no obstante, casi siempre se ha relacionado la edad de jubilación con medidas de fomento de empleo, olvidando en muchas ocasiones el incremento de la esperanza de vida que se ha venido produciendo en los últimos tiempos, y lo que supone en términos económicos para la Seguridad Social al tener que abonar por más tiempo pensiones de jubilación. Anticipar la edad actual de jubilación, que hipotéticamente puede resultar favorable para que los jóvenes encuentren más fácilmente trabajo, resulta muy gravoso para la Seguridad Social, pues por una parte, como consecuencia del mercado de trabajo, la edad media de entrada de los nuevos cotizantes a la Seguridad Social se ha retrasado y, por otra, se adelanta la edad a partir de la cual se accede a la pensión de jubilación. Además, no se ha podido demostrar certeramente que la reducción de la edad de jubilación se traslade en la misma medida a la creación de empleo. Es más, lo que sí se puede comprobar es que muchas empresas ante procesos de fusión, reconversión, cambios en la actividad productiva y modernización, etc., reducen el número de trabajadores incentivando jubilaciones anticipadas, para así disminuir sus costes laborales y aumentar sus beneficios.

Además de proponer el mantenimiento de la edad actual de jubilación, la Recomendación 10.ª plantea tres cuestiones adicionales: que se articulen mecanismos de jubilación flexibles; que se facilite «la prolongación voluntaria de la vida activa»; y que se mantengan los «sistemas de jubilación anticipada ligados a contratos de relevo y de sustitución».

En relación con estas previsiones, sólo se ha desarrollado la posibilidad de jubilación parcial cuando el trabajador tiene al menos 60 años de edad (RD Ley 15/1998, de 27 de noviembre), y se contrate a otro trabajador para completar la jornada de trabajo dejada libre por el que ha accedido a la jubilación parcial. No se trata tanto de medidas destinadas a fomentar el empleo, como de facilitar el tránsito de la vida activa a la de jubilado. La previsión que contiene el art. 12 de la Ley 24/1997, de 15 de julio, que en ciertos aspectos desarrolla el Pacto de Toledo, está en esa dirección, pero la autorización que en dicha Ley se da al Gobierno para que la lleve a cabo aún no ha encontrado plasmación real y efectiva.

6. *Respecto de la evolución de las cotizaciones*

En la Recomendación 8.ª del Pacto de Toledo, referida a la evolución de las cotizaciones, se estima que para dinamizar el empleo se considere la reducción de las cotizaciones sociales, con especial prioridad en los trabajos de baja cualificación y en los sectores más intensivos de mano de obra. La aplicación de esta recomendación se condiciona al mantenimiento del equilibrio financiero del sistema público.

La importancia de las cotizaciones en la financiación del sistema desde 1990 ha pasado de representar el 71.76% al 65.26% en el año 1999, es decir que ha experimentado una reducción de 6.5 puntos. Este dato sólo revela que a pesar del crecimiento de los gastos del sistema en esos mismos años, las cotizaciones, no sólo no han mantenido su participación en la financiación del sistema, sino que ha disminuido; sin embargo, el dato más revelador es la importancia que tienen respecto del PIB. Durante ese mismo período, 1990-1999, el porcentaje que representan sobre el PIB ha oscilado entre el 9.69% (1990) y el 10.10% (1999) según presupuestos de la Seguridad Social para 1999, es decir que se ha movido relativamente poco. No obstante, estos datos sólo indican una parte de la verdad, pues en el año 1999, por ejemplo, según presupuestos de la Seguridad Social, más de 600 000 millones de ptas. no son cotizaciones que abonan las empresas, sino cotizaciones del INEM por los desempleados que reciben prestaciones de este organismo, o subvenciones de cotizaciones que se otorgan a las empresas por la contratación de determinados colectivos de trabajadores. En definitiva, habría que deducir del 10.10% sobre el PIB (que representa el porcentaje de todas las cotizaciones sin considerar a quién es al que le corresponde su ingreso), el 0.7% que paga el INEM, con lo que el peso de las cotizaciones que incide sobre las empresas y trabajadores es el 9.4% del PIB.

Un tercer dato a tener en cuenta es la media de las cotizaciones pagadas por cada asegurado/afiliado al sistema. En el cuadro 7 se puede observar cuál ha sido la evolución desde el año 1990.

De los datos anteriores sobre la evolución de las cotizaciones se puede comprobar que la financiación de los gastos de la Seguridad Social a través de las cotizaciones de los empresarios y trabajadores, han ido reduciéndose a pesar del incremento del coste de la Seguri-

Cuadro 7. COTIZACIÓN EN PTAS./AÑO POR ASEGURADO/AFILIADO A LA SEGURIDAD SOCIAL

AÑO	AFILIADOS/ ASEGURADOS (EN MILES)	CUOTAS (EN MILES DE MILLONES/ PTAS.)	COTIZACIÓN POR ASEGURADO EN PTAS./AÑO	% DE INCREMENTO	INFLACIÓN INTERANUAL
1990	12 513	4 423.8	353 536		6.5
1991	12 648	4 861.4	384 361	8.71	5.5
1992	12 535	5 447.1	434 551	13.05	5.3
1993	12 099	5 687.0	470 038	8.16	4.9
1994	12 046	5 965.7	495 243	5.36	4.3
1995	12 413	6 050.6	487 392	–1.58	4.3
1996	12 630	6 373.2	504 592	3.52	3.2
1997	13 282	6 812.0	518 874	2.83	1.9
1998	13 816	7 503.5	543 006	4.65	1.4

Fuente: Presupuestos de la Seguridad Social 1999 y elaboración propia. Excluida la cotización a Mutuas de AT y EP y del INEM por desempleados y recaudación ejecutiva.

Cuadro 8. PROPORCIÓN DE COTIZACIONES SOCIALES EN EL PIB DE LOS ESTADOS MIEMBROS DE LA UE

	COTIZACIONES SOCIALES	
	1995	1996
Alemania	18.3	187
Austria	15.9	16
Bélgica	15.8	15.4
Dinamarca	1.6	1.7
España	12.6	12.8
Finlandia	14.7	14.3
Francia	19.3	19.5
Grecia	Nd	Nd
Irlanda	5.2	4.9
Italia	13.1	14.8
Luxemburgo	11.7	11.3
Holanda	19	18.1
Portugal	11.5	–
Reino Unido	6.4	6.3
Suecia	14.1	15.3
Europa 15	*15*	*15.3*

Nd: dato no disponible.

Fuente: Eurostat.

dad Social, y que la importancia de las cotizaciones en relación con el PIB se está manteniendo estable durante los últimos años.

Si los datos sobre la importancia de las cotizaciones en relación con el PIB, se comparan con lo que sucede en los 15 países de la UE, España, según el cuadro 8, se sitúa en el puesto número 9 y a 2.5 puntos del PIB por debajo de la media europea. No se trata de que España deba sentirse obligada a competir para llegar a ocupar el número uno del *ranking*, posición que ocupa Francia, seguida de Alemania y Holanda, ni tampoco perseguir con ahínco alcanzar la media de la UE, pero sí es útil conocer en qué situación se está y la capacidad de maniobra que ofrecen esas realidades. Hay que recordar a este respecto que en España el tipo de cotización por contingencias comunes durante los años 1989 a 1992, era del 28.80%, y en los años 1993 y 1994, el 29.30%, para, a partir del 1995, situarse en el 28.30%.

Tampoco se puede deducir que, como consecuencia de los costes laborales, España se encuentre en una situación de inferioridad respecto de la competitividad en la UE, pues según un estudio del Institut der deutschen Wirtschaft en Colonia del año 1998, España, según el siguiente cuadro, ocupa el puesto 12 de los 15 países de la UE, en relación con los costes laborales horarios, directos e indirectos en la industria de la manufacturación en el año 1997.

Cuadro 9. COSTES LABORALES HORARIOS, DIRECTOS E INDIRECTOS EN LA INDUSTRIA DE LA MANUFACTURACIÓN, 1997(*)

PAÍS	TOTAL COSTE LABORALES HORARIOS	COSTES DIRECTOS	COSTES INDIRECTOS	INDIRECTOS % DE LOS DIRECTOS
Alemania Occ.	47.92	26,36	21,56	82
Dinamarca	40.73	32,61	8,12	25
Bélgica	40	20,94	19,06	91
Suecia	39.41	23,19	16,23	70
Austria	38.94	19,7	19,24	98
Finlandia	38.91	21,33	17,58	82
Países Bajos	36.63	20,64	15,99	78
Luxemburgo	35.05	24,19	10,88	45
Francia	32.03	16,61	15,42	93
Italia	29.96	14,76	15,2	103
RU	28.62	20,43	8,19	40
España	25	13,7	11,3	83
Irlanda	24.81	17,76	7,05	40
Grecia	15.83	9,48	6,35	67
Portugal	11.06	6,22	4,85	78

(*) En marcos alemanes (1 marco alemán = 84.95 ptas.).

Fuente: Institut der deutschen Wirtschaft Köln.

7. *En relación con la integración de la gestión*

La Administración de la Seguridad, que comprende tanto las denominadas Entidades Gestoras, como los Servicios Comunes de la misma, si bien ha sido modificada la estructura interna de algunas de ellas, no se ha producido lo que llama el Pacto de Toledo «integración orgánica de las funciones de afiliación, recaudación y gestión de prestaciones» que comprende la estructura de la propia Administración de la Seguridad Social.

8. *Respecto de la separación de las fuentes de financiación y constitución de reservas*

Deliberadamente se ha dejado para el último lugar las dos recomendaciones que, con toda probabilidad, más transcendencia e importancia tienen en el contexto del Pacto de Toledo y para la clarificación del sistema. Son la Recomendación 1.ª —Separación de las fuentes de financiación— y la 2.ª —Constitución de reservas—. La primera recomendación se debe llevar a cabo antes del ejercicio económico del año 2000.

La Ley 24/1997, de 15 de julio, en su art. 1, declara que las prestaciones que tienen carácter contributivo se financiarán básicamente con las cotizaciones de los empresarios y de los trabajadores, y las no contributivas, con las aportaciones del Estado al presupuesto de la Seguridad Social.

Lo decisivo es el deslinde sobre qué ha de entenderse por prestaciones contributivas y no contributivas a estos efectos económico-financieros.

Las prestaciones económicas a las que la Ley les asigna el carácter contributivo son las siguientes: todas las derivadas de incapacidad laboral, y de la maternidad y las pensiones, excepto las no contributivas.

Las prestaciones no contributivas, es decir, las que se deberían financiar con cargo a la fiscalidad general, son, según el art. 1 de la Ley 24/1997, antes citada, las prestaciones y servicios de asistencia sanitaria, excepto cuando se derivan de accidentes de trabajo y enfermedades profesionales, que se financiarán con las cuotas específicamente establecidas para ello; las pensiones no contributivas por invalidez y vejez; las asignaciones económicas de la Seguridad Social por hijo a cargo; los servicios sociales y, por último, los complementos a mínimos de las pensiones de la Seguridad Social.

En relación con los complementos a mínimos, en la misma Ley 24/1997, se añade una disposición transitoria decimocuarta a la LGSSS en donde, en vez de aclarar —si es que hacía falta— lo que previamente deja dicho en el art. 1, aptdo. 2, de que tienen la consideración de no contributivas, resalta que «hasta que no se establezca definitivamente la naturaleza de los complementos a mínimos [...] éstos serán financiados en los términos en que se determine por la correspondiente Ley de Presupuestos Generales del Estado para cada ejercicio económico». Desde luego que no se puede decir algo tan contradictorio y con tan pocas palabras en una misma Ley, y no tiene ningún sentido discutir a estas alturas de evolución y configuración del sistema si los complementos a mínimos son o no de naturaleza contributiva. Si la decisión que se haya de tomar se basa en criterios técnico-jurídicos y de acuerdo con la configuración contributiva del sistema, sobre lo que permanentemente se está haciendo alusión en el Pacto de Toledo, son de naturaleza no contributiva; si, por el contrario, la decisión deriva de criterios económicos-políticos y de oportunidad, pueden ser cualquier cosa. La Ley, en este aspecto, deja traslucir la impresión de arrepentirse de lo dicho en su art. 1, pero lo deja dicho, e introduce inexplicablemente la confusión y las contradicciones.

Según los presupuestos de la Seguridad Social para 1999, el importe de las prestaciones què tienen el carácter no contributivo conforme a la Ley 24/1997 asciende a:

Cuadro 10. PARTICIPACIÓN DEL ESTADO EN LA FINANCIACIÓN DE PRESTACIONES DE LA SEGURIDAD SOCIAL

CLASE DE PRESTACIÓN	COSTE TOTAL (MILLONES DE PTAS.)	FINANCIACIÓN POR EL ESTADO (MILLONES DE PTAS.)
Prestaciones familiares	99 177	55 064
Asistencia sanitaria (incluido ISM)	4 059 849	3 983 187
Pensiones no contributivas	251 456	251 456
Servicios sociales	271 455	39 392
Complementos a mínimos	615 581	16 288
Total	*5 297 518*	*4 345 387*

Fuente: Presupuestos Seguridad Social 1999 y elaboración propia.

Es decir que, si se hubiera pretendido cumplir lo recomendado en el Pacto de Toledo en el ejercicio 1999 sobre la separación de las fuentes de financiación, el Estado, vía fiscal, tendría que aportar a la Seguridad Social 952 131 millones de ptas. más de lo que va a aportar. Sin ese incremento de la aportación del Estado, sin igualar la presión contributiva de los regímenes especiales a la del régimen general (lo que supondría para la Seguridad Social unos ingresos adicionales de no menos de 190 000 millones de ptas. en el año 1999), y sin aumentar las cotizaciones, no se puede aspirar a la constitución de reservas, prevista en la Recomendación 2.ª del Pacto de Toledo. Mientras esas actuaciones no se lleven a cabo, ciertamente se mantendrá, pero no se incrementará, el gasto en pensiones en relación con el PIB, aunque con tendencia a la baja porque, como sucede últimamente, sólo se aumenta para garantizar su poder adquisitivo, por las nuevas pensiones y por la evolución de la esperanza de vida, pero no se traslada parte del incremento de la riqueza que se genera en el país al nivel de protección; el Estado, por otra parte, se verá forzado a incrementar su participación en la financiación de las prestaciones de la Seguridad Social, si se quiere mantener el actual nivel de protección, en tanto en cuanto el incremento anual de los ingresos contributivos no sea igual al incremento anual del gasto que se genera, especialmente de las pensiones. Si esto se produce, se irá invirtiendo, aunque de forma lenta, la financiación de la Seguridad Social en favor de la financiación vía fiscal, y una paralela reducción de la importancia de las cotizaciones.

En ese contexto, las reformas que se lleven a cabo respecto a la estructura de la acción protectora, sólo tendrán como efecto su adecuación a nuevas realidades sociales, es decir, a la reestructuración del gasto. Sin embargo, el margen de actuación para hacer frente a nuevas exigencias y necesidades sociales será muy bajo.

En el cuadro 11 se puede observar la evolución de los ingresos de la Seguridad Social en los últimos cinco años, y de lo que se puede en-

Cuadro 11. LA EVOLUCIÓN DE INGRESOS POR COTIZACIONES Y GASTO EN PRESTACIONES CONTRIBUTIVAS (en millones de ptas.)

AÑO	1995	1996	1997	1998	1999
Ingresos Cotizaciones (1)	*6 481 607*	*6 742 954*	*7 180 155*	*7 838 605*	*8 314 100* (2)
Incremento (%)		4.03	6.48	9.17	6.07
Deuda recaudación ejecutiva	1 019 186	1 270 954	1 552 136	1 409 862 (3)	1 400 000 (4)
Gasto en pensiones (5)	6 190 361	6 716 555	7 077 834	7 476 465	7 892 069 (6)
Incremento (%)		8.50	5.38	5.63	5.56
Gasto I.T. Contingencias comunes (7)	550 380	593 475	564 767	528 844	517 443 (6)
Total prestaciones	*6 740 741*	*7 310 030*	*7 642 601*	*8 005 309*	*8 409 512*
Incremento (%)		8.45	4.55	4.75	5.05
Afiliados/asegurados e incremento (%)	12 413 000 0	12 630 000 (10.18)	13 282 000 (10.52)	13 816 000 (10.41)	

(1) Excluidas las cotizaciones por AT y EP y recaudación ejecutiva que en los últimos años está oscilando entre 140 000 y 150 000 millones.
(2) Según presupuestos.
(3) Hasta noviembre 1998.
(4) Estimación.
(5) Incluidos complementos a mínimos (Año 1999 = 615 581 millones de ptas.).
(6) Según presupuestos.
(7) Incluidas las prestaciones por maternidad.

Fuente: Presupuestos Seguridad Social 1999 y elaboración propia.

tender como prestaciones contributivas según el Pacto de Toledo. En este último gasto, está comprendido el de los complementos a mínimos.

Los datos anteriores ponen de manifiesto lo que se venía pronosticando desde hace algún tiempo: que se mantendrían en equilibrio las cotizaciones y otros ingresos, tales como los derivados de la recaudación ejecutiva, los recargos y sanciones, y otros de menor importancia, con los gastos en prestaciones contributivas, según el concepto derivado del Pacto de Toledo y la Ley 24/1997. Por otra parte, si se confirma el incremento interanual de las cotizaciones de los últimos años, que supera al de las prestaciones contributivas desde 1997 y, además, si se cumplen las estimaciones del conjunto de los datos económicos del propio Gobierno hasta el año 2002 (crecimiento del empleo, del PIB, baja inflación, etc.), esa tendencia se puede mantener.

El incremento del gasto en prestaciones contributivas se está comportando de manera estable en los últimos años en torno al 4.8%, y nada hace indicar que a legislación constante vaya a cambiar, incluso más allá del 2002. La situación se alteraría, por una parte, si se produce un repunte de la inflación, que si bien tiene efectos en mayores ingresos por cotizaciones, también los tiene en que las nuevas pensiones son más elevadas, pero sobre todo y de forma inmediata y automática en el incremento anual de la revalorización, que además se consolida como gasto. El factor decisivo para que se mantenga el equilibrio actual, una vez llevada a cabo la separación de las fuentes de financiación, es el comportamiento del mercado de trabajo y, consecuentemente, las cotizaciones. Sin embargo, el comportamiento del mercado de trabajo, incluso a corto plazo, sigue siendo una incógnita y no parece muy conveniente que a un menor crecimiento del empleo, y consecuentemente de las cotizaciones, se tenga que responder con aumentos elevados de los tipos o bases de cotización, una vez alcanzado lo recomendado en el Pacto de Toledo, respecto de la separación de las fuentes de financiación y de la presión contributiva.

Precisamente para evitar esa incertidumbre (las variables económicas que inciden en los ingresos y gastos de la Seguridad Social se aseguran por el propio Gobierno hasta el 2002), y para procurar un acercamiento del nivel de protección a la media europea, lo que parece más recomendable es comenzar a estudiar ya alternativas más estables que las cotizaciones en relación con las fuentes de financiación de las prestaciones contributivas, pues aunque ya en el Pacto de Toledo se indica que tales prestaciones se financiarán «básicamente con cotizaciones», no es suficiente. En otro caso sucederá que, a pesar del crecimiento económico —que no es sinónimo de mayor empleo—,

Cuadro 12. PRÉSTAMOS DEL ESTADO A LA SEGURIDAD SOCIAL
(en millones de pesetas)

AÑO	A FAVOR DEL INSALUD	PRÉSTAMOS PARA «EQUILIBRIO PRESUPUES.»	PARA CUBRIR DESFASES DE TESORERÍA	TOTAL ANUAL	TOTAL ABSOLUTO ANUAL	INCREMENTO INTER-ANUAL %
1992	280 558			280 558	280 558	
1993	140 282			140 282	420 840	50
1994	140 282	345 000		485 282	906 122	115.31
1995		444 344		444 344	1 350 466	49.03
1996		444 344		444 344	1 794 810	32.9
1997		155 612	350 000	505 612	2 300 422	28.17
1998		125 443	350 000	475 443	2 775 865	20.66
1999		88 100	210 000	298 100	3 073 965	10.73
Total	561 222	1 602 843	910 000	3 073 965		

Fuente: Cuentas del ejercicio de 1997 y proyecto de presupuestos 1998, 1999.

el nivel de protección retrocederá o se estancará en los niveles actuales, lo cual no se entendería socialmente.

Un dato importante en relación con el equilibrio entre ingresos y gastos del sistema es el que se viene produciendo como consecuencia de los préstamos del Estado a la Seguridad Social y que figuran en las cuentas y balances de ésta y que suelen pasar desapercibidos en la presentación del balance anual de gestión.

En el cuadro 12 se puede comprobar cuál ha sido la evolución de tales préstamos. Si se pone en relación la cuantía anual de los mismos con los ingresos del sistema, se advierte que en la medida en que éstos no cubren los gastos anuales, aumenta el préstamo anual. Su cuantía total, sin incluir otras obligaciones de la Seguridad Social (como el llamado «cupo», deudas a proveedores, etc.), alcanza en el año 1999 el 27% del total de cotizaciones previstas para ese mismo año, o el 71% de la aportación del Estado para financiar el sistema.

VI. LA REESTRUCTURACIÓN DE LA ACCIÓN PROTECTORA

A lo largo del tiempo, la estructura de la acción protectora debe ir cambiando su configuración si no pretende que se deslegitime ante la sociedad o que se produzca lo que el Secretario General de la Asociación Internacional de la Seguridad Social (con sede en Ginebra) llama «la pérdida de confianza en la capacidad de los gobiernos de planificar de cara al futuro» y para así evitar que la «política social sea llevada a cabo por sus críticos...». Este tipo de cambios se producen por distintos motivos, entre los que podrían destacarse los siguientes:

a) Para adecuar la acción protectora a las necesidades sociales emergentes.

b) Para racionalizar determinadas prestaciones económicas que se otorgan por distintos mecanismos e, incluso, por distintas instituciones.

c) Por cambios que se producen en el mercado de trabajo que tienen incidencia en la protección social.

d) Para reforzar el concepto de modelo de Seguridad Social existente.

e) Para eliminar las disfunciones que afloran por el transcurso del tiempo.

Con independencia de lo ya apuntado en los apartados anteriores, se deberían acometer una serie de reformas para adecuar la acción protectora, a lo que la Comisión Europea denomina «modernización de la protección social y adaptación de los sistemas al cambio». Entre tales reformas podrían incluirse las siguientes:

1. *La individualización de los derechos*

Es una realidad social incuestionable que en la sociedad española se ha producido en los últimos tiempos un cambio en su estructura y comportamiento: cada vez hay más familias monoparentales, separaciones matrimoniales y divorcios, lo que favorece la llamada «feminización de la pobreza», pues casi siempre sucede que, en tales situaciones, es la mujer la que resulta más perjudicada económicamente como consecuencia de su menor presencia en el mercado de trabajo, mayores índices de paro, mayor dedicación a la crianza de hijos y hogar. El efecto de esta situación es que el tiempo de cotización a la Seguridad Social se ve reducido e, incluso, no se haya llegado ni a producir. Para mitigar las consecuencias de la separación y el divorcio, los sistemas de Seguridad Social han introducido los más variables mecanismos, algunos de ellos como el existente en España, que no satisface ni ayuda a solucionar ninguno de los problemas que se producen, pues sólo tiene efectos cuando sucede el fallecimiento de uno de los ex-cónyuges, repartiendo la pensión de viudedad entre los sucesivos cónyuges que el fallecido haya tenido y en función de la duración de los matrimonios.

Las recientes recomendaciones de organismos internacionales (Comisión Europea, Asociación Internacional de la Seguridad Social, OIT, etc.), ponen el énfasis en que la Seguridad Social debe procurar la individualización de los derechos sin tener que esperar a que uno de ellos fallezca para que el sobreviviente pueda optar a una pensión. Se trata de repartir entre los cónyuges las cotizaciones efectuadas por ambos durante el tiempo que ha durado el matrimonio cuando se produce el divorcio o se declara la nulidad del matrimonio. En ese momento, a cada uno de ellos se le otorgaría el 50% de las cotizaciones y de los derechos derivados de los seguros privados o de la relación laboral. Esa atribución de derechos, los países que la han llevado a cabo, la declaran irrenunciable y nulo cualquier pacto en contra, con independencia del régimen económico en que se haya constituido el matrimonio.

2. *El mercado de trabajo y sus efectos en la Seguridad Social*

La Seguridad Social, especialmente los modelos contributivos, se diseñó y ha evolucionado teniendo en cuenta la situación del mercado de trabajo y el pleno empleo. Sin embargo, tanto el mercado de trabajo y la situación del empleo han cambiado de forma importante en los últimos tiempos y es impredecible que retroceda a la situación anterior. Esto, a su vez, ha hecho cambiar los comportamientos de las personas que están desarrollando una actividad o quieren hacerlo. A todo ello hay que añadir que determinadas actividades sociales, la propia sociedad las considera de utilidad y como socialmente necesarias. La Seguridad Social no puede permanecer ajena a esos cambios y debe asimilarlos para organizar su estructura prestacional.

La formación profesional, tanto la universitaria como la destinada acceder al mercado de trabajo, las interrupciones laborales por la crianza de hijos, entre otras, son situaciones que la Seguridad Social no puede ignorar. Por ello, los períodos de tiempo durante los cuales se produce una situación previamente definida de valor social, deberían ser considerados como cotizados, siendo la fiscalidad general la que soporte los costes económicos derivados de esa consideración.

3. *El carácter contributivo del sistema*

El sistema de protección, si se declara contributivo, tiene que organizarse de forma tal que, sin dañar la equidad y la solidaridad, no se quede en una apariencia formal. Los ciudadanos suelen valorar positivamente el esfuerzo económico que realizan cuando cotizan a la

Seguridad Social al percibir que ese su esfuerzo tiene repercusiones en la cuantía de las pensiones.

La pensión de jubilación viene determinada, además de por las bases por las que se han efectuado las cotizaciones (que prácticamente se corresponden con los salarios reales), por el tiempo durante el cual se ha cotizado. Sin embargo, eso mismo no sucede con las pensiones por incapacidad y de supervivencia, sino que en la cuantía de éstas sólo influyen las bases de cotización, pero no así el tiempo durante el cual se cotiza. Habría que introducir mecanismos contributivos adicionales a los ya existentes, aunque sólo fuera respecto de las pensiones de invalidez, para así primar el esfuerzo contributivo realizado, evitando de esta forma la presión que se ejerce ante la Seguridad Social por aquellos asegurados que, con edades cercanas a la edad de jubilación, prefieran una pensión de invalidez a la de jubilación. En este sentido, resulta difícil de entender socialmente que un asegurado con 64 años de edad y con sólo 13 años de cotización obtenga una pensión de invalidez de cuantía superior que otro asegurado que accede a una de jubilación con 65 años de edad y con 30 años de cotización, y así está sucediendo actualmente en la Seguridad Social en España.

4. *La unificación de los mecanismos de protección*

Por lo general, suele ocurrir que cada una de las ramas del ordenamiento jurídico regula las condiciones por las que se conceden determinados beneficios a los ciudadanos, sin tener en cuenta lo que otra rama establece sobre la misma situación. Al final se produce una superposición, cuando no contradicciones que, en el fondo, persiguen un mismo objetivo. Una de las prestaciones en donde se suele observar con mayor nitidez esa superposición es en la protección a la familia. Por una parte, la Seguridad Social otorga prestaciones económicas a aquellas personas que tienen hijos a cargo y, por otra, en el IRPF se regulan las desgravaciones por la tenencia de hijos a cargo. En los dos supuestos se trata de protección a la familia y de paliar el exceso de gastos que supone la crianza de hijos; sin embargo, ni la Seguridad Social integra o considera la regulación fiscal, ni ésta tiene en cuenta lo que prevé la Seguridad Social o, incluso, la contradice. Así, por ejemplo, una persona con unos ingresos de 1.1 millones de ptas./año y un hijo a cargo, recibe de la Seguridad Social 36 000 ptas./año. No obstante, si tiene unos ingresos de 1.5 millones de ptas./año, de la Seguridad Social no recibe prestación por hijo a cargo ya que sobrepasa el límite de ingresos establecido, pero vía fiscal por desgravación de

200 000 ptas./año por tener un hijo y un tipo marginal del 24%, recibe 48 000 ptas./año. Pero si tiene unos ingresos de 11 o más millones de ptas. al año, por desgravación de 200 000 ptas./año y un tipo marginal del 48%, recibe 96 000 ptas./año. En definitiva, lo que se pretende demostrar es que un mismo objetivo y finalidad, como es este caso, no puede ser considerado de forma distinta según se regule en uno u otro mecanismo jurídico y con resultados contradictorios.

En estos supuestos, el diseño final de la protección se difumina de tal forma que no se percibe realmente cuál es la cuantía real de la prestación, porque ambos mecanismos se interfieren con resultados contrapuestos e, incluso se contradicen entre sí, aunque el objetivo que ambos persiguen sea el mismo.

5. *Una nueva regulación de los complementos a mínimos*

Los complementos a mínimos desde su implantación en los años '70 han ido configurándose como uno de los elementos redistributivos más importantes del actual modelo de Seguridad Social, y también como una prestación que tiende a asegurar un mínimo de subsistencia. Sus cuantías, en las variadas formas que aparecen, no obedecen a criterios derivados del propio sistema contributivo, sino a criterios sociales y de necesidades objetivadas: todos los pensionistas que por sus cotizaciones no alcancen el mínimo establecido, y no dispongan de un determinado nivel de ingresos, tienen derecho a que se complemente su pensión contributiva hasta el mínimo correspondiente.

Su plasmación en la práctica, sin embargo, no obedece a esos criterios básicos de garantizar un mínimo de subsistencia, sino que introduce mecanismos de discriminación en sus cuantías en función de la edad del perceptor de la pensión, de que sea o no el propio asegurado o su viuda quien la percibe, y si tiene o no cargas familiares, aunque éstos perciban también otra pensión de la Seguridad Social.

Las necesidades económicas de una viuda con 30 ó 60 años de edad son iguales, sino mayores, que cuando tiene 65 o más años. La necesidad de ayuda económica no siempre está ligada a la edad, sino, generalmente, a que se disponga o no de ingresos. Igual sucede respecto de un jubilado con 65 años y otro con 60. En todos estos ejemplos los mínimos de pensiones son diferentes.

En el apartado V ya se ha hecho mención sobre cómo inciden en la generación masiva de pensiones mínimas la regulación de determinados regímenes especiales y se apuntaban algunas reflexiones para evitarlo, que si se llevaran a cabo, se podría acometer, aunque fuera de forma paulatina debido a su coste, una reestructuración de los complementos a mínimos orientándolos a su objetivo real: garantizar un mínimo de subsistencia.

6. *La mayor esperanza de vida y las nuevas necesidades sociales*

La esperanza de vida ha aumentado notablemente en los últimos años, quizá porque se prestan más y mejores cuidados médicos que en el pasado, o porque las personas de edad han llevado una forma de vida más saludable que en otros tiempos, o por ambas cosas a la vez. Sin embargo, llega un momento a partir del cual los gastos por atención a las personas de edad (según la Asociación Internacional de la Seguridad Social, dos años antes del fallecimiento), aumentan de forma espectacular y necesitan de la ayuda de otra persona, atención que la medicina sola no les puede prestar. Los vínculos familiares se han relajado; la migración a la ciudad, las familias menos numerosas, producen en muchos casos que las personas mayores se encuentren solas o acompañadas por otra de su misma edad. Los costes que les originan los cuidados que necesitan, generalmente van a cargo de los bienes de la propia persona que se encuentra en tales situaciones o de su familia. Esto constituye para miles de personas, en la terminología de la citada organización internacional antes mencionada, «una forma penosa y financieramente ruinosa de terminar sus vidas».

Es necesario, como ya sucede en otros países europeos de nuestro entorno, el establecimiento de una nueva rama de aseguramiento para dar respuesta a esta emergente y cada vez más acuciante necesidad social mediante fórmulas que no necesariamente tienen que implicar el internamiento de las personas afectadas en residencias, sino que puede tratarse de ayudas económicas en función de la asistencia requerida, y considerando como período cotizado a efectos de Seguridad Social el tiempo que las personas dedican a prestar este tipo de ayuda.

Los datos sobre la evolución que ha experimentado el sistema en relación con el crecimiento del número de pensiones y su coste, así como el favorable crecimiento del empleo, no son indicadores suficientes para concluir que no sea posible el mantenimiento del actual sistema contributivo, al menos en un horizonte predecible. No por ello deja de ser necesario la puesta en práctica de las recomendaciones que contiene el Pacto de Toledo, especialmente las de orden económico-financiero, principalmente por dos razones: primero, porque se trata de una decisión adoptada por el Parlamento y, segundo, porque con ello se contribuiría a clarificar la situación económica del sistema y permitiría, con cierta seguridad, acometer distintas medidas en relación con la estructura de la acción protectora —algunas de ellas ya han sido apuntadas en los dos últimos apartados—. En cuanto a la evolución del empleo, al menos a medio plazo, no siempre es fácil hacer una previsión cierta y segura, por ello, y por los efectos que tiene sobre el sistema, la búsqueda de vías de financiación alternativas a las cotizaciones sobre el empleo, debería constituir ya un motivo de estudio y consideración.

BIBLIOGRAFÍA

AISS (1998): *La Seguridad Social al final del siglo XX: Temas de actualidad y nuevos enfoques,* Ginebra.

Barr, N. (1993): *The economics of the Welfare State*, Oxford University Press, Oxford.

Bolsa de Madrid (1983): *Seminario sobre los fondos de pensiones*, Madrid.

Euzéby, C. (1998): «La Seguridad Social del siglo XXI»: *Revista Internacional de Seguridad Social, AISS*, 2.

Herce, J. A. y Díaz, V. P. (1995): *La reforma del sistema público de pensiones en España*, La Caixa, Barcelona.

Institut der deutschen Wirtschaft (1998): *Industrielle Arbeitskosten im internationalen Vergleich 1980-1997,* IW trends 2/1998, Köln.

Ministerio de Trabajo y Seguridad Social (1985): *Análisis económico-financiero del sistema español de Seguridad Social 1964-1985*, Madrid.

Ministerio de Trabajo y Seguridad Social (1985): *Documento base sobre la reforma de la Seguridad Social para la Comisión Tripartita del AES*, Madrid.

Ministerio de Trabajo y Seguridad Social (1996): *La Seguridad Social en el umbral del siglo XXI*, Madrid.

Papeles de Economía, 12/13 (1983).

Piñera, J. (1996): *Una propuesta de reforma del sistema de pensiones en España*, Circulo de Empresarios, Madrid.

Seguridad Social (1998a): *Cuentas del ejercicio 1997,* tomo II, Intervención General de la Seguridad Social, Madrid.

Seguridad Social (1998b): *Presupuestos de la Seguridad Social. Ejercicio 1999. Informe económico-financiero*, vol. V, tomo 1, Madrid.

Sozialrechtshandbuch. Luchterhand, von Maydell/Ruland, Berlin, 1996.

Universidad Católica de Lovaina (1998): *La protection sociale des persones âgées dépendantes dans les 15 pays de l'UE et Norvége*, Lovaina.

Capítulo 17

IGUALDAD DE OPORTUNIDADES Y POLÍTICA COMPENSATORIA

Amalia Gómez Gómez

I. INTRODUCCIÓN

La evolución de la sociedad en los años 1970-1990 ha determinado unos cambios que derivan en *nuevas necesidades* sociales, que alcanzan a capas más amplias de la sociedad y que dan lugar a *nuevos fenómenos de marginación y pobreza, que exigen la puesta en marcha de políticas encaminadas a garantizar la igualdad de oportunidades*, especialmente en relación con aquellos colectivos sociales que presentan dificultades de vulnerabilidad y exclusión social.

A su vez se ha consolidado, por el desarrollo de nuestra Constitución de 1978, un Estado social y democrático de Derecho, que reconoce a los ciudadanos y las ciudadanas el derecho a la igualdad social, real y efectiva, a la superación de todo tipo de discriminaciones y a la eliminación de los obstáculos que imposibilitan su pleno desarrollo, tanto personal como social.

II. LA POLÍTICA EN EL CONTEXTO DE LA UE

El objetivo primordial de toda política social es la redistribución de bienes entre grupos o individuos que no pueden satisfacer por sí mismos algunas de sus necesidades, lo que exige la puesta en marcha de acciones que asignen recursos dirigidos a favorecer el aumento del bienestar de la población en su conjunto, teniendo en cuenta las necesidades especiales de ciertos sectores sociales, con el fin de igualar las oportunidades y disminuir las desigualdades.

En la actualidad, no puede analizarse la realidad española fuera del contexto de la UE. Se podrían resumir *los principales desafíos a los que se enfrentan en el área social los países de la UE* en los siguientes:

— La igualdad de oportunidades.
— Los derechos y responsabilidades en el trabajo y en la sociedad.
— El empleo.
— La necesidad de educación y formación continuas.
— La integración económica y social.

Las *medidas generales* que han de responder a estos desafíos han de procurar la *convergencia de las políticas sociales* mediante:

— La mejora de la situación del empleo.
— La aceleración del avance hacia un sistema productivo basado en la calidad.
— El estímulo de la solidaridad y la integración.
— La lucha contra la pobreza y la exclusión.
— Las oportunidades para los jóvenes.
— La mejora de la función económica y social de las personas de edad avanzada.
— La igualdad de oportunidades para los inmigrantes de terceros países.
— La integración de las personas con minusvalías.
— La lucha contra el racismo.
— Las políticas sociales a favor del desarrollo de las zonas rurales.

El programa de acción social de la Comisión Europea para el período 1998-2000 insiste en la necesidad de renovar la política social europea tras la experiencia acumulada en años anteriores. Así, señala una serie de logros alcanzados con ocasión de medidas llevadas a cabo hasta la fecha: la política de empleo se ha situado decididamente en un lugar preeminente en el orden del día europeo; se han adoptado varias propuestas legislativas clave; se ha ampliado y profundizado en el debate de política social en áreas del interés común (tendencias demográficas; modernización de la protección social y lucha contra el racismo); y se han consolidado los vínculos entre la política social y otras políticas comunitarias, reflejando la convicción de que debe fomentarse el progreso social para todos.

A continuación, la Comisión Europea subraya los desafíos sociales con los cuales se enfrenta la UE:

— El desempleo sigue siendo persistentemente alto, en particular para los jóvenes, las mujeres y los parados de larga duración, y los niveles de empleo son demasiado bajos en muchos Estados miembros.

— El mundo laboral está cambiando rápidamente, a medida que la globalización y la nueva sociedad de la información traen consigo alteraciones importantes en los modelos y la organización del trabajo y en las necesidades de cualificación.

— La pobreza y la exclusión social coexisten con la prosperidad y la riqueza, y mucha gente continúa sufriendo la discriminación, la desigualdad y una salud deficiente. Los sistemas de protección social de Europa son un piedra angular del modelo social europeo, pero el desafío consiste en adaptar los sistemas a fin de hacer frente a las demandas existentes de una manera más rentable, respondiendo al mismo tiempo a las nuevas necesidades y a las circunstancias cambiantes.

Por todo ello, es necesario crear una sociedad no excluyente. La política social es el mecanismo que ayuda a garantizar que los progresos económicos y la integración europea funcionen en beneficio de todos. Las encuestas muestran que la gente quiere una sociedad cohesiva y abierta, basada en la solidaridad y la igualdad, y una elevada calidad de vida y salud. Junto a la mejora y modernización de la protección social, especialmente para actualizar y completar el marco legislativo para la igualdad de trato entre hombres y mujeres en los sistemas de seguridad social, así como a la promoción de la inclusión social, especialmente estableciendo un marco para promover la integración de las personas excluidas del mercado laboral, así como la propuesta de medidas incentivadoras para combatir la exclusión social cuando se haya ratificado el Tratado de Amsterdam, la Comisión Europea establece como objetivo la consecución de la igualdad, además de la lucha contra la discriminación.

El nuevo Tratado de Amsterdam, al tiempo que abre un nuevo camino hacia la Europa Social, refuerza la capacidad de la UE para promover la igualdad, garantizar los derechos fundamentales y luchar contra la discriminación. En especial, el nuevo articulado permitirá a la Comunidad adoptar medidas específicas para combatir la discriminación en razón del sexo, la raza, el origen étnico, la religión o las creencias, la discapacidad, la edad y la orientación sexual. Por otra parte, como subrayan las Directrices para el Empleo, promover la igualdad y luchar contra la discriminación no es simplemente una cuestión de justicia social. Hay sólidas razones económicas para promover la igualdad de oportunidades, a fin de permitir que todo el mundo contribuya al bienestar económico de nuestras sociedades y participe del mismo.

Como puede verse, *la política social comprende diversas áreas*: empleo, pensiones, seguridad social, salud, educación, vivienda, servicios sociales, *que deben estar interrelacionadas entre sí.* La convergencia en los niveles de gasto social dentro de la UE se viene produciendo como consecuencia del incremento del porcentaje de gasto social respecto al PIB de los países del sur, acompañado de una estabilización de dichos gastos en el resto de países. No obstante, sigue habiendo un diferencial importante, en torno a los 10 puntos, entre los países que más recursos destinan a gasto social y los que menos.

Entre los aspectos sociales más destacables del Tratado de Amsterdam, me gustaría señalar los siguientes:

a) *Derechos fundamentales y no discriminación*: Se establece como nueva norma en la UE un procedimiento para suspender como miembro a aquel Estado que viole en forma grave y persistente los principios de libertad, democracia, respeto a los derechos humanos o el Estado de Derecho. Además, se obliga al Tribunal de Justicia a velar por el respeto entre los Estados miembros y las Instituciones comunitarias de la Convención Europea para la protección de Derechos Humanos y Libertades Fundamentales (Roma, 4.11.1950).

Igualmente, se establece que la UE ha de adoptar las medidas necesarias para combatir cualquier discriminación por motivo de sexo, raza, origen étnico, religión o creencia, discapacidad, edad u orientación sexual.

Se desarrolla de forma especial el tema de la igualdad hombre-mujer, exigiendo que sea tenida en cuenta en todas las políticas realizadas por la UE. Además, se deberán aprobar medidas para aplicar el principio de igualdad de oportunidades y de trato en todos los asuntos de empleo y ocupación; en la misma medida, se establece que esta igualdad no es incompatible con dar ventajas especiales dentro de una determinada actividad laboral o profesional al sexo que se encuentre menos representado.

b) *Las nuevas políticas de empleo y asuntos sociales:* el Tratado de Amsterdam traza un nuevo esquema destinado a que la Unión pueda realizar las aportaciones que le permitan sus propios medios, aunque reconociendo que la política social y de empleo tiene que seguir siendo competencia básica de los Estados.

Para la coordinación de las políticas de empleo nacionales se incluirán evaluaciones de las mismas cada año. Igualmente, la Comunidad adoptará medidas de incentivo para proyectos innovadores de promoción de empleo o para estimular el intercambio de experiencias entre los Estados miembros.

La Comunidad desarrollará una política de asuntos sociales aplicable a todos los Estados miembros (incluido el Reino Unido). El Protocolo Social se ha transformado en una nueva política común, donde se reconocen a los interlocutores sociales y se hace posible la adopción de acuerdos vinculantes a nivel europeo. Se da en el Tratado de Amsterdam una particular atención a la lucha contra la exclusión social, así como la consecución de la igualdad hombre-mujer.

III. EL SISTEMA PÚBLICO DE SERVICIOS SOCIALES EN ESPAÑA

Antes de pasar a analizar aspectos concretos de las políticas de igualdad en las áreas de mujer, personas discapacitadas y personas mayores, quiero hacer una reflexión general sobre actuaciones globales encaminadas a proporcionar a todos los ciudadanos una serie de servicios sociales esenciales.

La política social es el marco en el que se encuadra el sistema público de servicios sociales. En el proceso de abordar las necesidades sociales, surgen y se desarrollan los *Servicios Sociales como un nuevo sistema* de las políticas de bienestar, insertándose en los nuevos *objetivos* y *tendencias* de la acción social, y que se apoyan desde los movimientos sociales. Esta nueva filosofía del bienestar, que pretende consolidar nuevos servicios públicos orientados hacia la convivencia y la potenciación de la prevención de situaciones de necesidad, marca el camino hacia la cohesión social y los derechos sociales.

El sistema público de servicios sociales se configura como un *sistema de protección social basado en un conjunto de prestaciones y servicios dirigido a toda la población y, en especial, a los grupos que presentan necesidades específicas*, y que responde a los siguientes objetivos básicos:

a) El desarrollo pleno y libre de la persona, garantizando la igualdad de los ciudadanos en la sociedad.

b) La prevención de las circunstancias que originan la marginación, así como la promoción de la plena integración de las personas y grupos en la vida comunitaria.

c) La garantía de cobertura de las necesidades sociales y la potenciación de la interrelación del sistema de servicios sociales con otros sistemas de protección social (salud, educación, pensiones, etc.).

Puede afirmarse que los servicios sociales se han ido configurando como instrumento clave de la política social para la atención básica de las necesidades de los individuos, grupos y comunidades. Cada vez es más claro que los servicios sociales no constituyen sólo un medio para reparar las desigualdades sociales, sino que suponen el intento de desarrollar condiciones de igualdad para todos los ciudadanos, contribuyen a prevenir la marginación y exclusión social, y mejoran el bienestar y la calidad de la vida.

Se distinguen así dos funciones complementarias: por una parte, la orientación y prevención, en tanto que actúan removiendo los obstáculos para que la igualdad y la participación de los ciudadanos sean reales y efectivas, y, por otro lado, la atención e intervención, proporcionando respuestas efectivas a las necesidades existentes.

A partir de la promulgación de nuestra Constitución, se han puesto en marcha las medidas que han ido permitiendo *la configuración del modelo actual de servicios sociales*, proceso que ha coincidido con *la construcción del Estado de las Autonomías*, lo que ha diversificado las acciones que las diferentes Administraciones Públicas (Central, Autonómica y Local) han adoptado en ejercicio de sus competencias para desarrollar los servicios sociales.

Aun cuando nuestra Constitución sólo menciona expresamente los servicios sociales en el art. 50, al referirse a la protección de la tercera edad, los preceptos constitucionales relativos a la obligación de los poderes públicos de intervenir de forma concreta en determinados sectores y colectivos sociales (protección de la familia y la infancia —art. 39—; de los emigrantes y trabajadores retornados —art. 42—; de la juventud —art. 48—; de los minusválidos —art. 49—) permiten afirmar que ha quedado constitucionalizado, al menos de manera implícita, el derecho de los ciudadanos a recibir prestaciones de servicios sociales.

Por lo que se refiere a las competencias de las Comunidades Autónomas, nuestro texto constitucional señala, en su art. 148.1.20, la asistencia social entre las competencias que podrían asumir. Los Estatutos de Autonomía han asumido, aunque con diferentes denominaciones, los servicios sociales, habiendo elaborado leyes de servicios sociales que desarrollan éstos con unos principios inspiradores de universalidad, normalización e integración.

A su vez, la Ley de Bases de Régimen Local de 1985 establece que el municipio ejerza competencias en los términos de la legislación del Estado y de las Comunidades Autónomas en materia de «prestación de los servicios sociales y de promoción y de reinserción social». El art. 26.1.c) de dicha Ley dispone que «los municipios con población superior a 20 000 habitantes deberán prestar en todo caso servicios sociales» y el art. 36 regula que «son competencias propias de la Diputación la prestación de servicios públicos de carácter supramunicipal y, en su caso, supracomarcal».

La provisión de servicios sociales se desarrolla predominantemente desde el sector público, si bien las instituciones privadas con y sin ánimo de lucro juegan cada vez más un papel de mayor relevancia.

El sistema público de servicios sociales se estructura en dos niveles de atención:

a) Un nivel de atención primaria, capaz de ofrecer respuesta cercana ante cualquier demanda o necesidad, desde el que se gestionan las prestaciones básicas de servicios sociales, constituido por los servicios sociales generales, comunitarios o básicos, cuya gestión depende, en la mayoría de los casos, de la Administración Local y que se constituye en el punto de acceso inmediato al sistema.

b) Un segundo nivel de atención, constituido por los servicios sociales específicos, que dan respuesta a situaciones de especial complejidad y exigen, por lo general, una mayor concentración y cualificación de recursos humanos, materiales y técnicos. Su ámbito de actuación suele ser, por ello, más amplio que el de una localidad determinada, y se sitúa en los planos comarcal, regional o, incluso, nacional. Se trata de servicios especializados dirigidos fundamentalmente a la atención de las personas mayores, las personas con discapacidades, los menores y otros colectivos en situación de necesidad (refugiados, inmigrantes, etc.).

El Sistema Público de *Servicios Sociales de Atención Primaria* es hoy una realidad gracias en gran medida al *esfuerzo conjunto de las Administraciones Públicas* y de los profesionales que en ellas desempeñan su trabajo. Y es una realidad pujante, palpable y diaria, fundamentalmente en las Corporaciones Locales, que, como Administración más cercana a los ciudadanos, son las encargadas de atenderla e intentar dar respuesta a sus demandas, cada día mayores y más complejas.

Dos son las características más notables que presiden la actuación de la Secretaría General de Asuntos Sociales: *la colaboración y cooperación con las Administraciones Autonómica y Local* y, en segundo lugar, *el apoyo a las asociaciones y ONG's* que desarrollan su labor en el campo social.

Por lo que se refiere al primer aspecto (colaboración con las Administraciones Autonómica y Local), debe señalarse que la Secretaría

General de Asuntos Sociales desempeña sus competencias con respeto escrupuloso del marco de competencias establecido por nuestro texto constitucional, aplicando decididamente los principios de lealtad y cooperación a los que tantas veces se ha referido el Tribunal Constitucional. Esta colaboración se desarrolla a través de la Conferencia Sectorial de Asuntos Sociales, como foro en el que se debaten estrategias, prioridades y medidas de coordinación en las políticas sociales, así como a través de la puesta en marcha de planes y programas sociales dirigidos a los múltiples colectivos a los que dirige su atención: personas mayores; infancia y familia; personas discapacitadas; inmigrantes; personas con riesgo de exclusión y marginación social; etc.

En relación con el apoyo al movimiento asociativo que trabaja en el campo social, debe destacarse especialmente la concesión de ayudas y subvenciones que permiten la puesta en marcha de programas sociales que son tan necesarios para dar satisfacción a la creciente demanda de servicios por parte de los ciudadanos. Por su importancia debe significarse en este sentido la concesión de subvenciones con cargo al 0.52 del IRPF que ha supuesto la financiación por un importe global de 14 411 millones de ptas. en 1998, lo cual ha permitido prestar apoyo económico a 335 entidades y 825 programas. En el período 1994-1998 se han otorgado 57 336 millones de ptas. con cargo a dichas subvenciones.

IV. UNA POLÍTICA DE IGUALDAD PARA LAS MUJERES

Es indudable que, en el futuro, el siglo XX será considerado como el gran siglo de la causa de la mujer, sobre todo en el mundo occidental, donde los procesos políticos de democratización, el acceso a un modelo de enseñanza único para hombres y mujeres, la incorporación creciente al trabajo fuera de casa, el avance de las tecnologías y, como no, la actitud irreductible de la mujer, le han levado a superar las graves discriminaciones del pasado. Pero, como ha señalado Betty Friedan, para alcanzar la verdadera igualdad falta aún que los hombres den un segundo paso y asuman los trabajos del hogar y de responsabilización de la familia al mismo nivel que lo hacen las mujeres.

En la última década la cuestión de los derechos de la mujer ha cobrado una fuerza y unos visos de realidad que resultaban impensables hace poco más de cien años, por lo menos en cuanto a España se refiere, donde existían dos mundos conviviendo, el del hombre y el de la mujer, que ya se diferenciaban desde un hecho tan inicial y básico como el de la educación.

En los albores del siglo XXI puede afirmarse que los valores socio-culturales no cambian, porque están por encima del tiempo y las modas: la libertad, la tolerancia, la solidaridad, la paz, la familia, son exigencias para cualquier época. Pero sí cambian los roles que hombres y mujeres desempeñamos en nuestro tiempo histórico ante las demandas que nos presenta y exige el marco temporal en que nos toca vivir.

Por eso es tan necesario que en este siglo que acaba, sin duda el más importante en el avance hacia la igualdad de derechos entre hombres y mujeres, así como en el siglo que viene, seamos capaces de aportar soluciones desde la intensa participación de las mujeres en el desarrollo de las mismas.

Frente a un feminismo de confrontación con el hombre por los derechos de la mujer, entiendo que en este tema hay que trabajar por la colaboración con los hombres que comparten nuestra igualdad, como personas iguales en dignidad por el hecho de serlo. Cada mujer debe elegir, en el marco de su libertad personal y desde sus compromisos y convicciones, de qué modo organizar su existencia. Nadie puede imponernos un modelo estático y homogéneo de cómo vivir nuestra igualdad.

En este sentido, las líneas de actuación que deben informar las tareas del Gobierno implican la introducción de la óptica de igualdad en todas las políticas y la promoción de la participación de las mujeres en todas las esferas de la vida social, especialmente en la economía productiva. Así se recoge en el III Plan de Igualdad de Oportunidades entre Mujeres y Hombres (1997-2000), que tiene como uno de sus objetivos fomentar la participación activa de las mujeres y la incorporación de sus puntos de vista a todos los niveles de los procesos de decisión, ya que sin ello no se podrá llegar a la meta de la plena igualdad de derechos y oportunidades.

La OIT ha destacado que la imagen tradicional de las funciones que corresponden a hombres y mujeres lleva a que se oriente a la mujer, desde temprana edad, hacia ocupaciones estereotipadas que se consideran propias de su sexo, lo que limita el acceso de las mujeres a los puestos de alto nivel de dirección. Lo que se propone es un nuevo enfoque del sistema educativo desde los primeros años de edad, para que se desarrolle una idea más positiva de la capacidad y la función económica de la mujer.

Por ello, considero vital para el bienestar de la sociedad que los conocimientos de las mujeres sean aprovechados y, de esta forma, que puedan contribuir plenamente en todos los ámbitos posibles, teniendo en cuenta los niveles de educación y experiencia que las mujeres hemos ido alcanzando, así como la creatividad y la dedicación con que abordamos nuestros trabajos.

La vida de las españolas ha cambiado significativamente en las últimas décadas. Su incorporación en todos los ámbitos de la sociedad ha sido notoria. En la actualidad se han suprimido la mayoría de los obstáculos formales para el acceso de la mujer a los distintos sectores, como el educativo, el laboral, profesional, artístico, etc.

Sin embargo, este proceso de cambio que lleva a la plena incorporación del colectivo femenino se está produciendo a un ritmo insuficiente. Esto significa que hay que seguir luchando para impulsar una presencia activa de las mujeres y animarlas a la participación en todas las instituciones, organizaciones y entidades.

En cuanto al mundo laboral y profesional, las mujeres aún permanecen en niveles inferiores respecto a los hombres, sobre todo si se habla de puestos de responsabilidad.

Ante esta situación, el Ministerio de Trabajo y Asuntos Sociales y el Instituto de la Mujer han considerado necesario poner en marcha una campaña que refuerce el proceso de *participación social de las mujeres*, dentro del conjunto de acciones que llevan a cabo dirigidas al mismo objetivo.

1. *Participación política*

La presencia de las mujeres en la vida política *se ha incrementado en los últimos años, pero en general permanece en un índice muy por debajo de la tercera parte en relación a la de los hombres*, tanto en presencia en las organizaciones de carácter político como en puestos de representación.

A modo de ejemplo, apuntar que las mujeres son minoría en todos los partidos políticos que tienen cinco parlamentarios/as o más. Solamente en el PNV pasan del 38% (38.30%) y le siguen el PP (29.70%) y el PSOE (24.69%).

En cuanto al Parlamento, en el Congreso se ha incrementado en 6 puntos el porcentaje de mujeres parlamentarias respecto a la legislatura anterior y en el Senado se ha pasado de un 12.50% a un 14.80%. En el Parlamento Europeo la presencia de eurodiputadas españolas ha pasado de un 15.00% en 1989 a un 32.81% en 1995, estando en séptimo lugar en cuanto a representación de mujeres. E igualmente, en los Parlamentos Autonómicos en 1998 hay un 20.1% de miembros que son mujeres, cuando en 1993 era un 14.2%.

Las alcaldesas representaban un 4.63% del total de regidores/as de las corporaciones municipales en 1991 y en 1995 pasaron a ser un 6.1%.

Sólo en el sistema judicial la presencia de la mujer supera el nivel indicado, alcanzando cerca de un 46% el número de mujeres miembros de la carrera judicial en los diferentes puestos.

2. *Participación económica*

Las mismas reflexiones se pueden realizar a la vista de los datos de la incorporación de la mujer al mundo laboral y profesional, en el que se mantiene una división sexual del trabajo, aunque poco a poco van reduciéndose las diferencias.

La participación de la mujer como población activa es significativa, avanzando a un ritmo más rápido que el del varón: el incremento de población activa de 1996 a 1998 ha sido para el total de población de un 2.1%, pero asciende a un 3.8% en el caso de la mujer y se queda en 1.1% en el del hombre.

Tomando como referencia los últimos veinte años, la población activa masculina ha pasado de 9 301 000 en 1978 a 9 893 000 en 1998, lo que supone un incremento del 6.3%, y la femenina de 3 786 000 a 6 397 000, con un incremento del 68.9%.

Pero, ante los datos sobre tasas de paro (un 26.6% en el caso de la mujer frente a un 13.9% en el del hombre, según los datos del III trimestre de la EPA) u ocupación, se observa que todavía la mujer está en posición secundaria frente al hombre en cuanto a opciones de trabajo. No sólo se incorporan menos mujeres a un puesto de trabajo, sino que, además, hay sectores profesionales o de actividades económicas donde su presencia es aún minoritaria y sobre todo en el caso de puestos jerárquicos o de responsabilidad.

En el caso de estudios superiores, los varones en paro son un 10.32% y en cambio en el de mujeres aumenta hasta el 22.65%.

En cuanto a la situación profesional, la evolución ha permitido que descienda su dedicación mayoritaria a «ayudas familiares», en beneficio de su participación en trabajos, bien por cuenta propia con o sin empleados o por cuenta ajena.

Todo esto refleja el peso que el rol tradicional asignado a la mujer aún tiene a la hora de tomar decisiones sobre su vida profesional, provocando en el mejor de los casos una compatibilización que redunda en frenar su acceso a determinadas ocupaciones o puestos de nivel medio y alto.

La participación de la mujer en este ámbito contribuye a la defensa de sus intereses específicos, al aumento de sus conocimientos y experiencias y, por tanto, a la reducción de las diferencias laborales. Este proceso es el que se viene desarrollando en la sociedad española desde hace ya años, pero el mantenimiento de estructuras y funcionamiento anteriores no ha permitido obtener todos los cambios necesarios.

V. IGUALDAD DE OPORTUNIDADES Y EMPLEO

Como primera aproximación a este tema hay que resaltar que tanto el colectivo de mujeres como el de personas con discapacidad son en la actualidad los que más afectados se encuentran en nuestro país por el problema del desempleo, lo cual, unido a otros factores de desventaja que han de padecer estos colectivos, puede llevarlos a la marginación y a la exclusión social.

Consecuentes con esta problemática, puede decirse que en todas las grandes iniciativas que sobre empleo ha promovido el Ministerio de Trabajo y Asuntos Sociales se ha contemplado la situación específica de los trabajadores con discapacidad y la situación de las mujeres trabajadoras.

En este campo, el Gobierno español ha orientado plenamente su política a los acuerdos adoptados por el Consejo Europeo extraordinario sobre el empleo que tuvo lugar en Luxemburgo el 21 de noviembre de 1997, y a las directrices para el empleo en 1998 (Resolución del Consejo de la UE de 15.XII.97).

En lo referente a las políticas de igualdad de oportunidades, las directrices para el empleo tratan de combatir la discriminación entre hombres y mujeres, mediante el apoyo activo del empleo de las mismas y, en especial, en ciertos sectores de actividad.

Además, para conciliar la vida familiar y laboral, los Estados se esforzarán por incrementar las posibilidades de acceso a servicios de guardería y de asistencia, facilitar la reincorporación al mercado de trabajo de las mujeres y los hombres que deseen reincorporarse a la vida activa remunerada tras una ausencia.

Igualmente, se favorecerá la inserción de los minusválidos en el trabajo, prestando especial atención a las dificultades que puedan experimentar las personas minusválidas para incorporarse a la vida activa.

Estas directrices se han incluido en el Plan Nacional de Acción para el Empleo de España para 1998, y se tendrán presentes a la hora de elaborar el Plan de Empleo para 1999, recogiendo en su Pilar IV una serie de medidas destinadas a reforzar la política de igualdad de oportunidades, siendo el colectivo de mujeres y el de discapacitados sus principales destinatarios.

Este Plan tiene muy en cuenta la situación de la mujer en el mercado de trabajo, lo que obliga a una consideración especial hacia ese sector de la población con el fin de hacer efectiva la igualdad de oportunidades.

Ciñéndonos específicamente al Pilar IV de este Plan, donde se recogen las directrices, objetivos, medidas y recursos tendentes a reforzar la política de igualdad de oportunidades, el objetivo fundamental es aumentar la tasa de ocupación femenina, reducir su tasa de desempleo, mejorar la calidad del mismo e incrementar la presencia de las mujeres en las ocupaciones que se encuentran subrepresentadas.

Entre las medidas más importantes, podríamos destacar:

— Prioridad de las acciones de formación de la mujer.
— Incentivar económicamente la contratación indefinida de mujeres en profesiones u oficios en los que estén subrepresentadas.
— Exención del pago de cotizaciones empresariales a la Seguridad social a las empresas que realicen contratos de sustitución durante el período de baja por maternidad o adopción.
— Orientar el programa de Escuelas Taller y Casas de Oficio hacia proyectos de empleo femenino.
— Incremento de acciones formativas de mujeres en profesiones u oficios que constituyen nuevos yacimientos de empleo y en nuevas tecnologías.
— Facilitar información a las mujeres para la creación de empresas.
— Facilitar ayudas financieras para mujeres emprendedoras.
— Modificar el art. 28 del Estatuto de los Trabajadores, con el principio de que igual retribución por trabajo de igual valor.

Para conciliar la vida laboral con la familiar, se prevén las siguientes medidas:

— Plan de guarderías en colaboración con las Comunidades Autónomas.
— Incremento del sistema de servicios sociales y ayuda a domicilio.
— Modificar la legislación laboral sobre permisos parentales.

Para facilitar a las mujeres la reincorporación a la vida activa, se disponen estas medidas:

— Información y asesoramiento a desempleadas.
— Formación ocupacional.

— Facilitar el acceso a la formación continua a las personas en excedencia por cuidado de hijos menores.

— Impulsar programas de apoyo a la creación de empresas por mujeres y promocionar el desarrollo de la red de mujeres empresarias.

Respecto a las medidas concretas de reciente aprobación en favor de las mujeres, destacan la exención del pago de cotizaciones empresariales a la Seguridad Social a aquellas empresas que realicen contratos de sustitución durante los períodos de baja por maternidad, adopción o acogimiento (la llamada medida «coste cero»), y el fomento del empleo estable de mujeres en profesiones y ocupaciones con menor índice de empleo femenino. En fechas próximas se aprobarán nuevas medidas que favorecerán la incorporación de las mujeres al mercado laboral, posibilitando la conciliación entre la vida laboral y familiar.

Resulta evidente que, con respecto a las mujeres, tenemos la obligación y la necesidad de seguir incidiendo en la permanente mejora de las condiciones para la igualdad de ambos sexos, corrigiendo los aspectos discriminatorios que inciden en el mercado laboral, donde los datos son todavía desfavorables, tanto en lo referente a su tasa de actividad (muy por debajo de la de los hombres), como a su alta tasa de desempleo, que duplica al masculino, como, por último, en lo que respecta a su falta de representación en puestos de dirección.

Sin embargo, hay una serie de datos esperanzadores en el mercado de trabajo que muestran una tendencia favorable con respecto a la participación de las mujeres, como es la tendencia de las mujeres en los últimos años a incorporarse al mercado de trabajo (en los últimos dos años se han incorporado 236 400 activas más) y el aumento del número de contratos indefinidos para las mujeres.

En efecto, la tasa de ocupación de las mujeres ha experimentado un incremento paulatino en el período 1995-1998, de forma que se ha pasado del 25.2% en 1995 al 27.6% en 1998, si bien dichos datos están muy lejos aún de la tasa de ocupación de los hombres (54.2% en 1998).

Otro dato significativo es que la tasa de paro femenino ha descendido en el período 1995-1998 cuatro puntos, pasando del 30.6% en 1995 al 26.6% en 1998, si bien nuevamente existe una diferencia sustancial respecto a la tasa de paro masculino, que se sitúa en un 13.9% en 1998.

Otro aspecto que también conviene destacar es el de la formación profesional, campo en el que el Ministerio de Trabajo y Asuntos Sociales tiene previsto hacer un importante esfuerzo para el año 1999, de forma que casi 800 000 mujeres reciban formación en escuelas taller, casas de oficio, talleres de empleo y otras actuaciones para el empleo.

El destino primordial del programa de promoción de la mujer es el desarrollo del III Plan de Igualdad de Oportunidades y, dentro de éste, la creación de empleo para las mujeres. Al objeto de favorecer esa creación de empleo se están llevando a cabo una serie de programas en los siguientes ámbitos :

— Fomento a la creación de empresas de mujeres.

— Programas de asistencia técnica a mujeres empresarias; los cursos de formación en gestión empresarial; la concesión de ayudas al empleo destinadas a aquellas mujeres que han constituido su propia empresa o cooperativas de trabajo asociado; y la red NOW de mujeres rurales que permite la mejora de las técnicas de búsqueda de empleo de las mujeres en el mundo rural, así como la promoción de sus iniciativas de autoempleo.

— Fomento a la incorporación y promoción de las mujeres en el seno de las empresas, a través del programa Óptima, cuyo objetivo principal es fomentar la igualdad de oportunidades de las mujeres en las organizaciones empresariales.

— Mejora de la situación de las mujeres frente al mercado de trabajo, para lo cual se desarrollan dos programas principales: servicios integrados para el empleo (SIPES) en colaboración con el INEM, y la realización de cursos de formación innovadora para mujeres, con el fin de aumentar la ocupación de las mujeres abriendo y diversificando el abanico profesional, atendiendo en cada momento a las necesidades emergentes de la zona.

— Apoyo a las iniciativas sociales en la creación de empleo por parte de asociaciones de mujeres y ONG's que trabajan en favor de las mismas, destacando los programas que faciliten la inserción laboral y promuevan un reparto equilibrado de tareas y responsabilidades domésticas y familiares.

No podemos dejar de referirnos al III Plan de Igualdad de Oportunidades entre Mujeres y Hombres, diseñado para el período 1997-2000, y que se está desarrollando en la actualidad.

Este Plan pretende impulsar las políticas de igualdad de oportunidades para el avance social de las mujeres, introduciendo los compromisos adquiridos en la Plataforma de Acción de la IV Conferencia Mundial de las Mujeres, celebrada en Pekín, así como las orientaciones contenidas en el IV Programa de Acción de la UE.

El III Plan de Igualdad de Oportunidades contiene diez áreas, en cada una de las cuales se recogen los objetivos y medidas concretas que se pondrán en marcha (Educación, Salud, Economía y Empleo, Poder y toma de decisiones, Violencia, etc.).

Dentro del área de economía y empleo se recogen medidas orientadas a reformar las estructuras que hoy en día dificultan la incorporación, la permanencia y la promoción de las mujeres dentro del mercado laboral.

VI. EL PROBLEMA DE LA VIOLENCIA CONTRA LAS MUJERES

El siglo XX ha visto desarrollar el concepto de los derechos humanos, que han sido reconocidos en el plano nacional y en el internacional, existiendo hoy día el convencimiento de que el reconocimiento y la aplicación de los derechos humanos conducirá a la igualdad, al desarrollo y a la paz.

Sin embargo, las mujeres —que constituyen más de la mitad de la población mundial y realizan dos terceras partes del trabajo en todo el mundo— todavía sufren graves privaciones en lo que se refiere a los derechos humanos fundamentales. No sólo se les niega la igualdad con los hombres, sino que además se les impide a menudo la libertad y la dignidad, y en muchas situaciones se les infligen violaciones directas a su autonomía física y espiritual.

Esta violencia contra las mujeres abarca distintas formas, como el acoso sexual, las agresiones y los abusos sexuales, el comercio con mujeres, la explotación de la prostitución y, como no, la violencia doméstica.

Estos tipos de violencia no conoce fronteras y se produce en prácticamente todos los países del mundo. No sólo en los países en desarrollo, sino en países más civilizados.

Tampoco es una violencia que se produzca únicamente en un grupo o clase social, sino que afecta a todas las mujeres de distintas clases sociales.

Hoy, la violencia contra la mujer ha superado la dimensión privada y ha pasado a ser considerada como un atentado hacia la propia sociedad, como un ataque a la esencia de la democracia, lo que hace necesario insistir en la sensibilización de la sociedad frente a este fenómeno, que no es nuevo, pero que empieza a conocerse mejor, alejando a las mujeres maltratadas de la actitud resignada del silencio.

No es hasta la década de los '90 cuando se produce una toma de posición más avanzada y decidida ante este problema. En esta década, se empieza a considerar la violencia de género como una vulneración de los derechos humanos, superada la visión reduccionista de atentado en el ámbito de lo privado o particular.

El Gobierno, consciente de la necesidad de dar cumplimiento a las exigencias que demanda la sociedad frente al problema de la violencia, aprobó el 30 de abril de 1998 el Plan de Acción contra la violencia doméstica, que se articula en torno a seis grandes apartados:

1. Sensibilización y prevención. Con las medidas propuestas, se pretende que la sociedad tome conciencia de la gravedad del problema y que en los centros escolares, así como en los medios de comunicación, se transmita el valor de la *no violencia*, como método para prevenirla.

2. Educación y formación. Las actuaciones diseñadas van dirigidas, por una parte, a los centros escolares. Se pretende influir en los contenidos curriculares, con el fin de impartir una enseñanza en la que primen los valores de la tolerancia, el respeto, la paz y la igualdad. Por otra parte, se incluyen actuaciones para mejorar la formación de diversos grupos de profesionales en el tratamiento de los problemas derivados de los malos tratos.

3. Recursos sociales. Las actuaciones incluidas en el Plan, en este apartado, van dirigidas a crear una infraestructura suficiente para dar cobertura a las necesidades que puedan tener las víctimas: incrementar las unidades específicas de atención a las mujeres que han sufrido actos de violencia, en las comisarías y servicios de las Fuerzas y Cuerpos de Seguridad; crear oficinas de asistencia a las víctimas en los órganos judiciales y fiscales; hacer guías de recursos; desarrollar servicios de atención, rehabilitación y seguimiento de las víctimas; habilitar más Casas de Acogida y pisos tutelados; realizar cursos de formación para las víctimas, para favorecer su reinserción laboral y social; etc.

4. Sanidad. En este apartado, se propone adoptar y difundir un protocolo sanitario, como respuesta integral a los problemas de esta índole de las víctimas, e incluir, en los Servicios de Atención Primaria de Salud, actuaciones para la prevención de la violencia. Asimismo se incluye como medida potenciar la sensibilización de los profesionales de la salud.

5. Legislación y práctica jurídica. En este apartado se hace distinción entre las medidas legislativas, por una parte, y las medidas judiciales, por otra:

— Medidas legislativas. Se contemplan propuestas de modificación de algunos artículos del Código Penal y de las leyes procedimentales, entre las que figura, como diligencia para proteger a la víctima, el distanciamiento físico del agresor.

— Medidas judiciales. Se hace referencia a medidas dirigidas a agilizar y mejorar los procedimientos judiciales; desarrollar programas de formación continua de fiscales especializados en el tema; solicitar del Ministerio Fiscal una posición más decidida en la búsqueda de pruebas y en el seguimiento de la ejecución de las sentencias; establecer un programa informático para que, en los juzgados y tribunales, se puedan obtener datos sobre antecedentes de otras denuncias; elaborar un protocolo de colaboración y coordinación en las distintas instancias implicadas; incrementar las plantillas de médicos y médicas forenses y mejorar la asistencia jurídica de las víctimas de malos tratos.

6. Investigación. Un bloque de las actuaciones previstas en el Plan de Acción que se presenta en este documento está destinado a mejorar el conocimiento que se tiene sobre los actos de violencia contra las mujeres, perpetrados en nuestro país. Con este fin, se pretende elaborar un protocolo estadístico de este tipo de delitos, así como realizar estudios e investigaciones sobre el tema.

VII. LA PROTECCIÓN SOCIAL DE LAS PERSONAS CON MINUSVALÍA

A continuación quisiera referirme a las políticas en favor de las personas con minusvalías y, en especial, al tema del empleo de los discapacitados, asegurando que la atención a las especiales necesidades del colectivo de discapacitados es hoy día una constante, lejos ya del carácter extraordinario y atípico que estas preocupaciones tenían en tiempos no muy lejanos.

El referente básico de las políticas de solidaridad en favor de los ciudadanos españoles con discapacidad y de sus familias es el «Plan de Acción para las Personas con Discapacidad 1997-2002», concebido como una propuesta de política integral (medidas sanitarias, educativas, profesionales, laborales, de servicios sociales, etc.) y pretende también servir de punto de encuentro a las iniciativas estatales y a las iniciativas autonómicas en ese irrenunciable afán de desarrollar una estrategia global para el colectivo, que respete a su vez la capacidad de decisión de cada Administración.

Uno de los retos que se plantea el Plan de Acción es «impulsar una presencia más activa y una mayor participación en la vida económica y social del colectivo de personas con discapacidad».

Tanto desde el Ministerio de Trabajo y Asuntos Sociales como desde las ONG's de Discapacitados se llegó al acuerdo de que era el empleo la «clave» de la participación del colectivo. Es por eso que se constituyó como la «prioridad número uno» en el desarrollo del Plan de Acción.

Otra de las grandes iniciativas del Ministerio de Trabajo y Asuntos Sociales en el ámbito de las personas con discapacidad ha sido el «Acuerdo entre el Ministerio de Trabajo y Asuntos Sociales y el Comité Español de Representantes de Minusválidos (CERMI) por el que se establece un Plan de Medidas Urgentes para la promoción del empleo de las personas con discapacidad», que se firmó en Madrid el 15 de octubre de 1997, cuyas propuestas se vienen plasmando en la legislación socio-laboral.

El Acuerdo, además de un primer ámbito referido a la mayor participación institucional del movimiento asociativo, consta de tres apartados. En el primer apartado, el Acuerdo trata de relanzar los servicios de intermediación laboral especializados en trabajadores con discapacidad, con base en la eficacia que han demostrado en los últimos años como instrumentos de fomento del empleo, potenciando la intermediación especializada en la red del INEM.

En el segundo apartado, el Acuerdo plantea un mejor aprovechamiento de los actuales medios de formación profesional ocupacional por el colectivo de personas con discapacidad, mediante una mayor adaptación y flexibilidad de los cursos de FPO, y mayor participación de las ONG's de Discapacitados en programas experimentales. Asimismo, se intentará la potenciación y consolidación de los contratos formativos con apoyos suplementarios para los discapacitados.

En el tercer apartado, el Acuerdo plantea una serie de medidas de carácter urgente para corregir las principales disfunciones detectadas en cada modalidad de empleo protegido, empleo ordinario y empleo público.

En cuanto al proceso de desarrollo de los compromisos adquiridos, me gustaría destacar que muchas de las medidas previstas ya se han incorporado en las Leyes de medidas fiscales, administrativas y del orden social de 1997 y 1998, así como también se han recogido medidas de apoyo al empleo de trabajadores discapacitados en las leyes 63/97 y 64/97, de 26 de diciembre, de Medidas Urgentes para la Mejora del Mercado de Trabajo y Fomento de la Contratación Indefinida y por la que se regulan incentivos en materia de Seguridad Social y de carácter fiscal para el fomento de la contratación indefinida y la estabilidad en el empleo, respectivamente.

Muchas de las medidas del Acuerdo con CERMI que se vienen comentado, también se recogen en el Plan de Acción para el empleo 1998, entre las que podríamos destacar:

— La mejora de la capacidad de inserción laboral de las personas con discapacidad, preferentemente jóvenes y mujeres demandantes de empleo.

— La facilitación de una oportunidad laboral o de formación profesional ocupacional a 20 000 personas con discapacidad.

— La implantación de 15 nuevos Servicios de Intermediación laboral y mejora del Registro de Trabajadores Discapacitados.

— La mejora de la fiscalidad de los empleos ordinarios y autónomos, aumentando las subvenciones de 500 000 ptas. a 650 000 ptas.

— El fomento de la creación de empresas protegidas asociadas a corporaciones empresariales.

— La adecuación de las condiciones de trabajo a las personas con discapacidad especialmente en lo referido a la eliminación de barreras, adaptación del puesto de trabajo y de los procesos de formación.

Los diversos organismos competentes están poniendo en práctica medidas de gestión administrativa, y así el INEM está trabajando en aquellas medidas de potenciación de los servicios de intermediación especializados en el colectivo de discapacitados, como las mejoras en el Registro de Trabajadores discapacitados demandantes de empleo, la coordinación de los Equipos de Valoración de Discapacidades y las Oficinas Públicas de Empleo, y la mayor presencia de las ONG's de discapacitados en las labores de intermediación laboral.

Igualmente, el INEM y la Subdirección General de Formación Profesional Ocupacional y Continua están incorporando medidas específicas de formación de discapacitados en todas las iniciativas en marcha que sobre la materia está llevando a cabo el Ministerio.

El Ministerio de Trabajo y Asuntos Sociales ha asumido la iniciativa de promover un sistema más flexible y abierto en los procesos de acceso y de promoción de los trabajadores discapacitados en el empleo público. Asimismo, se han dictado por el Ministerio de Trabajo y Asuntos Sociales instrucciones sobre el establecimiento de criterios de referencia en la adjudicación de contratos, con base en la integración de minusválidos en las plantillas de las empresas licitadoras, que serán de aplicación a las contrataciones de este Ministerio.

Después de hacer este repaso por la situación laboral de los colectivos que presentan dificultades para acceder al mercado laboral, sólo quisiera, para terminar, dejar constancia de que, igual que en el caso de las mujeres, que en pocos años se están acercando, de forma paulatina, a los niveles de empleo de los hombres, es necesario que en la lucha por la plena integración de las personas con discapacidad en la sociedad y en el mercado de trabajo estemos todos unidos, para lo que se ha hecho desde el Gobierno y se sigue haciendo un esfuerzo importante, creando los instrumentos adecuados para que la sociedad española, que es la que genera los empleos, reaccione al fin ante la situación de unos colectivos que son, con mucho, los más desfavorecidos en lo referente al empleo.

VIII. LAS POLÍTICAS DE SOLIDARIDAD CON LAS PERSONAS MAYORES

En apenas cuatro décadas, España ha experimentado un profundo *cambio demográfico* que resalta a simple vista con los siguientes datos: en el año 1960 había en España 2 505 165 personas mayores de 65 años (el 8.2% de la población). En el año 1991 eran más de 5 millones de personas y para el año 2000 hay una previsión de 6.5 millones de mayores de 65 años, llegando a 7.5 millones en el año 2016, que supondrán el 19%.

Y es esta población de *mayores de 80 años* la que presenta unas cifras más significativas, pues si en el año 1971 suponían el 1.5% de la población (más de 500 000 personas), en 1991 eran ya 1 142 929 personas, es decir el 2.93%. Siguiendo esta progresión, para el año 2016 serán 2 226 953 personas, que representará el 5.39% En ese año, la esperanza de vida superará los 80 años.

Sin duda alguna, uno de los grandes problemas al que nos enfrentamos en la actualidad y de cara al futuro es la situación y problemática de los enfermos de alzheimer, así como de sus familiares y allegados.

Esta situación es contemplada por el Ministerio de Trabajo y Asuntos Sociales de forma prioritaria, ya que la citada enfermedad es hoy en día una de las causas de demencia más frecuente, suponiendo aproximadamente el 70% de los casos, y seguida en incidencia por las de tipo vascular. El hecho adicional de que estas patologías se encuentren asociadas al envejecimiento, hace que en la actualidad aún sea mayor su importancia y repercusión social. Hay que tener en cuenta que se trata de un proceso patológico novedoso relativamente (se diagnosticó por primera vez en 1906 por Alois Alzheimer) que va unido al creciente envejecimiento poblacional.

Se estima que la enfermedad de alzheimer es padecida en nuestro país por unas 450 000 personas de forma directa, y , secundariamente, por un número superior de familiares-cuidadores de estas personas. Por ese motivo, a partir de este año, se va a establecer una partida presupuestaria con carácter específico destinada a proyectos sociales en favor de este colectivo.

Junto a las medidas que en el ámbito de la Seguridad Social se han tomado con vistas a garantizar el poder adquisitivo de las pensiones del sistema, en el área social se están desarrollando una serie de actuaciones y programas que inciden en la calidad de vida de nuestros mayores: programas de vacaciones y termalismo; atención domiciliaria; teleasistencia; etc. Ya en 1997 y 1998 el Consejo de Ministros incluyó en el reparto de subvenciones a las Comunidades Autónomas para programas sociales una partida, dentro del Plan Gerontológico, con destino a las necesidades de las personas mayores con enfermedades mentales, y especialmente para los enfermos de alzheimer.

Asimismo, dentro de la convocatoria 1998 de ayudas y subvenciones para la realización de programas de cooperación y voluntariado sociales con cargo a la asignación tributaria del IRPF, se ha dado prioridad a los programas para personas mayores que estén dirigidos a los que padezcan enfermedades mentales, alzheimer, etc. Además, se da prioridad a los programas de apoyo a familias con mayores dependientes a su cargo. De los 3 098 millones de ptas. concedidos este año para los programas para personas mayores, que supone un incremento del 14.09% con respecto a 1997, 167 millones se han dirigido a proyectos de apoyo para los familiares de mayores dependientes.

Como decimos, dentro de los Presupuestos Generales del Estado para 1999, el Ministerio de Trabajo y Asuntos Sociales, con cargo a la Secretaría General de Asuntos Sociales, ha incluido un nuevo programa de atención a personas con alzheimer y otras demencias en el que el Instituto de Migraciones y Servicios Sociales (IMSERSO) viene trabajando con el Ministerio de Sanidad y Consumo y con el INSALUD, además de sociedades científicas y ONG's, para la elaboración del citado Plan.

El Plan permitirá abordar los aspectos relacionados con plazas residenciales, atención domiciliaria y centros de día. El importe que se ha previsto ha tenido en cuenta el crecimiento de la población española mayor de 60 años para el año 1999 (sobre el 20%), y el crecimiento de la enfermedad con respecto al año 1998, que supone un 23.86%, así como también estudios sobre el crecimiento exponencial de esta enfermedad a partir de los 40 años. Esto nos da un resultado aproximado de 4 000 casos de la enfermedad de alzheimer por cada 100 000 habitantes.

La justificación de este programa no es otra que afrontar la realidad social de un progresivo envejecimiento de la población española y sus enfermedades asociadas, como es el caso del alzheimer y proporcionar, tanto a los enfermos como a sus familiares y cuidadores, el apoyo económico y asistencial necesario para paliar en lo posible las consecuencias desfavorables.

Por último, quisiera terminar con una breve exposición de las principales medidas y actuaciones que se van a tomar en relación con una institución tan importante en nuestra sociedad como la familia, que, a su vez, tiene una notable incidencia en las políticas compensatorias. Las principales actuaciones que van a abordarse son las siguientes:

1. Elaboración del Plan Integral de Apoyo a la Familia, que tendrá como objetivos:

a) Incremento de la calidad de vida de las familias.
b) Fomento de la solidaridad intergeneracional.
c) Atención a las familias en situaciones especiales.

2. Profundización en las medidas para conciliar la vida laboral y la vida familiar, con el fin de facilitar la incorporación de la mujer al mercado de trabajo:

a) Reforma laboral.
b) Actuaciones concretas en colaboración con las CC.AA. para la atención a menores de 0 a 3 años.

3. Atención a los mayores dependientes: apoyo a las familias para el cuidado de las personas que padecen la enfermedad de alzheimer.

4. Atención a las familias desfavorecidas y en situación de riesgo social.

5. Apoyo a las ONG's: mediante subvenciones con cargo a la convocatoria del 0.52% del IRPF, para aquellas entidades que desarrollan proyectos de intervención en familias con dificultad social o que sean víctimas de acciones violentas.

Capítulo 18

LA SITUACIÓN DEL MEDIO AMBIENTE

Cristina Narbona Ruiz

I. INTRODUCCIÓN

El presente informe se ciñe a consideraciones acerca de la política ambiental española, así como sobre el estado del medio ambiente en nuestro país, en términos agregados, sin eludir, por supuesto, los comentarios respecto a algunos de los acontecimientos concretos más destacados acaecidos durante 1998.

En síntesis, se aprecia en la práctica totalidad de los ámbitos analizados la *escasa incidencia de la creación del Ministerio de Medio Ambiente*, de cara a la solución de los principales problemas ecológicos de España; incluso, en cuestiones tan relevantes como la gestión de los residuos, se ha producido un *retroceso* en cuanto al papel de la Administración Central, a pesar de la aprobación de leyes estatales relativas a la materia. Una de las razones fundamentales de esta situación insatisfactoria es la incapacidad demostrada por el Ministerio de Medio Ambiente a la hora de coordinar e impulsar las políticas autonómicas, para garantizar la consecución de objetivos mínimos de calidad ambiental en todo el territorio nacional.

El argumento, reiterado, sobre la competencia exclusiva de las Comunidades Autónomas, para eludir responsabilidades en el ámbito estatal, resulta absolutamente injustificado: *a la Administración Central le corresponde diseñar medidas de ámbito nacional* y aplicar sus propios presupuestos para atender las prioridades ambientales, cooperando con las Comunidades Autónomas; además, la Administración Central conserva competencias plenas en relación con la gestión del agua y de los espacios costeros, así como en el diseño de la *legislación básica* en materia de medio ambiente.

La creación del Ministerio de Medio Ambiente tampoco ha supuesto una reorientación «ambiental» de las diferentes políticas sectoriales del Gobierno. Ello resulta especialmente relevante en el ámbito del urbanismo o de la energía, donde se han aprobado leyes, durante 1998, cuyos efectos negativos sobre el medio ambiente son innegables.

Por último, el Ministerio de Medio Ambiente ha jugado un *papel muy pobre en la escena europea e internacional*, en las que se adoptan las decisiones de mayor trascendencia para el diseño de la política ambiental nacional. La extraordinaria riqueza biológica de España, y el innegable avance de la investigación española en materias como la *desertización* apenas se han traducido en una consideración específica en la política ambiental europea o en el desarrollo de los Convenios de Naciones Unidas.

II. LA LUCHA CONTRA EL CAMBIO CLIMÁTICO

De los grandes problemas ambientales, el cambio climático resulta ser el de mayor alcance, ya que el aumento de las temperaturas afecta a la estabilidad de todos los ecosistemas y puede, además, tener gravísimas consecuencias socieconómicas, tal como se ha venido denunciando, con voces cada vez más alarmadas, desde el ámbito científico. El Convenio de Naciones Unidas sobre Cambio Climático, firmado en 1992 por España a raíz de la Cumbre de Río, establecía la obligación, para el conjunto de los países de la UE, de estabilizar en el año 2000 la emisión de gases de efecto invernadero en el nivel alcanzado en 1990. Con posterioridad, el protocolo establecido en Kyoto en 1997 ha comportado un nuevo compromiso para la UE en su conjunto, que deberá reducir en el año 2010 en un 8% las emisiones de gases de efecto invernadero respecto al nivel alcanzado en 1990. De acuerdo con la distribución interna de este objetivo, se le permitirá a España un aumento máximo del 15% de dichas emisiones en el período señalado.

Pues bien, según los últimos datos, España *ha alcanzado ya ese nivel máximo permitido para el año 2010*, de acuerdo con el protocolo de Kyoto y su implementación concreta dentro de la UE. De ello se deduce que en España es necesario adoptar medidas muy potentes para invertir la evolución creciente de las emisiones de gases de efecto invernadero. Las causas fundamentales de esta tendencia obedecen a la *baja eficiencia del modelo energético español* (el incremento del PIB ha resultado inferior, a lo largo de la última década, al incremento del consumo de energía) y a la *elevada dependencia de los combustibles fósiles.*

La única línea de actuación que ha sido desarrollada en España hasta la fecha con cierto éxito ha sido la del impulso a las *energías renovables* y, en particular, a la *energía eólica*. Sólo durante 1998 se duplicaron las inversiones en este sector que ya involucra a medio millar de empresas —10 000 empleos—, y en el que se han superado con creces todas las previsiones contenidas en el Plan Energético Nacional 1990-2000. Actualmente, la producción total alcanza los 1 000 Mw y se prevé llegar a los 8 000 Mw en el año 2010. España ocupa ya el *quinto lugar* dentro de la UE en energía eólica instalada, y, si se realizan los proyectos en curso, se situaría a la cabeza, detrás de Alemania.

Por el contrario, a pesar de las magníficas condiciones naturales, España va muy por detrás del resto de los países europeos en lo que se refiere a *energía solar* (apenas 220 Mw instalados en total). Durante 1998 se ha aprobado una nueva regulación de las ayudas a la energía solar —se eleva de 11 a 60 ptas. la prima por kilowatio de energía solar producido en paneles fotovoltaicos que se transfieren a la red eléctrica—, lo que debería favorecer el desarrollo de este sector.

La *biomasa* es la principal fuente de energía renovable en España, ligeramente por delante de la *energía hidroeléctrica*. En cualquier caso, en la actualidad sólo un 7% de la energía consumida en España procede de fuentes renovables, por lo que su aportación a la lucha contra el cambio climático es todavía muy reducida.

La transformación del modelo energético español durante la última década se ha visto protagonizada por el *incremento del peso del gas*, que está sustituyendo de forma gradual a los combustibles fósiles convencionales (carbón y petróleo), y que genera menos gases de efecto invernadero que éstos.

Las emisiones procedentes del sector *transporte* son las que más se han incrementado durante los últimos años, a causa de un espectacular aumento del parque automovilístico, y de un uso muy intensivo del *automóvil privado* y del *transporte por carretera*, en comparación con otros países europeos.

Frente a esta situación, someramente descrita, no existe todavía en España un plan nacional que contemple el conjunto de medidas necesarias para abordar con rigor la lucha contra el cambio climático; las pocas medidas existentes tienen un carácter disperso y están insuficientemente dotados desde el punto de vista presupuestario.

A finales de 1998, el Gobierno presentó un borrador de Estrategia Nacional de lucha contra el Cambio Climático (*Políticas y medi-*

das de lucha frente al cambio climático: un primer avance, Consejo Nacional del Clima, Ministerio de Medio Ambiente, 1998), el cual se reduce a una lista de posibles medidas muy poco detalladas y sin ningún respaldo normativo ni presupuestario, y que se haya en período de consultas. Cabe destacar que en este documento se plantean, entre las posibles medidas a adoptar, el incremento de la potencia de las centrales nucleares y el alargamiento de su vida; ambas propuestas han suscitado una viva polémica, debido a la percepción de la obsolescencia de las centrales existentes y al rechazo social al mantenimiento de las mismas.

Las Comunidades Autónomas actúan de forma completamente independiente del Ministerio de Medio Ambiente, al no haberse establecido ninguna coordinación a escala nacional. Así, hay Comunidades como Andalucía que han apostado de forma más significativa por la energía solar, es el caso de Navarra o Galicia, y en Aragón se debate una iniciativa legislativa popular para la reducción en su territorio de las emisiones de gases de efecto invernadero y la paulatina sustitución de las energías no renovables por las energías renovables.

El Gobierno Central ha rechazado en el Parlamento propuestas concretas de la Oposición, relativas a la potenciación de la energía fotovoltaica o la exigencia de un certificado de eficiencia energética en las viviendas objeto de ayuda pública (Proposición no de Ley relativa al programa de actuaciones del Gobierno para cumplir los compromisos derivados del Convenio de Naciones Unidas sobre cambio climático).

El aumento de las temperaturas derivado del cambio climático puede tener repercusiones especialmente graves en el caso de España, debido a sus propias condiciones meteorológicas, con largos períodos de sequía, así como a la concentración de población en el litoral —que se verá afectado por un aumento significativo del nivel del mar, y que está registrando ya fenómenos evidentes de regresión—. Ello obliga a que España se dote de una estrategia propia en esta materia, sin ampararse en la lentitud en el avance de acuerdos internacionales o europeos. Es más, en España debería enfocarse la lucha contra el cambio climático como una apuesta por el progreso ligado a una *mayor eficiencia energética* y *un mayor uso de energías limpias*, en algunas de las cuales España podría ser pionera en la escena internacional. La relación entre innovación tecnológica y ahorro energético ha sido detalladamente descrita, entre otros, en el informe del Club de Roma publicado en 1997 «Factor Cuatro».

III. LA DIVERSIDAD BIOLÓGICA EN ESPAÑA: UN PATRIMONIO NATURAL EN PELIGRO

En España se combinan componentes muy variados del medio físico (clima, características de los suelos, tipologías de vegetación) con una muy baja densidad en las áreas rurales (donde habita sólo un 30% de la población, mientras el 70% vive en un 10% del territorio). Ello ha permitido la *conservación de una gran riqueza biológica*, en mucho mejor estado que en los países europeos más desarrollados, donde la degradación del medio natural ha sido superior. Así, de los 179 tipos de hábitats recogidos en la Directiva Europea 92/43, el 65% se encuentra en el territorio español, y de ellos el 50% se han considerado prioritarios desde el punto de vista de la conservación a escala europea. La puesta en práctica de la Directiva indicada señala a España como el país de *más alta diversidad biológica* de la UE.

Sin embargo, *el estado de conservación* de los hábitats españoles no es demasiado satisfactorio, entre otras cosas porque se ha perdido el carácter natural de la mayor parte de los hábitats existentes.

Uno de los problemas más graves que afectan a la conservación del medio natural en España es el *avance de la desertificación*, que afecta a casi el 50% del territorio, alcanzando en el 18% del mismo un nivel muy grave de erosión, con pérdidas de suelo del orden de 50 Tm/año. Aunque esta situación requeriría medidas muy urgentes, en España no existe todavía un Plan Nacional de lucha contra la desertización —a pesar de que la elaboración de dicho Plan es una de las obligaciones derivadas del Convenio de Naciones Unidas sobre desertificación, firmado por España en 1994—.

La *contaminación* (del suelo, del agua y del aire) es otro grave problema que afecta a la diversidad biológica española, ya que introduce en el medio natural, además de manera creciente, sustancias no asimilables por el mismo. La rotura de la balsa minera de Aznalcóllar fue el acontecimiento más grave registrado en España en 1998, y a ella se le dedica un apartado en este informe: pero la importancia de este hecho no debe hacer olvidar la generalización de determinados riesgos para los espacios naturales, derivados de prácticas poco sostenibles en la industria, la minería o la agricultura. Como se verá más adelante, entre otras cosas, en España se producen casi 4 millones de toneladas anuales de residuos peligrosos, de los que apenas se gestionan un 25% de forma ambientalmente correcta; el resto contribuye a la degradación del entorno y a la alteración, a veces irreversible, de los ecosistemas.

Una mención específica requieren los *espacios forestales*, cuya regulación estatal (Ley de Montes) data de 1957 y resulta manifiestamente inadecuada para favorecer una gestión sostenible de los bosques. Dado que el 66% del monte está en manos privadas, se requieren incentivos específicos que eviten el abandono de los espacios menos rentables para la producción de madera, así como la sobreexplotación de los más productivos. Hasta la fecha, las ayudas más cuantiosas han procedido de los Fondos Europeos; no obstante, a partir de 1997 se ha producido la práctica interrupción de estas ayudas, al no haber presentado el Gobierno a la Comisión Europea los correspondientes proyectos. Esta injustificable situación ha supuesto ya la pérdida de más de 20 000 millones de ptas., así como la destrucción de, al menos, 1 millón de jornales ligados a tareas forestales; y debe entenderse en el contexto más amplio de una insuficiente actuación del Gobierno español para que se tengan en cuenta las características y necesidades específicas del bosque mediterráneo en la elaboración de las directrices de las futuras ayudas europeas, en el marco de la denominada Agenda 2000.

Dentro de este apartado, merece una consideración especial la *gestión de los espacios protegidos*. Existen actualmente *525 espacios* sometidos a alguna normativa legal de protección (Parques Nacionales, Parques Naturales, Reservas Naturales, Paisajes Protegidos, etc.) que ocupan menos del 6% del territorio. Los espacios de mayor valor son los integrados dentro de la Red Nacional de Parques Nacionales. La norma estatal correspondiente se modificó en 1997 (Ley 41/1997), habiendo sido recurrida dicha Ley por Andalucía y Aragón por razones de ámbitos de competencias. En 1998 se declaró el Parque Nacional de Sierra Nevada con lo que actualmente son 10 los espacios clasificados según esta categoría.

Un problema común a todos los espacios protegidos, y en particular a aquéllos con normas de protección más exigentes, es el de la *escasez de los medios económicos y materiales* necesarios para garantizar su correcta conservación. Por desgracia, desde el Ministerio de Medio Ambiente no se ha establecido ningún compromiso presupuestario significativo para colaborar con las Comunidades Autónomas en el mantenimiento y mejora de los espacios protegidos —obligatorio, en gran medida, por la aplicación de Directivas europeas—. Así, en el documento elaborado en 1998, «Estrategia española para la conservación y el uso sostenible de la diversidad biológica», no aparece *referencia alguna a estimaciones del coste económico* que supone la adecuada conservación de los espacios naturales, y el único párrafo de contenido teóricamente económico señala que «con independencia de mantener las actuales subvenciones a ONG's y Comunidades Autónomas, *de cuantía casi simbólica*, se integrará al máximo posible la gestión de la biodiversidad *en los resquicios* de la Agenda 2000 y los nuevos Fondos Estructurales. España mantendrá la postura de defender una Programa LIFE III más amplio y eficaz que el actual (pág. 103 del documento citado). Se entiende que, ante esta ausencia de compromisos reales, muchas Comunidades Autónomas están replanteándose la delimitación de los espacios protegidos de acuerdo con su ámbito de competencias.

IV. LA GESTIÓN DEL AGUA

Uno de los compromisos más contundentes de la Ministra de Medio Ambiente, al inicio de la legislatura, fue el de cambiar de manera radical la gestión del agua en España, favoreciendo un uso sostenible del recurso y garantizando la necesaria consideración de los valores ecológicos del medio hídrico. Dicho cambio debía producirse tras un amplio debate social, propiciado por la publicación de un *Libro Blanco* sobre el agua.

El *Libro Blanco* ha sido publicado casi tres años después de las manifestaciones iniciales y se encuentra en período de consultas cuando se redacta este informe. No obstante, su aparición ha sido precedida por importantes decisiones del Gobierno que condicionan el futuro de la política del agua en España y que invalidan, al menos en parte, el debate presupuestario favorecido por el *Libro Blanco*.

En primer lugar, el actual Gobierno ha *reducido drásticamente la inversión pública* en todo tipo de actuaciones vinculadas con la gestión del agua (construcción de embalses, modernización de infraestructuras existentes, depuración de aguas residuales, restauración de cauces, protección de los ecosistemas fluviales, desalación, etc.). La reducción media ha sido del orden de 60 000 millones de ptas. en los presupuestos de 1996, 1997 y 1998 —si se tiene en cuenta el presupuesto efectivamente ejecutado—, en comparación con los datos de 1995. Según el Ministerio de Medio Ambiente, esta disminución del gasto público en política del agua se vería compensada por el recurso a la contratación de obras en la modalidad de *pago aplazado* —que desplazan el pago de la obra a anualidades posteriores a la finalización de la misma— y a la creación de *Sociedades Estatales* que atrajeran capital privado para la cofinanciación de infraestructuras. Sin embargo, todavía no se ha iniciado ni una sola obra de las Sociedades Estatales con cofinanciación privada. Por lo tanto, no ha existido compensación real a la caída de la inversión pública, y ello ha supuesto la *ralentización o paralización* de numerosos programas emprendidos en la anterior legislatura (por ejemplo, el de delimitación y recuperación de los cauces de los ríos, absolutamente necesario para evitar avenidas; o el Programa Nacional de Depuración de aguas residuales, cuyo insuficiente desarrollo está comportando el incumplimiento de varias Directivas comunitarias).

En paralelo con la disminución de la obra pública, el Gobierno ha emprendido una *reforma de la Ley de Aguas*, cuyo texto fue analizado por el Consejo Nacional del Agua y por el Consejo Económico y Social en 1998. Dicha reforma tiene como objetivo principal la *creación de un mercado privado de derechos del agua*, justificada por la hipótesis de que el intercambio libre entre particulares de las concesiones existentes puede contribuir a un uso más eficiente del agua. La cuestión suscita importantes recelos y no parece avalada por ninguna experiencia satisfactoria: en Chile, donde se ha permitido la compraventa de los derechos del agua, se ha concentrado en muy pocas empresas del sector eléctrico el control sobre el recurso, con graves consecuencias sociales y ambientales.

El *Libro Blanco* llega, por lo tanto, cuando ya se han materializado algunas orientaciones de amplio alcance por parte del Gobierno. Las precipitaciones abundantes de los años 1996 y 1997 —algo menores en 1998—, han «congelado» en gran medida las tensiones sociales en torno al uso del agua; así, puede decirse que ha pasado casi desapercibida la no aprobación de un Plan Hidrológico Nacional, a pesar de constituir una «prioridad» del Ministerio de Medio Ambiente. Hay que señalar, no obstante, que el Consejo de Ministros acordó, en julio de 1998, la aprobación de los Planes Hidrológicos de Cuenca. Tales Planes no recogen, desde luego, ningún cambio en sus orientaciones respecto a las vigentes durante la anterior legislatura; de hecho, la mayoría de los Planes de Cuenca fueron aprobados en sus respectivas Confederaciones Hidrográficas antes de 1996. Sin embargo, el hecho de que estos Planes no hayan sido todavía formalmente publicados en el BOE, lleva a afirmar a Antonio Embid Irujo —catedrático de Derecho Administrativo y experto en materia hidráulica— que no tienen, por el momento, ninguna validez jurídica. En realidad, la ausencia de la publicación de los Planes de Cuenca está pendiente de la elaboración de un texto único «en el que se recojan de forma sistemática y homogénea las determinaciones de contenido normativo incluidas en los diferentes Planes». Es decir, que en estos momentos *la planificación hidrológica se encuentra en un punto muerto*, cuestionada en la práctica por la voluntad del Gobierno de promover mercados privados del agua —que vaciarían de contenido cualquier Plan Hidrológico Nacional— y formalmente a la espera de la respuesta social al *Libro Blanco* del agua.

El *Libro Blanco* representa, en cualquier caso, una amplia recopilación de los datos y la normativa vigente en materia del agua en España, así como de los estudios realizados hasta la fecha. Su principal carencia es la ausencia de propuestas definidas de cara al futuro, lo cual dificulta la presentación de alegaciones o sugerencias al mismo.

Mientras tanto, en la UE se avanza hacia la aprobación de una *Directiva Marco sobre Política del Agua*, que acentuará las exigencias en cuanto a la calidad del agua y obligará a una repercusión gradual de los costes de las infraestructuras y de la protección del medio ambiente sobre los consumidores del agua.

V. LA GESTIÓN DE LOS RESIDUOS

Igual que sucede en el ámbito de la energía —con un consumo energético por unidad de PIB superior al del resto de los países europeos—, en materia de generación de residuos España alcanza niveles superiores a los que le corresponderían por su nivel de desarrollo. Mientras los países de nuestro entorno llevan ya tiempo intentando reducir el volumen de residuos producidos, en España la totalidad de las actuaciones se centran en el tratamiento de los residuos una vez generados. Las dos leyes aprobadas durante la presente legislatura —la Ley 11/1997, sobre envases y residuos de envases, y la Ley 10/1998 sobre residuos— no contienen medidas efectivas que fomenten la reducción en origen de los residuos y resultan en la práctica papel mojado ya que *no se han desarrollado los necesarios reglamentos y no existe un Plan Nacional de Residuos Urbanos*. El Gobierno ha paralizado, además, los Planes Nacionales sobre Residuos Peligrosos y sobre Suelos Contaminados aprobados durante la anterior legislatura: prácticamente no se han transferido recursos a las Comunidades Autónomas durante 1997 y 1998 para la aplicación de dichos Planes, que siguen teóricamente vigentes.

La ausencia de una política nacional no significa, en absoluto, que a escala local y autonómica no se hayan producido avances. De hecho, los *sistemas de gestión previstos en la Ley de Envases* cubren teóricamente la casi totalidad del territorio, una vez firmados los convenios entre las Comunidades Autónomas y Ecoembes, la sociedad que agrupa a la mayoría de las empresas envasadoras, las grandes superficies y los productores de materiales reciclados. Otra cosa es que funcionen los mecanismos de *recogida selectiva de los residuos domésticos*, ya que ello depende de los Ayuntamientos, en su caso con la ayuda de las Comunidades Autónomas y la mayoría —incluyendo Madrid capital— todavía no disponen de los medios adecuados.

A pesar de estas carencias, en España se recicla el 45% del papel, el 35% del vidrio, el 19% de los metales, el 10% del plástico y apenas el 2% de *tetra-brik*. Es decir, que si nos referimos sólo a los envases, los porcentajes de recuperación de materiales comienzan a ser significativos.

Pero *los envases suponen solamente la tercera parte de los residuos de origen urbano*. El resto —unos 10 millones de toneladas anuales— es básicamente *materia orgánica*, que debería ser aprovechada para la elaboración de compost. Por el contrario, el compostaje sigue siendo una actividad marginal, a causa, entre otras cosas, de los deficientes métodos de separación de los residuos, que favorecen un contenido en metales y plásticos en el compost absolutamente inadecuado para su utilización como abono orgánico.

Por lo que se refiere a los *residuos tóxicos* procedentes de la industria, la minería y la agricultura, la situación es todavía más insatisfactoria. Cada año se producen aproximadamente 4 millones de toneladas de este tipo de residuos, cuyo tratamiento final no cumple en sus tres cuartas partes los criterios ambientales exigidos por la UE. La mayoría se sigue depositando en *suelos no aptos* para ello, con efectos indeseables en las aguas subterráneas, en los ecosistemas circundantes y en la atmósfera. La situación puede resultar dramática cuando los suelos son inestables o se producen fenómenos meteorológicos adversos: fue el caso de la rotura de la balsa minera de Boliden en Aznalcóllar o de la balsa de fosfoyesos en la ría de Huelva. Ambos hechos acaecidos en 1998 ponen de manifiesto la *absoluta ausencia de medidas eficaces de control* en relación con los residuos peligrosos; aunque su naturaleza sea diferente, cabe también mencionar aquí el escape de radioactividad de la fábrica de Acerinox en Cádiz.

Todo ello incide, una vez más, en la *urgencia de establecer mecanismos compartidos de control* de las diferentes Administraciones, en un contexto de *coordinación* que viene siendo reclamado, en sucesivos procedimientos de infracción, por parte de la Comisión Europea. En algunos casos, estos procedimientos han comportado ya una sentencia en firme contra España; por ejemplo, la sentencia de 28 de mayo de 1998 (caso C-97/298) condena a España por *carecer de un programa nacional para el tratamiento de las pilas usadas*, conforme a lo exigido en la Directiva 91/157. En este caso, el Gobierno español intentó justificar la ausencia de un programa nacional por la existencia de medidas adoptadas en la mayoría de las Comunidades Autónomas; pero el criterio explícito de la Comisión es que la existencia de esas medidas puntuales no exime al Gobierno central de adoptar un programa nacional que garantice la consecución de los objetivos de la Directiva sobre pilas usadas en todo el territorio nacional.

VI. LA PESADILLA DE DOÑANA

El Parque Nacional más importante de España y uno de los espacios naturales más valiosos del mundo no termina de despertar de la pesadilla iniciada el 25 de abril de 1998. En esa fecha, la rotura de la balsa minera de la empresa Boliden supuso un vertido de lodos contaminantes cuyo espesor alcanzó casi los 2 metros en las proximidades de la balsa. En total, se movilizaron 5 millones de m^3 de aguas ácidas cargadas de plomo, arsénico, cinc, hierro y manganeso, capaces de alterar de manera irreversible los ecosistemas afectados. Los lodos invadieron el río Agrio, que discurría a escasos metros del borde de la balsa, y de ahí pasaron al río Guadiamar, principal arteria hídrica de los acuíferos que alimentan el Parque Nacional de Doñana.

Casi un año después de la tragedia, el Consejo Superior de Investigaciones Científicas concluye que la retirada de los lodos —que cubrieron 4 000 ha., en buena parte, de uso agrícola— ha resultado insuficiente: un 60% de la superficie afectada sigue presentando contenidos en arsénico muy superiores a los tolerables. Los efectos sobre la flora y la fauna de Doñana están aún pendientes de evaluar; pero, en cualquier caso, el optimismo oficial de los primeros momentos no se corresponde con la gravedad de consecuencias a largo plazo todavía desconocidas.

Lo más inquietante del accidente de Aznalcóllar es que la peligrosidad de la balsa había sido reiteradamente denunciada como una amenaza de riesgos ecológicos graves en el entorno de Doñana. Más inquietante aún es saber que existen en España *centenares de presas mineras* con problemas de estabilidad y de contaminación de acuíferos, de acuerdo con el inventario realizado por el Instituto Tecnológico Geominero. La ausencia de controles ambientales serios en la actividad minera debería ser urgentemente corregida, antes de que vuelva a suceder un accidente como el de Anzalcóllar.

Sin duda alguna, el mayor problema ambiental de España son los *insuficientes medios humanos* de las Administraciones —central, autonómica, local— para realizar con eficacia las tareas de asesoramiento, que garanticen el cumplimiento de las normas y eviten en lo posible daños ecológicos. La lección de Doñana no debería olvidarse: al día de hoy, España es todavía un país tercermundista en lo que se refiere al control de la actividad humana con incidencia en el medio.

La superación de esta situación requiere algo más que una mejora de los medios públicos dedicados a la vigilancia ambiental. Durante 1998 se ha conocido un borrador de anteproyecto de Ley sobre responsabilidad civil en materia ambiental, cuya aprobación supondría un avance significativo en el marco normativo español. A ello se unirá la modificación de la legislación sobre evaluación de impacto ambiental y la transposición de la Directiva europea sobre control y prevención integrada de la contaminación, ambas en avanzado estado de elaboración.

Capítulo 19

URBANISMO Y CALIDAD DE VIDA EN LAS CIUDADES

Mariano Calle Cebrecos
Marta García Nart

I. EL CONCEPTO DE CALIDAD DE VIDA

1. *Aspecto generales*

En nuestros días es comúnmente aceptado y utilizado el concepto de «calidad de vida» como referencia y expresión de una justa aspiración y exigencia de los ciudadanos.

Todo el mundo parece reconocer el concepto pero, no obstante, si preguntáramos, incluso a los miembros de un mismo colectivo, sería difícil encontrar una definición que satisficiese a todos, ni concretar, en términos mensurables, su contenido o los elementos que lo conforman. Y esto es así porque probablemente sea imposible encontrar una definición que satisfaga, de la misma manera, las aspiraciones y exigencias de cada uno de los consultados, lo que nos lleva a la consideración de la vertiente subjetiva del concepto. En efecto, el concepto de «calidad de vida» tal como lo han definido diversos autores: «la satisfacción de los aspectos más importantes en la vida de una persona» (UNESCO, 1976) o «una medida compuesta de bienestar físico, mental y social, tal y como lo percibe cada individuo y cada grupo, y de felicidad, satisfacción y recompensa» (Levi y Anderson, 1980). Encierra referencias a ideas y sentimientos y, en todo caso, a la persona como árbitro responsable de su medición.

Ello no resta, sin embargo, eficacia al concepto como medida del grado de equidad o de bonanza de una sociedad, sino que, por el contrario, lo reafirma en su cualidad de índice superador de los análisis exclusivamente economicistas, basados tan sólo en aspectos cuantitativos, datos agregados y cifras macroeconómicas, para recuperar la importancia del individuo como receptor y protagonista del desarrollo social y económico.

Por otra parte, el carácter cualitativo y su relación con aspectos culturales de muchos de los elementos que integran la calidad de vida no impide que, para una sociedad concreta y en un período de tiempo determinado, se pueda llegar a un consenso sobre los elementos y necesidades a cubrir para satisfacer la justa exigencia de calidad de vida para todos los componentes de dicha sociedad.

El concepto de calidad de vida es, por tanto, un constructo social (Hernández Aja; Alguacil) dinámico que se refiere al conjunto de las condiciones de vida de las personas y su grado de satisfacción, en relación con los patrones y valores sociales y culturales dominantes. Incluye la satisfacción de necesidades tanto físicas o materiales (vivienda, salud, etc.), como sociales (relaciones sociales, educación, cultura), de forma interrelacionadas, no siendo posible su consideración aislada ya que cada una adquiere su pleno significado en relación con el conjunto.

Ello no impide, sin embargo, que, a efectos de análisis, se pueda dividir en componentes o áreas de estudio que nos permitan evaluar la calidad de vida de una sociedad determinada en un momento determinado. Áreas que, además, se corresponden en general con políticas o sectores de actuación, lo que permitirá a su vez evaluar los resultados de dichas políticas y avanzar los escenarios futuros como resultado de las mismas y del conjunto de fuerzas económicas y sociales o culturales actuantes.

En este sentido, siguiendo el esquema desarrollado en *La ciudad de los ciudadanos* (publicado por el Ministerio de Fomento), se pueden distinguir tres grandes áreas o dimensiones de la calidad de vida:

— La Calidad Ambiental referida a las condiciones del medio en que habitamos, tanto natural como construido: vivienda, entorno urbano, entorno natural, aire, agua, etc.

— El Bienestar entendido en los términos clásicos de satisfacción de las necesidades y derechos al empleo, la salud y la educación.

— La Identidad Cultural como las oportunidades para el desarrollo social, cultural y político de cada individuo de acuerdo con su propia opción, disponiendo de tiempo para ello y de posibilidades de participación, de decisión y de establecimiento de relaciones sociales.

Desde este planteamiento, el análisis de la calidad de vida en las ciudades debería integrar las tres perspectivas: la calidad ambiental, el bienestar y la identidad cultural. No obstante, dado que las dos últimas son objeto de estudio en profundidad en otros capítulos de este informe y que incluso parte de la primera, lo que identificamos comúnmente como Medio Ambiente, también lo será, centraremos el análisis en lo que denominaremos calidad urbana y en sus relaciones de interdependencia, tanto de causa como de efecto, con las otras áreas que definen la calidad de vida.

2. *La calidad urbana*

La ciudad está formada por un conjunto de elementos construidos e inermes, pero la ciudad también es el conjunto de las personas que la habitan, las actividades y funciones que en ella se desarrollan, los sentimientos que genera la historia y la cultura que refleja y las relaciones con su entorno.

Por ello, la calidad urbana estará definida, en primer lugar, por la de las propias condiciones del medio urbano (la vivienda, el espacio público, los equipamientos, etc.) para satisfacer las necesidades de la población que en ellas viven, no sólo en sus aspectos más básicos de habitación, movilidad, etc., sino en cuanto a los requerimientos mas cualitativos o subjetivos de belleza, adecuación cultural, salubridad, etc., y, en segundo lugar, por su capacidad para posibilitar y facilitar la consecución del bienestar y de la identidad cultural y ejercicio de la ciudadanía.

Por otra parte y quizá con carácter previo a la consideración de la calidad urbana referida a la propia ciudad, es preciso tener en cuenta que la ciudad no es un hecho aislado, sino que surge intrínsecamente relacionada con un territorio y con un sistema de ciudades más amplio sin el que sería imposible explicar la identidad de cada una. La forma en que se realice esta relación, especialmente con el medio natural, y el equilibrio del sistema van a ser componentes esenciales para definir la calidad urbana, por cuanto de ellas dependerá en primera instancia su aportación a la calidad de vida tanto en cuanto al bienestar como especialmente a la calidad ambiental.

Desde esta perspectiva, en este informe se analizarán en primer lugar, las características del sistema urbano español en su conjunto para centrarse posteriormente en los problemas y características de los ámbitos urbanos, desde la escala general de la ciudad hasta la más específica de los barrios.

II. LOS PROBLEMAS Y RETOS ACTUALES DE LAS CIUDADES

1. *El papel de las ciudades a lo largo de la historia y su evolución reciente*

El desarrollo de las distintas civilizaciones y culturas ha ido históricamente en paralelo con el desarrollo y avance de sus ciudades, de forma que se podría decir que la historia de las ciudades resume y expresa la historia de la humanidad.

La ciudad permite el acceso de los seres humanos a múltiple servicios y equipamientos, posibilita el contacto con los otros y la solidaridad, favoreciendo la libertad de elección (DGVAU, 1996).

La esencia de la ciudad es precisamente esa: la virtud de convertir a sus habitantes en «ciudadanos» con derechos efectivos de participación, decisión y control en la sociedad.

Por otra parte la ciudad representa un enorme potencial de producción y desarrollo económico: la concentración de población activa cualificada, de servicios e infraestructuras, de tecnología, información y comunicación, de patrimonio inmobiliario, cultural, etc., son recursos en los que se sustenta su papel como motor económico indiscutible.

Citando a Luis Rojas Marcos (*El País*, 1997), «La esencia de las ciudades se compone, por un lado, de la arquitectura, las piedras y el cemento que las configuran y, por otro, de las emociones, las ideas y los ritos de los hombres y mujeres que las habitan. Esa extraordinaria combinación constituye el instrumento por excelencia de renovación social y de progreso».

El éxito de las ciudades debe medirse, por tanto, en su capacidad para compatibilizar el máximo rendimiento de su capacidad productiva o de desarrollo económico con la garantía a sus habitantes de los atributos de la ciudadanía: la igualdad de oportunidades en el acceso a bienes y servicios, la solidaridad y la libertad.

Los cambios producidos en la estructura económica en las últimas décadas han tenido una importante repercusión en las ciudades, transformando las relaciones entre la actividad económica y el espacio, la dinámica regional, el papel de las ciudades y el ritmo de los procesos de urbanización y en particular el propio espacio urbano (las distintas zonas de la ciudad).

Tres aspectos fundamentales de este cambio estructural han repercutido especialmente en las ciudades: los efectos sobre el empleo, la reorganización y reimplantación de la producción (reestructuración industrial) y el desarrollo e importancia de las nuevas tecnologías.

Así, los primeros efectos de la crisis de los años ‘70 se dejaron sentir de una forma muy intensa en las áreas urbanas donde se habían concentrado los mayores procesos de industrialización y urbanización. Las ciudades que crecieron alrededor de los primeros desarrollos industriales: acero, carbón, construcción naval, etc., experimentaron fuertes procesos de declive. En otras, la pérdida de empleo como resultado del ajuste económico conllevó la aparición de bolsas de desempleo y pobreza, marginación, deterioro físico y social.

Dentro de las propias ciudades se originaron grandes diferencias entre áreas, en cuanto a calidad de vida y del entorno (precios del suelo, vivienda, problemas de transporte, infraestructuras, servicios, medio ambiente), que limitan el desarrollo y posibilidad de actividad económica en las mismas.

Por otra parte, en algunas grandes concentraciones urbanas empiezan a aparecer deseconomías como los altos precios del suelo y la congestión, problemas de tráfico y accesibilidad que, en algunos casos, pesan más que las ventajas económicas de la aglomeración.

En general, se puede decir que las grandes ciudades experimentan una primera etapa de crecimiento rápido y concentrado de población y empleo, seguida de una segunda de expansión geográfica y desarrollo de la corona suburbana cuando, primero la población residencial y posteriormente los puestos de trabajo, se trasladan desde el centro a la periferia. Existe en algunos casos una tercera etapa de «desurbanización» con pérdida de población en favor de las áreas urbanas más pequeñas, tendiendo a crearse, en muchos países, un sistema urbano más equilibrado.

Se quiebra así el modelo centro-periferia convencionalmente admitido donde el motor del cambio estaba en el centro de la ciudad. Cuando se produce el despegue del centro urbano, el resto del área de influencia le sigue y así aparecen nuevas actividades económicas en la periferia cuya prosperidad repercute en el centro de las ciudades anteriormente más importantes.

Por lo tanto, la situación creada a principio de los años ‘80 se podría caracterizar por:

— El efecto global del cambio económico se concentra en ciertas áreas urbanas con consecuencias sociales, ambientales, físicas, demográficas y, por tanto, de mayor coste social;

— Las grandes ciudades y las ciudades industriales antiguas se ven más afectadas;

— Se incrementan las diferencias entre ciudades;

— Los centros históricos sufren reducciones de población y empleo y fuerte deterioro físico;

— Se modifican las relaciones entre ciudad y territorio de influencia.

Sin embargo y dentro de esta situación de declive, las ciudades conservan ventajas comparativas, como demostrará su capacidad de respuesta a la crisis.

A mediados de la década de los '80, los procesos de reestructuración y cambio de modelo de industrialización, fundamentalmente el auge de las nuevas tecnologías, el crecimiento del sector terciario y la internacionalización y la globalización de las decisiones económicas han vuelto a reforzar el papel de la ciudad como motor económico, social, cultural, territorial y político, sin que se hayan superado, sin embargo, los problemas derivados de la etapa de declive anterior.

2. *Las tendencias actuales y los factores que les influyen*

El proceso de transición, todavía en marcha, de una economía industrial a una de servicios, el desarrollo de las redes de telecomunicación y transportes y, sobre todo, la globalización de la economía parece que seguirá reforzando el papel de las ciudades en el desarrollo económico y social que puede ir acompañado por un aumento de la competencia entre ciudades para atraer inversiones.

Asimismo, la liberalidad del comercio y del movimiento de capitales, el crecimiento de las empresas transnacionales y todo el proceso de reestructuración y globalización de la economía ha producido y está produciendo importantes impactos sobre las ciudades.

a) Globalización y reestructuración económica

Como resultado de la globalización las economías locales se ven sometidas a una mayor competencia y se modifican las relaciones entre las ciudades. Su importancia y su papel económico no va a depender ya de su relación con su región o incluso nación, sino de su posición en el sistema internacional.

Surge así una mayor competencia entre las ciudades, pero también nuevas formas de colaboración y de complementareidad, estableciéndose redes y corredores, a la vez que se aumentan las diferencias entre las ciudades «centrales» y «periféricas» (en términos económicos, no geográficos).

Por otra parte, la liberalización de los mercados y el paso de un sistema de producción en masa (fordista) a un sistema de producción especializada y flexible ha ido acompañado de una reestructuración de la concepción del papel del sector público y del propio Estado de Bienestar, dando mayor importancia a la participación del sector privado en la construcción de la ciudad.

Los cambios tecnológicos que han propiciado y acompañado este proceso han influido también en el papel y configuración de las ciudades.

Por un lado, el crecimiento de nuevos sectores como la industria ligera, los servicios financieros y el turismo han hecho que las nuevas inversiones se vuelvan a concentrar en las ciudades, reforzando el papel de las metrópolis. Por otro, las innovaciones tecnológicas han facilitado la movilidad geográfica de la actividad económica (en términos de empleo se considera que el 50% de la actividad económica es hoy día potencialmente móvil mientras que en los años '60 sólo era un 30%) y favorecido la dispersión y descentralización de las actividades urbanas.

En resumen, la reestructuración urbana que se está produciendo en el marco de la globalización económica manifiesta las siguientes tendencias:

— Creciente importancia de las metrópolis internacionales y concentración de las funciones de control en las áreas centrales de unas pocas ciudades;
— Aumento de la competencia entre ciudades para atraer inversión, con planes locales específicos;
— Cambios en la relación entre el sector público y privado, liberalización y desregulación de los planes urbanísticos;
— Dispersión y descentralización de las áreas y actividades urbanas;
— Nuevos sistemas urbanos: redes de ciudades, corredores, regiones urbanas;
— Incremento de las infraestructuras de transporte;
— Polarización y aumento de las diferencias entre ciudades y dentro de las ciudades;
— Homogeneización de los modelos urbanos y del paisaje urbano (urbanización dispersa unifamiliar, grandes centros comerciales y de ocio, etc.).

Una importante consecuencia de todo lo anterior es que la elección del emplazamiento depende cada vez menos de la situación de los recursos o materias primas y más de otros factores como la calidad de vida.

Al aumentar la movilidad potencial, los factores de emplazamiento cobran mayor importancia: el entorno económico general, el mercado de trabajo, la accesibilidad, los transportes, las instalaciones, el precio del suelo, las infraestructuras y equipamientos, el medio ambiente agradable, los aspectos cualitativos como la existencia de servicios educativos, sanitarios y de ocio de calidad, son cada vez más importantes para decidir la localización de las nuevas empresas y actividades económicas relacionadas con las nuevas tecnologías o el sector terciario, y con un alto grado de cualificación de sus empleados, lo que genera una espiral de marginación y de expulsión creciente de las actividades económicas más débiles y de la población menos cualificada hacia las áreas más desfavorecidas.

b) Conciencia medioambiental y desarrollo sostenible

Por otra parte en este mismo período, a partir de la Conferencia Mundial de Estocolmo en 1972, y hasta nuestros días se ha ido produciendo un aumento en la consideración y una profunda evolución en la concepción y planteamiento de los problemas medioambientales.

El mayor conocimiento de los problemas derivados de la degradación medioambiental y del impacto ecológico de la actividad humana ha contribuido al aumento de esta preocupación y a la evolución de las políticas dirigidas a la resolución de problemas concretos, lo que podríamos llamar problemas de la primera generación, como el ruido o la contaminación industrial, referidos a situaciones localizadas y a focos contaminantes o emisores también localizables, hacía políticas globales, integradoras y preventivas dirigidas a paliar problemas de mayor complejidad, llamados de segunda generación, como el efecto invernadero, los cambios climáticos, la desertización, etc.

En paralelo con este proceso, se pone en tela de juicio la viabilidad del crecimiento ilimitado como objetivo planetario y se empieza a utilizar el término ecodesarrollo como sinónimo de conciliación del aumento de producción necesario para resolver los problemas de mejora de los niveles de vida, con el respeto a los ecosistemas necesarios para mantener las condiciones de habitabilidad de la tierra.

En el marco de esta polémica se formaliza, a partir del Informe Brundtland de la Comisión Mundial sobre Medio Ambiente y Desarrollo en 1987, el concepto de desarrollo sostenible definido como aquel capaz de utilizar los recursos naturales en beneficio del género humano sin degradarlos ni destruirlos, ni poniendo en peligro su supervivencia para las generaciones futuras.

A nivel urbano, el planteamiento de sostenibilidad fuerte parte del entendimiento de la ciudad como un ecosistema abierto en intercambio y dependencia de otros ecosistemas más amplios y formado a su vez por la suma de partes.

Ello quiere decir que, en el análisis de la sostenibilidad de los sistemas urbanos, habrá que tener en cuenta tanto la condiciones internas que garanticen su equilibrio como la sostenibilidad global de los sistemas más amplios con los que se relaciona o de los que depende.

Por otra parte, aplicar el concepto de sostenibilidad a la ciudad entendida como un ecosistema implica:

— Integrar a la habitabilidad como uno de los componentes de la sostenibilidad;
— Prestar especial atención a la comprensión de las interacciones entre todos los elementos que la componen: naturales, físicos, sociales, culturales y económicos;
— Incidir sobre la naturaleza dinámica del sistema;
— Tener como objetivo restaurar y preservar la integridad, la calidad y la salud del sistema.

Sostenibilidad, calidad medioambiental y calidad de vida pasan a ser conceptos inseparables, de forma que, aunque a nuestro entender este último engloba a los dos anteriores, se usan en muchos casos como sinónimos o queriendo expresar lo mismo. De lo que no cabe duda, hoy en día, es que no podemos hablar de calidad urbana sin tener en cuenta su sostenibilidad.

Por otra parte, el componente ético de concepto de sostenibilidad, en cuanto a su asociación a los conceptos de equidad y solidaridad, requiere la implicación y participación de la población afectada en la toma de decisiones y en la gestión de las actuaciones y procesos como componente imprescindible para el éxito de los resultados.

3. *Los problemas y los retos*

El proceso de transición, todavía en marcha, de una economía industrial a una de servicios, el desarrollo de las redes de telecomunicación y transportes y, sobre todo, la globalización de la economía parece que seguirán reforzando el papel de las ciudades en el desarrollo económico y social que irá acompañado por un aumento de la competencia entre ciudades para atraer las inversiones.

Todo ello, a su vez, se produce en una situación caracterizada por un acelerado proceso de urbanización que ha provocado la concentración de poblaciones en determinadas zonas del territorio, dando como resultado fuertes desequilibrios territoriales y ha agravado la desigualdad interna en las ciudades.

El crecimiento de las ciudades se ha producido de forma claramente no sostenible, con elevado consumo de recursos, ineficacia energética y elevada producción de residuos y contaminantes.

En consecuencia, el reto principal para las ciudades es crear las condiciones para seguir ejerciendo su papel de activo físico y humano fundamental de la sociedad y potencial de desarrollo, en el marco de un desarrollo sostenible, consiguiendo el doble objetivo de eficacia económica y cohesión social.

4. *Las políticas u orientaciones internacionales: UE, Naciones Unidas*

En 1997, la Comisión Europea aprobó la comunicación «Hacia una política urbana para la UE» en la cual indicaba su intención de examinar las políticas de la UE desde el punto de vista de su repercusión en las ciudades y de aumentar la integración de las políticas a nivel urbano.

Las razones de esta decisión se basan en la consideración de que el 80% de la población de la UE vive en ciudades y es en ellas donde se concentran los mayores potenciales de progreso pero también los mayores problemas sociales (paro, marginación, delincuencia, etc.) y medioambientales (contaminación, generación de residuos, consumo de recursos, etc.).

Por ello, y aunque la responsabilidad de las políticas urbanas corresponde principalmente a los gobiernos de los Estados miembros y a las administraciones regionales y locales, la Comunidad tiene la obligación de garantizar que el gran número de políticas de la UE que tienen, de hecho, repercusiones para las ciudades sean más efectivas y debidamente consideren los problemas y potenciales de las zonas urbanas.

Con este objetivo, se plantea en 1998 un «Marco de actuación para el desarrollo urbano sostenible en la Unión Europea» dirigido a coordinar y orientar mejor la intervención comunitaria en los problemas urbanos y en torno a cuatro objetivos de actuación interdependientes:

1. Acrecentar la prosperidad económica y el empleo en las pequeñas y grandes ciudades:
   — Incluir la dimensión urbana en la programación regional de los Fondos estructurales;
   — Mayor dimensión urbana en las políticas de empleo;
   — Estrategias de transporte que reduzcan el tráfico.

2. Fomentar la igualdad, la integración social y la regeneración en zonas urbanas:
   — Enfoque zonal en la regeneración de áreas urbanas deprimidas con políticas integradas dentro de los Fondos estructurales;
   — Apoyo a una «educación y formación de segunda oportunidad».

3. Proteger y mejorar el medio ambiente urbano hacia una sostenibilidad local y mundial:

— Fomentar los planteamientos integrales de las políticas medioambientales;

— Ampliar el sistema de etiquetado ecológico y de gestión y auditoría medioambiental;

— Propuesta de directiva sobre un impuesto que grave los combustibles.

4. Contribuir a un buen gobierno urbano y a la participación ciudadana:

— Mayor integración de las políticas de distintos niveles de gobierno y sectores de actuación;

— Favorecer la participación y responsabilización de los ciudadanos;

— Apoyo a estrategias innovadoras de desarrollo urbano para fomentar un buen gobierno de las ciudades, la participación y la seguridad ciudadana.

La importancia de los problemas de las ciudades ha sido también subrayada en la ONU organizando, en 1996 en Estambul (Turquía), la Conferencia sobre Asentamientos Humanos «Hábitat II» también llamada «Cumbre de las Ciudades». La Conferencia, cuyos objetivos fueron «Vivienda adecuada para todos» y «Asentamientos humanos sostenibles en un mundo en vías de urbanización», culminó la serie de conferencias mundiales, organizadas por las Naciones Unidas dedicadas a los temas que centran la atención de la humanidad en esta última década del siglo XX —la Cumbre de Río sobre «Medio Ambiente y Desarrollo» (1992); la Conferencia sobre Población (El Cairo, 1994); la Cumbre sobre «Desarrollo Social» (Copenhague, 1995); o la más reciente Conferencia sobre la Mujer (Beijin, 1995) (Ministerio de Fomento, 1996)—. En la mencionada Conferencia, los Jefes de Estado y de Gobierno y las delegaciones oficiales de los países reunidos firmaron una «Declaración sobre los Asentamientos Humanos» y se comprometieron a desarrollar el denominado Programa Hábitat, mediante planes de acción nacionales, subregionales y locales de acuerdo con los siguientes compromisos:

— Garantizar el derecho a una vivienda adecuada para todos;

— Conseguir asentamientos humanos sostenibles, velando por el uso eficiente de los recursos, y ofreciendo a todas las personas, especialmente a los grupos vulnerables, las mismas oportunidades de vida sana, segura y productiva;

— Habilitar a todos los agentes del sector público, privado y comunitario para que participen y desempeñen una función eficaz en el desarrollo de los asentamientos humanos y la vivienda;

— Lograr la igualdad del hombre y la mujer en el desarrollo de los asentamientos humanos;

— Fortalecer los mecanismos financieros existentes para financiar la ejecución del Programa Hábitat;

— Intensificar la cooperación y las asociaciones internacionales para favorecer el logro de los objetivos del Programa Hábitat;

— Evaluar los progresos en la aplicación y desarrollo del Programa.

III. EL SISTEMA URBANO ESPAÑOL

Para abordar el análisis del sistema urbano español, es preciso contemplar la estructura municipal del país. La consecuencia inmediata de esta división administrativa es la configuración de un mapa municipal que contiene grandes diferencias entre las Comunidades Autónomas, y que ha condicionado, a su vez, los modos sucesivos de asentamiento de la población (figura 1).

FIGURA 1. *Estructura administrativa municipal, 1996*

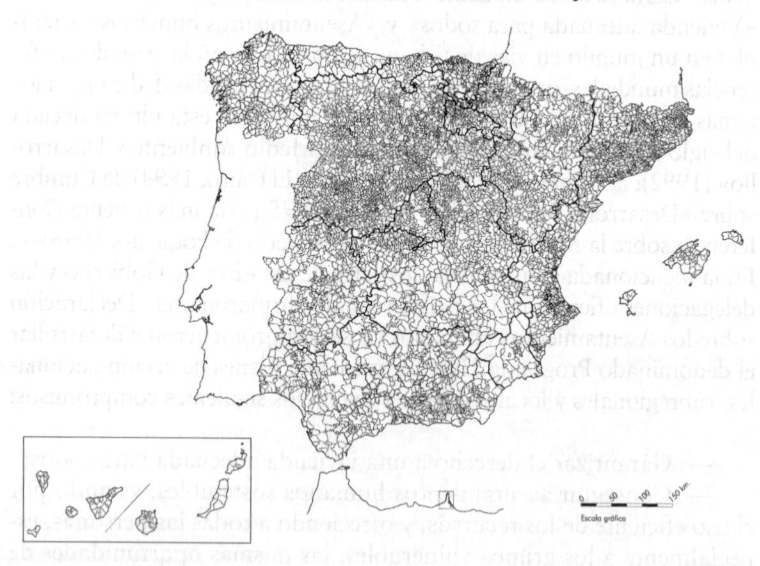

Fuente: Sistema de Información Urbana (Ministerio de Fomento) e INE.

Por otra parte, para entender la configuración actual del sistema de asentamientos, es preciso tener en cuenta los diversos factores que han contribuido a conformarlo:

— El medio físico;
— Cambios en la organización política;
— Cambios en los sistemas productivos;
— Influencia de los comportamientos culturales.

Asimismo, al analizar la dinámica urbana, hay que tener presente que, en la actualidad, nos encontramos con que el concepto de crecimiento urbano ha pasado de estar caracterizado exclusivamente por el aumento de población, o el incremento del espacio urbanizado, a tener que contemplar otras variables más complejas y de una difícil identificación, tales como:

— Nuevos sistemas organizativos;
— La implantación de nuevas tecnologías;
— Nuevos sistemas productivos;
— Nuevos sistemas de comunicaciones.

Ello hace que las ciudades actuales dependan en su desarrollo menos de su concentración de población y más de sus iniciativas, actividades u oportunidades.

1. *Los ámbitos urbanos: evolución y tendencias*

La evolución de la dinámica de los asentamientos urbanos en España comparada con los países de la UE refleja un crecimiento de la población muy por debajo de los niveles medios europeos desde mediados del siglo XIX, como consecuencia de las intensas migraciones y del retraso histórico en el proceso de modernización e industrialización. Esta situación se invierte, pasando a estar muy por encima de la media en la década de los '60-'70, y aproximadamente a la media en los últimos 15 años, lo que representa una ruptura brusca con la tendencia general (crecimiento y regularidad) que configuraba la formación de ámbitos urbanos durante el presente siglo —exceptuando el período de la guerra civil— (Vinuesa, 1998).

Estas circunstancias son las que nos llevan a entender la baja densidad de nuestro país en comparación con los de nuestro entorno europeo, cosa que influye notablemente en la configuración de su sistema de ciudades (figura 2).

FIGURA 2. *Densidad de población municipal, 1996*

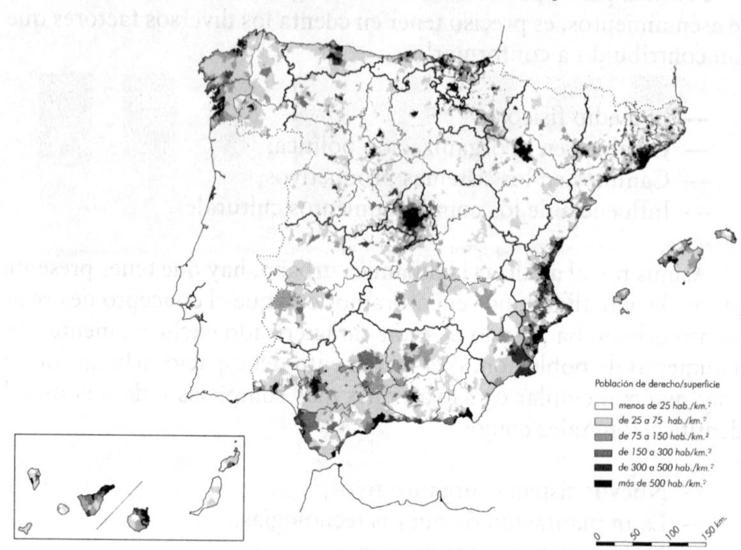

Fuente: Sistema de Información Urbana (Ministerio de Fomento) e INE.

Basándose en los trabajos sobre la *Situación Urbana en España* elaborados en la Dirección General de la Vivienda, Arquitectura y Urbanismo del Ministerio de Fomento, donde se analiza el sistema de ciudades a través de los rasgos de población municipales que proporciona el padrón de 1996, pasaremos a señalar las características más significativas de la evolución y tendencias del sistema urbano español (figura 3).

En primer lugar, en cuanto a la evolución reciente, es de destacar el proceso de urbanización ocurrido a partir de 1950 cuyos datos más significativos son:

— En 1900, el 70% de la población vivía en municipios no urbanos (–10 000 hab.).

— En 1996, el 70% de la población vive en municipios urbanos (+ de 50 000 hab.).

— De 1950 a 1970, se desplazan 7 millones de personas desde su pueblo de origen a Madrid, Barcelona y Bilbao.

— Los municipios de menos de 10 000 hab. han perdido desde 1960 3.5 millones de hab., pasando de representar el 43% de la población al 25%.

FIGURA 3. *Evolución de la distribución de la población según tamaño, 1900-1996*

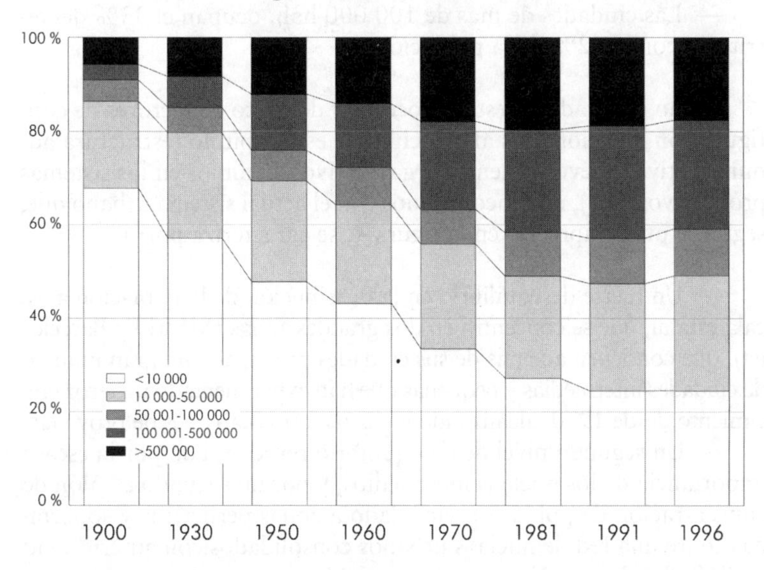

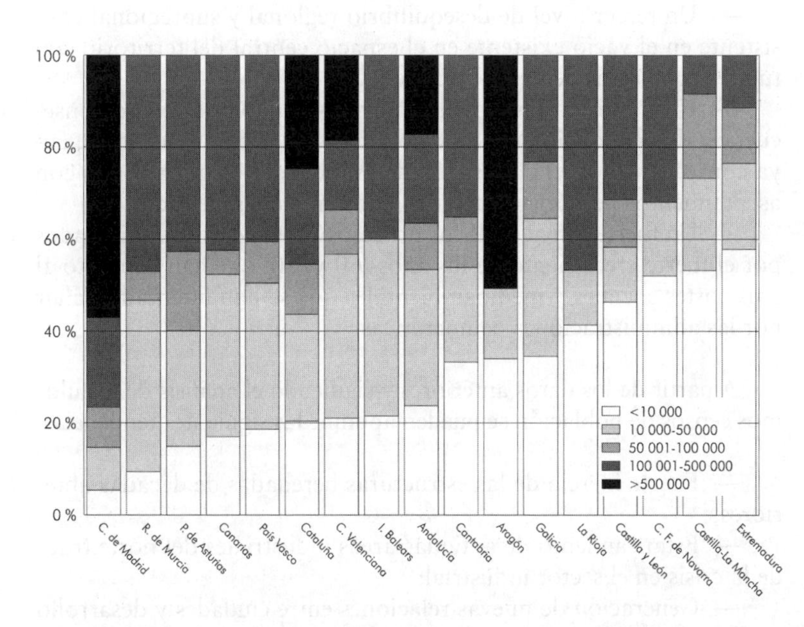

Fuente: Sistema de Información Urbana (Ministerio de Fomento) e INE.

— Los municipios de menos de 10 000 hab. que ocupan más del 80% del territorio tiene una densidad media de 23.6 hab/km^2.

— Las ciudades de más de 100 000 hab. ocupan el 33% del territorio con el 42% de la población.

Como resultado de estos procesos y del resto de factores de configuración mencionados al principio de este capítulo (estructura administrativa, nuevos sistemas organizativos, cambios en los sistemas productivos, etc.), nos encontramos con el actual sistema urbano que, según se puede apreciar en la figura 4, se caracteriza por:

— Un fuerte desequilibrio en la distribución de la población a escala estatal, que se concentra en dos grandes zonas (Madrid y Barcelona), que contienen además de sus ciudades principales un gran número de ciudades intermedias y pequeñas que han experimentado un feroz crecimiento desde 1970, alcanzando incluso a otras capitales de provincia.

— Un segundo nivel de desequilibrio representado por la escasa importancia de los núcleos intermedios, y por un segundo escalón de concentración de población vinculado a zonas periféricas y soportadas sobre una red de núcleos urbanos consolidados con anterioridad a 1960 (País Vasco, Valencia, Costa del Sol, etc.);

— Un tercer nivel de desequilibrio regional y subregional consistente en el vacío existente en el espacio central del territorio con fuertes problemas de despoblación;

— Unas estructuras urbanas muy desequilibradas como consecuencia de la adopción del modelo territorial urbano-industrial, cuya consecuencia fue la aparición de grandes flujos migratorios con asentamientos periféricos incontrolados en dichas ciudades;

— Un fuerte impacto de los procesos urbanizadores, originados por el fuerte crecimiento de los años '60 y '70, que han supuesto al país costes sociales y medioambientales que se han intentado paliar por las administraciones democráticas.

A partir de los datos anteriores y siguiendo el análisis de los últimos censos de población se pueden apuntar las siguientes tendencias:

— Fuerte inercia de las estructuras heredadas de décadas anteriores;

— Estancamiento de antiguas áreas industriales del norte,fruto de la crisis en el sector industrial;

— Generación de nuevas relaciones entre ciudades y desarrollo de ejes o corredores urbanos debido a la mejoría de las infraestruc-

FIGURA 4. *Sistema de ciudades por volúmenes de población (municipios con más de 10 000 habitantes)*

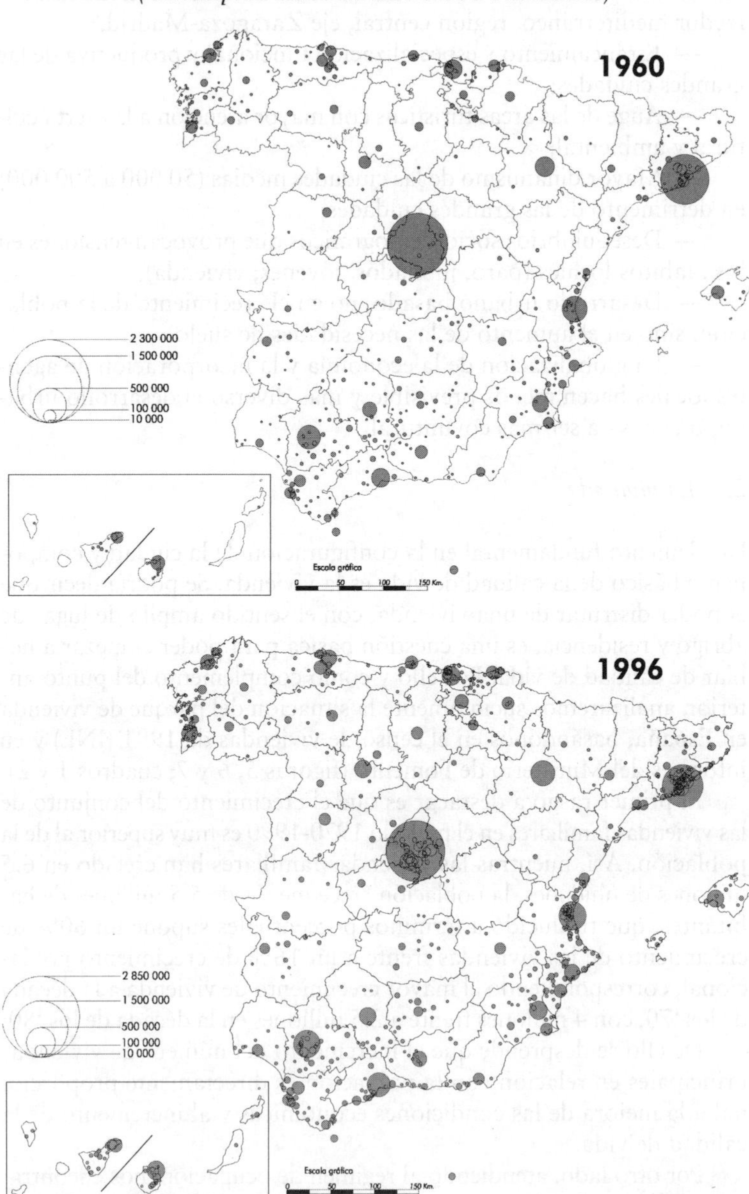

Fuente: Sistema de Información Urbana (Ministerio de Fomento) e INE.

turas de transporte y a las nuevas tecnologías de comunicación, y a las últimas pautas de localización de las actividades económicas: corredor mediterráneo, región central, eje Zaragoza-Madrid;

— Estancamiento y especialización funcional y productiva de las grandes ciudades;

— Auge de las áreas turísticas con mayor atención a la oferta cultural y ambiental;

— Mayor dinamismo de las ciudades medias (50 000 a 500 000) en detrimento de las grandes ciudades;

— Desequilibrios socio-demográficos que provocan tensiones en los ámbitos locales (paro, jubilados, jóvenes; vivienda);

— Desarrollo urbano basado, no en el crecimiento de la población, sino en el aumento de las necesidades de suelo.

— La globalización de la economía y la incorporación de agentes locales hacen menos previsible y más diverso el desarrollo urbano, que pasa a ser más coyuntural.

2. *La vivienda*

Un elemento fundamental en la configuración de la ciudad y componente básico de la calidad de vida es la vivienda. Se podría decir que el poder disfrutar de una vivienda, con el sentido amplio de lugar de abrigo y residencia, es una cuestión básica para poder empezar a hablar de calidad de vida. Por ello y como complemento del punto anterior, analizaremos sucintamente la situación del parque de vivienda en España, basándonos en el censo de viviendas de 1991 (INE) y en informes del Ministerio de Fomento (figuras 5, 6 y 7; cuadros 1 y 2).

El primer rasgo a destacar es que el crecimiento del conjunto de las viviendas familiares en el período 1970-1990 es muy superior al de la población. Así, mientras las viviendas familiares han crecido en 6.5 millones de unidades, la población crece menos de 5.5 millones de habitantes, que traducido a términos porcentuales supone un 60% de crecimiento de las viviendas frente a un 16% de crecimiento poblacional, correspondiendo el mayor crecimiento de vivienda a la década de los '70, con 4 millones frente a 2.5 millones en la década de los '80.

De ello se desprende que el incremento del número de viviendas principales en relación con la población es directamente proporcional a la mejora de las condiciones económicas y al incremento de la calidad de vida.

Por otro lado, atendiendo al régimen de ocupación, nos encontramos que, en este mismo período 1970-1990, las viviendas principales tienen un moderado crecimiento del 40% frente al crecimiento de las

FIGURA 5. *Evolución de las viviendas*

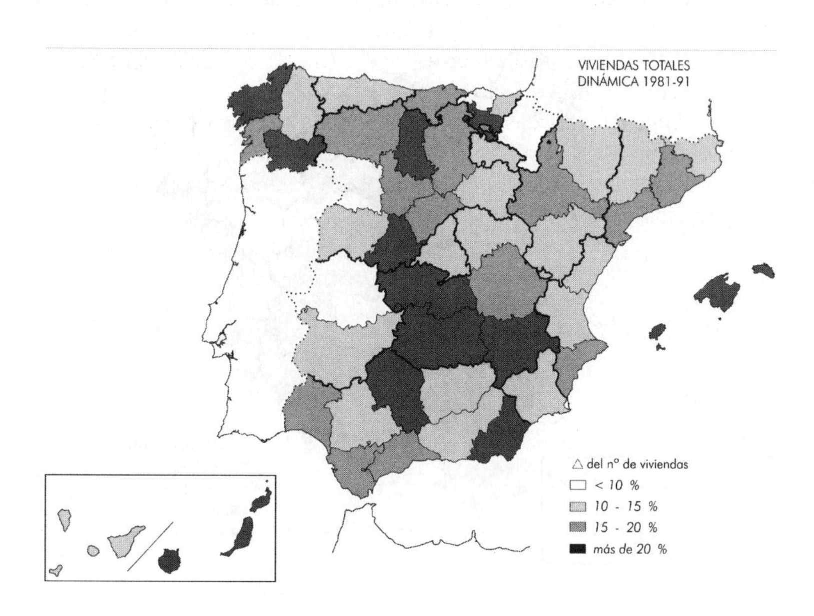

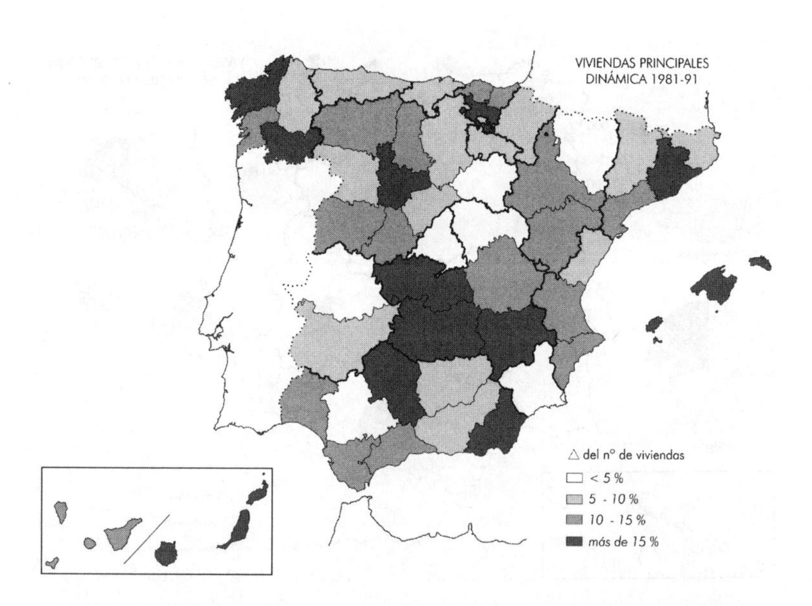

Fuente: Anuario Estadístico de la Vivienda en España (Ministerio de Fomento) e INE.

FIGURA 6. *Evolución de las viviendas y su tipología según usos*

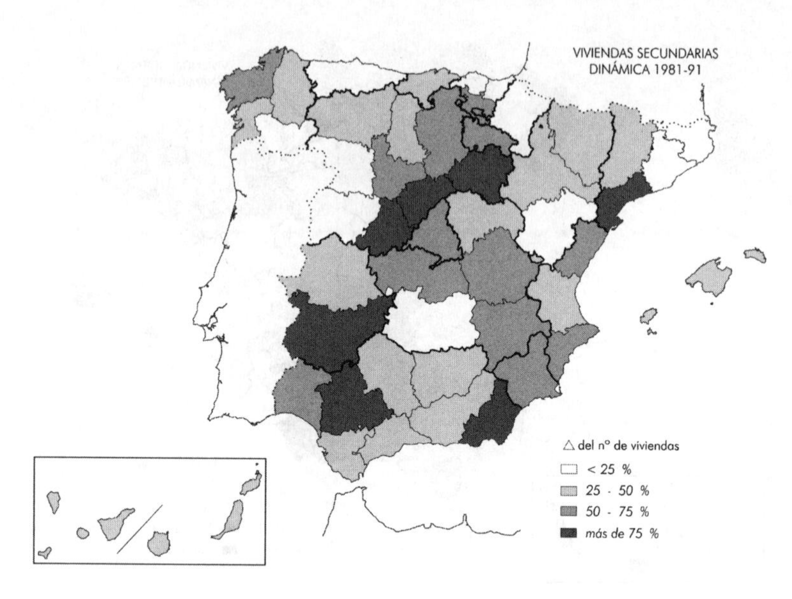

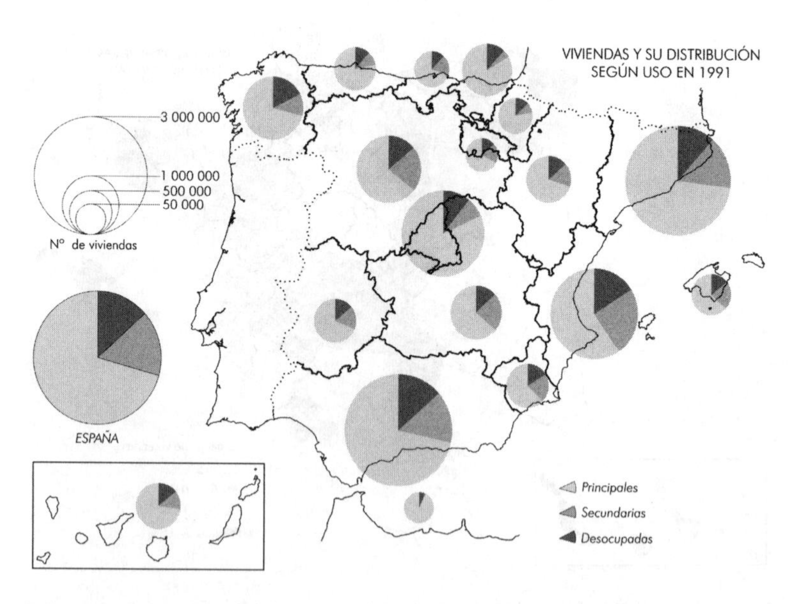

Fuente: Anuario Estadístico de la Vivienda en España (Ministerio de Fomento) e INE.

FIGURA 7. *Edificios según antigüedad y número de viviendas, 1990*

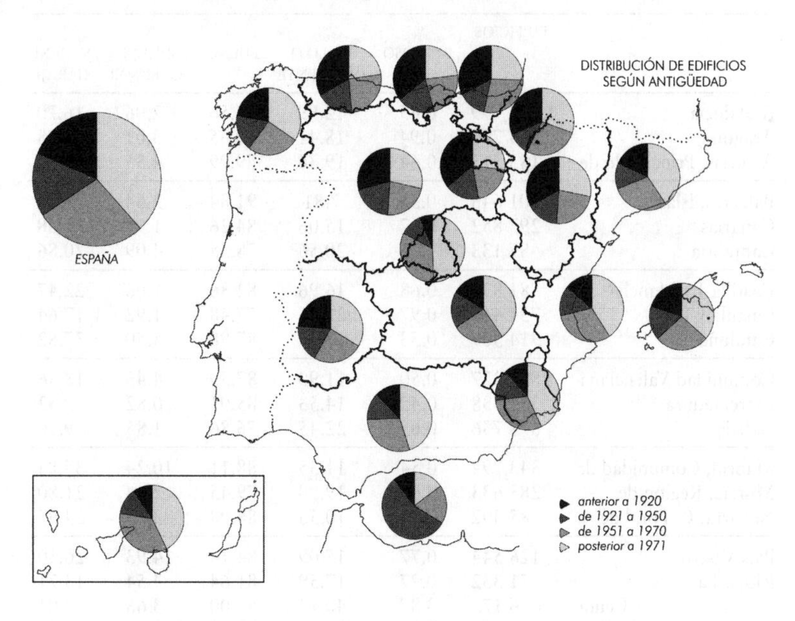

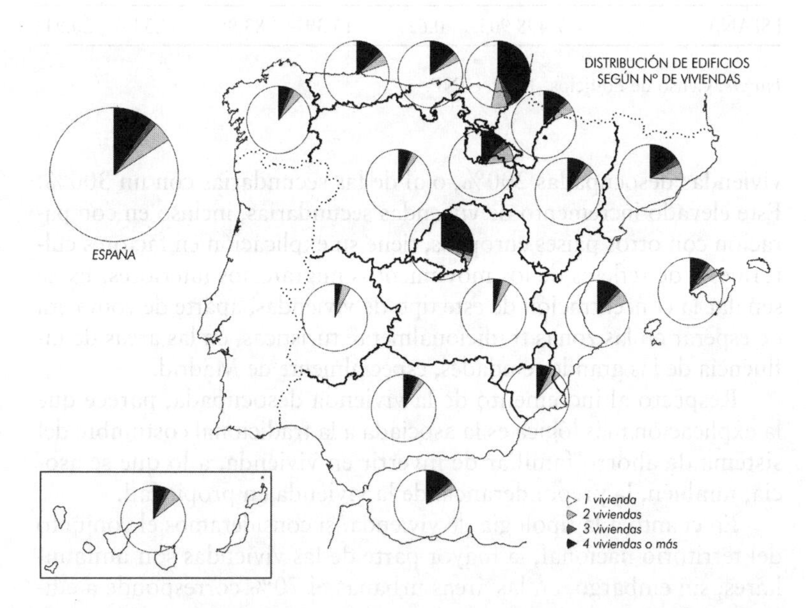

Fuente: Anuario Estadístico de la Vivienda en España (Ministerio de Fomento) e INE.

Cuadro 1. ESTADO DE LA EDIFICACIÓN

	EDIFICIOS	% RUINOSO	% MALO O DEFICIENTE	% BUENO	% SÍ TIENE ASCENSOR	% SÍ TIENE GARAJE
Andalucía	1 454 799	0.45	12.99	86.56	2.06	16.70
Aragón	254 777	0.94	18.42	80.65	3.01	23.78
Asturias, Principado de	183 513	0.64	19.36	79.99	4.55	11.82
Baleares, Islas	201 648	0.35	7.81	91.84	2.64	28.76
Canarias	297 852	0.67	15.06	84.26	1.99	21.88
Cantabria	87 133	1.06	20.56	78.38	4.09	20.86
Castilla-La Mancha	581 838	0.68	16.96	82.36	1.06	22.47
Castilla y León	734 415	0.97	21.55	77.48	1.92	17.64
Cataluña	914 509	0.53	11.49	87.98	5.50	37.82
Comunidad Valenciana	852 327	0.50	11.90	87.59	4.43	18.36
Extremadura	351 838	0.45	14.53	85.01	0.82	9.52
Galicia	678 736	0.69	22.45	76.86	1.85	9.90
Madrid, Comunidad de	343 794	0.54	11.35	88.11	10.24	35.85
Murcia, Región de	283 633	0.65	19.90	79.45	2.14	21.80
Navarra, C. Foral de	85 392	0.49	10.53	88.98	3.39	24.97
País Vasco	126 544	0.77	15.09	84.14	14.93	20.50
Rioja, La	51 332	0.77	17.59	81.64	4.54	13.71
Ceuta	6 175	3.87	40.13	56.00	3.68	3.01
Melilla	8 650	3.34	26.47	70.18	0.62	6.30
ESPAÑA	7 498 905	0.62	15.39	83.99	3.34	20.94

Fuente: Censo de Edificios, 1990, e INE.

viviendas desocupadas 200%, o al de las secundarias con un 300%. Este elevado incremento de viviendas secundarias, incluso en comparación con otros países europeos, tiene su explicación en factores culturales y de reflejos de los movimientos migratorios interiores. Es de señalar la concentración de este tipo de viviendas, aparte de como era de esperar en las zonas tradicionalmente turísticas, en las áreas de influencia de las grandes ciudades, especialmente de Madrid.

Respecto al incremento de la vivienda desocupada, parece que la explicación más lógica es la asociada a la tradicional costumbre del sistema de ahorro familiar de invertir en vivienda, a lo que se asocia, también, la preponderancia de la vivienda en propiedad.

En cuanto a la tipología de vivienda, si consideramos el conjunto del territorio nacional, la mayor parte de las viviendas son unifamiliares; sin embargo, en las áreas urbanas el 70% corresponde a edificios colectivos de 5 o más viviendas.

Cuadro 2. DISTRIBUCIÓN DE LAS VIVIENDAS SEGÚN SU RÉGIMEN DE TENENCIA, 1991

	EN PROPIEDAD	EN ALQUILER	FACILITADA GRATIS O SEMIGRATUITA	OTRAS FORMAS
Andalucía	76.8	12.7	6.5	4.0
Aragón	79.3	13.6	4.3	2.9
Asturias, Principado de	73.7	17.6	5.8	2.9
Baleares, Islas	69.7	22.0	4.1	4.3
Canarias	63.7	14.9	9.3	12.1
Cantabria	80.0	12.9	3.6	3.5
Castilla-La Mancha	82.3	10.3	4.5	2.9
Castilla y León	78.5	13.7	4.5	3.2
Cataluña	71.6	23.0	3.8	1.6
Comunidad Valenciana	83.0	11.1	3.3	2.5
Extremadura	78.5	11.9	6.5	3.1
Galicia	79.6	14.0	3.9	2.5
Madrid, Comunidad de	78.0	15.3	4.0	2.7
Murcia, Región de	82.0	11.9	3.7	2.5
Navarra, C. Foral de	83.6	9.6	3.7	3.2
País Vasco	86.6	9.2	2.5	1.6
Rioja, La	82.3	11.1	3.7	2.9
Ceuta y Melilla	43.8	44.2	8.3	3.6
ESPAÑA	77.5	14.9	4.6	3.1

Fuente: Censo de viviendas, 1991, e INE.

Atendiendo a la edad del parque de viviendas, podemos estimarlo como joven, ya que casi las dos terceras partes del mismo ha sido construido en el período 1960-1991, mientras que tan sólo el 14% tiene más de 70 años.

Asimismo se puede considerar, en general, satisfactorio el nivel de instalaciones y servicios.

3. *La estructura administrativa y la gobernabilidad*

De acuerdo con el reparto competencial establecido en la Constitución, en los Estatutos de las diferentes Autonomías y en los desarrollos legislativos subsiguientes (Ley de Bases de Régimen local, Leyes urbanísticas, etc.), corresponde a los Ayuntamientos determinar la política urbanística de su municipio y la responsabilidad de su puesta en práctica.

Ello es lógico en virtud del principio de subsidiaridad que recomienda que se ejerzan las competencias y la toma de decisiones al nivel más bajo posible (siempre que sea adecuado desde el punto de vista de la eficacia y de los costos), ya que así se garantiza un mejor conocimiento de los problemas y se facilita la participación de los ciudadanos.

Los Ayuntamientos son, por tanto, los principales responsables y autores en la construcción de la ciudad y así son vistos por los vecinos, que se dirigen a ellos en sus demandas de calidad urbana.

Sin embargo, no podemos olvidar que, a pesar de este reparto competencial, el territorio, el espacio, es único y sobre él concurren las actuaciones y competencias del resto de las Administraciones que, aunque, como es el caso del Estado, no tengan competencias urbanísticas directas, están incidiendo sobre la ordenación territorial, el sistema de ciudades y la propia ciudad. Tal es el caso, por ejemplo, de las infraestructuras viarias, o los grandes equipamientos: hospitales, universidad, etc.

En este sentido, son significativos los datos de participación en los presupuestos del Estado de las distintas administraciones: 17% la Administración Local, 35% la Autonomía y 48% la Central, donde se advierte el desequilibrio entre las competencias teóricas de planificación y decisión y la capacidad real de intervención.

Quiere esto decir que, en gran medida, la construcción de la ciudad se está realizando por otras Administraciones sin que muchas veces tengan una política urbanística explícita, y pudiendo producirse efectos contrarios a los objetivos y planes municipales.

En sentido contrario, parece que la importancia económica que hoy en día tienen las ciudades hace aconsejable que la política urbana sea contemplada como parte de los programas y políticas económicas globales, nacionales o regionales.

Para dar respuesta a esta doble necesidad de coordinación entre lo local y lo global, y entre lo global y lo local, serían necesarios marcos de concertación, no jerárquicos (no se trata de imponer competencias), donde se definieran las estrategias de la política urbana comunes a desarrollar mediante las diferentes actuaciones de cada Administración.

Esta forma de actuación que se ha puesto en práctica en algunas actuaciones concretas (Remodelación del Puerto de Barcelona y de Gijón; Pasillo Verde de Oviedo; Bilbao Ría 2 000; Áreas de Rehabilitación Integrada) no está todavía suficientemente desarrollada en nuestro país, lo que, sin duda, representa una debilidad de las políticas urbanas.

En otro orden de cosas, la estructura municipal española con más de 8 000 municipios, de los cuales 843 son de menos de 100 hab. y

4 903 con menos de 1 000 hab., plantea también ciertas dificultades en cuanto a la capacidad real de gobernabilidad. Para resolver estos problemas, se han creado en diversas CC.AA. mancomunidades, servicios comarcales, etc., y en aquellos casos en que existen, las Diputaciones apoyan e intentan suplir las carencias de estas entidades. No parece, sin embargo, que estas soluciones sean suficientes o estén suficientemente generalizadas (cuadro 3).

Cuadro 3. PADRÓN MUNICIPAL DE HABITANTES, 1996

	MUNICIPIOS	%	POBLACIÓN DEMOGRÁFICA	%
Municipios < 100 hab.	843	10.4	51 909	0.1
Municipios < 1 000 hab.	4 903	60.5	1 592 204	4.0

Total de municipios 1996: 8 097
Total de Población Demográfica: 39 652 742

Los nuevos cambios en la configuración espacial de las ciudades, la dispersión, la metropolización y la aparición de las regiones urbanas plantean nuevas situaciones que no encajan exactamente con la clásica división administrativa y el reparto de responsabilidades en el suministro de los servicios y equipamientos. Es frecuente, en la actualidad, vivir en un municipio, trabajar en otro, y comprar, divertirse o llevar a los hijos al colegio en otro; con lo que, entre otras cosas, la relación entre pago de impuestos y recepción de servicios deja de ser directa, pudiendo darse el caso de municipios «receptores» y municipios «suministradores».

Es preciso, por tanto, buscar nuevas formas de relación, coordinación y cooperación.

IV. LAS CIUDADES Y LA CALIDAD DE VIDA

Analizadas las características generales del sistema urbano español y su distribución territorial, así como los aspectos más cuantitativos de uno de los elementos fundamentales que lo definen (la vivienda), pasamos a un segundo nivel o escala de análisis, entrando ya en la reflexión acerca de los espacios urbanos en sí mismos; sobre los problemas de nuestras ciudades desde la perspectiva del urbanismo y de la calidad de vida. Ello quiere decir que la reflexión estará referida sobre todo a los problemas y características espaciales y tendrá un enfoque preferentemente cualitativo.

1. *Tipologías urbanísticas y problemas de las ciudades*

La ciudad refleja en su estructura espacial y en su morfología, las distintas etapas históricas y la estructura social existente en cada una de ellas.

Las urbes españolas engloban un conjunto de piezas con características y morfologías propias que corresponden a distintos modelos de crecimiento en función de su origen histórico.

Así, con mayor o menor grado de importancia y extensión, en prácticamente todas las ciudades españolas podemos distinguir los cascos antiguos generalmente de origen medieval (aunque en muchos casos las construcciones medievales se levantan sobre antiguos asentamientos romanos o incluso anteriores), las extensiones, de finales del siglo XIX y principios del siglo XX, constituidas por los primeros ensanches planificados y parcelaciones periféricas a lo largo de las carreteras (*La ciudad de los ciudadanos*, Ministerio de Fomento, 1996) y la «ciudad moderna» representada fundamentalmente por los «polígonos» de bloques abiertos y, en general, por la ciudad funcionalista con áreas de actividad bien diferenciadas: vivienda, industria, equipamientos, viviendas unifamiliares; y en nuestros días por las nuevas periferias de baja densidad.

Cada una de estas zonas, como ya se ha dicho, tiene unas características y unos problemas distintos, relacionados con el momento cultural y con la estructura social y económica de su origen, pero también como resultado de los procesos y dinámicas posteriores que, a veces, han actuado sobre ellos, sometiéndolos a tensiones no previstas y propiciando su degradación.

En general, el modelo mediterráneo denso y compacto con sus características positivas de diversidad y mezcla de usos, al que responden tradicionalmente las ciudades españolas, ha sido víctima, a partir ya de la primera industrialización del siglo XIX, de un proceso de congestión y densificación progresiva que ha ido deteriorando sus condiciones ambientales: pérdida de condiciones de soleamiento y aireación, congestión del tráfico con acompañamiento de contaminación atmosférica y ruido, progresiva pérdida de espacio peatonal y de dotaciones y equipamientos, y sustitución y pérdida del patrimonio edificado histórico.

En paralelo con este proceso, las características de la industrialización tardía que se produjo en España, a partir de los años '60, están en el origen de los problemas que nos encontramos en muchas de las primeras coronas periféricas de nuestras ciudades. En efecto, la concentración en el tiempo y en el espacio de una masiva emigración del campo a la ciudad dio lugar a una gran necesidad de vivienda que se resolvió de acuerdo con la lógica de la inversión mínima en todo lo que no fuese necesario para consolidar el aparato productivo, y en la que se basó la rápida acumulación de capital de aquellos años (*Informe sobre suelo y urbanismo en España*, Ministerio de Fomento, 1996) y que dio lugar a unos barrios con muy baja calidad de construcción y de infraestructuras y deficiencias de equipamientos.

Los posteriores desarrollos de viviendas sociales de finales de los '70 y de la década de los '80 suplieron, en general, estas deficiencias, si bien siguieron localizándose, en muchos casos, sin la debida integración en la trama urbana y planificándose sin mezcla de usos.

Actualmente, asistimos a un doble proceso de congestión y aumento de densidad de algunas zonas centrales, con abandono de otras, y con un modelo de desarrollo extensivo de baja densidad, que en muchos casos se está produciendo al amparo de ocupaciones dispersas en suelo no urbanizable próximo a núcleos urbanos, o reconvirtiendo antiguas zonas de segunda residencia.

En relación con la calidad urbanística de cada una de estas áreas cabe citar los resultados del estudio encargado por la Dirección General de la Vivienda, la Arquitectura y el Urbanismo, en 1995, al Seminario de Planeamiento y Ordenación del Territorio de la ETSAM, con el que se pretendió aproximarse el conocimiento de la calidad urbanística de las ciudades españolas y de sus distintas áreas tipológicas, a través del análisis de una muestra de 90 zonas homogéneas de 10 ciudades.

Para ello, se estudiaron una serie de parámetros de calidad urbana, seleccionados por estar controlado o ser resultado del planeamiento urbanístico. Con ellos se mide: la densidad o aprovechamiento del suelo, la variedad de usos, la cuantía del viario, los equipamientos y la proporción de suelo según cada uso (figura 8).

Los resultados de este trabajo revelan que las ciudades españolas se componen de un conjunto no homogéneo de piezas especializadas, en las que se puede distinguir la ciudad densa y compacta que contiene la variedad y multiplicidad de usos propias del medio urbano pero con unos problemas de congestión del tráfico y degradación ambiental que expulsa a las actividades más rentables, y las periferias urbanas monofuncionales, básicamente residenciales, y con una excesiva dotación de espacio público donde, al faltar la actividad urbana, se pierde su valor como lugar de encuentro y de ocio.

Como resumen de todo lo anterior y siguiendo las líneas definidas en el *Informe sobre Suelo y Urbanismo en España*, realizado por la Comisión de Expertos sobre Urbanismo (Ministerio de Fo-

FIGURA 8. *Media ciudades*

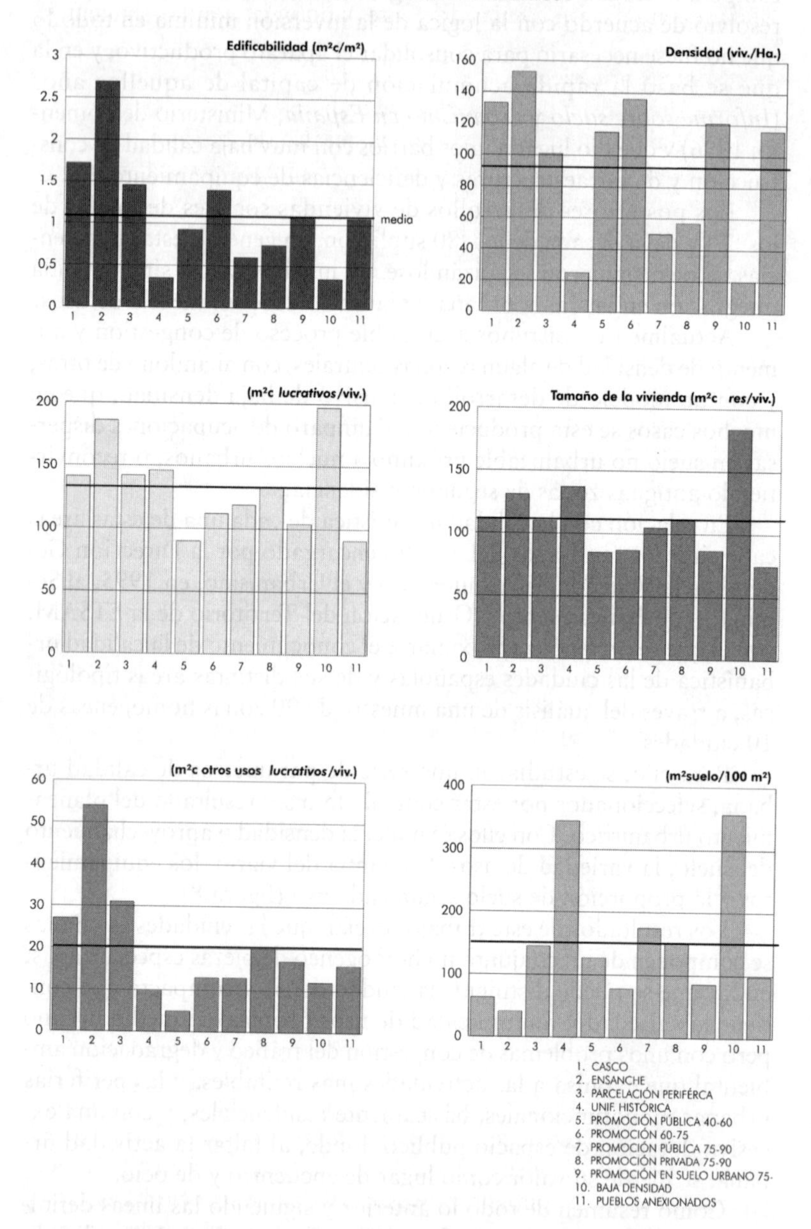

Fuente: Análisis de los Estándares de Calidad Urbana del Planeamiento Urbanístico de las Ciudades españolas, DGVUA/SPYOT 1994.

mento, 1996), los problemas comúnmente presentes en nuestras ciudades en relación con las diferentes tipologías son las siguientes:

a) Centros históricos:
— Alta densidad, congestión de tráfico;
— Mala calidad de las viviendas, insalubridad;
— Inadecuación de las dotaciones y equipamientos a las necesidades de la población;
— Marginación y pérdida de atractivo para la población y la actividad económica;
— Falta de espacios libres.

b) Ensanches:
— Alta densidad;
— Congestión del tráfico y pérdida de calidad ambiental y del espacio libre;
— Sustitución de actividades residenciales por terciario.

c) Periferias de vivienda social de los años '40-'75:
— Falta de integración con la trama urbana;
— Desarticulación interna;
— Mala calidad de la edificación y de la urbanización;
— Falta de definición del espacio público y ocupación por el automóvil;
— Excesiva especialización funcional y falta de vida urbana.

d) Nuevas periferias:
— Excesiva especialización funcional y falta de vida urbana;
— Falta de definición del espacio público y sobredimensionamiento de su superficie sin uso ni actividad y excesivo predominio del viario;
— Desintegración de la estructura urbana.

2. *Las nuevas tendencias en la configuración espacial o urbanística*

Los cambios en la estructura productiva, las nuevas tecnologías y el proceso de globalización económica ya comentados están teniendo grandes repercusiones en la configuración espacial de nuestras ciudades.

Por una parte, la aludida nueva competencia entre urbes, las nuevas relaciones entre ellas, con la importancia que adquiere el papel que ocupan en el sistema nacional, europeo e internacional, plantea nuevas oportunidades pero, también, agudiza el carácter de «periféricas» en el sentido de aislamiento y desconexión de muchas de nuestras ciudades, con la amenaza que ello supone para las economías locales.

Por otra, las ya también aludidas tendencias generales de las ciudades europeas de polarización, dispersión y aumento de la superficie urbana consumida, de incremento de las infraestructuras de transporte, etc., se están produciendo en nuestras ciudades a un ritmo creciente sin que, en muchos casos, se hayan resuelto los problemas de la etapa anterior, ni se parta de una situación previa de calidad urbana, como la de las ciudades de nuestro entorno europeo.

Así, si bien es cierto que a partir de la década de los '80, y más en concreto de 1979 y de establecimiento de los primeros Ayuntamientos democráticos, se hicieron grandes esfuerzos en resolver los problemas urbanísticos heredados: rehabilitación de centros históricos; reequipamiento y mejora de las infraestructuras de la periferia; reabsorción de infravivienda; etc.; y para controlar y dirigir el futuro mediante un gran desarrollo de planeamiento urbanístico riguroso y comprometido, también lo es que en muchos casos no se supo, o no se pudo porque no había elementos para ello, prever los procesos de reorganización y las nuevas tendencias espaciales que se producirían a finales de la década.

La revitalización de la inversión inmobiliaria y el consiguiente aumento de los precios del suelo y, por tanto, de la vivienda, que se produce a partir de 1986 (Troitiño, 1998), el aumento de la demanda de terciario, el auge de los nuevos espacios comerciales y de ocio, los cambios en la demanda de vivienda hacia la vivienda unifamiliar, por ejemplo, son fenómenos que están produciendo una profunda reorganización del espacio urbano intensificada por las interacciones que se producen entre ellos.

El aumento de los precios del suelo propicia las operaciones de reconversión de zonas obsoletas o vacíos urbanos en localizaciones centrales que, si bien en muchos casos se plantean con el objetivo de recualificar áreas degradadas (Bilbao, Madrid, Barcelona, Gijón), contribuyen a veces a la congestión y deparan resultados que modifican las previsiones y objetivos iniciales, como el caso del Pasillo Verde Ferroviario de Madrid en donde el objetivo de reforzar el terciario se transformó en una densificación residencial (Brandis y Del Río, 1995).

Tampoco es ajeno el aumento de los precios del suelo a los desarrollos cada vez más dispersos de las nuevas áreas residenciales y los centros comerciales y de ocio.

En definitiva, la forma de nuestras ciudades se está transformando como se están transformando nuestras formas de vida y de relación social, dentro de un proceso en el cual cada una de dichas formas ocupa recíproca y simultáneamente el papel de causa y efecto.

El modelo de ciudad extendida y dispersa es, por ejemplo, una de las causas del aumento de las necesidades de movilidad y del transporte privado, ya que no favorece la implantación del transporte colectivo, pero este modelo es también efecto del desarrollo económico y social que ha propiciado un espectacular aumento de los índices de motorización, favoreciendo a su vez el referido modelo urbanístico basado en la suburbanización (cuadros 4 y 5).

Cuadro 4. VEHÍCULOS (TURISMOS) POR CADA 1 000 HAB.

AÑO	VEHÍCULOS
1980	202.5
1990	308.9
1992	335.9
1994	350.4
1996	372.0

Fuente: Dirección General de Tráfico.

Cuadro 5. VEHÍCULOS (TURISMOS) POR CADA 1 000 HAB.
EN CAPITALES DE PROVINCIA POR TAMAÑO DE POBLACIÓN

HABITANTES	VEHÍCULOS/1 000
> 1 000 000	424.3
300 000 a 1 000 000	346.1
100 001 a 500 000	354.6
50 001 a 100 000	369.9
< 50 000	373.4

Fuente: Dirección General de Tráfico.

Este nuevo modelo que aparece con mayor importancia y rapidez en las grandes urbes y áreas metropolitanas, pero que afecta en mayor o menor medida a todos los niveles de los núcleos urbanos, se caracteriza por los siguientes rasgos:

— Dispersión y extensión del espacio ocupado por la urbanización;
— Aumento de la densidad y de la congestión de ciertas zonas de las áreas centrales (los «ensanches» en general), en paralelo con el abandono y degradación de las más antiguas;

— Nuevas centralidades basadas en grandes superficies comerciales y de ocio;

— Aparición de nuevas áreas de terciario en la periferia;

— Cambios en las tipologías de vivienda con incremento de las viviendas unifamiliares;

— Aumento de las infraestructuras de transporte.

El interrogante que se plantea es en qué medida estas transformaciones responden o son contradictorias con el objetivo de calidad de vida en sus tres vertientes de Calidad Ambiental, Bienestar e Identidad Cultural.

En primer lugar, nos encontramos con la contradicción que supone el que la mejora en las condiciones económicas y sociales y la exigencia de calidad ambiental han propiciado los nuevos modelos residenciales y los procesos de suburbanización, con las consecuencias negativas que ello implica para la calidad ambiental en términos de sostenibilidad global: consumo de suelo, aumento del consumo de energía y de emisión de contaminantes (CO_2), debido al aumento del transporte, mayor consumo de agua en zonas secas debido a la proliferación de jardines con especies no autóctonas, etc.

En segundo lugar, el nuevo modelo refleja espacialmente la segregación social y responde a una individualización creciente de la sociedad, no favorece los contactos entre individuos de distintos grupos sociales ni los contactos que se dan de forma espontánea en los espacios públicos urbanos con usos y actividades mixtas, de uso peatonal o, al menos, con una identidad y definición propia que nos hace transitarlos de forma consciente, formando parte de nuestras emociones y vivencias y no atravesando los túneles virtuales que nos llevan de un origen a un destino sin puntos intermedios, como es el caso de las autovías urbanas.

En el modelo actual, se olvidan la diversidad de necesidades y requerimientos de los distintos grupos sociales y se configura de acuerdo con un grupo social determinado: el individuo autónomo con empleo y preferentemente con coche; lo que se aprecia en la planificación de las infraestructuras del transporte donde se da preferencia a las relaciones vivienda-trabajo y, como ya se ha dicho, al transporte privado, dejando en segundo lugar las comunicaciones con los equipamientos, entre barrios, con los centros comerciales y de ocio, etc. Esto produce el aislamiento y segregación a los grupos no incluidos en el ciudadano «tipo»: niños, parados, ancianos, amas de casa, discapacitados, no conductores, etc.

Otro aspecto importante, que no se suele tener presente al analizar la calidad de vida que proporciona el nuevo modelo, es su adecuación a las formas de vida predominantes en la sociedad española en cuanto a los horarios de trabajo, pautas de relación familiar y social, horarios de comidas, etc. y su traducción en «tiempos» de recorridos y desplazamientos. Aunque no se conocen, hasta el momento, estudios en profundidad sobre lo que supone en tiempos de desplazamiento, el modelo de vida suburbana, con la disparidad de horarios laborales, escolares y comerciales existentes actualmente en nuestro país y con los hábitos de comidas familiares y de relaciones sociales, nos atrevemos a afirmar que, en muchos casos, está suponiendo una merma importante de calidad de vida, al menos en tiempo disponible para ocio o descanso.

Por otra parte, la segregación de usos y actividades, la dispersión de los lugares de residencia, propicia una noción desintegrada de la ciudad y una pérdida de la conciencia de ciudadano en el sentido de pertenencia a un sitio, a una comunidad y, por tanto, se debilita la capacidad y el interés por participar en la toma de decisiones y en la construcción del entorno.

En definitiva, aunque en muchos aspectos y desde un punto de vista cuantitativo las ciudades españolas han mejorado considerablemente sus niveles de calidad (en lo referido a vivienda, infraestructura y equipamientos), las tendencias actuales plantean importantes efectos negativos que resumiremos como:

— Aumento del consumo de suelo y amenaza para las áreas rurales y los espacios naturales;
— Aumento del consumo energético y de la emisión de residuos contaminantes;
— Pérdida de los límites y de la definición de ciudad;
— Pérdida de la diversidad y riqueza de la vida urbana;
— Pérdida de calidad e identidad del paisaje urbano;
— Segregación social;
— Segregación y dificultad para algunos grupos sociales en el acceso a los equipamientos y servicios urbanos;
— Aumento de las necesidades de movilidad y de los tiempos invertidos en transporte;
— Mayor dependencia del automóvil;
— Pérdida de la conciencia ciudadana y dificultades para la participación;
— Individualización y dificultades para las relaciones sociales.

3. *Los barrios desfavorecidos*

La reestructuración económica y su traducción en la reestructuración del espacio urbano está teniendo como efecto la creciente segregación y marginación de ciertos barrios o áreas que, partiendo de situaciones de desventaja respecto al resto de la ciudad como resultado de la mayor competitividad del mercado, no sólo no mejoran su situación sino que van agudizando cada vez más las diferencias.

Se constata además que la mejora general de la economía local no implica, si no se acompaña de políticas específicas, la mejora en las condiciones de estos barrios.

Asistimos, a su vez, a la aparición de nuevas formas de segregación o de problemas sociales: la pobreza identificada con la simple escasez de recursos económicos; el desfavorecimiento o escasez de los recursos que permiten al individuo desarrollarse como tal y ocupar un papel en la sociedad; y la vulnerabilidad ante el riesgo de caer en las situaciones anteriores.

El reflejo de estas situaciones en las desigualdades urbanas, concentradas en ciertos barrios, es una preocupación creciente en todos los países europeos y se manifiesta en los organismos internacionales. En este sentido, la OCDE desarrolló una serie de trabajos entre 1995 y 1997 a través del «Project Group en Distressed Urban Áreas» sobre la desigualdad urbana, en cuyo marco se ha realizado un interesante estudio de la realidad española recientemente publicado por el Ministerio de Fomento, cuyos resultados y conclusiones creemos interesante resumir y reflejar, por lo que significan para evaluar la calidad urbana de nuestras ciudades.

La selección de los barrios se hizo partiendo de las secciones censales y seleccionando las agrupaciones mayores de 3 500 habitantes.

Los criterios de desfavorecimiento utilizados en el estudio fueron:

— La pobreza relativa;
— La carencia de estudios;
— La carencia de servicios en las viviendas.

En el estudio se realizan aproximaciones a la descripción de la desigualdad urbana a partir de rigurosos y pormenorizados análisis y elaborados indicadores, llegando a una profunda radiografía de la situación que merece la pena conocer directamente y del que tan sólo querríamos recoger y resumir algunas conclusiones que nos parecen especialmente relevantes en el marco de este informe:

— Los barrios desfavorecidos tienen normalmente factores acumulados de paro, falta de estudios y carencia de viviendas;
— Los barrios desfavorecidos tienen unas características de desigualdad muy fuerte, alcanzando altos índices en los criterios utili-

zados de medición: 31% de valor medio de la tasa de paro, tasa de paro juvenil del 49% y tasa de personas sin estudios del 26%;
— Los barrios desfavorecidos son barrios que fueron ocupados desde sus inicios por grupos desfavorecidos.

Si observamos estos barrios bajo la óptica de las tipologías urbanísticas, cabe destacar:

— Los Cascos Históricos acogen y se caracterizan por una población envejecida e importantes carencias de servicios en la vivienda;
— Los barrios con origen en Promociones de Vivienda Unitarias públicas o privadas, correspondientes, por lo general, a polígonos de bloques aislados, se caracterizan por tener la peor situación sociolaboral, aunque su parque residencial es el de mayor calidad relativa;
— Los barrios desfavorecidos catalogados como áreas urbanocentrales, correspondientes a zonas desarrolladas antes de 1945 mediante ensanches planificados o crecimientos espontáneos en sus bordes, tienen elevadas tasas de paro (29.2%) y falta de estudios (24.9%) junto a altas carencias de vivienda;
— Los barrios desfavorecidos catalogados como áreas urbanoperiféricas, desarrollados normalmente en los últimos 50 años, sin planificar en intersticios vacíos, antiguas áreas industriales o en torno a antiguos núcleos urbanos, absorbidos por la ciudad, son los que presentan, después de las Promociones de Vivienda, las más elevadas tasas de paro (30.8%) y falta de estudios (27.7%) unidas, en este caso, a altas carencias de vivienda.

Son aún más reveladores los datos obtenidos de la cuantificación del problema:

— En el conjunto de municipios mayores de 50 000 hab. se han detectado 374 barrios desfavorecidos (> 3 500 hab.);
— En estos barrios viven 2.87 millones de hab., lo que supone un 14.4% de los 20 millones de habitantes de estas ciudades y un 7% de la población nacional;
— En los municipios mayores de 20 000 hab. se han detectado 3 642 secciones censales desfavorecidas de un total de las 17 998 existentes;
— En estas secciones viven 5 millones de los 25 millones de hab. de estos municipios, es decir el 20.2% de su población y el 12.5% de la población nacional. De éstos, un 50.5% vive en municipios mayores de 100 000 hab.

Todo ello nos muestra la importancia de los problemas de desigualdad y desfavorecimiento y de su vertiente espacial, es decir, de la concentración de ciertas zonas de la ciudad. Problemas que no se detectaban con estudios sectoriales y agregados. Son necesarios análisis integrales, referidos a áreas concretas y con una visión micro y particularizada. Análisis que es difícil de realizar en nuestro país porque no existen, en general, estadísticas desarrolladas a estos niveles ni referenciadas espacialmente, salvo las derivadas de los censos de población.

V. LAS POLÍTICAS URBANAS

1. *El planeamiento urbanístico*

En paralelo con el proceso descrito de reestructuración del espacio urbano y de cambio en las relaciones de la ciudad con el territorio, se ha venido produciendo un cambio en la concepción del planeamiento urbanístico y de su importancia que, incluso, se ha llegado a considerar como una verdadera crisis.

Para analizar las características de esta crisis quizá haya que remontarse a la primera quiebra de la confianza, la eficacia y posibilidades reales de actuación del planeamiento omnicomprensivo que se produce a finales de la década de los '70: se reacciona entonces contra los planes excesivamente tecnocráticos, basados en datos agregados que proporcionan escenarios globales y pretenden planificar a largo plazo todos los componentes del desarrollo urbano.

Frente a estos planes se opone la eficacia del Plan-Proyecto, dirigido a actuar sobre aspectos concretos a partir del control de unos parámetros formales identificables.

Aunque en algunos casos se llega más allá de la concepción del Plan-Proyecto y a negar la necesidad del Plan y a considerar que la suma de Proyectos de diversas escalas es el camino adecuado para intervenir en la ciudad (Bohigas, 1985), en general, la década de los '80, o al menos su primera parte, se caracteriza todavía por la confianza en el Plan y la creencia en su legitimidad para expresar, en un Proyecto de ciudad, el interés general.

El gran esfuerzo en dotar de planeamiento urbanístico a todos los municipios, que se inicia con la constitución de los Ayuntamientos democráticos, apoyado en un primer momento por la Administración Central y tras su configuración posterior por las Comunidades Autónomas, es una buena muestra de la confianza otorgada al planeamiento para expresar la voluntad de control del desarrollo urbano y de mejora de la calidad de las ciudades (figura 9).

El estado actual de cobertura de planeamiento del territorio del país, y su evolución desde 1976, ilustra dicha voluntad y refleja una satisfactoria situación en cuanto al número de municipios y población correspondiente que cuenta con algún tipo de plan. No es tan satisfactoria, en cambio, la situación en relación a la superficie cubierta, lo que puede considerarse con cierta alarma por lo que supone de falta de control o norma reguladora sobre amplios espacios naturales (figura 10).

Posteriormente, los problemas derivados de la rigidez de algunos planes y de sus errores de planeamiento al considerar que la crisis económica produciría una ralentización irreversible del crecimiento urbano, condujo a un nuevo cuestionamiento de la eficacia de los planes; no sólo por no ser capaces de dar respuestas, sino por convertirse en un freno para las nuevas situaciones y demandas espaciales que se estaban produciendo, como resultado de la reestructuración económica de finales de los '80.

Este cuestionamiento se ve, además, apuntalado por el auge de las tendencias neoliberales que, a partir de la confianza en el mercado como el instrumento más eficaz para la distribución de los usos del suelo, consideran que la intervención pública en el proceso urbanizador es innecesaria cuando no perturbadora y claman por la desregulación y la simplificación del planeamiento urbanístico (Ezquiaga, 1998).

En esta tendencia se inscribe la nueva regulación estatal sobre régimen del suelo (Ley 6/1998, de 13 de abril, sobre régimen del suelo y valoraciones) que, basándose en la sentencia del Tribunal Constitucional, de 20 de marzo de 1997, en la que se delimitan las competencias del Estado en la materia, va todavía más allá, renunciando a parte de sus competencias y sentando las bases para una política liberalizadora en materia de suelo, entendiendo como tal la de menor intervención de los poderes públicos.

Actualmente, aunque el marco competencial, que reside en las CC.AA. la capacidad legislativa en materia de urbanismo y en los Ayuntamientos la de planificar y ordenar urbanísticamente sus municipios, da pie para que la situación no sea homogénea, se puede considerar que la búsqueda de un planeamiento más flexible y la crisis del modelo anterior controlador y rígido es general. Otro aspecto, no resuelto, es la búsqueda de nuevas formas de participación del sector privado, como promotor de la construcción de la ciudad y no como especulador.

FIGURA 9. *Evolución del Planeamiento Urbanístico Municipal en España, 1977-1997*

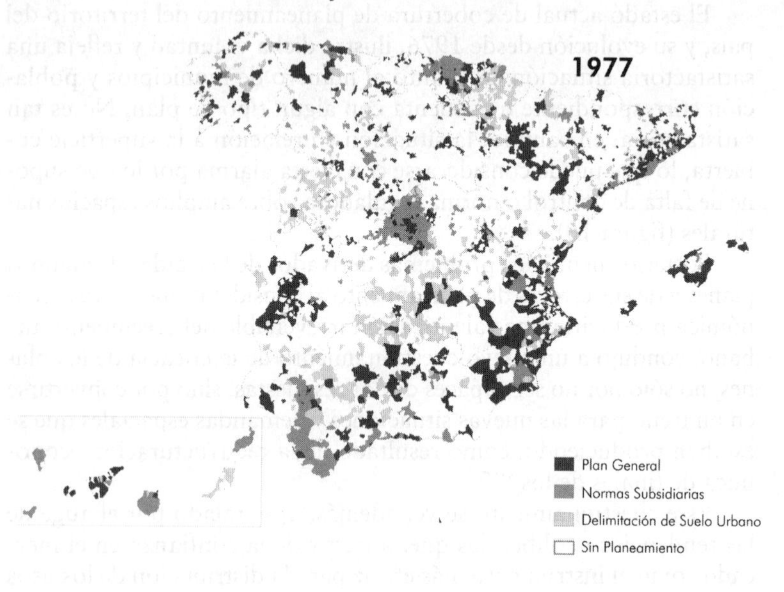

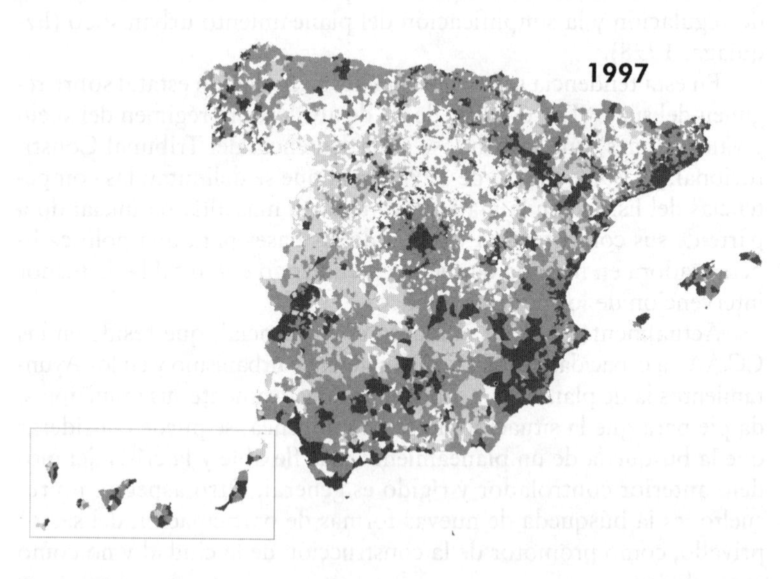

Fuente: Sistema de Información Urbana (Ministerio de Fomento).

FIGURA 10. *Cobertura del Planeamiento Urbanístico, 1998*

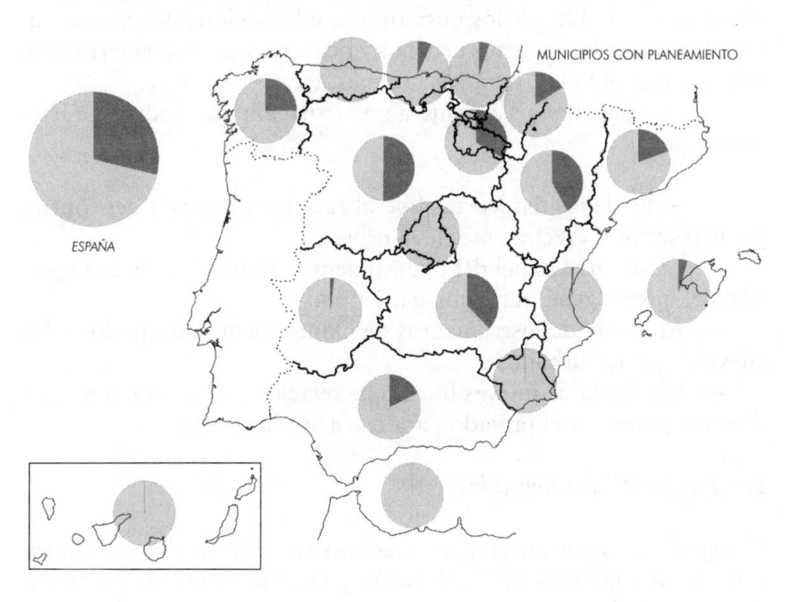

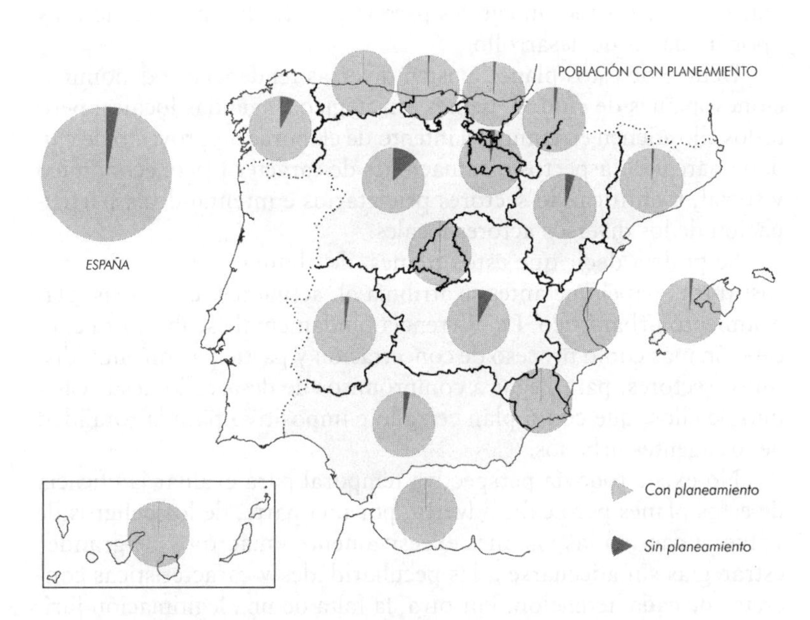

Fuente: Sistema de Información Urbana (Ministerio de Fomento).

Otro de los aspectos cuestionados se refiere al tipo de planes y a la escala o el ámbito de los mismos y su adecuación a las nuevas características de los espacios urbanos y de su relación con el territorio: áreas metropolitanas, regiones urbanas, etc.

Nos encontramos así frente a una situación que podría caracterizarse por:

— Auge de las tendencias liberalizadoras y pérdida del control público sobre el crecimiento de la urbe;

— Crisis en el papel del planeamiento urbanístico como expresión del interés general (Ezquiaga, 1998);

— Ausencia de instrumentos de planeamiento adecuados a los nuevos espacios urbanos;

— Búsqueda de nuevas formas de relación y colaboración entre el sector público y el privado para construir la ciudad.

2. *Las políticas integradas*

El auge de la importancia de las ciudades en el desarrollo económico y los nuevos factores de localización y la competencia entre ciudades ya señalados han originado el interés de muchas ciudades por la realización de planes integrales para la mejora de sus condiciones y oportunidades de desarrollo.

Dentro de estos planes existen diversas tendencias y denominaciones: planes de ciudad, planes estratégicos, agendas locales; pero todos ellos tienen en común el intento de elaborar un proyecto de ciudad abarcando aspectos o actuaciones de carácter físico, económico y social, identificando sectores prioritarios e intentando la participación de los diversos actores locales.

Se podría decir que estos planes, de alguna manera, vienen a sustituir el papel que antes se atribuía al, actualmente en crisis, planeamiento urbanístico. La diferencia fundamental estriba en su concepción más como proceso de concertación y participación entre distintos sectores, para llegar a compromisos de desarrollo desde cada uno de ellos, que como plan cerrado e impositivo para la totalidad de los agentes urbanos.

No existe todavía perspectiva temporal para evaluar la eficacia de estos planes pero cabe advertir, por una parte, de los peligros de volver a caer en las visiones excesivamente «macro» y de grandes estrategias sin adecuarse a las peculiaridades y características concretas de cada actuación. Por otra, la falta de una legitimación jurídica puede restar eficacia a sus compromisos y el proceso de participación puede verse reducido a unas elites técnicas, políticas o empresariales sin que existan los cauces de participación ciudadana e individual garantizados legalmente en los procedimientos de aprobación de los planes urbanísticos.

Dentro de este tipo de planes, merece especial atención las llamadas Agenda Local 21, como aplicación en el ámbito local de la Agenda 21, aprobada en el Congreso Mundial de Medio Ambiente de Río de Janeiro en 1992.

Las Agendas Locales 21 suponen un compromiso de sostenibilidad por parte de los Ayuntamientos en las que se trata de involucrar y hacer responsable a toda la ciudadanía.

Sus aspectos más positivos son el carácter global e integrador de la concepción medioambiental y el proceso de participación ciudadana en el que se basa su realización.

Todavía es pronto para hacer una evaluación de sus resultados, pero ya se puede ser optimista sobre su contribución a la mejoría de la calidad de vida en nuestras ciudades.

3. *Las Buenas Prácticas*

Dentro de este contexto de crisis o búsqueda de un nuevo tipo de planes globales o de proyectos de ciudad, se va abriendo paso un tipo de actuación particular al que llamaremos Buenas Prácticas por ser el término acuñado por Naciones Unidas en la Conferencia Hábitat II celebrada en Estambul en 1996.

Se denominan así a las nuevas formas de actuar en la ciudad para afrontar los también nuevos desafíos y problemas económicos, sociales y ambientales a los que tienen que hacer frente.

Se caracterizan por su enfoque particularizado, orientado a la resolución de problemas concretos, partiendo de un conocimiento específico de las peculiaridades de cada sitio y para su planteamiento global de los problemas y de las actuaciones integrando las actuaciones sectoriales (infraestructuras, vivienda, educación, medio ambiente, empleo).

Aunque en el momento presente existen diversas instancias que impulsan este tipo de prácticas, nos centraremos en el análisis del último concurso de Naciones Unidas por cuanto nos puede servir como radiografía de la situación en nuestro país.

El Segundo Concurso de Buenas Prácticas para la mejora de la calidad de vida urbana (Dubai, 1998), que siguiendo la iniciativa del Centro para los Asentamientos Humanos de Naciones Unidas, fue promovido en nuestro país por el Comité Hábitat II Español, consideraba como tales las que cumpliesen tres requisitos:

— Asociación entre al menos tres entidades o asociaciones;
— Impacto mejorando las condiciones de vida de la población;
— Sostenibilidad manifestada en cambios duraderos.

Como complemento a estos criterios, el Grupo de Trabajo sobre Buenas Prácticas del Comité Nacional definió las siguientes áreas temáticas: Vivienda; Desarrollo territorial y urbano integrado; Lucha contra la exclusión social; Ciclos de consumo y producción de recursos naturales: agua, energía, residuos; Ciudad y entorno natural; Transporte y accesibilidad.

A la convocatoria se presentaron 117 casos, propuestos en un 60% por la Administración Local y con el siguiente reparto temático (hay que tener en cuenta que la mayoría de ellas se incluyen en dos o más áreas):

— Vivienda	24%
— Desarrollo territorial y urbano integrado	38%
— Lucha contra la exclusión social	41%
— Ciclos de consumo y producción de recursos naturales: agua, energía, residuos	10%
— Ciudad y entorno natural	24%
— Transporte y accesibilidad	6%

De estas 117 prácticas y después de ser evaluadas por un Comité de Expertos se seleccionaron 34, que fueron presentadas al Concurso Internacional en el que 13 fueron calificadas como Buenas (*good*), 18 incluidas entre las 100 mejores (*best*), y una mereció uno de los premios (Los Programas de Mejora del Medio Ambiente Urbano de Málaga).

Analizando los resultados de la convocatoria y el conjunto de las prácticas presentadas destacan las siguientes consideraciones:

— Existe una gran riqueza y vitalidad en el ámbito local tanto en la Administración como en otras instituciones o colectivos: Escuelas Taller, Fundaciones, ONG's, etc.;

— Existe una creciente preocupación por los problemas sociales desde una perspectiva espacial, asociados a un barrio concreto y a un colectivo concreto;

— Se va avanzando hacia una concepción integral de la calidad de vida urbana demostrada por las actuaciones que incluyen la mejora del medio ambiente, del medio físico y actuaciones de promoción económica y social (educación, lucha contra el paro, salud);

— Existe una demanda e interés creciente en el intercambio de conocimientos y experiencias considerando la información y mejora de la capacitación como un instrumento fundamental para la toma de decisiones.

VI. LAS TENDENCIAS Y LOS RETOS

Estamos en un momento de profunda transformación y reestructuración de lo que ha sido el modelo tradicional de desarrollo de nuestras ciudades compactas, densas y con diversidad de usos y mezcla social.

Esta transformación que responde a fenómenos complejos como la globalización económica, los cambios en el sistema productivo, en las pautas culturales y en el papel asignado a los poderes públicos, también ha sido propiciada por una mejora en la capacidad económica y el nivel social de gran parte de la población, que ha posibilitado la demanda de mejores condiciones de vida: mayor espacio de vivienda, mejores condiciones ambientales, más zonas verdes, etc.

El nuevo modelo que se está configurando con una estructura urbana dispersa, baja densidad y gran consumo de espacio y especialización de usos y diferenciación de grupos sociales, aunque responda a alguna de las demandas comentadas de calidad ambiental, es claramente insostenible, desde el punto de vista del consumo de recursos y la emisión de contaminantes, y amenaza con mermar la calidad de vida en aspectos como la disminución de las oportunidades de desarrollo social, cultural y política y con la creación de desigualdades en el acceso al bienestar (equipamientos, empleo, movilidad, etc.).

Las llamadas políticas «liberalizadoras», que dejan en manos del mercado la decisión sobre el desarrollo urbano, están contribuyendo a reforzar los aspectos más negativos de este proceso.

La carencia o debilidad de las estructuras administrativas y de políticas urbanas concertadas, a todos los niveles de la Administración y con todos los sectores de la población, es otro de los factores que favorece la configuración del nuevo modelo, de acuerdo con los intereses de unos pocos y no respondiendo al interés general.

El reto para las políticas urbanas de los próximos años reside en dar respuesta a las nuevas necesidades y demandas, tanto individuales como colectivas o de los sectores productivos, conservando las ventajas y la calidad de nuestro modelo tradicional de ciudad mediterránea pero resolviendo sus problemas. En definitiva compatibilizando el desarrollo económico y la cohesión social en un marco de sostenibilidad.

BIBLIOGRAFÍA

Arias Goytre, F., Nicolás, J. L. y otros (1999): *La desigualdad urbana en España*, Ministerio de Fomento, Madrid.

Bisquet Santiago, A. (1997): «El urbanismo de los afectos», en *Infancia urbana y vida cotidiana*, Ministerio de Fomento, Madrid.

Bohigas, O. (1983): «Per una Altra Urbanibat» en *Planes y Proyects per a Barcelona*, Ayuntamiento de Barcelona, Barcelona.

Brandis, D. y Del Río, I. (1995): «Las grandes operaciones de transformación urbana. El Pasillo Verde Ferroviario de Madrid»: *ERIA*, 31.

Comisión de Expertos sobre Urbanismo (1998): *Informe sobre suelo y urbanismo en España*, Ministerio de Obras Públicas, Transporte y Medio Ambiente, Madrid.

Comisión Económica para Europa de Naciones Unidas (1998a): «Study on major trends characterizing human settlement», en VV.AA.: *Proceedings of the eight conference on urban and regional research*, Ministerio de Fomento, Madrid.

Comisión Económica para Europa de Naciones Unidas (1998b): «Report of the eight conference on urban and regional research», en VV.AA.: *Proceedings of the eight conference on urban and regional research*, Ministerio de Fomento, Madrid.

Comisión Europea (1997): *Hacia una política urbana para la Unión Europea*, Bruselas.

Comisión Europea (1998): *Marco de actuación para el desarrollo urbano sostenible en la Unión Europea*, Bruselas.

Comité Nacional Hábitat II (1996a): *Informe Nacional de España*, Ministerio de Fomento, Madrid.

Comité Nacional Hábitat II (1996b): *Agenda Hábitat España*, Ministerio de Fomento, Madrid.

Conferencia Hábitat II (1996): *Declaración de Estambul y Plan de Acción*, Ministerio de Fomento, Madrid.

Ezquiaga, J. M. (1998): «¿Cambio de estilo o cambio de paradigma? Reflexiones sobre la crisis del planeamiento urbano»: *Urban*, 2.

García Nart, M. (1997): «Política de ciudades», en *Seminario sobre Vivienda y Hábitat: Condicionantes de la exclusión social*, Ministerio de Trabajo y Asuntos Sociales, Madrid.

Hernández Aja, A., Alguacil, J. y otros (1997): *La ciudad de los ciudadanos*, Ministerio de Fomento, Madrid.

Levi, L. y Anderson, L. (1980): «La tensión psico-social. Población, ambiente y calidad de vida», en *El Manual Moderno*.

Naess, P. (1995): «Central Dimensions in a Sustainable Urban Development»: *Sustainable Development*, 3, 3, 120-192.

Rojas Marcos, L. (1997): «Convivir en la Ciudad»: *El País*, 23.11.97.

Seminario de Planeamiento y Ordenación del Territorio. SPYOT (1994): *Análisis de los Estándares de Calidad Urbana de Planeamiento Urbanístico de las Ciudades Españolas*, Dirección General de la Vivienda, la Arquitectura y el Urbanismo, Ministerio de Fomento, Madrid.

Troitiño, M. A. (1998): «Conflictos entre las principales tendencias en el desarrollo del espacio urbano y los requisitos de un desarrollo urbano sostenible», en VV.AA.: *Proceeding of the eight conference on urban and regional research*, Ministerio de Fomento, Madrid.

UNESCO (1978): «Indicators of Environmental Quality and Quality of life»: *Reports and papers in the social sciences*, 38.

Vinuesa, J. (1998): «Las tendencias de los asentamientos humanos en España», en VV.AA.: *Proceeding of the eight conference on urban and regional research*, Ministerio de Fomento, Madrid.

Capítulo 20

LA POBREZA EN ESPAÑA: EVOLUCIÓN Y FACTORES EXPLICATIVOS

Luis Ayala Cañón
Rosa Martínez López

I. INTRODUCCIÓN

La pobreza sigue siendo un tema de actualidad en los países ricos. Los últimos informes realizados por Eurostat muestran que, en la frontera del cambio de milenio, algo más de 60 millones de ciudadanos viven todavía por debajo del umbral de la pobreza en los países de la UE. Tras varias décadas de optimismo, los años '80 y '90 han puesto de nuevo en cuestión la idea de que el crecimiento económico y la extensión de los programas sociales terminarían por hacer de la pobreza un fenómeno marginal dentro de los países desarrollados. En realidad, la reducción de algunas formas tradicionales de pobreza se ha visto más que compensada, en muchos países, por la aparición de nuevos grupos de riesgo, en conexión con algunas transformaciones socioeconómicas características de la era posindustrial.

La pobreza sigue siendo, pese a todo, un fenómeno mal conocido, tanto en lo que se refiere a su extensión e intensidad como, más aún si cabe, en lo relativo a sus causas y a las políticas adecuadas para lograr la integración de los colectivos afectados. Es también un problema cuyo análisis suscita a menudo debates que afectan a cuestiones fundamentales a la hora de interpretar los resultados que arrojan los estudios disponibles. ¿Qué debe entenderse por pobreza en los países desarrollados? ¿Qué criterios se utilizan habitualmente para caracterizar a unas determinadas personas como pobres? ¿Qué implicaciones tiene ser pobre, en términos de carencias, en una serie de ámbitos específicos del nivel de vida? ¿Cuáles son los principales factores explicativos de los cambios en el nivel y estructura de la pobreza? ¿Qué tipo de políticas resultan más adecuadas para luchar contra la pobreza?

La respuesta a estas cuestiones adquiere una importancia fundamental en un contexto en el cual muchos gobiernos han adoptado o se están planteando reformas orientadas a reducir la universalidad y generosidad de los sistemas de protección social, con el argumento de que las prestaciones han ampliado su cobertura hasta niveles que reducen los incentivos al trabajo y generan un círculo vicioso de dependencia en algunos grupos de beneficiarios. Analizar las características de las nuevas formas de pobreza en los países ricos constituye una tarea esencial a la hora de diseñar políticas más eficaces en un momento de debate sobre los objetivos y vías de actuación del Estado de Bienestar.

Por lo que se refiere a la definición y medición de la pobreza, es importante resaltar que no existe un acuerdo total entre los países desarrollados sobre lo que significa ser pobre. Hay diferentes tradiciones en el estudio de la pobreza, que llevan a estándares distintos en cada uno de los Estados. No obstante, un rasgo general lo constituye el progresivo abandono de las concepciones absolutas de la pobreza que guiaron los primeros estudios realizados a principios de este siglo. Según el enfoque absoluto, se consideraban pobres a aquellas personas que no pueden acceder a los niveles de consumo necesarios para garantizar la supervivencia física. El umbral de pobreza se fijaría evaluando el coste monetario de una cesta de bienes necesarios para cubrir las necesidades mínimas en ámbitos como la alimentación, el vestido o la vivienda [1]. Como es bien sabido, los niveles de pobreza, desde el punto de vista de esta definición absoluta, se han reducido significativamente en los países desarrollados a lo largo del siglo XX.

La mayoría de los estudios publicados en la actualidad se basan, sin embargo, en un concepto relativo de la pobreza, que vincula las necesidades mínimas al nivel de desarrollo económico alcanzado por el conjunto de la sociedad. Según esta visión, son pobres aquellos individuos y familias cuyos recursos son tan escasos que se ven excluidos de las pautas de consumo y actividades que integran el nivel de vida mínimo aceptable en la sociedad a la que pertenecen.

1. Éste ha sido, a grandes rasgos, el sistema seguido para fijar el umbral de pobreza oficial en EE.UU., si bien se está procediendo en la actualidad a una revisión que incorpora, entre otras novedades, un abandono parcial del enfoque absoluto. Véase Citro y Michael, 1995.

La pobreza, por tanto, no debe entenderse como la mera incapacidad de satisfacer las necesidades básicas que permiten la supervivencia, sino como la carencia involuntaria de una serie de bienes o la exclusión de actividades consideradas necesarias por el conjunto de la sociedad. Esta definición es la utilizada por la Oficina Estadística de la UE para analizar el fenómeno dentro de los países miembros. También es la noción en la que se basan normalmente los estudios realizados en nuestro país, desde el informe de Cáritas que, a mediados de los años '80, hizo saltar a los titulares de la prensa la cifra de 8 millones de pobres, hasta los últimos trabajos publicados por organismos oficiales como el INE.

La medición de la pobreza relativa plantea algunas dificultades en la práctica. El criterio aplicado en la mayoría de los estudios consiste en definir como pobres a aquellas personas y familias cuyos ingresos se sitúan por debajo de *la mitad* de la renta media o, en algunos casos, de la renta mediana nacional. Se entiende que el mínimo así fijado supone una aproximación al concepto de pobreza relativa, al considerar pobres a los individuos cuyos recursos o consumos son claramente inferiores a los que caracterizan al hogar típico. Este umbral tiene la ventaja de ser fácil de calcular y aporta un criterio homogéneo para las comparaciones entre distintos países o momentos del tiempo, siempre que se utilicen las mismas opciones metodológicas en una serie de operaciones básicas: como las fuentes de datos; la definición del concepto de renta; las escalas de equivalencia usadas para ajustar la renta de los hogares de distinto tamaño y composición; la elección del nivel de renta de referencia (media o mediana); y los porcentajes concretos aplicados para fijar el umbral. Las diferencias en las estimaciones obtenidas por los estudios publicados obedecen a menudo al empleo de criterios metodológicos distintos en uno o varios de los aspectos anteriores.

Los umbrales de pobreza que se desprenden del enfoque anterior tienen algunas características comunes. En primer lugar, son umbrales que dependen del nivel de vida medio del país y del momento en el que se calculan. Ello implica que los recursos necesarios para escapar a la pobreza aumentan cuando crece la renta per cápita. En el terreno de las comparaciones internacionales, el estándar utilizado en los países ricos es, por tanto, mayor que el empleado en los países más pobres. En segundo lugar, los umbrales se basan en una única dimensión, habitualmente la renta monetaria disponible o el gasto, para determinar las situaciones de pobreza. En tercer lugar, el criterio utilizado para fijar el umbral responde más a una convención útil que a un análisis detallado de los niveles de renta por debajo de los cuales la población queda excluida del nivel de vida disfrutado por la mayoría de la población.

A menudo se ha argumentado que el uso de indicadores monetarios, como la renta o el gasto, y de un procedimiento en buena medida arbitrario para la fijación de los umbrales constituye un método excesivamente simplista para identificar a la población pobre. Los ingresos monetarios obtenidos durante un determinado período de tiempo (habitualmente un año) pueden no estar suficientemente correlacionados con el nivel de vida efectivamente disfrutado, debido, entre otros factores, a las diferencias en la riqueza acumulada, al momento del ciclo vital en el que se halle la persona o a la importancia de los consumos de carácter no monetario (rentas en especie, producción doméstica, servicios públicos gratuitos, etc.). Paralelamente, no está claro que el umbral definido por la mitad de la renta media permita diferenciar verdaderamente entre los «excluidos» y los «integrados». Los estudios que analizan la pobreza desde una perspectiva multidimensional, a partir del cálculo de índices de privación en una serie de aspectos relevantes del nivel de vida, ofrecen resultados que a menudo confirman la validez de las dos críticas anteriores[2].

Aun conscientes de las limitaciones del enfoque convencional, utilizamos en este capítulo la metodología habitual en la medición de la pobreza en los países occidentales, dado que es la aplicada por la inmensa mayoría de los estudios realizados en nuestro país y la que permite hacer comparaciones internacionales de forma más homogénea.

Como veremos, existen diferencias significativas en la extensión de la pobreza dentro de los países estudiados, así como en los cambios experimentados durante los últimos años. Las razones de estas diferencias obedecen a un conjunto complejo de factores. La desigualdad en la distribución de la renta y el diseño de los sistemas de protección social juegan un papel importante en la explicación de los diferentes niveles de pobreza. En general, los países con menor desigualdad de la renta y mayores niveles de gasto social tienen cifras de pobreza más reducidas. Paralelamente, las variaciones cíclicas de la

2. Por un lado, la relación entre renta monetaria y nivel de vida no es tan fuerte como cabría esperar. Por otro, no parece existir un nivel de renta que permita dividir claramente a la población entre los que sufren un bajo nivel de vida y los que tienen cubiertas sus principales necesidades. Véanse Nolan y Whelan, 1996; Halleröd, 1995; Hutton, 1991; o, para el caso español, Martínez y Ruiz-Huerta, 1999.

economía pueden afectar al porcentaje de personas pobres, debido a que el desempleo tiende a golpear en mayor medida a los grupos de baja renta en las fases de recesión económica. Al margen de tales variaciones, muchos países han experimentado durante los últimos años aumentos de los niveles de pobreza que parecen estar relacionados con una serie de transformaciones en aspectos como la estructura salarial, la composición familiar y los programas de impuestos y transferencias públicas. En general, ello ha implicado modificaciones en los grupos más afectados por la pobreza, con una concentración creciente del fenómeno en las personas en edad de trabajar y una mejora de la posición relativa de los jubilados.

Los procesos anteriores sugieren la necesidad de replantear en alguna medida las políticas de lucha contra la pobreza, teniendo en cuenta cuáles son los factores que tienden a generar exclusión social en las sociedades actuales. Las pensiones y otras transferencias sociales han demostrado ser eficaces para mejorar la situación económica de algunos colectivos tradicionalmente afectados por la pobreza, como los mayores o los discapacitados. Pero sin duda, los programas destinados a aumentar los niveles de renta y facilitar la plena integración de grupos como las familias monoparentales, los desempleados de larga duración, los jóvenes o los «trabajadores pobres» han de combinar adecuados sistemas de mantenimiento de rentas con medidas estructurales, en ámbitos como la formación, el mercado de trabajo o los servicios sociales. En la última parte del capítulo se proporcionan algunos datos y elementos de reflexión sobre el alcance de estas políticas en España y otros países desarrollados.

II. PRINCIPALES TENDENCIAS DE LA POBREZA EN ESPAÑA

¿Es la pobreza un fenómeno que tiende a crecer en nuestro país o, por el contrario, su extensión e intensidad han remitido con el paso del tiempo? Aunque no es fácil dar una respuesta precisa a tal interrogante, las posibilidades para ofrecer datos e interpretaciones son considerablemente mayores ahora que en etapas anteriores. El mayor interés social por la cuestión, a pesar de la inexistencia aún de un debate social similar al de otros países, la puesta en marcha de algunos programas públicos dirigidos específicamente a los colectivos con menores recursos, la mayor preocupación del mundo académico por investigar su extensión y causas y, sobre todo, la mejora en la base estadística nacional e internacional necesaria para su estudio han hecho que el panorama actual resulte mucho más favorable en este sentido[3].

A partir de los estudios y fuentes disponibles, es posible identificar tanto las principales tendencias de la pobreza en nuestro país en los últimos años como el grado de proximidad o divergencia de la situación española respecto a otros Estados miembros de la UE. Junto al estudio sistemático de las evidencias hasta ahora disponibles sobre las tendencias de la pobreza a largo plazo, hay una cuestión que suscita especial interés en la actualidad, y es la de si durante los años '90 se han producido, como parecen sugerir algunos indicios, cambios importantes en relación con la pobreza y qué razones explican tales cambios. El contraste de esta hipótesis exige, en primer lugar, explotar las diversas fuentes de datos para poder analizar el comportamiento de la pobreza en el período más reciente. En segundo lugar, es necesario revisar las tendencias previas para poder evaluar en qué medida los fenómenos registrados en los años '90 suponen o no una ruptura con el comportamiento anterior. Por último, sería preciso analizar si el cambio producido en España es peculiar en el contexto internacional o si, por el contrario, se trata de tendencias similares a las observadas en otros países de la OCDE.

1. *La evolución de la pobreza en España, 1960-90*

A pesar de la escasez de datos y estudios sobre la pobreza en España en fechas anteriores a los años '80, es posible extraer algunas conclusiones sobre lo sucedido desde la década de los '60 hasta el comienzo de los '90[4]. En esa dirección, la práctica totalidad de los estudios realizados coinciden en señalar que, desde los años centrales del siglo que ahora termina, la sociedad española registró un paulatino proceso de reducción de la pobreza que se prolongó al menos hasta bien avanzados los años '80.

En los años '50 y '60, la intensidad del proceso de industrialización en España permitió la reducción de las manifestaciones más ex-

3. En la segunda mitad de los años '90 se han publicado distintos estudios dirigidos a analizar tanto el comportamiento de la pobreza desde el inicio de la crisis económica hasta el comienzo de los años '90 (véase Martín-Guzmán *et al.*, 1996); como la valoración de lo sucedido en el período más reciente (Cantó, 1997; Imedio, Parrado y Sarrión, 1997; EDIS *et al.*, 1998; y Martínez, Ruiz-Huerta y Ayala, 1998; entre otros).

4. En Ayala y Renes (1998) se recogen las principales conclusiones extraíbles de los distintos trabajos publicados en las cuatro últimas décadas.

tremas de la pobreza y una progresiva cobertura de las necesidades básicas de los hogares españoles, aunque insuficiente para solucionar algunas deficiencias estructurales, como los problemas en la dotación de viviendas o el reducido nivel de los salarios. En un contexto de grandes transformaciones sociales, la disminución de la pobreza se vio acompañada por un cambio en sus características principales. El patrón anterior, dominado por una acusada concentración del riesgo en los hogares de mayor dimensión y localizados en el ámbito rural, dio paso a otro de perfiles muy distintos, más centrado en el medio urbano.

La reducción de la pobreza y los cambios en su estructura se acentuaron a lo largo de los años '70 debido a la confluencia de distintos elementos: por un lado, la gravedad de la crisis económica y el vertiginoso crecimiento del desempleo aumentó la vulnerabilidad de algunos grupos de hogares. Por otro, la puesta en marcha, con retraso respecto a otros países, de algunas de las prestaciones básicas de los Estados de Bienestar modernos contribuyó a crear mecanismos más eficaces de lucha contra la pobreza. Todo parece indicar que pesaron más los efectos positivos de este segundo factor, ya que las tasas de pobreza globales se redujeron, aunque de forma modesta, a lo largo de los años '70 (gráfico 1)[5].

Sin embargo, habría que esperar a la década siguiente para que la reducción de la pobreza se manifestara de un modo mucho más claro. Los diversos trabajos que han examinado la información disponible —fundamentalmente, extraída de la *Encuesta de Presupuestos Familiares* (EPF)— dejan pocas dudas sobre la intensidad del cambio[6]. Tanto los datos de renta como los de consumo sugieren, según todos los estudios, que la pobreza disminuyó a lo largo de la década de los '80, con independencia del umbral utilizado y de la escala de equivalencia aplicada para ponderar las necesidades de cada tipo de hogar.

Menos coincidencias existen en la interpretación de los factores explicativos de tal disminución. Como primera provisión, es preciso

5. Resultados que corroboran los trabajos de Bosch *et al.*, 1989; y Martín-Guzmán *et al.*, 1996.

6. Véanse, por ejemplo, Ayala, Martínez y Ruiz-Huerta, 1993; Ruiz-Huerta y Martínez, 1994; García Lizana y Martín Reyes, 1994; Martín-Guzmán *et al.*, 1996; Del Río y Ruiz-Castillo, 1997; todos ellos con datos de la EPF y Escribano, 1990; Imedio, Parrado y Sarrión, 1997; y Cantó, 1997; con la *Encuesta Continua de Presupuestos Familiares*.

GRÁFICO 1. *Evolución de las tasas de pobreza (ingresos por adulto equivalente)*

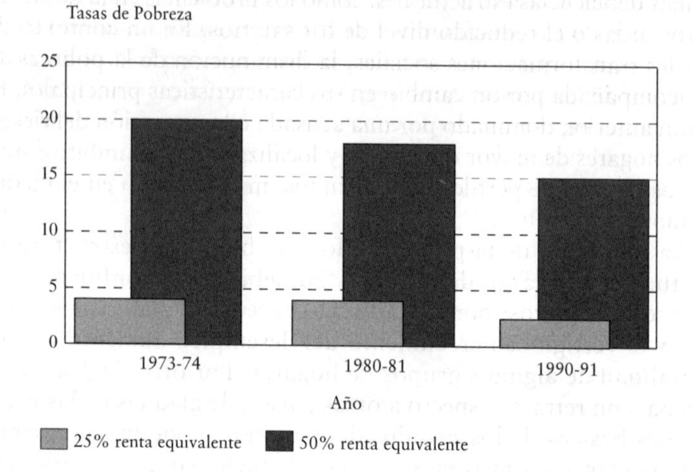

Fuente: elaboración propia a partir de EPF (varios años).

recordar la existencia de dos períodos claramente diferenciados en la década de los años ochenta. Mientras que en el primer quinquenio se produjo una situación de crisis económica intensa, reflejada en la caída de la inversión, de la actividad económica en general y, sobre todo, del empleo, los cinco años siguientes estuvieron marcados por la tendencia inversa: entre 1986 y 1990, la recuperación económica propició el aumento del empleo, aunque con un crecimiento de la temporalidad desconocido hasta entonces.

Paralelamente, a lo largo de la década se mantuvo la tendencia alcista del gasto social que, si bien más moderada que la de la década precedente, contribuyó sin duda a reforzar el proceso de reducción de la pobreza. Especialmente relevantes fueron los avances logrados en la cobertura de algunos de los grupos de población con mayor riesgo, como las personas mayores o los colectivos afectados por graves minusvalías.

2. *¿Ha aumentado la pobreza en los años '90?*

Frente al panorama anterior, caracterizado por la reducción de las tasas de pobreza entre las fechas de las cuales se dispone de información, los datos disponibles parecen indicar que se habría producido un cambio de tendencia en los años '90, que puede explicarse, en parte, por la menor efectividad de los factores que habían desempeñado un papel compensador en las tres décadas anteriores.

A tal conclusión se llega cuando se combinan los indicadores directos de pobreza —estimados a partir de las encuestas de consumo o renta—, con otros de naturaleza indirecta, como la evolución del empleo o de las prestaciones sociales. No resulta una tarea fácil, en cualquier caso, corroborar la consistencia de la hipótesis de cambio. La principal fuente de información disponible para estudiar lo ocurrido en los años '90 es la *Encuesta Continua de Presupuestos Familiares*, versión trimestral de la EPF que se caracteriza por contar con una muestra mucho más reducida (unos 3 200 hogares, frente a más de 20 000 en la EPF). Se trata, además, de un período marcado por una fuerte recesión que no tuvo continuidad en los años posteriores, dada la recuperación del PIB y del empleo una vez superado el ecuador de la década.

De la información contenida en la *Encuesta Continua* se desprende que la primera mitad de los años '90 no puede caracterizarse como un período de reducción de la pobreza. Las estimaciones de Cantó (1997) basadas en dicha fuente, por ejemplo, confirman que después de un período de disminución continuada —entre 1985, año en el que comenzó a elaborarse la *Encuesta Continua*, y 1992—, se produjo un importante crecimiento de las tasas en 1993 y 1994. Tales resultados confirman lo que ya habían adelantado otras fuentes, como el V Informe FOESSA o el PHOGE, que ofrecían índices de pobreza superiores a los derivados de la *Encuesta de Presupuestos Familiares* de 1990/91.

Nuestras propias estimaciones con la *Encuesta Continua* refrendan la impresión de que se ha producido un pequeño aumento de la pobreza entre 1990 y 1995 (gráfico 2). Si tomamos como umbral de pobreza el 50% de la renta por habitante, ajustada con la correspondiente escala de equivalencia[7], la tasa de pobreza pasa del 14.5% de la población en 1990 al 15.0% cinco años después. Se trataría, por tanto, de un crecimiento moderado, con una tasa media de varia-

7. La escala de equivalencia utilizada para ajustar las diferencias en el tamaño de los hogares responde a la aproximación propuesta por Buhmann *et al.* (1988), según la cual la renta equivalente de cada hogar viene dada por:

$$Y_i^* = \frac{Y_i^{\phi}}{t_i} \qquad 0 \leq \phi \leq 1$$

donde Y_i es la renta total del hogar i-ésimo, t_i es el tamaño del hogar y f se interpreta como la elasticidad de la renta sin ajustar respecto al tamaño del hogar. Los cálculos básicos realizados en este trabajo utilizan una escala de parámetro ϕ=0.5.

GRÁFICO 2. *Evolución de la pobreza, 1990-95*
(ingresos por adulto equivalente)

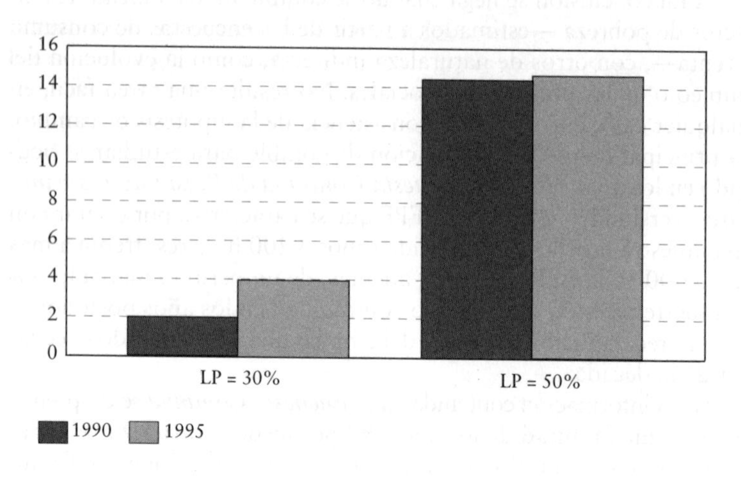

Fuente: elaboración propia a partir de *Encuesta Continua de Presupuestos Familiares*.

ción anual ligeramente superior a medio punto. Más relevante es lo sucedido con la estructura de la pobreza en el mismo período. Cuando se observan los resultados obtenidos con umbrales más bajos (como el del 30%), próximos a una idea de pobreza severa, el aumento es mucho más visible, duplicándose prácticamente la tasa que existía a comienzos de la década. Es preciso, sin embargo, tomar con cautela estos resultados en tanto no se disponga de otras fuentes para confirmarlo, dada la menor representatividad de la *Encuesta Continua.*

A la espera de poder constatar en qué medida la posterior recuperación de la actividad económica y el empleo han podido favorecer nuevas reducciones de la pobreza, los datos hasta ahora disponibles reflejarían, por tanto, un cierto cambio de tendencia del comportamiento de las tasas de pobreza durante la primera mitad de los años '90. El aumento del desempleo en dicho período, la segmentación del mercado de trabajo, los cambios demográficos como el crecimiento de las familias monoparentales, en situación de inseguridad económica, o las mayores dificultades del sistema protector para atender adecuadamente a los grupos de riesgo serían algunas de las razones que podrían explicar los resultados obtenidos.

3. *La pobreza en España en el marco de la UE: ¿distanciamiento o convergencia?*

Para completar la visión anterior es necesario comparar la incidencia de la pobreza en España con la existente en otros países de nuestro entorno. Ello nos permitirá conocer, además, el grado de convergencia real de nuestra economía respecto a las de los países que forman parte de la Unión Económica y Monetaria en un aspecto tan trascendente como es el de los niveles de pobreza.

Son muy pocas, sin embargo, las bases de datos que permiten comparar de manera homogénea y fiable las diferencias en la extensión de la pobreza en el conjunto de Estados Miembros de la UE. A los problemas relacionados con la homologación de los criterios de análisis se une la ausencia de fuentes que permitan cubrir largos intervalos de tiempo y que ofrezcan información actualizada sobre los cambios recientes. Tales carencias pueden ser paliadas parcialmente con la explotación de dos bases de datos, que surgieron con distintos objetivos.

La primera de ellas es el *Panel de Hogares de la Unión Europea* (PHOGUE), que consiste en una encuesta de tipo longitudinal sobre los ingresos, los gastos y las características socioeconómicas de una muestra representativa de hogares, diseñada para permitir el seguimiento temporal de las condiciones de vida en los países de la Europa comunitaria. Su puesta en marcha en 1993 ha servido a España para elaborar análisis y estimaciones sobre los distintos aspectos de la pobreza en los años '90, ante la inexistencia de una gran encuesta de presupuestos familiares para el período más reciente. Por otra parte, el PHOGUE cuenta con una muestra mayor y más representativa que la de la *Encuesta Continua*. La segunda fuente disponible es la base de datos del *Luxembourg Income Study* (LIS), que agrupa y homogeneiza los microdatos de renta procedentes de diversas fuentes nacionales para unos 25 países de la OCDE. Su ventaja frente al PHOGUE radica, sobre todo, en la posibilidad de reconstruir series temporales sobre desigualdad y pobreza. La contrapartida es un menor grado de actualización de la información.

Acudiendo a los datos procedentes del PHOGUE, podemos plantear la primera cuestión básica: ¿está más extendida la pobreza en España que en la mayoría de los países de la UE? Los datos del gráfico 3 dejan pocas dudas al respecto. Las tasas de pobreza de España, resultantes de la consideración de distintos umbrales, ubican a nuestro país en el grupo de los que tienen indicadores mayores. Si se toma como referencia el umbral de pobreza igual al 50% de la renta

GRÁFICO 3. *La extensión de la pobreza en la UE, 1994* (diversos umbrales)

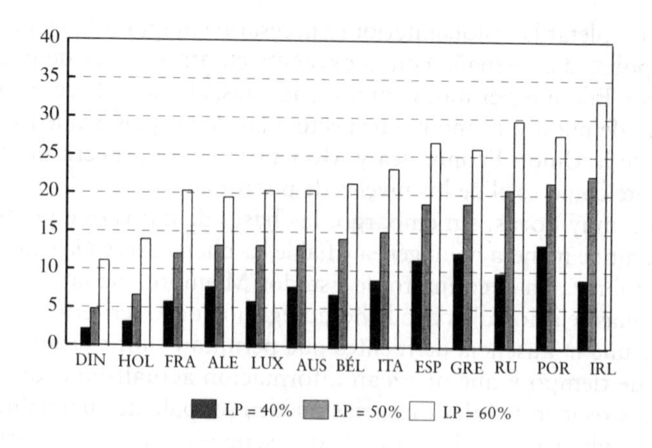

Fuente: PHOGUE (1995) y Eurostat (1998).

por adulto equivalente, es posible distinguir tres grupos distintos de países. El primero y más reducido está formado por Dinamarca y Holanda, con tasas inferiores a un 10% de la población. En un segundo grupo, estarían aquellos países con una tasa cercana al 15% (la mayoría de los países centroeuropeos, junto con Italia, que tiene un índice ligeramente superior). El último grupo, del que forma parte España, tiene tasas superiores al 20%. Pertenecen a él buena parte de los países del sur de Europa y los dos de habla inglesa.

Los datos anteriores ponen de manifiesto las importantes diferencias entre los países europeos en términos de pobreza, así como las posibles implicaciones negativas que, en el contexto del proceso de convergencia, pueden tener las crecientes dificultades para rebajar los actuales niveles de pobreza. El aparente agotamiento de la anterior tendencia de mejora en nuestro país se produce cuando todavía persiste un diferencial muy amplio con la mayoría de los Estados miembros. Sólo si los países de menor incidencia registraran una tendencia al alza de las cifras superior a la de España, sería posible un acercamiento de las tasas y, en consecuencia, un verdadero proceso de convergencia (aunque a la baja, si se considera en términos de bienestar).

La última reflexión nos lleva a plantear un segundo interrogante crucial en el análisis de la pobreza en nuestro país en el contexto com-

GRÁFICO 4. *Evolución de la pobreza en algunos países de la OCDE*
(umbral de pobreza = 50% de la renta por adulto equivalente)

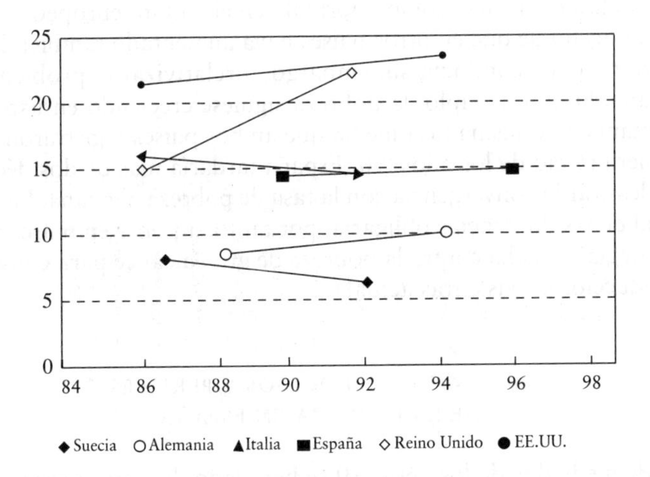

Fuente: elaboración propia a partir de los datos del LIS y *Encuesta Continua de Presupuestos Familiares*.

parado: ¿tiene más dificultades España para reducir la pobreza que otros Estados miembros de la UE? Para contestar a esta pregunta, acudimos a los datos del LIS. Siguiendo los mismos criterios metodológicos que en el caso anterior —la misma escala de equivalencia y la utilización del 50% de los ingresos como umbral de pobreza—, es posible comprobar si existen o no algunas particularidades en el caso español dentro del contexto europeo en los últimos años (gráfico 4).

Los datos disponibles muestran, en primer lugar, la ausencia de un patrón común de evolución de la pobreza en los países que suministraron información a la base LIS para los años '90[8]. Así, por ejemplo, la leve reducción de Suecia e Italia contrasta con el aumento de los porcentajes en EE.UU. y, sobre todo, en el Reino Unido. A pesar de ello, a la hora de trazar un balance sobre el signo global de la tendencia, la nota dominante es más el incremento que la disminu-

8. Hay que advertir que las tasas de pobreza que aparecen en el gráfico 4 difieren de las comentadas anteriormente. Aunque los criterios metodológicos utilizados para su cálculo han sido los mismos en ambos casos, el hecho de tratarse de fuentes diferentes da origen a tasas algo distintas.

ción de la pobreza. El leve empeoramiento de los indicadores en España, de magnitud muy similar al de Alemania, no constituiría, por tanto, un rasgo particular de nuestro país, sino que, por el contrario, podría calificarse como «normal» en el ámbito europeo.

El hecho de que en otros países haya aumentado también la pobreza no debe conducir, sin embargo, a relativizar el problema en España. Si, por ejemplo, la pobreza siguiese creciendo en España y Alemania a la misma tasa media que ambos países registraron en la primera mitad de los años '90, España tardaría más de dos décadas en alcanzar la convergencia con la tasa de pobreza alemana. La magnitud de las diferencias obligaría, por tanto, a poner en marcha una estrategia de lucha contra la pobreza de gran alcance para conseguir la reducción de las cifras actuales.

III. NUEVOS PROCESOS Y PERFILES DE LA POBREZA EN ESPAÑA

Desde mediados de los años '80 se han dado distintos procesos socioeconómicos que han alterado profundamente el patrón de pobreza en España. Su acusada concentración en el medio rural y en los hogares de mayor dimensión, propia de países con niveles todavía bajos o intermedios de industrialización, se ha visto reemplazada por un perfil distinto, en el que los principales factores de generación de pobreza han pasado a ser los cambios en el mundo laboral y las transformaciones de la estructura demográfica de la población.

1. *Influencia sobre la pobreza de los cambios en la realidad laboral*

Los cambios en el mercado laboral son elementos claves para interpretar el nuevo rostro de la pobreza en la sociedad española de finales de siglo. Por un lado, la persistencia de elevados niveles de desempleo, muy superiores a los existentes en Europa, ha convertido en grupo de riesgo a un importante segmento de la población activa. A comienzos de los años '90, la intensidad de la fase recesiva del ciclo propició un nuevo e intenso crecimiento de la tasa de paro. La caída de los niveles de empleo fue especialmente sentida en los sectores productivos con menor dinamismo de la demanda y con un menor contenido tecnológico, así como en los grupos de población que tradicionalmente se habían encontrado con mayores dificultades para el acceso al empleo y que, en buena parte, estaban hasta entonces fuera del mercado de trabajo. Tal es el caso, por ejemplo, de la población activa femenina o de los jóvenes. En la segunda mitad de la década, volvió a reducirse la tasa de paro, pero a un ritmo menor que el de la recuperación de la actividad económica.

Pero no es sólo en el ámbito del desempleo donde se encuentran los factores explicativos de las nuevas formas de pobreza. El progresivo proceso de desregulación de los mercados de trabajo, la difusión del cambio tecnológico, la creciente internacionalización de la actividad económica, con el consiguiente aumento de la competencia y la presión sobre los costes, han dado lugar a significativos desplazamientos de la demanda de trabajo, que han afectado negativamente a los trabajadores con menor cualificación y han provocado un ensanchamiento de las diferencias salariales. Por otra parte, se ha reforzado la segmentación del mercado de trabajo, y el salario percibido por muchos trabajadores ha dejado de ser, como en otras épocas, garantía de seguridad respecto a la situación de pobreza.

Aunque ambos hechos —desempleo y desigualdad salarial— han formado parte del panorama sociolaboral español durante las dos últimas décadas, la situación en los '90 se distingue por la mayor intensidad de ambos problemas, que se convierten en factores clave para explicar los procesos de reproducción de la pobreza en España[9].

En realidad no existe una relación universal, extensible a países y períodos distintos, entre el desempleo y la desigualdad salarial, por un lado, y la pobreza, por otro. La extensión de la pobreza difiere en países con tasas de paro similares, debido a la desigual importancia de los mecanismos compensadores en cada uno de ellos. Esto hace que no siempre el esfuerzo en la creación de empleo se traduzca en reducción de la pobreza, como ponen de manifiesto los casos de EE.UU. o el Reino Unido, donde se produjeron importantes descensos del desempleo en los años '90 y, paralelamente, aumentos sin precedentes de la pobreza. Tampoco siempre el incremento del paro da origen al crecimiento de las tasas de pobreza, como atestiguan numerosas experiencias continentales.

En el caso español, tanto las tasas de pobreza como los indicadores de desigualdad salarial y los niveles relativos de desempleo son superiores a la media de la UE desde hace más de 15 años. La cuestión clave en los años '90 es que ambos fenómenos parecen haber tenido un impacto mayor sobre la pobreza que en épocas anteriores.

9. En Ayala (1998a) se analiza con más detalle el nuevo marco de relaciones entre el cambio laboral y la pobreza en España.

Durante los años '80 el importante aumento del paro fue compatible con una notable reducción de la pobreza. De hecho, los intentos de hallar una relación estadística directa entre ambas variables fueron en su mayoría infructuosos [10]. Los datos disponibles para los '90 parecen mostrar, sin embargo, una relación mucho más clara, con una mayor coincidencia en la senda temporal de ambas variables (gráfico 5) [11].

GRÁFICO 5. *Evolución del paro y la pobreza, 1986-94*

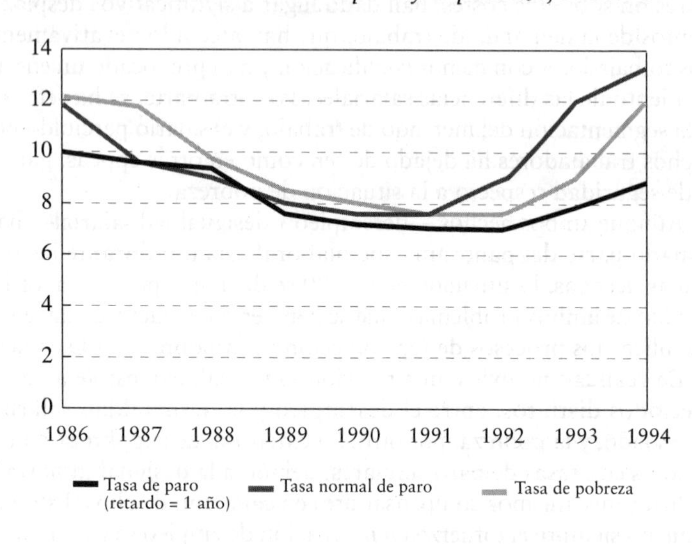

Fuente: Encuesta de Población Activa (INE) y Cantó, 1997.

Tanto el desempleo como la pobreza se redujeron moderadamente entre 1985 y 1988, y a un ritmo más rápido en los últimos años '80. Con el cambio de década, el paro registró un drástico aumento, como ya hemos comentado, muy especialmente en el período comprendido entre 1991 y 1993, para moderar su crecimiento en los años

10. Hay que señalar, no obstante, que la carencia de series anuales sobre la pobreza ha impedido realizar hasta el momento un análisis detallado de esta cuestión.

11. Las tasas de pobreza que aparecen en el gráfico 5 proceden de Cantó (1997) y difieren en su magnitud de las ofrecidas en el apartado anterior, debido a las diferencias en las decisiones metodológicas adoptadas. Entre otras, el uso del 50% de la mediana de los ingresos por adulto equivalente como línea de pobreza, en lugar de la media.

siguientes, aunque su tendencia al alza no cambiaría hasta la segunda mitad de los '90. Como puede verse en el gráfico 5, la introducción de un retardo temporal de ajuste permite observar una mayor relación entre la evolución de la tasa de pobreza y la de la tasa de desempleo ajustada. Puede verse también cómo, desde 1992, se rompe la tendencia descendente de la pobreza, en coherencia con el comportamiento precedente del desempleo.

Esta mayor relación entre ambos fenómenos puede ser debida a la menor efectividad de las políticas compensadoras que, anteriormente, habrían actuado como elementos de contención de la pobreza originada por el paro. Diversos estudios han corroborado el papel amortiguador de la pobreza que, durante varios años, han podido tener tanto la red de protección informal —cobertura familiar del riesgo de pobreza—, como el sistema público de prestaciones sociales para los desempleados[12].

Para profundizar en las relaciones entre el paro y la pobreza es necesario estudiar al menos, por un lado, el impacto del paro sobre los cabezas de familia, y por otro, la evolución del grado de cobertura del seguro de desempleo.

Si se atiende a la información que ofrece la *Encuesta de Población Activa*, cabe contemplar con preocupación el cambio de tendencia del impacto del desempleo en las familias durante la primera mitad de los años '90. En dicho período, la tasa de paro de los cabezas de familia experimentó un significativo aumento. Si en los primeros '80 (también fase depresiva del ciclo) había crecido notablemente la tasa de paro de los sustentadores principales, entre 1991 y 1994 alcanzó su máximo histórico. Dicho aumento estuvo acompañado, además, por un crecimiento del porcentaje de hogares en los que todos los activos estaban en paro, colectivo que presenta, según todas las fuentes disponibles, tasas de pobreza mucho más elevadas que las del resto de hogares.

En cuanto a la evolución de las prestaciones públicas destinadas a los desempleados en los años '90, es preciso resaltar que las reformas emprendidas en la primera mitad de la década impusieron un carácter mucho más restrictivo a las prestaciones, dando lugar a una intensa caída de las tasas de cobertura, que pasaron a situarse en niveles próximos al 50% de las situaciones de desempleo (frente a tasas de cobertura cercanas al 70% en el período anterior). Paralelamen-

12. Véanse, por ejemplo, Garrido y Toharia, 1996; Cantó, 1997; Ayala, Ruiz-Huerta y Martínez, 1998; y Mainar y Toharia, 1998.

Cuadro 1. TASAS DE POBREZA SEGÚN LA SITUACIÓN E HISTORIA LABORAL DEL SUSTENTADOR

SITUACIÓN LABORAL SUSTENTADOR	% POBLACIÓN	TASA DE POBREZA	IR
Ocupado estable	51.3	13.2	0.65
Ocupado, historial leve de paro	3.7	28.8	1.43
Ocupado, historial fuerte de paro	4.4	44.5	2.20
Parado, previamente ocupado	1.0	11.7	0.58
Parado, historial leve de paro	3.2	36.1	1.79
Parado, historial fuerte de paro	3.7	53.1	2.63
Jubilado/Retirado	19.8	18.7	0.93
Tareas del Hogar	5.1	26.1	1.29
Otros inactivos	7.7	26.8	1.33

Nota: Ocupado estable: Ocupado a tiempo completo en el momento de la entrevista que nunca ha estado en paro o sólo ha tenido un episodio de paro de corta duración durante los últimos 5 años. Historial leve de paro: Dos períodos de paro de corta duración o uno de larga duración en los últimos 5 años. Historial fuerte de paro: Tres o más veces en paro de corta duración o dos o más en paro de larga duración, en los últimos 5 años. IR: Incidencia relativa de la pobreza = porcentaje de hogares pobres/porcentaje de población.

Fuente: Elaboración propia con datos del PHOGUE.

te, las mayores exigencias para acceder al sistema contributivo dieron origen a un importante reajuste de la estructura de la protección, cuya manifestación más clara es el creciente peso de las prestaciones de naturaleza asistencial, con una intensidad protectora más baja.

El aumento del desempleo y su mayor concentración en los sustentadores principales, junto al incremento del número de hogares en los que todos los activos están parados y la reducción en la cobertura ofrecida por el sistema de protección del desempleo, son factores que pueden contribuir a explicar el mayor impacto del paro sobre la pobreza que parece producirse en los primeros años de la actual década.

Ante el conjunto de circunstancias anteriores, tal vez no sea exagerado afirmar que la imposibilidad de acceso al empleo constituye el principal factor de pobreza en la España de los primeros años '90. Como muestra el cuadro 1, el historial de desempleo condiciona decisivamente la posición de los hogares frente a la pobreza. Más de un tercio de los parados que se encuentran en esta situación desde hace no mucho tiempo están en situación de pobreza. Dicho porcentaje crece por encima del 50% cuando el paro pasa a convertirse en una realidad más duradera. Si tenemos en cuenta la incidencia relativa de la pobreza, los indicadores más elevados, con gran diferencia, son los obtenidos en el caso de los desempleados con historial fuerte de paro, seguidos por los ocupados tras períodos largos de desempleo. La situación laboral actual y, sobre todo, las experiencias de desempleo de los años previos condicionan fuertemente, por tanto, el riesgo de pobreza.

Los datos del cuadro 1 sirven para ilustrar una segunda vertiente del mercado de trabajo que también resulta decisiva para explicar la nueva realidad de la pobreza en los años '90. Durante los últimos quince años, ha crecido en muchos países industrializados la incidencia del empleo de bajos salarios[13]. En el caso español, parece que se está produciendo una tendencia semejante, a la luz de los datos de incidencia relativa de pobreza que afectan a los ocupados.

Los procesos de desregulación de los mercados laborales y el desplazamiento de la demanda de trabajo hacia los trabajadores con mayor cualificación han provocado un proceso de ensanchamiento de las diferencias salariales y una disminución progresiva de los salarios reales de los trabajadores peor pagados. Este proceso se ha producido con intensidad distinta en cada país, como consecuencia del diferente impacto de un conjunto de factores, entre los que destaca la desigual capacidad de adaptación de la oferta laboral, condicionada por restricciones de tipo demográfico y por las políticas de formación y reciclaje de los trabajadores.

En países como EE.UU. o Reino Unido, por ejemplo, se ha producido un serio proceso de dualización social que tiene su origen no tanto en las situaciones de desempleo cuanto en el modo de participación de los individuos en el mercado de trabajo. Eso es lo que explica el crecimiento simultáneo del porcentaje de ocupaciones mal remuneradas y de las tasas de pobreza. En el resto de Europa, el aumento de la desigualdad salarial ha sido más moderado, aunque las tasas de desempleo sean aquí sensiblemente mayores. Esta contraposición de experiencias ha llevado al primer plano del debate el interrogante acerca del grado de validez de la experiencia europea —sustentada en buena parte por una mayor regulación del mercado de trabajo y por la existencia de mecanismos de protección pública de mayor alcance— en la lucha contra la pobreza. En otras palabras, se cuestiona si, en términos de pobreza, es mejor tener un mayor nivel de desempleo, más o menos cubierto por los instrumentos públicos de protec-

13. La OCDE define al empleo de bajos salarios como aquel con un salario inferior a dos tercios de las ganancias medianas de todos los trabajadores a tiempo completo.

ción social, o una mayor desigualdad salarial, *a priori* menos costosa socialmente si viene acompañada de altas dosis de movilidad en la escala social.

Los datos disponibles sobre la incidencia del empleo de bajos salarios y la extensión de la pobreza permiten una aproximación parcial al interrogante planteado. La explotación de la información existente permite deducir que los países con diferencias más amplias entre los trabajadores y con un peso relativo mayor del empleo de bajos salarios tienen tasas de pobreza superiores (gráfico 6). Por lo tanto, la dicotomía entre los dos modelos a los que nos referíamos no implica ausencia de pobreza en el caso de los países con menores tasas de desempleo. Sin embargo, aunque parece más clara la relación de la pobreza con los bajos salarios, el desempleo es también fuente de pobreza, como se ha podido constatar anteriormente. El supuesto antagonismo no es más que una construcción teórica artificial: los dos modelos producen pobreza. La cuestión básica, no obstante, consistiría en determinar cuál de los factores anteriores tiene mayor impacto y genera costes sociales más elevados.

Este conjunto de reflexiones y datos permite situar en un contexto amplio el posible efecto sobre el nivel y la estructura de la pobreza

GRÁFICO 6. *Tasa de pobreza y empleo de bajos salarios*

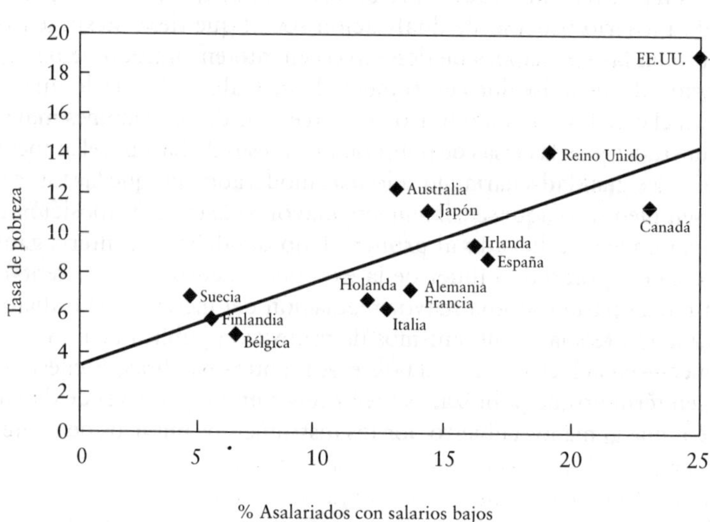

Fuente: elaboración propia a partir de los datos ofrecidos por Smeeding (1997) y Muñoz de Bustillo y Esteve (1998).

que ha podido tener la creciente segmentación laboral registrada en España en los años '90. Durante dicho período, se incrementó la desigualdad salarial y empeoró la situación de los trabajadores situados en los escalones inferiores de la distribución de los salarios. Han aumentado las diferencias salariales por niveles educativos, sexos y, muy especialmente, por tipos de contrato. Este último factor ha sido, de hecho, el dominante en el creciente proceso de diferenciación de los trabajadores en nuestro país. La tensión empleo estable/empleo temporal introduce en la dinámica laboral un cierto componente desigualitario, aunque pueda implicar una mejora respecto a la situación de desempleo, a la vez que un factor de precariedad que limita, sin duda, las posibilidades de escapar al riesgo de pobreza de un núcleo creciente de trabajadores. Un reflejo de esta situación es nuestro elevado porcentaje de asalariados con bajas remuneraciones en el contexto internacional o, como revelan las estadísticas tributarias sobre empleo y salarios, el crecimiento en la primera mitad de los '90 de la proporción de trabajadores con remuneraciones inferiores al salario mínimo.

2. *Cambios en la estructura demográfica y pobreza*

Si bien los cambios en la realidad laboral constituyen el principal factor explicativo del comportamiento de la pobreza en la última década, existen, al menos, otros tres elementos importantes de carácter sociodemográfico: en primer lugar, el cambio de tendencia observado en la distribución por edades de la pobreza; en segundo lugar, el aumento del número de hogares unipersonales y de familias monoparentales, sustentadas mayoritariamente por mujeres; por último, la creciente importancia de los fenómenos de pobreza infantil, un aspecto que ha recibido hasta ahora poca atención en España. Buena parte de las preocupaciones de los organismos internacionales con responsabilidades en la erradicación de la pobreza se centran en el crecimiento de las situaciones de riesgo de los menores en los países industrializados.

Las diversas fuentes de datos disponibles coinciden en señalar una importante reducción de la extensión —y, sobre todo, de la intensidad— de la pobreza en las personas mayores, cuyo origen se encuentra en la generalización de las prestaciones sociales, tanto a través del refuerzo del sistema contributivo tradicional como de la puesta en marcha de prestaciones no contributivas dirigidas específicamente a este colectivo. Del gráfico 7, en el que se compara la tasa de pobreza de toda la población con la correspondiente a diversos grupos según la

GRÁFICO 7. *Cambios en la tasa de pobreza por grupos de edad* (diferencia entre la tasa de cada grupo y la tasa total de la población española)

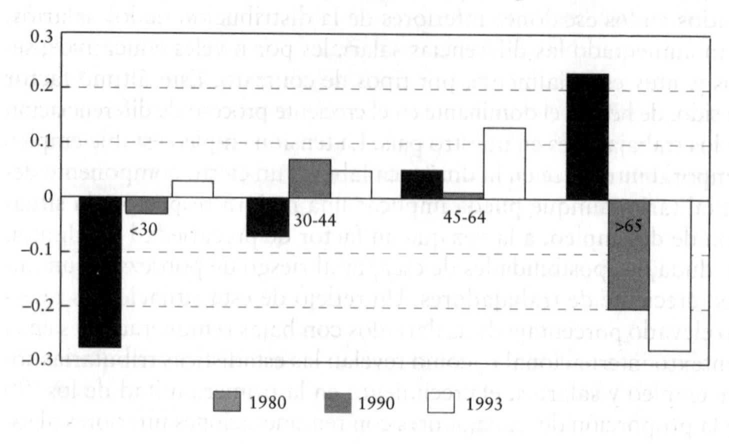

Fuente: elaboración propia a partir de EPF y PHOGUE.

edad del sustentador principal, puede deducirse que las personas mayores han pasado de ser el grupo con las tasas de pobreza más altas a comienzos de los '80 a gozar de la mejor situación relativa a mediados de los '90[14].

Esta mejora ha sido incluso superior a la que experimentó este colectivo en otros países europeos. Los datos disponibles revelan que España fue, junto a Francia e Italia, el país de la UE en el que más se redujo en los años '80 la tasa de pobreza correspondiente a los mayores de 65 años[15]. La información indirecta correspondiente a la década de los '90 parece indicar que ese proceso no se ha detenido. Ha aumentado el número de pensiones contributivas así como sus cuantías medias y, además, se han cubierto algunas de las principales lagunas del sistema gracias a la Ley de Pensiones no Contributivas de

14. Los datos que aparecen en el gráfico 7 para 1993 resultan de la explotación del PHOGUE, mientras que los de 1980 y 1990 proceden de la EPF. Al tratarse de fuentes distintas no son estrictamente comparables. Para reducir, que no eliminar, el problema, se ofrecen las diferencias de cada grupo respecto a la media en cada año considerado.

15. Véanse Smeeding (1997) y Ayala (1998b).

1990, que incluye un supuesto específico en función de la edad de los beneficiarios.

Se aprecian también, sin embargo, dificultades para que las tasas de pobreza de las personas mayores sigan disminuyendo. Por un lado, no es esperable que las cuantías de las pensiones tengan un ritmo de crecimiento similar al de la renta media de la población. Aunque los mecanismos de actualización evitan la pérdida de poder adquisitivo, gracias a su vinculación con la variación de los precios, no garantizan que el crecimiento de las prestaciones sea igual al de las demás rentas. El sistema de pensiones ha conseguido acabar con las situaciones de pobreza severa en las personas mayores de 65 años, pero ha resultado insuficiente para reducir los altos niveles de precariedad social que todavía predominan en buena parte de este colectivo. Este problema se hace especialmente visible en los grandes núcleos urbanos, donde la mayor debilidad de las redes sociales se une a un coste de la vida más elevado.

Por otro lado, hay que resaltar que existen claras diferencias dentro del colectivo de personas mayores. En líneas generales, las mejoras han sido menos significativas en el caso de las mujeres, lo que se traduce en la persistencia de importantes diferencias en la distribución de ingresos por sexos, como ponen de manifiesto los datos de la EPF o el PHOGUE. En el colectivo de los mayores de 65 años, las mujeres se concentran mayoritariamente en el segmento de rentas más bajas. Tales diferencias tienen su origen tanto en las distintas historias laborales como en la menor cuantía de las pensiones de viudedad respecto a las de jubilación.

En cualquier caso, y pese a los problemas anteriores, los avances conseguidos en las últimas décadas han sido muy significativos. Esta mejora contrasta con lo sucedido en el caso de la población menor de 30 años. Puede decirse, como se señaló anteriormente, que se ha invertido el patrón de edades existente al comienzo de los '80. Las personas jóvenes, que tenían índices de pobreza inferiores a la media, han pasado a constituir un grupo de riesgo a principios de los años '90.

La disminución de la edad media de la población pobre se debe a la confluencia de diversos factores. El nuevo aumento del desempleo en la primera mitad de los '90, la inestabilidad laboral y la moderación salarial a ella asociada, junto al encarecimiento de los precios de compra y alquiler de viviendas, son algunas de las razones que explican las mayores dificultades que experimentan en la actualidad los jóvenes en nuestro país. El retraso en la edad media de salida del hogar paterno a lo largo de la etapa reciente pone de manifiesto que

GRÁFICO 8. *Relación entre la tasa de pobreza de los hogares monoparentales y la tasa nacional*

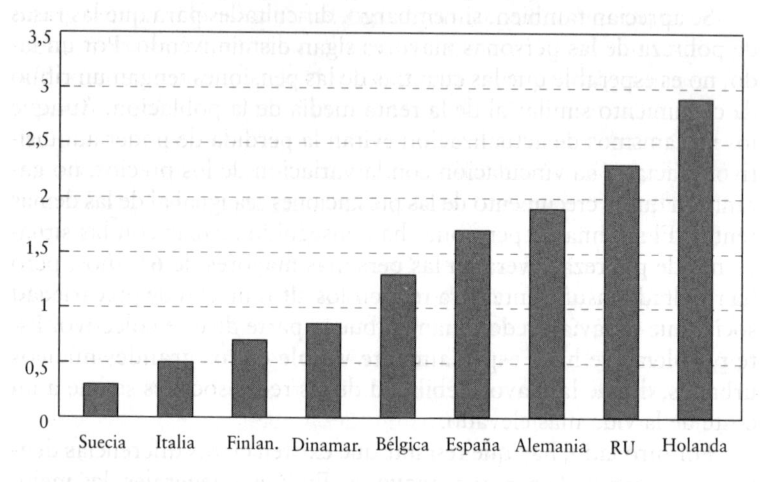

Fuente: elaboración propia a partir del PHOGE y Ditch, Barnes y Bradshaw (1995).

este proceso supone no sólo una insuficiencia de recursos monetarios, sino también una creciente dependencia, cuyos costes sociales y psicológicos no podemos minusvalorar.

Los cambios en el patrón sociodemográfico de la pobreza no se limitan a la modificación de la estructura de edades. El crecimiento de las familias monoparentales constituye otro proceso con efectos potencialmente negativos sobre los niveles de pobreza. Aunque, como confirman las estadísticas demográficas de Eurostat o los Informes del *Observatorio Europeo de Políticas Familiares Nacionales*, el peso relativo de este grupo no ha alcanzado todavía en España los niveles medios de la UE[16], en la última década ha aumentado considerablemente este tipo de hogares.

16. Según los datos del *Labour Force Survey* de Eurostat (1996), el peso de los hogares monoparentales con relación a todas las familias con niños difiere considerablemente entre los países de la UE. Los cuatro países del Sur de Europa forman un grupo específico, con una incidencia del fenómeno todavía muy limitada, como demuestran los porcentajes inferiores al 3%. Francia, Bélgica, Holanda, Irlanda y Austria presentan valores más altos —entre el 5 y el 10%—, mientras que Alemania, Finlandia y, sobre todo, el Reino Unido, superan con holgura el 10%.

Mientras que en algunos países de la UE el crecimiento de las familias monoparentales no ha tenido efectos significativos sobre la pobreza, en otros este tipo de hogar ha pasado a ser el principal grupo de riesgo (gráfico 8). En los países nórdicos e Italia, la tasa de pobreza del mencionado colectivo es inferior a la del conjunto de la población. En el extremo opuesto, se sitúan Holanda y el Reino Unido, donde los índices de las familias monoparentales más que duplican la media nacional. En el caso concreto de España, estas familias tienen niveles de pobreza también claramente superiores a los del conjunto de la población.

Un hecho adicional preocupante en nuestro país viene dado por los cambios en la composición de las familias monoparentales a lo largo de los años '90, sobre todo en el caso de las encabezadas por una mujer. Estas familias se forman, cada vez más, como consecuencia de una maternidad en solitario o de procesos de ruptura familiar, lo que supone un aumento del porcentaje de hogares encabezados por mujeres solteras, separadas o divorciadas con hijos pequeños a su cargo, frente al perfil tradicional en el que predominaban los formados por viudas con hijos mayores. En la primera mitad de los años '90 ha crecido además, según el *Boletín Estadístico de Datos Básicos* del Ministerio de Asuntos Sociales, el porcentaje de estas mujeres que se encuentran en situación de desempleo.

Los datos anteriores introducen una nueva preocupación en el análisis de la pobreza en España y en otros países: el aumento de los niños que viven en hogares pobres. Varios organismos internacionales han mostrado su inquietud en los últimos años por el aumento de las tasas de pobreza infantil en el mundo desarrollado. Aunque se trata de una cuestión escasamente analizada por los estudios de pobreza, algunas estimaciones han puesto de manifiesto la gravedad del problema.

Así, por ejemplo, según los datos de EDIS (1998), los menores de edad están sobrerrepresentados entre la población pobre. A mediados de la década de los '90, había 2.1 niños (menores de 15 años) pobres por cada persona mayor de 65 en la misma situación. Este cociente es mayor en las Comunidades Autónomas con tasas de pobreza más elevada, como Extremadura, Andalucía, Canarias o Ceuta y Melilla.

Por otra parte, la situación relativa de los menores es comparativamente peor en nuestro país que en el promedio de la UE. A tal conclusión se llega cuando se comparan las diferencias en la tasa específica de los menores de 16 años con las respectivas tasas medias nacionales. España se sitúa dentro del grupo de países en los que los

GRÁFICO 9. *Tasas de pobreza infantil*

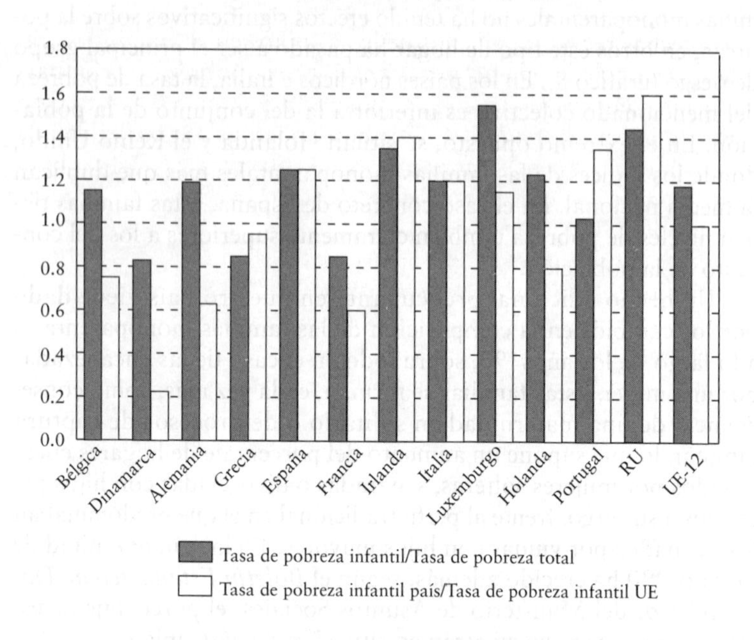

Fuente: elaboración propia a partir de PHOGE, 1993.

niños están sobrerrepresentados entre la población pobre. Únicamente Irlanda, Reino Unido y Luxemburgo presentan un indicador superior al español.

Algo similar sucede cuando se comparan las tasas de pobreza infantil de cada país con el promedio de la UE. La tasa española —una cuarta parte de los menores de edad— es, de nuevo, más elevada que la del conjunto de los Estados miembros, que se sitúa aproximadamente en torno al 20%. Nuevamente, sólo tres países (en este caso, Irlanda, el Reino Unido y Portugal) superan el dato español.

Aunque no puede hablarse de una única causa del problema descrito, las desfavorables condiciones de un buen número de menores en nuestro país obligan a cuestionar el alcance de las políticas destinadas a la protección de la familia. El escaso peso del gasto destinado a estas políticas (España dedica un 0.8% del PIB a prestaciones familiares, frente al 1.7% del promedio de la UE-15) plantea la necesidad urgente de abordar una reforma global del sistema.

IV. EL IMPACTO DE LAS POLÍTICAS PÚBLICAS

Hasta fechas recientes, muchos de los cambios en el mundo laboral y demográfico con efectos negativos sobre la pobreza fueron parcialmente compensados por el crecimiento del sistema de protección social. El interrogante que se abre ahora se refiere a la capacidad de respuesta de un sistema aún poco consolidado para atender las nuevas realidades de pobreza que han ido desarrollándose a lo largo de los años '90.

No es el objetivo de este capítulo analizar con detalle las principales políticas públicas que intervienen en la reducción del riesgo de pobreza. En otros capítulos de este Informe se estudian las diversas prestaciones monetarias y en especie que, de una forma u otra, repercuten sobre las rentas de los beneficiarios del sistema de protección social. Remitimos, por tanto, a su lectura y a otros trabajos especializados[17] para encontrar una explicación del papel global de las políticas públicas en la evolución de la pobreza.

Sí queremos, no obstante, centrar la atención en aquellas actuaciones específicas que han cobrado un mayor protagonismo en los años '90, con el objeto de examinar su impacto sobre la población de baja renta. Dos son, concretamente, los cambios que mayor debate han suscitado. Por un lado, los posibles efectos del recorte de las prestaciones destinadas a los desempleados que tuvo lugar en el segundo tercio de la década. Por otro, el desarrollo del sistema no contributivo de la Seguridad Social que, si bien se señala a menudo como una de las principales piezas de la nueva política social, plantea una serie de problemas de insuficiencia y coordinación que limitan su eficacia en la reducción de la pobreza.

1. *El efecto de las prestaciones por desempleo sobre la pobreza*

En España, cuya tasa de desempleo es considerablemente superior a la de cualquier otro país de la UE, tiene un especial interés el examen de los cambios en el sistema protector y de su eficacia en el contexto comparado. Dado que la primera de estas cuestiones constituye una tarea ya abordada en otros capítulos, la pregunta que a nosotros nos interesa es qué efecto tienen estas prestaciones sobre las diferencias observadas en las tasas de pobreza en distintos países, o, más concretamente, en qué medida los hogares encabezados por de-

17. Véase, por ejemplo, Rodríguez Cabrero (1998).

Cuadro 2. ÍNDICES DE POBREZA DE LA POBLACIÓN EN HOGARES ENCABEZADOS POR DESEMPLEADOS, ANTES Y DESPUÉS DE PRESTACIONES SOCIALES

PAÍS/AÑO	UMBRAL = 40%			UMBRAL = 50%		
	POBREZA «ANTES»	POBREZA «DESPUÉS»	REDUCCIÓN PORCENTUAL	POBREZA «ANTES»	POBREZA «DESPUÉS»	REDUCCIÓN PORCENTUAL
Bélgica 1992	85.6	5.9	93.1	86.9	34.2	60.6
Francia 1989	67.8	18.5	72.7	74.5	34.3	54.0
Alemania 1984	42.8	19.5	54.4	53.6	35.4	33.9
Canadá 1994	44.4	23.0	48.2	51.7	36.0	30.4
España 1990/91	44,0	25,5	42,0	50,5	39.5	21.8
Australia 1989	55,1	33,2	39,7	63,1	50.2	20.4
EE.UU. 1994	46,0	38,2	17,0	53,2	48,3	9.2
RU 1991	77.7	53.4	31.3	81.4	68.2	16.2

Nota: países ordenados de menor a mayor índice de pobreza para el colectivo de desempleados en la última fecha disponible, con el umbral del 40% de la media.

Fuente: elaboración propia con datos del LIS.

sempleados consiguen evitar la pobreza gracias a las prestaciones sociales percibidas.

El cuadro 2 cuantifica el papel reductor de la pobreza de las prestaciones sociales, contributivas o no, recibidas por los hogares encabezados por desempleados, considerando en cada país la última fecha para la que existe información comparable. En dicho cuadro, se comparan los índices de pobreza «antes» y «después» de recibir las prestaciones, lo que nos permite conocer el impacto de las prestaciones a través de la reducción porcentual de los niveles de pobreza que es atribuible a las prestaciones sociales.

Como puede apreciarse, las prestaciones sociales juegan un limitado papel en la reducción de la pobreza de los hogares encabezados por desempleados en el Reino Unido y, sobre todo, en EE.UU. En el extremo opuesto, se sitúan Francia y Bélgica donde las prestaciones reducen de manera muy sustancial la pobreza de este tipo de hogares, especialmente la más extrema. En Australia y España, la protección social provoca una disminución del 40% con el umbral más bajo, porcentaje algo inferior al logrado en Canadá y Alemania.

Aunque el indicador español es inferior al de los principales países europeos para los que existe información, muestra la importancia que pueden tener las modificaciones en la cobertura ofrecida por el sistema y las posibles variaciones en las cuantías de las prestaciones. En este sentido, cabe destacar la relevancia de los cambios acaecidos en los años centrales de la década de los '90, en los que, como se señaló, descendieron acusadamente las tasas de cobertura. La prolongación de este proceso conduciría, sin duda, al mantenimiento o incluso a la ampliación del elevado diferencial existente entre las tasas de pobreza de los parados en España y en la UE.

2. *La cobertura ofrecida por los sistemas de rentas mínimas*

Una segunda cuestión relevante en la discusión sobre las políticas contra la pobreza en los años '90 ha sido la referida a las prestaciones específicamente diseñadas para los colectivos que quedan fuera de la red general de protección social. La insuficiencia de las actuaciones tradicionales para hacer frente a las nuevas formas de pobreza señaladas en los apartados anteriores, como los parados con cargas familiares, los de larga duración o los hogares monoparentales, suscitó desde finales de los años '80 un amplio debate sobre la necesidad de un conjunto articulado de prestaciones que garantizara el derecho a un nivel mínimo de renta para todos los ciudadanos.

Aunque poco a poco se han ido cubriendo algunas de las insuficiencias históricas del Estado de Bienestar español, con la puesta en marcha de mecanismos de protección no contributiva para las personas mayores o los hogares afectados por minusvalías, este desarrollo ha sido incapaz de crear una red de seguridad comparable a la que existe en la mayoría de los países de la UE. Ello hace que queden fuera del sistema colectivos como los parados que han agotado el derecho a las prestaciones económicas, las personas mayores sin recursos propios que no llegan a los 65 años o los que, superando esa edad, conviven con otros parientes cuya combinación de ingresos sobrepasa el baremo establecido en la Ley de Pensiones no Contributivas, aquellos que sufren minusvalías inferiores al 65% o los jóvenes sin acceso al mercado de trabajo.

Puede decirse que, a finales de la década de los '90, España es junto con Grecia y, en cierta medida, Italia, uno de los pocos países de la UE en los que no existe un sistema nacional de renta mínima garantizada. Como es bien conocido, tal carencia impulsó la creación de sistemas de esta naturaleza en la gran mayoría de las Comunidades Autónomas. En el período reciente, han aparecido distintas investigaciones que examinan los problemas y las posibilidades de este peculiar sistema de cobertura territorial[18]. Todas ellas coinciden

18. Véase, por ejemplo, Aguilar, Gaviria y Laparra, 1995; Estévez, 1998; Serrano y Arriba, 1999; y Ayala, 1999.

GRÁFICO 10. *Relación entre la renta regional y la cobertura de los sistemas de rentas mínimas*

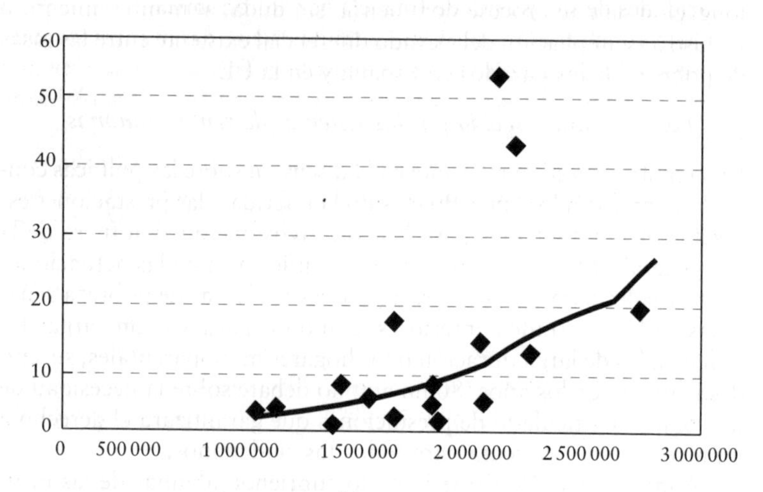

Fuente: elaboración propia a partir de a partir de *Renta Nacional de España* (BBV) y *Encuesta a las CC.AA.*

en señalar que si bien estos instrumentos han supuesto avances considerables en la organización de los servicios sociales y en la reducción de algunas de las manifestaciones más severas de la pobreza, su desarrollo se ha visto muy condicionado por la falta de coordinación de los distintos programas y por su escasa dotación presupuestaria.

Los resultados de estos sistemas son, en consecuencia, aún muy limitados y desiguales entre las Comunidades Autónomas. El primer hecho se debe al establecimiento de unas cuantías muy bajas, que impiden elevar las rentas de los beneficiarios por encima del umbral de pobreza y a una reducida cobertura de la población potencialmente demandante. Por otra parte, los logros en el terreno de la inserción socioeconómica, objetivo central de estos programas en la mayoría de las Comunidades Autónomas, son todavía escasos.

Este conjunto de problemas afecta, además, de modo muy desigual a las distintas Comunidades Autónomas. La dispersión de normativas, objetivos y recursos ha dado lugar a un variado mosaico de esquemas de protección. No se trata, sin embargo, de una distribución aleatoria. Los datos disponibles sugieren unos resultados notablemente superiores en las regiones de mayor renta per cápita o con mayor disponibilidad de recursos presupuestarios, gracias a las singularidades de su sistema de financiación autonómica.

Esta conclusión resulta clara cuando se comparan diversos indicadores del nivel medio de renta en cada región con la subvención otorgada por los distintos programas, el esfuerzo financiero realizado o la cobertura de la población más pobre. Una forma de contrastarla consiste en construir un indicador que combine la suficiencia de cada programa (relación de las cuantías con el umbral de pobreza para cada tipo de hogar) con el porcentaje de población pobre cubierta por el sistema regional (relación entre la población con ingresos inferiores a los baremos de los programas regionales y el volumen real de beneficiarios). La cifra resultante, que será indicativa de una mayor cobertura cuanto más próxima esté al 100%, puede relacionarse con algún indicador de riqueza o pobreza de cada región.

Tal relación es la que muestra el gráfico 10, en el que se compara la cobertura global de los sistemas con la renta regional bruta por habitante [19]. De su observación se deduce que, si dejamos a un lado los casos especiales del País Vasco y Navarra (que aparecen en el gráfico en la zona alta), son las Comunidades Autónomas con mayor renta media —y menor tasa de pobreza— las que presentan los indicadores de cobertura más elevados. Existe, por tanto, un serio problema de inequidad horizontal, que va más allá de las particularidades de cada programa y que se manifiesta en las desventajas que acumulan los ciudadanos más pobres de las regiones de menor renta. Una realidad que plantea, en definitiva, la necesidad urgente de instrumentar mecanismos de coordinación y financiación en los que el Gobierno Central tenga una participación mucho mayor que la actual.

BIBLIOGRAFÍA

Aguilar, M., Gaviria, M. y Laparra, M. (1995): *La caña y el pez*, Fundación FOESSA, Madrid.

Ayala Cañón, L. (1998a): «Cambio laboral y pobreza», en EDIS *et al.*: *Las condiciones de vida de la población pobre en España*, Fundación FOESSA, Madrid.

Ayala Cañón, L. (1998b): «Cambio demográfico y pobreza», en EDIS *et al.*: *Las condiciones de vida de la población pobre en España*, Fundación FOESSA, Madrid.

19. Se toma como referencia un hogar de tres miembros, dado que es el tamaño medio de las unidades beneficiarias de las rentas mínimas regionales.

Ayala Cañón, L. (1999): *Las rentas mínimas en la reestructuración de los Estados de Bienestar*, CES, Madrid (en prensa).

Ayala, L., Martínez, R. y Ruiz-Huerta, J. (1993): «La distribución de la renta en España en los años ochenta: una perspectiva comparada», en AA.VV.: *I Simposio sobre Igualdad y Distribución de la Renta y la Riqueza*, vol. II, Fundación Argentaria, Madrid.

Ayala, L., Ruiz-Huerta, J. y Martínez, R. (1998): «El mercado de trabajo y la distribución personal de la renta en España en los años noventa»: *Ekonomiaz*, 40, 104-133.

Ayala, L. y Renes, V. (1998): «El estudio de la pobreza en España», en EDIS *et al.*: *Las condiciones de vida de la población pobre en España*, Fundación FOESSA, Madrid.

Bosch, A., Escribano, C. y Sánchez, I. (1989): *Evolución de la pobreza y la desigualdad: 1973-81*, INE, Madrid.

Cantó, O. (1997): *Desempleo y pobreza en la España de los noventa*, Documentos de Trabajo de la Fundación FIES, 136, Madrid.

Citro, C. F. y Michael, R. T. (eds.) (1995): *Measuring Poverty: A New Approach*, National Academy Press, Washigton.

Del Río, C. y Ruiz-Castillo, J. (1997): «TIPs for Poverty Analysis. The Case of Spain, 1980-81 to 1990-91», Working Paper 97-58, Universidad Carlos III, Madrid.

EDIS, Ayala, L., Esteve, F., García Lizana, A., Muñoz de Bustillo, R., Renes, V. y Rodríguez Cabrero, G. (1998): *Las condiciones de vida de la población pobre en España*, Fundación FOESSA, Madrid.

Escribano, C. (1990): «Evolución de la pobreza y la desigualdad en España. 1973-87»: *Información Comercial Española*, 81-108.

Estévez González, C. (1998): *Las rentas mínimas autonómicas*, CES, Madrid.

García Lizana, A. y Martín Reyes, G. (1994): «La pobreza y su distribución territorial», en Juárez, M. (ed.): *V Informe Sociológico sobre la Situación Social en España*, Fundación FOESSA, Madrid.

Garrido, L. y Toharia, L. (1996): «Paro y desigualdad», en AA.VV.: *Pobreza, necesidad y discriminación*, Fundación Argentaria-Visor, Madrid.

Halleröd, B. (1995): «The truly poor: direct and indirect consensual measurement of poverty in Sweden»: *Journal of European Social Policy*, 5(2), 111-129.

Hutton, S. (1991): «Measuring living standards using existing Data Sets»: *Journal of Social Policy*, 17(2), 237-257.

Imedio, L., Parrado, M. y Sarrión, M. D. (1997): «Evolución de la desigualdad y la pobreza en la distribución de la renta familiar en España en el período 1985-1995»: *Cuadernos de Ciencias Económicas y Empresariales*, 32, 93-109.

Mainar, I. y Toharia, L. (1998): «Paro, pobreza y desigualdad en España: análisis transversal y longitudinal»: *Ekonomiaz*, 40, 134-165.

Martín-Guzmán, P. *et al.* (1996): *Encuesta de Presupuestos Familiares. Desigualdad y pobreza en España*, INE, Madrid.

Martínez, R. y Ruiz-Huerta, J. (1999): «Algunas reflexiones sobre la medición de la pobreza. Una aplicación al caso español», en VV.AA.: *Dimensiones de la desigualdad*, Colección Igualdad, vol. 13, Fundación Argentaria-Visor, Madrid.

Martínez, R., Ruiz-Huerta, J. y Ayala, L. (1998): «Desigualdad y pobreza en la OCDE: una comparación de diez países»: *Ekonomiaz*, 40, 43-67.

Muñoz de Bustillo, R. y Esteve, F. (1998): «Pobreza y economía de mercado», en EDIS *et al.*: *Las condiciones de vida de la población pobre en España*, Fundación FOESSA, Madrid.

Nolan, B. y Whelan, C. T. (1996): *Resources, Deprivation and Poverty*, Clarendon Press, Oxford.

Rodríguez Cabrero, G. (1998): «Política social y pobreza», en EDIS *et al.*: *Las condiciones de vida de la población pobre en España*, Fundación FOESSA, Madrid.

Ruiz-Huerta, J. y Martínez, R. (1994): «La pobreza en España: ¿Qué nos muestran las Encuestas de Presupuestos Familiares?»: *Documentación Social*, 96, 15-109.

Serrano, A. y Arriba, A. (1999): *¿Pobres o excluidos? El Ingreso Madrileño de Integración en perspectiva comparada*: Fundación Argentaria-Visor, Madrid.

Smeeding, T. (1997): *Financial Poverty in Developed Countries: The Evidence from LIS*, Final Report to the United Nations Development Programme, Luxemburgo.

III

CIUDADANÍA Y PARTICIPACIÓN

Capítulo 21

LA SITUACIÓN DE LA JUSTICIA EN ESPAÑA

Manola Carmena Castrillo

Las últimas valoraciones alcanzadas por la justicia en las encuestas elaboradas por el CIS son muy bajas. Sin embargo, para analizarlas y poder tener una cabal imagen de lo que con ella sucede, conviene antes de nada algunas precisiones. El término Justicia en tan amplio y tan poco concreto que si queremos matizar en relación con ese concepto estamos obligados a acotarlo. La justicia que posee tantos prismas tiene, sobre todo, trascendencia en nuestra sociedad actual como valor, como Poder del Estado y como Servicio Público. Veamos un poco qué sucede con ella en primer lugar y precisamente desde la perspectiva de la justicia como valor público. A partir del material estadístico con que contamos tenemos suficiente información como para apuntar algunas ideas en esa dirección. El CIS efectúa periódicamente encuestas institucionales entre las que se recoge siempre alguna pregunta en torno a la valoración que alcanza la justicia. También el Consejo General del Poder Judicial desde su creación en 1979 ha publicado periódicamente lo que se ha llamado los «Barómetros de la Justicia».

I. LA JUSTICIA COMO VALOR

Hace mucho tiempo leí un articulo de Vicent Marques que comentando lo ingrata que era la tarea doméstica de la plancha afirmaba que lo peor de tan aburrida actividad era que de ella sólo se apreciaba su falta y no su apariencia. Efectivamente, es impensable que alguien nos diga: «¡Qué bien planchadas llevas la camisa!». No obstante, si la llevamos arrugada es bien fácil que cualquier amigo desagradable nos diga: «¡Oye, que no te has planchado esa camisa!», o «¡Qué arrugada llevas la camisa!».

Pues bien, algo parecido sucede con la justicia como sustantivo de valores.

En la sociedad lo que se aprecia es la ausencia de justicia. Es decir, la injusticia. Cuando la sociedad, cuando la gente de la calle califica tan mal a la justicia, se refiere, sin duda, no sólo a la administración de Justicia como tal, sino al conjunto de lo público. Ese «¡no hay justicia!» que encontramos con tanta frecuencia se puede referir a infinidad de asuntos y circunstancias. No hay justicia puede significar tanto que nos han puesto una multa que no merecemos, que hemos perdido un juicio o la calificación urbanística de un espacio de nuestra ciudad con la que no estamos de acuerdo.

Si profundizamos un poco en esa descalificación de lo público, podemos apreciar que en ella se mezclan críticas y censuras no únicamente a las decisiones que distintos organismos llevan a cabo sobre nuestros intereses, sino también a las leyes de toda clase e índole que se promulgan en nuestro día a día.

En este aspecto, no me cabe duda de que la disminución o el estancamiento negativo que se observa en la calificación de la justicia como valor en estos años tiene mucho que ver no sólo con la propia administración de justicia como tal, sino con la relativa decepción que el sistema político de nuestra joven sociedad democrática ha generado en la sociedad española.

Sin embargo, esta decepción que tiene, bajo mi criterio, una cierta vaguedad no está especialmente influida por los escándalos de la corrupción política, que aunque, sin duda, han tenido su incidencia no son tan determinantes como en un primer momento pueda parecer.

Existe otro factor de gran importancia que sorprendentemente no suele aparecer en ningún tipo de análisis. En todas estas encuestas sobre la justicia nunca se preguntó a los ciudadanos la opinión que les merecía la avalancha de leyes que se promulgan constantemente. El poder legislativo y las leyes que elabora son un elemento que incide en la sensación que los ciudadanos tienen sobre la justicia. Pero, paradójicamente, parece que a nadie le interesa profundizar en ese tema. La opinión pública actual exige, sin lugar a ninguna duda, que los parlamentarios sean honestos pero a nadie se le ha ocurrido que, además de ser honestos los parlamentarios, sean también los legisladores eficaces y oportunos.

En el habitual discurso mediático, los ciudadanos conocen los esfuerzos que el gobierno va a efectuar o está efectuando para mejorar el estado actual de cualquier aspecto social por el único mecanismo de hacer leyes nuevas o cambiar las existentes. Si algo va mal en la sociedad, inmediatamente las autoridades de cualquier índole que sea, municipal, autonómica o estatal, nos dicen que estudiarán el problema y que cambiarán ordenanzas, reglamentos, leyes, etc.

Estos días tenemos un ejemplo curioso. Desgraciadamente, un perro *pisburg* ha matado a un niño en Palma de Mallorca. A partir de ese desdichado suceso, se ha producido toda una cascada de anuncios de nuevas normativas para prohibir o limitar la posesión o situación de ésas u otras clases de perros. Parece, pues, que el poder político dedica la mayor parte de sus energías a la producción legislativa. Pero claro está que el problema surge cuando una vez promulgadas las leyes lo que se quiso cambiar no mejora o no lo hace en la medida que se prometió. De nuevo otros representantes políticos o los mismos, con ausencia total de memoria, vuelven a prometer que se hará una nueva ley.

Esta utilización irresponsable de la producción legislativa genera en el ciudadano una justísima desconfianza del fundamento de la justicia, la norma y sus efectos. El cansancio que produce el paradigma de «problema–ley nueva–continuación del problema –nueva ley –continuación del problema–nueva ley», etc., es desazonador. Problemas de tanta importancia para el ciudadano, como la inseguridad ciudadana o él tráfico de drogas, son sistemáticamente objeto de retoques legislativos, sobre los que, *a posteriori*, nunca se realizan evaluaciones de sus resultados.

FIGURA 1. *La Justicia como valor*

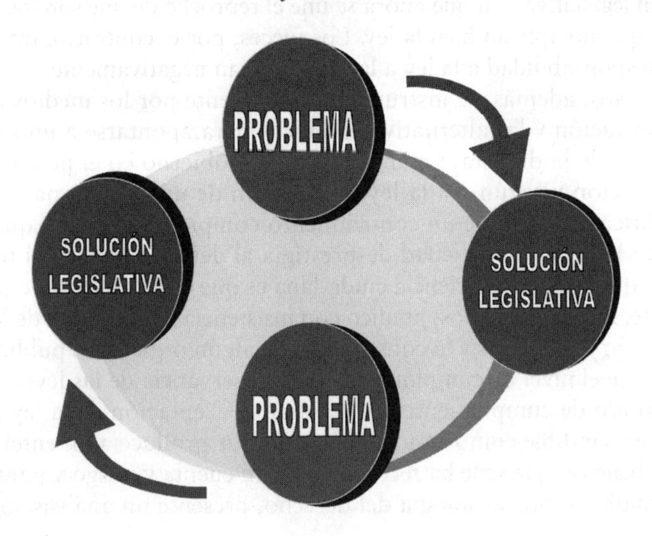

En este estado de cosas sorprende el que los estudios de opinión no se hayan sentido interesados sobre la que les merece a los ciudadanos las distintas leyes que se han ido promulgando. El desconocimiento general de ellas es posiblemente la causa del olvido que sufre el análisis de esta parte trascendental del ordenamiento jurídico. Algún día tendremos que enfrentarnos con esa realidad y habrá que someter a evaluación al poder legislativo. En cierta medida, es este el sustrato del poder político elegido democráticamente y no hay justificación alguna para que su tarea consustancial quede sumergida en la bruma del desconocimiento general. El ciudadano de la calle no puede aceptar que las leyes que nos hicieron concebir tantas expectativas se arrinconen como trastos inútiles sin ninguna explicación posterior. Y es que, efectivamente, es incompresible el quehacer legislativo. ¿Cómo es posible que puedan dictarse nuevas leyes sin antes haber analizado en que fallaron las anteriores? ¿Y cómo es posible que puedan hacerse nuevas leyes sin antes haber analizado si lo que las hicieron fracasar puede o no tener respuesta legislativa?

Esta falta de evaluación tiene una mayor trascendencia en el concepto de la justicia como valor en cuanto que en el ámbito de los adiestrados en derecho aparecen reproches circulares sobre la responsabilidad de los fracasos. Veamos otro ejemplo: la sociedad reacciona con justísima preocupación ante la atroz cifra de más de 60 mujeres asesinadas por sus maridos o amantes a lo largo de un año. Y empieza el ciclo «problema–solución legislativa–continuación problema– nueva solución legislativa», al que ahora se une el reproche de que son los jueces los que no aplican bien la ley. Los jueces, por el contrario, trasladan la responsabilidad a la ley a la que califican negativamente.

Esto, además, se instrumenta hábilmente por los medios de comunicación y las alternativas políticas para apuntarse a uno u otro bando de la disputa, según se apoye al gobierno en el poder o a la oposición y según sea la ley en cuestión de una u otra paternidad política. La falta de un conocimiento completo del efecto que produce la ley en la sociedad desprestigia al derecho porque al final lo que queda en la conciencia ciudadana es que éste es ineficaz o inexistente. Desde hace años, predico con insistencia la necesidad de la evaluación de las leyes y la constitución de algún organismo público que analice el nivel de cumplimiento o de observancia de las leyes. Saber el grado de cumplimiento, es decir, de la aceptación de la ley es tan imprescindible como conocer el efecto que produce a un enfermo la medicación que se le ha recetado. Por mi cuenta y riesgo y para unas Jornadas sobre sociología del derecho, presente un análisis sobre el índice de incumplimiento de la Ley de 1992 sobre juicios penales rápidos.

Aquella ley regulaba la celebración de un nuevo tipo de juicios rápidos y como tantas otras no han llegado a cumplirse nunca. Según mis propios cálculos y con los datos estadísticos del Consejo General del Poder Judicial, del total de los Juzgados de lo Penal se incumplía sistemáticamente en el 75.22 %. ¿Cuál ha sido la respuesta a esta situación? Otra nueva Ley de juicios rápidos que se publicó en junio de 1997 con un contenido prácticamente idéntico, sin análisis previo alguno de las causas que determinaron su fracaso, y que no ha logrado un ápice mayor de cumplimiento. Ni que decir tiene que al día de hoy no se ha producido ningún incremento en los juicios rápidos a pesar de llevar aprobada la nueva legislación casi dos años.

FIGURA 2. *Ley 10/92, de 30 de abril, Juicios rápidos*

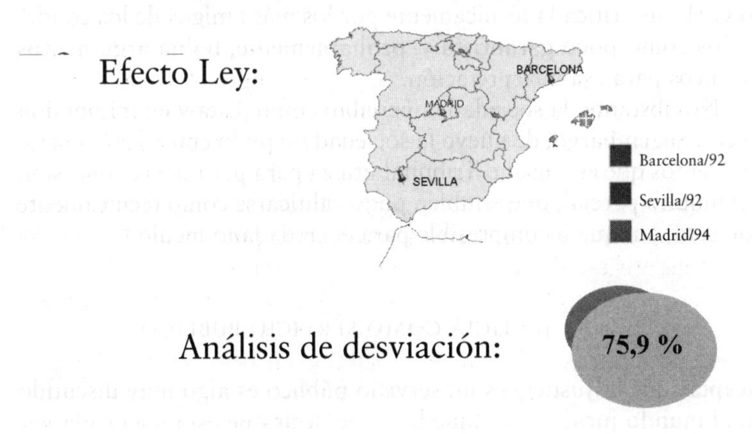

No es sólo la falta de adecuación del poder legislativo a las necesidades actuales de la sociedad la que determina la negatividad de la justicia como valor. Hay más cuestiones de mucha trascendencia. Entre ellas tiene especial repercusión el conocimiento de la cultura jurídica de la sociedad. Durante siglos y seguramente en cualquier país, el desconocimiento de la sociedad sobre la justicia y sus procedimientos ha sido total, pero lo que sucede ahora es distinto.

La cultura mediática ha introducido en sus redes infinidad de noticias judiciales, que se suman a los conocimientos que suministra el cine y, sobre todo, la televisión. Ese sustrato compuesto por películas, series y noticiarios configura el valor popular de justicia. Frente a esta cultura base, el ordenamiento jurídico y sus agentes elaboran una cultura jurídica técnica oscura e iniciática de espaldas a la sociedad, con lo cual el desencuentro es inevitable. Pensemos en el último escándalo de estos días. El Tribunal Superior de Cataluña modifica la sentencia de un jurado en el que en un homicidio perpetrado por un marido maltratador doméstico a la amiga de su esposa asestándole más de cuarenta puñaladas. Ese Tribunal ha entendido que no había ensañamiento ante el estupor general de la sociedad que se niega a entender un veredicto de esas características. Y la verdad es que, técnicamente, en este caso como en tantos otros, la sentencia, puede ser considerada correcta. Todo lo relacionado con la esencia del Derecho penal moderno y su garantismo se ha construido de espaldas a la sociedad, lo que no quiere decir que no sea el mejor derecho procesal penal posible. Pero tal distonía con la cultura popular es una descalificación latente que surge cada vez que se presenta la ocasión y permite también, según el caso, alimentar las disputas políticas. Pensemos en un último ejemplo. La trascendencia de la sentencia del caso GAL fue criticada técnicamente por los más amigos de los condenados como poco garantista y, probablemente, había argumentos jurídicos para esa interpretación.

No obstante, la sociedad la percibió como justa y en mi opinión lo era. Sin embargo, de nuevo la sociedad no pudo entender los razonamientos que ese mismo Tribunal utiliza para permitir la concesión del indulto parcial, que también pudo calificarse como técnicamente correcto, aunque incompresible para el ciudadano medio.

II. LA JUSTICIA COMO SERVICIO PÚBLICO

Aceptar que la Justicia es un servicio público es algo muy discutido en el mundo jurídico, aunque hay que decir que esta idea cada vez se extiende más no sólo en nuestro país sino en el mundo en general. El *Libro Blanco* del Consejo General lo aborda y en países tan próximos como Francia e Inglaterra está establecido como tal de hecho o de derecho. Es interesante, en ese sentido, el debate que se celebró en Francia el año pasado. Dirigido por la Ministra de Justicia Isabel Gigou, apostó por mejorar precisamente la Justicia como servicio público. El Reino Unido tiene en este momento un complejo programa de calidad en la prestación de justicia, que se ha incluido en la carta de los derechos del ciudadano y en el que el gobierno se compromete públicamente a evitar que la duración de los juicios sobrepase el tiempo establecido, y que cualquier tipo de consulta telefónica personal o escrita se conteste dentro de un tiempo con un contenido garantizado de calidad y atención.

En España, el compromiso del Consejo General del Poder Judicial por un mejor servicio publico de la justicia le ha llevado a aprobar el reglamento de los Servicios de Atención al Ciudadano, el cual se pretende implantar en todos los órganos judiciales. Asimismo, en 1997, se celebró la primera encuesta a los usuarios de la justicia y más tarde también la repitieron el Gobierno Vasco y la Generalidat de Cataluña.

La justicia como servicio público nos obliga a plantearnos en primer lugar su definición y su objetivo, que no puede ser otro que el de ofrecer a los ciudadanos la manera de resolver sus conflictos entre los derechos y deberes que a ellos corresponde. Es decir, el medio que ha de permitir la tutela judicial efectiva sin dilaciones indebidas cuando se sea acreedor de la misma.

III. SITUACIÓN DEL SERVICIO PÚBLICO DE LA JUSTICIA

Podemos afirmar que el hecho de que hasta 1997 no haya habido un pronunciamiento institucional claro por el servicio público de la justicia hace que sea difícil analizar la tendencia del mismo. No ha existido hasta ahora ningún estudio específico que nos permita tener buenos instrumentos de análisis. No obstante, si partimos de la propia definición del servicio público de la justicia en la que nos hemos basado, habrá que evaluarla en su rapidez y eficacia.

En este aspecto conviene resaltar en primer lugar que el ciudadano exige poco a la Administración de Justicia. No parece que, en la actualidad, éste generalice la exigencia de un buen servicio de la tutela judicial. En el Barómetro de Opinión de 1997, elaborado a instancia del Consejo General del Poder Judicial, el 81% de los ciudadanos entrevistados afirmó que la Justicia era tan lenta que más valía no acudir a ella. El 74% manifestó que la morosidad de la Justicia beneficiaba a los más débiles e indefensos, el 84% criticó el lenguaje empleado por la Justicia por ser demasiado oscuro y confuso; pese a ello, en la encuesta efectuada a los usuarios de la Justicia el 84% entendía que el trato que había recibido en los Juzgados y Tribunales era bueno o muy bueno. Esta complacencia con la actuación de la Administración de Justicia se produce, pues, aun conociendo la ineficacia de la misma. Se explica esta actitud por el temor reverencial que todavía produce la Justicia unido a la falta de confianza que la misma suscita.

Sorprende la gran capacidad de tolerancia de los usuarios cuando nos dicen que sólo el 29% de los que tienen abogado de oficio fueron visitados por sus letrados en la cárcel y que, entre las personas que tienen la condición de perjudicados por un delito, sólo se sintieron amparados en un 27% mientras el 50% restante se consideró nada o poco amparado por la Justicia.

Aunque la falta de estudios impide contrastar debidamente estas opiniones de los ciudadanos, las cifras que el Consejo General del Poder Judicial posee sobre asuntos presentados en los Juzgados y Tribunales, así como el número de los casos resueltos y pendientes en todos y cada uno de los órganos judiciales, nos facilita el que podamos afirmar que el principal problema de la justicia como servicio público es su lentitud.

Con ocasión del *Libro Blanco* de la Justicia, se encargó por el Consejo General del Poder Judicial un análisis sobre la litigiosidad y la duración de los procedimientos en la primera Instancia de la Jurisdicción Civil que ha tenido una gran trascendencia.

Es la primera vez que se lleva a cabo un estudio de estas características y, aunque el ámbito del mismo se limita únicamente a los Juzgados de Primera Instancia Civil, resulta indispensable para hallar ratios respecto a otros aspectos de la litigiosidad. Este estudio nos afirma que la media de duración de los procedimientos civiles en la Primera Instancia Civil es de 9 meses. Pero esta media está compuesta de picos muy fuertes y sobre todo destaca en ella una tendencia inquietante. Los procedimientos que se prevén en las Leyes Procesales como más cortos son, en general, los que resultan en la práctica más dilatados. Por ejemplo: el Juicio Verbal Civil que la Ley de Enjuiciamiento Civil prescribe una duración no mayor de 36 días alcanza una media de 120 días.

Si de la conjunción de los propios datos estadísticos del Consejo General del Poder Judicial y de los del estudio específico llevado a cabo respecto a la duración de la litigiosidad civil se constata que, efectivamente, el mayor problema de la Justicia como servicio público es la lentitud, es imprescindible que analicemos en primer lugar si esta dilación es mayor o menor ahora que hace unos años, para a continuación estudiar cuáles son las causas de la misma y poder así concluir sobre si estamos mejorando o, por el contrario, nos hemos estancado o vamos a peor.

Los datos estadísticos del Consejo General del Poder Judicial sólo se refieren a asuntos ingresados, resueltos y pendientes a lo largo de los distintos años naturales. Este dato es un tanto impreciso ya que no permite calcular la duración media de los procedimientos.

Pero sin perjuicio de haber acometido reformas en los formularios estadísticos del Servicio de Inspección del Consejo que permitan continuar los estudios detallados de las características de la litigiosidad y su duración, sí permiten establecer pinceladas indicativas de nuestro nivel actual.

GRÁFICO 1. *Relación entre evolución de asuntos y plazas creadas*

ÓRGANOS COLEGIADOS

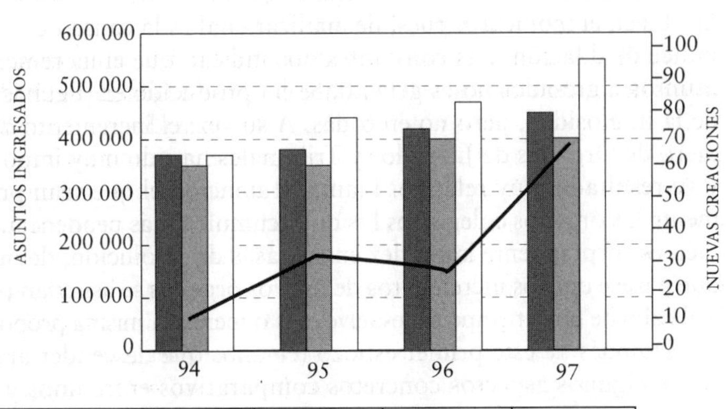

	94	95	96	97
Ingresos	381 913	397 349	426 734	464 875
Resueltos	344 452	342 953	381 100	398 539
Pendientes	383 534	437 930	483 564	549 900
Creaciones	8	27	21	64
Índice de resolución	90.2	86.3	89.3	85.7

ÓRGANOS UNIPERSONALES

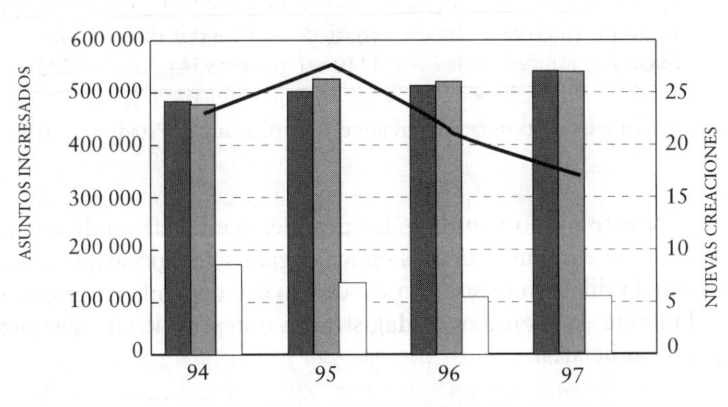

	94	95	96	97
Ingresos	4 748 747	4 918 847	5 042 544	5 258 269
Resueltos	4 718 720	5 188 177	5 159 520	5 241 332
Pendientes	1 544 655	1 275 325	1 158 349	1 175 286
Creaciones	19	23	18	16
Índice de resolución	99.36%	105.47%	102.31%	99.67%

La conclusión que nos aporta estos datos no es tranquilizadora: los índices de resolución se estancan y la alta pendencia es de más de 1 700 000 asuntos.

Llega el momento, pues, de analizar cuál es la causa de este alto índice de dilación. Las constantes nos indican que el incremento de asuntos ingresados no es general. Se ha producido en algunas áreas de la litigiosidad, pero no en todas. A su vez, el incremento del número de Órganos de Juzgados y Tribunales ha sido muy importante y su resultado muy relativo. Llama la atención el que sean precisamente los órganos colegiados los que acumulen más pendencia. También es sorprendente la rigidez en las tasas de resolución, de manera que parece que los incrementos de nuevos órganos se asimilan pronto y al cabo de poco tiempo se resuelve más o menos la misma proporción.

Después de este primer esbozo tenemos que descender al análisis de algunos aspectos concretos comparativos entre unos y otros juzgados que nos faciliten importantes conclusiones. Juzgados de las mismas características, con la misma entrada de asuntos, con el mismo número de recursos personales y materiales, es decir juzgados clónicos en su punto de partida arrojan resultados de resolución completamente diversos.

	Juzgados	Registrados	Resueltos	Pendientes fin de año
Madrid	54	1073	1517	622
Madrid	57	1110	954	2035

Fuente: datos estadísticos facilitados por el Departamento de Estadística CGPJ (1997).

De este modo y aunque las grandes tendencias indican que los asuntos se empantanan más en los órganos colegiados, la constante es que la dilación es sobre todo desigual y depende en gran medida del talante de los Jueces o Magistrados que presiden los distintos órganos judiciales.

IV. CÓMO MEJORAR EL SERVICIO PÚBLICO DE LA JUSTICIA

Un análisis sobre la situación de la Justicia como servicio público que desgraciadamente concluye con un diagnóstico negativo obliga a formular hipótesis para invertir esta tan preocupante tendencia. Si la litigiosidad aumenta de una manera desigual, si las inversiones efectuadas no se han rentabilizado, si unidades análogas tienen resultados de laboriosidad totalmente desiguales, parece que se evidencia con auténtica claridad que lo que más precisa la justicia como organización es precisamente eso, organización, orden, gobierno, gestión eficaz y eficiente.

Pero esto, la gestión de la Justicia, es endiabladamente difícil. En primer lugar en la Administración de la Justicia no manda nadie, mejor dicho, mandamos muchos. Todos a la vez y sin coordinación. Y lo que es peor, nadie es realmente responsable. En un Juzgado o Tribunal los medios materiales dependen del Ministerio de Justicia o del Gobierno Autonómico al que se le hayan atribuido las competencias de Justicia. El Secretario Judicial, a quien según la Ley Orgánica le corresponde la Jefatura de Personal de los empleados de la Oficina Judicial, depende en todo caso del Ministerio de Justicia. Pero la superior inspección del funcionamiento de la propia Oficina Judicial del organismo en cuestión es competencia del Juez o del Presidente del organismo judicial. Así pues en un Juzgado del País Vasco, por ejemplo, le corresponde la responsabilidad de los medios materiales al Gobierno Autonómico. Sin embargo, el Secretario, que es quien debe administrar esos recursos personales y materiales, depende jerárquicamente del Ministerio y por fin el Juez, quien tiene la última palabra sobre la organización de esa Oficina Judicial, depende del Consejo General del Poder Judicial.

Esta atomización de responsabilidades, aunque compleja, pudiera rentabilizarse más si se hubieran establecido de manera generalizada organismos de coordinación y sobre todo si el propio Consejo del Poder Judicial asumiera toda su responsabilidad en cuanto que a él le corresponde, como hemos visto, el gobierno de las cúpulas judiciales.

En el *Libro Blanco* de la Justicia, el Consejo General del Poder Judicial nos hemos comprometido a mejorar esta descordinación potenciando soluciones legislativas y aprovechando nuestras competencias para impulsar una mejor gestión basada en la creación de órganos de toda índole para la coordinación de los medios materiales y personales, pero no es racional esperar demasiado de estos buenos propósitos. La propia definición institucional del Consejo General del Poder Judicial convierte a este Órgano de Gobierno de los Jueces en una unidad preparada exclusivamente para la deliberación formal y sin capacidad de gestión ejecutiva alguna. Todo ello, además, hay que relacionarlo con la otra acepción imprescindible a tener en cuenta en este análisis: la Justicia como Poder del Estado.

IV. LA JUSTICIA COMO PODER DEL ESTADO

Nuestra Constitución, al modo de todas las constituciones democráticas, diseña la distribución de los Poderes del Estado en la ya clásica distinción atribuida a Montesquieu de: Poder Legislativo, Judicial y Ejecutivo. Pero sin perjuicio de las configuraciones que a lo largo de los distintos regímenes políticos adquieren los distintos Poderes Judiciales, se intuye cada vez más la necesidad de reflexionar sobre cuál es la naturaleza del Poder Judicial y, por tanto, cuál debería ser su definitiva configuración. Cuando se repasa la configuración de los distintos Poderes Judiciales en el mundo y sus estructuras judiciales resulta interesante ver la disparidad en la que los mismos se mueven. El Poder Judicial ha sido definido por algunos como «contra-poder» más que como Poder y quizás no sea totalmente descartable dicha configuración. De todas formas, lo verdaderamente esencial a la configuración del Poder Judicial es la independencia del mismo. Esta independencia se concreta, en general en todos los sistemas políticos, en la imposibilidad de ser removidos del cargo ni verse afectado por ningún valor o disvalor con ocasiones de las decisiones propias del ejercicio de su función.

La función de juzgar exige en su esencia que el Juez que decida sea un tercero respecto de las dos personas en litigio, es decir, un tercero, un imparcial, equidistante entre los dos niveles del conflicto de intereses.

En ese aspecto, es posiblemente España uno de los países donde el ejercicio de la independencia judicial se está demostrando en la prácticas con más nitidez. Si en cualquier pleito la independencia del juez se ha de evidenciar, es incuestionable que cuando se trata de procesos judiciales en los que las partes contendientes son extraordinariamente poderosas la independencia del juzgador es la prueba del nueve del sistema. En este aspecto el que en este último año haya habido decisiones jurisdiccionales que han afectado a políticos, banqueros y jueces es indicativo de que el sistema judicial se ha demostrado independiente de los grandes poderes políticos.

No obstante, esta visión, aunque cierta, es excesivamente esquemática, y sobre todo resulta sorprendente el que, a pesar de estar viviendo el período de más independencia de los jueces en nuestro país, la sociedad lo viva como una época de gran politización de la Justicia. En el Barómetro de la Justicia del pasado 1997, al que nos estamos refiriendo, se recoge que nada menos que el 57% de los encuestados opina que la Justicia española no es independiente en sus decisiones de las presiones del gobierno, así como el 58% cree que tampoco es independiente de las presiones de los grandes grupos económicos y sociales y, por último, el 55% opina que tampoco lo es del poder de los grandes medios de comunicación.

Sea cual sea la realidad, estos datos de sondeo de opinión nos indican que aunque la Justicia española es independiente no logra comunicar ese valor a la sociedad española. Esta situación explica el que la opinión publica además desconfíe de la Justicia.

¿Qué hacer ante esta constatación de la realidad? Es indudable que el sentimiento social de desconfianza de la esencia de la Justicia nos obliga a repensar el diseño del Poder Judicial. Y en ese sentido hay que aceptar que no ha sido adecuada la forma en la que el Parlamento ha designado a los miembros del Consejo General del Poder Judicial. El que los partidos políticos se hayan reunido y hayan pactado sobre el nombre de los candidatos con criterios que no se han hecho públicos y bajo perfiles ignorados no ha favorecido la imagen de independencia.

Es curioso ver cómo cada vez que un medio de comunicación recoge una información del Consejo General del Poder Judicial identifica a cada uno de los miembros de ese Consejo con las siglas del partido o los partidos que le propusieron. Es cierto que no se dice que el miembro del Consejo del Poder Judicial a quien se refiere la información sea efectivamente de ese partido, pero se da a entender. Puedo afirmar que no existe esa vinculación entre los partidos y los diferentes Vocales del Consejo General del Poder Judicial, pero la imagen que la sociedad recibe es tan contundente que no se puede contrarrestar por muchas declaraciones que, en sentido contrario, se pudieran hacer.

El que el Parlamento no haya acertado en la forma de cumplir el mandato de la Ley Orgánica no invalida el sistema de designación. Es indudable que si el Consejo General del Poder Judicial estuviera formado por Jueces elegidos por los propios Jueces no se hubiera producido la renovación ideológica que se produjo en el Tribunal Supremo. No resulta fácil conciliar la legitimidad democrática de todos los Poderes del Estado con una elección producida en el seno del colectivo de Jueces. Puede ser que, a la vista de la problemática que ha creado una designación excesivamente politizada en sentido «partidario», convenga estudiar cómo mejorar el sistema de designación del Gobierno de los Jueces, para vincularlo más a la sociedad y alejarlo de los intereses concretos de los partidos políticos.

Capítulo 22

LA SEGURIDAD CIUDADANA COMO POLÍTICA DE BIENESTAR SOCIAL

Pilar Lledó

I. DEFINICIÓN DE LA SEGURIDAD CIUDADANA COMO POLÍTICA PÚBLICA ENCAMINADA A MEJORAR LA CALIDAD DE VIDA DE LOS CIUDADANOS

El concepto de seguridad, tal y como se emplea en el Preámbulo de la Constitución Española, es un concepto plural, eminentemente socio-político, y que podría definirse como una situación social que se caracteriza por un clima de paz, de convivencia y de confianza mutua, que permite y facilita a los ciudadanos el libre y pacífico ejercicio de sus derechos individuales, políticos y sociales, así como el normal funcionamiento de las instituciones públicas y privadas.

Así, no es el Estado, sino el ciudadano y su libre desenvolvimiento quienes ocupan la posición central, y la seguridad pasa a convertirse en un elemento básico e imprescindible de la calidad de vida, del bienestar y del progreso social.

Ciertamente esta seguridad debe concretarse en unas políticas de seguridad pública cuyos pilares básicos deben ser cuatro:

1. Abrirse a la sociedad, observar el entorno y mantenerse en un contacto continuo con él, para conocer sus demandas reales en materia de seguridad, que posteriormente deben traducirse en objetivos concretos, evaluables y alcanzables en un plazo determinado.
2. Propiciar la colaboración ciudadana en materia de seguridad. Puesto que el delito se produce en el seno de la sociedad y por unos condicionamientos sociales determinados, debe ser la sociedad

en su conjunto, cada uno según sus responsabilidades, quien se implique en la solución de estos problemas.

3. Instrumentar la colaboración de todas las administraciones, locales, autonómicas y estatales y de todos los departamentos implicados en este problema: Educación, Asuntos Sociales, Trabajo, Cultura, Planificación Urbanística y Territorial, Medio Ambiente, Medicina Preventiva, etc.

4. Analizar las organizaciones encargadas de la Seguridad para conocer sus deficiencias y recursos, y optimizar su empleo en el logro de los objetivos.

Teniendo en cuenta, además, que los ciudadanos, hoy en día, no reclaman sólo una acción policial centrada exclusiva o prioritariamente en la tradicional función de lucha contra el delito; muy por el contrario, han aparecido nuevas demandas que hay que encuadrar dentro de las funciones propias de un modelo policial de servicio público.

II. EL PROBLEMA DE LA INSEGURIDAD

En algunas de las últimas encuestas realizadas por el CIS sobre el tema de la Seguridad Ciudadana[1], se constató que la sociedad española manifiesta una preocupación muy alta por los problemas de seguridad, mucho más elevada que lo que indican las estadísticas objetivas de criminalidad y, desde luego, en unos niveles impensables hace tan sólo diez o quince años.

En el estudio se solicitó a los encuestados que compararan la Seguridad Ciudadana con una serie reducida de valores sociales de primer orden, y el resultado nos obliga a una profunda reflexión, puesto que dieron más importancia a la seguridad que a la solidaridad, a la igualdad social, a la justicia, o a la libertad.

A continuación, se les pidió que expresaran qué entendían por inseguridad ciudadana y más del 55% se refirió a atracos, robos y tirones, lo que nos indica que el concepto de seguridad está estrechamente ligado a la defensa de la propiedad privada. Un 15.7% habló del problema de la droga como causa principal de inseguridad, dando por supuesto que «todos sabemos que para conseguir la droga hay que delinquir», lo cual no es siempre así. Esto demuestra que la

1. Las citas que se efectúan sobre las encuestas del CIS provienen de los siguientes estudios: *Delincuencia, Seguridad ciudadana e imagen de la policía*, Estudio 2152, abril 1995; y *Seguridad ciudadana y victimización*, Estudio 220, diciembre 1995-enero 1996.

droga produce inquietud por el simple hecho de existir, aunque las personas encuestadas nunca se hayan relacionado directamente con este problema, como así lo afirmaron en la encuesta.

En el lenguaje ordinario y socialmente aprendido se dice que «en tal barrio hay mucha droga», para dar a entender que hay inseguridad, que se trata de un entorno urbano muy deteriorado con gentes marginales, y normalmente con personas de otra raza y condición social.

Esta reflexión sobre la droga puede hacerse extensiva a otros aspectos señalados en la encuesta como el hecho de identificar la inseguridad con «no poder salir a la calle» o con «el auge del vandalismo», en definitiva con el malestar social[2].

Nos damos cuenta que la inseguridad comporta también un aspecto socialmente aprendido, porque a la pregunta sobre con cuánta frecuencia hablan con otras personas sobre la inseguridad ciudadana, el 50% responde que muy a menudo o bastante a menudo, frente a un 16.8% que afirma que no hablan casi nunca del tema.

Con respecto a la causa de los delitos, los encuestados responden que el 32% se debe a la droga; el 17.5%, a la pobreza; el 11.6%, a la mala educación recibida; el 8%, a las desigualdades sociales; y el resto, al mal funcionamiento de la Justicia.

Evidentemente estos conceptos cambian considerablemente si tenemos en cuenta la edad de estas personas, su ideología política y la proximidad o lejanía de su vivienda, o centro de trabajo, respecto a los focos delictivos.

Podemos pues concluir, en este apartado, que existen unos factores objetivos que generan o pueden generar la sensación de inseguridad, pero entrelazados con unos niveles perceptivos de inseguridad, socialmente aprendidos, y ligados a otros problemas de tipo sociológico, psicológico, cuando no a intereses económicos o políticos.

III. FACTORES SOCIOLÓGICOS Y SICOLÓGICOS QUE FAVORECEN LA SENSACIÓN DE INSEGURIDAD

En unas «Jornadas sobre agresión y agresividad en entornos urbanos», celebradas durante 1996 en la Delegación del Gobierno de Ma-

2. Así, a la pregunta de la encuesta del CIS ya señalada: «Cuando Vd. habla de inseguridad ciudadana ¿principalmente en qué tipos de problemas o situaciones está pensando?». El 12.6% afirma que en la inseguridad en la calle, en no poder salir. El 4.5% en el vandalismo, gamberrismo y ruidos, y el 2.4% en la falta de civismo y respeto por los demás.

drid, el presidente de la CONCAVE —Confederación Nacional de Asociaciones de Vecinos— afirmaba: «Las agresiones son producto de la intolerancia y del grado creciente de agresividad social. Existe agresividad contra las formas de pobreza: indigentes, gitanos, inmigrantes; hay agresividad de un sector minoritario de jóvenes contra el resto de los jóvenes; hay agresividad de unos conductores contra otros, y de todos contra los peatones; hay agresividad contra las mujeres y los niños.

»En la TV, en el cine, en los medios de comunicación, nos encontramos con la agresividad como protagonista. Limitar por lo tanto la agresividad y sus causas a determinados colectivos, sería esconder la realidad.

»Estamos produciendo marcos de convivencia que fomentan las agresiones: el tamaño y organización deshumanizada de nuestras ciudades, el tiempo y el sueño perdido en largos desplazamientos, al no tener en cuenta la distancia entre el trabajo y el domicilio; el problema del paro; el fracaso escolar; la frustración entre la demanda social de éxito y calidad de vida; y la oferta real de posibilidades, el miedo a la contaminación, a la enfermedad, al desamparo. Todo ello produce el sentimiento subjetivo de inseguridad absolutamente inamovible frente a la fría racionalidad de las estadísticas de delincuencia.»

Y la presidenta nacional de las APAs —Asociaciones de Padres de Alumnos— aseguraba que «la agresividad es una reacción de frustración ante los objetivos inalcanzables, pero también hay quienes transgreden las normas como una forma de protección y de repulsa contra el tipo de sociedad que les margina. No olvidemos que la transgresión se manifiesta como un acto de afirmación en la adolescencia».

Carlos Lles engloba a la inseguridad ciudadana dentro de lo que denomina «malestar urbano» definido en cuatro aspectos fundamentales:

a) la inseguridad vital, es decir, la imposibilidad de planear el futuro y la posibilidad de perder todo lo que hemos adquirido con tanto trabajo, en un momento;
b) la competitividad aprendida desde la infancia que anula el sentimiento de solidaridad;
c) la crisis del Estado de Bienestar;
d) la sensación de carecer de alternativas, es decir, que las cosas no sólo son así, sino que son irremediables.

Otra causa de inseguridad, como afirma César Portela, Premio Nacional de Arquitectura, estriba en el modo de concebir las ciudades: «La historia de la humanidad es la historia del hombre por conseguir espacios físicos de seguridad primero, y de confort después, y el grado de confort de un hábitat determinado depende del equilibrio entre libertad y seguridad».

Churchill ya decía que «construimos nuestras casas y nuestras ciudades y luego son ellas las que nos construyen a nosotros. El arquitecto y el urbanista pueden ser agentes importantes de conservadurismo o de cambio social».

En los medios de comunicación de todas las épocas, encontramos titulares que exaltan la ciudad como lugar de innovación y progreso o que la denigran como lugar del vicio, del peligro, de la incomunicación y del miedo.

Igual ocurre con el concepto de ciudadano que representa el ideal de ser socializado y responsable, culto y dinámico. Pero siempre han existido «los otros», los que generan miedo cuando traspasan sus límites periféricos y ocupan el centro de la ciudad.

Toda ciudad tiene su «otra ciudad» que no sólo produce rechazo y miedo, sino que, como todo lo prohibido, atrae, como una morbosa tentación, especialmente a los jóvenes.

Lo que preocupa en las grandes ciudades a los políticos y a la opinión pública, puesto de manifiesto a través de los medios de comunicación, no es la violencia cotidiana de los barrios marginales. Lo que preocupa es la delincuencia urbana, ya sean robos o agresiones a ciudadanos o alteraciones de la vida cotidiana.

La inseguridad urbana debería considerarse como una alerta social. Expresa la contradicción entre la socialización del espacio urbano y la exclusión de aquellos que, ocupando parte de la ciudad, no pueden beneficiarse de sus ofertas y que no aceptan ser excluidos, luchando por sobrevivir.

Además, se está creando una política de espacios públicos muy negativa, tendente a la privatización. Los centros comerciales y los grandes edificios de negocios han sustituido a las plazas y parques. Las zonas residenciales con sus espacios de ocio y deporte son cotos cerrados. Priman los coches sobre los ciudadanos y los servicios privados (incluidos los de seguridad), sobre los públicos.

En definitiva, esta sociedad se caracteriza por la desigualdad, la inestabilidad y la inseguridad.

Fomenta tanto el sentimiento de la propiedad que ésta se vuelve sinónimo de seguridad, condenando todo tipo de riesgos. Potencia la uniformidad tendiendo a hacer a todos más iguales en sus ambiciones, necesidades y aspiraciones. Cada vez es más difícil ser diferente, pues la sociedad quiere personas bien adaptadas y margina a los distintos.

Esta inseguridad, consecuencia del aislamiento de la persona en un mundo hostil, explica el apasionado deseo de éxito y fama. Si el significado de la vida se ha vuelto dudoso, si las relaciones con los otros y con uno mismo ya no ofrecen garantías, el éxito es el único medio de acallar al miedo, porque ofrece la ilusión de ser diferente, de ser mejor y, sobre todo, de ser aceptado por los demás.

Sólo se plantea una disyuntiva contra la inseguridad: el éxito a cualquier precio o la disposición a aceptar cualquier ideología o cualquier líder, siempre que prometa una excitación emocional distinta o una estructura política diferente, que proporcione la ilusión de la identidad perdida.

Los jóvenes y adolescentes son particularmente sensibles a esta necesidad de auto-afirmación, aunque sea mediante la práctica de la violencia.

IV. EVOLUCIÓN HISTÓRICA: EL CONCEPTO DE «SEGURIDAD PÚBLICA» FRENTE A «ORDEN PÚBLICO»

En determinados momentos históricos, aparece otro concepto, muchas veces enfrentado al de «seguridad ciudadana» o «seguridad pública». Se trata de «orden público» que, aunque surgido de la Revolución Francesa como elemento de defensa democrático frente a la monarquía absolutista, fue utilizado por los distintos Estados europeos para solapar la defensa coactiva y autoritaria, muchas veces antidemocrática, de un régimen político. Orden público desplegado desde el propio Estado a través del Ejército y la Policía, contra cualquier actividad que se juzgase que atentaba contra el mismo.

Sin embargo, los cambios políticos y sociales que han ido realizándose paulatinamente en los Estados europeos, y en nuestro país a partir de la Constitución, han cristalizado en el concepto de «seguridad pública», expresado desde el punto de vista político-jurídico en el Estado social y democrático de Derecho y en el plano político-social en el Estado de Bienestar.

La seguridad, desde un punto de vista democrático y progresista, es una situación que posibilita el desarrollo de la libertad y de los derechos esenciales, y que no depende sólo de la acción de las Fuerzas de Seguridad, sino más bien de la cohesión social y de la solidaridad que, de manera real y efectiva, existe en una sociedad, y evidentemente de la vigencia de un orden jurídico, económico y social justo.

Como señala Popper, «sin libertad, nada hay más inseguro que la seguridad».

V. ELABORACIÓN DE POLÍTICAS PÚBLICAS DE SEGURIDAD

Ya no se puede identificar seguridad ciudadana con eficacia de las Fuerzas de Seguridad, sino más bien, con una acción combinada entre instituciones públicas y sociedad civil, cuyo objetivo consiste en posibilitar el desarrollo integral de los ciudadanos.

Aparecen, por lo tanto, nuevas estrategias en el ámbito de la seguridad pública, estrategias esencialmente marcadas por el principio de territorialización de las políticas de seguridad, en razón de la aproximación al nuevo actor esencial de esa misma seguridad: el ciudadano.

Así pues, se hace necesario reformar al actual modelo policial español para, adecuándolo al *nuevo modelo de Estado descentralizado*, alcanzar los objetivos que la misma Constitución establece como misiones de los cuerpos policiales, en definitiva proteger el libre ejercicio de derechos y libertades de los ciudadanos.

Para concretar en la práctica estos enunciados, es necesario tener en cuenta tres principios:

1. *La Participación Ciudadana* es consustancial a la construcción de la Seguridad Pública;
2. *Las Políticas de Seguridad y Prevención* son la base y la garantía de la seguridad; y
3. *Las Comunidades Autónomas y los Ayuntamientos* son el marco natural y básico, para la construcción de una seguridad próxima al ciudadano.

De las demandas de los ciudadanos, expresadas en una encuesta que realizó, en el ámbito nacional, la CONCAVE (septiembre-diciembre 1995), deben surgir los objetivos básicos de las políticas de seguridad públicas.

1. Adecuar la distribución, coordinación y medios de las Fuerzas de Seguridad para realizar las actividades fundamentales de carácter preventivo, y si resulta imprescindible represivo, para reducir las cifras de criminalidad, que constituyen la base de la inseguridad objetiva.
2. Reducir la inseguridad subjetiva a través de tres caminos:

a) Incrementando la presencia visible de Fuerzas de Seguridad en las calles.

b) Implicando al conjunto de las administraciones municipales, autonómicas y del Estado, para que tomen medidas concretas en las áreas específicas de educación, urbanismo, trabajo, cultura y tiempo libre, medio ambiente y medicina preventiva, etc., que modifiquen las condiciones sociales que nos empujan a la inseguridad, al miedo y a la violencia.

c) Potenciando la participación ciudadana.

3. Adecuando y agilizando la capacidad de respuesta de las Fuerzas de Seguridad a las peticiones de auxilio o de asistencia de los ciudadanos.

4. Potenciando de manera real la colaboración y coordinación con el Poder Judicial para aumentar y hacer más efectivos los juicios rápidos, o inmediatos, y acercar la Justicia a los ciudadanos y los ciudadanos a la Justicia.

Y todo ello sin olvidar la necesidad de prevenir el delito, antes de que éste se produzca, lo que implica:

a) Que las Comunidades Autónomas asuman una actitud más activa, respecto a la seguridad ciudadana, desarrollando plenamente las competencias de coordinación de las policías locales, y elaborando políticas de prevención, en el ámbito de su territorio.

b) Un papel de mayor protagonismo de los Alcaldes y Ayuntamientos en la gestión de la seguridad pública y en la elaboración de políticas de seguridad en el ámbito municipal.

c) La progresiva conversión de las Policías Locales en policías integrales de la ciudad, asumiendo una mayor implicación de estos cuerpos en el mantenimiento de la seguridad ciudadana, especialmente en materia de prevención y control de la delincuencia menor.

d) El desarrollo generalizado de la filosofía de Policía de Proximidad (Policía Comunitaria - Policía de Convivencia), no sólo mediante la Policía Nacional, sino a través de las Policías Locales, acentuando su coordinación con otros servicios municipales y potenciando su relación con los ciudadanos.

e) Potenciar las Juntas Locales de Seguridad —órganos de coordinación y cooperación entre las distintas Fuerzas de Seguridad, y sus responsables políticos, que actúan en un territorio determinado—, elementos imprescindibles para la coordinación policial y revalorizar el papel de los Alcaldes como presidentes naturales de las mismas.

f) Institucionalizar la participación ciudadana en la elaboración de políticas públicas de Seguridad, a través de los Consejos de Seguridad en sus ámbitos nacional, provincial y local.

g) La defensa del modelo de seguridad pública frente al desarrollo incontrolado de la seguridad privada, recuperando parcelas (como la seguridad en el deporte de masas) que deben quedar bajo la responsabilidad del Estado.

h) Combatir explícitamente los comportamientos racistas y xenófobos en la ciudad.

i) Crear estructuras de participación que incluyan a los colectivos marginales o peligrosos tanto en el ámbito de la ciudad como de los barrios. La descentralización de la administración local, la creación de consejos u organismos de carácter participativo de barrio o distrito, la puesta en marcha de una justicia local de barrio, los programas preventivos con la colaboración de organismos cívicos, etc., son mecanismos que facilitan esta participación.

j) Desarrollar políticas públicas de acción positiva que tengan como objetivo la inserción sociocultural, de cualquier tipo de marginación, y reduzcan, así, las formas urbanas constitutivas de guetos.

k) Atender a la organización de los espacios públicos, su calidad, funcionalidad y seguridad, constituye un elemento clave para conseguir la cohesión social, y la seguridad, tanto desde el punto de vista objetivo como subjetivo.

Para alcanzar una mayor coordinación y canalización de las demandas y preocupaciones en materia de seguridad del tejido asociativo, habría que crear las *Comisiones Técnicas de Prevención* en cada uno de las Municipios o Juntas Municipales de Distrito, en las que participen las Fuerzas de Seguridad, junto a todas las entidades ciudadanas, para una tarea de prevención más eficaz.

El ciudadano, cada vez con más insistencia, exige de la administración que los servicios públicos funcionen, y que funcionen bien, en definitiva se les exige un nivel de calidad en la prestación de estos servicios. Ello conlleva establecer *programas de calidad* en la administración de la seguridad, donde se ofrezca al ciudadano unos compromisos de mejora y un servicio que satisfaga las expectativas que el ciudadano tiene puestas en ella. Para ello se deberán elaborar y hacer públicas las distintas «cartas de servicios» donde estén incluidas las de los estamentos policiales.

Para que estas medidas puedan realizarse, resulta necesario diseñar nuevos planes de formación para las Fuerzas de Seguridad, orientados hacia la atención al ciudadano, y el respeto y defensa de sus derechos y libertades incluidos en nuestra Constitución.

Asimismo, hay que elaborar programas de *atención a la víctima* como parte de las políticas de seguridad en los barrios y municipios. Se debe poner todos los recursos disponibles en las diversas instituciones, para minimizar las consecuencias que el delito haya podido causarles.

VI. PROBLEMAS RELEVANTES DE SEGURIDAD EN ESTOS ÚLTIMOS AÑOS

En la FAD —Federación de Ayuda contra la Drogadicción—, se reunieron en mayo de 1997 expertos nacionales e internacionales para tratar de analizar y buscar soluciones a este problema, alertados por el aumento alarmante de la violencia juvenil en los últimos años.

Advirtieron que violencia y drogodependencia comportan las mismas raíces y que el vandalismo está perfectamente asimilado a los modos de los jóvenes. Incluso constataron que, en estos momentos, no puede contarse con la ayuda de la familia, ni con los medios de comunicación, para fomentar la educación de los jóvenes. La primera porque está en quiebra educativa y los segundos porque generalmente van a lo «que vende». Sólo la educación puede ayudar a resolver el problema. Si ésta no se potencia, será la policía, los jueces y los médicos los que actúen, aunque no puedan resolver el problema de los jóvenes violentos.

También se señala al alcohol como la principal droga consumida por los jóvenes potenciadora de acciones violentas. «Una de cada cuatro relaciones sexuales entre adolescentes, se debe al consumo de alcohol», explica Javier Elzo, director de investigación del Instituto de Deusto de Drogodependencia, y uno de cada 100 niños entre los 10 y 12 años es objeto de violencia sexual por la misma causa.

La Presidenta de la Asociación de Mujeres Violadas informó que, en 1997, la Asociación atendió a 1 119 víctimas de violencia y agresión sexual, de las que el 38% eran niños y niñas entre 4 y 12 años.

Los titulares de los periódicos de los últimos años no pueden ser más elocuentes en lo referente al aumento de la agresividad y la violencia durante la etapa escolar.

Así, a lo largo del '97 y '98, pudimos leer titulares como éstos: «Un joven de 18 años recibe 3 puñaladas durante una pelea y sus agresores se dieron a la fuga dejándole herido tirado en una calle de Vicálvaro.»

«Un joven se venga de un ex compañero de clase cuando tenía 17 años, porque 3 años antes se reía de él en el colegio.»

«Detenida una banda de adolescentes que robaba junto a los colegios. Además de atracos y palizas está acusada de agredir sexualmente a una niña de 14 años que tuvo que estar 48 horas hospitalizada.»

«La policía detuvo en Madrid a 3 jóvenes como presuntos autores de robos y palizas de alumnos de varios Institutos en "El Batán", en el distrito de La Latina.»

En los últimos meses del año 1998 hemos tenido que lamentar el asesinato del seguidor del equipo de la Real Sociedad, Aitor Zabaleta, dentro de la violencia, cada vez más generalizada, entre grupos ultras, ligados a clubes de fútbol.

También otros jóvenes fueron agredidos, e incluso asesinados, por motivos insignificantes, ligados a la intolerancia más radical.

Los profesores de un instituto de Villaverde han protagonizado un encierro en el centro, para llamar la atención sobre las carencias educativas en la zona sur de Madrid. En este centro, solamente durante el primer trimestre, se han producido 135 hechos delictivos.

En el Ministerio de Educación se les prometió financiación para dos profesores de apoyo, un especialista en pedagogía terapéutica, y un sicólogo para atender a los profesores sometidos a esta tensión, pero han pasado las Navidades, y todo sigue igual.

Hace diez años, en EE.UU. se hablaba ya de violencia juvenil en los barrios, del creciente abstencionismo escolar (el 40% en las grandes ciudades) y, consecuentemente, del fracaso escolar. Se hablaba del tráfico de drogas en torno a la escuela, pero no se hablaba todavía de navajas en las aulas, de armas de fuego en los recreos, ni de linchamiento de profesores. Hoy es uno de sus grandes problemas.

En Francia ha sucedido lo mismo, pero cinco o seis años después. Hace apenas un año, el Inspector General de Educación Francesa afirmaba que la violencia en los centros escolares estaba perfectamente controlada. La multiplicación de incidentes, hace unos meses, en todo el país, obligó a suspender las clases en varios colegios y liceos profesionales. En dos años los actos delictivos en el ámbito escolar crecieron un 60%.

Aunque los datos disponibles en la actualidad en España no resultan tan alarmantes, lo cierto es que el llamado internacionalmente «fenómeno de la violencia escolar», está ocupando grandes espacios en los medios de comunicación y, por tanto, creando preocupación en la opinión pública, en los educadores, en los padres, e incluso entre los alumnos.

Esta preocupación dio lugar a que se celebrase en la UE una Conferencia Internacional sobre este problema, patrocinada e impulsada, por la Comisión Europea.

Ello nos indica la necesidad de abordar, desde una visión preventiva y no alarmista, este fenómeno en España. Para lo cual es importante medir cuantitativa y cualitativamente los alcances de este problema; analizar sus causas y manifestaciones, dentro y fuera de la comunidad escolar; señalar los actores que inciden o se ven involucrados en él; estudiar los posibles factores de protección contraponiéndolos a los factores de riesgo que propician o desencadenan la violencia.

Se trata de elaborar una política de prevención, que disminuyan los riesgos, en los tres ámbitos de especial relevancia, para el comportamiento de los adolescentes y jóvenes, en el presente y de cara al futuro: la familia, la escuela y el entorno.

Esta diversidad de escenarios, exige tener en cuenta dos aspectos:

1. Una vez más, se necesita la coordinación y colaboración de distintas instituciones y asociaciones civiles.
2. Las actividades preventivas deben abarcar los tres ámbitos señalados anteriormente.

La creación de observatorios de la violencia escolar, en los ámbitos locales, autonómicos, y en el ámbito estatal, especialmente en aquellas zonas de riesgo, ayudaría a calcular el problema en su justa medida, y a incidir de manera directa en los factores que producen esta situación, evaluando y rectificando, si resulta necesario, las medidas a tomar.

Potenciar o crear las *Escuelas de Padres*, especialmente dedicadas a aquellos cuyos hijos presentan comportamientos de riesgo, resulta una medida imprescindible para orientarles en los problemas que éstos les plantean.

Del mismo modo, se necesita incrementar la formación del profesorado, para que puedan impartir las enseñanzas, denominadas transversales tales como: Educación para la Tolerancia y la Convivencia ciudadana, o Aulas de Derecho, destinadas a formar a los jóvenes en la noción de «Contrato Social» —como conjunto de deberes y derechos— que rige a la sociedad.

Asimismo, implementar el funcionamiento y desarrollo de los Programas *Policía Escuela* y *Policía-Ocio Juvenil* que viene desarrollando el Cuerpo Nacional de Policía.

Resulta evidente que es necesario tomar una serie de medidas también en el *entorno* de los centros educativos, en coordinación con los Directores de los mismos, por parte de las Fuerzas de Seguridad.

Además, la oferta de un conjunto de actividades extra escolares, manteniendo y utilizando las instalaciones deportivas, biblioteca, salón de actos, etc., fuera del horario lectivo, supondría un posible aliciente, para llenar el vacío que muchos adolescentes y jóvenes sienten y que les empuja a delinquir.

Otro problema de dolorosa actualidad es la violencia contra las mujeres. En el año '97, hubo 20 000 denuncias de malos tratos a mujeres, en todo el Estado, y 91 fueron asesinadas por sus maridos o compañeros. Desde el mes de enero al mes de septiembre de 1998, más de 10 000 mujeres han presentado denuncias contra sus maridos por malos tratos, según datos de la Comisaría General de Policía Judicial, y eso que, según distintos estudios realizados, sólo se denuncia entre el 5 y el 10%.

Hablar de violencia contra las mujeres, es hablar de machismo, intolerancia, sentencias escandalosas; es hablar de miedo, de falta de protección, de tortura, de muerte.

Uno de los aspectos, en principio, más difíciles de entender, es por qué tantas mujeres soportan, durante tantos años, todo tipo de agresiones, y sólo denuncian cuando los malos tratos son brutales, o muy reiterados.

Según la Comisión para la investigación de malos tratos a mujeres, existen condicionamientos importantes como son la dependencia económica y afectiva de la víctima con el agresor, el miedo a nuevas y más terribles agresiones, la no-aceptación del fracaso como pareja, la falta de conciencia de estar siendo maltratada, la falta de esperanza de que la denuncia sirva para algo, no tener adónde ir, la inhibición de su propio entorno y de la sociedad en general, la baja autoestima de la víctima, cuando no, su tolerancia con la agresión.

Todos estos factores ponen de manifiesto, una vez más, que son muchos los agentes sociales que deben implicarse en la solución de este terrible problema.

El sistema educativo, tanto en el ámbito familiar, como escolar, los medios de comunicación, todas las administraciones, y todos los poderes: ejecutivo, legislativo y judicial.

En este sentido, el Parlamento Europeo, ha emitido una resolución sobre: «Tolerancia cero ante la violencia contra las mujeres» en la que apunta la necesidad de establecer «una legislación específica fuera del Código Penal propiamente dicho, con el objeto de proteger a las víctimas de la violencia por razones de sexo».

A finales del mes de abril de este año, el Consejo de Ministros aprobó el Plan de Acción contra la Violencia Doméstica, con un presupuesto de 8 941 millones de ptas., plan que ha sido criticado por diferentes organizaciones de mujeres, ya que no se ha contado con su experiencia para elaborar su contenido.

En este plan, participan cinco ministerios, y recoge una serie de medidas sociales, y otras de tipo legislativo y jurídico. Sin embargo, las organizaciones de mujeres, que llevan muchos años trabajando sobre el particular, consideran que se trata de medidas poco reales y a muy largo plazo, lo que puede convertir el plan en una mera declaración de intenciones.

Y es que toda la sociedad debe implicarse en la solución de este problema, que a todos y a todas nos atañe. Porque, además del gravísimo atentado que supone contra los más elementales derechos humanos, el mal trato a las mujeres, no podemos olvidar que los adolescentes y jóvenes delincuentes proceden, en su inmensa mayoría, de familias donde se producen malos tratos.

Según el último informe de Filium (Asociación para la prevención del maltrato al hijo) aproximadamente 1.6 millones de menores españoles viven en hogares donde los malos tratos son frecuentes. Por ello, esta asociación está realizando una campaña con los padres, con el fin de concienciarlos de que sólo el afecto y la comprensión puede educar para una convivencia pacífica.

Investigaciones realizadas en EE.UU. entre jóvenes delincuentes, indican que el 72.5% sufrió malos tratos por parte de su padre, y el 96.9% se crió sin afecto.

Las medidas legales son importantes; el cambio de mentalidad de policías, jueces, y fiscales, también. Las medidas sociales de acogida, reinserción social, ayudas económicas, posibilidad de formación y empleo para estas mujeres que han sido maltratadas, resultan imprescindibles. Pero mientras la sociedad en su conjunto no se implique en la lucha por lograr la igualdad real de deberes y derechos entre hombres y mujeres, y desde la primera infancia, el problema seguirá sin resolverse.

Mientras se siga considerando a la mujer como ciudadana de segunda categoría, sin posibilidad de acceso a los centros de decisión políticos, económicos, culturales y sociales, mientras se continúe tolerando determinadas sentencias judiciales, denigrantes para la Justicia y para la mujer, o se viertan en los libros dedicados a la formación de la juventud, incluso universitaria, informaciones carentes de sentido científico, sobre la inferioridad y por lo tanto dependencia de la mujer respecto del hombre, ningún plan contra la violencia, por muy bien hecho que esté, resolverá el problema.

Debería hacernos reflexionar, lo que ha sucedido en nuestro país, en este último año. Mientras que la conciencia social iba día a día en aumento, frente a la brutalidad de los asesinatos terroristas, sacando a la calle a miles y miles de personas, en señal de dolor, protesta e indignación, ante cada nuevo crimen cometido por ETA, solamente grupos de mujeres, en su mayoría feministas, salvo valientes excepciones, tomaban las calles y plazas para manifestar su rechazo ante este otro tipo, igualmente execrable, de terrorismo machista.

De alguna manera, como decía el presidente del Movimiento Contra la Intolerancia, «la violencia terrorista es una especie de paraguas que tapa las demás violencias».

Por último, al pasar de ser un país de emigración a uno de inmigración, ha salido a la luz otro problema que incide fuertemente en la seguridad. Aunque, desgraciadamente, para algunos de nuestros ciudadanos, emigrante es sinónimo de delincuente, en especial si es extra comunitario, de otra raza, procedente de países pobres, y viene a buscar empleo, el problema de las minorías étnicas, no constituye en sí mismo, ningún problema de seguridad.

Porque ningún extranjero tiene vocación de marginalidad; su máxima aspiración es integrarse como un miembro más de la sociedad en la que está ubicado.

Por lo tanto, los poderes públicos tienen el deber y la responsabilidad de garantizar su integración en la sociedad, como miembros de pleno derecho, titulares de idénticos deberes, derechos, y libertades, que los ciudadanos nacionales.

En efecto, si el Estado de derecho y las libertades constitucionales se quiebran para los inmigrantes, somos todos los que estamos amenazados en nuestros derechos fundamentales, y si se ataca al Estado democrático en sus propios fundamentos, es decir, la igualdad de todos y todas ante la ley, es la propia democracia quien peligra.

Para explicarnos este sentimiento de racismo y xenofobia, que aflora en muchos de nuestros refranes, chistes, y desgraciadamente en bastantes actos delictivos, hay que recurrir a la sensación de inseguridad sociológica y el miedo presentes en nuestra sociedad, en estos últimos años.

Porque se estima que sólo 800 000 extranjeros residen en España, de los que aproximadamente la mitad están legalizados. Casi todos realizan trabajos de pésima calidad, y están peor pagados que los españoles. Como contrapunto, conviene recordar, que hoy viven en Francia, Alemania, o Suiza, aproximadamente 800 000 españoles e hijos de españoles.

Las líneas de las políticas de inmigración corresponden al gobierno, e implican conseguir el más absoluto respeto a los derechos y deberes de la cultura de acogida, con los derechos y deberes de la cultura de procedencia, cumpliendo las normas que regulan la entrada y permanencia en España de los inmigrantes, para impedir la creación de situaciones de ilegalidad que pueden derivar en problemas de marginación, inseguridad y rechazo.

Una vez más, conviene recordar, que España ha sido, históricamente, un país de emigrantes, y que muchos de nuestros conciudadanos han sufrido la angustia del desarraigo, el miedo ante lo desconocido, y todas las penalidades de quien se encuentra en un país extraño, cuya lengua y cultura desconoce, y en el que tiene que buscarse un trabajo y una vivienda, para poder sobrevivir, sintiendo el desprecio y el rechazo de quienes lo rodean y se sienten superiores, simplemente por haber nacido en un país con mayores posibilidades económicas, sociales o políticas.

Para orientarlos en este mundo burocrático, donde muchas veces nos sentimos perdidos los propios españoles, habría que tomar una serie de medidas tales como:

a) Elaborar un Manual que unifique y simplifique todo el procedimiento administrativo, de cara a la legalización.
b) Implantar en todo el territorio, especialmente en las ciudades de mayor inmigración, las oficinas únicas de extranjeros.
c) Formar adecuadamente a los funcionarios de Interior y Trabajo que atienden a los inmigrantes.
d) Realizar una campaña de información sobre el nuevo Estatuto de legalidad y la nueva práctica administrativa.
e) Adecuar los centros de retención de extranjeros, a los fines que deben cumplir, dotándolos de los medios materiales que les proporcionen una estancia digna, como de los técnicos (asistentes sociales, intérpretes, asistentes técnico-sanitarios, etc.) que puedan ayudarles en situaciones que siempre son extremadamente delicadas.

Para ello, sería necesario crear una «ley de protección de minorías» que garantice una acción positiva y permanente para la integración social, de forma que en materia de trabajo, de vivienda, de educación, de asistencia sanitaria, etc., tengan garantizados todos sus derechos.

Sin embargo, con la acción única del Gobierno —aun en el caso de producirse con todas las garantías democráticas— no es suficiente. Mientras no cambie la mentalidad colectiva, influida principalmente por la educación, el racismo, la xenofobia, y la marginalidad que producen, irá en aumento, en detrimento de la Seguridad Ciudadana.

VII. LA PARTICIPACIÓN CIUDADANA COMO CLAVE PARA LA MEJORA DE LA SEGURIDAD PÚBLICA

La democracia representativa en la que estamos instalados es insuficiente para resolver muchos de nuestros problemas, entre ellos la inseguridad, o la percepción de inseguridad que bastantes ciudadanos sienten.

La democracia no es sólo un sistema de gobierno, ni una ideología política, sino un modo de vida en el cual los ciudadanos dejamos de ser simplemente individuos ocupados en nuestros intereses particulares y nos comprometemos en el bienestar colectivo.

Siguiendo esta filosofía, en el año 1995 se constituyeron los Consejos de Seguridad Ciudadana, en sus ámbitos nacional, provincial y local, donde se materializa la voluntad política de corresponsabilización de las distintas administraciones, y los distintos estamentos de la sociedad civil, a través de la participación conjunta de representantes de las diversas Administraciones Públicas, de organizaciones profesionales, patronales y sindicales, de Asociaciones Ciudadanas, ONGs, Asociaciones de jóvenes, Jueces y Fiscales, Fuerzas de Seguridad, Partidos políticos, etc.

Se enmarcan en el ámbito legal de las Juntas de Seguridad, cuyo objetivo, como ya dijimos previamente, es la colaboración y coordinación entre los miembros y cuerpos de las Fuerzas de Seguridad, y sus responsables políticos.

La Instrucción sobre la constitución de estos Consejos de Seguridad destaca como elemento imprescindible en todo proceso de elaboración de políticas de seguridad, la participación ciudadana, conforme a los siguientes presupuestos:

a) Profundizar en la cooperación de las Fuerzas y Cuerpos de Seguridad con los ciudadanos, y sus movimientos asociativos, potenciando, en cada comisaría, la función de los inspectores de contactos ciudadanos.

b) Posibilitar un mayor acercamiento de la seguridad pública al ciudadano, y una mayor agilización en el funcionamiento de la misma.

Sus competencias consisten en asesorar a los organismos especializados en el diseño de políticas de seguridad, prestando atención a los fenómenos colectivos que suceden en el marco social, y teniendo en cuenta el lugar, momento, y circunstancias en que se producen.

Asimismo, hacer propuestas concretas para mejorar la Seguridad estableciendo medidas para ejercer el seguimiento y evaluación de las mismas, comprobando su grado de efectividad.

En la actualidad, dentro del Consejo Nacional de Seguridad, existen cuatro comisiones de trabajo, dedicadas a: Prevención de la violencia en la etapa escolar; Integración de los inmigrantes; Medios y modos de participación ciudadana en la seguridad; Conjugar el derecho al descanso de los ciudadanos con el derecho a disfrutar del ocio, especialmente el de los jóvenes.

Ahora bien, sin el funcionamiento de los Consejos locales y Provinciales de Seguridad, el Consejo Nacional tiene mucho menos sentido. Porque es en los espacios más cercanos al ciudadano, donde las administraciones y las propias entidades ciudadanas están en contacto directo con los problemas y pueden proponer mejor, tanto las medidas puntuales (desaparición de los puntos negros de venta de droga, actuaciones de grupos violentos, etc.), como establecer planes preventivos con objetivos concretos y evaluables, en un tiempo determinado. Además, a participar se aprende participando, y cuanto más reducidos y familiares sean los grupos, mejor.

Se ha hablado mucho de la debilidad del tejido asociativo, de la apatía de los ciudadanos a la hora de asumir responsabilidades, pero lo cierto es que tampoco desde las Administraciones se ha propiciado esta participación, al no crear marcos estables y definidos, donde los ciudadanos puedan intervenir en el análisis y posterior toma de decisiones sobre sus problemas.

Llevar a cabo esta participación supone armonizar las diferentes alternativas, equilibrar los distintos intereses en juego, garantizar el control público de los proyectos, de sus presupuestos, y de la eficacia y eficiencia de su gestión.

Fernando de la Riva, en *Apuntes para la incorporación de la iniciativa social a la intervención social*, considera que existen tres condiciones para que pueda producirse esta intervención:

1. Que los ciudadanos quieran tomar parte, es decir, que sientan la necesidad de hacerlo (para lo que resulta necesario que conozcan y hagan suyo el problema) y que puedan aportar algo (que valoren sus capacidades y posibilidades de intervención).
2. Que sepan cómo intervenir. Que tengan los conocimientos y capacidades para su intervención, tanto en el ámbito general, como a nivel especifico (para lo que habría que crear o potenciar talleres de participación en el ámbito local).
3. Que puedan hacerlo. Las instituciones tienen que dar el primer paso en este proceso de acercar los ciudadanos a la política y la política a los ciudadanos.

El objetivo fundamental de la participación ciudadana supone reducir la inseguridad, tanto en el ámbito objetivo, como subjetivo. Trabajar sobre la inseguridad es trabajar sobre un conjunto de desórdenes sociales y de falta de civismo, cuya última expresión es el crimen.

La inseguridad va unida a la pérdida de los valores sociales, los cuales cohesionan a una comunidad determinada y que, si no se recuperan colectivamente, cualquier plan de seguridad está condenado de antemano al fracaso, y como la seguridad es la condición necesaria para la libertad, y sin libertad no existe una verdadera democracia, es necesario trabajar con políticas de cohesión y de solidaridad para construir ciudades y territorios seguros, donde puedan desarrollarse ciudadanos libres.

VIII. CONCLUSIONES

Si aceptamos la definición, que dimos al principio, de la seguridad ciudadana como causa y consecuencia de la calidad de vida de los ciudadanos, es comprensible que, en las encuestas, aparezca como el primer o segundo motivo de interés de los ciudadanos.

Y esta preocupación por la seguridad no es tanto por los delitos cometidos, como por ese miedo difuso que nos hace encerrarnos en casa, o en espacios muy conocidos, incitándonos a mirar con recelo y miedo a cualquier persona, lugar o acontecimiento, que no le tengamos catalogado en el ámbito de lo «cotidiano».

Más que inseguridad, lo que los ciudadanos perciben es lo que Victoria Camps denomina como «el malestar de la vida pública». Un malestar que nos hace hablar de crisis, de desilusión colectiva, de impotencia. Pienso que la política, en estos momentos, necesita proyectos de futuro, capaces de devolver la esperanza y la ilusión a los ciudadanos, porque cada vez más se está convirtiendo en un «coto cerrado» desconectado de la sociedad, y que lo único que despierta en las personas es la indiferencia, cuando no el rechazo.

Habría que recuperar el sentido primigenio de la política como servicio a la Comunidad, haciéndolo extensivo a todos sus miembros, gobernantes y gobernados. Sólo así, se evitará la creciente marginalidad, porque mientras exista cualquier tipo de marginación, por las razones que sean (económica, sexual, racial, educativa, etc.), la seguridad ciudadana no dejará de ser un mito. Bajarán los índices de delincuencia, pero la inseguridad subjetiva permanecerá.

En el año 1997, respecto al '96, disminuyeron los delitos contra la propiedad (en 1.7%), y los referentes al tráfico de drogas (en el 7%), aunque aumentaron los delitos contra las personas, especialmente las lesiones y homicidios (en un 36%), y los delitos contra la libertad sexual (en un 6.3%).

Por tratarse de delitos de tanta gravedad, generaron gran alarma social, a pesar de que, en la suma total, se diera un ligero descenso en la delincuencia. Igual sucedió en el año '98, pero sigue siendo preocupante el aumento de agresiones y asesinatos, que nos reafirma en la escalada de violencia, que estamos viviendo de modo general.

Hay que tener en cuenta que manejamos datos estadísticos, procedentes de las denuncias realizadas ante las Fuerzas de Seguridad y que no reflejan toda la realidad, porque no se denuncian muchos delitos que se cometen. Aquí hay que hacer un llamamiento a la responsabilidad ciudadana, tanto a las Fuerzas de Seguridad, para que atiendan y tramiten adecuadamente las denuncias que reciben, como al resto de los ciudadanos, para que presenten las denuncias correspondientes ante la comisión de cualquier delito.

Estas denuncias constituyen una de las mejores maneras para conocer la situación objetiva de seguridad de una zona determinada, al mismo tiempo que es una de las variables más importantes que se manejan, para dotar de medios humanos y materiales de seguridad a una ciudad o un barrio.

Estos datos deben compararse con las encuestas de victimación, realizadas periódicamente en el contexto de los «observatorios de seguridad», y evaluadas con posterioridad por los Consejos de Seguridad.

Ahora bien, podemos formar mejor a las Fuerzas de Seguridad, dotarlas de más y mejores medios, distribuirlas adecuadamente en nuestros barrios y ciudades, pero nunca podremos ni debemos poner un policía en cada uno de todos los puntos conflictivos, ni vigilando a todas las personas con riesgo de delinquir. Mucho menos podemos resolver los graves problemas sociales, origen de la inseguridad, con los que nos enfrentamos al siglo XXI, esgrimiendo el método de «represión y mano dura».

Cuando, al principio del artículo, hablábamos de las dos ciudades y de los dos tipos de ciudadanos que las habitan, decíamos que «los otros» tienen que intentar sobrevivir, y muchas veces no tienen más medios a su alcance que los que les proporciona la delincuencia. Si las Fuerzas de Seguridad les obligan a dejar un barrio, o una ciudad, en definitiva los están empujando hacia otros lugares, que pasarán a convertirse en nuevos puntos negros de la delincuencia. No sólo se trata de principios democráticos y solidarios, sino de pura practicidad.

Al abandonar a su suerte, en el mejor de los casos, al tercer mundo, estábamos preparando las inmigraciones actuales, que tanto nos preocupan.

Si hubiéramos aceptado la igualdad de deberes y derechos entre hombres y mujeres, y les hubiésemos dado el puesto que les corresponde en la sociedad, hoy no tendríamos que lamentar el aumento de violaciones, malos tratos y asesinatos de tantas mujeres a manos de sus compañeros.

Si el paro, la tasa de fracaso escolar, la agresividad, no fueran aumentando, no tendríamos que horrorizarnos ante la violencia de algunos de nuestros jóvenes.

Si construyésemos las ciudades, valorando el bienestar de los ciudadanos, y no la especulación del suelo; si creásemos espacios públicos para la convivencia, fomentando la creatividad en el tiempo libre; si las calles, los parques, y las plazas estuvieran más cuidados, iluminados, limpios y estéticos, si no se abandonasen los edificios en ruinas, nuestras ciudades serían más acogedoras y, en vez de propiciar la destrucción, sentiríamos a la ciudad como algo nuestro, de la que estaríamos orgullosos y que desearíamos proteger.

Si nos preocupáramos de la calidad del medio ambiente, de modo que disminuyera el grado de contaminación de nuestro entorno, primando el transporte público sobre el privado, apoyando los transportes alternativos, no contaminantes, desaparecería una gran parte de lo que hoy denominamos «inseguridad ciudadana».

Hoy, el vandalismo callejero, en todas sus modalidades, es un hecho. Y no me refiero sólo al País Vasco, donde es denominado «terrorismo de baja intensidad», sino al fenómeno que se produce, especialmente los fines de semana, en algunas de nuestras ciudades.

Estamos, de nuevo, ante la necesidad de una especie de pacto social, en el que las Administraciones y la sociedad civil se corresponsabilicen y se comprometan con medidas concretas, para construir una sociedad más equilibrada y justa, porque sólo así será más segura.

Se trata de hacer realidad el viejo proverbio chino: «Soy bueno porque soy feliz, no soy feliz porque soy bueno».

Deseo terminar con una frase que resume todo lo necesario para mejorar la seguridad. Que pone Platón en boca de Zeus: «Impartir una sola ley de mi parte: Que al incapaz de participar en la construcción de la justicia, lo eliminen como una enfermedad de la Ciudad».

Capítulo 23

INMIGRACIÓN Y POLÍTICA DE INTEGRACIÓN

Álvaro Gil-Robles

Consideraciones en torno a un documento de referencia: el Informe sobre la Inmigración y el Asilo en España, elaborado por el Foro para la Integración Social de los Inmigrantes.

I. INTRODUCCIÓN

Es frecuente que, cuando se aborda la materia de la inmigración, se haga en tales términos que revele un cierto desconocimiento, no sólo de la cuestión en sí misma, entendida en sus rasgos más esenciales, sino también en cuanto a los distintos matices y riqueza de cuestiones que su correcto tratamiento obligaría a considerar.

Así, y lamentablemente, no pocos españoles perciben hoy el fenómeno de la inmigración a través de la manifestación de sus rasgos más negativos, con ignorancia casi exclusiva de otros de carácter bien distinto y notablemente positivos.

Esta visión simple se debe, en gran parte, a la naturaleza de las informaciones que sobre la inmigración y los inmigrantes se transmite a través de los medios de comunicación, las cuales, por lo general, hacen referencia, casi de forma exclusiva, a los «incidentes», más o menos morbosos que se producen en torno a la vida cotidiana de los inmigrantes, o las vicisitudes sufridas en su éxodo buscando nuevas formas de supervivencia o de mejorar las condiciones de vida que tienen en su país de origen.

Las imágenes de inmigrantes viviendo en condiciones lamentables, las noticias sobre distintos delitos o faltas en los que se destaca la condición de extranjero, y especialmente la de inmigrante económico o refugiado; o sobre agresiones de corte racista brutales y en ocasiones criminales; o aquellas otras que hacen referencia al continuo trasiego de pateras por las aguas del Estrecho de Gibraltar, con su macabra carga de contrabando de seres humanos, comportamientos mafiosos, persecuciones policiales en tierras españolas y finalmente las terribles noticias de los accidentes mortales en aquellas aguas turbulentas y peligrosas, han contribuido a perfilar en el ánimo de muchos ciudadanos una imagen de la inmigración totalmente deformada. Una concepción de la inmigración y del inmigrante como un problema inquietante, incluso como una potencial amenaza para el mantenimiento del «orden», la paz social y la convivencia ciudadana.

Por ello, no es infrecuente asistir a la expresión de manifestaciones críticas o temerosas, basadas en el convencimiento de que el crecimiento de la delincuencia es un fenómeno debido en gran parte al aumento de la inmigración; o que los inmigrantes son un foco de desestabilización social porque quitan el trabajo a los españoles; que es un fenómeno de masas imparable y, en consecuencia, que va camino de convertirse en una verdadera amenaza para la conservación de los signos de identidad nacional, la estabilidad futura del país y, tarde o temprano, de toda Europa.

Así, desde esta óptica simplista por desinformada o como fruto de la intoxicación, se entiende perfectamente el nacimiento de movimientos políticos nacionalistas y racistas, como el lepenismo en Francia, o parecidos fenómenos en Alemania (contra los turcos) y, lo que es más inquietante, la consolidación en parte de la ciudadanía de un sentimiento, no violento en sus manifestaciones, pero no menos temeroso del futuro y de una realidad que desconoce en sus justos términos.

Ello está posibilitando el que, en los distintos países «ricos» y, en lo que a nosotros respecta, en los del área de la UE, se haya iniciado el recorrido de un camino de paulatino endurecimiento no sólo de las legislaciones nacionales en materia de inmigración y refugio, sino también de la futura normativa comunitaria, que ha de elaborarse en desarrollo de las previsiones contenidas en los Tratados de Maastricht y Amsterdam.

Este conjunto de sentimientos y percepciones, que responden en parte a las causas que he descrito y en parte también a realidades innegables y potencialmente conflictivas (la alta cifra de inmigrantes en Francia, o Alemania, o las espectaculares invasiones de albaneses en Italia), no se corresponde sin embargo con una visión real y justa de la cuestión y no contribuye a posibilitar una consideración de estos temas desde una posición fundada y sensata.

Aun cuando se puede afirmar que en España, históricamente, también se han vivido procesos de inmigración de verdadera importancia para su época, como es el caso de la francesa de finales del siglo XVI, que permite superar el problema de la despoblación de Cataluña (como bien lo ha explicado Jordi Nadal), o la ordenada y planificada por Olavide, en el reinado de Carlos III, para repoblar Sierra Morena (La Carolina, Linares, etc.), lo cierto es que, globalmente y hasta tiempos muy recientes, más bien somos un ejemplo de todo lo contrario, lo que sin duda no ha facilitado la comprensión del fenómeno migratorio. Efectivamente, los españoles hemos sido, sobre todo, un pueblo de emigrantes; tanto por razones de índole económica, como desgraciadamente políticas, a consecuencia del establecimiento de regímenes autoritarios, o por los devastadores efectos de las distintas guerras civiles a las que nos hemos visto abocados durante nuestra historia.

De esta forma, quien repase la normativa vigente en España hasta el año 1985, puede constatar la cantidad de disposiciones de todo tipo regulando el fenómeno de la emigración española, los convenios suscritos con otros países para proteger los derechos de nuestros nacionales emigrados en ellos, los de doble nacionalidad con no pocos países de Iberoamérica, suscritos cuando aquéllos eran ricos y nosotros pobres, etc.

En cualquier caso, durante todos estos años el fenómeno de la inmigración en España, tal y como lo vivían entonces distintas naciones europeas y nosotros ahora, nos era desconocido en cuanto a magnitudes que tuviesen la más mínima relevancia y desde luego con nula repercusión sobre la vida de la sociedad española.

No es de extrañar, por tanto, que los españoles hayamos vivido hasta épocas recientísimas, ajenos por completo a un fenómeno como el de la inmigración, sus consecuencias y los problemas que se pueden plantear cuando se le aborda con un enfoque erróneo o excesivamente limitado por simplista.

También por ello mismo cuando hemos tenido que regular esta materia, lo hemos hecho de forma incompleta, deficiente y con una legislación pacata y pensada esencialmente desde una óptica defensiva y de orden público.

Así, si tenemos en cuenta que en materia de emigración la actual ley de 21 de julio de 1971, viene a culminar una labor iniciada con la Ley de Emigración de 21 de diciembre de 1921 (seguida de las de 20 de diciembre de 1924, y 22 de diciembre de 1960, por sólo citar los textos más significativos); en el terreno de la inmigración, nuestro primer texto legal específico es la ley orgánica de 1 de julio de 1985 sobre «Derechos y Libertades de los Extranjeros en España».

Una ley cuyo origen se encuentra en el Ministerio del Interior, y que responde a los criterios propios de un departamento tan intensamente marcado por la naturaleza de sus funciones.

Una ley con un hermoso título, pero cuyo contenido no respondió desde un primer momento a las expectativas suscitadas, así como a las verdaderas necesidades a tratar, como ahora veremos.

Esta ley se complementa con la de 26 de marzo de 1984, reguladora del derecho de asilo y la condición de refugiado, modificada recientemente por la Ley de 9 de mayo de 1994, que introdujo importantes cambios en la regulación original, todos ellos basados en la experiencia acumulada durante estos primeros años de democracia y también sensible a los nuevos vientos europeos, más precavidos ante el fenómeno de los refugiados, sobre todo después de la caída del muro de Berlín y el fin oficial de la Guerra Fría.

Sobre la base de lo dispuesto en el art. 13 de la Constitución, estas dos normas legales que directamente lo desarrollan, y todo un elenco de otras de inferior rango que las completan, se ha construido el marco legal de la inmigración. Un marco legal que ahora se pretende modificar en parte a través de una iniciativa legal de orden nacional y al tiempo también de otra de alcance comunitario, consistente en la elaboración y aprobación de una directiva en la materia, amparada en el Tratado de Amsterdam.

Por ello, cuando se analiza lo que viene en llamarse «política de inmigración», creo que necesariamente ha de hacerse no sólo con base en criterios de oportunidad política, sino en función de un marco constitucional y legal de referencia. Y en ese orden de cosas, no cabe duda de que estamos en un momento especialmente interesante e importante, porque las iniciativas en marcha pueden tener una trascendencia en el futuro de primer orden.

Creo que, por tanto, sería interesante que nos detuviéramos brevemente en el análisis de lo existente, para poder después considerar cuáles serían las líneas maestras a respetar en esas modificaciones normativas en curso, si se quiere de verdad abordar con sensatez y visión de futuro los problemas propios a todo fenómeno de inmigración.

II. DE LA EMIGRACIÓN A LA INMIGRACIÓN

Cuando el Foro para la Integración Social de los Inmigrantes elaboró su Informe sobre la inmigración y el asilo en España, ya se advirtió sobre la falacia que supone el hablar en nuestro país de grandes cifras, de invasión de inmigrantes, y de como la población inmigrante en España era no sólo inferior en mucho y proporcionalmente a la del resto de los países europeos, sino que además era el resultado del efecto llamado del desarrollo económico español, pero también insuficiente para las necesidades manifestadas por el tejido productivo del país.

Veamos que se decía en dicho informe: «La población extranjera residente en España alcanzó al 31 de diciembre de 1996 la cifra de 538 984 personas, lo que supone un incremento de 39 211 extranjeros sobre el censo de 1995 (8.5%). Estos datos confirman la tendencia al alza experimentada en años anteriores, aunque manteniéndose el volumen de extranjeros residentes en España dentro de un crecimiento moderado que no sufre grandes oscilaciones.

»De este total, 319 726 pertenecen al régimen comunitario, bien por proceder de algún Estado miembro de la Unión Europea, bien por ser familiar de algún residente comunitario. Estos inmigrantes tienen su residencia en las zonas turísticas costeras (casi un 40%) y en los centros financieros y empresariales de Madrid y Barcelona, y no presentan, en general, ningún de las características de los llamados "inmigrantes económicos" [...].

»Los extranjeros pertenecientes al régimen general sólo ascienden a 219 657 personas, de las que más de la mitad proceden de América, con predominio de las nacionalidades iberoamericanas, destacando por su volumen Argentina, que representa casi el 17% de todo el colectivo americano.

»Por tanto, casi las tres cuartas partes de los residentes extranjeros en España (72.9%) pertenecen a nacionalidades de origen europeo y americano. Esto unido al hecho de que el total representa una tasa muy baja respecto al conjunto de población española (12.82‰) y de que su volumen crece a un ritmo muy moderado, permite plantear la cuestión de la integración de la población estrictamente inmigrante de forma optimista y sin tintes dramáticos.»

Si contrastamos estas cifras con las que nos aporta el Observatorio Permanente de la Inmigración (OPI) al 31 de diciembre de 1997, nos encontramos con que, en efecto, el ritmo de crecimiento de la inmigración ha seguido siendo absolutamente moderado.

Así, los extranjeros residentes en España (con permiso de residencia) ascendían a la cantidad de 609 813 personas (frente a las 538 984 del año anterior). Pero, de ellas, 260 599 seguían siendo ciudadanos comunitarios, lo que reducía la cifra total de los no comunitarios a 349 214 personas.

Estamos pues refiriéndonos a unas cifras reales de inmigración no comunitaria, que en ningún caso son excesivas ni alarmantes, si las comparamos con las de otros países europeos. Añadamos que, según las mismas fuentes, de esas 349 214 personas, 112 342 son originarios de Iberoamérica. A ellos se suman 142 816 africanos; 49 110 asiáticos; 888 de Oceanía; y 14 617 de América del Norte; 479 son apátridas y 477 se inscriben en las estadísticas como de país desconocido.

Resulta interesante contrastar estas cifras, que a algunas personas que las ignoran en sus verdaderos términos les producen alarma, con aquellas otras que nos permiten conocer el número de españoles residentes en el extranjero, según datos de los registros consulares y también al 31 de diciembre de 1996.

Según estos datos (Anuario de Migraciones 1997, del Ministerio de Trabajo y Asuntos Sociales), un total de 2 134 773 españoles habitan, y se supone que trabajan, fuera del país. De ellos en América del Sur residen 1 056 952, y sólo en Argentina 439 244, es decir bastantes más que todos los extranjeros no comunitarios residentes en España.

Así las cosas, y con todas las dudas y reservas que podamos guardar frente a unas estadísticas no siempre absolutamente exactas, por lo fluctuante del grupo humano sobre el que incide, y añadiendo un tanto por ciento razonable de irregulares (sin olvidar que se han producido entre julio de 1985 y marzo de 1986, junio de 1991 y diciembre de 1992, tres procesos de regularización y que hoy en día podrían estimarse en unas 50 ó 70 mil), las cifras siguen estando muy por debajo de la media europea y en ningún caso pueden dar pie a opiniones y conductas alarmistas y demagógicas.

Más al contrario, el aún reducido índice de inmigración en España, permite afirmar que no existe, ni por asomo, un «problema de inmigración», en los términos que pueda manifestarse en países como Francia o Alemania, y que las cifras actuales y las razonables previsiones de futuro permiten mantener que estamos en un momento óptimo para regular esta materia con criterios razonables, sin dejarse arrastrar por falsos alarmismos y actitudes demagógicas, buscando una natural integración permanente en nuestra sociedad, para aquellas de estas personas que así lo deseen; y para las demás, también unas condiciones dignas de trabajo y vida, con reconocimiento pleno de sus derechos y deberes constitucionales y legales, durante el tiempo de su estancia entre nosotros previo al retorno voluntario a su país.

III. MARGO LEGAL Y CRITERIOS DE APLICACIÓN

En consecuencia, debemos tener muy claro que la mayor parte de los problemas surgidos en la regulación de la inmigración durante estos años no provienen del hecho de que estemos desbordados por su número (ya hemos visto que eso es incierto), sino precisamente porque no nos hemos dotado del marco legal oportuno.

Un marco legal adecuado es el que permite una política en materia de inmigración solidaria e integradora, lo que no significa en ningún caso propugnar una política indiscriminada de puertas abiertas, cuyos efectos serían en muy breve plazo absolutamente contraproducentes y negativos. Se trata de definir un marco legal, acorde con el espíritu constitucional, que realmente regule los derechos, libertades y obligaciones del inmigrante, y no sólo una ley de extranjería. Una verdadera ley, en fin, de inmigración o estatuto jurídico del inmigrante.

A alcanzar ese objetivo hemos reconocido que no ha colaborado la Ley de derechos y libertades de los extranjeros de 1985, porque ha sido, sobre todo y en su concepción básica, una ley de extranjería, remitiendo cuestiones esenciales en la materia a normas de rango inferior, circulares, instrucciones y todo tipo de resoluciones administrativas, que ayudaban a conformar su criterio, pero dentro de un marcado confusionismo y dando pie a numerosos conflictos y a no pocas arbitrariedades.

Esa ley tuvo un inicio difícil por cuanto ya el Tribunal Constitucional, a solicitud del Defensor del Pueblo, tuvo que limarle las aristas más inaceptables y limitativas para con los derechos fundamentales de los inmigrantes, pero además el Reglamento de 1986 que la desarrollaba, no ayudó en nada a superar sus carencias.

Una legislación, en suma, y unos criterios de interpretación que lejos de encauzar el fenómeno de la inmigración y darle un tratamiento moderno y con perspectivas de futuro, todo lo que consiguió fue agravarlo, creando grandes bolsas de irregulares viviendo y trabajando en situaciones muy precarias, por no decir inaceptables, y que condujo inevitablemente a sucesivos procesos de regularización, ante lo insostenible de la situación.

La experiencia nos demuestra por tanto que, actuando sobre la sola base de considerar los procesos migratorios como unos fenómenos temporales y abocados a la lógica de un pronto retorno del inmigrante a su país de origen por propia voluntad, es un tremendo error de cálculo y de comprensión del verdadero alcance del fenómeno, pues en toda Europa estamos viendo que se produce el fenómeno contrario, y ello debido a las causas que procuraremos analizar más adelante.

Y sostener que, en función de esa lógica errónea, para tratarlo con adecuación basta con aplicar prioritariamente criterios de orden público —policiales y de control de fronteras— e instrumentar la necesaria intervención del servicio consular, como un mero valladar, inexpugnable si fuere posible, para los deseos de emigrar de estas personas o dificultar su reagrupación familiar, es no haber comprendido que por esa vía no sólo no se encuentra una solución adecuada al problema, o al menos un enfoque aceptable, sino al contrario se da pie a todo un mundo de medidas y resoluciones, en ocasiones arbitrarias y, por lo general, ineficaces, frente a un problema que tiene profundas y complejas raíces, y que no admite soluciones simplistas y lineales.

Sin duda, a esa concepción alarmista y restrictiva coadyuva la ratificación por España, en 1990, del Acuerdo de Shengen de 1985, y el asumir que pasemos a ser, en parte, los guardianes de la frontera sur de Europa.

Es la época también, 1992, en que se modifica la ley de asilo para cortar de raíz los abusos a que una concepción generosa del mismo había conducido por parte de grupos de inmigrantes económicos, sobre todo de centro Europa, deseosos de pasar unos meses en España trabajando ilegalmente y además cobrando una subvención del Estado. No puede decirse que sea una ley desacertada en su letra, que además fue suficientemente consensuada con las organizaciones sociales comprometidas con la defensa de los refugiados.

Pero ocurre que hasta la mejor norma puede verse devaluada o tergiversada en su espíritu, si los criterios de interpretación de la misma son antagónicos con él, como puede ser el caso —y dicho sea sólo a título de ejemplo— de algunas resoluciones de rechazo en frontera, o el concepto que se maneje de país seguro a efectos de no admitir solicitudes de asilo de originarios de los mismos.

A todo ello, hemos de añadir el hecho de que la legislación ordinaria (ley de 1985) además de ser sobre todo una ley de extranjería, partía de una concepción puramente estatista de la cuestión, olvidando plenamente que estamos en un país que se articula en Comunidades Autónomas con competencias propias y otras muchas transferidas o delegadas.

En suma, que sostenerse en una concepción según la cual, en materia de extranjería quien habría de intervenir, exclusiva o principalmente, era la Administración General del Estado, era y sigue siendo una concepción profundamente errónea y además, que ha producido efectos indirectos muy negativos.

A nadie se le escapa que hoy en día son las Comunidades Autónomas las titulares de la mayor parte de las competencias que afectan a la inmigración, como es el caso de la atención social, trabajo, educación, sanidad, vivienda, etc. Y las que no ejercen las Comunidades, les corresponde a los municipios.

Sin embargo, la idea transmitida de que el único responsable para tratar esa molesta materia de la inmigración (que no suele dar votos) es el Estado produjo en los primeros años, después de publicada la ley, una actitud de dejación, indolencia o clara negativa en las otras administraciones competentes a intervenir activamente en este terreno, prefiriendo durante años ignorar o hacer que ignoraban la gran responsabilidad que les corresponde en el tratamiento adecuado del fenómeno de la inmigración y en que se respeten los derechos de los inmigrantes.

Este efecto tan negativo es justo decir que ha sido compensado por la actitud muy responsable de algunas Comunidades Autónomas y algunos Ayuntamientos, y que poco a poco todas estas administraciones están comprendiendo el alcance de sus responsabilidades.

Pero si el desconocimiento o el desinterés han favorecido el que se produjeran estas situaciones, debe también decirse que la falta de una coordinación interadministrativa es una realidad lacerante que lo ha facilitado, cuando no potenciado. En ocasiones se tiene la impresión de que las administraciones del Estado, autonómica y local, actúan con absoluta desconexión. La Conferencia Sectorial de Asuntos Sociales (prevista en el art. 4 de la Ley 12/83, de 14 de octubre) podría haber servido de cauce para esta imprescindible tarea de coordinación entre administraciones, en cuanto a la determinación y aplicación de diversas políticas sociales en lo que afectasen a los inmigrantes, pero es evidente que no ha sido así.

Claro es que esa misma descoordinación puede apreciarse también entre los distintos Departamentos de la Administración General del Estado competentes en la materia, hasta el punto de que una de las conclusiones de la Subcomisión del Congreso de los Diputados, que trabajó durante 1998 sobre el problema de la inmigración, fuera el sugerir que se cree un órgano, que podría ser una Secretaría de Estado, para coordinar a los demás departamentos en materia de inmigración.

Ello pone de manifiesto que la actual Comisión Interministerial de Extranjería (su propio nombre ya sugiere muchas cosas), donde sólo está presente la Administración del Estado, no ha sido todo lo eficaz que hubiera sido deseable para esta tarea, inclinándose además por una filosofía de actuación excesivamente influenciada por en criterios de seguridad y policiales, que encuentra su más claro exponente en el funcionamiento de la Comisión Delegada de Visados y Cooperación. Posiblemente la normativa por la que se regula tampoco le facilita las cosas, y por ello mismo se ha mantenido que su composición debe abrirse y contar con una representación de lo que hoy en día se llama la sociedad civil, además de a las administraciones autonómicas y locales debidamente representadas.

IV. UN ÓRGANO DE COLABORACIÓN SOCIAL: EL FORO PARA LA INTEGRACIÓN

En el terreno de la actividad consultiva al servicio del Gobierno la experiencia también se ha hecho con el Foro para la Integración Social de los Inmigrantes, en funcionamiento desde 1985, y nadie podrá negar que los resultados han sido positivos, nada demagógicos, ni distorsionantes para el legítimo ejercicio de la competencia de la Administración, aun cuando es cierto que ha sido claro y lealmente crítico, cuando ha debido serlo, en defensa de los derechos constitucionales y legales de los inmigrantes, que son también los de todos los españoles.

El Foro ha podido cumplir esta compleja tarea gracias precisamente a su composición plural y representativa de los distintos sectores implicados en el tratamiento de los problemas de la inmigración. Así, en su mesa se sientan representantes de la Administración General del Estado (Ministerios de Trabajo y Asuntos Sociales, Asuntos Exteriores, Interior, Educación y Cultura, Administraciones Públicas, así como con los de Justicia y Sanidad y Consumo a título de observadores), de la Administración Autonómica (en el pasado Foro estaban representantes de las Consejerías correspondientes de la Generalitat, Madrid y de Andalucía), y dos representantes de la Federación Española de Municipios.

De otra parte, se sientan igualmente a la mesa los representantes de nueve organizaciones no gubernamentales vinculadas con la inmigración y ocho asociaciones de inmigrantes, y se completa el Foro con la representación de los dos sindicatos más representativos (UGT y CC.OO.), así como de la patronal CEOE. El Foro prevé la posibilidad de que asistan a sus reuniones algunos observadores, seleccionados con un criterio muy estricto, como puede ser el caso de la Cruz Roja o ACNUR, pero que obviamente sólo disponen de voz, no de voto.

El Foro trabaja en Pleno y Comisiones, una de las cuales tiene el carácter de permanente y sirve de enlace en los períodos de disolución del Foro y elección del nuevo, como ocurre en estos primeros meses del año 1999.

Finalmente, conviene tener claro que el Foro no es un organismo estructurado jerárquicamente en la Administración (aun cuando su Presidente es designado libremente por el Ministro de Trabajo y Asuntos Sociales), sino que su carácter consultivo le otorga un margen de independencia en sus criterios y funcionamiento absoluto. Ese carácter consultivo y la incidencia e importancia de su criterio ha venido a reforzarse con la última modificación del Decreto por el que se regula, y según el cual el Foro habrá de emitir un dictamen preceptivo para el Gobierno (aunque no vinculante) cuando «las disposiciones normativas de la Administración General del Estado, los planes y programas de ámbito estatal o carácter general y los anteproyectos de programas presupuestarios», afecten a la integración social de los inmigrantes.

En mi condición de Presidente, he sido testigo de sus trabajos y de los debates que han tenido lugar en su seno, y he visto también como unas y otras partes, «sociedad civil» y Administración, han sabido dialogar, discrepar y finalmente encontrar el consenso en materias de mutuo interés. La elaboración y aprobación del Informe sobre la Inmigración y el Asilo en España es un ejemplo claro de cuanto digo. Claro es que órganos de esta naturaleza no siempre son cómodos para la Administración, por cuanto no se rigen por el principio de jerarquía y obediencia debida, tan gratos en algunos ambientes poco acostumbrados al diálogo.

Pero sin duda su existencia enlaza con lo que expresamente se dijo en la proposición no de ley aprobada en el Congreso el 9 de abril de 1991 y que ya advertía de que: «La política española hacia los extranjeros residentes en nuestro país debe estar basada en la más amplia igualdad de derechos con los españoles, de acuerdo con la Constitución y la Ley Orgánica sobre Derechos y Libertades de los Extranjeros en España. Para ello, los poderes públicos deben llevar una acción decidida para asegurar la integración social de los extranjeros en la comunidad nacional, así como promover la modernización y adecuación de la infraestructura encargada de la gestión de la extranjería».

En junio de ese mismo año se realizó un muy importante proceso de regularización de extranjeros, el cual de hecho se convirtió en el exponente más claro de que por fin aceptábamos y entendíamos que ya éramos un país de inmigración y que en consecuencia se debe hacer política social al respecto.

Finalmente el Reglamento de 1996, con la colaboración y sobre la base del diálogo con las organizaciones y asociaciones que trabajaban en el campo de la inmigración, supuso un gran avance con respecto a la ley.

De hecho, el Reglamento distingue entre derechos y libertades en general, derechos subjetivos y derechos de los extranjeros que se encuentren legalmente en territorio español. Es decir una norma subordinada teóricamente a ley que desarrolla, la sobrepasa con amplitud y conecta directamente con la Constitución que, en realidad, se convierte en su nexo más fuerte. Por ello se refiere al Título Primero cuando regula los derechos y libertades en general y proclama el principio de igualdad entre españoles y extranjeros ante la ley.

Además, da pasos de suma importancia al reconocer el derecho a la educación para los inmigrantes, al igual que a los españoles, sin distinguir si su situación en el país es irregular o no; al igual que el derecho a la tutela judicial efectiva, con asistencia letrada e interprete. A los residentes legalmente en España, se les reconoce una lista muy respetable de derechos, más amplia que la dispuesta en la ley.

El Reglamento ha sido por tanto una norma de suma importancia y que ha permitido avanzar de forma notable en el reconocimiento de los legítimos derechos de los inmigrantes y demostrado hasta qué punto era errónea la visión con la que se hizo la ley de 1985.

Así las cosas, éste es el momento en el que el Parlamento se ve abocado a tratar de nuevo legislativamente la cuestión de la inmigración, y esta vez lo hace sobre la base de una proposición de ley presentada por el grupo parlamentario de Minoría Catalana, que esencialmente busca modificar la ley de 1985 parcialmente, introduciendo todos los avances y mejoras reglamentarias.

Estamos pues ante un momento especialmente importante, pues el reto legislativo se afronta cuando también en el seno de la UE se está elaborando un proyecto de Directiva en desarrollo de las previsiones del Tratado de Amsterdam en la materia. Un primer texto, elaborado por la presidencia austríaca, puso de manifiesto la intensidad de los vientos de fronda y retroceso, o política de búnker, que reina en algunos ámbitos europeos, proclives a adoptar medidas restrictivas para con los inmigrantes. Aunque ese texto fue rechazado, en los próximos meses y hasta octubre de 1999, se seguirán los trabajos comunitarios en la búsqueda de un consenso en la materia. Esta circunstancia sin duda habrá de tenerla en cuenta al momento de aprobarse definitivamente nuestra futura ley de inmigración.

V. PERSPECTIVAS PARA UNA FUTURA POLÍTICA DE INMIGRACIÓN

Se abre pues para los meses venideros una etapa sumamente crucial para el futuro de la inmigración en España y tanto por la discusión y elaboración de un nuevo marco legal, como por la oportunidad que se presenta de definir una nueva política que supere las estrechas miras que hasta el presente han dominado, y contemple el fenómeno a largo plazo y de forma global con otros países.

Pero para definir adecuadamente esa política, creo que debemos afrontar el proceso aceptando que ya no es válida la concepción del fenómeno migratorio como algo temporal, sino muy por el contrario que las migraciones dan lugar a un fenómeno de asentamiento de población, con vocación de permanencia estable, formación de una familia, y la aparición de posteriores generaciones integradas plenamente en la sociedad de acogida.

Se trata de regular lo evidente con inteligencia y evitando conflictos en el futuro. Así es necesario entender que son los países desarrollados y sus necesidades económicas los que han provocado y generado el fenómeno de llamada a la inmigración, dado que su población propia no suministra la mano de obra necesaria a tales efectos.

Nuestras sociedades por tanto son las primeras que se benefician de la inmigración, que es ya un elemento esencial para la buena marcha del proceso productivo y de la prestación de algunos servicios. La inmigración es así una fuente de riqueza (no de problemas, ni de gentes que vienen a aprovecharse de nuestra bonanza), para nuestro país, dato evidente al que debemos añadir la contribución que estos mismos inmigrantes están haciendo con el pago de impuestos o a la Seguridad Social, circunstancia que no siempre se percibe con claridad. Según datos del OPI (3 noviembre de 1998) al 3 de enero de 1998, había en España 303 954 extranjeros dados de alta en la Seguridad Social, lo que permite hacerse una idea de la aportación económica real que hace este sector de trabajadores al mantenimiento de la misma.

Pero sobre el carácter estructural de la inmigración en nuestro continente europeo, Jean Boisondiat nos recuerda las claves de futuro cuando afirma (*Le Monde*, 10.04.98) que: «sabemos bien que antes de diez años, teniendo en cuenta la caída imparable de la población activa, habrá que recurrir a los trabajadores extranjeros». España no es una excepción, máxime si tenemos en cuenta que en los últimos años nuestra población escolar se ha reducido ya en más de 250 000 personas, y que se espera que aún se reduzca en otro medio millón más en los próximos dos o tres años.

Llegados a este punto permítanme que recoja, literalmente, parte del análisis que sobre la cuestión hace el Informe sobre la Inmigración y el Asilo en España (p. 23), del Foro para la Integración Social de los Inmigrantes, pues creo que refleja con claridad cuanto pretendo resaltar en estas páginas:

«Contemplado el fenómeno desde nuestra perspectiva actual, parece claro que cualquier política migratoria que pretenda afrontar con rigor su tratamiento y regulación ha de tener en cuenta que:

»1. Las migraciones son un fenómeno constante y permanente que contribuye al crecimiento de nuestro desarrollo económico.

»2. Deben ser reguladas, como todo fenómeno económico, para proteger no sólo al mercado laboral nacional, sino para defender al trabajador inmigrante como sujeto de derechos. Deben ser contempladas siempre desde el ámbito socio-laboral.

»3. Puestos en marcha los mecanismos que impulsan las migraciones, los movimientos de mano de obra, regulados o clandestinos, se producirán en todo momento. Esto implica que los gobiernos deberían encontrar para la regulación de nuevos flujos un equilibrio en la dialéctica que implica:

»*a*) Luchar contra la economía sumergida y contra las redes que fomentan la inmigración ilegal.

»*b*) Reconocer que nunca se habrá hecho la última regularización de clandestinos con arraigo en el país.

»*c*) Mantener la legalidad de un Estado de derecho; y

»*d*) Reconocer al inmigrante como sujeto de derechos y deberes.

»La política migratoria se define en todos los ámbitos como una política de ciclos:

»Se recurre a flujos más o menos numerosos de nuevos inmigrante, según nos encontremos en una coyuntura de expansión o de recesión; la inmigración irregular puede reducirse a cero o casi a cero con un proceso de regulación excepcional. Pero inmediatamente vuelve a crecer.

»La solución del Parlamento europeo de 8 de abril de 1997 va en esta línea: invita a los Gobiernos de los Estados Miembros a regularizar a los inmigrantes de terceros países en situación irregular que residen desde hace tiempo en el país. Concepto de arraigo que recoge el nuevo Reglamento español de la ley 7/85.

»4. En lo que a nuestro país se refiere, la articulación de una política de inmigración, respetuosa de los derechos humanos, se verá facilitada si se conjugan los siguientes elementos:

»*a*) Las compatibilidades económicas, sociales, demográficas internas y nuestra propia estructura política y social con competencias transferidas de trabajo, educación, cultura, salud, vivienda y bienestar social.

b) La posición geopolítica de España: sus obligaciones y lazos históricos, sus responsabilidades con Iberoamérica, Filipinas, Guinea Ecuatorial y Marruecos.

c) La lucha contra la economía sumergida.

d) La inversión para el desarrollo.

e) Las nuevas causas de éxodo, dejando a salvo el derecho de asilo y por motivos humanitarios.

f) El desarrollo de un plan de integración, basado en la igualdad de derechos y deberes, y la asociación del inmigrante a un proyecto común de sociedad.

g) La firma de acuerdos bilaterales con los países de origen (con seguimiento de su cumplimiento): no sólo para la canalización de nuevos flujos, sino como reconocimiento y salvaguardia, tanto en nuestro país como en el suyo, de los derechos sociales, laborales y de previsión social.

h) El derecho a vivir en familia, que debe quedar siempre a salvo.

»La política de migraciones es en consecuencia pluridisciplinar. No puede contemplarse sólo desde el orden público. Los flujos migratorios implican la necesidad de actuación de distintos Ministerios: el Ministerio de Interior ha de cuidar de las entradas y permaneciesen territorio nacional de los ciudadanos de otros países, el Ministerio de Trabajo y Asuntos Sociales regula los flujos laborales, y al igual que el Ministerio de Educación y Cultura y la Administraciones autonómicas, deben propiciar la integración; el Ministerio de Justicia ha de velar por la tutela de derechos y la responsabilidad de la Administración exterior del Estado es competencia del Ministerio de Asunto Exteriores. Cada decisión tomada en materia de extranjería implica necesariamente la actuación de todas o parte de las Administraciones mencionadas.

»Pero tanto o más importante que la individual presencia activa de cada departamento ministerial es el que todos ellos en su conjunto ejerzan coordinadamente una política migratoria definida por el Gobierno, que en último extremo es quien debe hacerla ejerciendo su propia competencia.

»Desde esta necesaria combinación y dirección unitaria no son, por tanto, concebibles interpretaciones de la legalidad vigente, particular e innecesariamente restrictivas y ejecutadas especialmente en el exterior en razón de un particular criterio desacorde con las indicaciones y previsiones dictadas por el propio Gobierno.»

Está claro, por tanto, que cualquier política de inmigración para el futuro tiene que contemplar dos planos de intervención. De una parte, el de dar un marco legal y social que posibilite la integración real de esas personas en la sociedad de acogida y ello conlleva reconocer un conjunto claro de derechos a los inmigrantes residentes con un *status* legalizado, lo que supone acceso a la sanidad, a la vivienda, a la educación, a un trabajo estable con un permiso de residencia y trabajo de larga duración que lo facilite y también a que puedan ejercer su derecho a la reagrupación familiar sin trabas ni dificultades injustificables y denigrantes. La integración y sólo la integración de esta población, con el reconocimiento de sus legítimos derechos y el libre goce de los mismos, será el factor determinante de una convivencia social enriquecedora para todos y libre de movimientos xenófobos o racistas, tan vergonzosos como desestabilizadores.

No olvidemos que detrás de esta exigencia se encuentra la ineludible necesidad de reconocer que no es posible crear o simplemente tolerar la existencia de ciudadanos de segundo orden, con derechos fundamentales limitados de hecho por su no reconocimiento o dificultad administrativa en poder ejercitarlos. El ejemplo más claro de cuanto digo, que ya reiteré cuando fui Defensor del Pueblo en los informes institucionales y personalmente ante el propio Parlamento, son las denuncias sobre la inasistencia médica a hijos de inmigrantes por el sólo hecho de que sus padres estén en situación de irregularidad administrativa.

Al igual que se ha hecho con la educación, debería darse también un tratamiento de acceso universal a la sanidad a estas personas, cumpliendo así con el mandato constitucional claramente recogido en el art. 43 de la Constitución. Dicho artículo no limita el derecho a la salud sólo a los españoles, como hacen otros preceptos constitucionales, sino que únicamente lo reconduce a la ley para su regulación y alcance, recordándonos que esa ley «establecerá los derechos y deberes *de todos* al respecto». La cuestión queda reducida, por tanto, a una mera decisión legal que desarrolle plenamente un derecho que la Constitución reconoce a todos, como la educación. Aceptado el principio, la fórmula administrativa que dé garantías e impida abusos no es imposible de encontrar, máxime si sabemos que hablamos de cifras realmente no significativas, y que por tanto es rigurosamente erróneo agita el espantajo de la quiebra del sistema de la seguridad social.

VI. REFLEXIÓN FINAL

Pero ésta y otras cuestiones conexas y que afectan a la inmigración en su conjunto, es necesario tratarlas desde su globalidad, y con independencia de medidas de urgencia para resolver situaciones específicas. Si no es así, lo único que haríamos sería poner parches y no afrontar el problema en toda su magnitud. Esto sólo se conseguirá si afrontamos la situación de los trabajadores «irregulares» con ánimo de realmente terminar con estas situaciones, muchas de las cuales se deben a que llevan años en esta situación a causa de la precariedad de sus empleos, o el egoísmo explotador de sus empleadores, que no les permite obtener y aportar contratos de trabajo estables. Añadamos que el propio procedimiento administrativo de regularización, bastante kafkiano y que no nos da tiempo a analizar aquí, genera también irregulares por propia dinámica administrativa. Son los casos de los que denomino «irregulares sobrevenidos», pues estaban en situación regular, pero la dificultad de poder renovar su contrato de trabajo temporal y precario, les conduce a que la Administración no les renueve su anterior situación y, en consecuencia, los precarice aún más.

Es necesario hacer aflorar esa bolsa de irregulares, cuando aún es perfectamente asimilable (de hecho casi todos están trabajando) pues no debemos olvidar que un trabajador inmigrante en situación irregular, tratado con dureza administrativa y sin salida factible para regularizarse, conduce a crear un clandestino, y de un clandestino a un marginal, y tarde o temprano a un excluido. Así la rigidez irracional en este terreno puede llevar a generar los efectos contrarios y no deseados, como la delincuencia o cualquier otro tipo de conflicto social.

Sería finalmente poco realista el tratamiento del fenómeno migratorio sino tenemos en cuenta otros dos factores de gran importancia. De una parte que es necesario regular y canalizar de un modo realista esos procesos migratorios, considerando que es una realidad el que en nuestra sociedad se producen situaciones en que es necesaria la colaboración de trabajadores extranjeros para realizar determinadas tareas que los españoles ya no quieren realizar (el supuesto de la agricultura intensiva, como en Almería, es uno de entre otros varios sectores de la economía con este problema). De igual forma que es necesario dar un tratamiento legal adecuado a la inmigración temporera, imprescindible para algunos sectores de la producción agrícola.

De otra, no cabe duda que contra la inmigración no se lucha levantado barreras de espino o muros de cemento. Es una vana ilusión que poco o ningún resultado puede aportar. Por el contrario, el conjunto de los países europeos habríamos de plantearnos una política coherente de ayudas al desarrollo económico y social en los países de origen de la inmigración. Nadie que pueda vivir dignamente en su país se lanza alegremente al peregrinar de la inmigración, con sus sufrimientos e incluso el riesgo para sus vidas en tantos casos.

Una política meramente represora, sin esta otra complementaria de desarrollo económico *in situ*, resultaría absolutamente ineficaz e irreal.

Estamos pues ante una asignatura pendiente para el conjunto de los países europeos que podemos y debemos afrontar con generosidad y realismo, buscando las fórmulas más adecuadas para resolverlo en beneficio de todos.

En el ínterin, es necesario también sentar criterios claros en cuanto a la política a corto plazo para la canalización de la inmigración, estable o temporera, a través de los cupos u otras fórmulas realmente operativas, y que responda a las necesidades reales, de presente y futuro, del país y su economía, que garantice un tratamiento digno del inmigrante, y facilite su plena integración definitiva o su retorno, en los supuestos de temporeros, o cuando lo desee.

Ello será también, de paso, un factor que permitirá luchar mejor contra las mafias de traficantes de inmigrantes, verdaderos negreros de nuestros tiempos a los que habría que perseguir sin contemplación alguna, así como con aquellos empleadores sin escrúpulos, que explotan a estos trabajadores «sin papeles».

Los meses venideros y el debate en torno a la futura ley, son una oportunidad magnifica para afrontar un debate sereno sobre todas estas cuestiones, y otras muchas más, que desgraciadamente no me ha sido posible abordar debido a las lógicas limitaciones de espacio de este trabajo, que ya he sobrepasado. Esperemos que, una vez más, no se malogre esta oportunidad.

Capítulo 24

PANORÁMICA ACTUAL DE LOS DERECHOS HUMANOS

José Antonio Gimbernat

I. EL CONCEPTO ACTUAL DE LOS DERECHOS HUMANOS

Es ciertamente oportuno, cuando se trata de llevar a cabo un análisis de las calidades de vida de una sociedad determinada y se pretende de esta manera tomar el pulso del bienestar social existente, determinar el grado de implantación que han adquirido en ella los derechos humanos. En lo que respecta a la sociedad española, en un estudio sobre el Estado de Bienestar es, por tanto, conveniente determinar en la teoría y en la práctica el nivel alcanzado en la estima y eficacia de estos derechos.

Los derechos humanos han adquirido en la época actual una gran importancia debido, en primer lugar, a la contribución indudable que significan sus propuestas con respecto al bienestar que corresponde a las personas individuales y, en segundo lugar, porque se han convertido en un referente internacional insoslayable si se quiere entender la conciencia que la humanidad ha alcanzado acerca de su propia naturaleza y de las tareas y conductas colectivas que debe afrontar.

Hoy es constatable la quiebra y la debilidad de las ideologías que, hasta hace escaso tiempo, desarrollaban un protagonismo incuestionable. Por su medio, se pretendía orientar las grandes cuestiones que conciernen a la humanidad. Además, las grandes religiones en las sociedades desarrolladas han experimentado los efectos de un proceso de secularización irreversible y positivo; en consecuencia, aun cuando haya que estimar todavía su fuerte impacto cualitativo y numérico —significan respetables actitudes y creencias singulares—, es evidente que no se ven compartidas universalmente. Por tanto, si es que lo fueron, ya no serían referentes universales. En este horizonte, el único lenguaje universal que perdura como marco de referencia es el contenido en la Declaración de los Derechos Humanos de 1948 y su posterior desarrollo. E incluso cuando toda declaración de este tipo tiene inevitablemente componentes retóricos, sin embargo, debido a su extensa aceptación, en todos los sistemas políticos de cualquier tendencia existe la preocupación por no dejar libre el espacio de los derechos humanos a los adversarios políticos y sociales. En los foros internacionales, cuando se trata de las grandes cuestiones que afectan a la humanidad: la distribución de la riqueza y la pobreza; los problemas del desarrollo económico; los debates acerca de la guerra y la paz; también cuando se constatan los desequilibrios ecológicos, que amenazan con poner a la especie humana al borde de la extinción; en todos estos casos, que requieren diálogo y soluciones de dimensión planetaria, sólo se hace factible abordarlas en el horizonte de referencia universal que ofrecen los derechos humanos. Lo cual, ni mucho menos significa que exista acuerdo universal acerca de sus interpretaciones, exigencias y jerarquizaciones con respecto a lo que postulan sus enunciados.

Pero, en todo caso, ofrecen un marco inteligible, también de las discrepancias, que permite no considerar sin sentido la apelación a sus requerimientos. Ello se hace patente cuando nos referimos a las irrenunciables tareas que afectan a todos los ciudadanos del mundo: libertad, justicia, igualdad.

En la Declaración de 1948, que consta de un Preámbulo y 30 artículos, pueden diferenciarse dos grandes capítulos claramente definidos. El primero avanza hasta el art. 21 inclusive, que enuncia los derechos a las libertades individuales y los derechos de carácter cívico; del 22 al 28 proclama cuáles son los derechos económicos, sociales y culturales de todos los ciudadanos de cualquier Estado. Así pues, la Declaración en su primera parte reclama la protección de la libertad individual, que debe ser inviolable para todos los Estados. Además, afirmado ese supuesto, promueve al mismo tiempo el respeto a los derechos de naturaleza política, consustanciales al principio que rige la modernidad de que el sujeto del poder político radica en la soberanía popular.

Los derechos económicos, sociales y culturales son los derechos referidos al trabajo, a su justa retribución, al necesario descanso, a las condiciones en que debe realizarse y a las garantías de su ejercicio; también se reclama el derecho a la vivienda; a la salud, a promover servicios sanitarios para todos; a la altura de la ciencia y la técnica modernas; así como el derecho al seguro de desempleo y a una jubilación humanizada. Se afirma, por último, el derecho a la educación generalizada y a la cultura. La Declaración culmina un tanto utópicamente resaltando que las garantías de toda esta gama de derechos requiere un orden social e internacional justos.

Si consideramos a los derechos civiles y políticos como la primera generación de los derechos humanos y a los derechos económicos, sociales y culturales como la segunda generación, su evolución y el interés por señalar sus límites y deficiencias, con el empeño por definir nuevos derechos, ha llevado a hablar de una tercera generación, constituida por derechos que no estaban incluidos en la Declaración o no lo estaban con suficiente explicitud. En esta generación se incluyen los derechos de los países no desarrollados que padecían o estaban en transición de liberarse de las servidumbres coloniales. Hay que citar como derechos principales el de autodeterminación y, posteriormente, se ha visto reflejado en los documentos de Naciones Unidas el derecho al desarrollo. Ambos poseen carácter colectivo.

Los nuevos movimientos sociales han logrado raigambre y solidez en la Europa de la posguerra y se han convertido así en modernos sustentadores de nuevos valores, que han obtenido su reconocimiento al abrir inéditos horizontes en la definición de los derechos humanos. Entre estos movimientos sociales, tres particularmente han obtenido mayor proyección: el pacifismo, las reivindicaciones femeninas y las propuestas ecológicas. De su fortaleza y convicción se han derivado las afirmaciones del derecho a la paz y a la objeción de conciencia; la denuncia de la discriminación social y profesional de la mujer; y del derecho a la preservación del medio ambiente frente a imperativos industriales que causan su creciente deterioro, con daños a veces de efectos irreversibles y que, en último término, ponen en riesgo la pervivencia de la biosfera en nuestro mundo.

La aceptación mundial de la Declaración de los Derechos Humanos como punto de referencia para enjuiciar la realidad política y social ha ido dotando a los derechos humanos de una gran proyección internacional. Y este fuerte impacto ha llevado a los Estados a sucumbir, con frecuencia, a la tentación de instrumentalizarlos políticamente con el fin de poderlos utilizar en propio beneficio y como arma para descalificar a los adversarios de todo tipo.

En lo que se refiere al debate técnico acerca del contenido y propuestas de los derechos humanos, de manera paulatina se ha abierto una concepción más profunda de su significado que se sintetiza en la conclusión de su alcance universal y de su carácter indivisible. La primera afirmación deriva lógicamente de una Declaración denominada Universal y que pretende que todos los derechos que proclama se vean cumplidos y garantizados, prescindiendo de las diferencias culturales, en todas las condiciones sociales, religiosas, políticas y económicas.

La consideración de indivisibles se refiere a los dos grandes capítulos de la Declaración: los derechos de impronta civil y político, y los de objetivos sociales. Se afirma que constituyen una totalidad, con interdependencia de todos sus componentes, que no es lícito desgajar. No es, por tanto, aceptable relegar algunos de sus enunciados y propuestas con intención de favorecer solo una sección de los mismos. En los últimos tiempos ha conseguido un apoyo más generalizado la vinculación entre derechos humanos, desarrollo y democracia. En el nivel de las ideas, lo que concierne a la sustancia y articulación de los derechos humanos podemos considerar resuelto el debate central, pero lamentablemente la cuestión sólo está zanjada en ese estadio. De hecho, en la práctica política de los países occidentales —también España—, se han impuesto las versiones liberales en la interpretación de los contenidos de la Declaración. Estas tomas de posición seleccionan privilegiadamente sólo algunos de los derechos civiles, cuando se disponen a definir sus políticas internacionales con relación a los derechos humanos, lo que también se refleja en sus prioridades y jerarquizaciones nacionales. Así, con frecuencia, cuando se hace referencia a los derechos humanos, se sobreentiende en exclusiva los derechos de carácter civil y político y no todos en su conjunto indivisible. Han perdido relieve y se ha diluido el sentido de la urgencia de los derechos de contenido económico, social y cultural en cuanto tales. En estas interpretaciones destaca la tendencia a estimar únicamente como derechos humanos aquellos conocidos como de la primera generación. Y esto por una doble razón. La primera de carácter jurídico: los derechos humanos de pretensión social no son susceptibles de reclamación individual, según las normativas que rigen los Códigos jurídicos nacionales e internacionales, al menos gran parte de ellos. Piénsese, por ejemplo, en el derecho al trabajo, a la vivienda digna, a la alimentación, a una moderna asistencia sanitaria, etc. Su ausencia no puede ser reclamada ante ningún tribunal, cosa que no ocurre con la conculcación —al menos en la letra de los Códigos jurídicos— de los derechos civiles y políticos.

La segunda razón se encuentra en la incapacidad real y actual de los Estados para garantizarlos a miles de millones de ciudadanos de nuestro mundo. Su consecución se ve limitada por ser bienes dejados al libre juego del mercado, a los que todas esas personas carecen de acceso real. En la práctica de la política de los Estados occidentales, tanto en su interior pero sobre todo con respecto a los países no desarrollados, los derechos humanos —en contra de las tesis sostenidas— son divisibles y, en consecuencia, tampoco son vistos como universales a no ser en lo legítimo de que en un futuro lejano pueden verse garantizados todos los derechos para todos en toda su universalidad.

II. LOS DERECHOS ECONÓMICOS, SOCIALES Y CULTURALES

En España, en lo que se refiere a los derechos de carácter económico y social, hay que señalar su creciente deterioro. La emergencia, al igual que en nuestro entorno, de la llamada sociedad de los dos tercios, debido al aumento sostenido del paro, ha llevado a hablar eufemísticamente de paro estructural, con el fin de reflejar la incapacidad constitutiva de las economías actuales de promocionar escenarios de pleno empleo. Por lo tanto, el derecho al trabajo, para al menos 3 millones de españoles, es un deseo piadoso, derecho que por otra parte también les reconoce la Constitución de nuestro país. Socialmente, la situación reviste mayor gravedad con respecto a la población joven, que sufre las consecuencias serias del paro en cifras en torno al 40%; lo mismo debe decirse a propósito de las personas que se encuentran en el último tramo de su actividad laboral, en donde se acumulan los parados de larga duración. A ello hay que añadir la realidad de lo que se ha llamado precariedad en el empleo: contratos de trabajo de corta duración, dotados de bajos salarios y endeble protección social. Aproximadamente el 30% de los contratos de trabajo se establecen bajo estas condiciones. Así no sólo los parados sino también este segmento de ciudadanos ven recortados sus derechos humanos en lo que se refiere a un derecho tan fundamental para estabilizar las condiciones materiales de la propia subsistencia y, asimismo, para equilibrar la vida psíquica y las relaciones familiares.

Pero además la extensión de los pobres en España comporta una vulneración de los derechos humanos en su vertiente social para un gran número de españoles. Los informes bien documentados de Cáritas nos ilustran sobre el impacto de la pobreza entre nosotros. En los estudios sociales se consideran pobres aquellas familias y personas que se sitúan por debajo del umbral del 50% de la renta media disponible neta (RDN), en el conjunto del Estado. Concretamente, en nuestro país, se sitúan bajo este umbral el 19.4% de los hogares y el 22.1% de la población. Lo que es lo mismo, 2 192 000 hogares, en los que residen 8 509 000 personas sufren esas condiciones de dignidad humana vulnerada. En un análisis más pormenorizado de estas cifras vemos que con menos del 35% de este RDN existen 1 104 hogares, lo que equivale a 5 309 000 personas. En estos análisis se define como pobreza más severa la que existe allí donde la renta no alcanza al 25% del RDN. En ese estadio se encuentran 316 000 hogares en los que viven 1 739 000 personas. Más aún, 86 800 hogares y 528 000 personas se desenvuelven en el marco de lo caracterizado como extrema pobreza. En conclusión, cerca del 20% de la población española vive en la pobreza y, dentro de ese grupo, es evidente que se agrava para quienes se encuentran en las últimas estratificaciones de la indigencia.

Precisamente, en razón del afirmado carácter indivisible de los derechos humanos, estas cuantiosas cifras que delatan graves quebrantos de los derechos sociales repercuten también en un deterioro de los derechos civiles y políticos de las personas que integran estos colectivos. En esas condiciones es evidente que existen enormes dificultades, casi insalvables, para un acceso adecuado a la cultura y a la información tan necesarias para la toma de conciencia de los propios derechos cívicos y procurarse los medios para ejercitarlos. De facto esas personas sufren drásticas carencias en sus posibilidades de integración social, reciben pocas ofertas asociativas, les resulta extremadamente complicado verificar consultas a expertos y profesionales de las distintas áreas en las que tiene efecto el ejercicio de los derechos democráticos.

Viven en el malestar social (en lugar del bienestar al que tienen derecho) que acompaña a la pobreza, se desenvuelven en entornos con depauperada calidad de vida y habitan en medios ambientes degradados o incluso insalubres. Los servicios sociales dejan mucho que desear y estas personas permanentemente están instaladas en la incertidumbre ante la enfermedad y la vejez. Para todas estas personas, los derechos humanos en todas sus acepciones se han convertido en un referente lejano.

Estos mismos sectores sociales, en razón de su penuria económica y laboral, son también los principales afectados por las limitaciones existentes para disponer de una vivienda decorosa. Su acceso a ella se encuentra obstaculizado por cúmulos de dificultades e impedimentos. Pues, de hecho, la vivienda en España ha dejado de poder ser considerada ante todo como un bien social, de fácil obtención, para convertirse en un producto dejado al libre juego del mercado, que se ve afectado por una especulación antisocial del precio del suelo. Casi por definición, numerosos colectivos, principalmente los jóvenes, carecen de acceso a viviendas en dignas condiciones, con las graves consecuencias que de ello se derivan para su desarrollo familiar y profesional. Para mayor agravamiento de males, la amenaza del desahucio es una espada de Damocles pendiente sobre miles de familias españolas.

Esta situación no es fácilmente conciliable con el reconocimiento del derecho a la vivienda establecido por una serie de tratados internacionales, por supuesto suscritos por España, como son: la Declaración universal de los derechos humanos (1948); la Convención sobre el estatuto de refugiados (1951); la Convención internacional sobre la eliminación de toda forma de discriminación racial (1965); el Pacto internacional relativo a los derechos económicos, sociales y culturales (1966); la Convención sobre toda forma de discriminación hacia la mujer (1979); y la Convención sobre los derechos del niño (1989).

Grupos de expertos sobre el derecho de las personas a una vivienda digna, que han realizado estudios a instancias de las Naciones Unidas, han llegado a la conclusión de que estos tratados imponen a los Estados «obligaciones legales ejecutivas de naturaleza permanente» para asegurar el ejercicio de este derecho. En España, el cumplimiento de estas obligaciones es muy deficiente tanto en términos absolutos como comparativos con otros países de nuestra área. Las viviendas sociales se sitúan en cifras en torno al 10% del total. En su límite extremo, esta dejación para diseñar una satisfactoria política de viviendas tropieza con la insostenible realidad de los 273 000 españoles censados como personas «sin techo». Además, 48 000 chabolas acogen a familias que moran en ellas en condiciones indignas; 37 000 viviendas están en estado ruinoso, y 387 000 no reúnen las mínimas condiciones higiénicas y sanitarias.

Todos estos indicadores nos confirman que el derecho a disponer de una vivienda digna, recogido en la Constitución Española como derecho de todos los ciudadanos del Estado, no se encuentra suficientemente protegido y garantizado.

Lo referido hasta aquí, en el ámbito de los social, lo vemos frecuentemente desaparecer cuando se habla de los requerimientos que nacen de las propuestas de los Derechos Humanos. Existe pues un olvido interesado de las exigencias de los derechos de la segunda generación que, en sus enunciados, son el resultado de los esfuerzos de los importantes movimientos sociales de los siglos XIX y XX que denunciaban los logros tan sólo parciales de las revoluciones liberales. La degradación actual en su consideración como derechos ha llevado a restringir los derechos de carácter social a problemas sociales que hay que buscar remedio en lo posible, sin precipitar el *tempo* de actuación. Los Estados contemporáneos tienden a desplazar su solución hacia otras instancias sociales. Y hasta nominalmente se procura descargar al Estado de sus responsabilidades sociales proponiendo, con toda intención política, que en lugar de Estado de Bienestar hay que proclamar sustitutivamente el proyecto de la sociedad del bienestar, en la que los actores para afrontar estas cuestiones deben emanar de la sociedad civil.

Disimuladas las carencias de los derechos sociales, los Estados occidentales optan por hablar casi en exclusiva cuando se refieren a los derechos humanos de los derechos de contenido civil, con cuya referencia resulta más fácil mostrarse autosatisfecho con los niveles de bienestar democrático adquirido. En consecuencia, parecería que para estos gobernantes las transgresiones en derechos humanos aludieran únicamente a un problema de los otros; por supuesto, los otros son los gobiernos de algunos de los países no desarrollados.

En contraposición a ello, además de subrayar de nuevo que los derechos sociales son derechos humanos y recordar a la vez algunas de sus importantes carencias en el ejemplo español, hay también que destacar la responsabilidad de los Estados del Primer Mundo en las circunstancias del desequilibrio abismal que existe entre la pobreza y la riqueza en nuestro planeta, o en el deterioro del medio ambiente de nuestro universo (derechos de la tercera generación). Esta realidad de acumulación desigual de la riqueza hace inviable en enormes dimensiones en el mundo la satisfacción de los derechos económicos, sociales y culturales, y contribuye a hacer peligrar la preservación de las condiciones necesarias para la supervivencia de la especie humana. En los foros internacionales de derechos humanos, los países no desarrollados, apoyados por ONG's de todos los continentes, tratan sin demasiado éxito que los países industrializados se confronten con estas responsabilidades.

En primer lugar, se les recuerda cómo las antiguas potencias coloniales ejercieron la depredación en sus anteriores colonias; posteriormente —debido en gran parte a la herencia recibida, tanto material como cultural—, estos países han sido incapaces de surgir por sí mismos de su postración. Los países desarrollados ven como desde hace tiempo se alzan las denuncias por su responsabilidad en las prácticas económicas y financieras, que imponen en la economía mundial rasgos neocoloniales dentro de un orden económico internacional injusto. En estos foros de debate acerca de los derechos humanos se hace patente la polarización Norte-Sur pues, aun siendo muchas y horribles las violaciones de los derechos civiles y políticos en el mundo, la mayor violación de los derechos humanos, incrementada ferozmente en este final de siglo, procede de la enorme extensión de la pobreza. Directa o indirectamente, sus crecientes proporciones son el gran obstáculo para que gran parte de la humanidad pueda hacer tangibles los derechos de la segunda generación. Además, en las condiciones tan poco humanas y de indigencia en las que se ve sumergida gran parte de la humanidad, difícilmente puede desarrollarse el ejercicio consciente y autónomo de los derechos civiles. Por esta razón, la reclamación del desarrollo como un derecho humano de referencia colectiva, reconocido ya internacionalmente, a la vez que resulta imperativo y requiere la cooperación de los Estados desarrollados, se encuentra en una pendiente de inquietante retroceso.

Las políticas de desarrollo, aun en sus logros locales bien intencionados, que no enmascaran intenciones económicas neocoloniales, en sus grandes metas han fracasado. Las políticas de ajuste estructural impuestas a los países del sur, mas allá de su coherencia macroeconómica, han conducido a un mayor empobrecimiento de los Estados y de sus sociedades en países de ya escasos recursos. La disminución drástica de las propias inversiones de esos Estados en proyectos y gastos sociales y el peso de la deuda externa han producido efectos negativos en extensos sectores de sus ciudadanos. La condonación de la mencionada deuda, la reducción drástica de los gastos militares y un replanteamiento de la cooperación internacional, son medidas que hay que recabar desde la perspectiva de los derechos humanos. Baste recordar que, a principios de la década de los '70, las Naciones Unidas denunciaron la desigualdad inherente al orden económico internacional y defendieron reformas profundas en las políticas de desarrollo. Un tanto simbólicamente propusieron como signo de una nueva actitud que los países industrializados dedicaran un 0.7% de su PIB en cooperación al desarrollo. Veinticinco años después conocemos la inanidad de aquel buen propósito, al cual se prestó oídos sordos por parte de los países mas avanzados económicamente. Y además, en las cifras —mucho menos que las propuestas (cercanas al 0.2%)— que se contabilizan como media, como inversiones en favor del desarrollo, los Estados incluyen ayudas militares y transacciones comerciales que, con frecuencia, revierten en beneficio de las propias economías mas que en los «ayudados». En España, hace ya algunos años un movimiento, ante todo integrado por jóvenes, denominado del 0.7 ha tratado de recordar a los gobiernos españoles este compromiso incumplido y ha reclamado la necesaria rectificación. Sus propuestas se apoyan en una correcta concepción del alcance internacional de los derechos humanos.

III. LOS DERECHOS CIVILES Y POLÍTICOS

Si ahora nos situamos en nuestro análisis en la órbita de los derechos civiles y políticos, tampoco podemos compartir sin más la autosatisfacción extendida de que España, como democracia bien consolidada, tiene pocas cuentas que rendir en este aspecto. La Constitución Española configura un Estado moderno, basado en el cumplimiento de estos derechos. Antes de pasar a estudiar puntos específicos, me detendré en reflexiones más generales con referencia al estado de salud de la democracia española. Pues una perspectiva posible es la que ofrece la letra de una buena Constitución y el funcionamiento positivo del sistema democrático con respecto a la anterior dictadura y otra consideración es la que deriva la constatación de la baja calidad de algunos aspectos de las prácticas e instituciones democráticas. Esta última afirmación apunta a la insatisfacción en algunos puntos en los que se desenvuelven los derechos civiles y políticos. La Declaración de 1948 contiene dos conceptos de libertad; uno, primero, corresponde a los derechos de la persona que afectan específicamente a la esfera privada de los individuos y un segundo concepto se refiere sobre todo a los derechos políticos. Este concepto de libertad se ve profundizado cuando la democracia representativa está complementada por la democracia participativa. Ésta se legitima en la concepción de la democracia como el ejercicio no sólo delegado de la soberanía popular. La acción de los gobernantes requiere a su vez de una rica actividad cívica. Sin embargo, en España nos encontramos, por distintas razones, con una sociedad civil débil, atomizada, de baja intensidad y con una opinión pública bastante desvaída puesto que padece de indiferencia política. Esta realidad en parte viene motivada por los celos y voracidad de los políticos profesionales, responsables de las instituciones públicas, que favorecen la tendencia a monopolizar todo el espacio social de lo público. Lógicamente, en detrimento de las prácticas participativas de los ciudadanos. Es verdad que episódicamente emanan de la sociedad civil proyectos e iniciativas positivas guiadas por el afán de intensificar este protagonismo político de la sociedad. Tratan de reanimar la mencionada opinión pública e intensificar el tejido sociativo. Pero la oposición institucional y la atonía ciudadana derivada de la desconfianza en la política coartan su consolidación; la pérdida de confianza en la moralidad y competencia de las elites políticas; el aumento del malestar ante los abusos de poder del ejecutivo; el debate sobre la legitimidad de la desobediencia civil; el descontento por el estado de la escuela pública, la Universidad, la sanidad, son síntomas de esta revitalización de la sociedad. Pero, a la vez, la tendencia a reducir la soberanía popular al ritual simbólico de los electores depositando su voto en las urnas, al menos cada cuatro años para efectuar a continuación mutis por el foro, merecen mas bien el apelativo de soberanía dormida, cuando no, anestesiada.

Desde la perspectiva de los derechos humanos no es pues indiferente la revitalización de la sociedad civil y la implantación de entidades asociativas cada vez más enraizadas. Todo ello debería conducir a ordenar en la sociedad un coherente debate de ideas sobre las maneras óptimas de organizar la vida social, en sus distintas áreas, promocionando los valores dignos de estima y protección colectiva. La libertad de expresión, clave del sistema democrático y que es necesaria para la buena articulación de la sociedad, tiene el riesgo de verse recortada y subsumida por la libertad mercantil de aquellas empresas periodísticas que pueden desarrollarse, en razón de ser las pocas que disponen de los recursos ingentes que hoy requieren los proyectos de comunicación dotados de gran alcance. La capacidad de sesgar las informaciones, de centrar los focos informativos en determinado asunto o conflicto, los súbitos apagones después de haber inundado de noticias sobre un particular país y sus problemas, por ejemplo, de carácter humanitario, son prueba de que a los ciudadanos se les reserva más el papel de consumidores de noticias y opiniones que el de auténticos actores de opinión pública.

Los entramados de expectativas empresariales, conexiones económicas y vinculaciones políticas orientan unas concretas opciones, que no proporcionan igualdad de oportunidades a otras ideas sociales, defendidas por colectivos de influjo menor, pero con el mimo derecho abstracto a hacerse escuchar. Los vínculos que se dan entre el ejercicio de la libertad de expresión y los poderes económicos son un riesgo para una información transparente, al igual que para que ésta no degenere en la manipulación de ideas y sentimientos. Nos vemos así siendo partícipes de una «cultura de masas» que tiene como efecto la homogeneización de las ideas, gustos y costumbres de los ciudadanos, que ni necesariamente son los mejores para ellos y, lo que es más relevante, en realidad no los han elegido.

La democracia española está establecida constitucionalmente en torno a la división de poderes. Su adecuada plasmación en las leyes y en la realidad debe garantizar una justicia independiente, imparcial e igual para todos.

Sin embargo, el sistema de cuotas vigente que otorga a los partidos, conforme a su proporción de representación parlamentaria, el derecho a nombrar un numero fijo de miembros del Consejo del Poder Judicial muestra un empeño espúreo por influir dentro de este organismo, con su consiguiente e inevitable indebida politización. Criterio similar rige para los nombramientos de los Magistrados del Tribunal Constitucional. Este procedimiento derivadamente tiene repercusiones en la designación de los Magistrados del Tribunal Supremo, nombrados por el Consejo del Poder Judicial, según lo dicho contaminada políticamente. Este malsano influjo de los partidos puede situar bajo sospecha determinadas decisiones de todas estas instituciones. Esta infiltración partidista, claramente producida por el propósito de evitar posibles «sorpresas» no deseadas por las actuaciones de estas instancias, hace que los órganos que habían sido diseñados como contrapoderes del ejecutivo vean peligrar su imparcialidad funcional; sobre todo cuando sus actos judiciales puedan tener transcendencia política. La justicia tiene que ser independiente y, según bien se dice, además parecerlo. No obstante, debido a estos influjos externos, a veces aparece asediada.

La lentitud en el funcionamiento de la justicia que con frecuencia llega tarde, y por tanto, mal; sus componentes clasistas, que entre otros aspectos puede percibirse en el distinto rigor y benevolencia y en las distintas posibilidades de defensa de los implicados, según su condición social, empañan su prestigio y son expresión de graves lagunas en las actuaciones de órganos fundamentales para garantizar en su ejercicio prácticas acordes con los derechos humanos.

Ya hemos señalado los problemas de la libertad de expresión, tan ligada a los imperativos del mercado. Pero además existen los medios públicos de comunicación, que constatamos como son usados partidistamente por los gobiernos como caja de resonancia de sus intereses partidistas. Estos medios, cuya titularidad pertenece a toda la sociedad, diseñados para difundir información veraz y ser canal de la pluralidad de opiniones que expresan la diversidad de la sociedad, quedan desvirtuados y pervertidos cuando se utilizan como instrumentos de propaganda gubernamental nacional o regional.

1. *Torturas*

Un tema tópico en todos los informes sobre derechos humanos es el referido a la práctica de la tortura. Hay que destacar como anomalía inexplicable que, después de más de veinte años de democracia, España es un país donde no se ha erradicado este horrendo tipo de actuación de las fuerzas de seguridad. Aparte de los informes nacionales e internacionales donde se resaltan este tipo de denuncias, para nuestra reflexión baste señalar que todos los años los tribunales españoles en distintos procesos condenan a responsables de este tipo de actuaciones. Y que existen centenares de causas abiertas por denuncias del mismo tipo que han sido consideradas pertinentes. Estos hechos llegan a los tribunales a pesar de las comprobadas tácticas obstrucionistas de las autoridades para dificultar su investigación. Las agresiones con golpes, la utilización de bolsas de plástico para producir síntomas de asfixia, los interrogatorios con la obligación de permanecer desnudos y en posiciones a la larga insufribles, los insultos obscenos, las amenazas a la integridad de los familiares, etc., son formas de proceder en los interrogatorios en cuarteles y comisarias, que se consideran hechos probados en las sentencias judiciales mencionadas. Cada año se abren decenas de diligencias sobre torturas y malos tratos. Es lógico inferir que en la democracia española se ha practicado la tortura con tanta profusión, sobre todo como medio considerado eficaz para combatir al terrorismo, debido a que no ha existido una voluntad decidida de las autoridades responsables de eliminarla. En primer lugar, es habitual que cuando existe una denuncia, aceptada inicialmente por un Tribunal de Justicia, las autoridades a fin de no tomar medidas han recurrido al principio de la presunción de inocencia de los inculpados y, por lo general, se han omitido investigaciones internas. En el largo período de tiempo que duran los procedimientos penales hasta alcanzar su fin —un promedio aproximado de diez años—, apoyados en su supuestas inocencia, los torturadores reciben premios y obtienen ascensos. Cuando al fin se produce la sentencia condenatoria, por regla general se otorga el indulto a los condenados aduciendo el tiempo transcurrido, aun cuando ese tiempo ha sido artificialmente prolongado debido a la falta de colaboración de los mandos superiores. Así, en este circulo falaz de presunción de inocencia e indulto, apenas queda resquicio para que los culpables de torturar cumplan las penas que merecen sus graves delitos.

Es obvio que este comportamiento de las autoridades priva de la fuerza disuasoria que tiene toda pena, a fin de prevenir este tipo de delitos. Y algunos de los actores de estas reprobables prácticas, no sin motivo, pueden entender tan elevada condescendencia como una invitación a reiterar sus acciones en el futuro. La actitud resuelta de acabar con estos hechos requiere que las autoridades políticas y los superiores de las Fuerzas de Seguridad hagan ver a sus subordinados de una vez por todas lo inaceptable de este tipo de conductas y muestren constantemente que no va a haber ninguna clase de contemplaciones con quienes procedan así. La persistencia de estos hechos sólo es comprensible por la connivencia, tolerancia y con la instigación desde las instancias superiores.

La incomunicación de cinco días a la que son sometidas las personas sospechosas de delitos relacionados con el terrorismo se ha mostrado que favorece acciones de tortura. Las ONG's y otros organismos internacionales llevan años recomendando la reducción de este período de detención a las 72 horas fijadas para el resto de los sospechosos de delitos comunes.

Por ultimo hay que destacar que las acciones del GAL, resultado de la utilización de los aparatos del Estado para promover actuaciones terroristas de signo opuesto a las que combatían, son expresión de la manera aberrante como se entendieron las actividades antiterroristas y que, en algunos medios, se ha intentando disfrazar escandalosa y justificadoramente con razones de Estado. Que la mayoría de estos crímenes, entre los que se cuentan 28 asesinatos, en su práctica totalidad todavía no hayan sido depurados judicialmente sólo puede explicarse por la obstrucción sistemática a la acción de la justicia debida a las máximas instituciones del Estado.

2. *Cárceles*

Existe una cuestión de análisis obligado, cuando se trata de los derechos humanos: ésta es la acomodación del régimen penitenciario y las condiciones de vida de los reclusos a sus exigencias.

En las cárceles españolas, en donde están internados en torno a 40 000 personas, los principales problemas pueden resumirse en estos cuatro grandes apartados:

1. Fracaso del objetivo prioritario de la reinserción social de los penados.
2. Baja oferta de trabajo remunerado y de ocupaciones rehabilitadoras.
3. Importante fracaso en el tratamiento de la gran masa de drogadictos relacionado con la paradoja sangrante de que la droga circula con gran libertad en las cárceles.
4. Inquietantes condiciones sanitarias derivadas del gran número de personas afectadas por el virus del SIDA.

a) La sobreocupación de las cárceles, en gran parte, es la causa de las excesivas demandas a las que se ven expuestos los equipos técnicos, que a duras penas pueden llevar a cabo los tratamientos profesionales adecuados, conducentes a la reinserción social. Los objetivos humanitarios de estos tratamientos, en muchas prisiones, además de por la causa mencionada, todavía resultan más problematizados puesto que la falta de plazas obliga a mezclar indebidamente presos preventivos con penados, los que cumplen su primera condena con reincidentes y jóvenes con adultos. La media del número de internos que residen en cada celda es más de 2; en muchas cárceles la cifra puede llegar a 3 ó 4 por habitáculo. En un estudio realizado entre 1997 y 1998 por la Asociación pro Derechos Humanos de España, pendiente de publicación, sobre los centros penitenciarios, de una muestra significativa de 3 312 internos de 23 prisiones, se concluye que el 68% de los reclusos son reincidentes. Pero además, en este grupo la media es de 4.3 ingresos por cada una de las personas que lo integran. La gravedad de este porcentaje se ve acentuada por el hecho de que esta cifra es aplicable a los jóvenes entre 20 y 30 años. Lo que muestra que ya, en las primeras edades, se constata el fracaso de la reclusión en lo que respecta a su finalidad de integración social.

b) El panorama no parece menos desolador en lo que se refiere a las actividades dentro de estos centros de internamiento. Sobre todo porque el trabajo de los reclusos es el instrumento primordial para promover su reinserción en la sociedad. Preparación y experiencia en algún oficio son fundamentales para lograr ese objetivo. Sólo un 11% de los internos, según el estudio aludido, realiza alguna actividad remunerada en los talleres de las prisiones. Este coeficiente tan bajo, además de denotar las enormes deficiencias en lo que se refiere a perspectivas de futuro, resalta la precariedad económica de los reclusos, que además frecuentemente se enfrentan a obligaciones de índole material con sus familiares y allegados. Además es evidente que el trabajo remunerado fortalece la autoestima de los internos y estabiliza su condición psíquica.

Únicamente el 10% de la población reclusa dispone de puesto en talleres ocupacionales y escasamente el 5% tiene acceso a cursos de formación ocupacional. En resumen, sólo el 29% de los mismos utiliza provechosamente su tiempo en prisión. Como dato sintomático de la grave deficiencia en actividades lucrativas y de carácter formativo, el 65% de los reclusos malgasta su ocio más de 5 horas diarias en el patio carcelario, lo que hay que evaluar como perjudicial.

c) El 75% de la población reclusa, según el estudio al que nos estamos refiriendo, declara haber consumido droga en época anterior a su ingreso en prisión. Hay que destacar que, por regla general, son los delitos que tienen relación con el consumo y tráfico de drogas los que les condujeron a sus actuales condenas. Desde la perspectiva de qué es lo que debe ser lícito o ilícito en el interior de establecimientos estatales como son las cárceles, resulta difícil de explicar por qué el 45% de esta cifra del 75% sigue consumiendo droga en su interior. Por complejas razones, o no se sabe o no se puede eliminar su trasiego en estos centros.

Ello hace posible que el 40%, del restante 25% que no consumía droga antes de su ingreso en prisión, se encuentre con que la cárcel, en lugar de ayudarles para mejorar su conducta humana, les ha facilitado la adicción a los estupefacientes. Todos estos elementos obligan a indagar cuál es la calidad de los tratamientos de deshabituación de las drogas en el interior de las cárceles y, por tanto, qué garantías hay de buenos resultados. Y también nos invitan a estudiar la propuesta de considerar al drogadicto primordialmente como un enfermo, en vez de hacer primar su condición de delincuente.

d) En torno al 30% de todos los presos se ven afectados por el VIH-SIDA, lo cual representa una cifra espeluznante. En consecuencia, con la gravedad de esta enfermedad, habría que concluir que sobre todo para aquellos presos en los que la enfermedad ha entrado en su fase declarada sintomáticamente, la prisión debería convertirse en establecimiento sanitario, con modernas técnicas de atención médica, algo que no se corresponde con las reales posibilidades de las instituciones penitenciarias. Más grave todavía parece el hecho de que cerca de la mitad de los enfermos, infectados por este mal, han contraído su enfermedad en prisión. Este dato califica a las cárceles españolas como centros peligrosos para la salud por su carácter contagioso, lo que en absoluto se corresponde con las obligaciones que asume el Estado en sus propios establecimientos. Por consiguiente, las medidas para enfrentarse a esta enfermedad, tanto asistencial como preventivamente, exigen un serio replanteamiento sanitario.

e) Por último, tanto la extensión de la hepatitis (17% del total de los internos), como un 6% de reclusos con enfermedades mentales requieren considerar también profundas reformas en la atención sanitaria.

Además, en lo que respecta al régimen disciplinario, existe en las cárceles españolas una clasificación de presos llamados FIES, creada para someter a determinado tipo de reclusos, que destacan por su peligrosidad o indisciplina, a un control mucho más exhaustivo que el habitual. Estas personas en razón de estas medidas ven mermados sus derechos hasta límites extremos.

Diariamente se realiza un informe sobre el comportamiento de cada uno de estos presos, además sobre las personas con las que se relacionan, sus conversaciones telefónicas, los abogados que los visitan, etc. La vida de estos internos se desarrolla casi íntegramente en sus celdas, con sólo 2 ó 3 horas diarias de patio. En la primera fase de esta situación únicamente pueden salir de dos en dos. Están en celdas individuales, con escasa ventilación, teniendo que hacer uso permanente de la luz eléctrica. Se abusa, en el trato al que se les somete, de la utilización de las esposas, son obligados a cacheos diarios, frecuentemente con desnudo integral; sus celdas son registradas varias veces al día. El número de pertenencias en las celdas (ropa, libros, música) es limitado. Carecen de cualquier autorización para realizar actividades y deportes. Con frecuencia el trato con los funcionarios no es bueno, algunos de los cuales vigilan a esta clase de presos como efecto de una sanción.

Pero lo más grave de este régimen, siéndolo tanto, es que bastantes de las personas que lo sufren durante años viven en estas circunstancias. Los efectos psíquicos a largo plazo de este sistema de reclusión son lo contrario de lo que supone una concepción rehabilitadora de las penas.

IV. XENOFOBIA Y RACISMO COMO AMENAZA A LOS DERECHOS HUMANOS

En los últimos años se ha producido una relación evidente entre procesos migratorios y reacciones racistas y xenófobas. Ello ha repercutido entre los trabajadores inmigrantes asentados en los países de la UE, algunos ya pertenecientes a la segunda o tercera generación de los primeros inmigrantes. El incremento de esta reacción introduce dentro de Occidente un riesgo, con otras modulaciones, de tendencias letales que ya estuvieron presentes en el primer tercio de este siglo.

1. *La miseria de las políticas inmigratorias*

Percibimos, pues, que los actuales fenómenos inmigratorios han producido una respuesta reactiva en los países desarrollados, desproporcionada en su virulencia y lejos de una consideración justa acerca de lo que son las obligaciones de los países desarrollados con los que no lo son.

Son escasos los intentos de abordar la cuestión con una óptica universalista, en el marco de la perspectiva global propia de los derechos humanos. Ello ha sido también así en España, si bien con muchos menos motivos, pues hasta el momento, la intensidad de la llegada de inmigrantes económicos tiene escasa relevancia y es insignificante la continuidad de la herencia inmigratoria del pasado.

Es cierto que, sobre todo, son las causas económicas las que presumiblemente van a ir incrementando las cifras de la emigración. Los informes de Naciones Unidas nos enseñan que cerca de 1 000 millones de habitantes de nuestro planeta están mal nutridos, padecen hambre y muchos de ellos perecerán irremediablemente, si no cambian sus condiciones de vida. Además de todos los centenares de millones que son considerados pobres en un mundo interdependiente e intercomunicado. En esas condiciones, tienen enormes dificultades para obtener los mínimos indispensables para subsistencia propia y de sus familias. Por tanto, su emigración permite considerarlos como auténticos refugiados que huyen del paro, del hambre y de la enfermedad. En sus países, los bienes que estimamos irrenunciables para sostener la dignidad de las personas son escasos, disfrutados sólo por una minoría.

Las dimensiones de esta realidad han sido bien analizadas y diagnosticadas en los último Informes del Club de Roma y del programa para Desarrollo de Naciones Unidas (PDNU). Sus conclusiones obligan a cambiar en 180 grados las perspectivas que dominan en los países desarrollados, conducidas casi exclusivamente por una visión miope de los propios intereses. Para corregir sus actuales posiciones habría que recordar a estos países que, en virtud de los pactos internacionales, han reconocido la emigración como un derecho de las personas. Es una consecuencia del derecho a la libre circulación de las personas, afirmado en la declaración de los Derechos Humanos de 1948 y contenido en sus Pactos. Reconocerlo así es también el compromiso, corroborado en sus tratados, de que los Estados deben actuar con el fin de obtener que todos los seres humanos vean satisfechos sus derechos económicos, sociales y culturales: derecho al trabajo, a la alimentación, a la salud, a la vivienda, a la educación y a la formación. Estos derechos son prioritarios sobre otras consideraciones y avalan el derecho a emigrar, cuando en sus naciones la población padece su imposible garantía. Explícitamente lo reconoce así la *Convención internacional sobre la protección de derechos de todos los emigrantes trabajadores y los miembros de sus familias*, aprobada en diciembre de 1990 en la Asamblea general de Naciones Unidas; uno de sus artículos proclama que «los trabajadores emigrantes y sus familias deben tener libertad para abandonar cualquier Estado, incluyendo el Estado de origen». Y es evidente que este derecho es papel mojado si correspondientemente no se diseñan políticas de recepción de la emigración, especialmente en aquellos Estados de mayor bienestar. De otra manera, la caída de muros y barreras no tendría efecto para los ciudadanos si, sin solución de continuidad, se alzan adyacentes otros muros más sutiles, pero no menos limitadores de los derechos proclamados.

Pero lo que observamos son políticas impulsadas por lo que se ha denominado un «chauvinismo del bienestar», que acentúa exclusivamente las reales y perennes limitaciones económicas de los países desarrollados.

La política del Gobierno español desde 1985, cuando se aprueba la Ley de extranjería, ha seguido este rumbo de restricción de la inmigración con el resultado del incremento de la xenofobia. De hecho, esta ley significa elegir una opción tendente a cero en lo que se refiere a la recepción de emigrantes. En España, donde el flujo migratorio ni numérica ni comparativamente es relevante, se ha elegido poner la venda antes de que se produzca la herida. Es, obviamente, una ley dicriminatoria de pobres. Posteriormente se han fijado unos requisitos económicos desorbitados, exigidos para quienes quieren visitarnos como turistas, insalvables para quienes no pertenecen a los estratos sociales más adinerados de sus países.

Como la realidad social de la emigración es restringible, pero no suprimible, el primer efecto pernicioso de la Ley de extranjería ha sido el de convertir al emigrante en un delincuente. Más de 200 000 personas se han visto como consecuencia condenadas a la ilegalidad. Y ello, no porque hubiese entre las mismas muchos sujetos de aviesas intenciones, proclives al delito, o narcotraficantes, sino sencillamente porque la ley impone unas condiciones pensadas para que no puedan cumplirse por la práctica totalidad de los que aspiran a trabajar entre nosotros, provenientes de los países del Sur.

Además, una vez alcanzado el estatuto de la legalidad, en una reedición de la tarea de Penélope, se vuelve a tejer y a destejer la legalidad de antiguos y nuevos emigrantes. En España los permisos de trabajo se conceden por un año; muchos, tras ver regulada su situación, después de ese período, de nuevo no reúnen las condiciones para su renovación y, consecuentemente, retornan a la economía no declarada; a éstos se añaden los nuevos emigrantes clandestinos. Este trasiego entre legalidad e ilegalidad en tan grandes cifras es algo inaceptable. De hecho, en nuestro país la Ley de extranjería, en la práctica y como sistema, fuerza a que la ilegalidad sea la antesala obligada de la legalidad. Se entra como ilegal y se espera, posteriormente, poder emerger a la legalidad.

La intención de la Ley de extranjería —no lograda— de cerrar las puertas a la emigración económica del Tercer Mundo implicaba declarar por decreto la inexistencia de inmigrantes. Pero esa verdad oficial, como hemos visto, no se corresponde con los hechos. La peor derivación de negarlos ha sido la ausencia de una buena política de inmigración con respecto a los emigrantes reales. Ésta debería plantear desde una perspectiva digna y moderna los objetivos de integración social de los emigrantes. Lo que supone, obviamente, proyectos laborales, de viviendas, de formación, de reagrupación familiar, de atención escolar a los hijos de los emigrantes, de diálogo intercultural, cultivo de las costumbres y la cultura de origen, facilidades para el ocio y el encuentro de los distintos colectivos extranjeros, fomentos de las asociaciones representativas y de actividades asociativas.

Los flujos son, sobre todo vistos desde la perspectiva policial, como una cuestión de orden público. Un informe del Parlamento Europeo habla de una «amalgama inaceptable» al vincular los fenómenos migratorios con la lucha contra la delincuencia internacional y el tráfico de estupefacientes. Pues, aun siendo cierto que hay que tener en cuenta los aspectos de seguridad, este punto de mira exclusivo, o prioritario, supone una perversión en la forma de enfrentarse con esta cuestión. En conclusión, podemos constatar que no ha habido transparencia en la toma de decisiones, se ha hurtado el debate a la opinión pública y se ha degradado el tratamiento a aspectos policiales.

2. *Las responsabilidades políticas de la xenofobia y el racismo*

Parece que a la legislación española se le puede aplicar lo que el Parlamento Europeo, en su informe de 1990, llama «racismo o discriminación institucionalizada de los inmigrantes». El mismo documento considera que este tipo de legislación intensifica el racismo, incluso hacia minorías étnicas naturalizadas. El caso español confirma este diagnóstico con el sorprendente recrudecimiento de bárbaras manifestaciones de un racismo que estaba «dormido» en la sociedad española, en relación con el colectivo gitano. El resultado de todo esto en el área europea es que crecientemente la política de los países comunitarios se aproxima de manera sorprendente a la tetralogía ideológica, desde hace años inspirada en Francia por Le Pen. Vinculaba y condicionaba mutuamente cuatro conceptos: inmigración, inseguridad, delincuencia y desempleo de los franceses. Y lo que al comienzo parecía tan sólo un residuo poco relevante de las ideologías de los años '30 se está revelando como una tendencia con futuro. Ello ha llevado a un político de instinto como Giscard D'Estaing a reivindicar como definitorio de los derechos de los ciudadanos el *ius sanguinis* contrapuesto al ideal republicano *ius soli*.

Hoy en día, cuando se habla con justificada alarma del auge del racismo y de la xenofobia, no se puede dejar de lado las responsabilidades por este tipo de reacciones en los sectores de las poblaciones nacionales que corresponden a políticas policiales de represión de la libertad de emigrar y, consecuentemente, a la carencia de política de recepción e integración de emigrantes.

Pues la extensión en la población de la conciencia de la ilegalidad de los extranjeros, su marginalidad social, en gran parte consecuencia necesaria de esa ilegalidad, son efectos relevantes en el resurgimiento de las nuevas xenofobias. La divulgación también de que la restricción de la emigración es obligada para eliminar a competidores en el mercado de trabajo, en un país de altas tasas de paro, aun siendo falsa, predispone a los ciudadanos contra los extranjeros.

La emigración y su onda reactiva de xenofobia, junto con el sorprendente recrudecimiento del racismo en Europa, obligan a una seria reflexión de las sociedades democráticas y de sus gobernantes.

Las víctimas del racismo no son sólo los inmediatamente concernidos, sino que los somos todos. El racismo deteriora los valores y costumbres en los que se asienta la democracia. El racismo es incompatible con la democracia. La historia de Europa en este siglo lo muestra contundentemente. Volvemos a tener entre nosotros, ya activos, los nidos de las serpientes.

Mientras tanto, es obvio que una de las mejores ayudas a los países no desarrollados es la recepción de emigrantes. Por una doble razón: en primer lugar, hacen disminuir las insoportables cifras de paro de esos países y las remesas remitidas suponen una inyección de dinero importante en las economías deprimidas.

En segundo lugar, concretamente en Europa, hay que diseñar políticas de inmigración, que hoy no existen por el afán de negar legitimidad a estos procesos migratorios imparables. Estas políticas, dada la dimensión previsible del problema, deberían concertarse en el espacio europeo, pues superan la capacidad de respuestas nacionales. Hay que mejorar la protección y la viabilidad del derecho a emigrar, por ser un compromiso internacional de todos los Estados. Derecho que obviamente debe tener en cuenta las capacidades, no infinitas, de integración de los países europeos, pero que tienen que ser definidas a la vez con realismo y generosidad. Parece razonable establecer una cuota europea, repartida diferenciadamente en los diversos países. Llevada a cabo en el marco de una política común de inmigración, en la que se atendieran todos los aspectos anteriormente mencionados de integración social y cultural de los emigrantes, sin que sea concebida ante todo como una cuestión de carácter policial y, por lo tanto, competencia de los garantes del orden público. La seriedad del fenómeno exige un debate en la opinión pública europea, previamente bien informada, que se encuentre descargado en lo posible de la fuerte intensidad emocional que va adquiriendo. Deben participar en él todas las instituciones democráticas de la comunidad, en este caso, principalmente la única elegida por sufragio popular supranacional, el Parlamento Europeo.

El objetivo de todas estas orientaciones y métodos debe tender a que los ciudadanos acepten la inmigración como un fenómeno habitual, como lo ha sido siempre en la historia de la humanidad, positivo por la mayor fecundidad de las sociedades multiculturales, también como el ejercicio de un derecho de todos, de ellos y de nosotros, y como la expresión de un mundo irreversiblemente globalizado e interdependiente.

V. DERECHOS DE LA TERCERA GENERACIÓN

Uno de los logros de los movimientos pacifistas de la posguerra en Europa fue el reconocimiento de la objeción de conciencia. En nuestro país la legislación en este capítulo ha sido desafortunada, lo que como reacción ha ocasionado un *boom* de objetores, desconocido en el resto de los países europeos. Ello tiene su razón de ser en el amplio rechazo a una ley de objeción de conciencia, basada en la desconfianza hacia el objetor, concebido como una excepción que había que tolerar, en lugar de un bien social que hay que proteger frente a los males comprobados en la reciente historia europea, consecuencia de la difusión de concepciones militaristas. El mayor período de la obligación del servicio social sustitutorio en comparación con la duración del servicio militar, efectivo hasta muy recientemente, es una de las pruebas de esta mentalidad contraria a la objeción. La rebeldía de los potenciales objetores ante la discriminación sufrida ha tenido como efecto el fenómeno insólito en nuestro entorno de los insumisos, cuya realidad no ha sido comprendida por la feroz persecución penal a la que se han visto sometidos.

Los insumisos han sido considerados como desertores sin más y no como la nueva forma que adoptaba la objeción de conciencia, ante su incomprensión legal, elegida por un número relevante de los jóvenes españoles. El final de esta lamentable historia está ya determinado por la abolición del servicio militar obligatorio, a la que ha contribuido en gran parte el extenso y consciente movimiento de la objeción de conciencia de estos jóvenes.

La ausencia de una avanzada responsabilidad ecológica en las leyes y practicas en España y la discriminación social y profesional de la mujer son también temas que deben abordarse en consideraciones más extensas acerca de los derechos humanos.

Nuestro análisis limitado debe servir, sin embargo, para mostrar que los derechos humanos siempre deben ser proclamados y defendidos desde la sociedad civil y también en los países desarrollados donde dibujan un horizonte utópico que no se satisface con los logros obtenidos sino que señala las cotas que quedan por alcanzar en los ideales de los derechos humanos.

Capítulo 25

SOLIDARIDAD Y COOPERACIÓN: LA OTRA GLOBALIZACIÓN

Francisca Sauquillo Pérez del Arco

I. ACERCA DE LA GLOBALIZACIÓN

Los últimos años están caracterizados por un acercamiento cada vez más estrecho entre las distintas regiones del mundo de modo que la aldea global de la que habló Mac Luhan se va convirtiendo paulatinamente en una realidad. Este fenómeno se percibe principalmente en el ámbito de las relaciones económicas y se habla hoy de la globalización que los analistas definen como el proceso por el que las economías nacionales se integran en la economía internacional, de modo que su evolución depende cada vez más de los mercados internacionales y menos de las políticas gubernamentales [1].

«Es la fase más elevada de internacionalización: el conjunto de procesos tales como el flujo de bienes, servicios, capital, personas y tecnologías, el predominio de orientación hacia el mercado mundial.» [2] Algunos autores piensan que el término «globalización» supone «conceder una hiperdimensión al fenómeno, ya que se trata más bien de la integración institucional de los mercados y la aparición de problemas globales que requieren de la cooperación mundial para su solución» [3]. Otros, finalmente, entienden que se trata de un fenómeno vinculado tan sólo a la revolución del sector de la electrónica y las telecomunicaciones o a la internacionalización creciente de las econo-

1. Véase *Sociedad y Utopía* 12 (1998), 6.
2. M. Álvarez Rico e I. Álvarez-Rico García, «La crisis del Estado de Bienestar en el marco de la globalización»: *Sociedad y Utopía*, cit., 126.
3. *Ibid.*

mías nacionales producida por un nuevo y único sistema en el que todo el mundo compite, no sólo dentro de las fronteras nacionales sino fuera de ellas. El mismo desacuerdo se mantiene en cuanto al origen y causas del fenómeno que algunos sitúan ya en el siglo XVI[4] o incluso en los tiempos precolombinos»[5].

Por consiguiente, la globalización no debe ser situada sólo en el campo de la economía, sino también en otros ámbitos. En efecto, la globalización hace referencia a la existencia de un sistema de interconexiones a escala mundial de personas, empresas, instituciones y países en los sectores económico, político y cultural a través del desarrollo de una sofisticada y compleja red de comunicaciones[6]. Es cierto, la baja del costo del transporte y las comunicaciones ha reducido las barreras naturales. El transporte marítimo es mucho más barato: entre 1920 y 1990, el costo del transporte marítimo se redujo en más de dos tercios. Entre 1960 y 1990, el costo de operación por kilómetro de las líneas aéreas del mundo se redujo en el 60%. Las comunicaciones son también mucho más fáciles y baratas. Asimismo, entre 1940 y 1970 el costo de una llamada telefónica internacional bajó en más del 80%, y entre 1970 y 1990 en el 90%. En los años '80, el tráfico de telecomunicaciones aumentó en el 20% anual. Internet, el punto de partida de la supercarretera de la información, es utilizada ahora por 50 millones de personas, y el número de suscriptores que se conectan por su conducto se duplica todos los años»[7].

En un sentido estricto, el término globalización es puramente económico, pero puede encontrar otras aplicaciones a cualquier tipo de actividad humana[8]. La interconexión a escala mundial, generada por la globalización, no nos hace iguales en el ámbito cultural, ni tampoco en el plano económico. Al contrario, genera diversos niveles de estratificación en ambos planos[9].

4. M. Bélanger, *Institutions économiques internationales. La mondialisation économique et ses limites*, Economica, Paris, 1997, 29. Según Michel Bélanger, la globalización se puso en marcha desde el siglo XVI para acelerarse a partir de los años 1945 y, sobre todo, de los años '90.

5. M. Álvarez Rico e I. Álvarez-Rico García, cit., 126.

6. J. C. Lison Arcal, «Globalización y desarrollo culturalmente compatible»: *Sociedad y Utopía* 12 (1998), 63.

7. PNUD, *Informe sobre el desarrollo humano 1997*, Mundi-Prensa, Madrid, 1997, 93.

8. L. Rodríguez Baena, «Cibercultura: una cultura global»: *Sociedad y Utopía*, cit., 117.

9. J. C. Lison Arcal, cit., 70.

Según el PNUD, la globalización es «la ampliación y profundización de las corrientes internacionales de comercio, finanzas e información en un solo mercado mundial integrado» [10].

Los principales factores que han ido determinando el proceso de globalización económica han sido: el comercio internacional, con una paulatina desaparición de barreras; los movimientos de los factores productivos (trabajo, capital financiero y tecnología), facilitados por la nueva tecnología en el sector de comunicación y telecomunicaciones; las empresas multinacionales que se han transformado en empresas globales; y los procesos de integración regional.

Este proceso de globalización está sujeto a un debate del que emergen dos posturas principales. La primera considera a la globalización como un elemento de acercamiento de las culturas, de consolidación de la paz y de fomento paulatino de desarrollo. Los defensores de esta postura creen que la globalización económica producirá inevitablemente el desarrollo de los países pobres del planeta [11], mientras que la segunda postura ve en este fenómeno «un proceso nefasto mediante el cual los pueblos han cedido el poder sobre sus economías y sus sociedades a fuerzas globales y antidemocráticas» [12]. En este proceso, resalta el protagonismo en auge que las empresas multinacionales imponen a la economía internacional a través de sus crecientes cifras de inversión exterior [13].

En esta misma línea de los pesimistas, se cree que la globalización impone a los Estados la liberalización económica con la consecuencia de reducir su participación en la vida nacional, provocando, de esta manera, una ola de privatizaciones de las empresas públicas que generalmente suponen una disminución del empleo. En su reflexión sobre este fenómeno, Ulrich Beck afirmaba, por su parte, que la globalización «permite a los empresarios, y a sus asociados, reconquistar y volver a disponer del poder negociador política y socialmente domesticado del capitalismo democráticamente organizado. La globalización posibilita eso que sin duda estuvo siempre presente en el capitalismo, pero que se mantuvo en estado larvado durante la fase de su domesticación por la sociedad estatal y democrática: que los empresarios, sobre todo los que se mueven en el ámbito planetario, puedan desempeñar un papel clave en la configuración no sólo de la

10. Véase PNUD, cit., 92.

11. Acerca de este debate, véase J. L. Sampedro y C. Berzosa, *Conciencia del subdesarrollo. Veinticinco años después*, Taurus, Madrid, 1997.

12. Véase *Sociedad y Utopía*, cit., 6.

13. *Ibid.*

economía, sino también de la sociedad en su conjunto, aun cuando «solo» fuera por el poder que tienen para privar a la sociedad de sus recursos materiales (capital, impuestos, puestos de trabajo). La economía que actúa en el ámbito mundial socava los cimientos de las economías nacionales y de los Estados nacionales, lo cual desencadena a su vez una subpolitización de alcance completamente nuevo y de consecuencias imprevisibles» [14].

Por ello, señalaba José Manuel Parrilla Fernández que la globalización supone en el plano político «la pérdida del control efectivo del poder por parte de los Estados-nación, poder que no se transfiere a una autoridad mundial elegida democráticamente, sino a unas fuerzas económicas controladas sobre todo por grandes grupos financieros guiados por el criterio de la maximización del beneficio...» [15]. Donde se pretende maximizar los beneficios a corto plazo, el nivel de la explotación laboral y de profundización de las desigualdades es siempre alto. Así, el supuesto crecimiento económico acaba generando desempleo; y la rebaja drástica de los impuestos genera igualmente desempleo [16].

Los países de la UE se han hecho más ricos en los últimos veinte años en un porcentaje que oscila entre el 50 y el 70%. La economía ha crecido mucho más deprisa que la población. No obstante, la UE cuenta actualmente con 20 millones de parados, 50 millones de personas categorizadas como pobres y 5 millones de personas sin techo. ¿Quiénes son los que se han beneficiado de este crecimiento y aumento de la riqueza? [17].

La maximización de los beneficios, si debe tener repercusiones positivas, ha de culminar con reparto equitativo de estos beneficios.

Además, en los países subdesarrollados, la globalización puede contribuir al crecimiento de la pobreza absoluta, a la profundización del abismo entre ricos y pobres, y a la marginación de éstos, al dar prioridad a la producción de bienes de consumo menos básicos y disminuir la producción de bienes de los cuales dependen los pobres. En los mismos términos, apuntaba el Informe sobre el Desarrollo Humano 1997 ya citado, indicando que «la globalización tiene ganadores y perdedores. Con la ampliación del comercio y la inversión extranjera, los países subdesarrollados han visto profundizarse las diferencias

14. U. Beck, *¿Qué es la globalización? Falacias del globalismo, respuestas a la globalización*, Paidós, Barcelona, 1998, 16.
15. J. M. Parrilla Fernández, «La globalización: oportunidades y amenazas para los pueblos pobres...»: *Sociedad y Utopía*, cit., 151.
16. U. Beck, cit., 17.
17. U. Beck, cit., 21.

entre ellos. Entretanto, en los países industrializados el desempleo ha subido a niveles que no se veían desde los años '30, y la desigualdad del ingreso, a niveles que no se conocían desde el siglo pasado»[18]. Son estas mismas tendencias las que explican cómo hoy los beneficios de las quinientas empresas multinacionales más grandes del mundo han aumentado un 15%, mientras que su volumen de negocio sólo ha crecido un 11%[19].

Con la globalización, muchos países no se han beneficiado de la inversión extranjera directa que se ha concentrado en América del Norte, Europa y Japón[20]. El resto del mundo, con más del 70% de la población, recibe menos del 10%, y para un tercio de los países subdesarrollados, la relación de inversión extranjera directa con PIB ha bajado en el último decenio. Por cuanto, las corrientes de inversión suelen ir relacionadas con transferencia de tecnología, esto significa que regiones enormes del mundo están quedando excluidas de los avances tecnológicos[21].

Ante estas consideraciones, se ha de afirmar que la globalización tiene sus ventajas y sus desventajas. Debiendo ser estas últimas una preocupación constante para los actores gubernamentales y no gubernamentales que han de buscar vías para minimizar los efectos negativos de este proceso. La cooperación para el desarrollo puede jugar un papel importante en este terreno.

II. COOPERACIÓN, SOLIDARIDAD Y GLOBALIZACIÓN

Considerar la cooperación como otra forma de globalización no sorprende, y mucho menos cuando se trata de solidaridad. En efecto, la cooperación se emprende a partir de un determinado sentido de solidaridad que anima a un grupo de personas a trabajar juntos para alcanzar objetivos de interés común. En otros términos, la cooperación entre pueblos es otra forma de expresar su solidaridad, unir las fuerzas para realizar proyectos o alcanzar ideales comunes.

Llegado a este nivel, la cooperación tiende a acercar pueblos y consolidar determinados valores considerados como universales. En el mismo sentido, tanto la cooperación como la solidaridad se convierten

18. PNUD, cit., 92.
19. Véase la revista *Fortune*, del 5 de agosto de 1996, citada por F. F. Clairmont, «Endlose Profite, endliche Welt»: *Le Monde diplomatique*, 11.4.1997, 1.
20. *Ibid.*, 94.
21. *Ibid.*

en factores que contribuyen a asentar aún más el proceso de globalización que el mundo está experimentando durante estos últimos años.

Como he subrayado anteriormente, los avances tecnológicos, el fenómeno de multinacionalización de empresas con el acelerado movimiento de capitales han reducido distancias y tienden a homogeneizar, dentro de la diversidad, algunas prácticas a escala mundial. Pero una reflexión objetiva debe reconocer que esta globalización está limitada a ciertas regiones. Existen todavía importantes sectores poblacionales o áreas discriminadas que no están integradas en el proceso de globalización. Es en estas zonas donde la cooperación debe desempeñar un papel importante para favorecer su inserción en las corrientes culturales de carácter internacional, siempre y cuando éstas no eclipsen los valores positivos locales y, sobre todo, contribuyan a consolidar los procesos de desarrollo de esas zonas.

Si la globalización contribuye a acercar los pueblos sin reducir las desigualdades y las injusticias existentes entre ellos, la cooperación y la solidaridad serían estrategias para corregir esta situación. En efecto, a pesar del crecimiento de la producción de bienes y servicios a escala mundial, todavía existen y, además, se acentúan las diferencias de niveles de renta entre las distintas áreas geográficas. Por consiguiente, la globalización, al tiempo que origina una economía mundial en la que todo está interconectado para ejercer una función determinada, actúa de forma selectiva permitiendo la marginación de regiones y grupos sociales del proceso [22].

A pesar de haber facilitado un importante aumento del valor de la producción o de la riqueza a escala mundial, la globalización no ha tenido una repercusión mimética en el bienestar social a través del mundo, tampoco ha favorecido un retroceso de la pobreza. «No ha existido una relación estrecha de causa (crecimiento económico) a efecto (equidad espacial y desarrollo humano)» [23]. Por consiguiente, por obedecer a determinados intereses [24], la globalización económica es selectiva desde el punto de vista espacial [25]. Uno de sus efectos

22. M. Molina, *La globalización económica a debate*, Documentos de trabajo DT:6/1998, Instituto Complutense de Estudios Internacionales, Universidad Complutense de Madrid, 1998, 5.

23. *Ibid.*, 7.

24. Al tener un marcado carácter económico, la globalización está muy ligada a las estrategias empresariales y a las reglas del capital. Responde a preocupaciones como qué producir (nuevas demandas), cómo producir (la tecnología adecuada) y dónde producir (selección de los espacios más atractivos acorde con sus exigencias); véase M. Molina, cit., 17.

25. *Ibid.*, 8.

más destacados es la globalización empresarial y las desarticulaciones económicas en los espacios más retrasados. Ante esta situación, la cooperación entre pueblos y el fomento de un sincero sentido de la solidaridad pueden aportar elementos correctivos y sacar importantes dividendos de este proceso de globalización.

III. POR UNA COOPERACIÓN Y SOLIDARIDAD RESPONSABLES

La práctica de la cooperación al desarrollo se consolida a comienzos de la década de los '60, aunque se había iniciado unos años antes. Es importante apuntar este hecho para comprender que la cooperación no faltó a la cita durante todo el período en el que se ha ido configurando la globalización. No obstante, se puede afirmar que las desigualdades han ido creciendo pese a la importante labor de cooperación y solidaridad desarrollada tanto por entidades públicas como por ONG's. Esta realidad obliga a una seria y profunda reflexión sobre las políticas de cooperación para el desarrollo hasta ahora puestas en práctica con el fin de buscar nuevas estrategias, más eficaces, que ayuden a reducir o corregir los aspectos negativos de la globalización.

En efecto, la cooperación puede servir de amortiguador a los efectos negativos de la globalización. Como apunta José Manuel Parrilla Fernández, «hacen falta esfuerzos internos en cada país para traducir la globalización en reducción de la pobreza, pero también esfuerzos internacionales para compartir la responsabilidad de promover el tan necesario bien público de la equidad y la cohesión social, mediante la cooperación en su sentido más amplio [...] se precisa un sistema de políticas mundiales para hacer que los mercados operen en beneficio de la gente, en lugar de perjudicarla»[26].

Si la cooperación no ha sido un contrapeso indicado de la globalización en su aspecto negativo, es por no haber dado respuestas eficaces a importantes temas que mantienen el abismo entre el Norte y el Sur. Mientras se sustentan prácticas proteccionistas para la industria y la agricultura de los países desarrollados, apenas se avanza en cuestiones tan importantes como la deuda externa, que asfixia a los países pobres, y la gestión de los mercados de productos básicos primarios[27].

26. J. M. Parrilla Fernández, «La globalización: Oportunidades y amenazas para los pueblos pobres. La perspectiva del Programa de las Naciones Unidas para el Desarrollo»: *Sociedad y Utopía*, cit., 148.
27. *Ibid.*, 152.

Los organismos económicos internacionales como la OMC, el FMI y el Banco Mundial deben implicarse más y positivamente procediendo a una revisión de buena parte de sus políticas para hacer que el comercio internacional y las políticas financieras internacionales se encaucen de modo que permitan difundir las ventajas de la globalización y aminorar sus inconvenientes, especialmente para los pobres[28].

Con respecto a esta misma preocupación de aminorar los efectos perjudiciales de la globalización, el PNUD recomienda acentuar el esfuerzo de cooperación mediante agrupaciones regionales de países capaces de coordinar sus propios procesos económicos.

Todas estas estrategias tendrían efectos aún más positivos si se revisará sistemáticamente las políticas de cooperación para el desarrollo en su conjunto. Esto precisaría adoptar un programa mundial que permita que las nuevas condiciones de la economía globalizada beneficien a los pobres. En este sentido, la reivindicación de un Nuevo Orden Económico Internacional, efectuado en 1974, merece ser actualizada porque sus grandes propuestas siguen teniendo vigencia en la situación actual.

En efecto, el Nuevo Orden Económico internacional debía consistir en:

a) La industrialización y transferencia de tecnología a los países subdesarrollados. Si es cierto que la ciencia debe estar al servicio de la humanidad, sus logros deben repartirse equitativamente entre todos los pueblos del planeta.

b) La fijación de precios justos y rentables para los productos de exportación de los países del Tercer Mundo, y su inserción adecuada en las corrientes comerciales internacionales sin barreras proteccionistas ni discriminatorias.

c) La adopción de un código de buena conducta para las empresas multinacionales cuyos presupuestos superan, a veces, el presupuesto anual de muchos de los países del Tercer Mundo en los que se ubican.

d) La revisión de las modalidades de concesión de la ayuda oficial al desarrollo, la cual va muchas veces acompañada de condiciones que no responden a las necesidades inmediatas y básicas de los pueblos receptores, al contrario, benefician los mercados de los propios donantes al tiempo que contribuyen a aumentar la carga de la deuda.

28. *Ibid.*

e) La renegociación de la deuda externa de los países subdesarrollados, la que se ha convertido en un obstáculo para alcanzar su desarrollo. Esta renegociación de la deuda y, en el mejor de los casos, su condonación, es un requisito imprescindible para ayudar a los países subdesarrollados a salir de su situación de pobreza y encauzar con buenos horizontes sus procesos de desarrollo. En estos mismos términos abundaba la Cumbre Mundial sobre el Desarrollo Social, celebrada en Copenhague, la cual afirmaba que «una propuesta que se considera clave para ayudar a los países más pobres en su lucha contra la pobreza es la reducción de la deuda, ya que los países en desarrollo tienen en conjunto una deuda abrumadora de 1 billón 945 000 millones de dólares. La cancelación de la deuda es una forma de liberar recursos para la acción encaminada a eliminar la pobreza, crear modos de ganarse el sustento y potenciar a los pobres»[29].

f) La reforma de las instituciones financieras internacionales, principalmente el FMI, con todos sus mecanismos de toma de decisiones que reflejan una desventaja para los países subdesarrollados y, por consiguiente, una injusticia que los coloca siempre en una postura de debilidad a la hora de tomar grandes decisiones.

Estas reivindicaciones tuvieron un amplio eco en el seno de la ONU que, durante la sexta sesión extraordinaria de su Asamblea General, trató de estudiar las cuestiones relacionadas con el desarrollo del Tercer Mundo, particularmente, los problemas generados por la fluctuación de los precios de materias primas de los países subdesarrollados.

El documento final, adoptado el 1 de mayo de 1974, era un intento de acercarse a ese Nuevo Orden Económico Internacional. Este documento proclamaba la determinación de la ONU de obrar con urgencia a favor de un Nuevo Orden Económico Internacional fundado en la equidad de los intercambios internacionales, la igualdad entre Estados y pueblos, el respeto de la soberanía económica de cada Estado, la cual debe ayudar al propio Estado a mantener el pleno control de sus potencialidades económicas, el fomento del sentido de interés común y la cooperación entre todos los países[30].

Por consiguiente, la petición de un NOEI o el propio NOEI tenía como objetivo corregir las desigualdades y las injusticias en las relacio-

29. R. Díaz-Salazar, *Redes de solidaridad internacional. Para derribar el muro Norte-Sur*, Ediciones HOAC, Madrid, 1996, 138-139.

30. Véase D. Colard, *Les relations internationales de 1945 à nos jours*, Masson, Paris, 1991, 268.

nes económicas y financieras internacionales, eliminar el foso existente entre los países desarrollados y los subdesarrollados, así como asegurar para siempre un desarrollo económico y social dentro de un ambiente de paz, igualdad de oportunidades y concordia entre todos los pueblos.

Estas iniciativas no tuvieron éxito, de modo que nunca se buscaron vías para establecer ese NOEI, lo que dejó camino libre a las fuerzas económicas y financieras para actuar dentro de un liberalismo que apenas concedía primacia a la dignidad humana. Un ambiente de estas características no podía más que acrecentar las desigualdades. Ante el nuevo proceso de globalización económica, se puede asistir a un nuevo deterioro de la situación y al ensanchamiento aún mayor del abismo entre países desarrollados y países subdesarrollados, entre ricos y pobres.

El fracaso del NOEI y las pocas consideraciones hacia la dignidad humana dentro de una sociedad internacional marcada por desigualdades hizo que en la década de los '80 se viera asentarse la idea del derecho al desarrollo como un derecho humano. En 1986, se adoptó la Declaración sobre el derecho al desarrollo definido como «un derecho inalienable en virtud del cual todos los seres humanos y todos los pueblos están facultados para participar en un desarrollo económico, social, cultural y político en el que puedan realizarse plenamente todos los derechos humanos y libertades fundamentales» [31].

El derecho al desarrollo es, pues, ese «derecho de los individuos y de las colectividades (nacionales u otras) a beneficiarse, según unas pautas de justicia distributiva, de los bienes y ventajas disponibles en el seno de la sociedad, nacional e internacional, a la que dichos individuos y colectividades pertenecen [...]. Es el derecho de los individuos, de los pueblos y de los Estados a acceder a los medios necesarios para su autorrealización» [32].

No obstante, este derecho no sirve de referencia permanente ni para las políticas de cooperación para el desarrollo en la mayoría de sus acciones, ni para el propio liberalismo económico que empuja hacia la globalización. Si la cooperación para el desarrollo se inspirase en todas estas buenas iniciativas, se supone que mejoraría considerablemente la situación económica y social de millones de seres humanos, y la globalización se convertiría en un proceso que consolidase los nuevos logros para asentar firmemente el Estado de Bienestar.

31. *Ibid.*, 258.

32. M. Pérez González, «El derecho al desarrollo como derecho humano», en AA.VV., *El derecho al desarrollo o el desarrollo de los derechos*, Editorial Complutense, Madrid, 1991, 90-96.

Esta tarea debe ser el gran desafío de este fin del siglo si se quiere iniciar el milenio con una nueva cultura de justicia, paz y solidaridad. Esto no se logrará sin reforzar el sentido ético de los propios gobiernos. En efecto, si el desarrollo debe ser humano, el sistema político y económico que le sustenta debe serlo también. Establecer gobiernos responsables constituye una de las condiciones para la liberación del hombre de la miseria y la profundización en el camino hacia la justicia social. Por consiguiente, el fomento y la protección de todos los derechos humanos (políticos, civiles, económicos, sociales, culturales, medioambientales, derecho al desarrollo, etc.) deben formar parte del conjunto de factores con los que contar para eliminar la pobreza y las desigualdades. La globalización, si pretende repartir equitativamente sus frutos, debe hacerse preocupándose de estos derechos.

Fundar las políticas de cooperación para el desarrollo en la consolidación de un Estado de Derecho, que garantice el respeto de los derechos humanos con la finalidad de alcanzar el bienestar social para todos, es un salto cualitativo que daría más eficacia a las nuevas acciones en este campo de actividad. Por ello, se requieren gobiernos responsables que trabajen por la consolidación de ese Estado de Derecho.

Desde esta consideración, resulta importante la revisión del papel del Estado como estructura básica de organización social y de redistribución de la justicia y la riqueza. En el proceso de globalización, se debe reforzar este papel del Estado para garantizar el reparto equitativo de la riqueza generada por esa globalización.

IV. LAS PROPUESTAS DE LAS ONG'S

La globalización, como se viene señalando, puede tener efectos indeseables en el crecimiento de la pobreza y del desempleo, la exclusión de sectores de población y en una mayor fragmentación y polarización de las sociedades.

Para minimizar los costes sociales de la globalización, junto a la acción política que deben llevar a cabo los gobiernos (políticas sociales de bienestar; medidas para la integración de excluidos; políticas de empleo; freno a la especulación; etc.), hay también una labor que corresponde a las ONG's. Éstas han establecido una serie de propuestas entre las que podemos identificar:

a) La economía solidaria, que incorpora la cooperación de manera que el ser humano, el hombre y la mujer, es sujeto y centro de las acciones tendentes al desarrollo. Se trata de sacar a la luz dimensiones de la economía que habían estado ocultas, de considerar la economía informal como un factor clave del crecimiento y de reconocer el trabajo de reproducción social, realizado principalmente por las mujeres.

b) Impulsar el cumplimiento de los acuerdos alcanzados en las cumbres internacionales incorporándolos a sus agendas de actuación y presionando las estrategias de los gobiernos. Se trata de considerar a:

— la Cumbre Mundial de la Infancia (Nueva York, 1990);
— la Cumbre Mundial del Medio Ambiente y Desarrollo (Río de Janeiro, 1992);
— la Conferencia Mundial sobre Derechos Humanos (Viena, 1993);
— la Conferencia Internacional sobre Población y Desarrollo (El Cairo, 1994);
— la Cumbre Mundial del Desarrollo Social (Copenhague, 1995);
— la IV Conferencia Internacional sobre la Mujer (Beijing, 1995);
— la Cumbre sobre la Alimentación (Roma, 1996);
— la Cumbre sobre los minicréditos (Washington, 1997); y
— la Cumbre de la Vivienda (Estambul, 1997).

c) Mejorando nuestra eficacia, las ONG's nos enfrentan a una gran tarea de modernización y de adecuación a la sociedad en la que vivimos, así como a las nuevas funciones que nos han sido atribuidas —y hemos asumido— en relación con el desarrollo. Así, es necesario que las ONG's consoliden su profesionalismo, mejoren su organización, su capacidad de gestión y su papel de articulación de los sectores sociales, manteniendo los valores de una ética de compromiso solidario. En este sentido, se puede desempeñar un papel importante en la redistribución de los frutos de la globalización y la corrección de las desigualdades que ésta pueda generar.

d) Ante la globalización, cobran nueva fuerza los retos pendientes de la cooperación para el desarrollo:

— Mejorar la cuantía de la ayuda oficial al desarrollo (AOD) hasta alcanzar el compromiso internacionalmente aceptado del 0.7% del PIB. Hace falta fijar un calendario para su cumplimiento.
— Mejorar la distribución internacional de la ayuda: los países menos desarrollados, los más pobres de entre los pobres, es decir, los que necesitan más ayuda, sólo reciben el 20% de la AOD mundial, a pesar de que en ellos se concentra la mayor parte de la pobla-

ción de los países del Sur. Es evidente que, en el mundo desarrollado, hay más interés por los mercados y recursos de los países de mayor desarrollo relativo, y a ellos se dirigen en consecuencia los flujos financieros.

— Racionalizar en función de las necesidades de desarrollo el destino de la ayuda: hay que conseguir que los fondos de la AOD se destinen al desarrollo de los sectores más desfavorecidos y no a financiar a las elites dominantes de los países en desarrollo. Habría que aplicar el compromiso 20/20, adquirido en la Cumbre sobre el desarrollo social de Copenhague, consistente en que el 20% de la AOD destinada a un país y el 20% del presupuesto de éste se dediquen al gasto social.

— Mejorar la calidad de los proyectos insertándolos en estrategias más amplias de desarrollo. Los proyectos aislados valen de poco en términos globales de desarrollo; la ayuda debe concentrarse en sectores del desarrollo productivo sostenible. En definitiva, se trata de superar el asistencialismo y de potenciar los proyectos productivos que generen empleo en los sectores más desfavorecidos, promoviendo el equilibrio entre crecimiento y equidad.

— Mejorar el sistema de generación de ayuda. Habría que poner en práctica en el plazo más breve las propuestas existentes de establecimiento de un sistema automático de transferencias de recursos internacionales para el desarrollo. La disminución progresiva de los fondos de AOD, unida al hecho de la deuda externa contraída, ha convertido a los países en desarrollo en exportadores netos de capitales al mundo desarrollado; este hecho debería hacernos reflexionar sobre la realidad y los efectos de la ayuda.

Éstos son algunos de los retos que las ONG's tienen planteados de cara a la globalización, cuyos efectos negativos no son males intrínsecos ante los que sólo queda la resignación. La sociedad civil tiene un papel que puede desempeñar a través de las ONG's.

V. A MODO DE CONCLUSIÓN

La cooperación debe ayudar a asentar la cultura y las estructuras de justicia en diferentes países, las cuales deben garantizar una distribución equitativa de los beneficios de la globalización. Es cierto, la desigualdad no es intrínseca a la globalización. Bien encauzada, ésta puede tener efectos positivos y contribuir a mejorar el nivel de vida de las capas pobres y marginadas. Por ello, es preciso determinar nuevas políticas de cooperación que permiten a los pobres beneficiarse de ella e integrarse en los mercados internacionales.

Si la globalización redistribuye las oportunidades y los beneficios de modo que puedan aumentar las desigualdades, las políticas de cooperación para el desarrollo han de centrar sus estrategias en la reducción de esas desigualdades. Esta tarea debe iniciarse sin olvidar de buscar soluciones eficaces y globales a los problemas como la deuda externa, la transferencia de tecnología, el monopolio negativo y destructivo de las empresas multinacionales, la reducción de la ayuda oficial al desarrollo, etc. Los actores tanto gubernamentales como no gubernamentales deberían tener en cuenta el alcance de estos escollos cuya solución mejoraría la eficacia de sus políticas. En otros términos, no se alcanzará el desarrollo, ni se mejorará el nivel de vida de los pobres en un ambiente cargado de estos problemas. La pervivencia de éstos propiciará siempre las desigualdades.

Por otra parte, una gestión política responsable o el *good governance* es una de las claves para eliminar las desigualdades y la pobreza. Un mejor gobierno, consciente de sus responsabilidades es fundamental no sólo para garantizar el imperio de la ley, sino para mantener y ampliar la infraestructura social y económica, para mejorar el bienestar social y la calidad de vida de los ciudadanos[33].

De lo que precede, debemos afirmar que la tarea de reducir la pobreza para ofrecer a los ciudadanos mejores oportunidades de vida en igualdad de condiciones corresponde a los gobiernos nacionales, tal vez impotentes para dirigir los mercados mundiales, resultado de la globalización, pero capaces de reducir a un mínimo los daños y optimizar las oportunidades[34].

El gran desafío de este final del siglo es el de asegurar una globalización en la solidaridad para que todos los pueblos del mundo disfruten de sus frutos y consoliden las bases que garanticen la paz, la justicia y el desarrollo de toda la humanidad. Las nuevas políticas de cooperación para el desarrollo y las acciones de solidaridad deben centrarse en la erradicación de la pobreza y permitir a los pobres participar en los mercados en términos más equitativos, tanto a escala nacional como mundial.

33. PNUD, cit., 102.
34. *Ibid.*, 101.

Capítulo 26

LA DIMENSIÓN POLÍTICA DEL SISTEMA DE PROTECCIÓN ESPAÑOL Y SU REPERCUSIÓN EN ESTRUCTURAS DE GÉNERO

Margarita de León

I. INTRODUCCIÓN

Los sistemas de protección social representan una parte fundamental de los derechos sociales de la ciudadanía. A través del análisis detenido de los riesgos que se protegen y de la manera de hacerlo, podemos aproximarnos a los procesos políticos mediante los cuales se concreta la noción abstracta de ciudadanía.

El presente análisis parte de entender la configuración y el diseño de un sistema de protección social como un proceso fundamentalmente político, donde convergen la dimensión social y política de la ciudadanía. Por una parte, el acceso a los derechos sociales es condición indispensable para el ejercicio de los derechos políticos, en cuanto posibilitan la expresión legítima de ciudadanía política a aquellos individuos o grupos que se encuentran en desventaja en términos de poder y recursos (Lister, 1997). Asimismo, la participación y representación política de un colectivo determinado amplía las posibilidades de protección del mismo al intervenir activamente en el diseño de los sistemas de protección.

Como explica Esping-Andersen (1990), el factor político jugó un papel crucial en la creación de los sistemas de bienestar, sobre todo a través de las estructuras de coaliciones de clase, las pautas de formación política de la clase trabajadora y la fuerza de los partidos políticos de izquierda. Fruto de la interrelación de estos elementos, en el marco de las relaciones entre el Estado y los ciudadanos en una economía capitalista, fueron unos sistemas de protección que, aunque con distintas pautas según los países, se caracterizaron por garantizar la protección a través de la participación en el mercado laboral. Como resultado, y a pesar de los criterios de redistribución y solidaridad perseguidos, la protección ofrecida estaba claramente diferenciada en función del género, porque la conexión entre derechos de ciudadanía y participación en el mercado de trabajo excluía a las mujeres, al no formar parte de las relaciones formales de producción. De manera que los sistemas de protección social no sólo reproducían desigualdades asociadas a la división sexual tradicional del trabajo entre el ámbito público y el privado —minusvalorando el papel de las mujeres en la producción social y obligando a este colectivo a una protección vinculada a su relación de dependencia familiar—, sino que, además, los criterios de redistribución y solidaridad que se pusieron en funcionamiento para equilibrar diferencias entre distintas trayectorias laborales han resultado ineficaces a la hora de responder a desigualdades entre varones y mujeres. Por tanto, el interés se centra en descubrir de qué manera las coaliciones entre las instituciones sociales y políticas, legitimadas en los procesos de creación de las políticas como fuerzas contrapuestas en el sistema económico y social, han fundamentado una estratificación de género en el acceso a las prestaciones sociales.

La sociedad industrial tradicional que dio pie a los sistemas de protección que conocemos está siendo cuestionada en sus diversos frentes [1]. Las nuevas formas de organización social y personal, además de hacer más visibles viejas desigualdades, crean nuevas manifestaciones de las mismas y demandas de colectivos que, al tiempo, reivindican protagonismo político. En palabras de Giddens (1994), el nuevo orden post-tradicional tiene como dimensión fundamental la expansión de *la capacidad social de reflexión*. El mayor conocimiento de los individuos sobre su propia realidad se traduce en exigencias de autonomía y, por tanto, protagonismo para intervenir en las decisiones que afectan al ciclo vital.

En materia política, la cuestión es averiguar cómo los cambios de modelos sociales y económicos afectan a la correlación de fuerzas en el escenario de creación de las políticas. Si, como afirma Touraine (1994), la base más sólida de la democracia la constituye la existencia de un conflicto general entre actores sociales, las nuevas pautas sociales de la vida política deberían tener reflejo en la representatividad de los colectivos como actores sociales protagonistas de decisiones políticas. Por tanto, en sentido amplio, el análisis de la dimensión

1. Véase Castells, 1997, 136-137.

política de sistemas de bienestar, desde una perspectiva de género, implica la construcción de un marco analítico que vaya más allá de la representación formal en las instituciones políticas democráticas y subraye el grado en que los intereses de la población femenina están representados en los procesos de decisión e implementación política por los distintos actores sociales, e identifique los mecanismos y estructuras institucionales que afectan y condicionan las relaciones de género.

Dentro de este marco general, el presente análisis se centra en el estudio del caso de las prestaciones económicas de la Seguridad Social, en concreto, las pensiones de jubilación, invalidez y viudedad en sus modalidades contributivas y no contributivas, y el subsidio por maternidad y las prestaciones familiares. Antes de analizar la dimensión política, y como base para la discusión posterior, se hará un breve repaso al acceso y calidad de las prestaciones en función del género, desde 1982 hasta la actualidad, calibrando el impacto de las reformas acometidas en protección social, resultado de decisiones adoptadas en el marco de los procesos de creación de las políticas, en las relaciones de género.

El énfasis puesto en las diferencias entre varones y mujeres se hace a expensas de analizar las diferencias dentro de cada grupo. Aunque se parte del reconocimiento de que las categorías de género no son homogéneas internamente (variables como la edad, la educación y el origen socioeconómico determinan, sin duda, el acceso a los sistemas de protección, en cuanto condicionan las posibilidades socio-profesionales de los individuos), la incorporación de tales variables excede a los límites del presente estudio, para lo cual sería necesario un punto de partida diferente.

II. REPRESENTATIVIDAD DE LAS MUJERES EN LAS PENSIONES DE JUBILACIÓN, VIUDEDAD E INVALIDEZ EN LA MODALIDAD CONTRIBUTIVA

El sistema de Seguridad Social español fue originariamente ideado bajo el régimen franquista según una concepción tradicional de protección social para trabajadores estables en el mercado de trabajo con una familia dependiente a su cargo. Desde el inicio de la democracia, el sistema de protección social ha experimentado avances significativos tanto en expansión como en calidad de las prestaciones. En materia de pensiones y referido a las mujeres, el balance es, en ciertas forma contradictorio. La evolución seguida ha profundizado en el carácter profesionalista y contributivo del sistema, perjudicando así a colectivos como las mujeres con pautas de inestabilidad y precariedad en el mercado de trabajo, inestabilidad acentuada por los cambios debidos a la reestructuración socioeconómica de los '80, a la vez que se ha potenciado una vía secundaria de protección para aquellos individuos al margen del sistema. Las reformas de 1985, 1989 y 1990 se acometieron con este propósito[2]. Por otra parte, se ha acentuado la diferencia entre prestaciones adquiridas por derecho propio y prestaciones derivadas. Así, mientras las mujeres se han ido incorporando al sistema de protección social, la forma que han tenido de hacerlo ha sido claramente distinta respecto a los varones.

La representación femenina en las prestaciones directas o de derecho propio (jubilación e invalidez) ha ido disminuyendo paulatinamente: en 1982, el 35% y 40% de los pensionistas de invalidez y jubilación respectivamente eran mujeres[3]. En 1997, los porcentajes descendieron al 29% y 33%[4]. Además, aunque desde 1982 las pensiones medias han mejorado sustancialmente para ambos sexos, el incremento ha sido mayor en el caso de los varones que en el de las mujeres y, como consecuencia, las distancias entre las pensiones medias de uno y otro sexo son mayores. En 1982, una pensión media de invalidez femenina representaba el 78% de la pensión media masculina y el 77% en el caso de jubilación. En 1997, la proporción desciende al 66% y 63%, respectivamente. Por otra parte, las pensiones medias de jubilación e invalidez, en el caso de los varones, se han ido alejando de forma progresiva de las pensiones mínimas de la categoría correspondiente. Así, por ejemplo, en 1997 la pensión media correspondiente a pensionistas varones de más de 65 años era considerablemente superior a la pensión mínima establecida para jubilación de más de 65 años sin cónyuge dependiente (83 500 ptas./mes frente a 58 250 ptas./mes). Sin embargo, en el caso de la población femenina, la pensión media de

2. La reforma de 1985 endureció los requisitos para acceder a una pensión contributiva, se amplió a 15 años el período mínimo contributivo y se cambió de 2 a 8 años el período para el cálculo de la pensión. La reforma de 1989 permite la expansión del gasto asistencial y garantiza el mantenimiento del poder adquisitivo de las pensiones y el ajuste a los salarios reales. La Ley 1990 establece la modalidad no contributiva en la Seguridad Social.

3. Los datos sobre prestaciones contributivas de la Seguridad Social han sido elaborados a partir de los *Anuarios de Estadísticas Laborales*, Ministerio de Trabajo.

4. A partir de noviembre 1997, los beneficiarios de pensiones de invalidez mayores de 65 años pasan automáticamente a ser pensionistas de jubilación. En 1996, el 33% de los pensionistas de invalidez eran mujeres, el descenso del 33% al 29% se debe a este traslado de los mayores de 65 años.

jubilación para la misma categoría casi equivale a la pensión mínima (55 580 ptas./mes). El aumento de las diferencias se debe, en parte, a la concentración de las mujeres pensionistas de jubilación e invalidez en las categorías de edad más avanzadas donde las pensiones son siempre de menor cuantía. A partir de la Ley de 1985, las mujeres han tenido más dificultades para acceder a las pensiones directas por el incremento del número mínimo de años de cotización de 10 a 15 años.

Al endurecer las condiciones para acceder a las pensiones directas y relajar a la vez las condiciones para acceder a pensiones derivadas, se ha producido un traslado de beneficiarias de pensiones de jubilación e invalidez hacia pensiones de viudedad. El matrimonio y una mayor esperanza de vida de las mujeres han convertido a la pensión de viudedad en el tipo de prestación de la que las mujeres se benefician mayoritariamente: más de la mitad de las beneficiarias de pensiones contributivas son receptoras de pensiones de viudedad. Como en el resto de las prestaciones, también se observa una tendencia a la concentración de estas pensionistas en los grupos de edad más avanzados (en 1982, el 53% de las pensionistas tenían una edad igual o superior a los 70 años; en 1996, el porcentaje de mujeres pensionistas de esa edad ascendió al 64%).

No obstante, la pensión de viudedad como derecho «derivado» y no como derecho propio cuenta con una desventaja principal, a saber, el alcance limitado de este tipo de prestación. Las pensiones de viudedad son, con diferencia, las que tienen unas pensiones medias más bajas si comparamos con la jubilación y la invalidez. En 1997, una pensión de viudedad representaba el 55% de una pensión masculina de jubilación. La diferencia se explica observando las características de cada contingencia: mientras que jubilación e invalidez pueden llegar a alcanzar el 100% de la base reguladora, viudedad tiene el límite establecido en el 45%. Ciertamente, el esfuerzo por «acumular» la mayoría de las pensionistas de la Seguridad Social en la citada contingencia ha supuesto también la mejora de este tipo de prestación con respecto a años pasados. De hecho, las pensiones de viudedad se han beneficiado más que el resto de las categorías de pensiones de la política de ajustes de pensiones mínimas. Hasta 1993 (1996 para la pensión de viudedad por debajo de los 65 años), los importes establecidos para pensiones mínimas de viudedad estaban injustificadamente por debajo de las pensiones mínimas establecidas para jubilación e invalidez; a partir de esa fecha, las cantidades se equiparan significando una mejora sustancial. En 1985, la pensión mínima de viudedad (mayor de 65) era el 56% del Salario Mínimo Interprofesional; doce años más tarde, en 1997, representaba el 82%. Esta mejora ha afectado a muchas pensionistas viudas ya que casi la mitad de estas pensiones son pensiones mínimas. No obstante, sigue existiendo, comparativamente, una gran distancia con el resto de las pensiones contributivas.

III. ¿REFLEJO DE DESIGUALDADES EN EL MERCADO DE TRABAJO? OPCIONES POLÍTICAS EN LAS CONDICIONES DE ACCESO A LAS PRESTACIONES ECONÓMICAS

¿Cuáles son las causas principales de la diferente representación de mujeres y varones en las prestaciones económicas contributivas? En un sistema de protección social profesionalista como el español, donde lo fundamental es la sustitución de rentas cuando se sale del mercado de trabajo, existen dos razones principales, estrechamente relacionadas, que explican la estratificación en función del género: primera, las tareas domésticas y de cuidado siguen siendo mayoritariamente responsabilidad de la población femenina en el ámbito familiar y operan como impedimento para su incorporación al mercado de trabajo. Segunda, las condiciones de inestabilidad y precariedad que modelan la mayoría de las carreras laborales de las mujeres también derivan en una merma de derechos de protección social. El tiempo de trabajo productivo se convierte en factor clave para la explicación de las diferencias de género en el acceso a las prestaciones económicas. Las pensiones de baja retribución son resultado del efecto combinado de períodos de contribución cortos y baja remuneración. Exigencias de períodos de contribución largos y sin rupturas se convierten en barreras para colectivos sociales como las mujeres con una relación con el mercado de trabajo de naturaleza más inestable y precaria. Las inversiones de tiempo en tareas de reproducción y cuidado y servicios personales obligan a patrones de tiempo discontinuo que resultan penalizados en sistemas de protección social, como el nuestro, de marcado carácter contributivo, que privilegia unas pautas de empleo de tiempo masculinas caracterizadas por la dedicación y disponibilidad completas para el trabajo remunerado. Pero además, en una época de profundas amenazas a formas tradicionales de organización familiar, que se reflejan en los bajos índices de natalidad y pérdida de importancia del matrimonio como institución social reguladora, la participación de las mujeres en el mercado de trabajo a través de empleos precarios y temporales no se debe tanto a la necesidad de combinar trabajo con tareas de reproducción y cuidado, como a la ausencia de otro tipo de opciones que posibiliten mayores márgenes de independencia económica.

Por tanto, y siguiendo con lo anterior, la desigual distribución de mujeres y varones en el acceso a las prestaciones sociales refleja desigualdades en el mercado de trabajo y no es, en principio, atribuible a desigualdades dentro del sistema de la Seguridad Social. A este respecto, suele argumentarse que desde que el sistema está en esencia estructurado en torno al principio de sustitución de rentas, donde lo fundamental es el mantenimiento de una parte de las rentas adquiridas en la vida activa, las desigualdades en la protección estarán justificadas según los distintos historiales contributivos de los individuos. Desde una perspectiva de género, este razonamiento nos conduce a lo que Rake (1999) denomina la paradoja de los sistemas de protección social: la igualdad formal de las reglas que rigen el suministro de las prestaciones sociales económicas coexiste con una desigualdad en los resultados. Las normas que establecen el acceso a las prestaciones sociales no distinguen el sexo del beneficiario y, sin embargo, esta variable viene a determinar en buena medida el acceso y la calidad de las prestaciones porque la política social, por muy neutra que pretenda ser, nunca puede aislarse del contexto en el que opera.

Pero, por otra parte, uno de los argumentos que guían este análisis es la creencia que los resultados de un sistema de pensiones, o de protección social en general, no pueden ser totalmente explicados en función del mercado de trabajo. En cambio, son resultado de la interacción de éste y un número de opciones políticas en el diseño de los esquemas de protección y en el establecimiento de las normas y condiciones de acceso. Que no se pueda hablar de discriminación en los principios rectores de las prestaciones económicas de la Seguridad Social no significa que se acepte la neutralidad como principio de organización. En este sentido, y como ya he argumentado en una ocasión anterior (De León, 1998, 67), las prestaciones económicas, entendidas como materialización de los derechos sociales en sistemas políticos democráticos, no fueron ideadas exclusivamente como derechos económicos de los trabajadores, es decir, no se crearon únicamente con el fin de conservar el *status* conseguido a través de la participación en el mercado de trabajo. Criterios de redistribución, igualdad y solidaridad intergeneracional siempre han estado presentes, aunque en distinto grado, en los regímenes de pensiones públicas. La pregunta que surge es en qué sentido han afectado desigualmente a mujeres y varones las opciones políticas introducidas en el diseño del sistema de protección y su ejecución posterior.

Centrándonos primero en las diferencias entre derechos individuales propios (jubilación e invalidez) y derechos derivados (viudedad), en cuanto al alcance de las prestaciones, se puede argumentar que las diferencias se justifican en cuanto que las primeras pueden en realidad suponer una fuente de ingresos en la vejez, no sólo al beneficiario de la pensión sino también al cónyuge dependiente. Sin embargo, esta ideología del «sustentador principal» no está explícitamente reconocida, puesto que las pensiones contributivas son prestaciones que están individualizadas. Lo que se obtiene de ellas depende de las contribuciones al mercado de trabajo; las responsabilidades familiares no son tenidas en cuenta. La legislación establece dependencia en el matrimonio directa y exclusivamente a través de las pensiones de viudedad. Así pues, aquello que se entiende normalmente como «riesgo» de vejez contiene, en realidad, dos riesgos diferenciados en función del género: el riesgo de pérdida de ingresos debido al cese de la actividad laboral, y el riesgo de pérdida de ingresos debido a la dependencia económica de alguien que se retira o fallece. A pesar de ser la vejez un fenómeno cada vez más feminizado, el patrón de participación en el mercado que permite un aprovisionamiento óptimo de renta para la vejez es típicamente masculino.

Además de las desventajas comparativas que supone ser protegido/a a través del segundo riesgo respecto al primero, en cuanto a generosidad de la prestación, otro problema fundamental de quien se apoya en pensiones de viudedad para asegurarse una renta en la vejez viene dado por el hecho de ser la unión matrimonial la causa de la protección. La protección a través de derechos derivados, como la pensión de viudedad, se muestra muy cuestionable en sociedades como la actual donde tales dependencias dejan de ser estables por los elevados índices de divorcio y de opciones de convivencia no reguladas por el matrimonio. Aún así, y como ya hemos visto, la dependencia familiar se sigue proponiendo como fórmula principal de renta de vejez para las mujeres. La legislación sobre Seguridad Social sí que ha sido, en cambio, capaz de responder al «nuevo» acontecimiento social de disolución matrimonial al eliminar, a partir de 1989, el requisito de mantenimiento del estado civil para acceder a una pensión de viudedad. Mujeres y varones divorciadas/os pueden reclamar una pensión en función de los años de cohabitación. Uniones extra-matrimoniales, pese a tener, al igual que el divorcio, mayor presencia social, siguen sin dar derecho a pensiones de viudedad. Paradójicamente, las mujeres divorciadas resultan ser menos «penalizadas» a efectos de derechos sociales que aquellas que optan por no casarse.

Opciones políticas pueden considerarse también los elementos redistributivos que operan en el esquema contributivo y que rompen el criterio de proporcionalidad, fundamentalmente para compensar a trabajadores estables pero con contribuciones precarias. El cálculo de la pensión inicial de jubilación, por ejemplo, que otorga el 60% de la base reguladora con una contribución mínima de 15 años y el 100% cuando se alcanzan los 35 años de contribución, favorece a los trabajadores que consiguen ajustarse al mínimo período de contribución al obtener un mayor beneficio de los años trabajados[5]. Las pensiones mínimas también conceden la posibilidad de alcanzar una alta rentabilidad de los años trabajados al proporcionar una pensión de mayor cuantía con relación a la que estrictamente correspondería al historial contributivo. La existencia de regímenes especiales protegen igualmente a trabajadores que, por «su naturaleza, sus peculiares condiciones de tiempo y lugar o por la índole de sus procesos productivos, requieran un tratamiento diferenciado» (Monasterio *et al.*, 1996,14). Las mujeres se han beneficiado de estas medidas en cuanto compensan carreras laborales estables pero débiles. No obstante, medidas específicamente dirigidas al colectivo femenino, además de compensar los menores ingresos tendrían que ir encaminadas hacia compensaciones de «tiempo». Así, el aumento de 5 años en el período mínimo de contribución establecido por la reforma de 1985 tuvo efectos negativos para aquellas mujeres con historiales contributivos cortos. Por otra parte, el sistema español no contempla, como lo hacen otros países europeos, la concesión de créditos, es decir, contabilizar como período contributivo las etapas de ausencia del mercado de trabajo por desempleo o tareas de cuidado de niños[6]. Finalmente, las mujeres se pueden beneficiar de políticas que protegen al trabajo inestable, como son los trabajos temporales, mediante la concesión de derechos de protección. Sin embargo, en España las distintas reformas laborales desde 1992 han ido reforzando la precariedad de los trabajadores temporales al reducir sus posibilidades de protección social. En este sentido, el acuerdo firmado en 1998 entre sindicatos y Gobierno sobre trabajo a tiempo parcial supone un avance en la medida en que corrige situaciones de desprotección, al aplicar coeficientes correctores tanto para el cálculo de los períodos de carencia como para los porcentajes de la base reguladora que determinan las cuantías de las pensiones, aunque, como veremos, esta medida coexiste con un in-

5. De 0 a 15 años, cada año trabajado permite obtener el 4% de la base reguladora, del 16 al 35 cada año añade un 2% más a la base reguladora (Monasterio *et al.*, 1996, 20).

6. Se considera una excepción la baja y el primer año de excedencia voluntaria por maternidad que son contabilizados desde 1989 a efectos de contribución a la Seguridad Social.

cremento generalizado de la profesionalidad del sistema que influye negativamente en las carreras laborales más inestables.

IV. EL SISTEMA NO CONTRIBUTIVO: ¿VÍA UNIVERSAL O ASISTENCIAL DE PROTECCIÓN?

El esquema no contributivo no es, desde ningún lado que se mire, un sistema universal de protección. Más bien al contrario, las pensiones no contributivas profundizan en términos reales los aspectos asistencialistas del Estado. Como argumenta Escudero (1996), la única razón que justifica la distinción, en cuanto a la definición se refiere, entre pensiones asistenciales y pensiones no contributivas, es dejar claro los diferentes niveles de administración (regional y local para las primeras, nacional para las segundas). El carácter asistencialista se refleja, por una parte, en el reducido porcentaje del presupuesto global destinado a este esquema (entre el 1% y el 2%); por otra, en la baja remuneración de este tipo de pensiones (38 316 ptas./mes en 1997: 57% del SMI) que hace difícil pensar en la posibilidad de independencia económica de quien cuente exclusivamente con esta fuente de recursos y, por último, en las restricciones que operan para quienes pretenden acceder (en 1996, hubo un 46% de denegaciones del total de solicitudes presentadas)[7]. Las condiciones de acceso a las prestaciones no contributivas reflejan hasta qué punto las asunciones respecto a la dependencia familiar son más evidentes en este tipo de pensiones; se sobreentiende que opera un principio de subsidiariedad entre las familias y el Estado. Aunque las pensiones no contributivas se definen como derechos individuales, a efectos prácticos no lo son, ya que la situación socio-económica de la *unidad económica* y no del pensionista es considerada para la determinación del límite de acumulación de recursos, y el medio social y familiar también es considerado como factor de importancia en la determinación del grado de incapacidad para las pensiones de invalidez no contributivas. La baja remuneración de estas pensiones ya obliga a la integración del pensionista en la unidad familiar, pero además la legislación potencia esta integración al relajar las condiciones de límite de recursos a aquellos hogares formados por los descendientes directos del pensionista[8].

7. *Informe Económico-Financiero*, 1996, 242.

8. Si los miembros de la unidad económica son descendientes (o ascendientes) directos, la pensión se concede en el caso de que los recursos económicos totales de la unidad no superen en 2.5 el límite general de la acumulación de recursos.

Por lo tanto, aunque el sistema no contributivo beneficia a la población femenina, en cuanto son derechos no relacionados con el mercado de trabajo (en 1992, el 80% de los beneficiarios de pensiones no contributivas eran mujeres; 74%, en 1997), el impacto de éste es más que relativo por todas las características mencionadas.

V. MATERNIDAD Y CUIDADO DE NIÑOS: ¿RUTA ALTERNATIVA DE PROTECCIÓN SOCIAL?

Los riesgos de maternidad y cuidado de niños se protegen, dentro del esquema de prestaciones económicas de la Seguridad Social, a través de dos categorías principales: el subsidio por maternidad (que incluye la excedencia voluntaria) y las prestaciones familiares por hijo a cargo (modalidad contributiva y no contributiva). En cuanto a la primera, a partir de 1989 se han llevado a cabo diversas reformas con el fin de mejorar la prestación tanto en duración y calidad, como en las condiciones de acceso. La reforma de 1989 amplió el período de baja de 14 a 16 semanas y garantizó también la reserva del puesto de trabajo durante el primer año de excedencia, siendo contabilizado como período contributivo. En 1994, el porcentaje de la base reguladora para la cuantía de la prestación aumentó del 75% al 100% y redujo el período necesario para acceder a la prestación de un año a 180 días, entre los 5 años anteriores al nacimiento. Quedó igualmente establecido que el subsidio se pagaría directamente a través del Instituto Nacional de Seguridad Social. En 1995, se trató de fomentar la excedencia voluntaria a través de exenciones fiscales a las empresas que contratasen a nuevos trabajadores (perceptores de subsidio de desempleo mínimo un año). Todas estas mejoras tuvieron un impacto en la expansión del gasto por maternidad[9]. Sin embargo, la protección a la maternidad sigue entendiéndose en un marco tradicional dentro del cual la contingencia se considera casi exclusivamente en términos biológicos. Se eliminaron obstáculos legales en este sentido al extender, con la reforma de 1989, la protección a la adopción y reconocer la posibilidad de que fuera el padre el beneficiario de parte del derecho (las cuatro últimas semanas), y al definir, bajo la Ley de 1994, la maternidad como contingencia que debía ser considerada en sí misma, dejando de esta manera de formar parte de la

9. En 1995, el gasto total fue de 55 120 millones de ptas. y, en 1998, de 85 165 (*Informe Económico-Financiero*, cit., 257).

categoría de *Incapacidad Laboral*. No obstante, en la práctica, existen varias razones que indican el escaso desarrollo de una concepción de la maternidad que vaya más allá de las implicaciones «físicas» y asimile las consecuencias sociales de tal riesgo. Por una parte, el permiso de paternidad tiene una muy limitada acogida, lo cual indica la necesidad de modificaciones legales que fomenten el disfrute de este derecho. Por otra parte, no se protege a las mujeres que ejercen la función reproductora fuera del mercado laboral y siguen existiendo colectivos de mujeres profesionales, trabajadoras inestables y trabajadoras insertadas en los regímenes especiales con serios obstáculos para el disfrute del derecho. Asimismo, la actual protección no reconoce la maternidad como riesgo que se prolonga a lo largo de las biografías personales con consecuencias en las trayectorias laborales, reconocimiento que supondría adoptar medidas que facilitasen la combinación de las dos funciones (productora y reproductora) a través del desarrollo de servicios públicos, flexibilidad de los tiempos de trabajo y disfrute de períodos de excedencia sin consecuencias negativas sobre la continuidad contributiva.

En cuanto a las prestaciones familiares, su reducido presupuesto es uno de los rasgos que más diferencia a España del resto de países de la UE[10]. Desde el inicio de la democracia, las políticas de familia perdieron casi toda la relevancia del pasado porque no fueron ajustadas en línea con la inflación. La reforma de 1985 eliminó algunas de las políticas mientras que cambió el carácter de aquéllas que se mantuvieron. El objetivo último de la reforma fue transformar la protección a esta contingencia en una medida contra la pobreza (Valiente, 1997b). Cinco años más tarde, la Ley de 1990 introdujo la modalidad no contributiva. Esta medida supuso un paso más en la conversión de estas prestaciones en instrumentos contra la pobreza, rompiendo por completo con el carácter pronatalista y de preservación de la familia tradicional de las prestaciones durante el franquismo.

Así pues, las prestaciones familiares por hijo a cargo, lejos de atender la dificultad de combinar trabajo con tareas de cuidado, se limitan

10. Según el sistema estadístico SEEPROS, el gasto medio en protección familiar en la UE era de 9.2%, en 1989, y 6.8%, en 1994. En España, 2.9% del total del gasto en protección social se destinaba a protección familiar en 1989 y en 1994 el porcentaje se redujo a 0.8%. No obstante, conviene tener presente que las deducciones en el IRPF por hijos a cargo acortan las distancias en relación a otros países de la UE, como afirma Meil (Valiente, 1997,104); la reducción de impuestos puede ser incluso más importante que las transacciones monetarias.

en realidad a proteger dos riesgos limitados. Por una parte, el riesgo de un/a trabajador/a de tener un hijo minusválido. Por otra, el riesgo de tener un hijo menor de 18 años en una unidad familiar de escasos recursos. Por lo tanto, las tareas de cuidado familiares o la maternidad no son riesgos que se consideren protegidos en sí mismos. Madres solteras, o mujeres cabeza de familia pueden recibir asistencia local o regional pero, de cualquier forma, la protección sólo se concederá cuando el hogar se considere en situación de pobreza. Si a esto le añadimos las asunciones implícitas de obligaciones familiares para atender a pensionistas ancianos o inválidos beneficiarios de pensiones no contributivas o asistenciales, resulta evidente hasta qué punto los tiempos de cuidado se consideran privados y fuera de la acción del Estado.

VI. PROCESOS DE CREACIÓN Y PUESTA EN PRÁCTICA DE LAS POLÍTICAS PÚBLICAS

Del análisis del apartado anterior, la conclusión principal es que existe una estratificación entre los sexos en cuanto a representatividad en prestaciones económicas de la Seguridad Social se refiere. El protagonismo del esquema contributivo indica hasta dónde los derechos sociales de ciudadanía se han desarrollado fundamentalmente en conexión con el *status* en el mercado de trabajo. Pero más allá, el modelo de participación en el mercado sigue unas pautas de trabajo típicamente masculinas. Las distintas realidades de mujeres y varones en la participación en el mercado de trabajo no son tenidas en cuenta y además es importante destacar que, a la hora de determinar las fronteras entre qué tipo de trabajo da derecho a pensión y cuál no, ciertas formas de trabajo son validadas en detrimento de otras. Las medidas redistributivas y de solidaridad que operan en el esquema contributivo benefician a las mujeres en cuanto compensan a trabajadores estables pero débiles. Sin embargo, no son medidas ideadas para compensar específicamente los patrones de tiempo de trabajo femeninos, singularmente afectados por los fenómenos de reestructuración económica, en el contexto de la globalización y el surgimiento del nuevo modelo económico posfordista que imponen unas condiciones de flexibilidad e inestabilidad laboral dificultando el acceso al sistema contributivo. La falta de consideración de los obstáculos que impiden a las mujeres acceder al sistema contributivo se extiende también a los riesgos específicamente femeninos, como son la maternidad y las tareas de cuidado, y sus consecuencias en las trayectorias laborales de las mujeres.

Por otra parte, el carácter asistencial del esquema no contributivo se muestra claramente insuficiente como sistema de protección para todos aquellos grupos con dificultades de acceso al esquema contributivo, sin posibilidad de garantizar autonomía económica a los individuos que se benefician del mismo.

Por lo tanto, a la vista de los datos presentados, la opción de profundizar en el carácter profesionalista, vinculando la concesión de derechos sociales vía mercado laboral y la creación de un *status* secundario de ciudadanía a través del sistema asistencialista, no ha facilitado la igualdad de mujeres y varones en el acceso al sistema de protección social. ¿Por qué no se diseñó un sistema de protección social más favorable a las trayectorias sociolaborales y familiares de las mujeres? ¿Cuáles son los factores que explican la configuración del actual sistema de protección social? En este apartado, se profundiza en las características de los procesos de creación y ejecución de las políticas públicas, como elementos que configuran la realidad descrita en el apartado anterior. Aunque se trate específicamente del sistema de la Seguridad Social, su proceso político está enmarcado dentro del ámbito general de las políticas públicas.

El análisis parte de asumir la creación de las políticas públicas como un conjunto de procesos dinámicos. Diferentes autores establecen varias fases del proceso; aquí lo agruparemos en dos estadios principales: el establecimiento de la agenda política, de naturaleza más ideológica, y la implementación de tales políticas, de índole más pragmática. Aunque la ejecución de las políticas parece ser un paso posterior al diseño de las mismas, diversas aplicaciones empíricas señalan la conveniencia de considerar el carácter cíclico del proceso, ya que es precisamente en el estadio último de ejecución donde la materialización de las políticas va a definir la verdadera naturaleza de las mismas y el alcance real de los objetivos iniciales. Además, es importante distinguir, como hace Kingdon (1995), que el éxito en una de las fases no supone necesariamente éxito en la otra.

En el estudio del establecimiento de la agenda política, dos son los aspectos que deben considerarse con detenimiento: los temas que se plantean como objetivos en el establecimiento de la agenda y los actores sociales que actúan como promotores de las políticas. Ambos aspectos son importantes, no sólo por averiguar cuáles son los actores sociales que intervienen y los objetivos que se proponen, sino también, y quizá de mayor relevancia en el tema que nos ocupa, por entender la otra cara de la moneda: los actores sociales que quedan excluidos del proceso y los temas que no son considerados como objetivos de las políticas. Es decir, se trata de profundizar en el estudio de las ausencias. Como afirma Smith, la atención no debe dirigirse exclusivamente hacia las decisiones que producen cambios sino que debe ser también sensible a aquellas que resisten el cambio y son difíciles de observar al no estar representadas en el proceso de creación de políticas públicas, a través de la promulgación de la ley (1976:13; en Hills, 1997, 7). Dos *ausencias* se plantean aquí como hipótesis para el desarrollo posterior: la inexistencia de agentes sociales representantes de los intereses de la población femenina que actuaran como promotores en la creación y puesta en marcha de las políticas públicas y, como consecuencia, la no inclusión de temáticas que afectasen específicamente a las mujeres, como colectivo con necesidades propias, entre los objetivos prioritarios de la agenda política.

VII. LOS TEMAS Y LOS ACTORES PROTAGONISTAS AL INICIO DEL PERÍODO DEMOCRÁTICO

El diseño de la agenda política en los primeros años de la democracia estuvo altamente condicionado por el marco institucional heredado del franquismo. La *dependencia histórica* no tuvo el mismo peso en todos los ámbitos de las políticas públicas. Mientras que en áreas como la educación, la sanidad o el modelo fiscal se produjeron cambios estratégicos de contenido con respecto al régimen anterior (Gomà y Subirats, 1998, 15), en el terreno de la protección social tal cambio no se produjo, manteniendo un diseño de protección asentado sobre las bases tradicionales de relación mercado-Estado-familia y obstaculizando, por tanto, el desarrollo de un modelo de protección social capaz de integrar la individuación de los derechos de las mujeres. Diversos factores intervinieron como condicionantes. En primer lugar, en el ámbito organizativo, las instituciones de bienestar llevaban a sus espaldas problemas estructurales tales como la mala administración del gasto, la ineficacia de los sistemas de gestión y la muy desigual distribución de las prestaciones, que se convertirían en objetivos prioritarios de la agenda política de los primeros años de la transición, posponiendo la consideración de temáticas más nuevas. Es decir, conseguir una mayor eficacia y racionalización en la implementación fue prioridad número uno durante la transición. Por otra parte, las innovaciones en materia de seguridad social vendrían también altamente condicionadas por el contexto de crisis económica de los '70. La mayoría de los cambios planteados formalmente no pudieron ser ejecutados dada la necesidad de contención del gasto y del desvío de buena parte de éste al desempleo. Así se justificaba que, durante los primeros años de la democracia, el planteamiento de reforma global de la Seguridad Social fuera sistemáticamente pospuesto. Toda la atención se dirigía hacia la reorganización del sistema y el asentamiento de las bases para su crecimiento futuro.

Por otra parte, la propia naturaleza de la transición democrática limitó el contexto en el que tendría lugar la determinación de la agenda política en el período democrático, en cuanto marcó un cambio en el carácter de «hacer» política. Una nueva forma de corporativismo político surgió de la reforma pactada de la transición, de extrema importancia para entender qué temas se plantearían y cuáles no, qué actores formarían parte y cuáles serían los grupos sociales objetivos de las políticas. Como afirma Rodríguez Cabrero, la política social entre 1977 y 1981 estuvo condicionada por «la estrategia común de consolidación de la democracia política, la creación de un nuevo marco institucional para el crecimiento económico, la legitimación del empresariado y la integración de los sindicatos en la dinámica de la reforma política [...] se trataba, en suma, de crear un nuevo contrato social que legitimara los diferentes intereses dentro del marco de una democracia parlamentaria» (1997, 123). ¿Cómo afectó esta nueva configuración del escenario político a la representación de los intereses del colectivo femenino en los procesos de creación de las políticas?

Empezando por los partidos políticos, el consenso entre la derecha y la izquierda, altamente polarizados en el momento, fue posible gracias a la desradicalización de sus posturas. Para los partidos políticos de izquierda, donde militaban la mayoría de las feministas, la desradicalización significó el abandono de las posturas consideradas más «inaceptables» por parte de la derecha. Era en los temas relacionados con la igualdad y la emancipación de las mujeres, entre otros, donde las posturas del espectro político más se distanciaban y por lo tanto, donde menos había que incidir. De este modo, las revindicaciones feministas fueron pospuestas en las demandas políticas y sociales de partidos políticos de izquierda, al darle prioridad a temas de carácter más consensual y pretendidamente generales.

El abandono de las revindicaciones feministas, por parte de los partidos políticos de izquierda, produjo cierta frustración en el seno del movimiento feminista abriendo un profundo debate interno sobre la necesidad de autonomía respecto a otras organizaciones políticas. En definitiva, la concreta configuración política y social, resultante de la transición, dificultaría la actuación del movimiento feminista organizado como agente social en los procesos de decisión política. Durante los años anteriores a la llegada de la democracia, el movimiento feminista renunció a temas particularmente reivindicativos al subordinar la lucha por los derechos de las mujeres a aquélla más general por los derechos democráticos (Scanlon, 1990). Sin embargo, el cambio de contexto de un período de ausencia de libertades a la transición democrática no trajo consigo ningún tipo de compensación, más bien al contrario, como argumenta San José, «una vez superada la lucha común por la democracia, se abría un período donde los intereses de unos y otros no sólo no eran coincidentes sino que con frecuencia resultaban ser contrapuestos» (1986, 96). Ejemplo claro fue la elaboración de la Constitución de 1978, aunque formalmente constituyó el primer reconocimiento legal de derechos para las mujeres en las esferas política, social y legal, en la práctica, el consenso alcanzado por los principales actores políticos implicó la exclusión de aquéllos no integrados en los esquemas neocorporativistas, culminando en el alejamiento del movimiento feminista con relación a las organizaciones políticas. Por otra parte, el legado franquista también condicionó al movimiento feminista en cuanto que los 40 años de franquismo significaron, en el terreno de los derechos de las mujeres, un gran retroceso respecto a los derechos conseguidos con anterioridad al régimen. En 1975, el feminismo español todavía tenía que luchar por derechos básicos, tales como la igualdad de los cónyuges en el matrimonio, el derecho al divorcio y al control de la natalidad, superados hace tiempo en la mayor parte de los países europeos. Esto significó que reivindicaciones más elaboradas, o de un estadio superior, como son, desde luego, las normas que regulan el acceso a las prestaciones de la Seguridad Social, tuvieron que ser pospuestas ante la ausencia de «base».

En cuanto a los sindicatos, éstos difícilmente podían actuar como promotores de políticas públicas favorables a las mujeres por distintas razones. Por una parte, el sindicalismo español protagonizó un papel político fundamental de oposición al régimen franquista. Al inicio de la democracia, además de preocuparse por el establecimiento de unas bases institucionales para las relaciones laborales, perseguían la garantía de derechos políticos básicos ausentes en los 40 años de dictadura. Además, la consolidación de CC.OO. y UGT como las dos centrales sindicales mayoritarias a escala nacional está directamente relacionada con su asociación a los dos partidos mayoritarios de izquierdas: PCE y PSOE respectivamente. Los objetivos y prioridades durante la primera década democrática se encontraban en sintonía con sus partidos políticos correspondientes. En este sentido, la ausencia de protagonismo de ideales de igualdad entre los géneros encuentra las mismas razones mencionadas previamente para los partidos políticos. Como afirma Führer (1996, 21), desde el inicio de la democracia los sindicatos, se convirtieron a la vez en factor de orden y contrapoder, en el sentido de ser instrumentos fundamentales para la movilización ciudadana, en el apoyo de las nuevas estructuras y reglas del juego democrático, al tiempo que luchaban, junto con los partidos políticos de izquierda, por la plena representatividad de los derechos de la clase trabajadora.

Pero además, existe un problema de fondo añadido para la introducción de demandas de igualdad de género en las organizaciones sindicales. La protección del núcleo central de los trabajadores, su base social, implica, por exclusión, la no consideración de los trabajadores «periféricos» donde se encuentran la mayoría de las mujeres que acceden al mercado laboral. Por otra parte, defender al trabajador «tradicional» ha significado históricamente profundizar en las divisiones sexuales del trabajo entre lo público y lo privado, ya que el trabajo ejercido por las mujeres en el ámbito privado ha posibilitado la plena dedicación de los varones al trabajo productivo (Pateman, 1989). Así, a pesar de que los dos grandes sindicatos UGT y CC.OO. crearon pronto sus respectivos departamentos o secretarías de la mujer[11], éstos tienen dificultades para canalizar sus demandas a través de las líneas de actuación de sus organizaciones al no contar con representación formal ni poder de decisión en los altos niveles de representación.

Por tanto, la transición resultó ser crucial en la determinación de los temas que serían objetivos en materia de política social y en la configuración de una nueva forma de hacer política basada en un esquema neocorporativista. En este caso, y como suele suceder, las «no decisiones» o la decisión del mantenimiento de estructuras existentes implicaron continuidad con las inercias del sistema y conllevó, a la larga, a una situación conservadora de legitimación de las desigualdades. Esta actitud se vio favorecida porque el enfoque dado no chocó con la opinión pública. Según Kingdon (1997), los agentes sociales y políticos no se enfrentan, por lo general, a determinados temas si juzgan que la opinión pública en general no los considera como problemáticas que deban tener prioridad. En los primeros años de la democracia, la opinión pública también se interesaba por temas que eran considerados de carácter más general. Relacionado con este último, cabe preguntarse hasta qué punto la idea sobre igualdad entre varones y mujeres en el disfrute de derechos sociales se articulaba en la sociedad de forma que demandara acciones concretas a los

11. CC.OO., en 1978, y UGT, en 1983.

interlocutores sociales. Todavía hoy, los conceptos de «solidaridad» y «justicia» en los sistemas de protección social son, cognitivamente, relacionados más inmediatamente con desigualdades de clase que de género.

VIII. DEL DISEÑO A LA EJECUCIÓN DE LAS POLÍTICAS: LA POLÍTICA SOCIAL DE 1982 A 1996

A diferencia del momento de la transición y como consecuencia también de cambios de mentalidad en la sociedad española y de un aumento de la presencia femenina en los órganos de representación democráticos, los temas relacionados con la igualdad de género están más presentes en el diseño de la agenda política y entran a formar parte de los discursos ideológicos de las agrupaciones políticas. En este sentido, a partir de 1982 y una vez finalizado el período de transición, hubo avances significativos en el terreno de la igualdad formal entre los géneros, en particular por el compromiso político del Partido Socialista a su llegada al poder. El compromiso se tradujo fundamentalmente en la creación del Instituto de la Mujer (IM) en 1983, gracias a la presencia dentro del partido de «dobles militantes» [12]. Con la creación del IM, el movimiento feminista consigue por primera vez representatividad política e institucional, alcanzando su momento de mayor fuerza entre 1988 y 1996, cuando las relaciones con el Ministerio de Asuntos Sociales, del que el IM depende, son más fluidas al estar encabezado sucesivamente por dos ministras comprometidas con el movimiento feminista [13].

Sin embargo, en el terreno de la creación de las políticas públicas, el IM no actúa como promotor en los procesos. Según una clasificación elaborada por Mazur y McBride [14], a raíz de la investigación realizada por Valiente (1995), la actividad del *feminismo de Estado* español puede catalogarse como con alta capacidad de influencia política, en cuanto que el IM ha promocionado políticas de igualdad de oportunidades [15], pero con escasa o nula capacidad de acceso político, entendido como la posibilidad de intervenir directa-

12. Militantes del PSOE y del movimiento feminista.
13. Matilde Fernández, desde 1988, y Cristina Alberdi, a partir de 1993.
14. Las autoras establecen cuatro tipologías siguiendo dos variables: el nivel de influencia política y el nivel de acceso político; cada una de las variables cuenta con dos dimensiones: «alto» y «bajo» (Mazur y McBride, 1995, 275).
15. Plan de Igualdad de Oportunidades (PIOM I, II, III).

mente o facilitar la intervención de grupos feministas autónomos en los procesos de creación e implementación de las políticas. El IM no tiene poder de decisión ni en la formulación ni en la ejecución de las políticas diseñadas. Éste puede aconsejar a los distintos Ministerios el establecimiento de políticas de igualdad de oportunidades, pero la implantación definitiva en las distintas áreas queda de la competencia exclusiva del Ministerio correspondiente. La capacidad de pacto del Instituto queda así condicionada al voluntarismo del equipo ministerial. Pero, además, las políticas de igualdad introducidas no se consideraron nunca de forma integral en la concepción global de las políticas sociales y laborales; los planes de igualdad operan en un entramado institucional de no cuestionamiento de las estructuras tradicionales de protección.

¿Cómo se configuró entonces la agenda política en materia de política social y qué actores sociales protagonizaron las reformas? En primer lugar, hay que resaltar el carácter unilateral de las políticas desde 1982 hasta 1989. Las mayorías absolutas de las dos primeras legislaturas permitieron al gobierno acometer las reformas sin necesidad de consentimiento de los interlocutores sociales, no estando, por tanto, sujetas a las políticas de pacto. En segundo lugar, las reformas que tuvieron lugar en este período, se acometieron con el objetivo prioritario de adecuar el sistema de la Seguridad Social a los requisitos de modernización y liberalización de la economía. En las reformas que afectaban específicamente las condiciones de acceso al sistema contributivo, siendo la más importante la reforma de 1985, los criterios que prevalecían no eran aquellos de justicia redistributiva e igualdad que aparecían en el diseño de la agenda sino los de racionalidad y eficiencia. Las medidas se adoptaban siguiendo informes técnicos, no sujetos a debates públicos y con propuestas únicas[16]. No obstante, como afirma Hills (1997), dar protagonismo a los técnicos dentro de la Administración es también una opción política, porque pueden ejecutar una función política oculta. En este caso, la fase de implementación de las políticas con un carácter más técnico y desarrollándose detrás del escenario público, justificaba la dirección de las reformas.

16. El anteproyecto de ley sobre prestaciones económicas del régimen de la Seguridad Social, de 1984, estableció como objetivos inmediatos la reducción del gasto de pensiones, atacar el problema del fraude y profundizar en el carácter contributivo del sistema. El *Libro Naranja*, antecedente de la reforma de 1985, fue escrito exclusivamente por responsables de la Seguridad Social y su preocupación única era sanear las cuentas de la misma.

Pero la quiebra del pactismo, como fórmula de diseño y ejecución de las políticas públicas, tuvo consecuencias en forma de fuertes contestaciones por parte de los sindicatos. Las dos huelgas generales de 1985 y 1988, especialmente la segunda que contó con gran apoyo popular, forzaron al gobierno a hacer concesiones y retomar el instrumento negociador de los acuerdos [17] para el desarrollo de las políticas. Sin duda, la naturaleza conflictiva ha sido una de las características básicas del desarrollo de los sistemas de bienestar, especialmente significativa en este período. Como afirma Rodríguez Cabrero, «desde el franquismo tardío, las prestaciones sociales han sido el intercambio material y político de la contención y reducción de los salarios y el contenido fundamental de la concertación social» (1997, 119). Jubilaciones anticipadas y pensiones de invalidez amortiguaron la potencialidad conflictiva de las reconversiones industriales de los '80. Esta utilización de las prestaciones económicas como gestión del conflicto responde en buena medida la pregunta de por qué no se contempló un trazado del sistema de protección social más integrador de todos los grupos sociales.

No obstante, las medidas liberalizadoras siguieron acometiéndose, sin efectos directos sobre la gobernabilidad, por la confluencia de otros dos factores importantes.

Por una parte, la presión sindical se dirigió sobre todo a que las medidas afectaran lo menos posible al núcleo central de trabajadores, asegurando el mantenimiento de un sistema público de pensiones fundamentalmente contributivo. Asimismo, los sindicatos, pese a no formar parte de las reformas más generales, siempre han tenido fuerza en políticas más sectoriales, en el marco de las negociaciones colectivas, sobre la moderación salarial, el crecimiento de la cuantía de las pensiones, o las políticas de revalorización de las mismas. Por tanto, los más perjudicados por las medidas liberalizadoras son aquellos colectivos cuyos intereses no están representados por ninguno de los interlocutores sociales que median en las políticas. Por otra parte, las reformas pudieron llevarse a cabo, sin efectos en la gobernabilidad, por el aumento del gasto social, esencialmente a través de la universalización de la sanidad y la educación y la expansión del gasto asistencial [18] (Rodríguez Cabrero, 1997). En este sentido, la población femenina se benefició de estas mejoras en cuanto favorecen a

17. UGT y CC.OO. promovieron la «Propuesta Sindical Prioritaria» que abrió la vía para el diálogo entre gobierno y sindicatos después de las elecciones generales de 1989.

18. Reformas de 1989 y 1990.

toda la población. Pero, centrándonos en las prestaciones económicas, la atención concreta a necesidades y demandas específicas de este colectivo no fue reconocida, atención que, como argumentamos en el apartado anterior, tendría que pasar por un reconocimiento de cómo afectan los particulares patrones de tiempo propiamente femeninos y las asunciones sobre obligaciones familiares, al acceso y disfrute de las prestaciones.

Las dificultades de entrada al sistema contributivo y la clara insuficiencia del sistema no contributivo podían haber sido en cierta forma compensadas por políticas de familia que facilitasen la combinación del trabajo productivo con la función de reproducción y cuidado de niños. Sin embargo, en España, ningún agente social, incluyendo al movimiento feminista, pretendió crear este vínculo de las mujeres con el Estado, principalmente como rechazo a las políticas de familia desarrolladas por Franco. Como explica Valiente, después de la lucha contra el franquismo, la liberalización de las mujeres no podía ser entendida en términos de dependencias familiares, ésta «fue entendida entonces de manera dual: en términos de un aumento de su participación en determinadas esferas, tales como el mercado de trabajo o el poder político, además de como una consecución de derechos individuales, por ejemplo, el del control de la capacidad reproductiva» (1997, 115). Esta postura se mantuvo después con el IM, interesado, sobre todo, en promover políticas de igualdad de oportunidades en el terreno laboral.

IX. EL FUTURO DE LOS PROCESOS DE CREACIÓN DE LAS POLÍTICAS PÚBLICAS TRAS EL PACTO DE TOLEDO

El Pacto de Toledo, firmado en 1995 por la mayoría de los partidos políticos y los sindicatos, es un paso más en la reafirmación del continuismo en materia de política social y laboral. Continuismo en cuanto a temas y, también, en cuanto a actores.

Respecto a lo primero, el pacto analiza los problemas estructurales del Sistema de la Seguridad Social indicando las reformas principales necesarias para mantener la viabilidad del sistema de pensiones; cualquier intento de modificación profunda fue rechazado. Con el Pacto de Toledo como marco de referencia y tras la victoria del Partido Popular en las elecciones de 1996, las dos principales organizaciones sindicales y el gobierno firmaron el Acuerdo sobre consolidación y racionalización del sistema de la Seguridad Social. A la vista de los contenidos del Acuerdo, todo parece indicar que las desigualdades entre varones y mujeres en la representatividad y calidad de las prestaciones económicas, presentadas en el apartado anterior, lejos de reducirse tenderán a aumentar. La evolución del sistema de protección social y su impacto en estratificaciones de género estará marcada por los siguientes aspectos:

En lo que se refiere al sistema contributivo, el Acuerdo propone reforzar la contributividad del sistema público de pensiones. Si la reforma de 1985 perjudicó a aquellos trabajadores, muchos de ellos mujeres, con una pertenencia al mercado de trabajo más inestable, el Acuerdo de 1996, al reforzar todavía más las condiciones de acceso y vincular el cálculo de las cuantías de las pensiones a toda la trayectoria laboral[19], impedirá la entrada al sistema, a través de las prestaciones directas, a un mayor número de trabajadores, en una gran proporción mujeres, que, de no modificarse las condiciones del mercado laboral, seguirán afectados por pautas de inestabilidad y precariedad en sus trayectorias laborales. En cuanto a las prestaciones derivadas (viudedad), el Acuerdo propone incrementar su cuantía pero convirtiendo la prestación en garantía de supervivencia, atendiendo al nivel de rentas del beneficiario y a las cargas familiares para el disfrute de la prestación. Es decir, se mejorará la calidad de las prestaciones pero, al mismo tiempo, el número de mujeres con posibilidad de acceso será decreciente al hacerla depender de los niveles de renta. Si a partir de 1985, como vimos previamente, las pensiones derivadas supusieron una desviación de las prestaciones por derecho propio, al facilitar la entrada a las primeras y dificultar el acceso a las segundas, la intención de condicionar esta prestación a los niveles de renta significa dar otro paso en el no reconocimiento de la individuación de estos derechos. No queda claro cuál es la razón de ser de unas prestaciones dentro del sistema contributivo que se condicionan a los niveles de renta cuando existe un sistema no contributivo regido por esos principios.

Respecto al esquema no contributivo, según el diseño del sistema de protección social que resulta del Pacto de Toledo, materializado en el Acuerdo, la «voluntad» es mejorar «según las posibilidades del sistema» estas prestaciones, financieramente separadas del sistema contributivo. No obstante, además de no concretar cómo se debe producir la mejora —ni cuándo—, las posibilidades de expansión de las

19. El Acuerdo propone incrementar hasta 15 el número de años utilizados para el cálculo de la pensión y la reducción del 60% al 50% de la Base Reguladora para el cálculo de la pensión con el mínimo número de años de cotización (15).

pensiones no contributivas están limitadas por la existencia de pensiones mínimas del sistema contributivo (las pensiones no contributivas difícilmente podrán alcanzar la cuantía de las pensiones mínimas contributivas) y, tras la lectura del Acuerdo, nada indica que exista tal intención.

Las medidas propuestas en el Pacto de Toledo y en el Acuerdo sobre pensiones responden, según las partes firmantes, a la preocupación de la sostenibilidad económica del sistema en el tiempo. Nadie duda que la financiación es condición indispensable para que exista cualquier sistema de protección social público. Este argumento ha sido, de hecho, el motor de empuje de la gran mayoría de las reformas de la Seguridad Social llevadas a cabo. Sin embargo, no se justifica la ausencia de un planteamiento sobre la distribución de los recursos existentes y sobre cómo se articula la solidaridad del sistema. Porque salvo para un número cada vez más reducido de trabajadores a quienes se les garantiza el poder adquisitivo y el mantenimiento de sus pensiones, para un creciente porcentaje de la población, la alternativa que se propone es una vía secundaria de protección de corte asistencialista, entendida como protección contra la «exclusión y la pobreza» más que como derechos individuales de todos aquellos que no consiguen reunir los criterios de acceso del sistema contributivo. El plantear la protección de una buena parte de la ciudadanía a través de la asistencialización genera una mayor dualidad entre los que se encuentran dentro y fuera del sistema, poco compatible con la idea de cohesión social propia de un Estado social suscrita en el primer párrafo del Acuerdo. Por otra parte, este planteamiento de protección social refuerza indirectamente el papel de la familia como «colchón» de amortiguación ante riesgos que ocurren a lo largo del ciclo vital de los individuos, no cubiertos por el Estado. Función que, como ya he señalado, opera como barrera para el desarrollo de la autonomía e independencia de las mujeres fuera del ámbito privado.

En cuanto a los actores sociales, el Pacto garantiza la legitimación y protagonismo de los agentes sociales integrados en el esquema corporativista. A pesar de no representar los intereses de todos los sectores de la población, la correlación de fuerzas en el escenario de la creación de las políticas sigue siendo la misma que 20 años atrás. Incluso, la posibilidad del *feminismo de Estado* de llegar a actuar como mediador entre una parte de la ciudadanía y el Estado se pierde al reducir, el nuevo gobierno del PP, su rango político, limitando así su ámbito de acción.

Así, aunque las reformas recientes se sitúan en un contexto social de cambios espectaculares, tanto en el mercado de trabajo como en la realidad social, éstas no contemplan ninguna medida que responda a esa realidad social cambiante. Ni el Pacto de Toledo ni el Acuerdo sobre pensiones de 1996 incorporan entre sus consideraciones las demandas de la población femenina, colectivo con mayor participación social y laboral y, paradójicamente, en creciente necesidad de apoyo.

Si enmarcamos esta situación en la reflexión iniciada en la introducción, el argumento no puede ser otro que la resistencia, por parte de los actores sociales y políticos legitimados, a que los cambios sociales producidos tengan un reflejo en la distribución del poder, en cuanto a la capacidad de intervenir y decidir en los procesos de creación de las políticas, de grupos, como las mujeres, excluidos tradicionalmente de tales procesos. No obstante, el diseño de sistemas de protección social, que obedezcan a las trayectorias laborales afectadas por la flexibilidad del mercado laboral y sean capaces de asumir los distintos roles de los individuos por la superación de la división estricta entre lo público y lo privado y la renovación de las responsabilidades tanto en el ámbito personal como en el social, pasa por reconocer a las mujeres no exclusivamente como colectivo objeto de las políticas sociales, sino como grupo con necesidad de participación política, en todas las dimensiones del concepto.

BIBLIOGRAFÍA

Anuario El País, 1996, 1997.

Castells, M. (1997): *The Power of Identity*, Blackwell Publishers, Oxford.

Comisión Europea (1996): *Social Protection in the Member States of the European Union 1995*, Comisión Europea, MISSOC, Luxemburgo.

De La Villa, L. E. (1985): «La reforma del derecho de las pensiones»: *Revista de Seguridad Social*, 25.

De León, M. (1998): «Derechos sociales y divisiones de género»: *Leviatán*, 72, 65-81.

Desdentado Bonete, A. (1985): «La reforma del régimen de pensiones y su conexión con los niveles no contributivos de protección»: *Relaciones Laborales*, 7, 57-72.

Durán, A. (1995): «Rentabilidad de lo cotizado para pensiones»: *Economistas*, 68, 10-18.

Durán, M. A. y Gallego, M. T. (1986): «The Women's Movement in Spain and the New Spanish Democracy», en Dahlerup, D. (ed.): *The New Women's Movement.Feminism and Political Power in Europe and the USA*, Inc. Sage Modern Politics, vol. 12, 201-216.

Escudero, R. (1991): «Una norma de envergadura: La Ley de prestaciones no contributivas de la Seguridad Social. Diciembre 1990», en *Relaciones Laborales*, vol. I, Madrid, 915-951.

Esping-Andersen, C. (1990): *The Three Worlds of Welfare Capitalism*, Polity Press, Cambridge.
Evans, M. y Falkingham, J. (1997): *Minimum Pensions and safety nets in old age: a comparative analysis*, LSE: Welfare State Programme, Discussion Paper WSP/131.
Führer, I. (1996): *Los sindicatos en España: de la lucha de clases a estrategias de cooperación*, CES, Madrid.
Giddens, A. (1994): *Más allá de la izquierda y la derecha*, Cátedra, Madrid.
Giner, S. y Sarasa, S. (eds.) (1997): *Buen gobierno y política social*, Ariel, Barcelona.
Gomá, R., y Subirats, J. (eds.) (1998): *Políticas Públicas en España. Contenidos, redes de actores y niveles de gobierno*, Ariel, Barcelona.
Guillén, A. M. (1992): «Social Policy in Spain: From dictatorship to democracy (1939-1982)», en Ferge, Z. y Kolberg, J. (eds.): *Social Policy in a Changing Europe*, Campus/Westview Press, Frankfurt y Colorado.
Hills, M. (1997): *The Policy Process in the Modern State*, Prentice Hall/Harvester Wheatsheaf, Hertfordshire.
Instituto Nacional de Seguridad Social (1994): *Memoria Estadística Anual 1982-1992*, INSS, Madrid.
Instituto Nacional de Estadística (1994): *Panorámica Social de España,* INE, Madrid.
Kingdon, J. N. (1995): *Agenda, Alternatives and Public Policies*, Harper Collins College, Nueva York.
Lister, R. (1997): *Citizenship. Feminist Perspectives*, Macmillan Press, Londres.
Martín Valverde, A. (1997): «Concertación y diálogo social en 1996»: *Revista Ministerio de Trabajo y Asuntos Sociales*, 3.
McBride Stetson, D. y Mazur, A. (eds.) (1995): *Comparative State Feminism*, In. Sage Publications.
Miguelez, F. (1995): «Modernización de los sindicatos en España»: *Revista de Trabajo*, 2, 7 (Buenos Aires: Ministerio de Trabajo).
Ministerio de Trabajo y Asuntos Sociales: *Anuario Estadísticas Laborales* 1982-3; 1986; 1990; 1994; 1996 y 1997.
Ministerio de Trabajo y Asuntos Sociales (1996): *Indicadores de Protección Social, Servicios Sociales y Programas de Igualdad (1982-1992). Prestaciones No Contributivas,* vol. 1.
Monasterio, C. *et al.* (1996): *Equidad y Estabilidad del Sistema de Pensiones Español*, Fundación BBV, Bilbao.
Pateman, C. (1989): *The Disorder of Women. Democracy, Feminism and Political Theory*, Polity Press, Cambridge.
Quintanilla Navarro, B. (1994): «Prohibición de discriminación retributiva por razón de sexo», en Valdés, F. (ed.): *La Reforma del Mercado Laboral*, Lex Nova, Valladolid.
Rake, K. (1999): «Accumulated Disadvantage? Welfare State Provision and the Incomes of Older Women and Men in Britain, France and Germany», en Clasen, J. (ed.): *Comparative Social Policy. Concepts, Theories and Methods*, Blackwell Publishers, Oxford.
Rodríguez Cabrero, G. (1997): «Conflicto, gobernabilidad y política social», en Giner, S. y Sarasa, S. (eds.): *Buen gobierno y política social*, Ariel, Barcelona.

Salvador Cifre, C. (1997): «La protección de la mujer en la vejez: la pensión de viudedad»: *ICE*, 760.

San José, B. (1986): *Democracia e igualdad de derechos laborales de la mujer*, Instituto de la Mujer, Serie Estudios, 4, Madrid.

Scanlon, G. (1990): «El movimiento feminista en España, 1900-1985: logros y dificultades», en Astelarra, J. (comp.): *Participación política de las mujeres*, Siglo XXI, CIS, Madrid.

Threlfall, M. (ed.) (1996): *Mapping The Women's Movement*, New Left Books, Londres.

Touraine, A. (1994): *¿Qué es la democracia?*, Temas de Hoy, Madrid.

Valiente Fernández, C. (1996): «El feminismo institucional en España: El Instituto de la Mujer 1983-1994»: *Revista Internacional de Sociología*, 13, 163-204.

Valiente Fernández, C. (1997a): *Políticas públicas de género en perspectiva comparada: la mujer trabajadora en Italia y España (1900-1996)*, Universidad Autónoma, Madrid.

Valiente Fernández, C. (1997b): «Las políticas de cuidado de los niños a nivel nacional en España (1975 1996)»: *Papers*, 53, 101-136.

VV.AA. (1995): *La participación de la mujer en los sindicatos en España*, Secretaría Confederal de la Mujer de Comisiones Obreras, Madrid.

ANEXOS

RECOPILACIÓN ESTADÍSTICA DE ALGUNOS INDICADORES SOCIALES

Breves comentarios

Rubén Víctor Fernández de Santiago

ÍNDICE

PRESENTACIÓN

Esta recopilación estadística pretende servir de modesta síntesis de algunos datos recientes sobre gran variedad de aspectos relevantes objeto de preocupación social, reflejando en lo posible las tendencias que subyacen en los indicadores cuantitativos asociados y la situación comparativa de nuestro país respecto a los países de la UE.

Precisamente en este último aspecto, el diseño de las tablas incorpora una agrupación de los países comunitarios en cuatro grandes bloques relativamente homogéneos (países nórdicos, continentales, del· sur de Europa y anglosajones), con el fin de que el análisis muestre rasgos de comportamiento semejantes en función de las idiosincrasias de los distintos modelos sociales que actualmente conviven en el continente.

Como reconocen todos los informes sociales realizados por organismos nacionales y supranacionales, la información estadística resulta imprescindible para identificar las necesidades de la sociedad y, en consecuencia, para decidir cuáles han de ser los objetivos de la acción política y poder evaluar los impactos reales de dichas políticas a lo largo del tiempo. Bajo esta perspectiva, hay que subrayar el enorme avance que ha supuesto (y supondrá) el perfeccionamiento y desarrollo de las estadísticas de origen administrativo para el mejor conocimiento de la realidad social.

Además de la comentada agrupación de países en bloques homogéneos, la presente recopilación incorpora como aspectos destacables la inclusión de un breve comentario descriptivo de los datos contenidos en cada tabla, y un grupo de tablas que recoge información de los últimos datos disponibles para el Índice de Desarrollo Humano y de Pobreza Humana presentados por las Naciones Unidas en 1998.

I. POBLACIÓN Y COMPORTAMIENTO HUMANO

1.1. *El crecimiento de la población en la UE y sus determinantes*

	VARIACIÓN (%) DE LA POBLACIÓN		NÚMERO MEDIO HIJOS POR MUJER		SALDO MIGRATORIO (‰)	
	94-90	98-94	1990	1996	1990	1996
Países nórdicos	0.47	0.41	1.91	1.69	0.4	1.4
Suecia	0.55	0.44	2.13	1.61		0.7
Dinamarca	0.31	0.44	1.67	1.75	1.6	3.2
Finlandia	0.51	0.33	1.78	1.76		0.8
Países continentales	0.60	0.33	1.59	1.48	4.7	2.1
Alemania	0.64	0.25	1.45	1.30	7.9	3.4
Francia	0.51	0.42	1.78	1.72	1.4	0.6
Holanda	0.72	0.50	1.62	1.52	4.0	1.4
Bélgica	0.37	0.23	1.62	1.55	2.0	1.6
Austria	0.96	0.24	1.45	1.42		0.6
Luxemburgo	1.40	1.38	1.61	1.76	10.3	9.6
Países del sur de Europa	0.24	0.17	1.36	1.22	1.6	2.0
Italia	0.21	0.18	1.34	1.22	2.3	2.8
España	*0.19*	*0.14*	*1.34*	*1.15*	*0.8*	*1.2*
Grecia	0.82	0.34	1.39	1.31	5.5	2.1
Portugal	–0.07	0.12	1.57	1.44	–3.4	1.0
Países anglosajones	0.37	0.36	1.85	1.71	0.0	1.8
Reino Unido	0.36	0.33	1.83	1.70	0.1	1.7
Irlanda	0.57	0.76	2.12	1.91	–2.3	3.6
Total Unión Europea	0.44	0.29	1.57	1.44	2.8	2.0

Fuentes: Économie Européenne (Anexo estadístico). Comisión Europea, 65, 1998. Statistiques démographiques 1997 y Portrait Social de l'Europe 1998. EUROSTAT. Los porcentajes por grupos de países se han obtenido utilizando como factor de ponderación la población de cada país.

El crecimiento de la población en la UE se ha ralentizado en casi un tercio, desde el 0.44% de tasa media anual en el período 1990-94 hasta el 0.29% de los años 1994-98. Los dos factores explicativos son el descenso de la fecundidad (el número medio de hijos por mujer ha pasado de 1.57 a 1.44 en 1996) y las mayores restricciones a la entrada de inmigrantes extracomunitarios en los países continentales (el saldo migratorio ha bajado del 2.8 al 2‰). Sólo Dinamarca, Portugal e Irlanda incrementan su población, y casi exclusivamente gracias a la mayor inmigración. Los países con mayores tasas de fecundidad son los anglosajones, los nórdicos, Francia y Luxemburgo (en torno a 1.7 hijos por mujer), y los de fecundidad más baja los del sur de Europa (con España a la cabeza, 1.15 hijos) y Alemania. En España, el descenso de la fecundidad se ha visto parcialmente compensado vía saldo migratorio, que ha pasado del 0.8 al 1.2‰.

1.2. *Esperanza de vida al nacer por sexo en la UE*

	1990			1996			96-90		
	MUJER	VARÓN	DIFE-RENCIA	MUJER	VARÓN	DIFE-	MUJER	VARÓN	DIFE-RENCIA-
Países nórdicos	79.3	73.0	6.3	80.3	74.6	5.7	1.0	1.6	–0.5
Suecia	80.4	74.8	5.6	81.5	76.5	5.0	1.1	1.7	–0.6
Dinamarca	77.7	72.0	5.7	78.0	72.8	5.2	0.3	0.8	–0.5
Finlandia	78.9	70.9	8.0	80.5	73.0	7.5	1.6	2.1	–0.5
Países continentales	79.5	72.5	7.1	80.6	73.7	6.9	1.0	1.2	–0.2
Alemania	78.4	72.0	6.4	79.8	73.3	6.5	1.4	1.3	0.1
Francia	80.9	72.7	8.2	81.9	74.0	7.9	1.0	1.3	–0.3
Holanda	80.9	73.8	7.1	80.3	74.7	5.6	–0.6	0.9	–1.5
Bélgica	79.4	72.7	6.7	80.2	73.5	6.7	0.8	0.8	0.0
Austria	78.9	72.4	6.5	80.2	73.9	6.3	1.3	1.5	–0.2
Luxemburgo	78.5	72.3	6.2	80.0	73.0	7.0	1.5	0.7	0.8
Países del sur de Europa	79.9	73.3	6.6	81.1	74.4	6.7	1.2	1.1	0.1
Italia	80.1	73.6	6.5	81.3	74.9	6.4	1.2	1.3	–0.1
España	*80.4*	*73.3*	*7.1*	*81.6*	*74.4*	*7.2*	*1.2*	*1.1*	*0.1*
Grecia	79.5	74.6	4.9	80.3	75.0	5.3	0.8	0.4	0.4
Portugal	77.4	70.4	7.0	78.5	71.0	7.5	1.1	0.6	0.5
Países anglosajones	78.4	72.9	5.6	79.3	74.3	4.9	0.8	1.5	–0.7
Reino Unido	78.5	72.9	5.6	79.3	74.4	4.9	0.8	1.5	–0.7
Irlanda	77.6	72.1	5.5	78.5	73.2	5.3	0.9	1.1	–0.2
Total Unión Europea	79.4	72.8	6.6	80.5	74.0	6.5	1.1	1.2	–0.1

Fuente: Statistiques démographiques y Anuario 1997. EUROSTAT.

La esperanza de vida en la UE se ha incrementado en más de un año entre 1990 y 1996, y la diferencia entre las longevidades de ambos sexos se mantiene en los 6.5 años. Las mujeres de la UE viven por término medio 80-81 años, y los hombres 74. La esperanza de vida femenina en España supera a la media comunitaria en un año, y la masculina en 0.4 años. Los países con mayores esperanzas de vida son Suecia, Francia, España e Italia, y las mayores diferencias por sexo se registran en Francia, Finlandia y Portugal (entre siete y ocho años). Los países anglosajones, los nórdicos, Francia y Holanda han conseguido reducir de forma significativa la diferencia de longevidad entre sexos en este período.

1.3. *Estructura de población en la UE por grandes grupos de edad (%). Índice de dependencia*

GRUPOS DE EDAD	1990			1996			96-90		
	DE 0 A 15	MÁS DE 65	ÍNDICE DE DEPENDENCIA	DE 0 A 15	MÁS DE 65	ÍNDICE DE DEPENDENCIA	DE 0 A 15	MÁS DE 65	ÍNDICE DE DEPENDENCIA
Países nórdicos	18.0	16.3	52.3	18.7	16.0	53.2	0.7	–0.3	0.9
Suecia	18.0	18.2	56.7	19.0	17.7	58.0	1.0	–0.5	1.2
Dinamarca	17.0	15.7	48.6	18.0	14.9	49.0	1.0	–0.8	0.4
Finlandia	19.0	13.8	48.8	19.0	14.2	49.7	0.0	0.4	0.9
Países continentales	17.7	14.2	46.8	17.4	15.4	48.7	–0.3	1.2	2.0
Alemania	16.0	14.7	44.3	16.0	16.0	47.1	0.0	1.3	2.8
Francia	20.0	13.7	50.8	19.0	15.1	51.7	–1.0	1.4	0.9
Holanda	18.0	12.9	44.7	18.0	13.1	45.1	0.0	0.2	0.4
Bélgica	18.0	14.5	48.1	18.0	15.8	51.1	0.0	1.3	2.9
Austria	17.0	14.5	46.0	18.0	14.8	48.8	1.0	0.3	2.8
Luxemburgo	17.0	13.1	43.1	18.0	14.4	47.9	1.0	1.3	4.9
Países del sur de Europa	18.6	14.4	49.3	15.8	16.2	47.0	–2.8	1.8	–2.4
Italia	17.0	15.1	47.3	15.0	17.1	47.3	–2.0	2.0	0.0
España	*20.0*	*13.8*	*51.1*	*16.0*	*15.4*	*45.8*	*–4.0*	*1.6*	*–5.3*
Grecia	20.0	14.0	51.5	17.0	15.5	48.1	–3.0	1.5	–3.4
Portugal	21.0	13.5	52.7	18.0	14.8	48.8	–3.0	1.3	–3.9
Países anglosajones	19.5	15.3	53.4	19.3	15.7	53.9	–0.2	0.4	0.6
Reino Unido	19.0	15.6	52.9	19.0	16.0	53.8	0.0	0.4	0.9
Irlanda	27.0	11.1	61.6	24.0	11.6	55.3	–3.0	0.5	–6.3
Total Unión Europea	18.0	14.5	48.1	17.0	15.9	49.0	–1.0	1.4	0.9

Nota metodológica: El índice de dependencia se define en este caso como el cociente entre la suma de los grupos de población de 0 a 15 años y de más de 65 años y la población entre 15 y 65 años. Existen otras variantes de este índice (por ejemplo, EUROSTAT recoge en el numerador a los grupos de edades de 0 a 19 años y de más de 60 años, y en el denominador a la población activa, de forma que para la UE y en 1995 ésta es del 80.2%).

Fuente: Statistiques démographiques y Anuario 1997, EUROSTAT.

El porcentaje de jóvenes menores de 15 años ha descendido un punto en la UE entre 1990 y 1996, mientras que el de mayores de 65 años se ha incrementado en 1.4 puntos como reflejo del proceso de envejecimiento de la población comunitaria. El descenso de la población joven se concentra en los países del sur de Europa (con España a la cabeza, 4 puntos), Irlanda y Francia, mientras que el incremento del peso de la población en la tercera edad es más significativo en los países del sur de Europa (1.8 puntos), Francia, Alemania y Bélgica. De hecho, el descenso en la proporción de jóvenes es tan importante en los países del sur de Europa e Irlanda que hace que sus índices de dependencia se reduzcan pese al paralelo aumento de proporción del número de ancianos.

1.4. *Selección de algunos rasgos destacables de los hogares en los países de la UE*

	% JÓVENES 20-30 AÑOS VIVEN SOLOS 1996	% JÓVENES 25-30 AÑOS V. C/PADRES 1996	% ANCIANAS > 75 AÑOS VIVEN SOLAS 1996	% HOGARES UNIPER-SONALES 1994	% HOGARES PAREJAS SIN HIJOS 1994	% JÓVENES 15-30 AÑOS PAREJA HECHO 1994	TASA BRUTA DE DIVORCIO 1995	% MUJERES 25-30 AÑOS DEDIC HOGAR 1994
Países nórdicos	32	8	70	23	27	72	2.6	–
Suecia	35	–	65	–	–	–	2.6	–
Dinamarca	–	–	–	23	27	72	2.5	–
Finlandia	26	8	80	–	–	–	2.7	–
Países continentales	19	20	64	13	22	38	2.2	27
Alemania	23	20	68	15	24	30	2.1	27
Francia	16	18	59	11	21	46	2.0	25
Holanda	20	14	68	14	20	54	2.2	35
Bélgica	9	25	57	11	20	27	3.5	23
Austria	12	31	56	–	–	–	2.3	–
Luxemburgo	11	30	49	10	20	28	1.8	44
Países del sur de Europa	4	59	50	6	13	9	0.7	41
Italia	6	59	69	8	14	6	0.5	39
España	*1*	*62*	*28*	*4*	*11*	*14*	*0.8*	*48*
Grecia	8	50	46	7	15	9	1.1	42
Portugal	3	52	33	4	12	10	1.2	22
Países anglosajones	13	18	57	11	21	36	2.9	28
Reino Unido	13	17	58	11	22	38	2.9	26
Irlanda	5	34	46	7	8	11	–	60
Total Unión Europea	12	32	56	11	19	31	1.8	31

Fuente: Portrait Social de l´Europe 1998, EUROSTAT.

Los jóvenes se emancipan en una proporción alta en los países nórdicos, media-alta en los países continentales y anglosajones, y muy baja en los del sur de Europa: en España, sólo un 1% de los jóvenes viven solos, y un 62% todavía vive con sus padres. En el mismo sentido cabe comentar la tipología de los hogares unipersonales, que representan el 23% en Dinamarca frente al sólo el 4% en España y Portugal. La proporción de hogares formados por una pareja con hijos es más alta en los países protestantes (más del 20% de los hogares) que en los católicos (en torno al 10%), y en estos últimos es también mucho más baja la proporción de parejas de hecho y la tasa de divorcio. La proporción de mujeres dedicadas exclusivamente a las tareas del hogar supera el 40% en el sur de Europa e Irlanda (60%), mientras que no llega al 30% en los demás países.

1.5. *Evolución de la seguridad ciudadana en España (año 1994 = 100)*

	DENUNCIAS POR ROBOS CON FUERZA O VIOLENCIA		DENUNCIAS POR UTILIZACIÓN ILÍCITA DE VEHÍCULOS		DENUNCIAS POR HOMICIDIO		DENUNCIAS POR LESIONES	
1994	491 032	100.0	99 768	100.0	1 014	100.0	11 731	100.0
1995	491 414	100.1	98 847	99.1	958	94.5	11 006	93.8
1996	528 911	107.7	113 916	114.2	945	93.2	10 146	86.5
1997	528 812	107.7	133 330	133.6	1 023	100.9	12 956	110.4
1998	513 820	104.6	136 084	136.4	1 130	111.4	15 440	131.6

	DENUNCIAS CONTRA LA LIBERTAD SEXUAL		DENUNCIAS POR TRÁFICO DE DROGAS		DENUNCIAS POR OTROS DELITOS		TOTAL DELITOS DENUNCIADOS	
1994	6 344	100.0	13 578	100.0	278 229	100.0	901 696	100.0
1995	6 952	109.6	13 725	101.1	285 362	102.6	908 264	100.7
1996	6 552	103.3	13 605	100.2	256 705	92.3	930 780	103.2
1997	6 963	109.8	14 274	105.1	227 035	81.6	924 393	102.5
1998	7 418	116.9	13 263	97.7	230 159	82.7	917 314	101.7

Fuente: Anuario Estadístico del Ministerio del Interior y datos del Ministerio del Interior.

En los últimos años se asiste en España a un incremento de las denuncias de supuestos delitos contra la dignidad de las personas, principalmente las denuncias por lesiones (en su mayor parte malos tratos conyugales, que crecen un 31.6% entre 1994 y 1998) y contra la libertad sexual (violaciones y acoso sexual, que aumentaron en ese periodo un 16.9%). También destaca el significativo crecimiento de las denuncias por sustracción de vehículos (un 36.4% en los últimos cuatro años). Las denuncias por robo presentan un ritmo de aumento más moderado, y las relacionadas con el tráfico de drogas se han mantenido estables a lo largo del periodo. El único descenso en las denuncias se concentra en el grupo de otros delitos contra la propiedad, pero es tan importante que ha hecho que el número total de denuncias apenas aumente en el cuatrienio.

II. MACROMAGNITUDES PÚBLICAS

2.1. *Participación de los ingresos públicos en el PIB (%) de los países de la UE y EE.UU.*

	1990	1991	1992	1993	1994	1995	1996	1997	1998	94-90	98-94
Países nórdicos	59.2	58.1	58.4	58.4	58.4	57.8	59.5	59.1	58.3	–0.8	0.0
Suecia	64.6	61.4	60.6	60.1	59.2	59.8	62.5	62.6	62.1	–5.4	2.9
Dinamarca	57.0	56.6	58.2	60.1	60.9	58.8	59.3	58.6	57.6	3.9	–3.3
Finlandia	52.1	54.0	54.9	53.8	54.4	53.5	54.6	53.5	52.6	2.3	–1.8
Países continentales	46.3	47.3	47.9	48.4	48.2	48.1	48.1	48.0	47.6	1.9	–0.6
Alemania	43.3	44.8	46.0	46.3	46.7	46.4	45.6	45.2	44.9	3.4	–1.8
Francia	49.0	49.0	48.9	49.6	49.2	49.8	50.9	50.9	50.7	0.2	1.5
Holanda	50.2	52.8	52.5	53.3	50.6	49.0	48.7	49.2	47.4	0.4	–3.2
Bélgica	47.8	48.0	48.0	48.7	49.5	49.6	49.7	49.9	49.4	1.7	–0.1
Austria	47.8	48.3	50.0	50.7	49.4	50.0	50.7	50.8	50.4	1.6	1.0
Luxemburgo	–	–	–	–	–	–	49.0	47.6	46.1	–	–
Países del sur de Europa	39.9	40.8	42.2	43.8	42.3	41.8	42.8	44.1	43.6	2.4	1.2
Italia	42.4	43.4	44.3	47.4	45.2	45.0	46.0	47.9	46.8	2.8	1.6
España	*39.6*	*40.3*	*42.1*	*42.3*	*41.0*	*39.4*	*40.2*	*40.8*	*40.8*	*1.4*	*–0.2*
Grecia	32.1	32.9	33.7	35.0	36.4	37.2	37.2	37.9	38.7	4.3	2.3
Portugal	35.0	36.4	39.6	37.9	37.2	38.0	40.0	41.2	40.9	2.2	3.7
Países anglosajones	36.1	36.1	35.6	35.5	35.8	36.3	36.6	37.0	37.3	–0.3	1.6
Estados Unidos	35.4	35.6	35.3	35.4	35.6	36.0	36.5	36.7	36.9	0.2	1.3
Reino Unido	39.0	38.2	36.9	35.8	36.4	37.6	37.2	38.4	39.5	–2.6	3.1
Irlanda	37.3	37.9	38.1	37.6	38.2	35.7	35.7	36.3	35.1	0.9	–3.1
Total Unión Europea	44.7	45.2	45.6	46.3	45.9	46.0	46.2	46.3	46.0	1.2	0.1

Nota metodológica: Las cifras oficiales de recursos no financieros de las AAPP/PIB publicadas por la IGAE para España difieren de éstas como consecuencia de: a) la Comisión incluye como ingreso público de cada país su Recurso IVA a las Instituciones Comunitarias (la IGAE no), y no considera los impuestos y transferencias sobre el capital; b) el PIB utilizado no coincide con el estimado por el INE, sino que éste se ajusta a la Directiva /90 de cálculo del PNB fiscal.

Fuente: Économie Européenne (Anexo estadístico). Comisión Europea, 65, 1998. Los porcentajes por grupos de paises se han obtenido utilizando como factor de ponderación la población de cada país.

En 1998 los ingresos públicos representaron el 46% del PIB de la UE, 1.3 puntos más que en 1990 y cifra prácticamente estable desde 1994. Los países nórdicos destacan con una participación de los ingresos públicos del 58.3%, seguidos a distancia de los continentales (47.6%), los países del sur de Europa (43.6%) y, en último lugar, los anglosajones (37.3%, casi nueve puntos por debajo de la media comunitaria). En estos cuatro últimos años, los países de ratios ingresos públicos/PIB elevados (nórdicos y continentales) los han venido reduciendo (excepto Suecia, Francia y Austria), mientras que los de ratios relativamente bajos (países anglosajones y del sur de Europa) los han aumentado (salvo Irlanda y España). España mantiene en 1998 una proporción de ingresos públicos sobre el PIB del 40.8%, 5.2 puntos por debajo de la media comunitaria.

2.2. *Presión fiscal comparada (% PIB) de los países de la UE y EE.UU. Impuestos sobre renta y patrimonio, ligados a la producción e importación y cotizaciones sociales*

	1990	1991	1992	1993	1994	1995	1996	1997	1998	94-90	98-94
Países nórdicos	51.8	50.7	50.0	49.7	50.6	50.0	51.6	51.9	51.5	–1.2	0.9
Suecia	55.9	52.9	51.3	50.6	50.3	50.2	52.8	54.0	53.7	–5.6	3.4
Dinamarca	50.5	50.4	50.6	52.1	54.1	53.1	53.3	53.2	52.8	3.6	–1.3
Finlandia	46.1	47.1	47.2	45.7	47.6	46.4	47.6	46.9	46.3	1.5	–1.3
Países continentales	42.9	43.9	44.2	44.8	44.8	44.9	45.0	45.0	44.7	1.9	–0.1
Alemania	40.6	42.1	42.8	43.2	43.6	43.7	43.0	42.7	42.5	3.0	–1.1
Francia	45.0	45.0	44.8	45.4	45.5	46.0	47.2	47.3	47.1	0.5	1.6
Holanda	45.1	47.4	47.5	48.5	46.4	45.1	44.9	45.7	44.1	1.3	–2.3
Bélgica	46.0	46.1	46.2	46.9	48.0	48.1	48.1	48.5	48.1	2.0	0.1
Austria	43.3	43.9	45.1	46.1	44.9	45.4	46.6	46.8	46.5	1.6	1.6
Luxemburgo	–	–	–	–	–	–	44.6	43.3	41.8	–	–
Países del sur de Europa	36.8	37.4	38.7	39.7	38.5	38.1	38.8	39.8	39.6	1.7	1.1
Italia	39.5	40.3	41.0	43.7	41.5	41.2	42.1	43.6	42.9	2.0	1.4
España	*35.8*	*36.1*	*38.0*	*37.1*	*36.7*	*35.6*	*36.2*	*36.8*	*36.9*	*0.9*	*0.2*
Grecia	30.4	30.7	31.2	31.9	32.6	32.8	32.9	33.6	34.4	2.2	1.8
Portugal	32.0	33.2	35.9	34.7	34.5	35.1	35.9	36.7	36.5	2.5	2.0
Países anglosajones	30.7	30.5	30.2	30.2	30.6	31.1	31.5	32.1	32.4	–0.1	1.8
Estados Unidos	29.3	29.3	29.1	29.4	29.7	30.1	30.7	31.1	31.3	0.4	1.6
Reino Unido	36.3	35.7	34.5	33.5	34.1	35.4	35.0	36.4	37.4	–2.2	3.3
Irlanda	35.0	35.3	35.5	35.1	36.1	33.8	33.9	34.6	33.6	1.1	–2.5
Total Unión Europea	41.2	41.7	41.8	42.5	42.3	42.5	42.7	42.9	42.8	1.1	0.5

Nota metodológica: Las cifras oficiales de presión fiscal de las AAPP/PIB publicadas por la IGAE para España difieren de estas como consecuencia de: a) la Comisión no considera los impuestos sobre el capital (la IGAE sí), pero añade las cotizaciones reales ficticias (la IGAE no); b) el PIB utilizado no coincide con el estimado por el INE sino que éste se ajusta a la Directiva /90 del PNB fiscal.

Fuente: Économie Européenne (Anexo estadístico). Comisión Europea, 65, 1998. Los porcentajes por grupos de paises se han obtenido utilizando como factor de ponderación la población de cada país.

En 1998, la presión fiscal se situó en el 42.8% del PIB de la UE, con aumentos de 1.1 puntos entre 1990 y 1994 y de sólo 0.5 puntos en el período 1994-98. En Suecia y Dinamarca, la presión fiscal supera el 50% y en Bélgica, Francia, Austria y Finlandia el 45%, mientras que en Estados Unidos, Irlanda y Grecia no alcanza el 35%. Destacan los recientes incrementos de la presión fiscal en Suecia, Reino Unido, Estados Unidos y países del sur de Europa (excepto en España), frente a los descensos que ha experimentado en Irlanda y Holanda (más de dos puntos en los cuatro últimos años), Dinamarca, Finlandia y Alemania. España, con una presión fiscal del 36.9% en 1998, se sitúa en el puesto duodécimo de la UE, con sólo Portugal, Grecia e Irlanda con presiones fiscales inferiores a la española.

2.3. *Participación del gasto público en el PIB (%) de los países de la UE y EE.UU.*

	1990	1991	1992	1993	1994	1995	1996	1997	1998	94-90	98-94
Países nórdicos	56.3	59.6	64.1	67.0	65.6	62.9	62.2	59.5	57.7	9.3	–7.9
Suecia	60.4	62.5	68.4	72.3	69.5	66.7	66.0	63.4	61.6	9.1	–7.9
Dinamarca	58.6	58.7	60.3	63.0	63.7	61.1	59.9	57.9	56.5	5.1	–7.2
Finlandia	46.8	55.5	60.7	61.8	60.8	58.3	57.9	54.5	52.3	14.0	–8.5
Países continentales	48.7	50.3	51.4	52.9	52.2	52.2	51.7	50.7	50.1	3.5	–2.1
Alemania	45.3	48.1	48.8	49.9	49.3	49.9	49.1	48.0	47.5	4.0	–1.8
Francia	50.6	51.0	52.9	55.4	55.0	54.7	55.0	54.0	53.6	4.4	–1.4
Holanda	55.3	55.7	56.4	56.5	54.4	53.0	51.0	50.5	49.1	–0.9	–5.3
Bélgica	53.2	54.2	54.9	55.8	54.4	53.5	52.9	52.0	51.1	1.2	–3.3
Austria	50.2	51.3	52.0	54.9	54.3	55.2	54.6	53.2	52.7	4.1	–1.6
Luxemburgo	–	–	–	–	–	–	46.5	45.9	45.1	–	–
Países del sur de Europa	48.6	48.8	49.6	52.5	50.4	49.5	48.6	46.8	45.9	1.8	–4.5
Italia	53.6	53.5	53.8	56.9	54.4	52.7	52.7	50.6	49.3	0.8	–5.1
España	*43.7*	*44.6*	*46.0*	*49.2*	*47.4*	*46.7*	*44.9*	*43.4*	*43.0*	*3.7*	*–4.4*
Grecia	48.2	44.4	46.5	48.8	46.4	47.5	44.7	41.9	41.0	–1.8	–5.4
Portugal	40.1	42.4	42.5	44.0	43.3	43.8	43.3	43.7	43.1	3.2	–0.2
Países anglosajones	38.9	39.6	40.7	40.2	39.1	39.2	38.6	37.6	37.4	0.3	–1.8
Estados Unidos	38.6	39.4	40.1	39.4	38.2	38.3	37.9	37.0	36.8	–0.4	–1.4
Reino Unido	39.9	40.6	43.1	43.7	43.3	43.1	42.0	40.4	40.1	3.4	–3.2
Irlanda	39.6	40.2	40.5	40.3	39.9	37.9	36.1	35.4	33.9	0.3	–6.0
Total Unión Europea	48.3	49.4	50.7	52.5	51.4	51.1	50.4	48.7	48.0	3.1	–3.4

Nota metodológica: Las cifras oficiales de empleos no financieros de las AAPP/PIB publicadas por la IGAE para España difieren de estas como consecuencia de: a) la Comisión incluye dentro del gasto público las transferencias netas de capital (empleos - recursos); b) el PIB utilizado no coincide con el estimado por el INE, sino que éste se ajusta a la Directiva /90 del PNB fiscal.

Fuente: Économie Européenne (Anexo estadístico), Comisión Europea, 65, 1998. Los porcentajes por grupos de paises se han obtenido utilizando como factor de ponderación la población de cada país.

La participación del gasto público en el PIB de la UE alcanza el 48% en 1998, con dos etapas bien diferenciadas: fuerte aumento (3.1 puntos) entre 1990 y 1994, y descenso aún mayor (3.4 puntos) en los cuatro años siguientes. En este segundo período, las mayores reducciones de la proporción del gasto público sobre el PIB se han registrado en los países nórdicos (casi ocho puntos, si bien todavía presentan niveles elevados en torno al 58%), Irlanda (6 puntos), Holanda (5.3 puntos) y los países del sur de Europa (su gasto público en términos del PIB desciende unos cinco puntos, excepto en Portugal). Al igual que sucedía en el caso de los ingresos públicos, la participación del gasto público en el PIB español es cinco puntos inferior a la media comunitaria.

2.4. *Déficit (–) o superávit (+) público (% PIB) de los países de la UE y EE.UU.*

	1990	1991	1992	1993	1994	1995	1996	1997	1998	94-90	98-94
Países nórdicos	2.9	–1.5	–5.7	–8.5	–7.2	–5.1	–2.7	–0.4	0.6	10.1	–7.8
Suecia	4.2	–1.1	–7.7	–12.2	–10.3	–6.9	–3.5	–0.8	0.5	14.5	–10.8
Dinamarca	–1.5	–2.1	–2.1	–2.8	–2.8	–2.4	–0.7	0.7	1.1	1.3	–3.9
Finlandia	5.4	–1.5	–5.9	–8.0	–6.4	–4.7	–3.3	–0.9	0.3	11.8	–6.7
Países continentales	–2.4	–3.0	–3.5	–4.5	–4.0	–4.1	–3.6	–2.7	–2.5	1.7	–1.5
Alemania	–2.1	–3.1	–2.6	–3.2	–2.4	–3.3	–3.4	–2.7	–2.5	0.3	0.1
Francia	–1.6	–2.1	–3.9	–5.8	–5.8	–4.9	–4.1	–3.0	–2.9	4.2	–2.9
Holanda	–5.1	–2.9	–3.9	–3.2	–3.8	–4.0	–2.3	–1.4	–1.6	–1.3	–2.2
Bélgica	–5.5	–6.3	–6.9	–7.1	–4.9	–3.9	–3.2	–2.1	–1.7	–0.6	–3.2
Austria	–2.4	–3.0	–2.0	–4.2	–5.0	–5.2	–4.0	–2.5	–2.3	2.6	–2.7
Luxemburgo	5.0	1.9	0.8	1.7	2.8	1.9	2.5	1.7	1.0	2.2	1.8
Países del sur de Europa	–8.7	–7.9	–7.4	–8.7	–8.1	–7.6	–5.8	–2.8	–2.4	–0.6	–5.7
Italia	–11.1	–10.1	–9.6	–9.5	–9.2	–7.7	–6.7	–2.7	–2.5	–1.9	–6.7
España	*–4.1*	*–4.2*	*–3.8*	*–6.9*	*–6.3*	*–7.3*	*–4.6*	–2.6	–2.2	2.2	*–4.1*
Grecia	–16.1	–11.5	–12.8	–13.8	–10.0	–10.3	–7.5	–4.0	–2.2	–6.1	–7.8
Portugal	–5.1	–6.0	–3.0	–6.1	–6.0	–5.7	–3.2	–2.5	–2.2	0.9	–3.8
Países anglosajones	–2.8	–3.5	–5.0	–4.7	–3.4	–2.9	–2.0	–0.6	0.0	0.6	–3.4
Estados Unidos	–3.1	–3.8	–4.9	–4.0	–2.6	–2.3	–1.4	–0.3	0.1	–0.5	–2.7
Reino Unido	–0.9	–2.3	–6.2	–7.9	–6.8	–5.5	–4.8	–1.9	–0.6	5.9	–6.2
Irlanda	–2.3	–2.3	–2.5	–2.7	–1.7	–2.2	–0.4	0.9	1.1	–0.6	–2.8
Total Unión Europea	–3.5	–4.2	–5.1	–6.1	–5.4	–5.0	–4.2	–2.4	–1.9	1.9	–3.5

Fuente: Économie Européenne (Anexo estadístico). Comisión Europea, 65, 1998. Los porcentajes por grupos de paises se han obtenido utilizando como factor de ponderación la población de cada país.

De la comparación de esta tabla con la 2.1 y 2.3 se deduce que la práctica totalidad del esfuerzo de reducción del déficit público de la UE en el último cuatrienio ha recaído en la disminución del gasto (3.4 puntos de los 3.5 en los que ha disminuido el déficit público). Sin embargo, esta observación general esconde la coexistencia de dos modalidades de lucha contra el déficit: los países que han disminuido sensiblemente su participación del gasto público y, en menor medida, también del ingreso público (Dinamarca, Alemania, Holanda e Irlanda), y países que han incrementado sus ingresos, lo que les ha permitido reducir el gasto de manera menos traumática (Suecia, Francia, Austria, Grecia, Estados Unidos y Reino Unido). España quedaría encuadrada en el primer grupo de países, con un descenso de los ingresos de dos décimas de PIB y de 4.4 puntos del gasto.

2.5. *PIB real por habitante en ECUs y PPs (UE=100) de los países de la UE*

	EN ECU'S					EN PPP'S				
	1990	1994	1998	94-90	98-94	1990	1994	1998	94-90	98-94
Países nórdicos	139.2	116.7	121.7	–22.5	4.9	105.0	100.3	103.0	–4.7	2.7
Suecia	141.1	113.8	118.0	–27.3	4.2	107.0	97.9	96.9	–9.1	–1.0
Dinamarca	132.6	141.0	142.1	8.4	1.1	104.4	113.6	116.4	9.2	2.8
Finlandia	142.7	97.0	107.0	–45.7	10.0	102.2	90.8	99.8	–11.4	9.0
Países continentales	116.4	121.1	113.0	4.8	–8.2	111.4	108.9	107.7	–2.4	–1.2
Alemania	125.3	127.0	116.6	1.7	–10.4	115.9	109.8	109.2	–6.1	–0.6
Francia	111.2	115.9	109.2	4.7	–6.7	109.5	107.2	104.5	–2.3	–2.7
Holanda	100.2	110.6	107.0	10.4	–3.6	100.8	104.5	105.3	3.7	0.8
Bélgica	103.8	115.7	108.7	11.9	–7.0	105.1	114.4	112.6	9.3	–1.8
Austria	108.9	123.2	116.9	14.3	–6.3	105.5	111.4	111.8	5.9	0.4
Luxemburgo	143.0	182.1	174.4	39.1	–7.7	144.0	167.9	164.1	23.9	–3.8
Países del sur de Europa	79.4	72.7	74.2	–6.7	1.5	85.6	87.9	88.6	2.3	0.7
Italia	101.8	89.4	91.4	–12.4	2.0	102.7	103.9	102.6	1.2	–1.3
España	*66.9*	*62.2*	*62.8*	*–4.7*	*0.6*	*74.4*	*75.7*	*78.6*	*1.3*	*2.9*
Grecia	43.4	47.7	49.7	4.3	2.0	58.4	65.1	68.3	6.7	3.2
Portugal	36.1	43.5	45.4	7.4	1.9	59.3	67.4	68.4	8.1	1.0
Países anglosajones	88.4	87.2	105.4	–1.2	18.2	98.4	97.7	98.9	–0.7	1.2
Reino Unido	89.6	87.9	106.0	–1.7	18.1	100.0	98.3	98.7	–1.7	0.4
Irlanda	68.5	75.8	95.4	7.3	19.6	71.8	87.6	101.8	15.8	14.2
Total Unión Europea	100.0	100.0	100.0			100.0	100.0	100.0		

Fuente: Économie Européenne (Anexo estadístico). Comisión Europea, 65, 1998.

Los países nórdicos son los que presentan un nivel de renta per cápita más alto en ECUs (un 21.7% por encima de la media comunitaria), pero sus elevados niveles de precios dan lugar a que cuando ésta se expresa en paridades del poder de compra (en términos de capacidad adquisitiva), su mayor riqueza relativa se reduzca a apenas un 3% por encima de la media de la UE. Otro problema que afecta a la calidad del indicador renta per cápita en ecus es su alta sensibilidad a las variaciones del tipo de cambio, como se puede comprobar para los países que registraron fuertes devaluaciones de sus monedas tras la crisis del SME en 1992 (Suecia, Finlandia, Italia, España y Reino Unido). De esta forma, mientras que la renta per cápita en ecus de España se ha reducido en un 4% entre 1990 y 1998, si se añade la evolución de su nivel relativo de precios la conclusión sería la opuesta (en estos ocho años habría aumentado un 4.2%). Los países de mayor riqueza per cápita, en 1998, eran Luxemburgo (un 64,1% por encima de la media), Dinamarca (16.4%) y Bélgica (12.8%), mientras que los de menor renta por habitante eran Grecia y Portugal (un 31.6% por debajo), y España (21.4% menos que la media).

III. MACROMAGNITUDES SOCIALES

3.1. *Las prestaciones de protección social en España (% PIB)*

	1990	1991	1992	1993	1994	1995	1996	1997	94-90	98-94
Función "Vejez"	7.6	7.8	8.2	8.7	8.7	8.8	9.0	9.0	1.0	0.3
Pensión de vejez	6.8	7.0	7.3	7.8	7.8	7.9	8.1	8.1	1.0	0.3
Pensión de jubilación anticipada	0.4	0.4	0.4	0.4	0.4	0.5	0.5	0.5	0.0	0.1
Otras prestaciones	0.4	0.5	0.4	0.4	0.4	0.4	0.4	0.4	0.0	0.0
Función "Enfermedad y asistencia sanitaria"	5.8	6.2	6.6	6.8	6.5	6.4	6.4	6.2	0.8	–0.3
Asistencia sanitaria hospitalaria	2.9	3.1	3.3	3.4	3.3	3.1	3.2	3.1	0.4	–0.2
Suministro de prod. farmacéuticos	0.9	0.9	1.0	1.0	1.0	1.1	1.1	1.1	0.1	0.1
Incapacidad temporal transitoria	1.0	1.1	1.3	1.3	1.2	1.2	1.2	1.1	0.2	–0.2
Otras prestaciones	0.9	1.0	1.1	1.1	1.0	1.0	1.0	0.9	0.1	–0.1
Función "Desempleo"	3.6	4.1	4.4	5.2	4.4	3.6	3.2	3.0	0.8	–1.4
Prestación desempleo total y parcial	2.1	2.3	2.4	2.7	2.4	1.9	1.7	1.5	0.4	–0.9
Cotizaciones sociales desempleados	0.5	0.6	0.7	0.8	0.7	0.6	0.5	0.4	0.2	–0.3
Indemnización por despido	0.6	0.7	0.9	1.3	0.8	0.8	0.7	0.6	0.2	–0.2
Otras prestaciones	0.4	0.4	0.4	0.4	0.4	0.4	0.4	0.4	0.0	0.0
Función "Invalidez"	1.5	1.6	1.6	1.7	1.7	1.6	1.7	1.7	0.2	0.0
Pensión de invalidez	1.3	1.3	1.3	1.4	1.4	1.4	1.4	1.3	0.1	–0.1
Otras prestaciones	0.3	0.3	0.3	0.3	0.3	0.3	0.3	0.3	0.0	0.0
Función "Supervivencia"	0.9	0.9	1.0	1.0	1.0	1.0	0.9	0.9	0.1	–0.1
Pensión de supervivencia (viudedad+orf.)	0.9	0.9	0.9	0.9	0.9	0.9	0.9	0.9	0.1	–0.1
Otras prestaciones	0.1	0.1	0.0	0.0	0.0	0.0	0.0	0.0	0.0	0.0
Función "Familia e hijos"	0.3	0.3	0.4	0.4	0.4	0.4	0.4	0.4	0.0	0.0
Función "Exclusión social"	0.1	0.1	0.1	0.1	0.1	0.1	0.2	0.2	0.0	0.0
Función "Vivienda"	0.1	0.1	0.1	0.1	0.1	0.1	0.1	0.1	0.0	0.0
Total prestaciones de protección social	20.0	21.2	22.4	24.0	22.9	22.0	21.9	21.5	2.9	–1.4
Pro memoria: Total prestaciones sin desempleo	16.4	17.1	18.0	18.8	18.5	18.4	18.8	18.5	2.1	0.0
Masa total de pensiones	9.4	9.6	10.0	10.6	10.6	10.6	10.9	10.8	1.2	0.2

Fuentes: Cuentas Integradas de Protección Social en términos SEEPROS. Anuario de Estadísticas Laborales y de Asuntos Sociales 1997. Ministerio de Trabajo y Asuntos Sociales. Cifras de PIB a precios de mercado actualizadas a las últimas de Contabilidad Nacional Trimestral (Bol. Tri. de Coyuntura, 70, dic. 1998).

Los gastos en prestaciones de protección social representan en 1997 el 21.5% del PIB español, frente al 24% que suponían en 1993. La causa de este descenso se encuentra exclusivamente en la caída de las prestaciones por desempleo a medida que mejoraba la coyuntura del mercado de trabajo tras la recesión de 1993. Eliminado este efecto, las prestaciones sociales se incrementaron en casi tres puntos del PIB entre 1990 y 1994, de los cuales 1.2 puntos corresponden a pensiones, 0.8 puntos a la función enfermedad y asistencia sanitaria y otros 0.8 a desempleo. En el último cuatrienio la función desempleo ha descendido 1.4 puntos de PIB, y el incremento en 0.2 puntos de las pensiones ha sido compensado con el descenso del mismo orden de la asistencia sanitaria.

3.2. *Gastos de protección social de los países de la UE (% PIB)*

	1990	1991	1992	1993	1994	1995	93-90	95-93
Países nórdicos	27.9	31.0	33.2	36.4	36.1	34.5	8.4	–1.9
Suecia	–	–	–	38.6	37.6	35.6	–	–3.0
Dinamarca	30.3	31.6	32.1	33.5	35.1	34.3	3.2	0.8
Finlandia	25.5	30.4	34.4	35.5	34.7	32.8	10.0	–2.7
Países continentales	27.5	28.7	29.8	31.0	30.7	31.0	3.5	0.0
Alemania	26.4	28.3	29.7	30.7	30.6	31.3	4.3	0.6
Francia	27.7	28.4	29.3	31.0	30.5	30.6	3.3	–0.4
Holanda	33.0	33.4	34.0	34.4	33.3	32.1	1.4	–2.3
Bélgica	26.6	27.0	27.1	29.0	29.0	29.7	2.4	0.7
Austria	28.1	28.4	29.2	30.5	31.3	31.3	2.4	0.8
Luxemburgo	23.5	24.6	24.4	25.2	24.7	25.3	1.7	0.1
Países del sur de Europa	22.0	22.8	24.1	24.6	24.2	23.3	2.7	–1.3
Italia	24.1	24.6	25.8	26.0	25.8	24.6	1.9	–1.4
España	*20.5*	*21.8*	*23.0*	*24.6*	*23.4*	*22.7*	*4.1*	*–1.9*
Grecia	–	–	–	20.8	20.8	21.2	–	0.4
Portugal	15.5	16.8	18.7	21.0	21.0	20.7	5.5	–0.3
Países anglosajones	22.8	24.9	26.9	28.0	27.6	27.2	5.2	–0.7
Reino Unido	23.0	25.2	27.3	28.4	28.0	27.7	5.4	–0.7
Irlanda	19.1	20.2	20.8	20.9	20.3	19.9	1.8	–1.0
Total Unión Europea	24.8	26.2	27.3	28.8	28.6	28.4	4.0	–0.4
Pro memoria:								
España (sin func. Desem.)	*16.9*	*17.7*	*18.6*	*19.4*	*19.1*	*19.1*	*2.5*	*–0.3*

Nota metodológica: El concepto de «gasto en protección social» difiere del de «prestación» en que el primero incluye además los gastos administrativos y otros gastos sociales. Por este motivo no coinciden las cifras de las tablas 5 y 6.
Fuente: Síntesis de Estadísticas Internacionales (en términos SEEPROS). Anuario de Estadísticas Laborales y de Asuntos Sociales 1997. Ministerio de Trabajo y Asuntos Sociales. Los porcentajes por grupos de paises se han obtenido utilizando como factor de ponderación la población de cada país, tomada de Économie Européenne, 65, 1998.

Los gastos en protección social de la UE representaban en 1995 el 28.4% de su PIB. Mientras que entre 1990 y 1993 la protección social en la UE se incrementó en 4 puntos de PIB, en el período 1993-95 se redujo 4 décimas. Como ya se ha señalado en la tabla anterior, el origen de este descenso se encuentra principalmente en los menores importes destinados a prestaciones por desempleo una vez superada la etapa de depresión económica. De hecho, los países donde más se redujo el gasto social en este período coinciden con los que presentaban mayores tasas de paro (España, Finlandia, Irlanda e Italia). Los países que presentan niveles más altos de protección social son los nórdicos juntos con Holanda, Alemania y Austria, mientras que Irlanda y los países del sur de Europa se situarían en los puestos más bajos. España presentaba en 1995 un diferencial negativo en protección social de 5.7 puntos de PIB respecto a la media comunitaria.

3.3. *Prestaciones de protección social por habitante en la UE (1995, en ECUs y PPC). Distribución según función (porcentaje sobre el total de gasto en prestaciones)*

	PROTECCIÓN SOCIAL	% GASTO SOBRE EL TOTAL DE PRESTACIONES							%
	PER CÁPITA 95 (PPC)	VEJEZ	ENFERMEDAD	DESEMPLEO	INVALIDEZ	SUPERVIVENCIA	FAMILIA, HIJOS	OTRAS	GASTO EN PENSIONES
Luxemburgo	5,542	30.6	24.3	3.0	13.1	14.1	13.3	1.6	57.8
Suecia	4,992	34.7	21.6	11.1	12.3	2.4	11.3	6.6	49.4
Austria	4,629	37.7	25.6	5.6	7.7	10.6	11.3	1.5	56.0
Dinamarca	4,561	37.6	17.8	14.7	10.6	0.1	12.4	6.8	48.3
Alemania	4,244	40.3	31.1	9.1	7.0	2.2	7.5	2.8	49.5
Finlandia	4,214	28.9	21.2	14.3	14.8	3.9	13.3	3.6	47.6
Francia	4,081	36.5	29.0	8.2	5.9	6.5	9.0	4.9	48.9
Bélgica	4,031	31.6	25.8	14.3	6.5	10.9	8.2	2.7	49.0
Holanda	3,979	32.1	28.9	10.1	15.5	5.4	4.7	3.3	53.0
Reino Unido	3,454	33.9	25.8	5.9	11.9	5.5	9.0	8.0	51.3
Italia	3,299	54.5	21.4	2.2	7.2	11.2	3.5	0.0	72.9
España	*2,253*	*40.9*	*30.0*	*14.3*	*7.7*	*4.4*	*1.8*	*0.9*	*53.0*
Irlanda	2,067	19.9	35.4	17.3	4.7	6.0	11.7	5.0	30.6
Portugal	1,671	36.0	32.8	5.5	12.0	7.4	5.8	0.5	55.4
Grecia	1,488	–	–	–	–	–	–	–	–
Unión Europea	3,586	38.9	27.6	8.4	8.4	5.4	7.6	3.7	52.7

Fuente: Síntesis de Estadísticas Internacionales (en términos SEEPROS). Anuario de Estadísticas Laborales y de Asuntos Sociales 1997. Ministerio de Trabajo y Asuntos Sociales.

Por tipos de funciones, los países que destinan una mayor proporción del gasto en protección social al pago de pensiones (aproximado por la suma de las funciones vejez, invalidez y supervivencia) son Italia (el 73% de su protección social tiene este destino), Luxemburgo (57.8%) y Austria (56%), y en el que las pensiones tienen menor importancia relativa es Irlanda (30.6% del gasto social total). La participación de las pensiones en el gasto social de nuestro país está en línea con la media comunitaria. En la función enfermedad y asistencia sanitaria las participaciones oscilan entre el 35.4% de Irlanda y el 17.8% de Dinamarca, con una media de 27.6% del gasto total para la UE (España, un 30%). En el caso de las prestaciones por desempleo, lógicamente se concentra en aquellos países en los que este problema reviste mayor gravedad, de forma que España dedica a esta función un 6% más que la media de la UE. Finalmente, España es el país europeo que menor importancia relativa otorga a la función familia e hijos (sólo un 1.8% del gasto social, frente al 13.3% de Finlandia y el 7.6% de media comunitaria).

3.4. *Gasto sanitario público y privado de los países de la UE (% PIB)*

	1990				1995				95-90	
	TOTAL	PÚBLICO	PRIVADO	% PBCO. /TOTAL	TOTAL	PÚBLICO	PRIVADO	% PBCO. /TOTAL	TOTAL	PÚBLICO
Países nórdicos	7.9	6.7	1.1	85.8	7.5	6.1	1.4	80.9	–0.4	–0.7
Suecia	8.6	7.7	0.9	89.7	7.7	6.4	1.3	83.4	–0.9	–1.3
Dinamarca	6.5	5.4	1.1	82.3	6.5	5.4	1.1	83.0	0.0	0.0
Finlandia	8.0	6.5	1.5	80.9	8.2	6.2	2.0	75.2	0.2	–0.3
Países continentales	8.5	6.2	2.2	73.7	9.5	7.3	2.3	76.1	1.1	1.0
Alemania	8.3	6.0	2.3	71.8	9.6	7.1	2.5	73.5	1.3	1.1
Francia	8.9	6.6	2.3	74.5	9.9	7.8	2.1	78.4	1.0	1.2
Holanda	8.4	6.1	2.3	72.4	8.8	6.8	2.0	77.5	0.4	0.7
Bélgica	7.6	6.8	0.8	88.9	8.0	7.0	1.0	87.8	0.4	0.2
Austria	8.4	5.6	2.8	66.1	9.6	6.1	3.5	63.4	1.2	0.5
Luxemburgo	6.2	6.1	0.1	98.5	5.8	5.7	0.1	98.5	–0.4	–0.4
Países del sur de Europa	7.2	5.5	1.7	76.4	7.4	5.4	2.0	72.4	0.2	–0.1
Italia	8.1	6.3	1.8	78.1	7.7	5.4	2.3	70.0	–0.4	–0.9
España	*6.9*	*5.4*	*1.5*	*78.7*	*7.6*	*5.9*	*1.7*	*78.2*	*0.7*	*0.5*
Grecia	4.3	3.6	0.7	84.2	5.2	4.4	0.8	84.6	0.9	0.8
Portugal	6.6	3.6	3.0	54.6	7.6	4.3	3.3	56.0	1.0	0.7
Países anglosajones	6.0	5.1	0.9	84.3	7.0	5.8	1.1	83.5	0.9	0.7
Reino Unido	6.0	5.1	0.9	84.1	6.9	5.8	1.1	84.1	0.9	0.7
Irlanda	6.7	5.0	1.7	74.7	7.9	6.0	1.9	76.0	1.2	1.0
Total Unión Europea	7.6	5.8	1.8	76.6	8.3	6.4	2.0	76.3	0.7	0.5

Nota metodológica: El concepto de «gasto sanitario» de la OCDE incorpora una serie de conceptos que no tienen la consideración de «prestación social» en términos SEEPROS. Por ello las cifras para España son mayores que las que aparecen en la tabla 5 función «Enfermedad y asist. sanitaria».
Fuente: Health Data 1996. OCDE. Los porcentajes por grupos de países se han obtenido utilizando como factor de ponderación la población de cada país, tomada de Économie Européenne, 65, 1998.

La UE destinaba, en 1995, una media del 8.3% de su PIB al gasto sanitario, 7 décimas más que en 1990. De este gasto, más de las tres cuartas partes tenía carácter público, y de las 7 décimas de aumento 5 correspondieron a este sector. Sólo Suecia, Italia y Luxemburgo han disminuido en este período su participación del gasto sanitario en el PIB, y en los dos primeros casos parte del descenso del gasto sanitario público ha sido compensado con un incremento del gasto de carácter privado. Los niveles de gasto sanitario en España se sitúan siete décimas por debajo de la media comunitaria, de las cuales cinco corresponden al gasto público y dos al privado. Los países con mayor proporción de gasto sanitario de carácter público eran, en 1995, Luxemburgo, Bélgica, Grecia, Reino Unido y los nórdicos excepto Finlandia; en todos ellos superaba el 80%.

3.5. *Tasa de paro en los países de la UE y EE.UU. (definición Eurostat)*

	1990	1991	1992	1993	1994	1995	1996	1997	1998	94-90	98-94
Países nórdicos	3.8	5.7	8.5	11.6	11.4	10.5	10.6	10.1	8.9	7.6	–2.5
Suecia	1.8	3.3	5.8	9.5	9.8	9.2	10.0	10.2	9.1	8.0	–0.7
Dinamarca	7.7	8.4	9.2	10.1	8.2	7.2	6.9	6.1	5.4	0.5	–2.8
Finlandia	3.3	7.2	12.4	16.9	17.4	16.3	15.4	14.0	12.3	14.1	–5.1
Países continentales	6.3	6.9	7.7	8.9	9.5	9.1	9.6	10.0	9.7	3.1	0.2
Alemania	4.8	5.6	6.6	7.9	8.4	8.2	8.8	9.7	9.8	3.6	1.4
Francia	8.9	9.5	10.4	11.7	12.3	11.7	12.4	12.5	11.9	3.4	–0.4
Holanda	6.2	5.8	5.6	6.6	7.1	6.9	6.3	5.3	4.4	0.9	–2.7
Bélgica	6.7	6.6	7.3	8.9	10.0	9.9	9.8	9.5	8.5	3.3	–1.5
Austria	3.2	3.4	3.4	4.0	3.8	3.9	4.4	4.4	4.2	0.6	0.4
Luxemburgo	1.7	1.7	2.1	2.7	3.2	2.9	3.3	3.7	3.9	1.5	0.7
Países del sur de Europa	10.9	10.8	11.7	14.0	15.1	15.0	14.8	14.3	13.8	4.2	–1.2
Italia	9.1	8.8	9.0	10.3	11.4	11.9	12.0	12.1	12.0	2.3	0.6
España	16.2	16.4	18.5	22.8	24.1	22.9	22.1	20.9	19.7	7.9	–4.4
Grecia	6.4	7.0	7.9	8.6	8.9	9.2	9.6	9.5	9.2	2.5	0.3
Portugal	4.6	4.0	4.2	5.7	7.0	7.3	7.3	6.4	6.2	2.4	–0.8
Países anglosajones	5.9	7.3	8.1	7.6	6.8	6.2	6.0	5.4	5.0	0.9	–1.8
Estados Unidos	5.6	6.8	7.5	6.9	6.1	5.6	5.4	4.9	4.6	0.5	–1.5
Reino Unido	7.0	8.8	10.1	10.4	9.6	8.7	8.2	7.1	6.5	2.6	–3.1
Irlanda	13.4	14.8	15.4	15.6	14.3	12.3	11.6	10.2	8.4	0.9	–5.9
Total Unión Europea	7.7	8.2	9.3	10.7	11.2	10.8	10.9	10.7	10.2	3.5	–1.0

*Fuente:*Économie Européenne (Anexo estadístico). Comisión Europea, 65, 1998.

El paro en la UE ha pasado de representar el 7.7% de la población activa en 1990 a alcanzar un máximo del 11.2% en 1994, para finalmente reducirse en un punto a lo largo de los cuatro años siguientes. El grupo de países con mayores tasas de paro, en 1998, eran España (19.7%), Finlandia (12.3%) e Italia (12.0%), mientras que Luxemburgo (3.9%), Austria (4.2%) y Holanda (4.4%) destacan por registrar las tasas de desempleo más bajas de la UE en este último año. Distinguiendo por períodos, entre 1990 y 1994 todos los países de la UE y EE.UU. incrementaron sus tasas de paro, en especial los nórdicos (7.6 puntos), España (7.9) y Francia y Alemania (con incrementos similares a la media de la UE en el período, 3.5 puntos). Por el contrario, en el último cuatrienio el único país que ha aumentado su tasa de desempleo de forma significativa ha sido Alemania, destacando los descensos del paro en Irlanda (5.9 puntos), Finlandia (5.1) y España (4.4 puntos).

IV. EDUCACIÓN

4.1. *Gasto público y privado en educación en España (% PIB)*

	PÚBLICO	PRIVADO	TOTAL	% GASTO PÚBLICO EDUCACIÓN/TOTAL GASTO PÚBLICO
1990	4.2	0.7	4.8	9.4
1991	4.4	0.7	5.1	9.7
1992	4.5	0.7	5.2	9.7
1993	5.0	0.7	5.7	10.1
1994	4.8	0.8	5.6	10.0
1995	4.9	0.8	5.7	10.1
1996	4.8	–	–	10.5

Fuente: Clasificación de los empleos de las Administraciones Públicas por funciones. Cuentas de Producción y Explotación por ramas de actividad. Contabilidad Nacional de España. Base 1986. Serie 1992-97. Instituto Nacional de Estadística.

La participación del gasto en educación en el PIB español se ha incrementado en 0.9 puntos de PIB entre 1990 y 1995, situándose en este último año en el 5.7%. El mayor esfuerzo en inversión educativa se concentró en el período 1990-93, manteniéndose prácticamente estable desde entonces. Del total de gasto de nuestro país en educación, el 86% es de carácter público (4.9 puntos de PIB, frente a las ocho décimas que aporta el sector privado). Esta relativa estabilidad del gasto educativo en los últimos años ha de matizarse en un doble sentido. En primer lugar, tal como se expone en las tablas siguientes se ha asistido a un importante descenso del número de alumnos en el nivel de educación primaria por motivos exclusivamente demográficos. En segundo lugar, como demuestra la evolución creciente de la relación gasto público en educación sobre gasto público agregado, el gasto educativo ha aumentado en mayor proporción que el gasto público total. La acción conjunta de ambas circunstancias ha dado lugar a un considerable incremento de la inversión educativa por alumno.

4.2. *Evolución del alumnado matriculado por nivel educativo*

	INFANTIL PREESCOLAR (3-5 AÑOS)	PRIMARIA, EGB Y 1.er CICLO ESO (6-13 AÑOS)	SEGUNDARIA FORM. PROFES. (14-18 AÑOS)	SUPERIOR (> 18 AÑOS)	TOTAL
1990/91	100.0	100.0	100.0	100.0	100.0
1991/92	102.1	95.2	102.9	104.6	99.1
1992/93	104.7	91.6	104.4	109.8	98.5
1993/94	107.8	87.9	106.0	117.1	98.3
1994/95	108.8	84.2	106.4	124.1	97.4
1995/96	110.3	80.9	109.5	130.0	97.4
1996/97	110.4	55.2	148.4	135.3	94.9
Alumnos (miles) 1996/97	1 109.9	2 694.6	3 635.1	1 592.4	9 032.0

Fuentes: Estadística de la Enseñanza en España. Ministerio de Educación y Cultura. Anuario de estadística universitaria. Consejo de Universidades.
Nota: Las cifras de los niveles de primaria y secundaria del curso 96/97 están afectadas por la implantación del primer curso de la ESO. Eliminado este efecto, los crecimientos acumulados pasan a ser del 74.5% y 110.0%.

En España el número de alumnos matriculados en todos los niveles de enseñanza superaba los 9 millones en 1997, de los cuales el 70% correspondía a alumnos de enseñanza primaria y secundaria, y el 17.5% a estudiantes de enseñanza superior o universitaria. El número de alumnos en el nivel de educación infantil y preescolar ha aumentado desde 1990 en un 10.4% como consecuencia no de una mayor natalidad (de hecho desciende, como refleja la tabla 1.1), sino de un mayor recurso a la escolaridad de los más pequeños por parte de parejas jóvenes en las que ambos cónyuges trabajan. Eliminado el efecto de implantación de la ESO en 1996, los alumnos de educación primaria han descendido un 25.5% en estos seis años debido al descenso de los nacidos a partir de 1985. El desplazamiento experimentado por la pirámide de edades explica el incremento en un 10% de los alumnos de enseñanza Secundaria y Formación Profesional, y del 35.3% de los estudiantes universitarios. Desde 1990 el número total de alumnos matriculados ha descendido un 5%.

4.3. *Tasas brutas de escolaridad por sexo y niveles de enseñanza (%)*

	E. INFANTIL/ PREESCOLAR	E. PRIMARIA, EGB Y 1.º ESO	E. SECUNDARIA F. PROFES.	E. SUPERIOR
1990/1991				
Hombres	75.6	110.6	71.0	–
Mujeres	76.4	108.9	76.5	–
Ambos sexos	76.0	109.8	73.6	29.7
1995/1996				
Hombres	87.0	112.3	81.5	–
Mujeres	89.6	109.6	89.7	–
Ambos sexos	88.3	110.9	85.6	38.2
1996-1990				
Hombres	11.4	1.7	10.5	–
Mujeres	13.2	0.7	13.2	–
Ambos sexos	12.3	1.1	12.0	8.6

Nota: La tasa bruta de escolaridad se define como la relación entre el número de alumnos matriculados en cada nivel de enseñanza y la población total del grupo de edad teórico, determinado por la edad de admisión y la duración normal de los estudios. La obtención de una tasa superior al 100% para la educación primaria se atribuye a errores en la estimación de la población por tramos de edad del Censo.
Fuentes: Estadística de la Enseñanza en España. Ministerio de Educación y Cultura. Para la E. Superior, Estadística de la Enseñanza en España. Instituto Nacional de Estadística.

El aumento de la proporción de hogares en los que los dos cónyuges trabajan y el mayor reconocimiento por parte de los padres de los beneficios de la socialización sobre la personalidad del niño son las causas que subyacen en el significativo incremento de las tasas de escolaridad en educación infantil y preescolar, que han pasado del 76%, de 1990, al 88.3%, en 1996. La estimación de tasas de escolaridad superiores al 100% en la enseñanza primaria se debe a una infravaloración de este grupo de edad en el Censo de Población, pero en cualquier caso sirve para reafirmar la cobertura total en esta etapa de escolarización obligatoria. La tasa de escolaridad en educación secundaria se sitúa en 1996 en el 85.6%, lo que representa una subida de doce puntos respecto a la de 1990, y con una continua ampliación de la brecha entre las tasas femenina (89.7%) y masculina (81.5%) que ya alcanza los 8.2 puntos. Finalmente, la tasa de escolaridad en enseñanza superior ha aumentado 8.6 puntos en este período, con un valor del 38.2% en 1996.

4.4. *Alumnos de enseñanza secundaria superior y superior en la UE (por cada 100 habitantes)*

	1990			1995			95-90		
	SECUNDARIA SUPERIOR	SUPERIOR	TOTAL	SECUNDARIA SUPERIOR	SUPERIOR	TOTAL	SECUNDARIA SUPERIOR	SUPERIOR	TOTAL
Países nórdicos	3.9	2.5	6.4	5.0	3.2	8.2	1.1	0.7	1.8
Suecia	3.3	2.2	5.4	5.4	2.8	8.1	2.1	0.6	2.7
Dinamarca	4.4	2.6	7.0	4.4	3.3	7.6	0.0	0.6	0.6
Finlandia	4.3	3.1	7.4	5.0	4.0	9.0	0.7	0.9	1.6
Países continentales	4.1	2.5	6.6	4.2	3.1	7.3	0.1	0.6	0.7
Alemania	3.4	2.2	5.6	3.6	2.6	6.3	0.2	0.5	0.7
Francia	4.3	2.8	7.1	4.3	3.6	7.9	0.0	0.8	0.8
Holanda	5.0	2.9	8.0	4.7	3.3	8.0	–0.3	0.3	0.0
Bélgica	6.3	2.7	9.0	6.7	3.5	10.2	0.4	0.8	1.2
Austria	5.3	2.6	7.9	5.0	2.9	7.9	–0.4	0.3	–0.1
Luxemburgo	3.1	0.3	3.4	2.9	0.5	3.4	–0.2	0.2	0.0
Países del sur de Europa	5.3	2.5	7.8	5.5	3.4	8.8	0.1	0.9	1.0
Italia	5.1	2.4	7.5	4.4	3.1	7.6	–0.7	0.7	0.1
España	*6.6*	*3.0*	*9.6*	*7.6*	*3.9*	*11.5*	*0.9*	*0.9*	*1.8*
Grecia	3.9	1.9	5.9	3.9	2.8	6.8	0.0	0.9	0.9
Portugal	3.2	1.3	4.5	4.6	3.1	7.7	1.4	1.7	3.2
Países anglosajones	6.8	2.1	8.8	7.5	3.1	10.7	0.8	1.0	1.8
Reino Unido	6.9	2.0	9.0	7.7	3.1	10.8	0.8	1.0	1.8
Irlanda	4.4	2.4	6.8	5.1	3.4	8.4	0.6	1.0	1.6
Total Unión Europea	4.9	2.4	7.4	5.2	3.2	8.4	0.3	0.8	1.0

Fuentes: Education across the European Union: statistics and indicators 1996 y Anuario 1997. EUROSTAT.

En 1995, un 8.4% de los habitantes de la UE se encontraba cursando estudios de enseñanza superior y secundaria superior, un 1% más que en 1990. España era el país europeo con mayor proporción de su población matriculada en ambos niveles de enseñanza (un 11.5%, 3 puntos por encima de la media comunitaria). Tras España, los países con mayores porcentajes de población universitaria y preuniversitaria en 1995 eran el Reino Unido (10.8%, de los cuales parte son estudiantes de otras nacionalidades atraídos por el prestigio de sus centros docentes), Bélgica (10.2%) y Finlandia (9%), mientras que la baja tasa de Luxemburgo se debe a la «fuga» de sus estudiantes a universidades de países vecinos (lo que explica su bajo índice de desarrollo humano en la tabla 7.1). Los mayores incrementos de la proporción de estudiantes en ambos niveles en el período 1990-95 han sido los registrados por Portugal (3.2 puntos), Suecia (2.7) y los países anglosajones (1.8 puntos).

V. SITUACIÓN DE LA MUJER

5.1. *Población mayor de 16 años por nivel de estudios terminados (% del total)*

		1990	1991	1992	1993	1994	1995	1996	1997	94-90	97-94
Analfabetos y sin estudios	Ambos sexos	22.1	21.4	20.9	20.0	19.2	18.6	17.7	17.1	–2.9	–2.0
	Hombres	18.2	17.7	17.3	16.5	15.9	15.4	14.5	14.0	–2.3	–1.9
	Mujeres	25.7	24.8	24.3	23.2	22.2	21.6	20.6	20.1	–3.4	–2.2
Estudios primarios	Ambos sexos	38.6	38.0	36.8	35.6	34.6	33.5	32.0	31.1	–3.9	–3.5
	Hombres	38.7	38.1	36.9	35.5	34.5	33.3	31.9	31.0	–4.2	–3.6
	Mujeres	38.4	37.9	36.7	35.7	34.7	33.6	32.1	31.3	–3.7	–3.4
Estudios medios (secundaria)	Ambos sexos	31.7	32.8	34.3	36.2	37.6	38.8	40.4	41.4	5.9	3.8
	Hombres	34.7	35.7	37.4	39.3	40.7	42.0	43.6	44.6	6.0	3.9
	Mujeres	28.9	30.0	31.5	33.3	34.7	35.8	37.4	38.4	5.8	3.7
Estudios presuperiores (secundaria superior)	Ambos sexos	4.3	4.3	4.3	4.5	4.5	4.7	5.2	5.4	0.2	0.9
	Hombres	4.0	4.0	4.0	4.1	3.9	4.2	4.6	4.8	0.0	0.9
	Mujeres	4.5	4.6	4.6	4.9	5.0	5.3	5.8	5.9	0.5	0.9
Estudios superiores	Ambos sexos	3.4	3.5	3.6	3.7	4.1	4.4	4.7	4.9	0.7	0.8
	Hombres	4.4	4.4	4.5	4.6	4.9	5.1	5.5	5.6	0.6	0.7
	Mujeres	2.5	2.7	2.9	3.0	3.3	3.7	4.0	4.3	0.9	1.0

Fuente: Encuesta de Población Activa. Instituto Nacional de Estadística.

El nivel educativo medio de la población española mayor de 16 años se ha elevado significativamente en los últimos años. La proporción de población analfabeta y sin estudios se ha reducido en 2 puntos entre 1990 y 1997 (17.1% en este último año), y en mayor medida entre las mujeres (si bien la proporción de mujeres analfabetas continúa siendo 6 puntos superior a la de los hombres). El carácter obligatorio de la enseñanza primaria hace que no existan diferencias significativas entre ambos sexos, y el descenso de su proporción en 7.5 puntos a lo largo del período es consecuencia del desplazamiento de la pirámide de edades, ya que correlativamente aumenta la proporción de población con estudios medios. El porcentaje de mujeres con estudios presuperiores es un punto mayor que el de los hombres, y la situación se invierte en el caso de la enseñanza universitaria. Entre 1990 y 1997, la proporción de mujeres con estudios presuperiores y superiores ha aumentado en 3.2 puntos, frente a un aumento de sólo 2 puntos en el caso de los hombres.

5.2. *Mujeres en la enseñanza superior (Por cada 100 hombres)*

	1994/95	
	SECUNDARIA SUPERIOR	SUPERIOR
Países nórdicos	113	116
Suecia	117	122
Dinamarca	100	108
Finlandia	121	112
Países continentales	89	95
Alemania	85	77
Francia	95	122
Holanda	88	89
Bélgica	99	98
Austria	84	92
Luxemburgo	90	–
Países del sur de Europa	103	111
Italia	99	110
España	*111*	*111*
Grecia	94	98
Portugal	109	131
Países anglosajones	116	104
Reino Unido	117	104
Irlanda	106	97
Total Unión Europea	102	103

Fuente: Portrait Social de l´Europe 1998, EUROSTAT.

Este fenómeno de una mayor presencia femenina en los estudios superiores también es apreciable en el ámbito europeo. En 1995 el número de universitarias de la UE superaba en un 3% al de sus compañeros varones. Los países en los que se producía con mayor intensidad este hecho eran los nórdicos (con un 16% más de mujeres que de hombres en la universidad, y otro 13% más en la secundaria superior) y los del sur de Europa (Portugal y España, principalmente). En nuestro país las mujeres superaban en un 11% a los hombres en ambos niveles de enseñanza. Los países anglosajones registran una proporción femenina sensiblemente mayor en el caso de la enseñanza secundaria superior, pero no ocurre lo mismo con la universitaria. Por el contrario, en los países continentales (excepto Francia) existe una ligera predominancia masculina en los niveles educativos superiores.

5.3. *Salario/hora de las mujeres en relación con el de los hombres en la UE (%), 1995 (Trabajadores a tiempo completo, excluidos incentivos y horas extras*

TIPO DE ACTIVIDAD	DIRECTIVO Y ESCALA SUPERIOR	PROFESIÓN INTELECTUAL Y CIENTÍFICA	PROFESIÓN DE INTERMEDIACIÓN	EMPLEADO ADMINISTRATIVO	SERVICIOS, DE PENDIENTES Y COMERCIALES	ARTESANO Y OBRERO MANUAL	MECÁNICO Y CONDUCTOR DE VEHÍCULOS	EMPLEADO NO CUALIFICADO	TODAS LAS PROFESIONES
Países nórdicos	78	88	83	93	90	88	90	87	86
Suecia	79	91	88	97	95	90	95	90	89
Dinamarca	74	87	80	85	84	90	89	84	85
Finlandia	81	84	79	94	86	82	82	83	83
Países continentales	73	81	82	86	79	78	79	83	82
Alemania	79	84	80	84	74	76	80	82	83
Francia	68	79	86	92	88	80	80	87	82
Holanda	62	74	72	76	71	75	69	76	71
Bélgica	73	82	86	84	80	84	79	84	88
Austria	–	–	–	–	–	–	–	–	–
Luxemburgo	67	84	88	84	81	79	68	81	82
Países del sur de Europa	73	80	82	78	79	73	74	83	80
Italia	74	83	82	79	82	77	75	84	81
España	70	78	83	77	78	71	74	83	80
Grecia	77	71	74	78	64	59	72	81	71
Portugal	–	–	–	–	–	–	–	–	–
Países anglosajones	67	84	73	94	83	63	76	82	76
Reino Unido	67	84	73	94	83	63	76	82	76
Irlanda	–	–	–	–	–	–	–	–	–
Total Unión Europea	72	82	80	85	80	74	78	83	80

Fuente: Statistiques sur la structure des salaires. EUROSTAT. Portrait Social de l'Europe 1998.

La discriminación salarial por sexo está presente en mayor o menor grado en todos los países de la UE y en todas las categorías laborales. Por países, en los nórdicos la mujer cobra un 14% de media menos que los hombres (un 10% menos en Suecia, un 17% menos en Finlandia), en los países continentales reciben salarios un 18% inferiores a los de los hombres, y en el Reino Unido un 24% más bajos. Grecia y Holanda figuran como los dos países en los que la discriminación salarial (que en gran parte es el reflejo de las escasas oportunidades de acceso a puestos relevantes en la organización) resulta ser más aguda (el salario medio femenino sólo representa el 71% del masculino). España registra un nivel de discriminación salarial que coincide con el de la media comunitaria. Por categorías profesionales, las actividades que registran mayores diferencias salariales por razón del sexo son el nivel directivo y superior y los obreros manuales, mientras que la mayor igualdad salarial se da entre los empleados administrativos por el efecto de las retribuciones públicas.

5.4. *Salarios anuales medios por sexo y sector de actividad en España según las estadísticas tributarias, 1996 (en pesetas)*

	HOMBRES	MUJERES	% SALARIO MUJERES/ HOMBRES
Actividades agrarias, ganaderas y pesqueras	899 018	364 256	40.5
Energía	3 908 629	1 864 623	47.7
Industria	2 544 317	1 545 296	60.7
Construcción	1 696 383	1 402 912	82.7
Comercio y reparaciones	1 967 016	1 163 284	59.1
Hostelería y restauración	1 254 916	877 738	69.9
Transporte y comunicaciones	2 828 017	2 137 807	75.6
Servicios financieros y seguros	4 451 082	2 882 083	64.8
Servicios a las empresas	1 908 463	1 198 809	62.8
Servicios inmobiliarios (promoción)	2 186 722	1 456 257	66.6
Alquileres inmobiliarios	1 741 289	1 220 181	70.1
Enseñanza, sanidad y otros	1 718 711	1 042 646	60.7
No clasificados	1 506 336	848 251	56.3
Total sector empresarial	2 206 254	1 297 163	58.8
Administraciones públicas	2 815 249	2 470 573	87.8
Instituciones privadas sin fines de lucro	2 270 457	1 829 533	80.6
Total sector público y cuasi-público	2 750 257	2 372 699	86.3

Fuente: Empleo, Salarios y pensiones en las fuentes tributarias 1996. Instituto de Estudios Fiscales y Agencia Tributaria.

Las estadísticas tributarias permiten profundizar más en la naturaleza de esta discriminación salarial en nuestro país a partir de los datos contenidos en las relaciones de retribuciones y retenciones que anualmente han de remitir a Hacienda las empresas con asalariados. De esta forma, las mujeres asalariadas en el sector privado percibían, en 1996, un salario medio de 1 297 200 ptas., un 41.2% menos que sus homólogos masculinos. Por sectores de actividad, las mayores diferencias se encuentran en las ramas agraria, de la energía, el comercio y la industria, mientras que se advierte una mayor homogeneidad salarial en la construcción, el transporte y el alquiler inmobiliario. Las asalariadas del sector público no sólo reciben una retribución media un 83% más alta que las mujeres que trabajan en el sector privado, sino que «sólo» cobran de media un 13.7% menos que los funcionarios varones. De lo anterior se deduce que las diferencias salariales por razón del sexo son tres veces superiores en el sector privado que en el público.

6.1. *Consumo final de las familias por grandes grupos de gasto en la UE (%), 1993*

GRUPOS DE GASTO	ALIMENTOS, BEBIDAS Y TABACO	VIVIENDA, VESTIDO Y CALZADO	MUEBLES Y ELECTRICIDAD Y CALEFACC.	SERVICIOS ENSERES DEL HOGAR	TRANSPOR- MÉDICOS Y SANITARIOS	ESPECTÁCU- TES Y COMU- NICACIONES	OTROS LOS, ENSEÑAN- ZA Y CULTURA	BIENES Y SERVICIOS
Países nórdicos	21.0	5.3	29.6	6.2	3.1	15.3	9.8	9.7
Suecia	19.9	5.8	32.9	6.6	2.3	15.7	9.5	7.2
Dinamarca	20.8	5.2	28.8	6.1	2.2	15.4	10.4	11.1
Finlandia	23.0	4.6	24.8	5.8	5.3	14.4	9.6	12.5
Países continentales	16.4	6.8	19.7	8.0	12.6	15.0	8.4	13.1
Alemania	15.1	7.1	19.6	8.5	15.1	15.3	9.2	10.1
Francia	18.0	5.9	20.6	7.3	10.0	15.5	7.3	15.5
Holanda	14.8	6.8	19.0	6.9	13.1	12.6	10.2	16.6
Bélgica	17.2	7.7	17.7	10.2	12.3	12.7	6.2	16.0
Austria	19.0	8.5	18.5	7.8	6.0	16.1	7.5	16.6
Luxemburgo	30.2	9.3	7.0	8.3	4.5	14.9	7.4	18.4
Países del sur de Europa	22.4	8.7	14.4	8.0	5.8	13.4	7.6	19.6
Italia	20.2	9.1	16.9	9.1	7.1	11.6	8.8	17.2
España	*20.0*	*8.1*	*13.0*	*6.5*	*4.7*	*15.3*	*6.6*	*25.8*
Grecia	36.4	7.7	13.5	7.4	4.2	14.7	5.3	10.9
Portugal	30.2	9.3	7.0	8.3	4.5	14.9	7.4	18.4
Países anglosajones	21.4	6.0	19.1	6.6	1.8	16.9	10.3	17.8
Reino Unido	20.6	5.9	19.5	6.6	1.7	17.1	10.2	18.3
Irlanda	35.2	6.8	12.3	6.9	4.1	13.1	11.9	9.8
Total Unión Europea	18.7	7.1	19.0	7.8	8.8	14.8	8.6	15.3

Fuente: Estadísticas básicas de la Unión Europea 1996. EUROSTAT (1997).

La mayor proporción del gasto de los hogares en la UE se concentra en los conceptos de vivienda, electricidad y calefacción (un 19% del gasto total), alimentación (18.7%), otros bienes y servicios (15.3%) y transportes y comunicaciones (14.8%). Los países nórdicos son los que mayor porcentaje de su consumo destinan a vivienda, electricidad y calefacción (29.6%) debido a las bajas temperaturas que soportan y a la escasa duración de su luz diurna. Los países continentales gastan también un porcentaje significativo en este concepto, junto con el de servicios médicos y sanitarios (al que los hogares alemanes destinan un 15% de su consumo). Los países del sur de Europa presentan un patrón de consumo centrado en alimentación (22.4% del gasto total) y otros bienes y servicios (turismo y hostelería, gastos financieros). Finalmente, los anglosajones son los que más gastan en transportes y comunicaciones (16.9%), espectáculos y enseñanza (10.3%).

6.2. *Gasto medio por hogar y por grandes grupos de gasto en España (%) (Pesetas corrientes)*

GRUPOS DE GASTO	1990	1991	1992	1993	1994	1995	1996	1997
Alimentos, bebidas y tabaco	26.8	25.4	24.2	23.6	23.9	24.0	24.0	22.2
Vestido y calzado	10.0	9.8	9.3	8.3	7.7	7.4	7.5	–
Vivienda, electricidad y calefacción	20.0	22.0	22.9	24.5	25.5	26.0	25.9	–
Muebles y enseres del hogar	6.4	6.4	6.5	6.2	6.0	6.1	5.8	–
Servicios médicos y sanitarios	2.4	2.5	2.6	2.8	2.7	2.9	2.9	–
Transportes y comunicaciones	13.1	12.8	13.1	13.3	13.3	12.8	12.5	–
Espectáculos, enseñanza y cultura	6.3	6.0	6.3	6.5	6.4	6.3	6.4	–
Otros bienes y servicios	15.0	15.1	15.1	14.8	14.5	14.5	15.0	–

Nota: Las cifras de distribución del consumo por grandes grupos de gasto de esta tabla y la anterior difieren para el año 1993 por el hecho de que las fuentes estadísticas son distintas: el Panel Europeo de Hogares para la tabla 4.1, y la ECPF para la 4.2. La principal diferencia se encuentra en que la ECPF incorpora los gastos financieros asociados a la compra de vivienda al grupo «Vivienda, electricidad y calefacción», mientras que el Panel los incluye en el grupo de «Otros bienes y servicios».
Fuente: Encuesta Contínua de Presupuestos Familiares, Instituto Nacional de Estadística.

En España el gasto en alimentación ha pasado de ser el primer grupo de gasto en 1990 (con un 26.8% del total por hogar) a situarse por detrás del componente de gasto en vivienda, que representaba en 1996 el 25.6% del total. En el período 1990-96 cuatro grupos de gasto han disminuido su participación: alimentación (baja 2.8 puntos), vestido y calzado (2.5 puntos), transportes y comunicaciones y mobiliario del hogar (ambos descienden seis décimas). La menor importancia relativa de dichos componentes de gasto ha sido a costa de un ligero incremento del consumo de servicios médicos y sanitarios (cinco décimas) y, sobre todo, como consecuencia del encarecimiento de la vivienda, cuyo peso en el presupuesto familiar ha aumentado en 6 puntos porcentuales.

6.3. *Indicadores de la accesibilidad a la vivienda en España*

1990 1991 1992 1993 1994 1995 1996 1997

	PRECIO MEDIO DEL M² DE LAS VIVIENDAS		TIPO INTERÉS DEL CRÉDITO HIPOTECARIO EN LA BANCA		% RENTA FAMILIAR DISPONIBLE DESTINADA A LA COMPRA DE UNA VIVIENDA MEDIA	
					SIN DEDUCCIÓN FISCAL	CON DEDUCCIÓN FISCAL
1990	94 070	100.0	16.8	100.0	61.5	48.6
1991	107 543	114.3	16.3	96.9	65.7	53.7
1992	106 102	112.8	15.3	91.1	57.9	47.9
1993	105 670	112.3	14.2	84.5	49.5	38.6
1994	106 414	113.1	10.2	60.7	44.0	34.4
1995	110 155	117.1	11.1	66.0	45.4	36.0
1996	112 197	119.3	9.3	55.4	40.5	32.2
1997	113 942	121.1	6.8	40.2	33.4	26.5

DEDUCCIÓN FISCAL POR VIVIENDA EN EL IRPF (MILLONES PTS)

	SOBRE LA BASE IMPONIBLE*		SOBRE LA CUOTA ÍNTEGRA		TOTAL DEDUCCIONES	
1990	124 626	100.0	111 295	100.0	235 921	100.0
1991	144 544	116.0	128 434	115.4	272 978	115.7
1992	151 000	121.2	142 491	128.0	293 491	124.4
1993	174 774	140.2	163 575	147.0	338 349	143.4
1994	190 414	152.8	186 977	168.0	377 391	160.0
1995	209 817	168.4	199 571	179.3	409 388	173.5
1996	233 978	187.7	225 507	202.6	459 485	194.8
1997	–	–	–	–	–	–

* Se ha calculado aplicando a la partida «Gastos por inmuebles urbanos no arrendados» (intereses hipotecarios+cuota IBI) el tipo medio íntegro (cuota íntegra/base imponible IRPF).

Fuentes: Boletín Estadístico, 14. Ministerio de Fomento. Boletín Estadístico, diciembre 1998. Banco de España. Argentaria Mercado Inmobiliario. Estadísticas del IRPF 1990-96.

Este encarecimiento de la vivienda en España puede apreciarse a través de la evolución del precio medio del m² en el período 1990-97, que se ha incrementado en un 21.1% (desde 94 000 a 114 000 ptas.). Sin embargo, dos factores han actuado para aliviar esta circunstancia y facilitar a los jóvenes españoles el acceso a su primera vivienda: la espectacular reducción experimentada por el tipo de interés hipotecario, que ha pasado del 16.8% en 1990 al 6.8% en 1997 (10 puntos en siete años), y la concesión de generosas desgravaciones fiscales a los compradores de vivienda. El importe total estimado de estas deducciones prácticamente se ha duplicado en el período 1990-96, y puede valorarse en torno a los 460 000 millones de ptas. en ese último año.

6.4. *Componentes de la renta de los hogares en la UE (1994, en ECUs y PPC)*

		% INGRESOS SOBRE EL INGRESO ANUAL NETO POR HOGAR				
	INGRESO ANUAL NETO POR HOGAR EQUIVALENTE	TRABAJO ASALA-RIADO	TRABAJO NO ASALA-RIADO	RENTAS DE CAPITAL	TRANSFERENC. SOCIALES	OTROS
Luxemburgo	22 100	63.6	7.2	2.9	24.4	1.9
Dinamarca	14 100	65.9	6.9	3.2	23.2	0.8
Alemania	13 900	66.4	5.4	3.6	23.3	1.3
Austria	13 800	59.6	6.5	1.8	30.5	1.6
Bélgica	13 600	54.6	5.5	4.6	33.5	1.8
Reino Unido	13 100	62.3	7.8	3.3	25.7	0.9
Irlanda	11 000	57.1	15.3	1.5	26.1	0.0
España	*10 400*	*67.3*	*11.9*	*3.0*	*17.5*	*0.3*
Italia	10 000	59.8	13.3	2.4	23.8	0.7
Grecia	8 800	45.4	24.8	6.9	19.6	3.3
Portugal	7 800	67.8	10.5	2.1	19.0	0.6
Media ponderada	12 033	62.9	9.5	3.2	23.4	1.0

Fuente: Panel comunitario de los hogares, Segunda oleada. EUROSTAT. Portrait Social de l´Europe 1998.

El ingreso anual neto por hogar en paridades de poder de compra era para España en 1994 de 10.400 ECUs lo que representa el 84.5% del ingreso medio del hogar comunitario. La distribución por fuentes de renta de este ingreso en distintos países de la UE pone de manifiesto algunos rasgos destacables. En primer lugar, excepto en Grecia y Bélgica la renta salarial oscila entre un 55% y un 68% del ingreso total, con Irlanda y España (67.3%) como los países en los que este componente reviste mayor importancia relativa. La proporción de renta de origen empresarial resulta ser mayor cuanto menor es el nivel de ingresos familiares netos: frente a un 5-8% en los países más ricos, se sitúa entre un 10 y un 15% en los más pobres en términos relativos, y llega a representar el 24.8% del ingreso medio por hogar en Grecia. La participación de las rentas de capital es bastante estable (en torno al 3%), con valores más altos en Bélgica y Grecia. Por último, la importancia de las transferencias sociales en el total de ingresos por hogar es mayor en los países relativamente ricos (en torno al 25%, frente a menos del 20% en los menos desarrollados).

6.5. *Indicadores de distribución de la renta y de pobreza en la UE 1994*

	INGRESO ANUAL NETO POR HOGAR EQUIVALENTE	COEFICIENTE DE GINI	PERCENTIL 80/ PERCENTIL 20	% POBLACIÓN CON INGRESO < 50% INGRESO MEDIANO
Luxemburgo	22 100	0.304	4.8	9.5
Dinamarca	14 100	0.227	3.2	4.4
Alemania	13 900	0.296	4.9	10.9
Austria	13 800	0.297	4.9	12.1
Bélgica	13 600	0.296	4.8	11.4
Francia	13 500	0.290	4.5	9.9
Holanda	13 100	0.247	3.5	5.2
Reino Unido	13 100	0.345	5.6	11.6
Irlanda	11 000	0.357	5.9	9.4
España	*10 400*	*0.351*	*6.0*	*14.7*
Italia	10 000	0.314	5.4	12.5
Grecia	8 800	0.351	6.6	14.9
Portugal	7 800	0.368	7.1	15.9
Media ponderada	12 300	0.322	5.5	13.6

Fuente: Panel comunitario de los hogares, Segunda oleada. EUROSTAT. Portrait Social de l´Europe 1998.

Se han seleccionado dos indicadores del grado de desigualdad en la distribución de la renta para un grupo de países comunitarios: el coeficiente de Gini (a mayor valor, mayor desigualdad en los ingresos familiares dentro de cada país), y el ratio entre la renta acumulada del 20% más rico y del 20% más pobre de la población (con la misma lectura). Los países aparecen ordenados en sentido descendente en función de su ingreso neto por hogar, de forma que se puede advertir la existencia de una relación inversa entre nivel de renta familiar y grado de desigualdad en su distribución entre la población. Se podría afirmar que los países que disfrutan de un mayor grado de desarrollo económico son también los que consiguen repartir esa mayor riqueza entre sus habitantes de manera más equitativa. La tasa de pobreza (definida como el porcentaje de población que vive con una renta inferior a la mitad del ingreso mediano) no parece presentar diferencias muy significativas entre países con distintos niveles de riqueza económica, de lo que se deduce que la pobreza es un fenómeno que afecta en un grado similar a los países comunitarios.

VII. ÍNDICES DE DESARROLLO HUMANO Y DE POBREZA HUMANA EN LA UE

7.1. *Clasificación de los países de la UE en función de sus índices de desarrollo humano 1995*

	ÍNDICE DE DESARROLLO HUMANO		ESPERANZA DE VIDA AL NACER		INDICE DE ALFABETIZACIÓN DE ADULTOS		TASAS BRUTAS ESCOLARIDAD EN TRES NIVELES		PIB REAL PER CÁPITA AJUSTADO PPC		RANKING MUNDIAL IDH	RANKING MUNDIAL PIB REAL	DIFEREN. RANKING PIB - IDH
Francia	0.946	1	78.7	1	99.0	1	89	4	6 229	5	2	14	12
Finlandia	0.942	2	76.4	10	99.0	2	97	1	6 219	11	6	23	17
Holanda	0.941	3	77.5	6	99.0	3	91	2	6 226	8	7	18	11
Suecia	0.936	4	78.4	2	99.0	4	82	10	6 223	9	10	22	12
España	*0.935*	*5*	*77.7*	*5*	*97.1*	*13*	*90*	*3*	*6 187*	*13*	*11*	*30*	*19*
Bélgica	0.933	6	76.9	7	99.0	5	86	8	6 230	3	12	12	0
Austria	0.933	7	76.7	9	99.0	6	87	7	6 230	4	13	13	0
Reino Unido	0.932	8	76.8	8	99.0	7	86	9	6 223	10	14	21	7
Irlanda	0.930	9	76.4	11	99.0	8	88	6	6 198	12	17	25	8
Dinamarca	0.928	10	75.3	14	99.0	9	89	5	6 231	2	18	9	–9
Alemania	0.925	11	76.4	12	99.0	10	81	12	6 227	6	19	16	–3
Grecia	0.924	12	77.9	4	96.7	14	82	11	6 140	15	20	35	15
Italia	0.922	13	78.0	3	98.1	12	73	14	6 227	7	21	17	–4
Luxemburgo	0.900	14	76.1	13	99.0	11	58	15	6 287	1	26	1	–25
Portugal	0.892	15	74.8	15	89.6	15	81	13	6 171	14	33	34	1

Fuente: Human Development Report 1998. United Nations Development Programme.

El Índice de Desarrollo Humano (IDH) que anualmente elabora la ONU se calcula para cada país a partir de cuatro indicadores básicos: la esperanza de vida; la proporción de adultos analfabetos; las tasas de escolaridad primaria, secundaria y superior; y el PIB real per cápita en paridad de compra, ajustado para reducir su rango de variación a escala internacional. Los datos para 1995 de estos indicadores y del IDH en los países de la UE se recogen en esta tabla acompañados de la ordenación de cada país respecto a los demás. Según esta definición, Francia resultaría ser el país europeo con un mayor grado de desarrollo humano como consecuencia de su elevada esperanza de vida, su casi nula proporción de adultos analfabetos y sus altas tasas de escolaridad, pese a ocupar el quinto puesto de la UE en términos de su PIB real per cápita (a nivel mundial, es la segunda en IDH tras Canadá, con una diferencia de 12 puestos respecto a su ordenación según el PIB per cápita sin ajustar). Por el contrario, Luxemburgo, el país más rico de la UE, ocupa el puesto 14 en el IDH (el 26 a nivel mundial) debido a su relativamente baja esperanza de vida y sus reducidas tasas de escolaridad (motivadas porque muchos de sus jóvenes se matriculan en centros docentes de países vecinos). España se situaría en el quinto puesto de la UE en términos de su IDH pese a ocupar el número 13 según el valor de su PIB per cápita; a nivel mundial, nuestro país está en el undécimo puesto según su IDH, 19 más arriba que el que le corresponde según su grado de riqueza económica.

7.2. *Clasificación de los países de la UE en función de sus índices de pobreza humana 1995*

	ÍNDICE DE POBREZA HUMANA		% NACIDOS NO SOBREV. HASTA LOS 60		% ANALFABETOS FUNCIONALES		% POBLACIÓN POR DEBAJO DEL LÍMITE POBREZA		TASA PARO LARGA DURAC. (MÁS DE 1 AÑO)		RANKING MUNDIAL IPH-2	RANKING P. INDUS. PIB REAL	DIFEREN. RANKING PIB - IPH-2
Suecia	6.8	1	8	1	7.5	1	6.7	5	1.5	1	1	13	12
Holanda	8.2	2	9	2	10.5	2	6.7	6	3.2	3	2	10	8
Alemania	10.5	3	11	8	14.4	3	5.9	2	4.0	5	3	8	5
Italia	11.6	4	9	3	16.8	4	6.5	4	7.6	9	5	9	4
Finlandia	11.8	5	11	9	16.8	5	6.2	3	6.1	7	6	14	8
Francia	11.8	6	11	10	16.8	6	7.5	7	4.9	6	7	7	0
Dinamarca	12.0	7	12	11	16.8	7	7.5	8	2.0	2	9	3	–6
Bélgica	12.4	8	10	6	18.4	9	5.5	1	6.2	8	11	6	–5
España	*13.1*	*9*	*10*	*7*	*16.8*	*8*	*10.4*	*9*	*13.0*	*11*	*14*	*17*	*3*
Reino Unido	15.0	10	9	4	21.8	10	13.5	11	3.8	4	15	12	–3
Irlanda	15.2	11	9	5	22.6	11	11.1	10	7.6	10	16	15	–1

Fuente: Human Development Report 1998. United Nations Development Programme.

La ONU también calcula un Índice de Pobreza Humana específico para los países industrializados (IPH-2) a partir de los porcentajes de nacidos que no cumplirán los 60 años, de analfabetos funcionales, de población por debajo del límite de pobreza y de parados de larga duración. Según este índice, el menor grado de pobreza humana en el mundo desarrollado se daría en Suecia (que ocupa el primer puesto en tres de los cuatro indicadores), seguida de Holanda y Alemania. España estaría situada en noveno lugar, como consecuencia de sus altos porcentajes de población por debajo del límite de pobreza y (sobre todo) en paro desde hace más de un año. Según el *ranking* del PIB real, España ocupa el último lugar de los 17 países industrializados de los que la ONU dispone de información para calcular el IPH-2, pero en este último tiene el puesto 14, por delante de países como el Reino Unido y el mismo Estados Unidos.

NOTA BIOGRÁFICA DE AUTORES

Luis Ayala Cañón: Licenciado y Doctor en Ciencias Económicas y empresariales por la Universidad Complutense de Madrid. Amplió estudios en la School of Social Sciencies de la Universidad de Bath (Reino Unido). En la actualidad es Profesor Titular de Economía Aplicada en la Universidad de Castilla-La Mancha. Ha sido investigador del Instituto Universitario de Sociología de las Nuevas Tecnologías de la Universidad Autónoma de Madrid y del Instituto de Estudios Fiscales.

Mariano Calle Cebrecos: Arquitecto. Fue Consejero por representación vecinal en OREVASA (Ordenación y realojamiento de Vallecas, SA), empresa pública que llevó a cabo la remodelación del barrio de Palomeras (12 000 familias), operación que fue considerada como Buena Práctica Urbanística en el primer concurso de Buenas Prácticas celebrado con motivo de la Conferencia Hábitat II (Estambul, 1996). Forma parte de la Junta Directiva del Movimiento por la Paz, el Desarme y la Libertad (MPDL), encargándose de los proyectos de cooperación del área de Centro América, Caribe y Sahara occidental y del área de rehabilitación de la organización.

Manuela Carmena Castrillo: Licenciada en Derecho, Abogada laboralista y Magistrada. Ha sido Decana de los Juzgados de Madrid y Juez de Vigilancia Penitenciaria n.º 1. Actualmente es Vocal del Consejo General del Poder Judicial.

Margarita De León Ramón Borja: Licenciada en Sociología por la Universidad de Alicante. Master en Investigación Sociológica Universidad de Essex, Inglaterra. Becada por el programa: becas CAM/British Council 1994-1995. Actualmente realiza la tesis doctoral (PhD) en la London School of Economics, Universidad de Londres (Reino Unido), departamento de Política Social y Administración, financiada por la UE, IV Framework, Training and Mobility for Researchers (1996-1999).

Federico Durán López: Licenciado en Derecho por la Universidad de Sevilla. Doctor en Derecho por la Universidad de Bolonia. Catedrático de Derecho del Trabajo y de la Seguridad Social en las Universidades de Barcelona, Granada y Córdoba. Miembro de la Comisión de Expertos que elaboró en Informe sobre la reforma de las modalidades de contratación laboral. Presidente del CES (1992).

José Ignacio Echániz Salgado: Licenciado en Medicina y Cirugía, Master en Economía y dirección de Empresas (MBA). Especializado en Economía de la Salud. Ha sido Auditor, Consultor, Consejero de varias empresas y profesor colaborador de distintas Universidades y Masters. Concejal Diputado Autonómico, Consejero del Ayuntamiento de Madrid y Asesor parlamentario. Miembro de la subcomisión parlamentaria para el estudio de las reformas necesarias para modernizar la sanidad española y garantizar su viabilidad futura. Ponente de la Ley de Nuevas Formas de Gestión en el sistema Nacional de Salud. En la actualidad, es Diputado Nacional del Grupo Popular por Madrid, en el Congreso de los Diputados, y miembro de las comisiones de Sanidad, Presupuestos y Economía y Hacienda.

Rubén Víctor Fernández de Santiago: Licenciado en Ciencias Económicas, especialidad Economía Cuantitativa, por la Universidad Autónoma de Madrid. Ha desempeñado, entre otras, las siguientes funciones en la Administración: subinspector de tributos, analista de investigaciones en el Instituto de Estudios Fiscales, Asesor del Departamento de Economía en el Gabinete de la Presidencia del Gobierno, y estadístico facultativo en el Instituto Nacional de Estadística. En la actualidad, es Jefe del Área de Estudios de Ingresos Tributarios en la Agencia Tributaria.

Fidel Ferreras Alonso: Licenciado en Derecho y Graduado Social y pertenece al cuerpo técnico de la Administración de la Seguridad Social. Pertenece al Instituto Europeo de Seguridad Social en Lovaina/Bélgica, y es consultor del Instituto Max Planck. Ha desempeñado en la Administración: entre otros, los puestos de Director General de la Mutualidad nacional de la Administración Local, Director General del Instituto Nacional de la Seguridad Social y Secretario General Técnico de la Consejeria de Educación y Cultura de la Junta de Comunidades de Castilla-La Mancha. Actualmente es Vocal asesor en el Instituto Social de la Marina.

José Manuel Freire Campo: Médico especialista en Neumología por el Hospital 12 de Octubre. Se ha formado en Salud Pública y Administración Sanitaria en las Universidades de Londres y Harvard, con becas del British Council y Fulbright respectivamente, y desde 1980 es Médico Inspector de la SS. Ha sido Consejero de Sanidad del Gobierno Vasco por el PSOE y Director General de la Escuela Nacional de Sanidad. Ha estado activamente involucrado en la salud pública y política sanitaria europea, donde ha sido Presidente de la European Healthcare Management Association (EHMA), y miembro del Alto Comité de Salud Pública, del grupo Chief Medical Officers, y del Comité Permanente de la Oficina Regional Europea de la OMS. En la actualidad, trabaja como Médico Inspector/Consejero Técnico en el INSALUD, es profesor de Política y Administración Sanitaria en cursos de postgrado y, ocasionalmente, consultor en políticas de salud y servicios sanitarios de la OMS y de otras agencias internacionales.

Marta García Nart: Arquitecta-Urbanista. Consejera de Relaciones Internacionales en la Dirección General de la Vivienda, la Arquitectura y el Urbanismo del Ministerio de Fomento. Es miembro del Grupo de Expertos de Medio Ambiente Urbano de la Comisión Europea y del Grupo de Trabajo sobre Planificación Urbana y Regional de la Comisión Económica para Europa (CEPE) de Naciones Unidas. Coordina el Grupo de Trabajo sobre Buenas Prácticas, en el marco del comité de Hábitat.

Juan Antonio Garde Roca: Licenciado en Ciencias Económicas por la Universidad Complutense. Curso de doctorado en la Universidad de Alcalá de Henares. Inspector de Hacienda del Estado. Ha sido Consultor del Banco Interamericano de Desarrollo. Director General de la Escuela de Hacienda Pública y Director General del Instituto de Estudios Fiscales del Ministerio de Economía y Hacienda. Pertenece en la actualidad al consejo editorial de las revistas Hacienda Pública Española y Crónica Tributaria.

Álvaro Gil-Robles y Gil-Delgado: Doctor en Derecho por la Universidad Complutense de Madrid. Profesor titular de Derecho Administrativo de la Universidad Autónoma de Madrid. Ejerció funciones de Letrado del Tribunal Constitucional. Fue nombrado Defensor del Pueblo. Profesor del Instituto de Derechos Humanos de la Facultad de Derecho de la Universidad Complutense de Madrid. Presidente del Foro para la Integración Social de los Inmigrantes. Presidente de CEAR (Comisión Española de Ayuda al Refugiado). Abogado en ejercicio.

José Antonio Gimbernat Ordeig: Perteneció a la Junta Directiva de la Asociación pro Derechos Humanos de la que fue Vicepresidente y Presidente. En la actualidad, es Presidente de la Federación de Asociaciones de Defensa y Promoción de los Derechos Humanos e Investigador del Instituto de Filosofía del CSIC. Tiene numerosas publicaciones en el área de la filosofía política y moral y sobre cuestiones teóricas y prácticas de Derechos Humanos.

Amalia Gómez Gómez: Doctora en Historia de América, Universidad de Sevilla, 1978. Catedrática de Instituto. Ha sido, dentro del Parlamento andaluz, Vicepresidenta de la Comisión para el Plan de Igualdad de la Mujer, Presidenta de la comisión de Economía y Hacienda, Portavoz de Educación y Cultura y de Política social. En la actualidad, desempeña el cargo de Secretaria General de Asuntos Sociales en el Ministerio de Trabajo y Asuntos Sociales.

Julio Gómez-Pomar Rodríguez: Licenciado en Ciencias Económicas y Master in Public Administration (MPA) Kennedy School of Government Harvard University. Inspector de Hacienda del Estado. En la actualidad, es Director General de la Tesorería General de la Seguridad Social.

José Antonio Griñán Martínez: Licenciado en Derecho. Inspector de Trabajo y Seguridad Social. Ha desempeñado entre otros cargos el de Viceconsejero de Trabajo y de Salud de la Junta de Andalucía. Secretario General Técnico del Ministerio de Trabajo y Seguridad Social. Consejero de Salud de la Junta de Andalucía. Ministro de Sanidad y Consumo y Ministro de Trabajo y Seguridad Social. Diputado por Córdoba. Es actualmente Coordinador de Política Social y Empleo y miembro del Comité Federal del PSOE.

Juan Francisco Jimeno Serrano: Licenciado en Ciencias Económicas por la Universidad de Alcalá y Doctor en Economía por el Massachusetts Institute of Technology. Profesor titular de Análisis Económico en la Universidad de Alcalá e investigador de la Fundación de Estudios de Economía Aplicada.

Pilar Lledó Real: Licenciada en Filosofía y Letras, fundadora y dirigente de las primeras Asociaciones de vecinos de Madrid. Ha sido Subdirectora General de Política Interior, Gobernadora de La Coruña y Delegada del Gobierno en Madrid. Premio Giner de los Ríos de Investigación Pedagógica y Premio Internacional de Seguridad, por el trabajo realizado con motivo del hundimiento del «Mar Egeo». En la actualidad, es Profesora y Directora del «Primer Curso Superior de Dirección y Gestión de la Seguridad Pública» de la Fundación Ortega y Gasset.

Álvaro Marchesi Ullastres: Catedrático de Psicología Evolutiva y de la Educación en la Universidad Complutense de Madrid. Ha sido Director General de Renovación Pedagógica y Secretario de Estado de Educación del Ministerio de Educación, desde 1986 a 1996. Durante estos años se diseñó, aprobó y empezó la aplicación de la LOGSE. Entre sus obras destaca, junto con Elena Martín, su último libro publicado, *Calidad de la enseñanza en tiempos de cambio* (1998).

Rosa Martínez López: Licenciada en Ciencias Económicas y en Sociología por la Universidad Complutense de Madrid. Ha sido investigadora del Instituto de Estudios Fiscales y ha participado en diversos proyectos de investigación relacionados con la pobreza y la distribución de la renta. En la actualidad, es profesora de Economía y Hacienda Pública en la Universidad Complutense.

Cristina Narbona Ruiz: Doctora en Ciencias Económicas por la Universidad de Roma. Ha sido Directora General del Banco Hipotecario, Directora General de la Vivienda, Secretaria de Estado de Medio Ambiente y Vivienda. En la actualidad, es Diputada socialista por Almería y portavoz de la Comisión de Medio Ambiente del Congreso de los Diputados.

Bienvenido Pascual Encuentra: Licenciado en Ciencias Económicas, Universidad Complutense. Profesor de Contabilidad en la Universidad Carlos III. Coordinador Pedagógico del Instituto de Estudios Fiscales, Madrid.

Amadeo Petitbó Juan: Catedrático de Economía Aplicada en la Universidad de Barcelona. Ha sido investigador en The London School of Economics y Profesor visitante en las Universidades de Warwick, Perpiñán, Pavía y Autónoma de Barcelona. Ha sido experto de la OCDE y de las Comunidades Europeas, Subdirector General de Estudios del Ministerio de Industria y Energía, delegado de España en el Comité de Industria de la OCDE. En 1992, fue nombrado Vocal del Tribunal de Defensa de la Competencia. Es autor de numerosos libros y artículos. En la actualidad, es Presidente del Tribunal de Defensa de la Competencia.

Jesús Ruiz Huerta: Catedrático de Economía Aplicada de la Universidad Complutense de Madrid. Ha sido director de Estudios Fiscales. Su principal campo de investigación y docencia es la Hacienda Pública. Ha publicado múltiples trabajos relacionados con esta materia, especialmente en los campos de la Hacienda Pública Descentralizada y los estudios de distribución de la renta y de las políticas redistributivas.

Gustavo Sariego Mac-Ginty: Es Abogado por la Universidad de Chile (1967) y post-graduado en Ciencias Políticas y Administración Pública por la FLACSO (Escuela Latinoamericana de Ciencia Política), Santiago, 1970. Con posterioridad a sus trabajos como investigador en el Instituto de Economía y Planificación de la misma universidad, ha realizado diversas actividades de consultoría en ciencias sociales aplicadas en España y América. Actualmente es colaborador permanente de la Secretaría Federal de Economía del PSOE.

Francisca Sauquillo Pérez del Arco: Abogada laboralista, defendió a numerosos acusados en los Tribunales de Orden Público durante la dictadura, participando entre otros en el célebre Proceso 1001. Ha sido igualmente defensora de los afectados en el Síndrome Tóxico. Premio Mujer Europea. En la actualidad es Eurodiputada del grupo Socialista y Presidenta del Movimiento por la Paz, el Desarme y la Libertad (MPDL).

Jordi Sevilla Segura: Técnico Comercial y Economista del Estado. Ha desempeñado distintos puestos en la Administración, siendo el último el de Director del Gabinete del Ministro de Economía y Hacienda (1993-1996). Actualmente es Asesor económico en el Grupo Parlamentario Socialista. Colaborador habitual de los diarios «Expansión» y «El País» , es autor de *Balance de las relaciones Norte-Sur* (1993) y *La Economía española ante la moneda única* (1997).

Rosa María Urbanos Garrido: Licenciada en Ciencias Económicas por la Universidad Complutense, y Master en Hacienda Pública y Análisis Económico (Instituto de Estudios Fiscales). Actualmente es profesora Ayudante del Departamento de Hacienda Pública en la Facultad de Económicas de la Universidad Complutense.

Alfonso Utrilla de la Hoz: Licenciado y Doctor (Premio extraordinario) en Ciencias Económicas por la Universidad Complutense. Ha trabajado como economista en el Banco Hipotecario de España y en Telefónica. Actualmente, es Profesor Titular de Hacienda Pública en la Facultad de Económicas de la Universidad Complutense. Secretario Técnico del Centro de Economía Pública de la Fundación BBV, es colaborador habitual de la Fundación FUNCAS en trabajos de investigación.

ÍNDICE GENERAL